P9-DLO-950

HISTORIA VERDADERA
DE LA
CONQUISTA DE LA NUEVA ESPAÑA

BERNAL DÍAZ DEL CASTILLO

HISTORIA VERDADERA DE LA CONQUISTA DE LA NUEVA ESPAÑA

INTRODUCCIÓN Y NOTAS
DE
JOAQUÍN RAMÍREZ CABAÑAS

16ª edición

EDITORIAL PORRÚA, S. A.
AV. REPÚBLICA ARGENTINA, 15
MÉXICO, 1994

Edición autorizada a la *Editorial Porrúa, S. A.*, de acuerdo con los derechos que me concede el Registro. Anotado en el libro Octavo de la Propiedad Intelectual, a fojas 39/226 v, bajo el número 12879 en 28 de julio de 1942.

PEDRO ROBREDO
Privada Durango, 207
Puebla, Pue.

Primera edición en la Biblioteca Porrúa, S. A., 1955

Primera edición en la Colección "Sepan Cuantos...", 1960

ISBN 968-432-480-4

IMPRESO EN MÉXICO
PRINTED IN MEXICO

INTRODUCCIÓN

I

Bernal Díaz del Castillo es para nosotros el historiador de la conquista de México, porque a ninguno otro, ni aun a Cortés mismo en sus magníficas *Cartas de Relación*, por mucho que parezca exagerado o ingenuo, hemos concedido un igual crédito y autoridad. Podría suponerse que la circunstancia de haber sido actor o testigo y el nombre que impuso a su narración de aquellos hechos memorables, cuando la intituló *Historia Verdadera*, influyen en nuestro ánimo; pero en realidad concluimos, a poco de meditar posibles interpretaciones, que es la forma literaria lo que seduce, quizás porque recuerda esa manera popular de narrar aparentemente fácil, fluida, sencilla, y en el fondo complicada y compleja, que se divierte a cada instante en cualquier evocar desordenado y en digresiones que no siempre llegaron oportunas. Los relatos que poseemos de la epopeya mexicana, así los de fuente española como los de procedencia indígena, son en buena copia y de ordinario revestidos de valor altísimo; y, sin embargo, todos ellos van siendo retirados a un segundo término por el más leve descuido de nuestra atención, para dejar solamente y dominando en el primer plano la figura y la palabra de Díaz del Castillo. Y es curioso de observar que no tenemos ningún retrato suyo auténtico,[1] pues apenas insuficientes referencias a su continente y disposición, y cada lector se lo imagina presente, incorporado y familiar en el ambiente y en el momento de sus impresiones. Bien pocos escritores han podido alcanzar una inmortalidad semejante.

La primera edición de la *Historia Verdadera* es de 1632 e impresa en Madrid; la segunda tal vez del mismo año, y también madrileña, y en los transcurridos de entonces hasta ahora han salido a la luz pública quince en lengua castellana, de las cuales cinco en México, y trece en traducciones a otras lenguas. De todas estas ediciones las últimas en castellano, a partir de la que salió de las prensas de la Secretaría de Fomento en 1904, son más dignas de crédito porque fueron preparadas sobre el códice que pertenece a la ciudad de Guatemala, borrador prístino escrito por Bernal. Concluida la obra en

[1] En la edición de la *Historia Verdadera de la Conquista de México*, por Bernal Díaz del Castillo, México, 1904, que hizo D. Genaro García, publicó éste un retrato, que dice (pág. 23) que le proporcionó D. José Toribio Medina, idéntico al agregado a la copia fotográfica del códice perteneciente a la ciudad de Guatemala, que el gobierno de este país obsequió al nuestro y se conserva en la Biblioteca Nacional, como retrato del autor. D. Luis González Obregón dilucidó que tal efigie fue publicada por el Prof. Valentini, en *American Historical Record*, y después por García; pero no es de Bernal, sino retrato del caballero Guillermo de Launoy, que fue publicado en la obra *Los Alrededores de París*, la cual, traducida al castellano, se imprimió en México por D. Ignacio Cumplido en el año de 1854. V. Luis González Obregón. *Cronistas e Historiadores*. México, 1936, que reproduce los grabados en las págs. 8 y 9 s. n., y da noticia de ello en la pág. 76.

1568, como generalmente se acepta, debió de sacarse por aquellos días o poco después la copia en limpio que fue enviada a España y que conocieron don Antonio de Herrera y don Antonio de León Pinelo, y que allá por principios del siglo XVII encontró fray Alonso Remón en la biblioteca del consejero de Indias don Lorenzo Ramírez de Prado. Tal manuscrito sirvió para la edición primera, previas supresiones, alteraciones y retoques consumados por aquel fraile mercedario; a este respecto León Pinelo consignó la noticia, en 1629, de que Remón tenía su copia ya "corregida para imprimir" y en trescientos pliegos, sacada del original que aquél había visto en poder de Ramírez de Prado.[2] Lo que Remón había osado, antes que añadirle quilates, restó méritos y veracidad a la crónica; mas a pesar de tan adversa circunstancia, la obra bernaldina pronto imperó sobre el ánimo de sus lectores hasta lograr la autoridad que antes decimos.

II

En las primeras líneas del capítulo I de la *Historia Verdadera*, el autor declara que era "natural de la muy noble e insigne villa de Medina del Campo, hijo de Francisco Díaz del Castillo, regidor que fue de ella, que por otro nombre llamaban el Galán"; la madre, según datos que aporta el propio cronista y que también consigna uno de sus descendientes, fue María Diez Rejón.[3] Infortunadamente no consignó la fecha de su nacimiento, de suerte que sólo a título de provisional ha de aceptarse como de ese suceso el año de 1492 —que afirma D. Genaro García—,[4] ya que en el citado capítulo asienta Bernal que cuando embarcó en la expedición de Francisco Hernández de Córdoba, en 1517, era de "obra de veinticuatro años"; por más que no concordará con esa fecha si se acepta que en 1568 terminaba de escribir su crónica y "era viejo de más de ochenta y cuatro años", como se lee en la nota preliminar del manuscrito.

Vino a las Indias en 1514 con Pedro Arias de Ávila, cuando éste fue nombrado gobernador de Tierra Firme; y seguramente que era Bernal a la sazón mozo de más de veinte años, de inteligencia ágil y decisiones rápidas, pero con una instrucción muy elemental. En la ciudad de Nombre de Dios, cabecera de la gobernación del Pedrarias, residió poco tiempo, puesto que pasados "tres o cuatro meses"

[2] Antonio de León Pinelo. *Epítome de la Biblioteca Oriental i Occidental, Náutica i Geográfica.* Madrid, 1629, pág. 75.

[3] Fuentes y Guzmán, Francisco Antonio de. *Historia de Guatemala, o Recordación Florida.* Madrid, 1882-83. T. I, pág. 13. Este autor que fue rebisnieto de Bernal y quien denunció en primer lugar las supresiones y alteraciones introducidas en la edición de fray Alonso Remón, por haber hecho el cotejo de lo impreso con el borrador de la *Historia Verdadera,* que hubo a las manos como propiedad de la familia, afirma haber leído en las primeras líneas del capítulo I: "...hijo de Francisco Díaz del Castillo, regidor que fue de ella, que por otro nombre llamaban el Galán y de Doña María Diez Rejón, que hayan santa gloria..." Es decir, que cuando este autor tuvo en sus manos el MS. de Guatemala aún no sufría mutilación y, seguramente, concordaba con el texto del códice después descubierto.

[4] Véase la edición de 1904 ya cit., t. I, pág. XX.

les sobrevino una pestilencia que mató a los unos y a los otros les dejó unas malas llagas en las piernas. Era éste el primer trabajo que se les ofrecía en las Indias, porque empresas de exploración o de conquista no las hubo, ni esperanzas de que las hubiese por entonces, ya que la tierra era corta y todo lo tenía dominado y sujeto Vasco Núñez de Balboa; y visto que allá no se les podría dar empleo, Bernal y otros aventureros del grupo resolvieron pasar a Cuba, recién conquistada por Diego Velázquez. Todavía transcurren más de dos años sin que la casualidad les depare algún suceso ventajoso, pues si Diego Velázquez les prometió encomendarles indios de los primeros que vacasen, la ocasión no llegó a presentarse o el gobernador no quiso cumplirlo, que más debió de ser lo primero, dada la continua afluencia de solicitantes y el agotamiento de la población indígena isleña, que había comenzado ya. Recuérdese que el objeto capital de la expedición de Hernández de Córdoba era ir a saltear indios a las islas de los Guanajos, es decir, a capturarlos para llevarlos a vender por esclavos en Cuba, que Bernal trata de paliar o negar, pero que constituyó un tráfico muy remunerador para muchos hombres de su tiempo, entre ellos el jurisconsulto Nuño Beltrán de Guzmán.[5]

Se alistó Bernal en la expedición concertada con Velázquez y puesta bajo el mando de Francisco Hernández de Córdoba, que descubrió costas de México en 1517 y regresó dentro del mismo año a Cuba en desastrosas condiciones; vuelve a embarcar en 518, en la flotilla que se confió al capitán Juan de Grijalva; y por tercera vez retorna a las nuevas tierras con Hernando Cortés, y ahora mejor considerado por el gobernador, que lo mandó por *alférez,* según confesión titubeante del capítulo VIII, donde tachó el autor la palabra sargento y escribió entre líneas la otra. Fue, por tanto, uno de los descubridores y participó en la mayor parte de las jornadas de la conquista. Ganada la ciudad de México, rehusó la invitación que se le hacía para quedarse aquí, con tierras y encomiendas de indios, y optó por seguir adelante, siempre en busca de oro. Marcha con Gonzalo de Sandoval a Coatzacoalcos, donde se avecina en la villa que fue fundada con el nombre de Espíritu Santo; en seguida toma parte en la campaña que hizo en Chiapas el capitán Luis Marín, y más tarde en la entrada contra los zapotecas, a las órdenes de Rodrigo Rangel. No descansa mucho tiempo en la villa del Espíritu Santo, pues Cortés lo arrastra a su desastrosísima expedición de Honduras.

La vuelta de regreso a la ciudad de México fue para él en extremo penosa, porque hubo de hacerla por tierra, y tanto que, habiendo llegado semidesnudo y sin dineros, recibió en alojamiento y vestidos y para gastar, la ayuda que le prestaron Gonzalo de Sandoval y Andrés de Tapia. Pasa luego un largo transcurrir de años en andanzas de Coatzacoalcos a México, ora pleiteando, ora postulando, por encomiendas que le dan y le quitan o que quiere mejorarlas, desde los días en que gobernó accidentalmente el licenciado Marcos de Aguilar hasta los años del primer virrey, don Antonio de Mendoza. Realizó dos viajes a España, en 1540 y en 1550, y no se sabe en qué fecha fue a radicarse a Guatemala, donde su senectud encontró reposo al fin;

[5] V. el capítulo CXCVI de la *Historia Verdadera.*

pero debe de haber sido después del año 39, pues cuando promovió la información testimonial de méritos y servicios se decía regidor de la villa del Espíritu Santo.[6] Hacia 1535, o en el siguiente, contrajo matrimonio con Teresa Becerra, hija única de Bartolomé Becerra, conquistador y hombre prominente de Guatemala; y en esta ciudad falleció, en fecha que también se ignora y que fue de fijo un poco posterior a 1580, ya que se conocen documentos por él firmados y correspondientes a dicho año.

III

Si Bernal Díaz del Castillo vino a tierras de México en las tres expediciones de descubrimiento y conquista, y bajo las órdenes de Cortés combatió en las jornadas de los años 20 y 21, poniéndose a rudos trabajos en las empresas posteriores a que antes nos referimos, seguramente que no fue con el designio de escribir su *Historia Verdadera;* y si puesto en el dilema de escoger entre radicarse en la ciudad de México, con la encomienda de alguno o algunos buenos pueblos de indios, o seguir adelante tras el señuelo del oro de la Mixteca, al resolverse por lo segundo fueron su inexperiencia y su incultura las que le aconsejaron, culpa suya, y no más, que en nada habría perjudicado a la elaboración de su historia, cuando lo principal de su vida de aventurero y de soldado estaba ya cumplido. Este camino, que fue paralelo al de la mayoría de sus compañeros, no lo siguió Hernando Cortés, quien antes que preocuparse en vanidades del instante y en loterías de minas cuidó de la buena administración de los intereses materiales que se iba allegando, y con ello, a la vuelta de pocos años, hubo de ser el conquistador más rico y uno de los más fuertes capitalistas de la España de su tiempo, para que después pensaran los malaventurados de su mesnada que todo provenía de haberse atribuido la parte del león en el reparto del botín. Bernal, sin embargo, rectificó sus errores, pues en la Junta de Valladolid se mostró defensor celoso de la perpetuidad de la encomienda, a pesar del respeto que le inspiraba y de la presencia de Bartolomé de las Casas.

Consideremos serenamente cuál debió ser la posición económica de Bernal Díaz del Castillo, después de los peligrosos y rudos trabajos que pasó hasta la debelación de la urbe azteca, como hemos de atrever páginas adelante algunas consideraciones sobre las calidades histórica y literaria de su crónica. En 20 de septiembre de 1522 le dio Cortés la encomienda de los pueblos de Tlapa y Potonchan, que con ser lo mejor que había en la provincia de Cimatlan no lo dejaron satisfecho; un año pasado y, en premio a sus afanes de la entrada a Chiapas con el capitán Luis Marín, se le dio el pueblo de Chamula, que tenía más de cuatrocientas casas; en 1527, pedía al gobernador Marcos de Aguilar que le diese indios en la comarca de México, porque no le daban lo suficiente los que tenía en Coatzacoalcos; lo

[6] V. Fuentes y Guzmán. Ob. cit., t. I, pág. 374.

[7] V. el Prólogo de D. Eduardo Mayora a la edición de Guatemala, de 1933, de la *Historia Verdadera,* t. I, pág. XI.

despojan a poco, Baltasar de Osorio de Tlapa, para agregarlo a Tabasco, y Diego de Mazariegos del pueblo de Chamula, además de otras dos estancias de indios que le había concedido Alonso de Estrada, situadas también en Chiapas. En 3 de abril de 1528 obtuvo la encomienda de los pueblos de Gualpitan y Micapa, en la provincia ya citada de Cimatlan, y el pueblo de Popoloatan dentro de la provincia de Centla. Insiste en solicitar ante la primera Audiencia gobernadora, sin obtener nada más, y renueva sus peticiones a la segunda Audiencia, la cual lo nombró visitador de Coatzacoalcos y de Tabasco; pero en cuanto a concederle encomiendas le contestó lo mismo que pocos años después el virrey Mendoza, que si no venía la orden de España nada se podía hacer por falta de facultades.

Estuvo en España en 1540, según antes se recordó, y allá pudo alcanzar dos cédulas satisfactorias, dirigidas a Mendoza y a don Pedro de Alvarado; mas en tanto que el virrey no le dio nada, muerto el adelantado de Guatemala, el gobernador que le sucedió, licenciado Alonso Maldonado, le encomendó los pueblos de Zacatepec, Goanagazapa y Mistán, con promesas de mejorarlo, que no tuvieron realización. Regresó a España en 1550 para asistir a la Junta de Valladolid, en la cual sostuvo contra el rígido parecer de las Casas la perpetuidad de la encomienda. Consiguió entonces que se extendiese una nueva cédula, dirigida al presidente de la Audiencia de Guatemala, licenciado Alonso López Cerrato; pero éste tampoco satisfizo sus deseos, y contra él se quejó amargamente en cartas al rey fechadas en 1552 y 1553.[8]

¿Cómo hemos de interpretar ese constante pedir de Bernal Díaz del Castillo, y sus palabras mismas sobre que está "muy cargado de hijos y de nietos", y que "por mi ventura no tengo otra riqueza que dejar a mis hijos y descendientes, salvo esta mi verdadera y notable relación"? ¿Hemos de aceptar que vivió su vejez en franciscana pobreza, como opinan casi todos sus biógrafos? O bien, ¿habremos de conformarnos con que Mendoza y todos los gobernantes de aquellas épocas se sentían humillados y se molestaban por las arrogancias y porfías pedigüeñas de los conquistadores, a extremo que estaban siempre dispuestos a desoírlos y alejarlos de cualquier manera? El más ligero o superficial examen de papeles y testimonios coetáneos nos trae a conclusiones distintas.

Actos de ostentación, despilfarros y un continuo pedir eran lo común y corriente en la vida de los conquistadores, de sus inmediatos descendientes, de sus yernos, de los casados con viudas de conquistadores y aun de muchos que no tenían ninguna de esas calidades. Sabido y notorio era en la Nueva España, mediando el siglo de la conquista, que un buen número de aquellos sujetos estaban ricos y, no obstante, a la más parva oportunidad de alcanzar mercedes todos eran a pedir, sin escrúpulo de declararse pobres, que pasaban necesidad, que estaban alcanzados, adeudados, acensuados, con encomiendas de poco provecho, cargos tenues, con hijas por casar y sin poderles dar estado, siempre en obligación de sostener casa y criados de acuerdo con su dignidad.

Elocuente es el registro que mandó formar don Antonio de Men-

[8] *Cartas de Indias*. Madrid, 1877, págs. 38 y sigs. V. el Apéndice.

doza para tener alguna notica de todas aquellas ambiciones que murmuraban en torno suyo, habitualmente insatisfechas.[9] De mil trescientas ochenta y cinco personas que acudieron a inscribirse con premura, apenas unos quince o veinte no se declaran en extrema necesidad, pero tampoco se rehusan a recibir de modo expreso, dejando una puerta abierta a las posibles mercedes oficiales. Sorprenden en esta ingenua exhibición de la codicia las palabras de fray Cindos de San Francisco, ex conquistador, quien, luego de hacer memoria de la media docena de pueblos que tuvo en encomienda y a la sazón estaban puestos en la real corona, asienta que "por su ynterçisión dan tan largo tributo como al presente dan, el cual no solian dar, de que se siente muy agrauada su conçiençia; suplica a Vuestra Señoría Illustrisima que, teniendo rrespecto a todo lo que dicho tiene, estos pueblos que nombra y el solia tener, no se rrepartan ny señalen en este rrepartimiento, a personas particulares, y se queden para Su Magestad en su rreal cabeça, como al presente están, por que ansi se lo an a él rrogado los mesmos yndios".[10] No era el menor trabajo ni la menor fuente de disgustos, para cada uno de los gobernantes que la Metrópoli enviaba a los reinos de América, el oír y atender tantas y tan prolíficas solicitudes de premios, remuneración o compensaciones, desde el momento que sostenían todos que a su costa habían servido y que en servir habían gastado grandes cantidades de dinero; y muy a menudo aquellos agentes del rey hallábanse en la estrecha urgencia de tener que inventar cargos innecesarios, comisiones o recursos que los pudiesen librar de tamaños aprietos.[11] Así, no parecen excesivas las palabras de fray Jerónimo de Mendieta, cuando condenaba la conducta de gente de su tiempo, tan dispuesta a vivir de esa manera despreocupada, fácil y placentera.[12]

¿Se encontraría nuestro autor en más aflictivas estrecheces que sus compañeros del registro de don Antonio de Mendoza? Piénsese que en la tal interminable lista de pretendientes o inconformes con lo que ya tenían figuran nombres que para aquella época gozaban de un relieve actual superior al de Díaz del Castillo, como el adelantado Francisco de Montejo, el gobernador Francisco Vázquez de Coronado, el factor Gonzalo de Salazar, el ex tesorero Estrada (representado por su viuda), Luis Marín, Juan Jaramillo; el propio cuñado de Cortés, Juan Xuares, etc. Y estos hechos parecen innegables.

IV

Fue Bernal regidor de la ciudad de Guatemala durante dilatado tiempo: después de su segundo viaje a España, acaso por el 57, fue nombrado por plazo de un año Fiel-ejecutor, y en súplica de que le

[9] Francisco A. de Icaza. *Conquistadores y Pobladores de Nueva España. Diccionario Autobiográfico.* Madrid, 1923.
[10] V. Icaza. Ob. cit., volumen II, pág. 292.
[11] Solórzano Pereyra, Juan de. *Política Indiana.* Madrid, 1736, t. I, pág. 429.
[12] García Icazbalceta, Joaquín. *Colección de Documentos para la Historia de México.* México, 1866, t. II, pág. 541. Y abundan testimonios similares en documentos de la época.

recomiende y ayude, al propósito de que se le dé vitaliciamente la plaza, escribió a fray Bartolomé de las Casas su carta de veinte de febrero de 1558, que nos es conocida,[13] y en la cual hizo al prelado ofrecimiento para hábitos de un donativo nada común y que indica que no debió de encontrarse en situación precaria. Su calidad misma de miembro del concejo en ciudad tan importante obliga a suponerle en posición pecuniariamente desahogada.

Las encomiendas que tuvo no eran desdeñables, de acuerdo con la propia confesión contenida en el cuestionario que presentó para la probanza de méritos y servicios, pregunta XV, que dice así: "Item. Si saben, etc. Que los dichos pueblos de Tlapa y Chamula son de mucho provecho: el dicho pueblo de Tlapa tenía al tiempo que se lo tomaron más de mil casas, y el dicho pueblo de Chamula más de cuatrocientas, e las estancias más de doscientas casas..."[14] Mil seiscientas casas de indios que reunirían a lo menos una suma de tres mil tributarios, cifra que da la razón a las quejas del conquistador Juan de Aguilar, quien en el registro mendocino a que nos hemos referido, asentaba "que es casado e tiene seys hijos e vna hija, y que tiene en encomienda hasta ciento çinquenta yndios, los cuales no bastan a sustentarle".[15] Y que eran o debían de ser de copiosos rendimientos aquellos pueblos de Tlapa y Chamula cuya restitución peleaba, bien lo comprueban las palabras de los testigos que Bernal presentó, de ellos el capitán Luis Marín nada menos, que afirmaba "que eran sitios muy buenos y tan poblados como los vio muchas veces".[16] No he encontrado datos para conjeturar qué número de tributarios tendría Bernal en los pueblos de Zacapetec, Goanagazapa y Mistán, que le dio en encomienda el gobernador de Guatemala, licenciado Alonso Maldonado.

En la información testimonial para probanza de méritos y servicios del conquistador de Guatemala, Bartolomé Becerra, suegro del cronista, contestando a la pregunta segunda decía el testigo Juan Rodríguez Cabrillo de Medrano: "...que según y de la forma y manera quel dicho Bernal Díaz del Castillo ha tratado y trata de su persona y casa, que ha sido con mucho esplendor y abundancia de armas y caballos y criados, como muy buen caballero, y servidor de su Magestad...",[17] afirmación que de fijo está muy lejos de la "mísera suerte" con que lo abruma uno de sus biógrafos, el cual además interpretó de peregrina manera algunas expresiones de la cortesanía bernaldina.[18]

Todavía puede invocarse un documento más que nos ilustra acerca de sus posibilidades económicas, la real cédula de 28 de febrero de 1551, dirigida a la Audiencia de los Confines, que dice: "Bernal Díaz vezino dessa çiudad de Santiago de Guatimala me ha fecho relaçión que él esta enemistado en essa tierra con algunas personas a cuya caussa tiene neçesidad de traer consigo en su guarda y compañya hasta doss criados con armas ofensybas y defensybas, e me suplicó le

[13] *Colección de Documentos Inéditos para la Historia de España.* Madrid, 1842-1896, t. LXX, pág. 595. Véase el Apéndice.
[14] Fuentes y Guzmán. Ob. cit., t. I, pág. 374.
[15] Icaza. Ob. cit., vol. I, pág. 76.
[16] Fuentes y Guzmán. Ob. cit., t. I, pág. 380.
[17] Fuentes y Guzmán. Ob. cit., t. I, pág. 398.
[18] Genaro García. Ob. cit., t. I, pág. XLIII.

hiziere merced de darle licencia para quel y los dichos sus dos criados que anduviesen con él las pudiesen traer o como la my merced fuese, lo qual visto por los del nuestro Consejo de las Indias por quanto nos constó estar el dicho Bernal Díaz henemystado en esa tierra con algunas personas y tener necessidad de las dichas armas, fue acordado que debia mandar dar esta mi cedula para vos, e yo tóvelo por bien, porque vos mando que dando ante vos el dicho Bernal Díaz fianças, legas, llanas y abonadas, en la cantidad que os pareciere, en que se obliguen quel y los dichos sus doss criados que andubieren con él con las dichas armas no ofenderán con ellas a persona alguna, y que solamente las traerán él y ellos andando con él para defensa de la dicha su persona, e no aviendo rresiuydo corona, le deis liçencia para que por término de seis años primeros siguientes que corran y se quenten desde el dia de la hecha desta my cédula en adelante, puedan traer y traigan las dichas armas ofensibas y defensibas él y los dichos doss criados andando con él y no de otra manera, por todas las Indias, yslas y Tierra firme del mar océano. . ." [19] No será de más observar que el curiosísimo texto de esta cédula debió de redactarse en los términos amplios en que el interesado lo solicitaba, y así, la licencia no se limita al permiso de armas para los dos criados que guardasen su persona en las calles de la ciudad de Guatemala, o en los viajes que se vería en interés de hacer a los pueblos de su encomienda, sino que se extiende a todas las *Indias, islas y Tierra Firme del mar océano*. Una persona en pobreza, para no llegar al extremo de "mísero" supuesto por el escritor antes citado, una persona que se encuentre en tal situación de escasez, no puede permitirse siquiera el cuidado superfluo de mantener enemistades duraderas, ni menos todavía el gasto de dos criados de armas que le presten alguna confianza y tranquilidad.

Más bien podría desvanecer estas dudas el texto de otra cédula, fechada un mes antes (de 24 de enero de 51), que en su parte instructiva dice que "al presente está casado (Bernal) y avezindado en la dicha cibdad donde tiene su muger e hijos e casa y vna hija donçella para la casar e me suplicó vos mandasse que a la persona que con ella se casase le proveyésedes de buenos corregimientos o como la my merçed fuese. . ." [20] Y resultaría, en final de cuentas, que el porfiado pedir no se obstinaba en cosas del presente, que antes miraba al porvenir de hijos y de nietos, a la continuidad del linaje.

V

Páginas atrás quedó escrita la conjetura de que Bernal debió poseer una superficial instrucción cuando vino al Nuevo Continente. En varios lugares de su historia declaró que era *idiota y sin letras*, o que no *era latino*, lo cual quiere decir esto y aquello; que no sabía la lengua latina y que no había hecho estudios secundarios y superiores,

[19] Núñez y Domínguez, José de J. *Documentos Inéditos acerca de Bernal Díaz del Castillo*. Talleres Gráficos del Museo Nacional. México, 1933. Pág. 7.
[20] Núñez y Domínguez. Ob. cit., pág. 5.

como ahora se dice; en cambio, llama a Cortés buen latino, cuando sabemos que éste pasó rápidamente por la Universidad de Salamanca. Es inútil preguntar en cuál Universidad se graduó, como es inútil también investigar en dónde se doctoró Miguel de Cervantes Saavedra para poder escribir su *Quijote;* sí, en cambio, se puede obtener una respuesta positiva, aunque sea tras de largas indagaciones, sobre cuántos doctores han existido en España y México absolutamente incapaces de escribir un libro como la *Historia Verdadera,* de Bernal. Pero de este hecho, de que fue un autor lego, no es posible deducir que haya sido un autor ignorante, ni tampoco, como quiere uno de sus biógrafos, que haya tenido una "instrucción nada vulgar".

En un documento salido de su pluma, el interrogatorio para la probanza de méritos y servicios, consignó, en la pregunta XIX: "Item etcétera. Si saben quel dicho Bernal Díaz es persona honrada y de muy buena fama y *conversación,* y tal que ha sido otros años regidor y lo es ahora..."[21] Porque si no tuvo estudios universitarios, no por ello se le va a negar talento, una inteligencia ágil y una atención disciplinada para el fin, claramente reflexivo y voluntario, de recoger toda suerte de nociones y opiniones, de atesorar conocimientos, así por el trato diario con personas cultas como por la lectura de aquellos libros que el propio designio o el azar pusieron en sus manos. Sabemos, asimismo, que en poco más de dos años que permaneció Bernal en la isla de Cuba aprendió la lengua de los indios, pues debe recordarse que en el capítulo XIII, cuando da razón de la arribada de la flota de Grijalva a la isla de Cozumel, nos informa que en el pueblo cerca del cual saltaron a tierra sólo encontraron a dos viejos y una mujer que les habló en la lengua de los nativos de Jamaica: "y como muchos de nuestros soldados y yo mismo entendimos muy bien aquella lengua, que es como la propia de Cuba..." Y es de sospecharse, a pesar de que no disponemos de documentos para afirmarlo, que haya alcanzado a conocer la lengua mexicana, indispensable en el cotidiano comercio con los indígenas, pues si bien es cierto que en los nombres comunes y propios que inscribió en su crónica las adulteraciones o corrupciones son realmente bárbaras, tanto que nos hace suponer que no percibía de modo claro algunos fonemas, como los que representaron los autores de *Artes* de esa lengua con *tl* y *tz,* también es verdad que son en cantidad regular los vocablos que recogió en sus páginas, y esto lo hizo, de fijo, confiado a su memoria si, como él confiesa, escribía largos años después sin el alivio de apuntes que le auxiliaran en su trabajo.

Procura cuidadosamente el autor indicarnos cuáles sucesos de los que va narrando presenció, como actor o testigo, cuáles le refirieron sus compañeros de armas y aquellos de que tuvo noticia por papeles o escritos ajenos. Las historias de Francisco López de Gómara, de Gonzalo de Illescas y de Paulo Jovio, citadas por el capítulo XVII, le deben de haber ayudado en manera eficaz para recordar y completar noticias, que no se ha de olvidar que cuando declara que en sus manos cayeron tales historias tenía escritos ya diez y seis capítulos. No fueron inexactitudes, parcialidad y aficiones de Gómara lo que

[21] V. Fuentes y Guzmán. Ob. cit., t. I, pág. 374.

le encendió en santa ira, lo que despertó en él al genio que estaba latente y le puso la pluma en la mano para escribir la *Historia Verdadera.*

No, la crónica de Bernal Díaz del Castillo no es una historia como la que escribió Gómara, o como la que escribió don Antonio de Solís, que tienen carácter profesional y sucedieron a una resolución previa y poco anterior de escribirlas, para fines utilitarios también inmediatos; por eso tiene un valor y una calidad distintos. La obra de Bernal es un simple trasunto de su propia personalidad: frecuentes conversaciones con sus compañeros de armas sobre el tema único, que nunca traía fatiga ni hastío; recuerdos que tercamente se afianzaban a sus ocios y vagares, cuando no de necesidad se le imponían en sus pleitos por intereses económicos; solicitaciones constantes, más a menudo que cuanto pudiera sospecharse, de amigos y conocidos, de escritores o de simples curiosos, de funcionarios que deseaban saber de los hechos de la conquista;[22] este continuo evocar y referir fue acendrando cada uno de los episodios, fue vaciando en forma definitiva y correcta cada uno de los relatos. Y así surgió la estructura tan bien equilibrada y noble de armonía que nos ofrece el conjunto de la narración.

VI

Si hubiese escrito Bernal un diario cuyas páginas recogieran día a día la impresión o noticia de las cosas que iban acaeciendo, desde la fecha en que se descubrió tierra de México hasta cuando se ganó la ciudad azteca, o hasta cuando regresó de las Hibueras, habría dejado un documento de primer orden al servicio de investigadores y eruditos, pero el libro se caería de las manos del lector. No, no es lo que escribió un hilván desteñido de noticias ordenadas cronológicamente, sino una obra de arte de altísimo valor humano, de fuerte y cristalino valor social; es un trozo de vida con amplio carácter homérico, porque no está construida para destacar y hacer admirar la figura de un héroe, sino que nos muestra a la multitud de los conquistadores, individualizado cada uno en su propia fisonomía, cualidades y defectos, actos de valor y desfallecimientos momentáneos de desaliento o de miedo; y esto dentro del ambiente en que se movía aquella gesta, que ya nos parece legendaria, en un mundo exterior nuevo, antes nunca visto, y en el momento mismo en que chocan dos civilizaciones, dos conceptos de la vida y del mundo distintos, diversos.

Y es digno de comprobarse, apuntaremos incidentalmente, que la figura de Hernando Cortés sale de la última página de la *Historia Verdadera* más cabal, más humana y más fuerte que de algunos retratos de panegiristas. Sin embargo, leyendo al cronista, opinamos como él que resulta baldío e inocuo el intento de querer deprimir y negar los merecimientos de todo un grupo de hombres para exaltar a uno, cuando lo que se hizo fue obra de la suma de voluntades y esfuer-

[22] Véase, entre tantos que pueden citarse, el ejemplo de la sed y acuciosidad de recoger informes y noticias de Gonzalo Fernández de Oviedo, en su *Historia General y Natural de las Indias.* Madrid, 1853, t. III, pág. 547.

zos de todos. ¿Cómo pudo Cortés traer a disciplina una masa tan abigarrada y heterogénea, que no había pasado por la escuela del cuartel? Bernal nos instruye que Cortés sabía mandar y, sobre todo, sabía hacerse estimar y admirar de sus compañeros; era un anticipo del espécimen de que habría de ser América tan fecunda: el caudillo. Y naturalmente, en un régimen que producía una disciplina peculiar, hija del común y voluntario asentimiento a un tiempo mismo que de la dura necesidad, los hábitos democráticos ingentes del español no podían desaparecer por completo, y nada tiene de extraño que el capitán general de la hueste conversara y aun pidiese parecer y consejo a simples soldados como Bernal. Con un criterio simplista podría argüirse que, si voluntariamente cada uno hacía lo que le era dable, debía la crónica ofrecernos una completa galería de retratos y el inventario de las acciones de cada uno; pero la obra fue del conjunto, y Bernal supo dejarnos, en unas cuantas líneas, los retratos de casi todos sus compañeros, y sus juicios sobre cada aventura feliz o adversa. Claro está, desde luego, que él observaba y juzgaba como soldado que únicamente puede contemplar una parte minúscula del drama, pero puesto a escribir su *Verdadera Historia,* su condición de artista y los años tan largos en que pensó y repensó la epopeya hasta hacerla elemento de su propia vida y sangre, le ofrecieron una visión de conjunto, plena de realidad, de relieve, de color y de maestría.

Con muy afortunado acierto ha escrito del libro y del autor don Carlos Pereyra: "Su libro fue formado con lo que se hace todo libro inmortal: con una pasión dominadora, con una imaginación de alucinado y con una voluntad que no cede ni a las dolencias del cuerpo ni a los quebrantos del alma. Es el libro de historia por excelencia; el único libro de historia que merece vivir; la historia en su sentido etimológico: el testimonio de los hechos. . . Créese erróneamente que su mérito es el de la ingenuidad, pueril a veces, y frecuentemente reveladora de una vanidosa complacencia. Según esta falsa interpretación, la voz de Bernal Díaz suena a voz de primitivo. En ella se quiere oír el acento del pueblo, semejante al balbuceo del niño y a la expresión sin autocensura del salvaje. Amparado con estos juicios misericordiosos, perdura Bernal Díaz del Castillo como una especie de curiosidad folklórica." [23]

Este juicio que tacha a Bernal de primitivo y de vanidoso, juicio erróneo y arbitrario vanidosamente, lo puso en circulación el historiador W. Prescott, quien entre otras cosas descaminadas al absurdo afirmaba: "El mérito literario de la obra es muy escaso, como es de esperar atendida la clase del escritor. Éste no tiene arte ni siquiera para disimular su vanidad, que rebosa de un modo ridículo a cada página de su obra." [24] Y tales conceptos fueron adoptados, sin discutírseles, por otros muchos autores; sin embargo, primitivo no equivale

[23] Bernal Díaz del Castillo, *Descubrimiento y conquista de México.* Narración íntegra de esta epopeya formada con los más brillantes capítulos del príncipe de los cronistas. Virtus. Buenos Aires. (Dirigida y prologada por D. Carlos Pereyra.) Páginas 15-16.

[24] W. Prescott, *Historia de la Conquista de México.* Traducida al español por Joaquín Navarro. México, 1845, t. II, pág. 130. William H. Prescott. *History of the conquest of Mexico.* Philadelphia-Lippincott Co. Vol. II, pág. 462.

a salvaje, ni a ignorante, ni a inculto, y a nuestro autor sólo conviene llamársele de cultura deficiente, a lo sumo; en cuanto a la vanidad, de *vano e insubstancial,* léase con mediana atención la *Verdadera Historia* y no parecerá por parte alguna, porque lo que es posible encontrar de cuando en cuando en las páginas bernaldinas serán expresiones de orgullo, ingenuas de ordinario, y aun si se quiere, en algunas ocasiones, con arrogancia excedida; pero el orgullo, cuando es auténtico porque tiene amplia y recia base, como en el caso del soldado conquistador, no es sentimiento que pueda lastimar y ser desdeñado.

En cuanto a la autoridad que otros autores han querido otorgarle de historiador veraz definitiva e indiscutidamente, ya ésta es otra cuestión; nosotros diremos sólo que Bernal es una fuente autorizada e imprescindible para el estudio de la historia de México. En forma voluntaria o involuntaria, porque no es preciso ahora dilucidarlo, se aparta a veces de la verdad, como en cuanto se refiere a la enorme y decisiva importancia que tuvieron los aliados indígenas, así para la entrada a Tlaxcala, como para los hechos aciagos de Cholula y para ser recibidos y después tomar la ciudad de Tenochtitlan; Cuauhtémoc luchó sólo con el puñado de hombres de su pueblo contra Cortés y contra todos los pueblos indígenas que lo rodeaban. Bernal Díaz del Castillo apenas si advierte a su lado la presencia de aquellos aliados que la suerte les iba deparando, y si los cita no consigna o bien reduce las cifras que sumaban. La carta que escribió al emperador Carlos V, fechada el 24 de abril de 1553, el conquistador Ruy González, es de una transparente elocuencia en este asunto, y así lo estimaba con sobrada justicia don Francisco del Paso y Troncoso, quien la reprodujo en fototipia y la envió a México con su informe de labores de 21 de abril de 1906; acerca de este documento asentaba el sabio arqueólogo e historiador: "Es de supremo interés histórico, porque arroja nueva luz acerca de lo que, realmente, pasó en Otumba cuando los españoles, fugitivos de México después de la Noche Triste, iban de retirada para Tlaxcala. Ruy González, con rara imparcialidad, no trata de ocultar lo que habría sucedido si los indios hubieran tenido voluntad de combatir, y afirma tres cosas dignas de consideración: Que los indios en general dieron favor a la conquista, que no tuvo más contrarios que los mexicanos. Que no salieron éstos al paso de los conquistadores en Otumba. Y, finalmente, que había faltado a la verdad quien otra cosa escribió al emperador; siendo muy de notar que coincidió esta carta con la publicación de la *Historia de la Conquista* por Gómara, lo que habrá tenido alguna influencia en la recogida que de la obra se hizo años después." [25] Ya don Genaro García, por otra parte, había señalado algunos de los errores que en materia de fechas se deslizaron a nuestro cronista; [26] pero estos deslices, sin embargo, y para el lector atento, no restan ni pueden restar méritos a la magna obra.

[25] Paso y Troncoso, Francisco del, *Su misión en Europa,* 1892-1916. Investigación, prólogo y notas, por Silvio Zavala. México, 1938. Págs. 25.

[26] García, Genaro. Ob. cit., t. I, pág. 67.

VII

Logra el autor admirablemente animar cada figura de esta multitud que se debate, cae o triunfa en los apasionados e intensos episodios de la epopeya, lo cual vale tanto como afirmar que la vida de cada uno se cumple dentro de una fiel copia de la realidad circundante, en tiempo y en espacio. Los cuadros que nos dejó en sus páginas de la naturaleza que los rodeaba, son a menudo de mano maestra, descripciones que nos sitúan sin esfuerzo en el teatro del drama y que contribuyen a persuadirnos de su cabal y necesaria veracidad; la obra de arte consuma el milagro que debía, con sólo la mínima concurrencia de nuestra atención subyugada. El paisaje, así, llegamos a poseerlo en la medida que el deseo ambicionaba, y permite hacer las comparaciones que la fantasía sugiere con el recuerdo inmediato de los paisajes actuales sobre tantos de estos campos anchurosos de la altiplanicie mexicana, y de los quebrados y bruscos caminos que bajan de las montañas a las costas del Golfo y van hacia Chiapas.

Pero no termina allí todo. Bernal se movía dentro del pequeño mundo nuevo que desplegaba ante sus ojos la sociedad indígena, que estrechaba la continua conversación entre ellos y la comunidad e inminencia de los peligros; y es natural que, sobre todas las particularidades de cada sujeto del grupo, su disposición, defectos, inclinaciones y cualidades, los pormenores sean compactos de reales y exhaustivos; el largo convivir en condiciones tan difíciles y penosas los grabó firmemente en la memoria del cronista. En cambio, la visión, en conjunto, que nos ofrece de usos y costumbres del mundo nuevo que desplegaba ante sus ojos la sociedad indígena, no entra en estas páginas con igual minuciosidad; pero lo que da es mucho, más de lo que pudiéramos sospechar, y algunos datos de los consignados por Bernal nos ayudan valiosamente a completar nuestro juicio acerca de la vida de aquellos pueblos.

Los retratos, por ejemplo, de Motecuhzoma y de Cuauhtémoc resultan de un valor extraordinario y no deslucen junto a los que trazaron las plumas de Cortés y de algunos otros conquistadores. Sorprende comúnmente al lector despreocupado la forma en que se expresa el cronista al tratar de Motecuhzoma, cuantas veces el recuerdo viene a tino, que rebosa respeto y admiración; es raro que Bernal escriba el nombre del señor de Tenochtitlan sin anteponerle el calificativo de *grande*, y obsérvese que las palabras de desdén o de superioridad empeñadas en retratos de Motecuhzoma vienen a la zaga de López de Gómara, quien nos dijo que aquél tenía hasta seis pelillos prietos y largos de un jeme por barba, exagerando de paso en cuanto a su conducta, dictada ésta por un concepto de la vida y de su responsabilidad ante lo porvenir distinto del que profesaba el hombre blanco.

Y no valdrá que se aventuren dudas ante su actitud ignorante, que mira hacer por vez primera y se maravilla de acciones insólitas que, al rechazarlas porque no confrontaban con la propia rutina, las tilda de ilógicas y de absurdas. Acaso lo hiciera Bernal si hubiese escrito inmediatamente después de recibidas las bruscas impresiones; mas como lo hizo tres décadas o cuatro más tarde, ya se le había revelado el sentido lógico de la conducta de los indios, en muchos sucesos, más afortunado él que tantas otras personas en años que hemos creído de supremas luces, y así lo alcanzó en premio a su sincero deseo de mirar y de comprender; cosas hubo, sin embargo, que le escaparon totalmente, como aquellas que emanaban del misterio religioso o de la más acendrada esencia de la tradición. Todo lo que súbita y hondamente hirió la pereza contemplativa de los aventureros, de primer intento en los que se juzgaban instruidos o cultos (y ya en ser aventurero se reveló inteligencia), estaba en las cosas humildes de todos los días, como en la extraña pulcritud y limpieza de cuerpos y vestiduras; en la manera de saludar no conocida; en las fórmulas redundantes y floridas que la cortesanía forjó en su lengua genialmente; en la porfía de los mensajes, diluidos como para anchurosa noción del tiempo; y la cantidad y presentación de los platillos a cada comida de los señores, luego una pipa de tabaco y un aroma de flor; en lo brillante y joyante de las vestiduras de hombres y mujeres, junto a la sombría aparición de los sacerdotes; en la facilidad de dar y de tomar esposas, sin saber que la familia tenía una fuerte, una firme raigambre a base de moralidad sana y lozana; y el uso común y constante de soberbios ramilletes de flores, de piñas o de flor compuesta, como diría Sahagún; el desprendimiento y desinterés magníficos de hombres opulentos como Motecuhzoma, y, sobre todo, de la actitud callada que sonríe, de ave de presa y de alimaña fiera, que gusta de las pausas tranquilas y del amplio silencio.

Algunas ocasiones las noticias del autor en materia de nombres de pueblos y, sobre todo en derroteros y jornadas, parece a primera vista que extravían antes de dar un norte seguro; pero siempre es conveniente tomar a cuenta que Cortés y sus compañeros se encontraron a los principios ante un mundo absolutamente desconocido para ellos, abandonados a todas las celadas del azar, puestos a merced del recto o mañoso intento de los indios en darles buenas señas acerca de los caminos que deberían seguir y por donde encontrar agua y mantenimientos suficientes para una multitud numerosa, como la que formaban soldados y aliados. A estas dificultades, que son ya de mucha cuantía, es preciso agregar la que deriva de no entender o de entender muy difícilmente los nombres de lugares en lenguas tan extrañas. Porque si en la nomenclatura geográfica mexicana vinieron a la postre a prevalecer los nombres de origen *náhuatl,* en las primeras jornadas tropezaron los conquistadores con muchos nombres de procedencia maya y totonaca, para mayores motivos de confusión y desconcierto.

VIII

Hemos hecho referencia oportunamente a las vicisitudes del manuscrito, y recordado las palabras de León Pinelo sobre que tenía fray Alonso Remón la obra copiada y corregida, preparada para darla a la imprenta, según el original que el propio Pinelo vio en la biblioteca de don Lorenzo Ramírez de Prado. Mientras sólo se conoció la versión de Remón, corrió como la obra auténtica de Bernal, pero señaladas las adulteraciones del texto por don Francisco Antonio de Fuentes y Guzmán, y existiendo el borrador de la crónica en poder de la Municipalidad de Guatemala, había que volver todo interés hacia este códice. Surgía, empero, la duda sobre si las modificaciones advertidas, y por de contado las supresiones también, no serían todas a cargo de Remón y de su celo en pro de la Orden religiosa a que pertenecía; en otras palabras, que al tiempo que se hizo la copia que fue a España se hubieran introducido cambios en el texto, ora por mano del propio Bernal, ora con su conocimiento y aquiescencia, y esa cuestión no podía resolverse ni afirmativa ni negativamente en tanto que no pareciera en alguna parte otra copia de la *Verdadera Historia*. Este suceso ha ocurrido ya, por fortuna, y ahora podemos disponer de mejores elementos para aproximarnos a la verdad. Permítasenos apuntar algunas anticipaciones para la resolución del insistente enigma.

En el prólogo de don Eduardo Mayora, de la edición de Guatemala de la *Historia Verdadera,* que hemos citado, prólogo fechado en agosto de 1933, leemos: "Ha pocos meses el Gobierno Español solicitó y obtuvo de la Honorable Municipalidad de Guatemala permiso para sacar copia fotostática del célebre manuscrito; pliego por pliego fue cuidadosamente reproducido, y a estas horas debe de estar en el viejo solar hispano, no como otrora en la humilde condición de solicitante, sino como huésped ilustre a quien se agasaja y admira. Suponemos que fue pedido con el objeto de imprimir una edición monumental en facsímil, para satisfacción y regalo de los enamorados de la antigua fabla y admiradores del soldado cronista." [27] La suposición no fue atinada. Por su parte don Luis González Obregón, al reimprimir en 1936 su trabajo *El Capitán Bernal Díaz del Castillo, Conquistador y Cronista de Nueva España,* consignó en el capítulo de la bibliografía bernaldina: "El Centro de Estudios Históricos de Madrid viene anunciando una edición de Bernal Díaz del Castillo, la cual no ha salido aún a la luz pública." [28] Uno y otro datos se refieren al mismo hecho.

Por 1932 los gobiernos de México y de España tomaron el acuerdo de patrocinar la edición del primer volumen de una Biblioteca Hispano-Americana, según noticia que nos proporcionó días más tarde don Genaro Estrada, nuestro embajador en aquel país por entonces. Cuando Estrada regresó a México y le preguntamos por la edición de Bernal, nos contestó: "Pronto conocerán la obra; es un libro completamente nuevo, pues se ha encontrado un códice que aclara muchas de las dudas. . ." Acaeció a poco la revolución de España, y luego la enfermedad y la muerte de nuestro amigo, y quedaron aplazadas esas dudas acerca de la edición crítica. Después del fallecimiento de Genaro Estrada, entre sus papeles pudimos conocer cincuenta y cuatro pliegos de la obra, bajo carpeta en la cual escribió de su puño y letra: "Capillas de la edición de la Crónica de Bernal Díaz del Castillo encomendada al Centro de Estudios Históricos de Madrid (el

[27] Edición citada, t. I, pág. 18.
[28] *Cronistas e Historiadores,* ya citado, pág. 38.

primer pliego no es el definitivo, porque al parecer el MS. de Murcia hubo que modificarlo)."

El códice de Guatemala está reproducido por esta edición escrupulosamente, desligando las abreviaturas. La impresión es en gran folio, distribuido el texto en dos columnas; en nota de la página primera,[29] referida al renglón noveno de la segunda columna, se lee: *En el fol. I del ms. hay una rotura de considerable tamaño, que debía ser menor cuando G. García hizo su edición. Lo que leyó, hoy desaparecido, se imprime en bastardilla.* Al pie de páginas y señaladas con el número ordinal que corresponde a cada línea del texto, bajo cada columna y hasta la página 208, registra las variantes del texto de Remón. En la página 209, primera columna, al terminar el capítulo CXII, consta la siguiente: "ADVERTENCIA. Al llegar a éste punto de la edición, nos es dable utilizar el desconocido manuscrito de la *Verdadera Historia* que posee don José Alegría (citado aquí ALGR.), y del cual damos detallada noticia en el *Estudio Bibliográfico.* Suplimos, pues, con un texto las faltas del códice de Guatemala que sirve de base a nuestra edición y, para evitar constantes interrupciones, advertimos que las lagunas han sido completadas colocando lo que faltaba entre corchetes y con tipo redondo. Las variantes entre ambos manuscritos irán indicadas al pie de la página y precedidas de ALGR."

A partir de la página indicada, las anotaciones de cada una van divididas ya en tres secciones: descripción del códice, variantes de Remón y variantes del códice Alegría. Estas últimas son las que particularmente nos interesa examinar, y a efecto de que sea posible formar algún juicio sobre ellas citaremos algunas, pareadas con las del texto que nos era ya conocido: Cód. Guat.: "diré lo que al oidor Lucas Vázquez de Ayllón *e el* Narvaez les acontesció"; Algr.: "diré lo que al oidor Lucas Vázquez de Ayllón *y al* Narvaez les acontesció"; Cód. Guat.: "lo que dicho tengo *del* Cortés"; Algr.: "lo que dicho tengo *de* Cortés"; Cód. Guat.: "soldados *del* Narvaez"; Algr.: "soldados *de* Narvaez"; Cód. Guat.: "lo cumpliremos *como mando de su rey";* Algr.: "lo cumpliremos *como mandado de su rey";* Cód. Guat.: "que trabajasen todos *los de caballo";* Algr.: "que trabajasen todos *los de a caballo";* Cód. Guat.: "Y ansí como le *besaban* las manos se fueron cada uno a su posada"; Algr.: "Y asi como le *besaron* las manos se fueron cada a uno a su posada"...

La lista podría alargarse interminablemente, y a la postre creemos que llegaríamos a la conclusión de que muchas páginas del códice guatemalteco coinciden palabra a palabra con las del nuevo manuscrito; que los cambios que implican alguna modificación son muy pocos y muy leves, tendientes a hacer más precisa y correcta la expresión, pero sin afectar a lo substancial del relato; y, por último, que consisten en la inclusión o cambio de alguna preposición, en la supresión del artículo antes de los nombres propios, en la supresión de muchas de las conjunciones, que tanto abundan en la escritura de nuestro cronista, y que en verdad están de más frecuentemente.

[29] Entiéndase que se trata del pliego que fue sustituido, de suerte que la nota no se encuentra ya en la edición crítica.

IX

Repetiremos una vez más que la edición hecha en México en 1904 reproduce el códice de la Municipalidad de Guatemala, con una fiel y atenta escrupulosidad, letra a letra, en su grafía anárquica y su misma puntuación caprichosa; y la edición crítica, plasmada sobre el propio original, describe hasta el detalle mínimo y da cuenta oportuna y cabal de variantes, ya en parangón con el texto que aderezó el mercedario, ya con el códice Alegría que fue hasta reciente fecha desconocido. Buena parte de las ediciones que el lector poco urgido de conocer o consultar puede haber a las manos corren por aquellos cauces, es decir, fueron realizadas con propósito de un antiguamiento pertinaz, como un tributo de fidelidad a la letra, aun cuando el espíritu quedase oscurecido, desvinculado de los extravíos que la letra sufre en el correr del tiempo. Las personas consagradas a estudios históricos disponen, pues, de un material copioso e irreprochable a disposición de su examen y diligencia; pero el lector que no se encuentra en caso igual, si desea conocer los amenos y entretenidos borrones de Bernal Díaz del Castillo, acaso abandone sus páginas por fatiga, o tenga que entregarse a una labor de esclarecimientos y disquisiciones que no le corresponde.

La lectura del libro en copia exacta del manuscrito es en verdad ingrata y enfadosa si no media un estímulo de interés especial. Podría preguntarse a los distinguidos arcaizantes que defienden con tanto empeño semejante grafía, ¿por qué hemos de preferir la lectura del *Poema de Mio Cid* en edición modernizada, si podemos tenerlo a nuestro alcance en alguna que reproduzca fielmente la versión original? Se dirá, tal vez, que la comparación exagera, y será así para los eruditos y preparados, mas no para el común de los lectores.

Nosotros estamos enteramente de acuerdo con el procedimiento que siguieron los señores Villacorta y Mayora en la edición de la Biblioteca "Goathemala", y con D. Carlos Pereyra, quien, en el prólogo del libro a que nos hemos referido explicó su criterio en esta forma: "Los que aceptan como definitivo el borrador bernaldiano, tocan este punto en términos que interesa rectificar. Quieren a todo trance la conservación íntegra del original incorrecto. Un Bernal Díaz del Castillo bien puntuado y acentuado, sometido a las exigencias de la pulcritud ortográfica les parece la más negra de las abominaciones. Les extasía leer: 'Como cortes mando hazer alarde de todo el Exercito, y de lo que mas nos avino de ay a tres dias queştavamos. En cozumel mando hazer Alarde para saber que tantos soldados llevava, y hallo por su Cuenta que Eramos. . .' Bajo el supuesto de que 'con una sola coma se puede volver contradictoria una proposición', subsiste devotamente toda la anarquía de un original bárbaro. Si el editor crítico no sabe poner comas, ¿se confiará la tarea a los lectores? Agotarán sus fuerzas nadando en un mar de anarcografía. Tendrán que repartir las tales comas, suplir puntos finales que faltan en capítulos enteros, poner acentos para precisar los tiempos de los verbos, desatar abreviaturas y hacer, en una palabra, cuanto debió habérseles dado por la acción concurrente del autor, del editor, del tipógrafo y del corrector." [30] Optó, asimismo, el autor que citamos por el extremo de suplir las lagunas del códice de Guatemala, cuando fuese dable, con el texto de Remón; y nos parece que fue acertado proceder, indicando naturalmente cada caso, pues no se disponía de otro recurso; ahora, descubierto el manuscrito de Murcia, habrá elementos para más meditadas y acertadas decisiones. Recuerdo a tino las palabras que me dijo en una ocasión, y de esto hace largos años, un conocido bibliófilo: "es preciso modernizar un poco el texto; pero cuidando de dejarle algunos arcaísmos para que conserve su sabor de cosa antigua..." ¡Y esta actitud formaba escuela por entonces!

En cuanto se refiere a los nombres propios y las palabras de la lengua azteca que el autor emplea, incorrectas y apenas castellanizadas las segundas, en muy crecido número aquéllos, darles la forma que parece más aceptada y actualmente en uso no presentaría de hecho insuperables dificultades, a excepción de nombres que no podrían ser identificados a causa de la extraviada grafía, o por ser de personas que no citan otros autores, o bien de poblados que desaparecieron al tiempo de la conquista y cuando se hizo la "congregación de indios"; pero todo esto daría lugar a otras consideraciones y más serios inconvenientes. Es preferible dejar esas voces en la forma que les impuso el cronista, aunque cambie a menudo de unas páginas a otras. Permaneceremos en la duda si Bernal llegaría a poseer la lengua *náhuatl* o no; mas aun aceptando lo primero, piénsese que los sonidos de ésta no tenían equivalencia en los sonidos de la lengua castellana, en manera que los primeros frailes que intentaron escribir *artes* para fijarlas y facilitar a sus compañeros el aprendizaje tuvieron que recurrir a combinaciones de sonidos que estimaron factible lograr con los recursos de su alfabeto, y aun apelar a notas sobre la necesidad de oír de viva voz lo que a juicio de ellos no se podía representar con signos; y si todavía entonces no se habían establecido reglas ortográficas para el castellano, menos era hacedero erigir definitivamente un conjunto de signos para escribir tan exótico idioma. Y esto sin hacer mención de las transformaciones que han sufrido algunas letras de nuestro romance en cuanto a su valor fonético.

Bernal escribiría esas palabras en la forma que él creyó percibirlas, o como las recordaba treinta años después; y para desentrañar algunos cabos peregrinos, si los hubiere, de esta apretada y abigarrada urdimbre, reservamos la tarea a filólogos y lingüistas. Así, dentro del intento de no tocar alguna mancha de color a destiempo y con torpeza, mejor será dejarlo todo en sus tintes desvaídos y vetustos. Una posición más discreta, en consecuencia, nos parece la de procurar algún bien intencionado esclarecimiento mediante notas mesuradas. Advertimos que las palabras que van entre corchetes no son del autor y que se agregaron sólo cuando lo exigía la oscuridad o notoria deficiencia en el texto.

La Editorial Pedro Robredo * ha querido incluir, con buen acuerdo, la clásica obra de Bernal Díaz del Castillo en la valiosa colección

[30] Pereyra. Ob. cit., pág. 40.

* La *Editorial Porrúa, S. A.*, de acuerdo con los derechos que le fueron concedidos por la Editorial Pedro Robredo, ha publicado en la *Biblioteca Porrúa,*

histórica mexicana que está ofreciendo al público, la cual cuenta ya con nombres insignes, fray Bernardino de Sahagún, fray Diego de Landa y otros, a quienes hará digna y grata compañía el soldado cronista. Lo que el lector ha leído en las páginas precedentes creemos que explica de modo preciso cómo se ha preparado esta nueva edición, en vista del códice de Guatemala y con aprovechamiento de todas las experiencias y lecciones, frecuentemente de levantado interés, que nos ofrecen las ediciones que hasta ahora se han hecho.

Pero juzgamos necesario insistir acerca del carácter que hemos ambicionado darle: el de una edición popular, límpida, clara, pulcra, que pueda ser leída a contentamiento por los lectores no especializados en estudios históricos, ni en achaques de penetrar y desentrañar textos castellanos de épocas alejadas de nosotros, cuando eran de uso actual y habitual voces y formas de construcción que son desconocidas o ya muy poco conocidas. Se ha copiado el original pasándolo a nuestra ortografía, puntuándolo cuidadosamente, sin alterarlo en nada. Sin embargo, conviene hacer una breve explicación: Si modernizamos, por ejemplo, un *questavamos*, en un *que estábamos*, un *convernia* en *convendría*, un *desque* en *desde que* o *después que*, un *dende* en *de allí*, etc., con la misma causa y razones debe de substituirse un *para nos lo decir*, con un *para decírnoslo*. Fuera de estos cambios exigidos por la forma actual de hablar y de escribir, hemos procurado reproducir el texto bernaldino con el más puntilloso escrúpulo.

X

No quedarían quizas completas estas apresuradas notas acerca del autor y de la obra si no se añadiesen algunas referencias bibliográficas no obstante que dicha tarea la han realizado ya, y muy cuidadosamente, don Luis González Obregón, don Genaro García y don Carlos Pereyra; en las obras que hemos citado, estos autores consignaron la descripción pormenorizada de cada una de las ediciones, así como la del códice de la Municipalidad de Guatemala, documento que hemos consultado en la copia fotográfica obsequiada por el gobierno de esa República al de nuestro país. Quien desee obtener más detenidas noticias debe acudir a esos libros y autores. Nos limitamos, por tanto, a inscribir en seguida las fichas bibliográficas por orden cronológico, en primer término las que corresponden a ediciones en lengua castellana.

Historia Verdadera de la Conqvista de la Nueva-España Escrita Por el Capitán Bernal Díaz del Castillo, uno de sus conquistadores. Sacada a luz, Por el P. M. Fr. Alonso Remón, Predicador y Coronista General del Orden de Nuestra Señora de la Merced Redempción de Cautivos. A la Cathólica Magestad Del Mayor Monarca Don Felipe

---

además de la presente obra, la *Historia General de las Cosas de Nueva España*, por Fr. Bernardino de Sahagún (Edición Ángel Ma. Garibay K.), y *Relación de las Cosas de Yucatán*, por Fr. Diego de Landa, con una Introducción de Ángel Ma. Garibay K.

Qvarto, Rey de las Españas, y Nuevo Mundo, N. Señor. Con Privilegio. En Madrid Imprenta del Reyno. Año de 1632.

1 vol. 280 × 195 m. m. Págs. 6 h. s. n. + 254 fols. + 6 h. s. n.

Historia Verdadera de la Conqvista de la Nveva España Escrita por el Capitán Bernal Díaz del Castillo, Vno de sus Conquistadores. Sacada a luz, Por el P. M. Fr. Alonso Remón, Predicador y Coronista General del Orden de N. S. de la Merced, Redención de Cautiuos. A la Cathólica Magestad del Mayor Monarca D. Filipe IV. Rey de las Españas, y Nuevo Mundo N. S. Con Privilegio. En Madrid, en la Emprenta del Reyno.

1 vol. de 275 × 190 m. m.—5 h. s. n. + 256 fols. + 6 h. s. n.

(Esta edición se diferencia de la primera porque tiene una portada grabada. Don Luis González Obregón escribió al final de su descripción la nota siguiente: "No se hallan de acuerdo los bibliógrafos sobre la fecha en que se publicó la presente edición. Algunos dicen que en 1700; otros, como García Icazbalceta, que antes. Lo probable es que haya sido entre el año de 1632, fecha de la primera, y 1665, en que dejó de gobernar Felipe IV, pues aparece dedicada a este monarca.")

Historia Verdadera de la Conquista de la Nueva España. Escrita Por el Capitán Bernal Díaz del Castillo, uno de sus Conquistadores. En Madrid En la Imprenta de don Benito Cano. Año 1795-1796.

Cuatro tomos de 150 × 103 m. m. Págs. T. I, 4 h. s. n. + 367; T. II. 382 + 1 h. s. n.; T. III, 364 + 1 h s. n.; y T. IV, 573.

Historia verdadera de la Conquista de la Nueva España. Escrita Por el Capitán Bernal Díaz del Castillo, uno de sus conquistadores. Nueva Edición Corregida. Paris. Libreria de Rosa. 1837.

Cuatro tomos, 165 × 115 m. m. Págs. T. I, 358; T. II, 367; T. III, 429; y T. IV, 478.

Biblioteca de Autores Españoles, Desde la Formación del Lenguaje Hasta Nuestros Días. Historiadores Primitivos de Indias. Colección dirigida e ilustrada Por don Enrique de Vedia. Madrid. Imprenta y Estereotipia de M. Rivadeneyra. Salón del Prado 8. 1852-1853.

Dos volúmenes, de 250 × 165 m. m. La obra de Bernal Díaz del Castillo está en el volumen segundo, págs. 1-317. Se reimprimió en 1877 y 1906.

Historia Verdadera de la Conquista de la Nueva España. Escrita por el Capitán Bernal Díaz del Castillo, Uno de sus Conquistadores. Tipografía de R. Rafael, Calle de Cadena número 13. (México) 1854.

Cuatro tomos de 220 × 145 m. m. Págs. T. I, 217 + IV; T. II, 229 + V; T. III, 264 + IV; y T. IV, 288 + VI.

Verdadera Historia de los Sucesos de la Conquista de la Nueva España, por Bernal Díaz del Castillo. Madrid. Tejado, 1862-1863. (3 vols. en 8º).

Historia Verdadera de la Conquista de la Nueva España Escrita por el Capitán Bernal Díaz del Castillo. Uno de sus conquistadores.

México. Imprenta de I. Escalante y Ca. Bajos de San Agustín núm. 1. 1870.

Tres volúmenes de 195 × 125 m. m. Págs. T. I, X + 1 h. s. n. + 494 + IX; T. II, 563 + X y T. III, 605 + IX. (Tomo IV, V y VI de la *Biblioteca Histórica de la Iberia.)*

Historia Verdadera de la Conquista de la Nueva España Escrita por el Capitán Bernal Díaz del Castillo. Uno de sus Conquistadores. México. Tipografía de Ángel Bassols y Hermanos. Segunda Calle de Mesones número 22. 1891-1892.

Tres tomos, de 210 × 142 m. m., portadas a dos tintas y treinta láminas en madera.

Tomo I. Noticias sobre Bernal Díaz por García Icazbalceta, y Prólogo, Págs. I a XII + 13 a 400; Tomo II. Págs. 440; Tomo III. Págs. 458.

Historia Verdadera de la Conquista de la Nueva España por Bernal Díaz del Castillo. Uno de sus conquistadores. Única edición hecha según el códice autógrafo. La publica Genaro García. México. Oficina Tipográfica de la Secretaría de Fomento. Callejón de Betlemitas, núm. 8. 1904.

Dos tomos de 240 × 155 m. m. Págs. T. I, XCVI + 506; T. II, 560.

Biblioteca Económica de Clásicos Castellanos. Bernal Díaz del Castillo. La Conquista de Nueva España. Sociedad de ediciones Louis Michaud. 168, boul. Saint-Germain, 168; Paris. 1853, Estados Unidos, 1853. Buenos Aires. (Sin fecha de impresión, pero debe de ser de 1914 o 1915.)

Cuatro tomos, de 185 × 115 m. m. Págs. T. I, 312; T. II, 296; T. III, 300; y T. IV, 259. Hay reimpresión, sin fecha, de la Librería de la Vda. de Ch. Bouret.

Biblioteca Histórica Ibero-Americana, dirigida por don Carlos Pereyra. Bernal Díaz del Castillo. Descubrimiento y Conquista de México. Narración íntegra de esta epopeya formada con los más brillantes capítulos del príncipe de los cronistas. "Virtus". Lima 625. Bs. Aires. (Sin fecha de impresión.)

1 vol. de 190 × 130 m. m. Págs. 448 + 4 h. s. n.

Historia Verdadera de la Conquista de la Nueva España por Bernal Díaz del Castillo uno de sus conquistadores. Prólogo de Carlos Pereyra. Espasa-Calpe, S. A., Madrid. 1928.

2 tomos de 185 × 125 m. m. Págs. T. I, XII + 573; T. II, 629.

Biblioteca "Goathemala", De la Sociedad de Geografía e Historia Dirigida por el Licenciado J. Antonio Villacorta C. (Volúmenes X y XI) Verdadera y Notable Relación Del Descubrimiento y Conquista de La Nueva España y Guatemala. Escrita por el Capitán Bernal Díaz del Castillo, En el siglo XVI. Edición conforme al manuscrito Original que se guarda en el Archivo de la Municipalidad de Guatemala. Prólogo de Eduardo Mayora. Guatemala, Centro América. Noviembre de 1933. Enero de 1934.

Dos volúmenes de 260 × 175 m. m. Págs. T. I, XX + 346; T. II, XXIII + 331.

Bernal Díaz del Castillo. Historia de la Conquista de Nueva España. Publicaciones Herrerías, S. A. Bucareli 23. México, D. F. 1938.
Cuatro tomos de 195 × 140 m. m. Págs.; T. I, 336; T. II, 296; T. III, 224; y T. IV, 142.

Consejo Superior de Investigaciones Científicas. Patronato "Menéndez y Pelayo". Instituto "Gonzalo Fernández de Oviedo".—Historia Verdadera de la Conquista de la Nueva España. Por Bernal Díaz del Castillo. Edición Crítica. Madrid. MCMXL.
Dos tomos de 340 × 245 m. m. T. I, págs. 6 s. n. + 321 y una hoja de colofón.

Las ediciones en lenguas extranjeras son las siguientes:

Histoire Véridique de la Conquête de la Nouvelle-Espagne Ecrite par le Capitaine Bernal Díaz del Castillo, l'un de ses conquistateurs. Traduction par D. Jourdanet. París.
Lahure. 1876. (2 vols. en 8º).

Véridique Histoire de la Conquête de la Nouvelle-Espagne Par le Capitaine Bernal Díaz del Castillo, L'un des Conquérants. Traduite de l'espagnol avec une introduction et des notes Par José María de Heredia. Paris. Alphonse Lemerre, Editeur. 27-31, Passage Choiseul, 27-31. 1877-1887.

Histoire Véridique de la Conquête de la Nouvelle Espagne Ecrite par le Capitaine Bernal Diaz del Castillo L'un de ses conquistadores. Traduction par D. Jourdanet. Deuxième édition corrigée. Précédée d'une préface nouvelle, acompagnée de notes et suivie d'une étude sur les sacrifices humains. Masson, Editeur Libraire de l'Académie de Médicine. Boulevard Saint-Germain, en face de l'Ecole de Médecine. MDCCCLXXVII.

The True History of the conquest of Mexico, written in the year 1568. Translated from the original spanish by Maurice Keatinge. London. 1800.
(Reimpresión de Salem, Mass. U. S. A. de 1803.)

History of the discovery and conquest of Mexico, written in the year 1568... (*In* Kerr, Robert, ed. A. general history and collection of voyages and travels... Edinburgh [etc.] 1824. Vol. III, p. 432. vol. IV, p. 328.)

The Memoirs of the Conquistador Bernal Diaz del Castillo written by himself Containing a true and full account of the Discovery and Conquest of Mexico and New Spain. Translated from the original spanish by John Ingram Lockart, F. R. A. S. Author of "Attica and Athen" In two volumes. London. J. Hatchard and Son, 187, Picadilly. MDCCCXLIV.

B. Diaz del Castillo. True History of the conquest of Mexico. Mc. Bride. 1927.

The True History of the Conquest of New Spain. By Bernal Diaz del Castillo, one of its conquerors. From the only exact copy made of the Original Manuscript, edited and published in Mexico, by Genaro Garcia. Translated into English, with Introduction and Notes, by Alfred Percival Maudslay. With Maps and Plates. London. Hakluyt Society, 1908-1916. (4 volúmenes 8º.)

Bernal Diaz del Castillo, The Discovery and Conquest of Mexico 1517-1521. Edited from the only exact copy of the original MS. (and published in Mexico) by Genaro Garcia. Translated with an Introduction and notes by A. P. Maudslay, Honorary Professor of Archaeology, National Museum. Mexico. With 15 plates and maps. The Broadway Travelers. Edited by Sir E. Denison Ross. and Eileen Power. London. 1928.

The Discovery and Conquest of Mexico. 1517-1521. By Bernal Diaz del Castillo one of its conquerors. Edited from the only exact copy of the original manuscript by Genaro Garcia; translated with introduction and notes by A. P. Maudslay; illustrated by Miguel Covarrubias with a new introduction by Harry Block.—Printed in Mexico by Rafael Loera y Chavez for the members of *The Limited Editions Club* in the year 1942.—330 × 225 mm. XXII + 264 pp.

The mastering of Mexico, told after one of the conquistadores and various of his interpreters by Kate Stephens... New York. The Macmillan Co., 1916. xi, 31, 335 p. front., plates, ports. 19 cm.

Denkwurdigkeiten des Hauptmanns Bernal Diaz del Castillo, order wahrhhafte Geschichte der Entdeckung und Eroberung von Neu-Spanien, vou einem der Entdecker und Eroberer selbst geschirieben, aus dem Spanischen ins Deutsche ubersetzt, und mit dem Leben des Verfassers, mit Ammerkungen und andern zugaben verschen von Ph. I. von Rehfues, Ronigl. Preysz. Geheim Ober-Regierungsrath und vormaligen Curator der Universita Bonn. Zweite vermeht Ausgabe. Bonn. beit Adoph Marcus. 1843-1844.

Die Entdeckung und Eroberung von Mexiko. Mit Vorwort von Karl Ritter. Hamburg, 1849.

Ifjusagi irato Tára. Az orsz. kozepisk. tanáregyesulet kiadványa. Kilián Fr. biz. Franklin társulat nyomása. Castillo í Díaz Bernal. México felfedezese es meghoditása. Atdolgosta dr. Brozik Karoly. I. terképpel. 1878.

Torténelmi Konyvtár. Franklin, társulat. Cortez Hernando, Mexico meghóditoja. Diaz Bernal utan elmeséli Gaal Mozes. Budapest, 1899.

JOAQUÍN RAMÍREZ CABAÑAS.

HISTORIA VERDADERA
DE LA
CONQUISTA DE LA NUEVA ESPAÑA

Notando [he] estado como los muy afamados coronistas antes que comiencen a escribir sus historias hacen primero su prólogo y preámbulo, con razones y retórica muy subida, para dar luz y crédito a sus razones, porque los curiosos lectores que las leyeren tomen melodía y sabor de ellas; y yo, como no soy latino, no me atrevo a hacer preámbulo ni prólogo de ello, porque ha menester para sublimar los heroicos hechos y hazañas que hicimos cuando ganamos la Nueva España y sus provincias en compañía del valeroso y esforzado capitán don Hernando Cortés, que después, el tiempo andando, por sus heroicos hechos fue marqués del Valle, y para poderlo escribir tan sublimadamente como es digno fuera menester otra elocuencia y retórica mejor que no la mía; mas lo que yo vi y me hallé en ello peleando, como buen testigo de vista yo lo escribiré, con la ayuda de Dios, muy llanamente, sin torcer a una parte ni a otra, y porque soy viejo de más de ochenta y cuatro años y he perdido la vista y el oír, y por mi ventura no tengo otra riqueza que dejar a mis hijos y descendientes, salvo esta mi verdadera y notable relación, como adelante en ella verán, no tocaré por ahora en más de decir y dar razón de mi patria y de dónde soy natural, y en qué año salí de Castilla, y en compañía de qué capitanes anduve militando, y dónde ahora tengo mi asiento y vivienda.

Xilotzinco
Citlaltepec
Lago de Zumpango
Coyotepec
Xaltocan
Tepotzotlan
Teotihuacan
Otompan (Otumba)
Chauhtitlan
Acolman
Tenayocan
Tezcotzinco
TETZCUCO
Cerro de Otoncalpolco
Azcapotzalco
Tepeyacac
El Telapon
Peñol de Baños
Lago de Tetzcoco
Huexotla
TLACOPAN
Popotla
MÉXICO
Peñol del Marques
Xoloc
Coatlinchan
Coatepec
Chapultepec
Itztapalapan
Mexicaltzinco
Colhuacan
Rio Frio

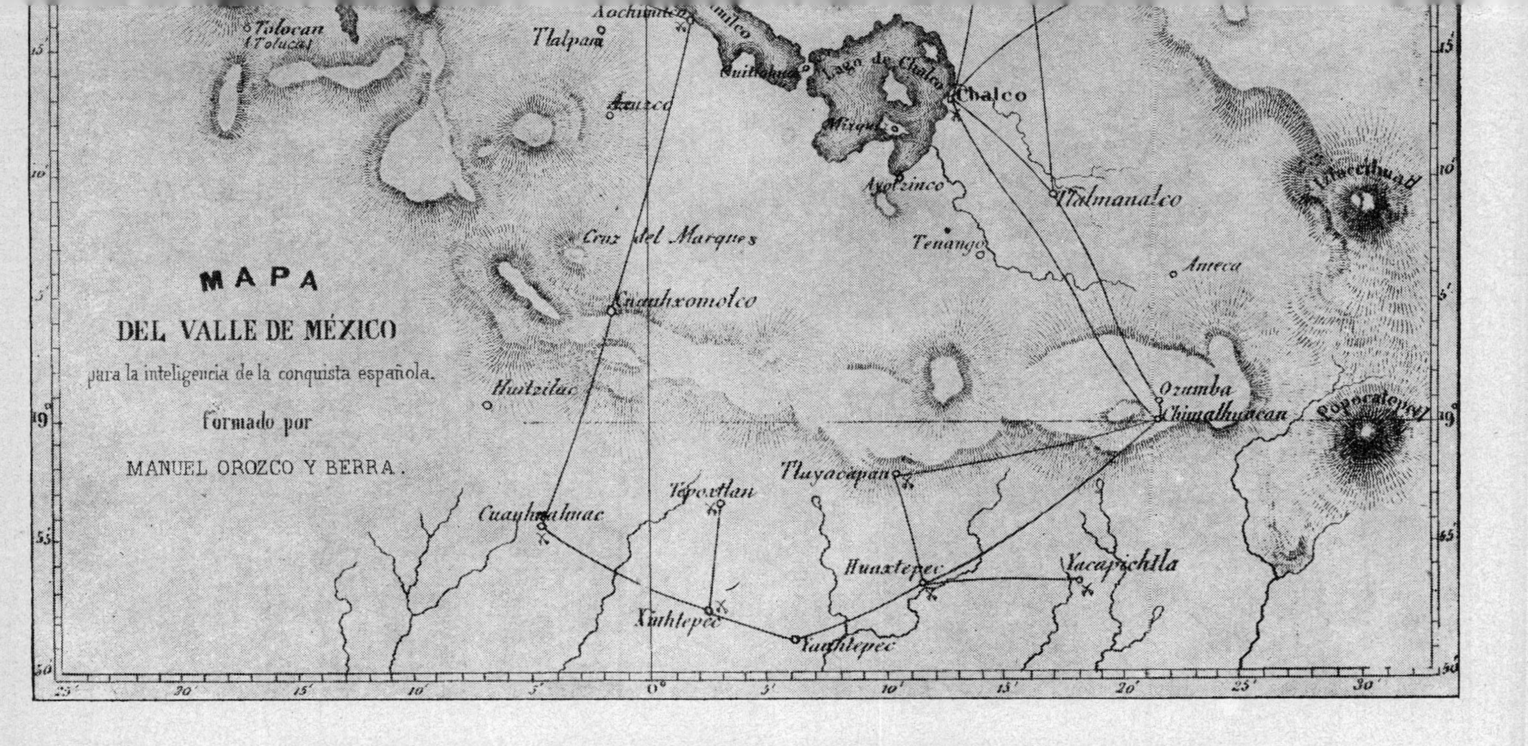

Mapa de Orozco y Berra, que marca el movimiento militar de Cortés en torno a Tenochtitlan

CAPÍTULO PRIMERO

COMIENZA LA RELACIÓN DE LA HISTORIA

BERNAL DÍAZ DEL CASTILLO, vecino y regidor de la muy leal ciudad de Santiago de Guatemala, uno de los primeros descubridores y conquistadores de la Nueva España y sus provincias, y Cabo de Honduras e Higueras, que en esta tierra así se nombra; natural de la muy noble e insigne villa de Medina del Campo, hijo de Francisco Díaz del Castillo, regidor que fue de ella, que por otro nombre le llamaban el Galán, y de María Diez Rejón, su legítima mujer, que hayan santa gloria: Por lo que a mí toca y a todos los verdaderos conquistadores, mis compañeros, que hemos servido a Su Majestad así en descubrir y conquistar y pacificar y poblar todas las provincias de la Nueva España, que es una de las buenas partes descubiertas del Nuevo Mundo, lo cual descubrimos a nuestra costa sin ser sabidor de ello Su Majestad, y hablando aquí en respuesta de lo que han dicho, y escrito, personas que no lo alcanzaron a saber, ni lo vieron, ni tener noticia verdadera de lo que sobre esta materia propusieron, salvo hablar a sabor de su paladar, por oscurecer si pudiesen nuestros muchos y notables servicios, porque no haya fama de ellos ni sean tenidos en tanta estima como son dignos de tener; y aun como la malicia humana es de tal calidad, no querrían los malos detractores que fuésemos antepuestos y recompensados como Su Majestad lo ha mandado a sus virreyes, presidentes y gobernadores; y dejando estas razones aparte, y porque cosas tan heroicas como adelante diré no se olviden, ni más las aniquilen, y claramente se conozcan ser verdaderas, y porque se reprueben y den por ninguno los libros que sobre esta materia han escrito, porque van muy viciosos y oscuros de la verdad; y porque haya fama memorable de nuestras conquistas, pues hay historias de hechos hazañosos que ha habido en el mundo, justa cosa es que estas nuestras tan ilustres se pongan entre las muy nombradas que han acaecido. Pues a tan excesivos riesgos de muerte y heridas, y mil cuentos de miserias, pusimos y aventuramos nuestras vidas, así por la mar descubriendo tierras que jamás se había tenido noticia de ellas, y de día y de noche batallando con multitud de belicosos guerreros; y tan apartados de Castilla, sin tener socorro ni ayuda ninguna, salvo la gran misericordia de Dios Nuestro Señor, que es el socorro verdadero, que fue servido que ganásemos la Nueva España y la muy nombrada y gran ciudad de Tenuztitlán México, que así se nombra, y otras muchas ciudades y provincias, que por ser tantas aquí no declaro sus nombres; y después que las tuvimos pacificadas y pobladas de españoles, como muy buenos y leales vasallos [y] servidores de Su Majestad somos obligados a nuestro rey y señor natural, con mucho acato se las enviamos a dar y entregar con nuestros embajadores a Castilla, y desde allí a Flandes, donde Su Majestad en aquella sazón estaba con su corte. Y pues tantos bienes como adelante diré han redundado de ello, y conversión de tantos cuentos de ánimas que se han salvado y de cada día se salvan, que de antes iban perdidas al infierno; y demás de esta santa obra, tengan atención a las grandes riquezas que de estas partes enviamos en presentes a Su Majestad, y han ido y van cotidianamente, así de los quintos reales y lo que llevan otras muchas personas de todas suertes; digo que haré esta relación, quien fue el primero descubridor de la provincia de Yucatán y como fuimos descubriendo la Nueva España, y quienes fueron los capitanes y soldados que lo conquistamos y poblamos, y otras muchas cosas que sobre las tales conquistas pasamos, que son dignas de saber y no poner en olvido, lo cual diré lo más breve que pueda, y sobre todo con muy cierta verdad, como testigo de vista.

Y si hubiese de decir y traer a la memoria, parte por parte, los heroicos hechos que en las conquistas hicimos cada uno de los valerosos capitanes y fuertes soldados que desde el principio en ella nos hallamos, fuera menester hacer un gran libro para declararlo como conviene, y un muy afamado cronista que tuviera otra más clara elocuencia y retórica en el decir, que estas mis palabras tan mal propuestas para poderlo intimar tan altamente como merece, según adelante verán en lo que está escrito; mas en lo que yo me hallé y vi y entendí y se me acordare, puesto que no vaya con aquel ornato tan encumbrado y estilo delicado que se requiere, yo lo escribiré con ayuda de Dios con recta verdad, allegándome al parecer de los sabios varones, que dicen que la buena retórica y pulidez en lo que escribieren es decir verdad, y no sublimar y decir lisonjas a unos capitanes y abajar a otros, en especial en una relación como ésta que siempre ha de haber memoria de ella. Y porque yo no soy latino, ni sé del arte de marear ni de sus grados y alturas, no trataré de ello; porque, como digo, no lo sé, salvo en las guerras y batallas y pacificaciones como en ellas me hallé, porque yo soy el que vine desde la isla de Cuba de los primeros, en compañía de un capitán que se decía Francisco Hernández de Córdoba; trajimos de aquel viaje ciento y diez soldados; descubrimos lo de Yucatán y nos mataron, en la primera tierra que saltamos, que se dice la Punta de Cotoche, y en un pueblo más adelante que se llama Champotón, más de la mitad de nuestros compañeros; y el capitán salió con diez flechazos y todos los más soldados a dos y a tres heridas. Y viéndonos de aquel arte, hubimos de volver con mucho trabajo a la isla de Cuba, a donde habíamos salido con la armada. Y el capitán murió luego en llegando a tierra, por manera que de los ciento y diez soldados que veníamos quedaron muertos los cincuenta y siete.[1]

Después de estas guerras volví segunda vez, desde la misma isla de Cuba, con otro capitán que se decía Juan de Grijalva; y tuvimos otros grandes reencuentros de guerra con los mismos indios del pueblo de Champotón, y en estas segundas batallas nos mataron muchos soldados; y desde aquel pueblo fuimos descubriendo la costa adelante hasta llegar a la Nueva España, y pasamos hasta la provincia de Pánuco. Y otra vez hubimos de volver a la isla de Cuba muy destrozados y trabajosos, así de hambre como de sed, y por otras causas que adelante diré en el capítulo que de ello se tratare. Y volviendo a mi cuento, vine la tercera vez con el venturoso y esforzado capitán don Hernando Cortés, que después, el tiempo andando, fue marqués del Valle y tuvo otros dictados. Digo que ningún capitán ni soldado pasó a esta Nueva España tres veces arreo, una tras otra, como yo; por manera que soy el más antiguo descubridor y conquistador que ha habido ni hay en la Nueva España, puesto que muchos soldados pasaron dos veces a descubrir, la una con Juan de Grijalva, ya por mí memorado, y otra con el valeroso Hernando Cortés; mas no todas tres veces arreo, porque si vino al principio con Fran-

[1] Este folio está mutilado en el original de Guatemala y se completa con la versión del MS. Alegría.

cisco Hernández de Córdoba, no vino la segunda con Grijalva, ni la tercera con el esforzado Cortés.

Y Dios ha sido servido de guardarme de muchos peligros de muerte, así en este trabajoso descubrimiento como en las muy sangrientas guerras mexicanas; y doy a Dios muchas gracias y loores por ello, para que diga y declare lo acaecido en las mismas guerras; y, demás de esto, ponderen y piénsenlo bien los curiosos lectores, que siendo yo en aquel tiempo de obra de veinte y cuatro años, y en la isla de Cuba el gobernador de ella, que se decía Diego Velázquez, deudo mío, me prometió que me daría indios de los primeros que vacasen, y no quise aguardar a que me los diesen; siempre tuve celo de buen soldado, que era obligado a tener, así para servir a Dios y a nuestro rey y señor, y procurar de ganar honra, como los nobles varones deben buscar la vida, e ir de bien en mejor. No se me puso por delante la muerte de los compañeros que en aquellos tiempos nos mataron, ni las heridas que me dieron, ni fatigas ni trabajos que pasé y pasan los que van a descubrir tierras nuevas, como nosotros nos aventuramos, siendo tan pocos compañeros, entrar en tan grandes poblaciones llenas de multitud de belicosos guerreros. Siempre fui adelante y no me quedé rezagado en los muchos vicios que había en la isla de Cuba, según más claro verán en esta relación, desde el año de quinientos catorce que vine de Castilla y comencé a militar en lo de Tierra Firme y a descubrir lo de Yucatán y Nueva España. Y como mis antepasados y mi padre y un mi hermano siempre fueron servidores de la Corona Real y de los Reyes Católicos, don Fernando y doña Isabel, de muy gloriosa memoria, quise parecer en algo a ellos; y en aquel tiempo, que fue año de mil quinientos catorce, como declarado tengo, vino por gobernador de Tierra Firme un caballero que se decía Pedrarias Dávila, acordé de venirme con él a su gobernación y conquista. Y por acortar palabras no diré lo acaecido en el viaje, sino que unas veces con buen tiempo y otras con contrario, llegamos a el Nombre de Dios, porque así se llama.

Desde a tres o cuatro meses que estábamos poblados, dio pestilencia, de la cual se murieron muchos soldados, y demás de esto todos los más adolecíamos y se nos hacían unas malas llagas en las piernas. Y también había diferencias entre el mismo gobernador con un hidalgo que en aquella sazón estaba por capitán y había conquistado aquella provincia, el cual se decía Vasco Núñez de Balboa, hombre rico, con quien Pedrarias Dávila casó una su hija, que se decía doña fulana Arias de Peñalosa, y después que la hubo desposado, según pareció y sobre sospechas que tuvo del yerno se le quería alzar con copia de soldados, para irse por la Mar del Sur, y por sentencia le mandó degollar, y hacer justicia de ciertos soldados. Y desde que vimos lo que dicho tengo y otras revueltas entre sus capitanes, y alcanzamos a saber que era nuevamente poblada y ganada la isla de Cuba, y que estaba en ella por gobernador un hidalgo que se decía Diego Velázquez, natural de Cuéllar, ya otra vez por mí memorado, acordamos ciertos caballeros y personas de calidad, de los que habíamos venido con Pedrarias Dávila, de demandarle licencia para irnos a la isla de Cuba; y él nos la dio de buena voluntad, porque no tenía necesidad de tantos soldados como los que trajo de Castilla para hacer guerra, porque no había qué conquistar, que todo estaba de paz, que Vasco Núñez de Balboa, su yerno de Pedrarias, lo había conquistado y la tierra de suyo es muy corta. Pues desde que tuvimos la licencia nos embarcamos en un buen navío y con buen tiempo llegamos a la isla de Cuba, y fuimos a hacer acato al gobernador, y él se holgó con nosotros y nos prometió que nos daría indios, en vacando.

Y como se habían ya pasado tres años así, en lo que estuvimos en

Tierra Firme e isla de Cuba, y no habíamos hecho cosa ninguna que de contar sea, acordamos de juntarnos ciento y diez compañeros de los que habíamos venido a Tierra Firme y de los que en la isla de Cuba no tenían indios, y concertamos con un hidalgo que se decía Francisco Hernández de Córdoba, que ya le he nombrado otra vez y era hombre rico y tenía pueblo de indios en aquella isla, para que fuese nuestro capitán, porque era suficiente para ello, para ir a nuestra ventura a buscar y descubrir tierras nuevas para en ellas emplear nuestras personas. Y para aquel efecto compramos tres navíos, los dos de buen porte, y el otro era un barco que hubimos del mismo gobernador Diego Velázquez, fiado, con condición que primero que nos lo diese nos habíamos de obligar que habíamos de ir con aquellos tres navíos a unas isletas que estaban entre la isla de Cuba y Honduras, que ahora se llaman las islas de los Guanaxes, y que habíamos de ir de guerra y cargar los navíos de indios de aquellas islas, para pagar con indios el barco, para servirse de ellos por esclavos. Y desde que vimos los soldados que aquello que nos pedía el Diego Velázquez no era justo, le respondimos que lo que decía no lo manda Dios ni el rey, que hiciésemos a los libres esclavos. Y desde que supo nuestro intento, dijo que era mejor que no el suyo, en ir a descubrir tierras nuevas, que no lo que él decía, y entonces nos ayudó con cosas para la armada. Hanme preguntado ciertos caballeros curiosos que para qué escribo estas palabras que dijo Diego Velázquez sobre vendernos su navío, porque parecen feas y no habían de ir en esta historia. Digo que las pongo porque así conviene por los pleitos que nos puso Diego Velázquez y el obispo de Burgos, arzobispo de Rosano, que se decía don Juan Rodríguez de Fonseca.

Y volviendo a nuestra materia, y desde que nos vimos con tres navíos y matalotaje de pan cazabe, que se hace de unas raíces, y compramos puercos, que costaban a tres pesos, porque en aquella sazón no había en la isla de Cuba vacas ni carneros, porque entonces se comenzaba a poblar, y con otros mantenimientos de aceite, y compramos cuentas y cosas de rescate de poca valía, y buscamos tres pilotos, que el más principal y el que regía nuestra armada se decía Antón de Alaminos, natural de Palos, y el otro se decía Camacho de Triana, y el otro piloto se llamaba Juan Álvarez, *el Manquillo,* natural de Huelva; y asimismo recogimos los marineros que habíamos menester y el mejor aparejo que pudimos haber, así de cables y maromas y guindalezas y anclas, y pipas para llevar agua, y todas otras maneras de cosas convenientes para seguir nuestro viaje, y esto todo a nuestra costa y mención. Y después que nos hubimos recogido todos nuestros soldados, fuimos a un puerto que se dice y nombre en lengua de indios Axaruco, en la banda del norte, y estaba ocho leguas de una villa que entonces tenían poblada que se decía San Cristóbal, que desde ha dos años la pasaron adonde ahora está poblada la Habana.

Y para que con buen fundamento fuese encaminada nuestra armada, hubimos de haber un clérigo que estaba en la misma villa de San Cristóbal, que se decía Alonso González el cual se fue con nosotros; y demás de esto, elegimos por veedor a un soldado que se decía Bernardino Íñiguez, natural de Santo Domingo de la Calzada, para que si Dios nos encaminase a tierras ricas y gente que tuviesen oro o plata, o perlas, u otras cualesquier riquezas, hubiese entre nosotros persona que guardase el real quinto. Y después de todo esto concertado y oído Misa, encomendándonos a Dios Nuestro Señor y a la Virgen Santa María Nuestra Señora, su bendita Madre, comenzamos nuestro viaje de la manera que diré.

CAPÍTULO II

CÓMO DESCUBRIMOS LA PROVINCIA DE YUCATÁN

En ocho días del mes de febrero del año de mil quinientos diez y siete salimos de la Habana, del puerto de Axaruco, que es en la banda del norte, y en doce días doblamos la punta de Santo Antón, que por otro nombre en la isla de Cuba se llama Tierra de los Guanahataveyes, que son unos indios como salvajes. Y doblada aquella punta y puestos en alta mar, navegamos a nuestra ventura hacia donde se pone el sol, sin saber bajos ni corrientes ni qué vientos suelen señorear en aquella altura, con gran riesgo de nuestras personas, porque en aquella sazón nos vino una tormenta que duró dos días con sus noches, y fue tal que estuvimos para perdernos; y desde que abonanzó, siguiendo nuestra navegación, pasados veintiún días que habíamos salido del puerto, vimos tierra, de que nos alegramos y dimos muchas gracias a Dios por ello. La cual tierra jamás se había descubierto, ni se había tenido noticia de ella hasta entonces, y desde los navíos vimos un gran pueblo que, al parecer, estaría de la costa dos leguas, y viendo que era gran poblazón y no habíamos visto en la isla de Cuba ni en la Española pueblo tan grande, le pusimos por nombre el Gran Cairo. Y acordamos que con los dos navíos de menos porte se acercasen lo más que pudiesen a la costa, para ver si habría fondo para que pudiésemos anclar junto a tierra; y una mañana, que fueron cuatro de marzo, vimos venir diez canoas muy grandes, que dicen piraguas, llenas de indios naturales de aquella poblazón, y venían a remo y vela. Son canoas hechas a manera de artesas, y son grandes y de maderos gruesos y cavados de arte que están huecos; y todas son de un madero, y hay muchas de ellas en que caben cuarenta indios.

Quiero volver a mi materia. Llegados los indios con las diez canoas cerca de nuestros navíos, con señas de paz que les hicimos, y llamándoles con las manos y capeando para que nos viniesen a hablar, porque entonces no teníamos lenguas que entendiesen la de Yucatán y mexicana, sin temor ninguno vinieron, y entraron en la nao capitana sobre treinta de ellos, y les dimos a cada uno un sartalejo de cuentas verdes, y estuvieron mirando por un buen rato los navíos. Y el más principal de ellos, que era cacique, dijo por señas que se querían tornar en sus canoas e irse a su pueblo; que para otro día volverían y traerían más canoas en que saltásemos en tierra. Y venían estos indios vestidos con camisetas de algodón como jaquetas, y cubiertas sus vergüenzas con unas mantas angostas, que entre ellos llaman masteles;[2] y tuvímoslos por hombres de más razón que a los indios de Cuba, porque andaban los de Cuba con las vergüenzas de fuera, excepto las mujeres, que traían hasta los muslos unas ropas de algodón que llaman naguas.

Volvamos a nuestro cuento. Otro día por la mañana volvió el mismo cacique a nuestros navíos y trajo doce canoas grandes, ya he dicho que se dicen piraguas, con indios remeros, y dijo por señas, con muy

[2] Emplea el autor a menudo palabras de la lengua nahuatl, que escribe incorrectamente, como en intento de castellanizarlas; así ocurre en ésta, que en su lengua de origen es *maxtlatl*. Las transcribimos como las escribió Bernal Díaz, pero cuidamos de subrayarlas. Así se leerá también líneas adelante, *cúes*, voz de procedencia maya.

alegre cara y muestras de paz, que fuésemos a su pueblo y que nos darían comida y lo que hubiésemos menester, y que en aquellas sus canoas podíamos saltar en tierra; y entonces estaba diciendo en su lengua: *Cones cotoche, cones cotoche*, que quiere decir: *Anda acá, a mis casas*, y por esta causa pusimos por nombre aquella tierra Punta de Cotoche,[3] y así está en las cartas de marear. Pues viendo nuestro capitán y todos los demás soldados los muchos halagos que nos hacía aquel cacique, fue acordado que sacásemos nuestros bateles de los navíos y en el uno de los pequeños y en las doce canoas saltásemos en tierra, todos de una vez, porque vimos la costa toda llena de indios que se habían juntado, de aquella población; y así salimos todos de la primera barcada. Y cuando el cacique nos vio en tierra y que no íbamos a su pueblo, dijo otra vez por señas al capitán que fuésemos con él a sus casas, y tantas muestras de paz hacía que, tomando el capitán consejo para ello, acordóse por todos los demás soldados que con el mejor recaudo de armas que pudiésemos llevar fuésemos. Y llevamos quince ballestas y diez escopetas, y comenzamos a caminar por donde el cacique iba con otros muchos indios que le acompañaban. Y yendo de esta manera, cerca de unos montes breñosos comenzó a dar voces el cacique para que saliesen a nosotros unos escuadrones de indios de guerra que tenía en celada para matarnos; y a las voces que dio, los escuadrones vinieron con gran furia y presteza y nos comenzaron a flechar, de arte que de la primera rociada de flechas nos hirieron quince soldados; y traían armas de algodón que les daba a las rodillas, y lanzas y rodelas, y arcos y flechas, y hondas y mucha piedra, y con sus penachos; y luego, tras las flechas, se vinieron a juntar con nosotros pie con pie, y con las lanzas a manteniente nos hacían mucho mal. Mas quiso Dios que luego les hicimos huir, como conocieron el buen cortar de nuestras espadas y de las ballestas y escopetas; por manera que quedaron muertos quince de ellos.

Y un poco más adelante donde nos dieron aquella refriega estaba una placeta y tres casas de cal y canto, que eran *cues* y adoratorios donde tenían muchos ídolos de barro, unos como caras de demonios, y otros como de mujeres, y otros de otras malas figuras, de manera que al parecer estaban haciendo sodomías los unos indios con los otros; y dentro, en las casas, tenían unas arquillas chicas de madera y en ellas otros ídolos, y unas patenillas de medio oro y lo más cobre, y unos pinjantes y tres diademas y otras piecezuelas de pescadillos y ánades de la tierra; y todo de oro bajo. Y después que lo hubimos visto, así el oro como las casas de cal y canto, estábamos muy contentos porque habíamos descubierto tal tierra; porque en aquel tiempo ni era descubierto el Perú ni aun se descubrió de ahí a veinte años. Y cuando estábamos batallando con los indios, el clérigo González, que iba con nosotros, se cargó de las arquillas e ídolos y oro, y lo llevó al navío. Y en aquellas escaramuzas prendimos dos indios, que después que se bautizaron se llamó el uno Julián y el otro Melchor, y entrambos eran trastabados de los ojos. Y acabado aquel rebato nos volvimos a los navíos y seguimos la costa adelante descubriendo hacia donde se pone el sol, y después de curados los heridos dimos vela. Y lo que más pasó, adelante lo diré.

[3] Cabo Catoche, en el extremo NE. de la península de Yucatán. Como el autor cambia la forma de escribir los nombres frecuentemente, búsquese en el Índice de Nombres Propios cualquier variante y la forma correcta o más aceptada.

CAPÍTULO III

CÓMO SEGUIMOS LA COSTA ADELANTE HACIA EL PONIENTE, DESCUBRIENDO PUNTAS Y BAJOS Y ANCONES Y ARRECIFES

Creyendo que era isla, como nos lo certificaba el piloto Antón de Alaminos, íbamos con muy gran tiento, de día navegando y de noche al reparo, y en quince días que fuimos de esta manera vimos desde los navíos un pueblo y al parecer algo grande; y había cerca de él gran ensenada y bahía. Creímos que habría río o arroyo donde pudiésemos tomar agua, porque teníamos gran falta de ella, a causa de las pipas y vasijas que traíamos, que no venían estancas; porque como nuestra armada era de hombres pobres, y no teníamos oro cuanto convenía para comprar buenas vasijas y cables, faltó el agua, y hubimos de saltar en tierra junto al pueblo, y fue un domingo de Lázaro, y a esta causa pusimos a aquel pueblo por nombre Lázaro, y así está en las cartas de marear; y el nombre propio de indios se dice Campeche. Pues para salir todos de una barcada acordamos de ir en el navío más chico y en los tres bateles con nuestras armas, no nos acaeciese como en la Punta de Cotoche. Y porque en aquellos ancones y bahías mengua mucho la mar, y por esta causa, dejamos los navíos anclados más de una legua de tierra y fuimos a desembarcar cerca del pueblo. Y estaba allí un buen pozo de agua, donde los naturales de aquella población bebían, porque en aquellas tierras, según hemos visto, no hay ríos, y sacamos las pipas para henchirlas de agua y volvernos a los navíos. Y ya que estaban llenas y nos queríamos embarcar, vinieron del pueblo obra de cincuenta indios, con buenas mantas de algodón y de paz, y a lo que parecía debían de ser caciques, y nos dicen por señas que qué buscábamos, y les dimos a entender que tomar agua e irnos luego a los navíos, y nos señalaron con las manos que si veníamos de donde sale el sol, y decían: *Castilan, castilan*, y no miramos en lo de la plática del *castilan*.

Y después de estas pláticas nos dijeron por señas que fuésemos con ellos a su pueblo, y estuvimos tomando consejo si iríamos o no, y acordamos con buen concierto de ir muy sobre aviso. Y lleváronnos a unas casas muy grandes, que eran adoratorios de sus ídolos y bien labradas de cal y canto, y tenían figurado en unas paredes muchos bultos de serpientes y culebras grandes, y otras pinturas de ídolos de malas figuras, y alrededor de uno como altar, lleno de gotas de sangre. En otra parte de los ídolos tenían unos como a manera de señales de cruces, y todo pintado, de lo cual nos admiramos como cosa nunca vista ni oída. Y según pareció en aquella sazón habían sacrificado a sus ídolos ciertos indios para que les diesen victoria contra nosotros, y andaban muchas indias riéndose y holgándose, y al parecer muy de paz; y como se juntaban tantos indios, temimos no hubiese alguna zalagarda como la pasada de Cotoche. Y estando de esta manera vinieron otros muchos indios, que traían muy ruines mantas, cargados de carrizos secos y los pusieron en un llano, y luego, tras éstos, vinieron dos escuadrones de indios, flecheros, con lanzas y rodelas, y hondas y piedras, y con sus armas de algodón, y puestos en concierto y en cada escuadrón su capitán, los cuales se apartaron poco trecho de nosotros; y luego en aquel instante salieron de otra casa, que era su adoratorio de ídolos, diez indios que traían las ropas de mantas de algodón largas, que les daban hasta los pies, y eran blancas, y los cabellos muy grandes, llenos de sangre revuelta con ellos, que no se pueden desparcir ni aun peinar si no se cortan; los cuales indios eran sacerdotes de ídolos, que en la Nueva España comúnmente se llaman *papas*,[4] y así los nombraré de aquí en adelante. Y aquellos *papas* nos trajeron sahumerios, como a manera de resina, que entre ellos llaman copal, y con braseros de barro llenos de ascuas nos comenzaron a sahumar y por señas nos dicen que nos vamos de sus tierras antes que aquella leña que allí tienen junta se ponga fuego y se acabe de arder; si no, que nos darán guerra y matarán. Y luego mandaron pegar fuego a los carrizos y se fueron los *papas*, sin más no hablar. Y los que estaban apercibidos en los escuadrones para darnos guerra comenzaron a silbar y tañer sus bocinas y atabalejos. Y desde que los vimos de aquel arte y muy bravos, y de lo de la Punta de Cotoche aún no teníamos sanas las heridas, y aun se nos habían muerto dos soldados, que echamos a la mar, y vimos grandes escuadrones de indios sobre nosotros, tuvimos temor y acordamos con buen concierto de irnos a la costa, y comenzamos a caminar por la playa adelante, hasta llegar cerca de un peñol que está en la mar. Y los bateles y el navío chico fueron la costa tierra a tierra con las pipas y vasijas de agua, y no nos osamos embarcar junto al pueblo donde habíamos desembarcado, por el gran número de indios que allí estaban aguardándonos, porque tuvimos por cierto que al embarcar nos darían guerra.

Pues ya metida nuestra agua en los navíos y embarcados, comenzamos a navegar seis días con sus noches con buen tiempo, y volvió un norte, que es travesía en aquella costa, que duró cuatro días con sus noches, que estuvimos para dar al través; que tan recio temporal había que nos hizo anclar, y se nos quebraron dos cables, que iba ya garrando el un navío. ¡Oh, en qué trabajo nos vimos, en ventura de que si se quebrara el cable íbamos a la costa perdidos, y quiso Dios que se ayudaron con otras maromas y guindalezas! Pues ya reposado el tiempo, seguimos nuestra costa adelante llegándonos a tierra cuanto podíamos para tornar a tomar agua, que como ya he dicho, las pipas que traíamos no venían estancas, sino muy abiertas, y no había regla en ello, y como íbamos costeando creíamos que doquiera que saltásemos en tierra la tomaríamos de *jagueyes*[5] o pozos que cavaríamos. Pues yendo nuestra derrota adelante, vimos desde los navíos un pueblo, y antes de él, obra de una legua hacia una ensenada, que parecía río o arroyo, y acordamos de surgir; y como en aquella costa mengua mucho la mar y quedan muy en seco los navíos, por temor de ello surgimos más de una legua de tierra, y en el navío menor, con todos los bateles, saltamos en aquella ensenada, sacando todas nuestras vasijas para tomar agua, y con muy buen concierto de armas y ballestas y escopetas salimos en tierra a poco más de mediodía, y habría desde el pueblo adonde desembarcamos obra de una legua, y allí junto había unos pozos y maizales y caseríos de cal y canto; llamábase este pueblo Potonchan.[6] Henchimos nuestras pipas de agua, mas no las pudimos llevar con la mucha gente de guerreros que cargó sobre nosotros. Y quedarse ha aquí, y adelante diré las guerras que nos dieron.

[4] D. Cecilio A. Robelo, en su *Diccionario de Mitología Náhuatl*, página 376, explica esta voz como corrupción de *papahuaque*, "los que tienen los cabellos enmarañados y largos", es decir, los sacerdotes.

[5] Voz caribe: V. Pichardo. *Diccionario Provincial de Voces Cubanas*.

[6] Champotón, en el Estado de Campeche. Bernal escribió unas veces *Potonchan* y otras *Champoton*.

CAPÍTULO IV

DE LAS GUERRAS QUE ALLÍ NOS DIERON, ESTANDO EN LAS ESTANCIAS Y MAIZALES POR MÍ YA DICHOS

TOMANDO NUESTRA AGUA, vinieron por la costa muchos escuadrones de indios del pueblo de Potonchan, que así se dice, con sus armas de algodón que les daba a la rodilla, y arcos y flechas, y lanzas, y rodelas, y espadas que parecen de a dos manos, y hondas y piedras, y con sus penachos, de los que ellos suelen usar; las caras pintadas de blanco y prieto y enalmagrado; y venían callando. Y se vienen derechos a nosotros, como que nos venían a ver de paz, y por señas nos dijeron que si veníamos de donde sale el sol, y respondimos por señas que de donde sale el sol veníamos. Y paramos entonces en las mientes y pensar qué podía ser aquella plática que nos dijeron ahora y habían dicho los de Lázaro; mas nunca entendimos al fin lo que decían. Sería cuando esto pasó, y se juntaron, a la hora de las avemarías; y fuéronse a unas caserías que estaban cerca, y nosotros pusimos velas y escuchas, y buen recaudo, porque no nos pareció bien aquellas juntas de gentes de aquella manera. Pues estando velando toda la noche oímos venir gran escuadrón de indios de las estancias y del pueblo, y todos de guerra; y desde que aquello sentimos, bien entendido teníamos que no se juntaban para hacernos ningún bien, y entramos de acuerdo para ver lo que haríamos; y unos soldados daban por consejo que nos fuésemos luego a embarcar. Y como en tales casos suele acaecer, unos dicen uno y otros dicen otro, hubo parecer de todos los más compañeros que si nos íbamos a embarcar, como eran muchos indios, darían en nosotros y habría riesgo en nuestras vidas, y otros éramos de acuerdo que diésemos esa noche en ellos, que, como dice el refrán, que quien acomete, vence; y también nos pareció que para cada uno de nosotros había sobre doscientos indios.

Y estando en estos conciertos amaneció, y dijimos unos soldados a otros que estuviésemos con corazones muy fuertes para pelear y encomendándolo a Dios y procurar de salvar nuestras vidas. Ya de día claro vimos venir por la costa muchos más indios guerreros, con sus banderas tendidas, y penachos y atambores, y se juntaron con los primeros que habían venido la noche antes; y luego hicieron sus escuadrones y nos cercaron por todas partes, y nos dan tales rociadas de flechas y varas, y piedras tiradas con hondas, que hirieron sobre ochenta de nuestros soldados, y se juntaron con nosotros pie con pie, unos con lanzas y otros flechando, y con espadas de navajas, que parece que son de hechura de dos manos, de arte que nos traían a mal andar, puesto que les dábamos muy buena prisa de estocadas y cuchilladas, y las escopetas y ballestas que no paraban, unas tirando y otras armando. Ya que se apartaron algo de nosotros, desde que sentían las grandes cuchilladas y estocadas que les dábamos, no era lejos, y esto fue por flecharnos y tirar a terrero a su salvo. Y cuando estábamos en esta batalla y los indios se apellidaban, decían: *Al calachuni, calachuni,* que en su lengua quiere decir que arremetiesen al capitán y le matasen; y le dieron diez flechazos, y a mí me dieron tres, y uno de ellos fue bien peligroso, en el costado izquierdo, que me pasó lo hueco, y a todos nuestros soldados dieron grandes lanzadas, y a dos llevaron vivos, que se decía el uno Alonso Boto y otro era un portugués viejo. Y viendo nuestro capitán que no bastaba nuestro buen pelear, y que nos cercaban tantos escuadrones, y que venían muchos más de refresco del pueblo y les traían de comer y beber y mucha flecha, y nosotros todos heridos a dos y a tres flechazos, y tres soldados atravesados los gaznates de lanzadas, y el capitán corriendo sangre de muchas partes, ya nos habían muerto sobre cincuenta soldados, y viendo que no teníamos fuerzas para sustentarnos ni pelear contra ellos, acordamos con corazones muy fuertes romper por medio sus batallones y acogernos a los bateles que teníamos en la costa, que estaban muy a mano, el cual fue buen socorro. Y hechos todos nosotros un escuadrón, rompimos por ellos; pues oír la grita y silbos y vocería y prisa que nos daban de flechazos y a manteniente con sus lanzas, hiriendo siempre en nosotros.

Pues otro daño tuvimos: que como nos acogimos de golpe a los bateles y éramos muchos, no nos podíamos sustentar e íbamos a fondo, y como mejor pudimos, asidos a los bordes y entre dos aguas, medio nadando, llegamos al navío de menos porte, que ya venía con gran prisa a socorrernos; y al embarcar hirieron muchos de nuestros soldados, en especial a los que iban asidos a las popas de los bateles, y les tiraban al terrero, y aun entraban en la mar con las lanzas y daban a manteniente, y con mucho trabajo quiso Dios que escapamos con las vidas de poder de aquellas gentes. Pues ya embarcados en los navíos, hallamos que faltaban sobre cincuenta soldados, con los dos que llevaron vivos, y cinco echamos en la mar de ahí a pocos días, que se murieron de las heridas y de gran sed que pasábamos. Y estuvimos peleando en aquellas batallas obra de una hora. Llámase este pueblo Potonchan, y en las cartas de marear le pusieron por nombre los pilotos y marineros Costa de Mala Pelea. Y después que nos vimos en salvo de aquellas refriegas, dimos muchas gracias a Dios. Pues cuando nos curábamos los soldados las heridas se quejaban algunos de ellos del dolor que sentían, que como se habían resfriado y con el agua salada, estaban muy hinchados, y ciertos soldados maldecían al piloto Antón de Alaminos y a su viaje y descubrimiento de la isla, porque siempre porfiaba que no era tierra firme. Donde lo dejaré y diré lo que más nos acaeció.

CAPÍTULO V

CÓMO ACORDAMOS DE VOLVERNOS A LA ISLA DE CUBA, Y DE LOS GRANDES TRABAJOS QUE TUVIMOS HASTA LLEGAR AL PUERTO DE LA HABANA

DESPUÉS QUE NOS VIMOS en los navíos, de la manera que dicho tengo, dimos muchas gracias a Dios, y curados los heridos, que no quedó hombre de cuantos allí nos hallamos que no tuviesen a dos y a tres y a cuatro heridas, y el capitán con diez, sólo un soldado quedó sin herir, acordamos de volvernos a Cuba. Y como estaban heridos todos los más de los marineros, no teníamos quien marease las velas; dejamos un navío de menos porte en la mar, puesto fuego después de haber sacado las velas, anclas y cables y repartir los marineros que estaban sin heridas en los dos navíos de mayor porte. Pues otro mayor daño teníamos, que era la gran falta de agua, porque las pipas y barriles que teníamos llenos en Champotón, con la gran guerra que nos dieron y prisa de acogernos a los bateles, no se pudieron llevar, que allí se quedaron, que no sacamos ninguna agua. Digo que tanta sed pasamos, que las lenguas y bocas teníamos hechas grietas de la secura, pues otra cosa ninguna para refrigerios no lo había. ¡Oh qué cosa tan trabajosa es ir a descubrir tierras nuevas, y de la manera que nosotros nos aventuramos! No se puede ponderar, sino los que han pasado por estos excesivos trabajos.

De manera que con todo esto íbamos navegando muy allegados a tierra, para hallarnos en paraje de algún río o bahía para poder tomar agua, y desde a tres días vimos una ensenada que parecía ancón, y creímos hubiese río o estero que tendría agua. Y saltaron en tierra quince marineros de los que habían quedado en los navíos, que no tenían heridas ningunas, y tres soldados que estaban más sin peligro de los flechazos, y llevaron azadones y barriles para traer agua; y el estero era salado, e hicieron pozos en la costa, y también era tan mala agua y salada y amargaba como la del estero, por manera que mala y amarga trajeron las vasijas llenas; y no había hombre que la pudiese beber, y unos soldados que la bebieron les daño los cuerpos y las bocas. Y había en aquel estero muchos y grandes lagartos, y desde entonces se puso por nombre el Estero de los Lagartos, y así está en las cartas de marear. Entretanto que fueron los bateles por el agua, se levantó un viento nordeste tan deshecho, que íbamos garrando a tierra con los navíos; como aquella costa es travesía y reina el norte y nordeste, y como vieron aquel tiempo, los marineros que habían ido a tierra por el agua vinieron muy más que de prisa con los bateles, y tuvieron tiempo de echar otras anclas y maromas, y estuvieron los navíos seguros dos días y dos noches, y luego alzamos anclas y dimos velas para ir nuestro viaje a la isla de Cuba.

Y el piloto Alaminos se concertó y aconsejó con los otros dos pilotos que desde aquel paraje adonde estábamos atravesásemos a la Florida, porque hallaba por sus cartas y grados y altura que estaría de allí obra de setenta leguas, y después de puestos en la Florida dijo que era mejor viaje y más cercana navegación para ir a la Habana que no la derrota por donde habíamos venido. Y así fue como lo dijo, porque según yo entendí, había venido con un Juan Ponce de León a descubrir la Florida, habría ya catorce o quince años, y allí en aquella misma tierra le desbarataron y mataron al Juan Ponce. Y en cuatro días que navegamos vimos la tierra de la misma Florida, y lo que en ella nos acaeció diré adelante.

CAPÍTULO VI

CÓMO DESEMBARCAMOS EN LA BAHÍA DE LA FLORIDA VEINTE SOLDADOS CON EL PILOTO ALAMINOS A BUSCAR AGUA, Y DE LA GUERRA QUE ALLÍ NOS DIERON LOS NATURALES DE AQUELLA TIERRA, Y DE LO QUE MÁS PASÓ HASTA VOLVER A LA HABANA

LLEGADOS A LA FLORIDA, acordamos que saliesen en tierra veinte soldados, los que teníamos más sanos de las heridas, y yo fui con ellos y también el piloto Antón de Alaminos, y sacamos las vasijas que había, y azadones, y nuestras ballestas y escopetas. Y como el capitán estaba muy mal herido y con la gran sed que pasaba estaba muy debilitado, y nos rogó que en todo caso le trajésemos agua dulce, que se secaba y moría de sed, porque el agua que había era salada y no se podía beber, como otra vez he dicho, llegados que fuimos a tierra, cerca de un estero que estaba en la mar, el piloto Alaminos reconoció la costa y dijo que había estado en aquel paraje, que vino con un Juan Ponce de León, cuando vino a descubrir aquella costa, y que allí les habían dado guerra los indios de aquella tierra y que les habían muerto muchos soldados, y que estuviésemos muy sobre aviso apercibidos. Y luego pusimos por espías dos soldados y en una playa que se hacía muy ancha hicimos pozos bien hondados, donde nos pareció haber agua dulce, porque en aquella sazón era menguante la marea. Y quiso Dios que topásemos buena agua, y con la alegría y por hartarnos de ella y lavar paños para curar los heridos, estuvimos espacio de una hora. Y ya que nos queríamos venir a embarcar con nuestra agua, muy gozosos, vimos venir a un soldado de los dos que habíamos puesto en vela, dando muchas voces, diciendo: "Al arma, al arma, que vienen muchos indios de guerra por tierra y otros en canoas por el estero." Y el soldado dando voces y los indios llegaron casi que a la par con él contra nosotros. Y traían arcos muy grandes y buenas flechas y lanzas y unas a manera de espadas, y cueros de venados vestidos, y eran de grandes cuerpos; y se vinieron derecho a flecharnos e hirieron luego a seis de nosotros, y a mí me dieron un flechazo de poca herida. Y dímosles tanta prisa de cuchilladas y estocadas y con las escopetas y ballestas, que nos dejan a nosotros y van a la mar, al estero, a ayudar a sus compañeros los que venían en las canoas, donde estaban con los marineros, que también andaban peleando pie con pie con los indios de las canoas, y aun les tenían ya tomado el batel y lo llevaban por el estero arriba con sus canoas, y habían herido cuatro marineros y al piloto Alaminos en la garganta; y arremetimos a ellos el agua a más de la cintura, y a estocadas les hicimos soltar el batel, y quedaron tendidos en la costa y en el agua veinte y dos de ellos y tres prendimos que estaban heridos poca cosa, que se murieron en los navíos.

Después de esta refriega pasada, preguntamos al soldado que pusimos por vela que qué se hizo su compañero Berrio, que así se llamaba. Dijo que lo vio apartar con un hacha en las manos para cortar un palmito, que fue hacia el estero por donde habían venido los indios de guerra, y desde que oyó las voces, que eran de español, que por aquellas voces vino a dar mandado, y que entonces le debieron de matar. El cual soldado, solamente él había quedado sin darle ninguna herida en lo de Potonchan, y quiso su ventura que vino allí a fenecer. Y luego fuimos en busca de nuestro soldado por el rastro que habían traído aquellos indios que nos dieron guerra, y hallamos una palma que había comenzado a cortar, y cerca de ella mucha huella, más que en otras partes, por donde tuvimos por cierto que lo llevaron vivo, porque no había rastro de sangre, y anduvímosle buscando a una parte y a otra más de una hora, y dimos voces, y sin más saber de él nos volvimos a embarcar en los bateles y llevamos el agua dulce, con que se alegraron todos los soldados como si entonces les diéramos las vidas. Y un soldado se arrojó desde el navío en el batel, con la gran sed que tenía tomó una botija a pechos y bebió tanta agua que se hinchó y murió de ahí a dos días.

Y embarcados con nuestra agua, metidos los bateles, dimos vela para la Habana y pasamos en aquel día y la noche, que hizo buen tiempo, junto de unas isletas que llaman Los Mártires, que son unos bajos que así los llamaron, los Bajos de

Los Mártires. E íbamos en cuatro brazas lo más hondo, y tocó la nao capitana entre unas como isletas, e hizo mucho agua que, con dar todos los soldados que allí íbamos a la bomba, no podíamos estancarla [e] íbamos con temor no nos anegásemos. Traíamos unos marineros levantiscos, y les decíamos: "Hermanos, ayudad a dar la bomba, pues veis que estamos todos muy mal heridos y cansados de la noche y del día." Y respondían los levantiscos: "Hácetelo vos, pues no ganamos sueldo, sino hambres y sed y trabajos y heridas, como vosotros." Por manera que les hacíamos que ayudasen, y que malos y heridos como íbamos mareábamos las velas y dábamos en la bomba, hasta que Nuestro Señor nos llevó al puerto de Carenas, donde ahora está poblada la villa de la Habana, que en otro tiempo Puerto de Carenas se solía llamar. Y cuando nos vimos en tierra dimos muchas gracias a Dios.

Volvamos a decir de nuestra llegada a la Habana, que luego tomó el agua de la capitana un buzo portugués que estaba en aquel puerto. Y escribimos a Diego Velázquez, gobernador, muy en posta, haciéndole saber que habíamos descubierto tierras de grandes poblaciones y casas de cal y canto, y las gentes naturales de ellas traían vestidos de ropa de algodón y cubiertas sus vergüenzas y tenían oro y labranzas de maizales, y otras cosas que no me acuerdo. Y nuestro capitán, Francisco Hernández, se fue desde allí por tierra a una villa que se decía Santispiritus, donde era vecino y donde tenía sus indios, y como iba mal herido, murió de allí a diez días. Y todos los más soldados nos fuimos cada uno por su parte, por la isla adelante. Y en la Habana se murieron tres soldados de las heridas, y nuestros navíos fueron al puerto de Santiago, donde estaba el gobernador, y después que hubieron desembarcado los dos indios que hubimos en la Punta de Cotoche, que se decían Melchorejo y Julianillo, y sacaron el arquilla con las diademas y anadejos y pescadillos y otras pecezuelas de oro, y también muchos ídolos, sublimábanlo de arte, que en todas las islas, así de Santo Domingo y en Jamaica y aun en Castilla hubo gran fama de ello, y decían que otras tierras en el mundo no se habían descubierto mejores. Y como vieron los ídolos de barro y de tantas maneras de figuras, decían que eran de los gentiles. Otros decían que eran de los judíos que desterró Tito y Vespasiano de Jerusalén, y que los echó por la mar adelante en ciertos navíos que habían aportado en aquella tierra. Y como en aquel tiempo no era descubierto el Perú ni se descubrió de ahí a veinte años, tenía[se] en mucho. Pues otra cosa preguntaba Diego Velázquez a aquellos indios: que si había minas de oro en su tierra, y por señas a todo le dan a entender que sí. Y les mostraron oro en polvo, y decían que había mucho en su tierra, y no le dijeron verdad, porque claro está que en la Punta de Cotoche, ni en todo Yucatán, no hay minas de oro ni de plata. Y asimismo les mostraban los montones donde ponen las plantas de cuyas raíces se hace el pan cazabe, llámase en la isla de Cuba *yuca,* y los indios decían *tlati* por la tierra en que las plantaban: por manera que yuca con tlati quiere decir Yucatán, y para decir esto decíanles los españoles que estaban con Velázquez, hablando juntamente con los indios: "Señor, dicen estos indios que su tierra se dice Yucatlán." Y así se quedó con este nombre, que en su lengua no se dice así.

Dejemos esta plática y diré que todos los soldados que fuimos en aquel viaje a descubrir gastamos la pobreza de hacienda que teníamos, y heridos y empeñados volvimos a Cuba; y cada soldado se fue por su parte, y el capitán luego murió. Estuvimos muchos días curando las heridas, y por nuestra cuenta hallamos que murieron cincuenta y siete; y esta ganancia trajimos de aquella entrada y descubrimiento. Y Diego Velázquez escribió a Castilla, a los señores oidores que mandaban en el Real Consejo de Indias, que él lo había descubierto y gastado en descubrirlo mucha cantidad de pesos de oro, y así lo decía y publicaba don Juan Rodríguez de Fonseca, obispo de Burgos y arzobispo de Rosano, porque así se nombraba, porque era presidente del Consejo de Indias, y lo escribió a Su Majestad a Flandes, dando mucho favor en sus cartas a Diego Velázquez, y no hizo memoria de nosotros que lo descubrimos. Y quedarse ha aquí, y diré adelante los trabajos que me acaecieron a mí y a otros tres soldados.

CAPÍTULO VII

DE LOS TRABAJOS QUE TUVE HASTA LLEGAR A UNA VILLA QUE SE DECÍA LA TRINIDAD

YA HE DICHO que nos quedamos en la Habana ciertos soldados que no teníamos sanos los flechazos, y para ir a la villa de la Trinidad, ya que estábamos mejores, acordamos de concertarnos tres soldados con un vecino de la misma Habana, que se decía Pedro de Ávila, que iba asimismo aquel viaje y llevaba una canoa para ir por la mar por la banda del sur, y llevaba la canoa cargada de camisetas de algodón a vender a la villa de Trinidad. Y he dicho otra vez que canoas son de hechura de artesas, cavadas y huecas, y en aquellas tierras con ellas navegan al remo costa a costa. Y en el concierto que hicimos con Ávila fue que le daríamos diez pesos de oro porque fuésemos en su canoa. Pues yendo por nuestra costa adelante, a veces remando y a ratos a la vela, ya que habíamos navegado once días, y en paraje de un pueblo de indios, que se decía Canarreo, que era término de la Trinidad, se levantó un tan recio viento de noche, que no nos pudimos sostener en la mar con la canoa por bien que remábamos todos nosotros y Pedro de Ávila, y unos indios de la Habana, muy buenos remeros, que traíamos alquilados hubimos de dar al través entre unos seborucos, que los hay muy grandes en aquel paraje, por manera que se nos quebró la canoa y el Ávila perdió su hacienda, y salimos descalabrados y desnudos en carnes, porque para ayudarnos y que no se quebrase la canoa y poder mejor nadar nos apercibimos de estar sin ropa ninguna.

Pues ya escapados de aquel contraste, para ir a la villa de la Trinidad no había camino por la costa, sino por unos seborucos y malpaíses, que así se dice, que son unas piedras que pasan las plantas de los pies; y las olas, que siempre reventaban y daban en nosotros, y aun sin tener que comer. Y por acortar otros trabajos que podría decir, de la sangre que nos salía de las plantas de los pies y aun de otras partes, lo dejaré. Y quiso Dios que con mucho trabajo salimos a una playa de arena, y de ahí a dos días que caminamos por ella llegamos a un pueblo de indios que se decía Yaguarama, el cual en aquella sazón era del padre fray Bartolomé de las Casas, clérigo presbítero, y después le conocí licenciado y fraile dominico, y llegó a ser obispo de Chiapa. Y en aquel pueblo nos dieron de comer, y otro día fuimos a otro pueblo que se decía Chipiona, que era de un Alonso de Ávila y de un Sandoval (no lo digo por el capitán Sandoval de la Nueva España, sino de otro Sandoval, natural de Tudela de Duero). Y desde aquel pueblo fuimos a la villa de la Trinidad, y un amigo mío, natural de mi tierra, que se decía Antonio de Medina, me dio unos vestidos según en la isla se usaban; y desde allí, con mi pobreza y trabajo, me fui a Santiago de Cuba, donde estaba el gobernador, y me recibió de buena gracia; el cual andaba ya muy diligente en enviar otra armada, y cuando le fui a hablar y a hacer acato, porque éramos deudos, se holgó conmigo, y de unas pláticas en otras me dijo que si estaba bueno para volver a Yucatán, y riéndome le respondí que quién le puso nombre Yucatán, que allá no le llaman así. Y dijo que los indios que trajimos lo decían. Yo respondí que mejor nombre sería la tierra donde nos mataron más de la mitad de los soldados que a aquella tierra fuimos, y todos los más salimos heridos. Y respondió: "Bien sé que pasastes muchos trabajos, y así es descubrir tierras nuevas para ganar honra. Su majestad os lo gratificará, y yo así lo escribiré, y ahora, hijo, volved otra vez en la armada que hago, que yo mandaré al capitán Juan de Grijalva que os haga mucha honra." Y quedarse ha aquí, y diré lo que más pasó.

Aquí se acaba el descubrimiento que hizo Francisco Hernández y en su compañía Bernal Díaz del Castillo, y digamos en lo que entendió Diego Velázquez.

CAPÍTULO VIII

CÓMO DIEGO VELÁZQUEZ, GOBERNADOR DE LA ISLA DE CUBA, ORDENÓ DE ENVIAR UNA ARMADA A LAS TIERRAS QUE DESCUBRIMOS Y FUE CAPITÁN GENERAL DE ELLA UN HIDALGO QUE SE DECÍA JUAN DE GRIJALVA, PARIENTE SUYO, Y OTROS TRES CAPITANES QUE ADELANTE DIRÉ SUS NOMBRES

En el año de mil quinientos diez y ocho, viendo el gobernador de Cuba la buena relación de las tierras que descubrimos, que se dice Yucatán, acordó de enviar una armada, y para ella se buscaron cuatro navíos; los dos fueron de los tres que llevamos con Francisco Hernández, y los otros dos navíos compró Diego Velázquez nuevamente de sus dineros. Y en aquella sazón que ordenaba la armada, halláronse presentes en Santiago de Cuba, donde residía Velázquez, un Juan de Grijalva y un Alonso Dávila, y Francisco de Montejo y Pedro de Alvarado, que habían ido a ciertos negocios con el gobernador, porque todos tenían encomiendas de indios en la misma isla y eran hombres principales. Concertóse que Juan de Grijalva, que era deudo de Diego Velázquez, viniese por capitán general, y que Alonso Dávila viniese por capitán de un navío, y Pedro de Alvarado de otro, y Montejo de otro; por manera que cada uno estos capitanes puso bastimentos y matalotaje de pan cazabe y tocinos, y Diego Velázquez puso los cuatro navíos y cierto rescate de cuentas y cosas de poca valía y otras menudencias de legumbres.

Y entonces me mandó Diego Velázquez que viniese con aquellos capitanes por alférez,[7] y como había fama de las tierras que eran ricas y había en ellas casas de cal y canto, y el indio Julianillo que llevamos de la Punta de Cotoche decía que había oro, tomaron mucha vo-

[7] Tachado *sargento*, e interlineado *alferes*.

luntad y codicia los vecinos y soldados que no tenían indios en la isla de venir a estas tierras, por manera que de presto nos juntamos doscientos y cuarenta compañeros, y pusimos cada uno de la hacienda que teníamos para matalotaje y armas y cosas que convenían. Y en este viaje volví yo con estos capitanes por alférez, como dicho tengo, y pareció ser que la instrucción que para ello dio el gobernador fue, según entendí, que rescatase todo el oro y plata que pudiese; y si viese que convenía poblar o se atrevía a ello, poblase, y si no que se volviese a Cuba. Y vino por veedor de la armada uno que se decía Peñalosa, natural de Segovia, y trajimos un clérigo que se decía Juan Díaz, natural de Sevilla; y los dos pilotos que antes habíamos traído, que se decían Antón de Alaminos, de Palos, y Camacho, de Triana, y Juan Álvarez *el Manquillo*, de Huelva, y otro que se decía Sopuerta, natural de Moguer.

Pues antes que meta la pluma en lo de los capitanes, porque nombraré algunas veces a estos hidalgos que he dicho que venían en la armada, y parecerá cosa descomedida nombrarles secamente sus nombres, sepan que después fueron personas que tuvieron dictados, porque Pedro de Alvarado fue adelantado y gobernador de Guatemala y comendador del señor Santiago, y Montejo fue adelantado de Yucatán y gobernador de Honduras. Alonso Dávila no tuvo tanta ventura como los demás, porque le prendieron franceses, como adelante diré en el capítulo que adelante trataré; y a esta causa no les nombraré sino sus propios nombres, hasta que tuvieron por Su Majestad los dictados por mí nombrados.

Y quiero que volvamos a nuestra relación; y diré cómo fuimos con los cuatro navíos por la banda del norte a un puerto que se dice de Matanzas, que está cerca de la Habana vieja, que en aquella sazón no estaba poblada la villa donde ahora está, y en aquel puerto tenían todos los más vecinos de la Habana sus estancias. Y desde allí se proveyeron nuestros navíos del cazabe y carne de puerco, que ya he memorado, que no había vacas ni carneros, porque era nuevamente ganada aquella isla, y nos juntamos, así capitanes como soldados, para hacer nuestro viaje. Antes que más pase adelante, y aunque vaya fuera de nuestra historia, quiero decir por qué causa llamaban aquel puerto Matanzas, y esto traigo aquí a la memoria porque me lo ha preguntado un cronista que habla su crónica cosas acaecidas en Castilla. Aquel nombre se le puso por esto que diré: Que antes que aquella isla de Cuba se conquistase, dio al través un navío en aquella costa, cerca del río y puerto que he dicho que se dice Matanzas, y venían en el navío sobre treinta personas españoles y dos mujeres, y para pasarlos de la otra parte del río, porque es muy grande y caudaloso, vinieron muchos indios de la Habana y de otros pueblos con intención de matarlos y de que no se atrevieron a darles guerra en tierra, con buenas palabras y halagos les dijeron que los querían pasar en canoas y llevarlos a sus pueblos para darles de comer. Ya que iban con ellos a medio del río en las canoas, las trastornaron y mataron que no quedaron sino tres hombres y una mujer, que era hermosa, y la llevó un cacique de los que hicieron aquella traición y los tres españoles repartieron entre sí. Y a esta causa se puso aquel nombre puerto de Matanzas. Yo conocí a la mujer, que después de ganada la isla de Cuba se quitó al cacique de poder de quien estaba, y la vi casada en la misma isla de Cuba, en una villa que se dice la Trinidad, con un vecino de ella que se decía Pedro Sánchez Farfán. Y también conocí a los tres españoles, que se decían el uno Gonzalo Mejía y era hombre anciano, natural de Jerez, y el otro se llamaba Juan de Santiesteban, y era mancebo, natural de Madrigal, y el otro se decía Cascorro, hombre de la mar, natural de Moguer. Mucho me he detenido en contar cosas viejas, y dirán que por decir una antigüedad dejé de seguir mi relación. Volvamos a ella.

Ya que estábamos recogidos todos nuestros soldados, y dadas las instrucciones que los pilotos habían de llevar y las señas de los faroles para de noche, y después de haber oído misa, en ocho días del mes de abril del año de quinientos diez y ocho años dimos vela, y en diez días doblamos la Punta de Guaniguanico, que por otro nombre se llama de San Antón, y dentro de diez días que navegamos vimos la isla de Cozumel, que entonces la descubrimos, porque descayeron los navíos con las corrientes más bajo que cuando vinimos con Francisco Hernández de Córdoba. Yendo que íbamos bojando la isla por la banda del sur, vimos un pueblo de pocas casas, y allí cerca, buen surgidero y limpio de arrecifes, saltamos en tierra con el capitán buena copia de soldados. Y los naturales de aquel pueblo se habían ido huyendo desde que vieron venir el navío a la vela, porque jamás habían visto tal, y los soldados que saltamos a tierra hallamos en unos maizales dos viejos que no podían andar, y los trajimos al capitán; y con los indios Julianillo y Melchorejo, que trajimos cuando lo de Francisco Hernández, que entendían muy bien aquella lengua, les habló, porque su tierra de ellos y aquella isla de Cozumel no hay de travesía de lo uno a lo otro sino obra de cuatro leguas, y todo es una lengua. Y el capitán halagó a los dos viejos que les dio unas contezuelas, y les envió a llamar a los caciques de aquel pueblo; y fueron y nunca volvieron.

Pues estándoles aguardando, vino una india moza, de buen parecer, y comenzó a hablar en la lengua de la isla de Jamaica, y dijo que todos los indios e indias de aquel pueblo se habían ido huyendo a los montes, de miedo. Y como muchos de nuestros soldados y yo entendimos muy bien aquella lengua, que es como la propia de Cuba, nos admiramos de verla y le preguntamos que cómo estaba allí, y dijo que habría dos años que dio al través con una canoa grande, en que iban a pescar desde la isla de Jamaica a unas isletas diez indios jamaicanos, y que las corrientes les echó en aquella tierra, y mataron a su marido y a todos los más indios jamaicanos, sus compañeros, y que luego los sacrificaron a los ídolos. Y el capitán, como vio que la india sería buena mensajera, envió con ella a llamar los indios y caciques de aquel pueblo y dióla de plazo dos días para que volviese; porque los indios Julianillo y Melchorejo tuvimos temor que si se apartaban de nosotros que se irían [a su tierra] que está cerca; y a esta causa no osábamos enviarlos a llamar con ellos. Pues volvamos a la india de Jamaica; que la respuesta que trajo, que no quería venir ningún indio por más palabras que les decía. Pusimos nombre a este pueblo Santa Cruz, porque fue día de Santa Cruz cuando en él entramos. Había en él muy buenos colmenares de miel y buenas batatas y muchos puercos de la tierra, que tienen sobre el espinazo el ombligo. Había en él tres pueblos; este donde desembarcamos era el mayor, y los otros pueblezuelos más chicos estaban en cada punta de la isla el suyo. Y esto yo lo vi y anduve cuando volví por tercera vez con Cortés; y tendrá de bojo esta isla obra de dos leguas. Y volvamos a decir que como el capitán Juan de Grijalva vio que era perder tiempo estar allí esperando, mandó que nos embarcásemos, y la india de Jamaica se fue con nosotros, y seguimos nuestro viaje.

CAPÍTULO IX

CÓMO FUIMOS LA DERROTA SEGÚN Y DE LA MANERA QUE LO HABÍAMOS TRAÍDO CUANDO LO DE FRANCISCO HERNÁNDEZ DE CÓRDOBA, Y FUIMOS A DESEMBARCAR A CHAMPOTÓN, Y DE LA GUERRA QUE ALLÍ NOS DIERON Y LO QUE MÁS AVINO

PUES VUELTOS a embarcar y yendo por las derrotas pasadas cuando lo de Francisco Hernández, en ocho días llegamos en el paraje del pueblo de Champotón, que fue donde nos desbarataron los indios de aquella provincia, como ya dicho tengo en el capítulo [IV] que de ellos habla.[8] Y como en aquella ensenada mengua mucho la mar, anclamos los navíos una legua de tierra, y con todos los bateles desembarcamos la mitad de los soldados que allí íbamos junto a las casas del pueblo. Y los indios naturales de él y de otros sus comarcanos se juntaron todos como otra vez cuando nos mataron sobre cincuenta y seis soldados y todos los más salimos heridos, según memorado tengo, y a esta causa estaban muy ufanos y orgullosos, y bien armados a su usanza, que son arcos, flechas, lanzas tan largas como las nuestras y otras menores, y rodelas y *macanas*, y espadas como de a dos manos, y piedras y hondas y armas de algodón, y trompetillas y atambores, y los más de ellos pintadas las caras de negro y otros de colorado y de blanco, y puestos en concierto, esperando en la costa para en llegando que llegásemos a tierra dar en nosotros. Y como teníamos experiencia de la otra vez, llevábamos en los bateles unos falconetes e íbamos apercibidos de ballestas y escopetas. Pues llegados que llegamos a tierra nos comenzaron a flechar, y con las lanzas [a] dar a manteniente, aunque con los falconetes les hacíamos mucho mal, y tales rociadas de flechas nos dieron, que antes que tomásemos tierra hirieron a más de la mitad de nuestros soldados. Y luego que hubieron saltado en tierra todos nuestros soldados, les hicimos perder la furia a buenas estocadas y cuchilladas y con las ballestas, porque aunque nos flechaban a terrero, todos nosotros llevábamos armas de algodón; y todavía estuvieron buen rato peleando, y les hicimos retraer a unas ciénagas junto al pueblo.

En esta guerra mataron a siete soldados, y entre ellos a un Juan de Quiteria, persona principal, y al capitán Juan de Grijalva le dieron entonces tres flechazos y le quebraron dos dientes, e hirieron sobre sesenta de los nuestros. Y desde que vimos que todos los contrarios se habían ido huyendo, fuimos al pueblo y se curaron los heridos y enterramos los muertos; y en todo el pueblo no hallamos persona ninguna, ni los que se habían retraído en las ciénagas; ya se habían desgarrado. En aquellas escaramuzas prendimos tres indios; el uno de ellos era principal. Mandóles el capitán que fuesen a llamar al cacique de aquel pueblo, y se les dio muy bien a entender con las lenguas Julianillo y Melchorejo, y que les perdo-

[8] No concuerda esta versión con los términos del "Itinerario de Grijalva", del capellán Juan Díaz V. en: García Icazbalceta. *Colección de Documentos para la Historia de México.* Tomo I. México, 1858. Pág. 287.—Oviedo asienta que costearon Yucatán por el oriente hasta la bahía de la Ascensión antes de tomar el derrotero de Hernández de Córdoba. *Historia General y Natural de las Indias.* Madrid, 1851. Tomo I, pág. 509.

naban lo hecho, y les dio cuentas verdes para que les diesen en señal de paz. Y fueron y nunca volvieron, y creímos que los indios Juanillo y Melchorejo no les debieron de decir lo que les mandaron, sino al revés. Estuvimos en aquel pueblo tres días. Acuérdome que cuando estábamos peleando en aquellas escaramuzas por mí memoradas, que había allí unos prados y en ellos muchas langostas de las chicas, que cuando peleábamos saltaban y venían volando y nos daban en la cara, y como eran muchos los indios flecheros y tiraban tanta flecha como granizos, nos parecía que eran algunas de ellas langostas que volaban, y no nos rodelábamos, y la flecha que venía nos hería; otras veces creíamos que eran flechas, y eran langostas que venían volando; fue harto estorbo para nuestro pelear. Dejemos esto, y pasemos adelante, y digamos cómo luego nos embarcamos y seguimos nuestra derrota.

CAPÍTULO X

CÓMO SEGUIMOS NUESTRO VIAJE Y ENTRAMOS EN UN RÍO MUY ANCHO QUE LE PUSIMOS BOCA DE TÉRMINOS; POR QUÉ ENTONCES LE PUSIMOS AQUEL NOMBRE

Yendo por nuestra navegación adelante llegamos a una boca como de río muy grande y caudaloso y ancho, y no era río como pensamos, sino muy buen puerto, y porque está entre unas tierras y otras y parecía como estrecho, tan ancha boca tenía, decía el piloto Antón de Alaminos, que era isla y que partía términos con la tierra; y a esta causa le pusimos nombre de Boca de Términos, y así está en las cartas de marear. Y allí saltó el capitán Juan de Grijalva en tierra, con todos los demás capitanes por mí memorados y soldados, y estuvimos tres días sondando la boca de aquella entrada y mirando bien arriba y abajo del ancón, adonde creíamos que venía o iba a parar, y no hallamos ser isla, sino ancón y muy buen puerto. Y había en tierra unas casas de adoratorios de ídolos, de cal y canto, y muchos ídolos de barro, y de palo y piedra, que eran de ellos figuras de sus dioses y de ellos de sus como mujeres, y otros como sierpes, y muchos cuernos de venado, y creímos que por allí cerca habría alguna poblazón, y con el buen puerto, que sería bueno de poblar, lo cual no fue así, que estaba muy despoblado, porque aquellos adoratorios eran de mercaderes y cazadores que de pasada entraban en aquel puerto con canoas, y allí sacrificaban. Y había mucha caza de venados y conejos, y matamos diez venados con una lebrela, y muchos conejos. Y luego desde que todo fue visto y sondado, nos tornamos a embarcar, y allí se nos quedó la lebrela. Llaman los marinos a este puerto de Términos. Y vueltos a embarcar, navegamos costa a costa junto a tierra, hasta que llegamos a un río que llaman de Tabasco, que allí le pusimos nombre río de Grijalva.

CAPÍTULO XI

CÓMO LLEGAMOS AL RÍO DE TABASCO, QUE LLAMAN DE GRIJALVA, Y LO QUE ALLÍ NOS AVINO

NAVEGANDO COSTA A COSTA la vía del poniente, y nuestra navegación era de día, porque de noche no osábamos por temor de bajos y arrecifes, a cabo de tres días vimos una boca de río muy ancha y llegamos cerca de tierra con los navíos; parecía un buen puerto, y como nos fuimos acercando de la boca vimos reventar los bajos antes de entrar en el río y allí sacamos los bateles y con la sonda en la mano hallamos que no podían entrar en el puerto los dos navíos de mayor porte. Fue acordado que anclasen fuera, en la mar, y con los otros dos navíos, que demandaban menos aguas, que con ellos y con los bateles fuésemos todos los soldados el río arriba, por causa que vimos muchos indios estar en canoas en las riberas, y tenían arcos y flechas y todas sus armas, según y de la manera de Champotón, por donde entendimos que había por allí algún pueblo grande; y también porque viniendo como veníamos navegando costa a costa, habíamos visto echadas nasas con que pescaban en la mar, y aun a dos de ellas se les tomó el pescado con un batel que traíamos a jorro de la capitana. Este río se llama de Tabasco porque el cacique de aquel pueblo se decía Tabasco, y como lo descubrimos en este viaje y Juan de Grijalva fue el descubridor, se nombra río de Grijalva, y así está en las cartas de marear.

Tornemos a nuestra relación; que ya que llegábamos obra de media legua del pueblo, bien oímos el gran rumor de cortar madera de que hacían grandes mamparos y fuerzas y palizadas y aderezarse para darnos guerra, por muy cierta; y desde que aquello sentimos, desembarcamos en una punta de aquella tierra, adonde había unos palmares que será del pueblo media legua, y desde que nos vieron entrar vinieron obra de cincuenta canoas con gente de guerra, y traían arcos, flechas y armas de algodón, rodelas y lanzas y sus atambores y penachos. Y estaban entre los esteros otras muchas canoas llenas de guerreros, y estuvieron algo apartados de nosotros, que no osaron llegar como los primeros. Y desde que los vimos de aquel arte, estábamos para tirarles con los tiros y con las escopetas y ballestas, y quiso Nuestro Señor que acordamos de llamarlos; con Julianillo y Melchorejo, que sabían muy bien aquella lengua, se les dijo que no hubiesen miedo, que les queríamos hablar cosas que desde que las entendiesen habrían por buena nuestra llegada allí y a sus casas; y que les queríamos dar de las cosas que traíamos. Y como entendieron la plática, vinieron cerca de nosotros cuatro canoas, y en ellas obra de treinta indios, y luego se les mostró sartalejos de cuentas verdes y espejuelos y diamantes azules. Y desde que lo vieron parecía que estaban de mejor semblante, creyendo que era *chalchiuis,* que ellos tienen en mucho.

Entonces el capitán les dijo, con las lenguas Julianillo y Melchorejo, que veníamos de lejas tierras y éramos vasallos de un gran emperador que se dice don Carlos, el cual tiene por vasallos a muchos grandes señores y caciques, y que ellos le deben tener por señor, y que les iría muy bien en ello, y que a trueque de aquellas cuentas nos den comida y gallinas. Y respondieron dos de ellos, que el uno era principal y el otro *papa,* que son como sacerdotes que tienen cargo de los ídolos, que ya he dicho otras veces que *papas* los llaman en la Nueva España, y dijeron que darían el bastimento que decíamos y trocarían de sus cosas a las nuestras, y en lo demás, que señor tienen, y que ahora veníamos y sin conocerlos ya les queríamos dar señor, y que mirásemos no les diésemos guerra como en Potonchan, porque tenían aparejados sobre tres *xiquipiles* de gente de guerra, de todas aquellas provincias, contra nosotros; son cada *xiquipil* ocho mil hombres. Y dijeron que bien sabían, que pocos días había que habíamos muerto y herido más de doscientos hombres en Potonchan, y que ellos no son de tan pocas fuerzas como fueron los otros, y por esta causa habían venido a hablar para saber nuestra voluntad, y aquellas palabras que les decíamos que se las irían a decir a los caciques de muchos pueblos que están juntos para tratar guerra o paces. Y luego el capitán les abrazó en señal de paz y les dio unos sartalejos de cuentas y les mandó que volviesen con la respuesta con brevedad, y que si no venían, que por fuerza habíamos de ir a su pueblo, y no para enojarlos.

Y aquellos mensajeros que enviamos hablaron con los caciques y *papas,* que también tienen voto entre ellos, y dijeron que eran buenas las paces y traer comida; y que entre todos ellos y los más pueblos comarcanos se buscaría luego un presente de oro para darnos y hacer amistades, no les acaezca como a los de Potonchan. Y lo que yo vi y entendí después el tiempo andando, en aquellas provincias y otras tierras de la Nueva España se usaba enviar presentes cuando se tratan paces, como adelante verán. Y en aquella punta de los palmares donde estábamos vinieron otro día sobre treinta indios, y entre ellos el cacique, y trajeron pescado asado y gallinas, y frutas de zapote y pan de maíz, y unos braseros con ascuas y con sahumerios y nos sahumaron a todos; y luego pusieron en el suelo unas esteras, que en esta tierra llaman *petates,* y encima una manta, y presentaron ciertas joyas de oro, que fueron unas como diademas y ciertas joyas como hechura de ánades, como las de Castilla, y otras joyas como lagartijas, y tres collares de cuentas vaciadizas, y otras cosas de oro de poco valor, que no valían doscientos pesos, y más trajeron unas mantas y camisetas de las que ellos usan, y dijeron que recibamos aquello de buena voluntad, y que no tienen más oro que nos dar; que adelante, hacia donde se pone el sol, hay mucho; y decían: *Colúa, colúa,* y *México, México,* y nosotros no sabíamos qué cosa era *colúa* ni aun *México.* Y puesto que no valía mucho aquel presente que trajeron, tuvímoslo por bueno por saber cierto que tenían oro. Y desde que lo hubieron presentado, dijeron que nos fuésemos luego adelante. Y el capitán Juan de Grijalva les dio gracias por ello, y cuentas verdes, y fue acordado de irnos luego a embarcar, porque estaban a mucho peligro los dos navíos, por temor del norte, que es travesía, y también por acercarnos adonde decían que había oro.

CAPÍTULO XII

COMÓ SEGUIMOS LA COSTA ADELANTE, HACIA DONDE SE PONE EL SOL Y LLEGAMOS AL RÍO QUE LLAMAN DE BANDERAS, Y LO QUE EN ÉL PASÓ

VUELTOS A EMBARCAR, siguiendo la costa adelante, de allí a dos días vimos un pueblo junto a tierra que se dice el Ayagualulco. Y andaban muchos indios de aquel pueblo por la costa, con unas rodelas hechas con concha de tortuga, que relumbran con el sol que daba en ellas, y algunos de nuestros soldados porfiaban que eran de oro bajo. Y los indios que las traían iban haciendo pernetas, como burlando de los navíos, como ellos estaban en salvo, por los arenales y costa adelante. Y pusimos por nombre a este pueblo La Rambla, y así está en las cartas de marear. Y yendo más adelante, costeando, vimos una ensenada, donde se quedó el río de Tonalá, que a la vuelta que volvimos entramos en él, y le pusimos nombre de río de Santo Antón, y así está en las cartas de marear. Y yendo más adelante navegando, vimos adónde quedaba el paraje del gran río de Guazacalco,[9] y quisiéramos entrar en la ensenada, por saber qué cosa era, si no por ser el tiempo contrario. Y luego se parecieron las grandes sierras nevadas que en todo el año están cargadas de nieve, y también vimos otras sierras que están más junto a la mar, que se llaman de San Martín. Y pusímosle este nombre porque el primero que las vio desde los navíos fue un soldado que se decía San Martín y era vecino de la Habana, que iba con nosotros.

Y navegando nuestra costa delante, el capitán Pedro de Alvarado se adelantó con su navío y entró en un río que en nombre de indios se dice Papaloaba,[10] y entonces le pusimos nombre río de Alvarado, porque entró en él el mismo Alvarado. Allí le dieron pescado unos indios pescadores, que eran naturales de un pueblo que se dice Tacotalpa. Estuvímosle aguardando en el paraje del río donde entró con todos tres navíos hasta que salió de él; y a causa de haber entrado en el río sin licencia del general, se enojó mucho con él, y le mandó que otra vez no se adelantase de la armada porque no le viniese algún contraste en parte donde no le pudiésemos ayudar. Y luego navegamos con todos cuatro navíos en conserva hasta que llegamos en paraje de otro río, que le pusimos por nombre río de Banderas, porque estaban en él muchos indios con lanzas grandes y en cada lanza una bandera de manta grande revolándola y llamándonos, lo cual diré siguiendo adelante cómo pasó.

[9] Río Coatzacoalcos, que conserva su nombre. Al puerto y ciudad que se levanta en la desembocadura de ese río se le cambió el nombre a principios de este siglo por el de Puerto México.

[10] Río Papaloapan, en Veracruz. El autor escribió de diferente manera este nombre páginas adelante.

CAPÍTULO XIII

CÓMO LLEGAMOS EN EL PARAJE DEL RÍO DE BANDERAS Y DE LO QUE ALLÍ SE HIZO

YA HABRÁN OÍDO DECIR en España algunos curiosos lectores y otras personas que han estado en la Nueva España cómo México es tan gran ciudad y poblada en el agua como Venecia; y había en ella un gran señor que era rey en estas partes de muchas provincias y señoreaba todas aquellas tierras de la Nueva España, que son mayores que dos veces nuestra Castilla. El cual señor se decía Montezuma,[11] y como era tan poderoso, quería saber y señorear hasta más de lo que no podía. Y tuvo noticia de la primera vez que venimos con Francisco Hernández de Córdoba, lo que nos acaeció en la batalla de Cotoche y en la de Champotón, y ahora de este viaje con los mismos de Champotón, y supo que siendo nosotros pocos soldados y los de aquel pueblo y otros muchos confederados que se juntaron con ellos, les desbaratamos; y cómo entramos en el río de Tabasco, y lo que en él pasamos con los caciques de aquel pueblo, y, en fin, entendió que nuestra demanda era buscar oro, a trueque del rescate que traíamos, y todo se lo habían llevado pintado en unos paños que hacen de henequén, que es como de lino. Y como supo que íbamos costa a costa hacia sus provincias, mandó a sus gobernadores que si por allí aportásemos con los navíos, que procurasen de trocar oro a nuestras cuentas, especial a las verdes, que parecían algo a sus *chalchuuis*, que las tienen en mucho como esmeraldas, y también lo mandó para saber e inquirir más por entero de nuestras personas y qué era nuestro intento. Y lo más cierto era, según entendimos, que les habían dicho sus antepasados que habían de venir gentes de hacia donde sale el sol, con barbas, que los habían de señorear.

Ahora sea por lo uno o por lo otro, estaban en posta y vela muchos indios del gran Montezuma en aquel río, con unas varas muy largas y en cada vara una bandera de manta de algodón, blanca, enarbolándolas y llamándonos, como que parecían eran señal de paz, que fuésemos adonde estaban. Y desde que vimos desde los navíos cosas tan nuevas, nos admiramos, y para saber qué podían ser fue acordado por el general con todos los más capitanes que echásemos dos bateles en el agua y que saltasen en ellos todos los ballesteros y escopeteros y veinte soldados de los más sueltos y prestos, y que Francisco de Montejo fuese con nosotros, y que si viésemos que era gente de guerra los que estaban con las banderas, que de presto se lo hiciésemos saber, o otra cualquiera cosa que fuese. Y en aquella sazón quiso Dios que hacía bonanza en aquella costa, lo cual pocas veces suele acaecer, y como llegamos en tierra hallamos tres caciques, que el uno de ellos era gobernador de Montezuma, y con muchos indios de su servicio. Y tenían allí gallinas de la tierra y pan de maíz, de lo que ellos suelen comer, y frutas que eran piñas y zapotes, que en otras partes llaman a los zapotes mameyes. Y estaban debajo de una sombra de árboles y

[11] Motecuzoma o Motecuhzoma. V. la nota segunda del cap. II. Cualquier duda respecto a nombres propios se procurará resolverla en el Índice General, que registrará todas las variantes.

puestas esteras en el suelo, y allí, por señas, nos mandaron sentar, porque Julianillo, el de la punta de Cotoche, no entendía aquella lengua, que es mexicana, y luego trajeron braseros de barro con ascuas y nos sahuman con una como resina.

El capitán Montejo lo hizo saber todo lo aquí memorado al general, y como lo supo acordó de surgir con todos los navíos. Y saltó en tierra con los capitanes y soldados. Y desde que aquellos caciques y gobernadores le vieron en tierra y entendieron que era el capitán general de todos, a su usanza le hicieron gran acato, y él les hizo muchas quericias y les mandó dar diamantes azules y cuentas verdes, y por señas les dijo que trajesen oro a trocar a nuestros rescates. Lo cual luego el indio gobernador mandó a sus indios que de todos los pueblos comarcanos trajesen de las joyas de oro que tenían a rescatar, y en seis días que allí estuvimos trajeron más de diez y seis mil pesos en joyezuelas de oro bajo y de mucha diversidad de hechuras. Y esto debe ser lo que dicen los coronistas Gómara, Illescas y Jovio que dieron en Tabasco, y así lo escriben como si fuera verdad porque vista cosa es que en la provincia del río de Grijalva ni todos sus rededores no hay oro, sino muy pocas joyas de sus antepasados. Dejemos esto y pasemos adelante. Y es que tomamos posesión en aquella tierra por Su Majestad, y después de esto hecho habló el general a los indios diciendo que se querían embarcar, y les dio camisas de Castilla. Y de allí tomamos un indio, que llevamos en los navíos, el cual, después que entendió nuestra lengua, se volvió cristiano y se llamó Francisco, y después le vi casado con una india.

Volvamos a nuestra plática. Pues como vio el general que no traían más oro que rescatar y había seis días que estábamos allí y los navíos corrían riesgo, por ser travesía el norte y nordeste, nos mandó embarcar. Y corriendo la costa adelante, vimos una isleta que bañaba la mar y tenía la arena blanca y estaba, al parecer, obra de tres leguas de tierra; y pusímosle nombre isla Blanca, y así está en las cartas de marear. Y no muy lejos de esta isleta blanca vimos otra isla que tenía muchos árboles verdes y estaba de la costa cuatro leguas, y pusímosle por nombre isla Verde. Y yendo más adelante vimos otra isla algo mayor que las demás, y estaría de tierra obra de legua y media, y allí enfrente de ella había buen surgidero. Y mandó el general que surgiésemos. Y echados los bateles en el agua, fue Juan de Grijalva, con muchos de nosotros los soldados, a ver la isleta, porque había humos en ella, y hallamos dos casas hechas de cal y canto, bien labradas, y en cada casa unas gradas, por donde subían a unos como altares, y en aquellos altares tenían unos ídolos de malas figuras, que eran sus dioses. Y allí hallamos sacrificados de aquella noche cinco indios, y estaban abiertos por los pechos y cortados los brazos y los muslos, y las paredes de las casas llenas de sangre. De todo lo cual nos admiramos en gran manera, y pusimos nombre a esta isleta de Sacrificios, y así está en las cartas de marear. Y allí enfrente de aquella isla saltamos todos en tierra y en unos arenales grandes que allí hay, adonde hicimos ranchos y chozas con rama y con las velas de los navíos, habían venido y allegádose en aquella costa muchos indios que traían a rescatar oro hecho piecezuelas, como en el río de Banderas. Y según después supimos, lo mandó el gran Montezuma que viniesen con ello, y los indios que lo traían estaban temerosos, y era muy poco; por manera que luego el capitán mandó que los navíos alzasen anclas y diesen velas y fuésemos a surgir enfrente de otra isleta que estaba obra de media legua de tierra. Y esta isleta es donde ahora es el puerto de la Veracruz, obra de media legua de tierra. Y diré también lo que allí nos avino.

CAPÍTULO XIV

CÓMO LLEGAMOS [A] AQUELLA ISLETA QUE AHORA SE LLAMA SAN JUAN DE ULÚA, Y A QUÉ CAUSA SE LE PUSO AQUEL NOMBRE, Y LO QUE ALLÍ PASAMOS

DESEMBARCAMOS en unos arenales, hicimos chozas encima de los más altos médanos de arena, que los hay por allí grandes, por causa de los mosquitos, que había muchos. Y con los bateles sondaron muy bien el puerto y hallaron que con el abrigo de aquella isleta estarían seguros los navíos del norte y había buen fondo. Y hecho esto fuimos a la isleta con el general treinta soldados bien apercibidos en dos bateles, y hallamos una casa de adoratorios, donde estaba un ídolo muy grande y feo, el cual le llamaban Tezcatepuca,[12] y, acompañándole, cuatro indios con mantas prietas muy largas, con capillas que quieren parecer a las que traen los dominicos o los canónigos. Y aquellos eran sacerdotes de aquel ídolo, que comúnmente en la Nueva España llamaban *papas,* como ya lo he memorado otra vez. Y tenían sacrificados de aquel día dos muchachos, y abiertos por los pechos, y los corazones y sangre ofrecidos [a] aquel maldito ídolo. Y aquellos sacerdotes nos venían a sahumar con lo que sahumaron aquel su Tezcatepuca, porque en aquella sazón que llegamos lo estaban sahumando con uno que huele a incienso, y no consentimos que tal sahumerio nos diesen; antes tuvimos muy gran lástima de ver muertos aquellos dos muchachos, y ver tan grandísima crueldad. Y el general preguntó al indio Francisco, por mí memorado y que trajimos del río de Banderas, que parecía algo entendido, por qué hacían aquello; y esto se lo decía medio por señas, porque entonces no teníamos lengua ninguna, como ya otra vez he dicho, porque Julianillo y Melchorejo no entendían la mexicana. Y respondió el indio Francisco que los de Culúa los mandaban sacrificar; y como era torpe de lengua, decía: *Ulúa, Ulúa,* y como nuestro capitán estaba presente y se llamaba Juan y era por San Juan de junio, pusimos por nombre a aquella isleta San Juan de Ulúa; y este puerto es ahora muy nombrado y están hechos en él grandes mamparos para que estén seguros los navíos para mor del norte, y allí vienen a desembarcar las mercaderías de Castilla, para México y Nueva España.

Volvamos a nuestro cuento. Que como estábamos en aquellos arenales vinieron indios de pueblos comarcanos a trocar su oro de joyas a nuestros rescates; mas era tan poco lo que traían y de poca valía, que no hacíamos cuenta de ello. Y estuvimos siete días de la manera que he dicho, y con los muchos mosquitos que había no nos podíamos valer, y viendo que el tiempo se nos pasaba en balde, y teniendo ya por cierto que aquellas tierras no eran islas, sino tierra firme, y que había grandes pueblos y mucha multitud de indios, y el pan cazabe que traíamos muy mohoso, y sucio de fátulas, y amargaba, y los soldados que allí veníamos no éramos bastantes para poblar, cuanto más que faltaban ya trece soldados que se habían muerto de las heridas, y estaban otros cuatro dolientes, y viendo todo esto por mí ya dicho, fue acordado que lo enviásemos a hacer saber a Diego Velázquez, para que nos enviase socorro, porque Juan de Grijalva muy gran volun-

[12] Texcatlipoca, deidad mexicana.

tad tenía de poblar con aquellos pocos soldados que con él estábamos,[13] y siempre mostró ánimo de muy valeroso y esforzado capitán, y no como lo escribe el coronista Gómara. Pues para hacer aquella embajada acordamos que fuese el capitán Pedro de Alvarado en un navío muy bueno que se decía *San Sebastián,* y fue así acordado por dos cosas: lo uno porque Juan de Grijalva ni los demás capitanes no estaban bien con él, por la entrada que hizo con su navío en el río de Papalote, que entonces le pusimos por nombre río de Alvarado, y lo otro porque había venido a aquel viaje de mala gana y medio doliente. Y también se concertó que llevase todo el oro que se había rescatado, y ropa de mantas, y los dolientes; y los capitanes escribieron a Diego Velázquez cada uno lo que les pareció. Y luego se hizo a la vela, y fue la vuelta de la isla de Cuba, adonde lo dejaré ahora, así a Pedro de Alvarado y a su viaje, y diré cómo Diego Velázquez envió en nuestra busca.

[13] Las Casas afirma que Grijalva tenía instrucciones de no poblar. *Historia de las Indias.* Madrid, 1876, T. IV. Pág. 422.

CAPÍTULO XV

CÓMO DIEGO VELÁZQUEZ, GOBERNADOR DE CUBA, ENVIÓ UN NAVÍO EN NUESTRA BUSCA, Y LO QUE MÁS LE SUCEDIÓ

DESPUÉS QUE SALIMOS con la armada con el capitán Juan de Grijalva de la isla de Cuba para hacer nuestro viaje, siempre Diego Velázquez estaba pensativo no hubiese acaecido algún desastre, y deseaba saber de nosotros, y a esta causa envió un navío pequeño en nuestra busca y con ciertos soldados, y por capitán de ellos a un Cristóbal de Olid, persona de valía y muy esforzado, y éste es el que fue maestre de campo cuando lo de Cortés. Y mandó Diego Velázquez que siguiese la derrota de Francisco Hernández de Córdoba, hasta topar con nosotros. Y Cristóbal de Olid, yendo su viaje en nuestra busca y estando surto cerca de tierra, en lo de Yucatán, le dio un recio temporal, y por no anegarse sobre las amarras, el piloto que traía mandó cortar los cables y perdió las anclas, y se volvió a Santiago de Cuba, donde estaba Diego Velázquez. Y desde que vio que no tenía nuevas de nosotros, si pensativo estaba antes que enviase a Cristóbal de Olid, muy mal lo estuvo después que lo vio volver sin recaudo. Y en esta sazón llegó el capitán Pedro de Alvarado a Cuba con el oro y ropa y dolientes y con entera relación de lo que habíamos descubierto. Y desde que el gobernador vio el oro que llevaba el capitán Pedro de Alvarado, que [como] estaba en joyas parecía mucho más de lo que era, y estaban con Diego Velázquez acompañándole muchos vecinos de la villa y de otras partes, que venían a negocios, y después que los oficiales del rey tomaron el real quinto de lo que venía a Su Majestad, estaban todos espantados de cuán ricas tierras habíamos descubierto, porque el Perú no se descubrió de ahí a veinte años, y como Pedro de Alvarado se lo sabía muy bien platicar, dizque no hacía Diego Velázquez sino abrazarle, y en ocho días tener gran regocijo y jugar cañas. Y si mucha fama tenían antes de ricas tierras, ahora, con este oro, se sublimó mucho más en todas las islas y en Castilla, como adelante diré. Y dejaré a Diego Velázquez haciendo fiestas y volveré a nuestros navíos, que estábamos en San Juan de Ulúa, y allí acordamos que fuésemos descubriendo más la costa, lo cual diré adelante.

CAPÍTULO XVI

CÓMO FUIMOS DESCUBRIENDO LA COSTA ADELANTE HASTA LA PROVINCIA DE PÁNUCO, Y LO QUE PASAMOS HASTA VOLVER A CUBA

DESPUÉS QUE DE NOSOTROS se partió el capitán Pedro de Alvarado para ir a la isla de Cuba, como memorado tengo, acordó nuestro general, con los demás capitanes y soldados y parecer de los pilotos, que fuésemos costeando y descubriendo todo lo que pudiésemos por la costa. Y yendo por nuestra navegación, vimos las sierras que se dicen de Tuxtla, y, más adelante, de ahí a otros dos días, vimos otras sierras muy más altas, que ahora se llaman las sierras de Tuxpa, porque se nombra un pueblo que está junto a aquellas sierras Tuxpa. Y yendo nuestra derrota vimos muchas poblazones, y estarían la tierra adentro, al parecer, dos o tres leguas, y esto es en la provincia de Pánuco. Y yendo por nuestra navegación llegamos a un río grande y muy corriente, que le pusimos nombre de río de Canoas, y enfrente de la boca de él surgimos. Y estando surtos todos tres navíos, estábamos algo descuidados, vinieron de repente por el río abajo obra de veinte canoas muy grandes, llenas de indios de guerra, con arcos y flechas y lanzas, y vanse derechos al navío que les pareció el más chico, del cual era capitán Francisco de Montejo, y estaba más [a] llegado a tierra, y danle una rociada de flechas que le hirieron cinco soldados, y echaban sogas al navío, pensando de llevarlo y aun cortaron una amarra con sus hachas de cobre. Y puesto que el capitán y los soldados peleaban bien y les trastornaron tres canoas, nosotros, con gran presteza, les ayudamos con nuestros bateles y escopetas y ballestas, y herimos más de la tercia parte de aquella gente, por manera que volvieron con sus canoas con la mala ventura por donde habían venido. Y luego alzamos anclas y dimos velas, y seguimos costa a costa hasta que llegamos a una punta muy grande, y era tan mala de doblar y las corrientes muchas, que no pudimos ir adelante. Y el piloto Antón de Alaminos dijo al general que no era bien navegar más aquella derrota, y para ello dio muchas causas.

Y luego se tomó consejo sobre lo que se había de hacer, y fue acordado que diésemos la vuelta a la isla de Cuba, lo uno porque ya entraba el invierno y no había bastimentos, y el un navío hacía mucha agua. Y los capitanes, disconformes, porque Juan de Grijalva decía que quería poblar y Alonso Dávila y Francisco de Montejo decían que no, que no se podrían sustentar por causa de los muchos guerreros que en la tierra había, y también todos nosotros, los soldados, estábamos muy trabajados de andar por la mar; y por estas causas dimos vuelta a dos velas, y las corrientes que nos ayudaban, en pocos días llegamos al paraje del gran río de Guazacalco, y no pudimos entrar en él por ser el tiempo contrario, y muy abrazados con tierra entramos en el río de Tonalá, que se puso nombre entonces de San Antón. Y allí dimos carena al un navío que hacía mucha agua, puesto que tocó al entrar en la barra, que es muy baja. Y estando aderezando nuestro navío vinieron muchos indios del pueblo de Tonalá, que está una legua de allí, y muy de paz y trajeron pan de maíz y pescado y fruta, y con buena voluntad nos lo dieron. Y el capitán les hizo muchos halagos y les mandó dar cuentas verdes y diamantes, y les dijo por señas que trajesen oro a rescatar y que les daría de nuestro rescate. Y traían joyas de oro bajo y les daban cuentas por ello. Y también vinieron los de Guazacalco y de otros pueblos comarcanos y trajeron sus joyezuelas, que todo era nonada. Pues además de este rescate traían comúnmente todos los más indios de aquellas provincias unas hachas de cobre muy lucias, como por gentileza y a manera de galanía, con unos cabos de palos pintados, y nosotros creímos que era de oro bajo, y comenzamos a rescatar de ellas. Digo que en tres días se hubieron más de seiscientas y estábamos muy contentos creyendo que eran de oro bajo, y los indios mucho más con las cuentas. Y todo salió vano, que las hachas eran de cobre puro y las cuentas un poco de nada. Y un marinero había rescatado siete hachas y estaba alegre con ellas. También me acuerdo que un soldado que se decía Bartolomé Pardo fue a una casa de ídolos que estaba en un cerro, que ya he dicho que se dicen *cués*, que es como quien dice casa de sus dioses, y en aquella casa halló muchos ídolos y copal, que es como resina con que sahuman, y cuchillos de pedernal, con que sacrificaban y retajaban, y en una arca de madera halló muchas piezas de oro, que eran diademas y collares, y dos ídolos, y otras como cuentas vaciadizas. Y el oro tomó el soldado para sí, y los otros ídolos y sacrificios trajo al capitán. Y no faltó quien lo vio y lo dijo a Grijalva, y queríaselo tomar, y rogamos que se lo dejase, y como era de buena condición, mandó que, sacado el real quinto, lo demás fuese para el pobre soldado, y valdría obra de ciento cincuenta pesos.

También quiero decir[14] cómo quedaron los indios de aquella provincia muy contentos, y luego nos embarcamos y vamos la vuelta de Cuba, y en cuarenta y cinco días, unas veces con buen tiempo y otras con contrario, llegamos a Santiago de Cuba, donde estaba Diego Velázquez, y él nos hizo buen recibimiento; y desde que vio el oro que traíamos, que serían cuatro mil pesos, y lo que trajo primero Pedro de Alvarado, sería por todo veinte mil; otros decían que eran más. Y los oficiales de Su Majestad sacaron el real quinto. Y también trajeron las seiscientas hachas que creíamos que eran de oro bajo, y cuando las vieron estaban tan mohosas y, en fin, como cobre que era. Y allí hubo bien que reír y decir de la burla y el rescate. Y el gobernador estaba muy alegre, puesto que pareció que no estaba bien con el pariente Grijalva, y no tenía razón, sino que Francisco de Montejo y Pedro de Alvarado, que no estaban bien con Grijalva, y también Alonso Dávila ayudó de mala. Y cuando esto pasó ya había otras pláticas para enviar otra armada y sobre quién elegirían por capitán. Y dejemos esto aparte, y diré cómo Diego Velázquez envió a España para que Su Majestad le diese licencia para rescatar y conquistar y poblar y repartir las tierras que hubiese descubierto.

[14] En el original aparece tachado lo siguiente: "Cómo yo sembré unas pepitas de naranja junto a otra casa de ídolos, y fue de esta manera: que como había muchos mosquitos en aquel río, fuímonos diez soldados a dormir en una casa alta de ídolos, y junto a aquella casa las sembré, que había traído de Cuba, porque era fama que veníamos a poblar, y nacieron muy bien, porque los papas de aquellos ídolos las beneficiaban y regaban y limpiaban desde vieron que eran plantas diferentes de las suyas; de allí se hicieron de naranjos toda aquella provincia. Bien sé que dirán que no hacen al propósito de mi relación estos cuentos viejos, y dejarlos he."

CAPÍTULO XVII

CÓMO DIEGO VELÁZQUEZ ENVIÓ A ESPAÑA PARA QUE SU MAJESTAD LE DIESE LICENCIA PARA RESCATAR Y CONQUISTAR Y POBLAR Y REPARTIR LA TIERRA DE QUE ESTUVIESE DE PAZ

AUNQUE LES PAREZCA a los lectores que va fuera de nuestra relación esto que yo traigo aquí a la memoria, antes que entre en lo del valeroso y esforzado capitán Cortés, conviene que se diga, por las causas que adelante verán, y también porque en un tiempo acaecen dos y tres cosas, y por fuerza hemos de hablar en la que más viene al propósito. Y el caso es que, como ya he declarado, cuando llegó el capitán Pedro de Alvarado a Santiago de Cuba con el oro que hubimos de las tierras que descubrimos, y Diego Velázquez temió que primero que él hiciese relación de ello a Su Majestad que algún caballero privado en corte le hurtaría la bendición y la pediría a Su Majestad, y a esta causa, envió un su capellán, que se decía Benito Martín, hombre de negocios, a Castilla, con probanzas y cartas para don Juan Rodríguez de Fonseca, obispo de Burgos y arzobispo de Rosano, que así se nombraba, y para el licenciado Luis Zapata, y para el secretario Lope de Conchillos, que en aquella sazón entendían en las cosas de Indias, y Diego Velázquez les era gran servidor, en especial del mismo obispo, y les dio pueblos de indios en la misma isla de Cuba, que les sacaban oro de las minas; y hacían mucho por las cosas de Diego Velázquez. Y en aquella sazón estaba Su Majestad en Flandes. Y aun les envió a aquellos caballeros por mí memorados joyas de oro, de las que habíamos rescatado, y no se hacía otra cosa en el Real Consejo de Indias sino lo que aquellos señores mandaban; y lo que enviaba a negociar Velázquez era que le diesen licencia para rescatar y conquistar y poblar, en todo lo que había descubierto y en lo que más descubriese, y decía en sus relaciones y cartas que había gastado muchos miles de pesos de oro en el descubrimiento. Y el Benito Martín que envió fue a Castilla y negoció todo lo que pidió, y aún más, cumplidamente, porque trajo provisión para que Diego Velázquez fuese adelantado de Cuba. Pues ya negociado lo aquí por mí ya dicho, no vinieron tan presto los despachos que no saliese primero el valeroso Cortés con otra armada. Y quedarse ha aquí así los despachos de Benito Martín como la armada del capitán Cortés, y diré cómo estando escribiendo esta relación vi las crónicas de los coronistas Francisco López de Gómara y las del doctor Illescas y las de Jovio, que hablan en las conquistas de la Nueva España, y lo que sobre ello me pareciere declarar, adonde hubiere contradicción, lo propondré clara y verdaderamente, y va muy diferente de lo que han escrito los coronistas ya por mí nombrados.

CAPÍTULO XVIII

DE LOS BORRONES Y COSAS QUE ESCRIBEN LOS CORONISTAS GÓMARA E ILLESCAS ACERCA DE LAS COSAS DE LA NUEVA ESPAÑA

ESTANDO ESCRIBIENDO en esta mi corónica [por] acaso vi lo que escriben Gómara e Illescas y Jovio en las conquistas de México y Nueva España, y desde que las leí y entendí y vi de su policía y estas mis palabras tan groseras y sin primor, dejé de escribir en ella, y estando presentes tan buenas historias; y con este pensamiento torné a leer y a mirar muy bien las pláticas y razones que dicen en sus historias, y desde el principio y medio ni cabo no hablan lo que pasó en la Nueva España, y desde que entraron a decir de las grandes ciudades tantos números que dicen había de vecinos en ellas, que tanto se les da poner ochenta mil como ocho mil; pues de aquellas matanzas que dicen que hacíamos, siendo nosotros cuatrocientos y cincuenta soldados los que andábamos en la guerra, harto teníamos que defendernos no nos matasen y nos llevasen de vencida, que aunque estuvieran los indios atados, no hiciéramos tantas muertes, en especial que tenían sus armas de algodón, que les cubrían el cuerpo, y arcos, saetas, rodelas, lanzas grandes, espadas de navajas como de a dos manos, que cortan más que nuestras espadas, y muy denodados guerreros. Escriben los coronistas por mí memorados que hacíamos tantas muertes y crueldades que Atalarico, muy bravísimo rey, y Atila, muy soberbio guerrero, según dicen y se cuentan de sus historias, en los campos catalanes no hicieron tantas muertes de hombres. Pues tornando a nuestra plática, dicen que derrocamos y abrasamos muchas ciudades y templos, que son *cues*, y en aquello les parece que placen mucho a los oyentes que leen sus historias y no lo vieron ni entendieron cuando lo escribían; los verdaderos conquistadores y curiosos lectores que saben lo que pasó claramente les dirán que si todo lo que escriben de otras historias va como lo de la Nueva España, irá todo errado. Y lo bueno es que ensalzan a unos capitanes y abajan a otros, y los que no se hallaron en las conquistas dicen que fueron en ellas, y también dicen muchas cosas y de tal calidad, y por ser tantas y en todo no aciertan, no lo declararé. Pues otra cosa peor dicen: que Cortés mandó secretamente barrenar los navíos; no es así, porque por consejo de todos los más soldados y mío mandó dar con ellos al través, a ojos vistas, para que nos ayudasen la gente de la mar que en ellos estaban, a velar y a guerrear. En todo escriben muy vicioso. ¿Y para qué yo meto tanto la pluma en contar cada cosa por sí, que es gastar papel y tinta? Yo lo maldigo, puesto que lleve buen estilo.

Dejemos esta plática y volveré a mi materia, que después de bien mirado todo lo que aquí he dicho, que es todo burla lo que escriben acerca de lo acaecido en la Nueva España, torne a proseguir mi relación, porque la verdadera policía y agraciado componer es decir verdad en lo que he escrito. Y mirando esto acordé de seguir mi intento con el ornato y pláticas que verán, para que salga a luz, y hallarán las conquistas de la Nueva España claramente como se han de ver. Quiero volver con la pluma en la mano, como el buen piloto lleva la sonda, descubriendo bajos por la mar adelante, cuando siente que los hay; así haré yo en decir los borrones de los coronistas; mas no será todo, porque si parte por parte se hubiesen de escribir sería más la costa de recoger la rebusca que en las verdaderas vendimias. Digo que sobre esta mi relación pueden los coronistas sublimar y dar loa al valeroso y esforzado capitán Cortés, y a los fuertes conquistadores, pues tan grande empresa salió de nuestras manos, y lo que sobre ello escribieron diremos los que en aquellos tiempos nos hallamos como testigos de vista ser verdad, como ahora decimos las contrariedades de él; que, ¿cómo tienen tanto atrevimiento y osadía de escribir tan vicioso y sin verdad, pues que sabemos que la verdad es cosa bendita y sagrada, y que todo lo que contra ello dijeron va maldito? Más bien se parece que Gómara fue aficionado a hablar tan loablemente del valeroso Cortés, y tenemos por cierto que le untaron las manos, pues que a su hijo, el marqués que ahora es, le eligió su corónica, teniendo a nuestro rey y señor, que con derecho se le había de elegir y encomendar. Y habían de mandar borrar los señores del Real Consejo de Indias los borrones que en sus libros van escritos.

CAPÍTULO XIX

CÓMO VINIMOS CON OTRA ARMADA A LAS TIERRAS NUEVAS DESCUBIERTAS, Y POR CAPITÁN DE LA ARMADA EL VALEROSO Y ESFORZADO DON HERNANDO CORTÉS, QUE DESPUÉS DEL TIEMPO ANDANDO FUE MARQUÉS DEL VALLE, Y DE LAS CONTRARIEDADES QUE TUVO PARA ESTORBARLE QUE NO FUESE CAPITÁN

DESPUÉS QUE LLEGÓ a Cuba el capitán Juan de Grijalva, ya por mí memorado, y visto el gobernador Diego Velázquez que eran las tierras ricas, ordenó de enviar una buena armada, muy mayor que las de antes; y para ello tenía ya a punto diez navíos en el puerto de Santiago de Cuba, donde Diego Velázquez residía: los cuatro de ellos eran en los que volvimos con Juan de Grijalva, porque luego les hizo dar carena, y los otros seis recogieron de toda la isla y los hizo proveer de bastimento, que era pan cazabe y tocinos, porque en aquella sazón no había en la isla de Cuba ganado vacuno ni carneros, porque era nuevamente poblada. Y este bastimento no era más que para hasta llegar a la Habana, porque allí habíamos de hacer todo el matalotaje, como lo hicimos. Y dejemos de hablar en esto y diré las diferencias que hubo para elegir capitán.

Para ir aquel viaje hubo muchos debates y contrariedades, porque ciertos hidalgos decían que viniese por capitán un Vasco Porcallo, pariente del conde de Feria, y temióse Diego Velázquez que se le alzaría con la armada, porque era atrevido; otros decían que viniese un Agustín Bermúdez o un Antonio Velázquez Borrego, o un Bernardino Velázquez, parientes del gobernador, y todos los más soldados que allí nos hallamos decíamos que volviese Juan de Grijalva, pues era buen capitán y no había falta en su persona y en saber mandar. Andando las cosas y conciertos de esta manera que aquí he dicho, dos grandes privados de Diego Velázquez, que se decían Andrés de Duero, secretario del mismo gobernador, y un Amador de Lares, contador de Su Majestad, hicieron secretamente compañía con un hidalgo que se decía Hernando Cortés, natural de Medellín, que tenía indios de encomienda en aquella isla, y poco tiempo había que se había casado con una señora que se decía doña Catalina Suárez, la Marcaida. Esta señora fue hermana de un Juan Suárez, que después que se ganó la Nueva España fue vecino de México, y a lo que yo entendí y otras personas decían, se casó con ella por amores, y esto de este casamiento muy largo lo decían otras personas que lo vieron, y por esta causa no tocaré más en esta tecla, y volveré a decir acerca de la compañía. Y fue de esta manera: que concertasen estos privados de Diego Velázquez que le hiciesen dar a Hernando Cortés la capitanía general de toda la armada, y que partirían entre todos tres la ganancia del oro y plata y joyas de la parte que le cupiese a Cortés, porque secretamente Diego Velázquez enviaba a rescatar y no a poblar, según después pareció por las instrucciones que de ello dio, y aunque publicaba y pregonó que enviaba a poblar. Pues hecho este concierto, tienen tales modos Duero y el contador con Diego Velázquez y le dicen tan buenas y melosas palabras, loando mucho a Cortés, que es persona en quien cabe el cargo para ser capitán, porque además de ser muy esforzado, sabrá mandar y ser temido, y que le sería muy fiel en todo lo que le encomendase, así en lo de la armada como en lo demás, y además de esto era su ahijado, y fue su padrino cuando Cortés se veló con la doña Catalina Suárez; por manera que le persuadieron y convocaron a ello, y luego se eligió por capitán general, y el secretario Andrés de Duero hizo las provisiones, como suele decir el refrán, de muy buena tinta, y como Cortés las quiso, muy bastantes. Ya publicada su elección, a unas personas les placía y a otras les pesaba. Y un domingo, yendo a misa Diego Velázquez, como era gobernador íbanle acompañando los más nobles vecinos que había en aquella villa, y llevaba a Hernando Cortés a su lado derecho por honrarle. E iba delante de Diego Velázquez un truhán que se decía Cervantes el Loco, haciendo gestos y chocarrerías, y decía: "A la gala, a la gala de mi amo Diego. ¡Oh, Diego; oh, Diego! ¡Qué capitán has elegido, que es de Medellín de Extremadura, capitán de gran ventura, mas temo, Diego, no se te alce con la armada, porque todos le juzgan por muy varón en sus cosas!" Y decía otras locuras, que todas iban inclinadas a malicia, y porque lo iba diciendo de aquella manera le dio de pescozazos Andrés de Duero que iba allí junto a Diego Velázquez, y le dijo: "Calla, borracho loco, no seas más bellaco, que bien entendido tenemos que esas malicias, so color de gracias, no salen de ti." Y todavía el loco iba diciendo, por más pescozazos que le dieron: "¡Viva, viva la gala de mi amo Diego y del su venturoso capitán y juro a tal mi amo Diego que por no verte llorar el mal recaudo que ahora has hecho, yo me quiero ir con él a aquellas ricas tierras!" Túvose por cierto que le dieron los Velázquez, parientes del gobernador, ciertos pesos de oro a aquel chocarrero porque dijese aquellas malicias, so color de gracias y todo salió verdad como lo dijo. Dicen que los locos algunas veces aciertan en lo que dicen.

Y verdaderamente fue elegido Hernando Cortés para ensalzar nuestra santa fe y servir a Su Majestad, como adelante diré. Antes que más pase adelante quiero decir cómo el valeroso y esforzado Hernando Cortés era hijodalgo conocido por cuatro abolengos: el primero, de los Corteses, que así se llamaba su padre Martín Cortés; el segundo, por los Pizarros; el tercero, por los Monroys; el cuarto, por los Altamiranos. Y puesto que fue tan valeroso y esforzado y venturoso capitán, no le nombraré de aquí delante ninguno de estos sobrenombres de valeroso, ni esforzado, ni marqués del Valle, sino solamente Hernando Cortés; porque tan tenido y acatado fue en tanta estima el nombre de solamente Cortés así en todas las Indias como en España, como fue nombrado el nombre de Alejandro en Macedonia, y entre los romanos Julio César y Pompeyo y Escipión, y entre los cartagineses Aníbal, y en nuestra Castilla a Gonzalo Hernández, el Gran Capitán, y el mismo valeroso Cortés se holgaba que no le pusiesen aquellos sublimados dictados, sino solamente su nombre, y así lo nombraré de aquí adelante. Y dejaré de hablar en esto y diré en este otro capítulo las cosas que hizo y entendió para proseguir su armada.

CAPÍTULO XX

CÓMO CORTÉS SE APERCIBIÓ Y ENTENDIÓ EN LAS COSAS QUE CONVENÍAN PARA DESPACHARSE CON LA ARMADA

PUES COMO YA FUE ELEGIDO Hernando Cortés por general, de la manera que dicho tengo, comenzó a buscar todo género de armas, así escopetas, pólvora y ballestas, y todos cuantos pertrechos de armas pudo haber, y buscar de rescate, y también otras cosas pertenecientes a aquel viaje; y demás de esto, se comenzó de pulir y ataviar su persona mucho más que de antes, y se puso su penacho de plumas con su medalla y una cadena de oro, y una ropa de terciopelo, sembradas por ella unas lazadas de oro, y, en fin, como un bravoso y esforzado capitán. Pues para hacer estos gastos que he dicho no tenía de qué, porque en aquella sazón estaba muy adeudado y pobre, puesto que tenía buenos indios y encomienda y sacaba oro de las minas; mas todo lo gastaba en su persona y en atavíos de su mujer, que era recién casado, y en algunos forasteros huéspedes que se le allegaban, porque era de buena conversación y apacible, y había sido dos veces alcalde en la villa de San Juan de Baracoa, donde era vecino, porque en estas tierras se tiene por mucha honra a quien hacen alcalde. Y como unos mercaderes amigos suyos, que se decían Jaime Tría y Jerónimo Tría y un Pedro de Jerez, le vieron con aquel cargo de capitán general, le prestaron cuatro mil pesos de oro y le dieron fiados otros cuatro mil en mercaderías sobre sus indios y hacienda y fianzas. Y luego mandó hacer dos estandartes y banderas labradas de oro con las armas reales y una cruz de cada parte con un letrero que decía: "Hermanos y compañeros: sigamos la señal de la Santa Cruz con fe verdadera, que con ella venceremos." Y luego mandó dar pregones y tocar trompetas y atambores en nombre de Su Majestad y en su real nombre Diego Velázquez, y él por su capitán general, para que cualesquiera personas que quisiesen ir en su compañía a las tierras nuevamente descubiertas, a conquistarlas y poblarlas, les darían sus partes del oro y plata y riquezas que hubiere y encomiendas de indios después de pacificadas, y que para ello tenía licencia Diego Velázquez de Su Majestad. Y puesto que se pregonó esto de la licencia del rey nuestro señor, aún no había venido con ella de Castilla el capellán Benito Martín, que fue el que Diego Velázquez hubo enviado para que lo trajese, como dicho tengo en el capítulo [XVII] que de ello habla.

Pues como se supo esta nueva en toda la isla de Cuba, y también Cortés escribió a todas las villas a sus amigos que se aparejasen para ir con él aquel viaje, unos vendían sus haciendas para buscar armas y caballos, otros a hacer pan cazabe y tocinos para matalotaje, y colchaban armas de algodón, y se apercibían de lo que habían menester lo mejor que podían. De manera que nos juntamos en Santiago de Cuba, donde salimos con la armada, más de trescientos y cincuenta soldados, y de la casa del mismo Diego Velázquez salió un su mayordomo, que se decía Diego de Ordaz, y éste el mismo Velázquez le envió para que mirase y entendiese en la armada, no hubiese alguna mala traza de Cortés, porque siempre temió de él que se alzaría, aunque no lo daba a entender. Y vino un Francisco de Morla, y un Escobar, que llamábamos el *paje,* y un Heredia, y Juan Ruano, y Pedro Escudero, y un Martín Ramos de Lares, y otros muchos, que eran amigos y paniaguados de Diego Velázquez. Y yo me quiero poner aquí a la postre, que también salí de la misma casa de Diego Velázquez, porque era mi deudo, y estos soldados pongo aquí ahora por memoria, porque después, en su tiempo y lugar, escribiré de todos los que venimos en la armada, y de los que se me acordaren sus nombres, y de qué tierra eran de Castilla naturales.

Y como Cortés andaba muy solícito en aviar su armada y en todo se daba mucha prisa, como la malicia y envidia reinaban en los deudos de Velázquez, que estaban afrentados cómo no se fiaba el pariente ni hacía cuenta de ellos y dio aquel cargo de capitán a Cortés, sabiendo que había sido su gran enemigo, pocos días había, sobre el casamiento de Cortés ya por mí declarado; y a esta causa andaban murmurando del pariente Diego Velázquez y aun de Cortés, y por todas las vías que podían le revolvían con Diego Velázquez para que en todas maneras le revocasen el poder, de lo cual tenía aviso Cortés, y no se quitaba de estar siempre en compañía del gobernador, y mostrándose muy gran su servidor, y le decía que le había de hacer, mediante Dios, muy ilustre señor y rico en poco tiempo, y demás de esto, Andrés de Duero avisaba siempre a Cortés que se diese prisa en embarcarse él y sus soldados, porque ya le tenían trastocado a Diego Velázquez con importunidades de aquellos sus parientes los Velázquez. Y desde que aquello vio Cortés, mandó a su mujer que todo lo que hubiese de llevar de bastimentos y regalos que [las mujeres] suelen hacer para tan largo viaje para sus maridos, se los enviase luego a embarcar a los navíos. Y ya tenía mandado pregonar y apercibido a los maestres y pilotos y a todos los soldados que entre aquel día y la noche se fuesen a embarcar, que no quedase ninguno en tierra, y desde que los vio todos embarcados, se fue a despedir del Diego Velázquez, acompañado de aquellos sus grandes amigos y de otros muchos hidalgos, y todos los más nobles vecinos de aquella villa. Y después de muchos ofrecimientos y abrazos de Cortés al gobernador y del gobernador a él, se despidió, y otro día muy de mañana, después de haber oído misa, nos fuimos a los navíos, y el mismo Diego Velázquez fue allí con nosotros; y se tornaron [a] abrazar, y con muchos cumplimientos de uno al otro; y nos hicimos a la vela, y con próspero tiempo llegamos al puerto de la Trinidad. Y tomando puerto y saltados en tierra, nos salieron a recibir todos los vecinos de aquella villa, y nos festejaron mucho. Y aquí en esta relación verán las contrariedades que tuvo Cortés, y las palabras que dice Gómara en su historia, cómo son todas contrarias de lo que pasó.

CAPÍTULO XXI

DE LO QUE CORTÉS HIZO DESPUÉS QUE LLEGÓ A LA VILLA DE LA TRINIDAD, Y DE LOS SOLDADOS QUE DE AQUELLA VILLA SALIERON PARA IR EN NUESTRA COMPAÑÍA Y DE LO QUE MÁS LE AVINO

LUEGO LLEVARON los más principales de aquella villa [a] aposentar a Cortés y a todos nosotros entre los vecinos, y en las casas del capitán Juan de Grijalva posó Cortés. Y luego mandó Cortés poner su estandarte y pendón real delante de su posada y dar pregones, como se había hecho en Santiago, y mandó buscar todo género de armas, y comprar otras cosas necesarias, y bastimentos; y de aquella villa salieron cinco hermanos, que se decían Pedro de Alvarado y Jorge de Alvarado y Gonzalo y Gómez, y Juan de Alvarado, el viejo, bastardo. El capitán Pedro de Alvarado es el por mí otras veces ya memorado. Y también salió de esta villa Alonso de Ávila, capitán que fue cuando lo de Grijalva; y Juan de Escalante, y Pero Sánchez Farfán, y Gonzalo Mejía, que después, el tiempo andando, fue tesorero en México; y un Baena y Joanes de Fuenterrabia; y Lares, el buen jinete, llamámoslo así porque hubo otros Lares; y Cristóbal de Olid, el muy esforzado, que fue maestre de campo en las guerras mexicanas; y Ortiz, el Músico, y un Gaspar Sánchez, sobrino del tesorero de Cuba; y un Diego de Pineda o Pinedo; y un Alonso Rodríguez, que tenía unas minas ricas de oro; y un Bartolomé García, y otros hidalgos que no me acuerdo sus nombres, y todas personas de mucha valía. Y desde la Trinidad escribió Cortés a la villa de Santispíritus, que estaba de allí diez y ocho leguas, haciendo saber a todos los vecinos cómo iba aquel viaje a servir a Su Majestad, y con palabras sabrosas y ofrecimientos para traer a sí muchas personas de calidad, que estaban en aquella villa poblados, que se decían Alonso Hernández Puerto Carrero, primo del conde de Medellín; y Gonzalo de Sandoval, que después, el tiempo andando, fue en México alguacil mayor y aun ocho meses fue gobernador de la Nueva España; y vino Juan Velázquez de León, pariente de Diego Velázquez, y Rodrigo Rengel, y Gonzalo López de Ximena, y un su hermano, y un Juan Sedeño; este Juan Sedeño era vecino de aquella villa, y declarólo así porque había en nuestra armada otros dos Juan Sedeño.

Y todos éstos que he nombrado eran personas muy generosas y luego vinieron desde la villa de Santispíritus a la Trinidad, donde estaba Cortés, y como supo que venían los salió a recibir con todos nosotros, que estábamos en su compañía, y les mostró mucho amor, y ellos le tenían grande acato. Y estos vecinos que he nombrado tenían sus estancias de pan cazabe y manadas de puercos cerca de aquella villa, y cada uno procuró de poner el más bastimento que pudo. Pues estando que estábamos de esta manera recogiendo soldados y comprando caballos, que en aquella sazón pocos había y muy caros, y como aquel caballero por mí nombrado que se decía Alonso Hernández Puerto Carrero no tenía caballo ni de qué comprarlo, Hernando Cortés le compró una yegua rucia; y dio por ella unas lazadas de oro que traía en la ropa de terciopelo, la cual mandó hacer en Santiago de Cuba, como dicho tengo. Y en aquel instante vino un navío de la Habana a aquel puerto, que traía un Juan Sedeño, vecino de la misma Habana, cargado de pan cazabe y tocinos, que iba a vender a unas minas de oro que estaban cerca de Santiago de Cuba; y como saltó en tierra, Juan Sedeño fue a hacer acato a Cortés, y después de muchas pláticas que tuvieron le compró el navío y tocinos y cazabe, fiado, y se fue con nosotros. Ya teníamos once navíos, y todo se nos hacía prósperamente. Gracias a Dios por ello. Y estando de la manera que he dicho, envió Diego Velázquez cartas y mandamientos para que le detengan la armada a Cortés y le envíen preso, lo cual verán adelante lo que pasó.

CAPÍTULO XXII

CÓMO EL GOBERNADOR DIEGO VELÁZQUEZ ENVIÓ EN POSTA DOS CRIADOS A LA VILLA DE LA TRINIDAD CON PODERES Y MANDAMIENTOS PARA REVOCAR A CORTÉS EL PODER Y NO DEJAR PASAR LA ARMADA Y LO PRENDIESEN Y LE ENVIASEN A SANTIAGO

Quiero volver algo atrás de nuestra plática para decir cómo después que salimos de Santiago de Cuba con todos los navíos, de la manera que he dicho, dijeron a Diego Velázquez tales palabras contra Cortés, que le hicieron volver la hoja, porque le acusaban que iba alzado y que salió del puerto a cencerros tapados, y que le habían oído decir que, aunque pesase a Diego Velázquez y a sus parientes, que había de ser capitán, y que para este efecto había embarcado todos sus soldados en los navíos de noche, para si le quisiesen detener por fuerza hacerse a la vela, y que le habían engañado a Velázquez su secretario Andrés de Duero y el contador Amador de Lares, por tratos que había entre ellos y Cortés. Y quien más metía la mano en ello para convocar a Diego Velázquez que revocase luego el poder eran sus parientes los Velázquez y un viejo que se decía Juan Millán, que le llamaban el *astrólogo;* otros decían que tenía ramo de locura, porque era atronado. Y este viejo decía muchas veces a Diego Velázquez: "Mirad, señor, que Cortés se vengará ahora de vos de cuando le tuvistes preso, y como es mañoso y atrevido, os ha de echar a perder si no lo remediáis presto." A estas palabras y otras muchas que le decían dio oídos a ellas, y él, que siempre estaba con aquella sospecha, con mucha brevedad envió dos mozos de espuelas de quien se fiaba, con mandamientos y provisiones para el alcalde mayor de la Trinidad, que se decía Francisco Verdugo, el cual era cuñado del mismo gobernador, y escribió cartas a otros sus amigos y parientes para que en todo caso no dejasen pasar la armada, porque decía en los mandamientos que le detuviesen o que le llevasen preso, porque ya no era capitán y le habían revocado el poder y dado a Vasco Porcallo, y también envió otras cartas para Diego de Ordaz y Francisco de Morla y otros sus criados, rogándoles mucho, que no pasase la armada.

Y como Cortés lo supo, habló a Ordaz y a Francisco Verdugo y a todos los soldados y vecinos de la Trinidad que le pareció que le serían contrarias y en favorecer las provisiones, y tales palabras y ofrecimientos les dijo, que les trajo a su servicio, y aun el mismo Diego de Ordaz convocó luego a Francisco Verdugo, que era alcalde mayor, que no se hablase más en el negocio, sino que lo disimulase, y púsole por delante que hasta allí no habían visto ninguna novedad en Cortés, antes se mostraba muy servidor del gobernador, y ya que en algo se quisiesen poner para quitarle la armada, que Cortés tenía muchos caballeros por amigos y estaban mal con Diego Velázquez, porque no les dio buenos indios, y demás de esto tiene gran copia de soldados y estaba muy pujante, y que sería meter cizaña en la villa, o que, por ventura, los soldados les darían sacomano, y la robarían y harían otros peores desconciertos; y así se quedó sin hacer bullicio. Y un mozo de espuelas de los que traían las cartas se fue con nosotros, que se decía Pedro Laso de la Vega; y con el otro mensajero escribió Cortés muy amorosamente a Diego Velázquez que se maravillaba de su merced de haber tomado aquel acuerdo, y que su deseo es servir a Dios y a Su Majestad y a él en su real nombre, y que le suplica que no oyese más [a] aquellos señores sus deudos, ni por un viejo loco como era Juan Millán se hiciese mudanza. Y también escribió a todos sus amigos, y a Duero, y al contador, sus compañeros. Y luego mandó entender a todos los soldados en aderezar armas y a los herreros que estaban en aquella villa que hiciesen casquillos, y a los ballesteros que desbastasen almacén e hiciesen saetas, y atrajo y convocó a los dos herreros que se fuesen con nosotros, y así lo hicieron. Y estuvimos en aquella villa diez días, donde lo dejaré y diré cómo nos embarcamos para ir a la Habana.

También quiero que vean los que esto leyeren la diferencia que hay de la relación de Gómara, cuando dice que envió a mandar Diego Velázquez a Ordaz que convidase a comer a Cortés en el navío y lo llevase preso a Santiago, y pone otras cosas de trampas en su corónica, que por no alargarme lo dejo al parecer de los curiosos lectores. Volvamos a nuestra materia.

CAPÍTULO XXIII

CÓMO EL CAPITÁN HERNANDO CORTÉS SE EMBARCÓ CON TODOS LOS SOLDADOS PARA IR POR LA BANDA DEL SUR A LA HABANA, Y ENVIÓ OTRO NAVÍO POR LA BANDA DEL NORTE Y LO QUE MÁS LE ACAECIÓ

DESPUÉS QUE CORTÉS vio que en la villa de la Trinidad no teníamos en qué entender, apercibió a todos los soldados que allí se habían juntado para ir en su compañía, *que se embarcasen juntamente con él en los navíos que estaban en el puerto de la banda del sur,* y Pedro de Alvarado que se fuese por tierra desde aquella villa de la Trinidad hasta la Habana, *para que*[15] recogiese unos soldados que estaban en unas estancias, y yo fui en su compañía. También mandó Cortés a un hidalgo que se decía Juan de Escalante, muy su amigo, que fuese en un navío por la banda del norte, y mandó que todos los caballos fuesen por tierra. Pues ya despachado todo lo que dicho tengo, Cortés se embarcó en la nao capitana, con todos los navíos, para ir la derrota de la Habana. Parece ser que las naos que llevaba en conserva no vieron a la capitana, donde iba Cortés, porque era de noche, y fueron al puerto. Y asimismo llegamos por tierra

[15] Todo lo que va en cursiva está tomado del texto Remón, para suplir las lagunas que presenta el MS. de Guatemala.

con Pedro de Alvarado a la villa de la Habana; y el navío en que venía Juan de Escalante por la banda del norte también había llegado; y todos los caballos que iban por tierra. Y Cortés no vino ni sabían dar razón de él. Y pasáronse cinco días, y no había nuevas ningunas de su navío, y teníamos sospecha no se hubiese perdido en los Jardines, que es cerca de las islas de Pinos, donde hay muchos bajos que están a diez o doce leguas de la Habana; y fue acordado por todos nosotros que fuesen tres navíos de los de menor porte en su busca de Cortés. Y en aderezar los navíos y en debates, vaya Fulano, vaya Zutano, o Pedro o Sancho, se pasaron otros dos días, y Cortés no venía. Ya había entre nosotros bandos y medio chirinolas sobre quién sería capitán hasta saber de Cortés, y quien más en ello metió la mano fue Diego de Ordaz, como mayordomo mayor de Velázquez, a quien enviaba para entender solamente en lo de la armada, no se alzasen con ella. Dejemos esto y volvamos a Cortés, que, como venía en el navío de mayor porte, como antes tengo dicho [y] en el paraje de isla de Pinos o cerca de los Jardines hay muchos bajos, parece ser tocó y quedó algo en seco el navío y no pudo navegar, y con el batel mandó descargar toda la carga que se pudo sacar, porque allí cerca había tierra, donde lo descargaron. Y después que vieron que el navío estaba en flote y podía nadar, le metieron en más hondo y tornaron a cargar lo que habían sacado en tierra, y dio vela y fue su viaje hasta el puerto de la Habana. Y cuando llegó, todos los más de los caballeros y soldados que le aguardábamos nos alegramos con su venida, salvo algunos que pretendían ser capitanes; y cesaron las chirinolas.

Y después que le aposentamos en casa de Pedro Barba, que era teniente de aquella villa de Diego Velázquez, mandó sacar sus estandartes y ponerlos delante de las casas donde posaba; y mandó dar pregones, según y de la manera de los pasados. Y de allí, de la Habana, vino un hidalgo que se decía Francisco de Montejo, y éste es el por mí muchas veces nombrado, que después de ganado México fue adelantado y gobernador de Yucatán; y vino Diego de Soto, el de Toro, que fue mayordomo de Cortés en lo de México, y vino un Angulo, y Garcicaro, y Sebastián Rodríguez, y un Pacheco, y un fulano Gutiérrez, y un Rojas (no digo Rojas el rico), y un mancebo que se decía Santa Clara, y dos hermanos que se decían los Martínez de Fregenal, y un Juan de Nájera (no lo digo por el *Sordo,* el del juego de la pelota de México), y todos personas de calidad, sin otros soldados que no me acuerdo sus nombres. Y cuando Cortés los vio, todos aquellos hidalgos juntos, se holgó en gran manera, y luego envió un navío a la punta de Guaniguanico, a un pueblo que allí estaba, de indios, adonde hacían cazabe y tenían muchos puercos, para que cargase el navío de tocinos, porque aquella estancia era del gobernador Diego Velázquez. Y envió por capitán del navío a Diego de Ordaz, como mayordomo de las haciendas de Velázquez, y envióle por tenerle apartado de sí, porque Cortés supo que no se mostró mucho en su favor cuando hubo las contiendas sobre quién sería capitán cuando Cortés estaba en la isla de Pinos, que tocó su navío, y por no tener contraste en su persona le envió y le mandó que después que tuviese cargado el navío de bastimentos se estuviese aguardando en el mismo puerto de Guaniguanico hasta que se juntase con otro navío que había de ir por la banda del norte, y que irían ambos en conserva hasta lo de Cozumel, o le avisaría con indios en canoas lo que habría de hacer. Volvamos a decir de Francisco de Montejo y de todos aquellos vecinos de la Habana, que metieron mucho matalotaje de cazabe y tocinos, que otra cosa no había; y luego Cortés mandó sacar toda la artillería de los navíos, que eran diez tiros de bronce y ciertos falconetes, y dio cargo de ello a un artillero que se decía Mesa, y a un levantisco que se decía Arbenga, y a un Juan Catalán, para que lo limpiasen y probasen, y que las pelotas y pólvora que todo lo tuviesen muy a punto, y dióles vino y vinagre con que lo refinasen, y dióles por compañero a uno que se decía Bartolomé de Usagre. Asimismo mandó aderezar las ballestas, y cuerdas, y nueces, y almacén, y que tirasen a terrero, y que mirasen a cuántos pasos llegaba la fuga de cada una de ellas. Y como en aquella tierra de la Habana había mucho algodón, hicimos armas muy bien colchadas, porque son buenas para entre indios, porque es mucha la vara y flecha y lanzadas que daban, pues piedra era como granizo.

Y allí en la Habana comenzó Cortés a poner casa y a tratarse como señor, y el primer maestresala que tuvo fue un Guzmán, que luego se murió o mataron indios; no [lo] digo por el mayordomo Cristóbal de Guzmán, que fue de Cortés, que prendió [a] Guatemuz[16] cuando la guerra de México; y también tuvo Cortés por camarero a un Rodrigo Rangel, y por mayordomo a un Juan de Cáceres, que fue después de ganado México hombre rico. Y todo esto ordenado, nos mandó apercibir para embarcar, y que los caballos fuesen repartidos en todos los navíos; hicieron una pesebrera y metieron mucho maíz y hierba seca.

Quiero aquí poner por memoria todos los caballos y yeguas que pasaron:

Capitán Cortés, un caballo castaño zaino, que luego se le murió en San Juan de Ulúa.

Pedro de Alvarado y Hernán López de Ávila, una yegua alazana, muy buena, de juego y de carrera, y después que llegamos a la Nueva España el Pedro de Alvarado le compró la mitad de la yegua o se la tomó por fuerza.

Alonso Hernández Puerto Carrero, una yegua rucia de buena carrera, que le compró Cortés por las lazadas de oro.

Juan Velázquez de León, otra yegua rucia muy poderosa, que llamábamos la *Rabona* muy revuelta y de buena carrera.

Cristóbal de Olid, un caballo castaño oscuro, harto bueno.

Francisco de Montejo y Alonso de Ávila, un caballo alazán tostado; no fue [bueno] para cosa de guerra.

Francisco de Morla, un caballo castaño oscuro, gran corredor y revuelto.

Juan de Escalante, un caballo castaño claro, tresalbo; no fue bueno.

Diego de Ordaz, una yegua rucia machorra, pasadera, y aunque corría poco.

Gonzalo Domínguez, un muy extremado jinete, un caballo castaño oscuro muy bueno y gran corredor.

Pedro González de Trujillo, un buen caballo castaño, perfecto castaño, que corría muy bien.

Morón, vecino del Bayamo, un caballo overo, labrado de las manos y era bien revuelto.

Baena, vecino de la Trinidad, un caballo overo, algo sobre morcillo; no salió bueno para cosa ninguna.

Lares, el muy buen jinete, un caballo muy bueno, de color castaño algo claro y buen corredor.

Ortiz, el Músico, y un Bartolomé García, que solía tener minas de oro, un muy buen caballo oscuro, que decían el *Arriero*. Éste fue uno de los buenos caballos que pasamos en la armada.

Juan Sedeño, vecino de la Habana, una yegua castaña, y esta yegua parió en el navío. Este Juan Sedeño pasó [por] el más rico soldado que hubo en toda la armada, porque trajo navío suyo, y la yegua, y un negro, y cazabe y tocino, porque en aquella sazón no se podía hallar caballos ni negros si no era a peso de oro; y a esta causa no pasaron más caballos, porque no los había ni de qué comprarlos. Y dejarlo he aquí, y diré lo que allí nos avino, ya que estábamos a punto para embarcarnos.

[16] El cronista llama a Cuauhtémoc así unas veces y otras Guatimuz.

CAPÍTULO XXIV

CÓMO DIEGO VELÁZQUEZ ENVIÓ A UN SU CRIADO, QUE SE DECÍA GASPAR DE GARNICA, CON MANDAMIENTOS Y PROVISIONES PARA QUE EN TODO CASO SE PRENDIESE A CORTÉS Y SE LE TOMASE LA ARMADA, Y LO QUE SOBRE ELLO SE HIZO

HAY NECESIDAD que algunas cosas de esta relación vuelvan atrás a recitarse para que se entienda bien lo que se escribe. Y esto digo, que parece ser que Diego Velázquez vio y supo de cierto que Francisco Verdugo, su teniente y cuñado, que estaba en la villa de la Trinidad, no quiso apremiar a Cortés que dejase la armada, antes le favoreció, juntamente con Diego de Ordaz, para que saliese. Diz que estaba tan enojado Diego Velázquez que hacía bramuras, y decía al secretario Andrés de Duero y al contador Amador de Lares que ellos le habían engañado por el trato que hicieron, y que Cortés iba alzado. Y acordó de enviar a un su criado con cartas y mandamientos para la Habana, a su teniente, que se decía Pedro Barba, y escribió a todos sus parientes que estaban por vecinos en aquella villa, y a Diego de Ordaz y a Juan Velázquez de León, que eran sus deudos y amigos, rogándoles muy afectuosamente que, en bueno ni en malo, no dejen pasar aquella armada, y que luego prendiesen a Cortés y se le enviasen preso a buen recaudo a Santiago de Cuba. Llegado que llegó Garnica, que así se decía el que envió con las cartas y mandamientos a la Habana, se supo lo que traía, y con este mismo mensajero tuvo aviso Cortés de lo que enviaba Velázquez, y fue de esta manera: Que un fraile de la Merced, que se daba por servidor de Velázquez, que estaba en su compañía del mismo gobernador, escribía a otro fraile de su Orden que se decía fray Bartolomé de Olmedo, que iba con nosotros, y en aquella carta del fraile le avisaban a Cortés sus dos compañeros, Andrés de Duero y el contador, de lo que pasaba. Volvamos a nuestro cuento.

Pues como a Ordaz le había enviado Cortés a lo de los bastimentos, con el navío, como dicho tengo, no tenía Cortés en él contradictor, sino en Juan Velázquez de León; luego que le habló le atrajo a su mandado, y especialmente que Juan Velázquez no estaba bien con el pariente, porque no le había dado buenos indios. Pues a todos los más que había escrito Diego Velázquez, ninguno le acudía a su propósito, antes todos a una se mostraron por Cortés, y el teniente Pedro Barba muy mejor, y demás de eso, los Alvarados, y Alonso Hernández Puerto Carrero, y Francisco de Montejo, y Cristóbal de Olid, y Juan de Escalante, y Andrés de Monjaraz, y su hermano Gregorio de Monjaraz, y todos nosotros pusiéramos la vida por Cortés. Por manera que si en la villa de la Trinidad se disimularon los mandamientos, muy mejor se callaron entonces, y con el mismo Garnica escribió el teniente Pedro Barba a Diego Velázquez que no osó prender a Cortés porque estaba muy pujante de soldados, y que hubo temor no metiesen a sacomano la villa y la robasen, y embarcase todos los vecinos y se los llevase consigo, y que, a lo que ha entendido, que Cortés era su servidor, y que no se atrevió hacer otra cosa. Y Cortés le escribió a Velázquez con palabras tan buenas y de ofrecimientos, que lo sabía muy bien decir, y que otro día se haría a la vela y que le sería servidor.

CAPÍTULO XXV

CÓMO CORTÉS SE HIZO A LA VELA CON TODA SU COMPAÑÍA DE CABALLEROS Y SOLDADOS PARA LA ISLA DE COZUMEL, Y LO QUE ALLÍ LE AVINO

NO HICIMOS ALARDE hasta la isla de Cozumel, más de mandar Cortés que los caballos se embarcasen, y mandó a Pedro de Alvarado que fuese por la banda del norte en un buen navío que se decía *San Sebastián,* y mandó al piloto que llevaba en el navío que le aguardase en la punta de San Antón, para que allí se juntase con todos los navíos para ir en conserva hasta Cozumel; y envió mensajero a Diego de Ordaz, que había ido por el bastimento, que aguardase, que hiciese lo mismo, porque estaba en la banda del norte. Y en diez días del mes de febrero año de mil quinientos diez y nueve años, después de haber oído misa, hicímonos a la vela con nueve navíos por la banda del sur, con la copia de los caballeros y soldados que dicho tengo, y con los dos navíos por la banda del norte; que fueron once, con el que fue Pedro de Alvarado con sesenta soldados. Y yo fui en su compañía, y el piloto que llevábamos, que se decía Camacho, no tuvo cuenta de lo que le fue mandado por Cortés, y siguió su derrota. Y llegamos dos días primero que Cortés a Cozumel, y surgimos en el puerto ya por mi otras veces dicho cuando lo de Grijalva. Y Cortés aún no había llegado, con su flota, por causa que un navío, en que venía por capitán Francisco de Morla, con tiempo se le saltó el gobernalle; y fue socorrido con otro gobernalle de los navíos que venían con Cortés,[17] y vinieron todos en conserva. Volvamos a Pedro de Alvarado: que así como llegamos al puerto, saltamos en tierra en el pueblo de Cozumel, con todos los soldados; y no hallamos indios ningunos, que se habían ido huyendo; y mandó que luego fuésemos a otro pueblo que estaba de allí una legua, y también se amontaron y huyeron los naturales, y no pudieron llevar su hacienda y dejaron gallinas y otras cosas. Y de las gallinas mandó Pedro de Alvarado que tomasen hasta cuarenta de ellas. Y también en una casa de adoratorios de ídolos tenían unos paramentos de mantas viejas y unas arquillas donde estaban unas como diademas, e ídolos, y cuentas e pinjantillos de oro bajo; y también se les tomó dos indios y una india. Y volvímonos al pueblo donde desembarcamos.

Y estando en esto, llega Cortés con todos los navíos, y después de aposentado, la primera cosa que hizo fue mandar echar preso en grillos al piloto Camacho, porque no aguardó en la mar como le fue mandado. Y después que vio el pueblo sin gente y supo cómo Pedro de Alvarado había ido al otro pueblo, y que les había tomado gallinas y paramentos y otras cosillas de poco valor de los ídolos, y el oro medio cobre, mostró tener mucho enojo de ello, y de cómo no aguardó el piloto. Y reprendióle gravemente a Pedro de Alvarado, y le dijo que no se habían de apaciguar las tierras de aquella manera, tomando a los naturales su hacienda. Y luego mandó traer los dos indios y la india que habíamos tomado, y con el indio Melchorejo, que llevamos de la punta de Cotoche, que entendía

[17] Tachado en el original: "y volvieron por la mar en busca del gobernalle, y lo hallaron y lo pusieron en su lugar, con que luego navegó la nao".

bien aquella lengua, les habló, porque Julianillo, su compañero, ya por mí memorado, ya se había muerto: que fuesen a llamar los caciques e indios de aquel pueblo, y que no hubiesen miedo. Y les mandó volver el oro, y paramentos y todo lo demás, y por las gallinas, que ya se habían comido, les mandó dar cuentas y cascabeles; y más dio a cada indio una camisa de Castilla. Por manera que fueron a llamar al señor de aquel pueblo; y otro día vino el cacique con toda su gente, hijos y mujeres de todos los del pueblo, y andaban entre nosotros como si toda su vida nos hubieran tratado, y mandó Cortés que no se les hiciese enojo ninguno. Aquí en esta isla comenzó Cortés a mandar muy de hecho, y Nuestro Señor le daba gracia, que doquiera que ponía la mano se le hacía bien, especial en pacificar los pueblos y naturales de aquellas partes, como adelante verán.

CAPÍTULO XXVI

CÓMO CORTÉS MANDÓ HACER ALARDE DE TODO EL EJÉRCITO, Y DE LO QUE MÁS NOS AVINO

De ahí a tres días que estábamos en Cozumel, mandó hacer alarde para saber qué tantos soldados llevaba, y halló por su cuenta que éramos quinientos ocho, sin maestres y pilotos y marineros, que serían ciento; y diez y seis caballos y yeguas: las yeguas todas eran de juego y de carrera; y once navíos grandes y pequeños, con uno que era como bergantín, que traía a cargo un Ginés Nortes; eran treinta y dos ballesteros, y trece escopeteros, que así se llamaban en aquel tiempo, y[18] tiros de bronce, y cuatro falconetes, y mucha pólvora y pelotas; y esto de esta cuenta de los ballesteros no se me acuerda muy bien, no hace al caso de la relación.[19] Y hecho el alarde, mandó a Mesa, el artillero, que así se llamaba, y a un Bartolomé de Usagre, y Arbenga, y un catalán, que todos eran artilleros, que lo tuviesen muy limpio y aderezado, y los tiros y pelotas y pólvora muy a punto, y puso por capitán de la artillería a un Francisco de Orozco, que había sido soldado en Italia. Asimismo, mandó a dos ballesteros, maestros de aderezar ballestas, que se decían Juan Benítez y Pedro de Guzmán, el ballestero, que mirasen que todas las ballestas tuviesen a dos y a tres nueces y otras tantas cuerdas y avancuerdas, y que siempre tuviesen cargo de hacer almacén y tuviesen cepillo e inguijuela y tirasen a terrero; y que los caballos estuviesen muy a punto. No sé yo en qué gasto ahora tanta tinta en meter la mano en cosas de apercibimiento de armas, y de lo demás, porque Cortés verdaderamente tenía gran vigilancia en todo.

[18] Tachado en el original: *diez.*

[19] Asienta Gómara que Cortés pasó revista antes de abandonar la isla de Cuba. *Historia de la Conquista de México.* México, 1943. T. I, pág. 61.

CAPÍTULO XXVII

CÓMO CORTÉS SUPO DE DOS ESPAÑOLES QUE ESTABAN EN PODER DE INDIOS EN LA PUNTA DE COTOCHE, Y LO QUE SOBRE ELLO SE HIZO

COMO CORTÉS en todo ponía gran diligencia, me mandó llamar a mí y a un vizcaíno que se decía Martín Ramos, y nos preguntó qué sentíamos de aquellas palabras que nos hubieron dicho los indios de Campeche cuando vinimos con Francisco Hernández de Córdoba, que decían: *Castilan, castilan,* según lo he dicho en el capítulo [III] que de ello trata; y nosotros se lo tornamos a contar según y de la manera que lo habíamos visto y oído. Y dijo que ha pensado muchas veces en ello, y que por ventura estarían algunos españoles en aquella tierra, y dijo: "Paréceme que será bien preguntar a estos caciques de Cozumel si saben alguna nueva de ellos"; y con Melchorejo, el de la punta de Cotoche, que entendía ya poca cosa de la lengua de Castilla y sabía muy bien la de Cozumel, se lo preguntó a todos los principales, y todos a una dijeron que habían conocido ciertos españoles, y daban señas de ellos, y que en la tierra adentro, andadura de dos soles, estaban y los tenían por esclavos unos caciques, y que allí en Cozumel había indios mercaderes que les hablaron pocos días había.[20] De lo cual todos nos alegramos con aquellas nuevas. Y díjoles Cortés que luego los fuesen a llamar con cartas, que en su lengua llaman *amales;* y dio a los caciques y a los indios que fueron con las cartas, camisas, y los halagó, y les dijo que cuando volviesen les daría más cuentas. Y el cacique dijo a Cortés que enviase rescate para los amos con quien estaban, que los tenían por esclavos, porque los dejasen venir, y así se hizo, que se les dio a los mensajeros de todo género de cuentas. Y luego mandó apercibir dos navíos, los de menos porte, que el uno era poco mayor que bergantín, y con veinte ballesteros y escopeteros, y por capitán de ellos a Diego de Ordaz, y mandó que estuviese en la costa de la punta de Cotoche aguardando ocho días con el navío mayor, y entretanto que iban y venían con la respuesta de las cartas, con el navío pequeño volviesen a dar la respuesta a Cortés de lo que hacían, porque está aquella tierra de la punta de Cotoche obra de cuatro leguas, y se parece la una tierra desde la otra. Y escrita la carta, decía en ella: "Señores y hermanos: Aquí, en Cozumel, he sabido que estáis en poder de un cacique detenidos, y os pido por merced que luego os vengáis aquí, a Cozumel, que para ello envío un navío con soldados, si los hubiésedes menester, y rescate para dar a esos indios con quien estáis; y lleva el navío de plazo ocho días para os aguardar; veníos con toda brevedad; de mí sereis bien mirados y aprovechados. Yo quedo en esta isla con quinientos soldados y once navíos; en ellos voy, mediante Dios, la vía de un pueblo que se dice Tabasco o Potonchan."

Y luego se embarcaron en los navíos con las cartas y los dos indios mercaderes de Cozumel que las llevaban, y en tres horas atravesaron el golfete y echaron en tierra los mensajeros con las cartas y rescates; y en dos días les dieron a un español que se decía Jerónimo de Aguilar, que entonces supimos que

[20] En las Instrucciones que dio Velázquez a Cortés le encargaba ya buscar a esos españoles. Fernández de Oviedo. Ob. cit. T. I, pág. 539.

así se llamaba, y de aquí adelante así le nombraré, y después que las hubo leído y recibido el rescate de las cuentas que le enviamos, él se holgó con ello y lo llevó a su amo el cacique para que le diese licencia, la cual luego se la dio [para] que se fuese adonde quisiese. Y caminó Aguilar adonde estaba su compañero, que se decía Gonzalo Guerrero, en otro pueblo, cinco leguas de allí, y como le leyó las cartas, Gonzalo Guerrero le respondió: "Hermano Aguilar: Yo soy casado y tengo tres hijos, y tiénenme por cacique y capitán cuando hay guerras; idos con Dios, que yo tengo labrada la cara y horadadas las orejas. ¡Qué dirán de mí desde que me vean esos españoles ir de esta manera! Y ya veis estos mis hijitos cuán bonicos son. Por vida vuestra que me deis de esas cuentas verdes que traéis, para ellos, y diré que mis hermanos me las envían de mi tierra." Y asimismo la india mujer del Gonzalo habló a Aguilar en su lengua, muy enojada, y le dijo: "Mira con qué viene este esclavo a llamar a mi marido; idos vos y no curéis de más pláticas." Y Aguilar tornó a hablar a Gonzalo que mirase que era cristiano, que por una india no se perdiese el ánima, y si por mujer e hijos lo hacía, que la llevase consigo si no los quería dejar. Y por más que le dijo y amonestó, no quiso venir; y parece ser aquel Gonzalo Guerrero era hombre de la mar, natural de Palos. Y de que Jerónimo de Aguilar vio que no quería venir se vino luego con los dos indios mensajeros adonde había estado el navío aguardándole, y después que llegó no le halló, que ya era ido, porque ya se habían pasado los ocho días y aun uno más, que llevó de plazo el Ordaz para que aguardase; porque desde que Aguilar no venía, se volvió a Cozumel sin llevar recaudo a lo que había venido. Y desde que Aguilar vio que no estaba allí el navío, quedó muy triste y se volvió a su amo, al pueblo donde antes solía vivir. Y dejaré esto y diré [que] cuando Cortés vio volver a Ordaz sin recaudo ni nueva de los españoles ni de los indios mensajeros, estaba tan enojado y dijo con palabras soberbias a Ordaz que había creído que otro mejor recaudo trajera que no venirse así, sin los españoles ni nuevas de ellos, porque ciertamente estaban en aquella tierra. Pues en aquel instante aconteció que unos marineros que se decían los Peñates, naturales de Gibraleón, habían hurtado a un soldado que se decía Berrio ciertos tocinos y no se los querían dar, y quejóse Berrio a Cortés, y tomando juramento a los marineros, se perjuraron, y en la pesquisa pareció el hurto; de los cuales tocinos estaban repartidos en los siete marineros, y a cuatro de ellos los mandó luego azotar, que no aprovecharon ruegos de ningún capitán. Donde lo dejaré, así de los marineros como esto de Aguilar, y nos íbamos sin él nuestro viaje, hasta su tiempo y sazón.

Y diré cómo venían muchos indios en romería [a] aquella isla de Cozumel, los cuales eran naturales de los pueblos comarcanos de la punta de Cotoche y de otras partes de tierra de Yucatán, porque según pareció había allí en Cozumel unos ídolos de muy disformes figuras, y estaban en un adoratorio en que ellos tenían por costumbre en aquella tierra, por aquel tiempo, de sacrificar. Y una mañana estaba lleno un patio, donde estaban los ídolos, de muchos indios e indias quemando resina, que es como nuestro incienso; y como era cosa nueva para nosotros, paramos a mirar en ello con atención. Y luego se subió encima de un adoratorio un indio viejo, con mantas largas, el cual era sacerdote de aquellos ídolos, que ya he dicho otras veces que *papas* los llaman en la Nueva España, y comenzó a predicarles un rato; y Cortés y todos nosotros mirándolo en qué paraba aquel negro sermón. Y Cortés preguntó a Melchorejo, que entendía muy bien aquella lengua, que qué era aquello que decía aquel indio viejo, y supo que les predicaba cosas malas. Y luego mandó llamar al cacique y a todos los principales, y al mismo *papa,* y como mejor se pudo dárselo a entender con aquella nuestra lengua, les dijo que si habían de ser nuestros hermanos que quitasen de aquella casa aquellos sus ídolos, que eran muy malos y les hacían errar, y que no eran dioses, sino cosas malas, y que les llevarían al infierno sus ánimas. Y se les dio a entender otras cosas santas y buenas; y que pusiesen una imagen de Nuestra Señora que les dio, y una cruz, y que siempre serían ayudados y tendrían buenas sementeras, y se salvarían sus ánimas. Y se les dijo otras cosas acerca de nuestra santa fe, bien dichas. Y el *papa* con los caciques respondieron que sus antepasados adoraban en aquellos dioses porque eran buenos, y que no se atrevían ellos hacer otra cosa, y que se los quitásemos nosotros, y veríamos cuánto mal nos iba de ello, porque nos iríamos a perder en la mar. Y luego Cortés mandó que los despedazásemos y echásemos a rodar unas gradas abajo, y así se hizo. Y luego mandó traer mucha cal, que había harto en aquel pueblo, e indios albañiles; y se hizo un altar muy limpio donde pusimos la imagen de Nuestra Señora; y mandó a dos de nuestros carpinteros de lo blanco, que se decían Alonso Yáñez y Álvaro López que hiciesen una cruz de unos maderos nuevos que allí estaban, la cual se puso en uno como humilladero que estaba hecho cerca del altar; y dijo misa el Padre que se decía Juan Díaz, y el *papa* y cacique y todos los indios estaban mirando con atención. Llaman en esta isla de Cozumel a los caciques *calachiones,* como otra vez he dicho en lo de Potonchan. Y dejarlo he aquí, y pasaré adelante y diré cómo nos embarcamos.

CAPÍTULO XXVIII

CÓMO CORTÉS REPARTIÓ LOS NAVÍOS Y SEÑALÓ CAPITANES PARA IR EN ELLOS, Y ASIMISMO SE DIO LA INSTRUCCIÓN DE LO QUE HABÍAN DE HACER A LOS PILOTOS, Y LAS SEÑALES DE LOS FAROLES DE NOCHE Y OTRAS COSAS QUE NOS AVINO

CORTÉS LLEVABA la capitana.

Pedro de Alvarado y sus hermanos, un buen navío, que se decía *San Sebastián.*

Alonso Hernández Puerto Carrero, otro.

Francisco de Montejo, otro buen navío.

Cristóbal de Olid, otro.

Diego de Ordaz, otro.

Juan Velázquez de León, otro.

Juan de Escalante, otro.

Francisco de Morla, otro.

Otro, Escobar, "el Paje".

Y el más chico, como bergantín, Ginés Nortes.

Y en cada navío su piloto, y por piloto mayor Antón de Alaminos, y las instrucciones por donde se habían de regir, y lo que habían de hacer, y de noche las señas de los faroles. Y Cortés se despidió de los caciques y *papas* y les encomendó aquella imagen de Nuestra Señora y a la cruz, que la reverenciasen y tuviesen limpia y enramada, y verían cuánto provecho de ello les venía, y dijeron que así lo harían; y trajéronle cuatro gallinas y dos jarros de miel, y se abrazaron. Y embarcados que fuimos, en ciertos días del mes de marzo de mil quinientos diez y nueve años dimos velas, y con muy buen tiempo íbamos nuestra derrota; y aquel mismo día, a hora de las diez, dan desde una nao grandes voces, y capean y tiraron un tiro, para que todos los navíos que veníamos en conserva lo oyesen. Y como Cortés lo vio y oyó, se paró luego en el bordo de la capitana y vido ir arribando el navío en que venía Juan de Escalante, que se volvía hacia Cozumel. Y dijo Cortés a otras naos que venían allí cerca: "¿Qué es aquello, qué es aquello?" Y un soldado que se decía Luis de Zaragoza le respondió que se anegaba el navío de Escalante, que era donde iba el cazabe; y Cortés dijo: "Plega a Dios no tengamos algún desmán." Y mandó al piloto Alaminos que hiciese señas a todos los navíos que arribasen a Cozumel. Ese mismo día volvimos al puerto donde salimos y descargamos el cazabe, y hallamos la imagen de Nuestra Señora y la cruz muy limpia y puesto incienso, y de ello nos alegramos. Y luego vino el cacique y *papas* a hablar a Cortés y le preguntaron que a qué volvíamos; y dijo que porque hacía agua un navío y le quería adobar y que les rogaba que con todas sus canoas ayudasen a los bateles a sacar el pan cazabe, y así lo hicieron. Y estuvimos en adobar el navío cuatro días. Y dejemos de hablar en ello, y diré cómo lo supo el español que estaba en poder de indios, que se decía Aguilar, y lo que más hicimos.

CAPÍTULO XXIX

CÓMO EL ESPAÑOL QUE ESTABA EN PODER DE INDIOS [QUE] SE LLAMABA JERÓNIMO DE AGUILAR, SUPO CÓMO HABÍAMOS ARRIBADO A COZUMEL, Y SE VINO A NOSOTROS, Y LO QUE MÁS PASÓ

CUANDO TUVO NOTICIA cierta el español que estaba en poder de indios que habíamos vuelto a Cozumel con los navíos, se alegró en gran manera y dio gracias a Dios, y mucha prisa en venirse él y los dos indios que le llevaron las cartas y rescate, a embarcarse en una canoa; y como la pagó bien, en cuentas verdes del rescate que le enviamos, luego la halló alquilada con seis indios remeros con ella; y dan tal prisa en remar, que en espacio de poco tiempo pasaron el golfete que hay de una tierra a la otra, que serían cuatro leguas, sin tener contraste de la mar. Y llegados a la costa de Cozumel, ya que estaban desembarcando, dijeron a Cortés unos soldados que iban a cazar, porque había en aquella isla puercos de la tierra, que había venido una canoa grande allí, junto del pueblo, y que venía de la punta de Cotoche. Y mandó Cortés a Andrés de Tapia y a otros dos soldados que fuesen a ver qué cosa nueva era venir allí junto a nosotros indios sin temor ninguno, con canoas grandes. Y luego fueron; y desde que los indios que venían en la canoa que traían a Aguilar vieron los españoles, tuvieron temor y queríanse tornar a embarcar y hacer a lo largo con la canoa; y Aguilar les dijo en su lengua que no tuviesen miedo, que eran sus hermanos. Y Andrés de Tapia, como los vio que eran indios, porque Aguilar ni más ni menos era que indio, luego envió a decir a Cortés con un español que siete indios de Cozumel son los que allí llegaron en la canoa. Y después que hubieron saltado en tierra, el español, mal mascado y peor pronunciado, dijo: "Dios y Santamaría y Sevilla." Y luego le fue [a] abrazar Tapia; y otro soldado, de los que habían ido con Tapia a ver qué cosa era, fue a mucha prisa a demandar albricias a Cortés cómo era español el que venía en la canoa, de que todos nos alegramos. Y luego se vino Tapia con el español adonde estaba Cortés, y antes que llegasen ciertos soldados preguntaban a Tapia: "¿Qué es del español?", y aunque iba junto con él, porque le tenían por indio propio, porque de suyo era moreno y tresquilado a manera de indio esclavo, y traía un remo al hombro, una cotara vieja calzada y la otra atada en la cintura, y una manta vieja muy ruin, y un braguero peor, con que cubría sus vergüenzas, y traía atada en la manta un bulto que eran Horas muy viejas. Pues desde que Cortés los vio de aquella manera también picó, como los demás soldados, que preguntó a Tapia que qué era del español, y el español, como le entendió, se puso en cuclillas, como hacen los indios, y dijo: "Yo soy." Y luego le mandó dar de vestir, camisa y jubón y zaragüelles, y caperuza y alpargatas, que otros vestidos no había, y le preguntó de su vida, y cómo se llamaba, y cuándo vino [a] aquella tierra. Y él dijo, aunque no bien pronunciado, que se decía Jerónimo de Aguilar, y que era natural de Ecija, y que tenía órdenes de Evangelio; que había ocho años que se había perdido él y otros quince hombres y dos mujeres que iban desde el Darién a la isla de Santo Domingo, cuando hubo unas diferencias y pleitos de un Enciso y Valdivia; y dijo que llevaban diez mil pesos de oro y los procesos de los unos contra los otros, y que el navío en que iban dio en los Alacranes, que no pudo navegar, y que en el batel del mismo navío se metieron él y sus compañeros y dos mujeres, creyendo tomar la isla de Cuba o Jamaica, y que las corrientes eran muy grandes, que les echó en aquella tierra; y que los *calachiones* de aquella comarca los repartieron entre sí, y que habían sacrificado a los ídolos muchos de sus compañeros, y de ellos se habían muerto de dolencia, y las mujeres, que poco tiempo pasado había, que de trabajo también se murieron, porque las hacían moler. Y que a él que tenían para sacrificar, y una noche se huyó y se fue [a] aquel cacique con quien estaba; ya no se me acuerda el nombre, que allí le nombró, y que no habían quedado de todos sino él y un Gonzalo Guerrero. Y dijo que le fue a llamar y no quiso venir, y dio muchas gracias a Dios por todo.

Y le dijo Cortés que de él sería bien mirado y gratificado, y le preguntó por la tierra y pueblos. Y Aguilar dijo que, como le tenían por esclavo, que no sabía sino servir de traer leña y agua y en cavar los maizales, que no había salido sino hasta cuatro leguas, que le llevaron con una carga, y que no la pudo llevar y cayó malo de ello; y que ha entendido que hay muchos pueblos. Y luego le preguntó por Gonzalo Guerrero, y dijo que estaba casado y tenía tres hijos, y que tenía labrada la cara y horadadas las orejas y el bezo de abajo, y que era hombre de la mar, de Palos, y que los indios le tienen por esforzado; y que había poco más de un año que cuando vinieron a la punta de Cotoche un capitán con tres navíos (parece ser fueron cuando vinimos los de Francisco Hernández de Córdoba) que él fue inventor que nos diesen la guerra que nos dieron, y que vino él allí juntamente con un cacique de un gran pueblo, según he ya dicho en lo de Francisco Hernández de Córdoba. Y después que Cortés lo oyó, dijo: "En verdad que le querría haber a las manos porque jamás será bueno." Y dejarlo he, y diré cómo los caciques de Cozumel, desde que vieron a Aguilar que hablaba su lengua, le daban muy bien de comer, y Aguilar les aconsejaba que siempre tuviesen acato y reverencia a la santa imagen de Nuestra Señora y a la cruz, y que conocerían que por ello les venía mucho bien. Y los caciques, por consejo de Aguilar, demandaron una carta de favor a Cortés para que si viniesen [a] aquel puerto otros españoles, que fuesen bien tratados y no les hiciesen agravios; la cual carta luego se la dio. Y después de despedidos, con muchos halagos y ofrecimientos, nos hicimos a la vela para el río de Grijalva. Y de esta manera que he dicho se hubo Aguilar, y no de otra, como lo escribe el coronista Gómara, y no me maravillo, pues lo que dice es por nuevas. Y volvamos a nuestra relación.

CAPÍTULO XXX

CÓMO NOS TORNAMOS A EMBARCAR Y NOS HICIMOS A LA VELA PARA EL RÍO DE GRIJALVA, Y LO QUE NOS AVINO EN EL VIAJE

En cuatro días del mes de marzo de mil quinientos diez y nueve años, habiendo tan buen suceso en llevar buena lengua y fiel, mandó Cortés que nos embarcásemos, según y de la manera que habíamos venido antes que arribásemos a Cozumel, y con las mismas instrucciones y señas de los faroles para de noche. Y yendo navegando con buen tiempo, revuelve un viento ya que quería anochecer, tan recio y contrario que echó cada navío por su parte con harto riesgo de dar en tierra; y quiso Dios que a medianoche aflojó. Y desde que amaneció luego se volvieron a juntar todos los navíos, excepto uno en que iba Juan Velázquez de León; e íbamos nuestro viaje sin saber de él hasta mediodía, de lo cual llevamos pena, creyendo fuese perdido en unos bajos. Y desde que se pasaba el día y no pareció dijo Cortés al piloto Alaminos que no era bueno ir más adelante sin saber de él; y el piloto hizo señas a todos los navíos que estuviesen al reparo, y pairando y aguardando si por ventura le echó el tiempo en alguna ensenada, donde no podía salir por serle el viento contrario; y desde que no venía, dijo el piloto a Cortés: "Señor, tenga por cierto que se metió en uno como puerto o bahía que queda atrás y que el viento no le deja salir, porque el piloto que lleva es el que vino con Francisco Hernández y volvió con Grijalva, que se decía Juan Álvarez, *el Manquillo,* y sabe aquel puerto." Y luego fue acordado de volver a buscarle con toda la armada, y en aquella bahía donde había dicho el piloto lo hallamos anclado, de lo que todos hubimos placer. Y estuvimos allí un día, y echamos dos bateles en el agua, y saltó en tierra el piloto y un capitán que se decía Francisco de Lugo, y había por allí unas estancias donde había maizales y hacían sal, y tenían cuatro *cues,* que son casas de ídolos, y en ellos muchas figuras y todas las más de mujeres, y eran altas de cuerpo; y se puso nombre aquella tierra la Punta de las Mujeres. Acuérdome que decía Aguilar que cerca de aquellas estancias estaba el pueblo donde era esclavo, y que allí vino cargado, que lo trajo su amo, y que cayó malo de traer la carga, y que también estaba no muy lejos el pueblo donde estaba Gonzalo Guerrero; y que todos tenían oro, sino que era poco, y que si quería que le guiaría y que fuésemos allá. Y Cortés le dijo riendo que no venía él para tan pocas cosas, sino para servir a Dios y al rey.

Y luego mandó Cortés a un capitán que se decía Escobar que fuese en el navío de que era capitán, que era muy velero y demandaba poca agua, hasta Boca de Términos, y mirase muy bien qué tierra era y si era buen puerto para poblar, y si había mucha caza, como le habían informado; y esto que lo mandó fue por consejo del piloto, porque cuando por allí pasásemos con todos los navíos no detenernos en entrar en él; y que después de visto que pusiese una señal y quebrase árboles en la boca del puerto, o escribiese una carta y la pusiese donde la viésemos de una parte o de otra del puerto para que conociésemos que había entrado dentro, o que aguardase en la mar a la armada, barloventeando después que lo hubiese visto. Y luego Escobar partió y fue a puerto de Términos, que así se llama; e hizo todo lo que le fue mandado, y halló la lebrela que se hubo quedado cuando lo de Grijalva, y estaba gorda y lucia. Y dijo Escobar que cuando la lebrela vio el navío que entraba en el puerto, que estaba halagando con la cola y haciendo otras señas de halagos, y se vino luego a los soldados y se metió con ellos en la nao; y esto hecho, se salió Escobar del puerto a la mar, y estaba esperando la armada; y parece ser, con viento sur que le dio, no pudo esperar al reparo, y metióse mucho en la mar.

Volvamos a nuestra armada, que quedábamos en la Punta de las Mujeres, que al otro día de mañana salimos con buen terral y llegamos en Boca de Términos, y de que no hallamos a Escobar mandó Cortés que sacasen el batel y con diez ballesteros le fuesen a buscar en la Boca de Términos, o a ver si había señal o carta, y luego se halló árboles cortados y una carta en que en ella decía que era muy buen puerto y buena tierra y de mucha caza, y lo de la lebrela. Y dijo el piloto Alaminos a Cortés que fuésemos nuestra derrota, porque con el viento sur se debiera haber metido en la mar y que no podría ir muy lejos, porque había de navegar a orza. Y puesto que Cortés sintió pena no le hubiese acaecido algún desmán, mandó meter velas y luego le alcanzamos. Y dio Escobar sus descargos a Cortés y la causa por qué no pudo aguardar. Estando en esto llegamos en el paraje del pueblo de Potonchan, y Cortés mandó al piloto que surgiésemos en aquella ensenada, y el piloto respondió que era mal puerto, porque habían de estar los navíos surtos más de dos leguas lejos de tierra, que mengua mucho la mar. Porque tenía pensamiento Cortés de darles una buena mano por el desbarate de Francisco Hernández de Córdoba y Grijalva; y muchos de los soldados que nos habíamos hallado en aquellas batallas se lo suplicamos que entrase dentro y no quedasen sin buen castigo, y aun que se detuviese allí dos o tres días. El piloto Alaminos con otros pilotos porfiaron que si allí entrábamos que en ocho días no podríamos salir, por el tiempo contrario, y que ahora llevábamos buen viento y que en dos días llegaríamos a Tabasco, y así pasamos de largo; y en tres días que navegamos llegamos al río de Grijalva, que en nombre de indios se llama Tabasco. Y lo que allí nos acaeció y las guerras que nos dieron diré adelante.

CAPÍTULO XXXI

CÓMO LLEGAMOS AL RÍO DE GRIJALVA, QUE EN LENGUA DE INDIOS LLAMAN TABASCO, Y DE LA GUERRA QUE NOS DIERON Y LO QUE MÁS CON ELLOS PASAMOS

En doce días del mes de marzo de mil quinientos diez y nueve años, llegamos con toda la armada al río de Grijalva, que se dice Tabasco, y como sabíamos ya, de cuando lo de Grijalva, que en aquel puerto y río no podían entrar navíos de mucho porte, surgieron en la mar los mayores y con los pequeños y los bateles fuimos todos los soldados a desembarcar a la punta de los Palmares, como cuando con Grijalva, que estaba del pueblo de Tabasco obra de media legua. Y andaban por el río y en la ribera entre unos mamblares, todo lleno de indios guerreros, de lo cual nos maravillamos los que habíamos venido con Grijalva, y demás de esto, estaban juntos en el pueblo más de [21] doce mil guerreros aparejados para darnos guerra; porque en aquella sazón aquel pueblo era de mucho trato, y estaban sujetos a él otros grandes pueblos, y todos los tenían apercibidos con todo género de armas, según las usaban. Y la causa de ello fue porque los de Potonchan y los de Lázaro y otros pueblos comarcanos los tuvieron por cobardes, y se lo daban en el rostro, por causa que dieron a Grijalva las joyas de oro que antes he dicho en el capítulo que de ello habla; y que de medrosos no nos osaron dar guerra, pues eran más pueblos y tenían más guerreros que no ellos; y esto les decían por afrentarlos, y que en sus pueblos nos habían dado guerra y muerto cincuenta y seis hombres. Por manera que con aquellas palabras que les habían dicho se determinaron a tomar las armas.

Y desde que Cortés los vio puestos en aquella manera, dijo a Aguilar, la lengua, que entendía bien la de Tabasco, que dijese a unos indios que parecían principales, que pasaban en una gran canoa cerca de nosotros, que para qué andaban tan alborotados, que no les veníamos a hacer ningún mal, sino decirles que les queremos dar de lo que traemos como a hermanos, y que les rogaba que mirasen no comenzasen la guerra, porque les pesaría de ello; y les dijo otras muchas cosas acerca de la paz. Y mientras más lo decía Aguilar, más bravos se mostraban, y decían que nos matarían a todos si entrábamos en su pueblo, porque le tenían muy fortalecido todo a la redonda de árboles muy gruesos, de cercas y albarradas. Y volvió Aguilar a hablar con la paz, y que nos dejasen tomar agua, y comprar de comer, a trueco de nuestro rescate; y también a decir a los *calachonis* cosas que sean de su provecho y servicio de Dios Nuestro Señor. Y todavía ellos a porfiar que no pasásemos de aquellos palmares adelante, si no que nos matarían. Y de que aquello vio Cortés, mandó apercibir los bateles y navíos menores, y mandó poner en cada batel tres tiros, y repartió en ellos los ballesteros y escopeteros. Y teníamos memoria de cuando lo de Grijalva que iba un camino angosto desde los palmares al pueblo, por unos arroyos y ciénegas. Mandó Cortés a tres soldados que aquella noche mirasen bien si iba a las casas, y que no se detuviesen mucho en traer la respuesta. Y los que fueron vieron que

[21] Tachado en el original: *veintiocho mil.*

sí iba. Y visto todo esto, y después de bien mirado, se nos pasó aquel día dando orden de cómo y de qué manera habíamos de ir en los bateles, y otro día por la mañana, después de haber oído misa y todas nuestras armas muy a punto, mandó Cortés a Alonso de Ávila que era capitán, que con cien soldados, y entre ellos diez ballesteros, fuese por el caminillo, el que he dicho que iba al pueblo; y que desde que oyese los tiros, él por una parte y nosotros por otra, diésemos en el pueblo. Y Cortés y todos los más soldados y capitanes fuimos en los bateles y navíos de menor porte por el río arriba. Y desde que los indios guerreros que estaban en la costa y entre los mamblares vieron que de hecho íbamos, vienen sobre nosotros con tantas canoas al puerto adonde habíamos de desembarcar, para defendernos que no saltásemos en tierra, que toda la costa no había sino indios de guerra, con todo género de armas que entre ellos se usan, tañendo trompetillas y caracoles y atabalejos.

Y desde que así vio la cosa, mandó Cortés que nos detuviésemos un poco y que no soltasen ballesta ni escopeta ni tiros; y como todas las cosas quería llevar muy justificadas, les hizo otro requerimiento delante de un escribano del rey que se decía Diego de Godoy, y por la lengua de Aguilar, para que nos dejasen saltar en tierra y tomar agua y hablarles cosas de Dios y de Su Majestad; y que si guerra nos daban, que si por defendernos algunas muertes hubiese, u otros cualquier daños, fuesen a su culpa y cargo y no a la nuestra. Y ellos todavía haciendo muchos fieros, y que no saltásemos en tierra, si no que nos matarían. Y luego comenzaron muy valientemente a flechar y hacer sus señas con sus tambores, y como esforzados se vienen todos contra nosotros, y nos cercan con las canoas, con tan gran rociada de flechas, que nos hicieron detener en el agua hasta la cinta, y otras partes no tanto; y como había allí mucha lama y ciénega no podíamos tan presto salir de ella. Y cargan sobre nosotros tantos indios, que con las lanzas a manteniente y otros a flecharnos, hacían que no tomásemos tierra tan presto como quisiéramos, y también porque en aquella lama estaba Cortés peleando, y se le quedó un alpargate en el cieno, que no le pudo sacar, y descalzo de un pie salió a tierra; y luego le sacaron el alpargate y se calzó. Y entretanto que Cortés estaba en esto, todos nosotros, así capitanes como soldados, fuimos sobre ellos nombrando a señor Santiago, y les hicimos retraer, y aunque no muy lejos, por mor de las albarradas y cercas que tenían hechas de maderas gruesas, adonde se mamparaban, hasta que las deshicimos y tuvimos lugar, por un portillo, de entrarles y pelear con ellos; y les llevamos por una calle adelante, adonde tenían hechas otras fuerzas, y allí tornaron a reparar y hacer cara, y peleaban muy valientemente y con gran esfuerzo, y dando voces y silbos, y decían: "Al *calacheoni*, al *calacheoni*", que en su lengua mandaban que matasen o prendiesen nuestro capitán.

Estando de esta manera envueltos con ellos, vino Alonso de Ávila con sus soldados, que había ido por tierra desde los palmares, como dicho tengo, y parece ser no acertó a venir más presto por mor de unas ciénegas y esteros; y su tardanza fue bien menester, según habíamos estado detenidos en los requerimientos y deshacer portillos en las albarradas para pelear; así que todos juntos les tornamos a echar de las fuerzas donde estaban, y les llevamos retrayendo, y ciertamente que como buenos guerreros nos iban tirando grandes rociadas de flechas y varas tostadas. Y nunca volvieron de hecho las espaldas, hasta un gran patio donde estaban unos aposentos y salas grandes, y tenían tres casas de ídolos, y ya habían llevado todo cuanto hato había. En los *cúes* de aquel patio mandó Cortés que reparásemos, y que no fuésemos más en seguimiento del alcance, pues iban huyendo; y allí tomó Cortés posesión de aquella tierra por Su Majestad y él en su real nombre, y fue de esta manera: Que desenvainada su espada, dio tres cuchilladas en señal de posesión en un árbol grande que se dice ceiba, que estaba en la plaza de aquel gran patio, y dijo que si había alguna persona que se lo contradijese, que él lo defendería con su espada y una rodela que tenía embrazada. Y todos los soldados que presentes nos hallamos cuando aquello pasó, respondimos que era bien tomar aquella real posesión en nombre de Su Majestad, y que nosotros seríamos en ayudarle si alguna persona otra cosa contradijere. Y por ante un escribano del rey se hizo aquel auto.

Sobre esta posesión la parte de Diego Velázquez tuvo que remurmurar de ella. Acuérdome que en aquellas reñidas guerras que nos dieron de aquella vez hirieron a catorce soldados y a mí me dieron un flechazo en el muslo, mas poca herida, y quedaron tendidos y muertos diez y ocho indios, en el agua donde desembarcamos. Y allí dormimos aquella noche, con grandes velas y escuchas. Y dejarlo he, por contar lo que más pasamos.

CAPÍTULO XXXII

CÓMO MANDÓ CORTÉS A DOS CAPITANES QUE FUESEN CON CADA CIEN SOLDADOS A VER LA TIERRA DENTRO, Y LO QUE SOBRE ELLO NOS ACAECIÓ

Otro día de mañana mandó Cortés a Pedro de Alvarado que saliese por capitán de cien soldados, y entre ellos quince ballesteros y escopeteros, y que fuese a ver la tierra adentro hasta la andadura de dos leguas, y que llevase en su compañía a Melchorejo, la lengua de la punta de Cotoche, y cuando le fueron a llamar al Melchorejo no le hallaron, que se había ya huido con los de aquel pueblo de Tabasco; porque, según parecía, el día antes, en la punta de los Palmares, dejó colgados sus vestidos que tenía de Castilla y se fue de noche en una canoa. Y Cortés sintió enojo con su ida, porque no dijese a los indios, sus naturales, algunas cosas que no nos trajesen poco provecho. Dejémosle ido con la mala ventura, y volvamos a nuestro cuento. Que asimismo mandó Cortés que fuese otro capitán, que se decía Francisco de Lugo, por otra parte, con otros cien soldados y doce ballesteros y escopeteros; y que no pase de otras dos leguas, y que volviese a la noche a dormir en el real. Y yendo que iba Francisco de Lugo con su compañía, obra de una legua de nuestro real se encontró con grandes capitanías y escuadrones de indios, todos flecheros, y con lanzas, y rodelas, y atambores, y penachos; y se vienen derechos a la capitanía de nuestros soldados, y les cercan por todas partes y les comenzaron a flechar; de arte que no se les podían sustentar con tanta multitud de indios, y les tiraban muchas varas tostadas y piedras con hondas, que como granizo caían sobre ellos, y con espadas de navajas de a dos manos; y por bien que peleaban Francisco de Lugo y sus soldados no les podían apartar de sí. Y desde que aquello vio, con gran concierto se venía ya retrayendo al real, y había enviado un indio de Cuba, gran corredor y suelto, a dar mandado a Cortés para que le fuésemos a ayudar; y todavía Francisco de Lugo, con gran concierto de sus ballesteros y escopeteros, unos armando y otros tirando, y algunas arremetidas que hacían, se sostenían con todos los escuadrones que sobre él estaban.

Y dejémosle de la manera que he dicho, y con gran peligro, y volvamos al capitán Pedro de Alvarado, que parece ser había andado más de una legua y topó con un estero muy malo de pasar; y quiso Dios encaminarlo que vuelve por otro camino hacia donde estaba Francisco de Lugo peleando, como dicho he; y como oyó las escopetas que tiraban y el gran ruido de atambores y trompetillas y voces y silbos de los indios, bien entendió que estaban revueltos en guerra, y con mucha presteza y gran concierto acudió a las voces y tiros; y halló al capitán Francisco de Lugo con su gente haciendo rostro y peleando con los contrarios, y cinco indios de los contrarios muertos; y desde que se juntaron con Lugo dan tras los indios, que los hicieron apartar, y no de manera que los pudiesen poner en huida, que todavía les fueron siguiendo los indios hasta el real y asimismo nos habían acometido otras capitanías de guerreros a donde estaba Cortés con los heridos. Mas muy presto les hicimos retraer con los tiros, que llevaban muchos de ellos, y a buenas cuchilladas. Y cuando Cortés oyó al indio de Cuba que venía a demandar socorro y del arte que quedaba Francisco de Lugo, de presto les íbamos a ayudar. Y nosotros que íbamos y los dos capitanes por mí nombrados que llegaban con sus gentes, y a obra de media legua del real. Y murieron dos soldados de la capitanía de Francisco de Lugo, y ocho heridos, y de la de Pedro de Alvarado le hirieron tres. Y desde que vinieron al real se curaron y enterraron los muertos, y hubo buena vela y escuchas, y en aquellas escaramuzas se mataron quince indios y prendieron tres, y el uno parecía algo principal. Y Aguilar, la lengua, les preguntaba que por qué eran locos y que por qué salían a dar guerra, que mirasen que les mataríamos si otra vez volviesen. Y luego se envió un indio de ellos con cuentas para dar a los caciques que viniesen de paz. Y aquel mensajero que enviamos dijo que el indio Melchorejo que traíamos con nosotros, que era de la punta de Cotoche, que fue la noche antes a ellos y les aconsejó que diesen guerra de día y de noche, y que nos vencerían, y que éramos muy pocos, de manera que traíamos con nosotros muy mala ayuda y nuestro contrario. Aquel indio que enviamos por mensajero fue y nunca volvió, y de los otros dos supo Aguilar por muy cierto que para otro día estaban juntos todos cuantos caciques había en todos aquellos pueblos comarcanos de aquella provincia, con sus armas, aparejados para darnos guerra; y nos habían de venir otro día a cercar en el real, y que Melchorejo, la lengua, se lo aconsejó. Y dejarlo he aquí, y diré lo que sobre ello se hizo.

CAPÍTULO XXXIII

CÓMO CORTÉS MANDÓ QUE PARA OTRO DÍA NOS APAREJÁSEMOS TODOS PARA IR EN BUSCA DE LOS ESCUADRONES GUERREROS, Y MANDÓ SACAR LOS CABALLOS DE LOS NAVÍOS, Y LO QUE MÁS NOS AVINO EN LA BATALLA QUE CON ELLOS TUVIMOS

DESPUÉS QUE CORTÉS supo que muy ciertamente nos venían a dar guerra mandó que con brevedad sacasen todos los caballos de los navíos a tierra, que escopeteros y ballesteros y todos los soldados estuviésemos muy a punto con nuestras armas, y aunque estuviésemos heridos. Y desde que hubieron sacado los caballos en tierra estaban muy torpes y temerosos en el correr como había muchos días que estaban en los navíos, y otro día estuvieron sueltos. Una cosa acaeció en aquella sazón a seis o siete soldados mancebos y bien dispuestos, que les dio mal de lomos, que no se podían tener en pie si no los llevaban a cuestas; no supimos de qué les resultó; han dicho que de las armas de algodón, que no se quitaban de noche ni de día de los cuerpos, y porque en Cuba eran regalados y no eran acostumbrados a trabajos, y con el calor les dio aquel mal. Y luego Cortés les mandó llevar a los navíos, no quedasen en tierra, y apercibió a los caballeros que habían de ir los mejores jinetes y caballos, y que fuesen con pretales de cascabeles; y les mandó que no se parasen a lancear hasta haberles desbaratado, sino que las lanzas se las pasasen por los rostros, y señaló trece de caballo, y Cortés por capitán de ellos; y fueron estos que aquí nombraré: Cortés, Cristóbal de Olid, y Pedro de Alvarado, y Alonso Hernández Puerto Carrero, y Juan de Escalante, y Francisco de Montejo y Alonso de Ávila (le dieron un caballo que era de Ortiz, el Músico, y de un Bartolomé García, que ninguno de ellos era buen jinete), y Juan Velázquez de León, y Francisco de Morla, y Lares, el buen jinete (nómbrolo así porque había otro Lares); y Gonzalo Domínguez, extremado hombre de a caballo; Morón el del Bayamo y Pedro González de Trujillo. Todos estos caballeros señaló Cortés, y él por capitán, y mandó a Mesa el artillero que tuviese muy a punto su artillería, y mandó a Diego de Ordaz que fuese por capitán de todos nosotros los soldados y aun de los ballesteros y escopeteros, porque no era hombre de a caballo.

Y otro día muy de mañana, que fue día de Nuestra Señora de Marzo, después de oída misa, que nos dijo fray Bartolomé de Olmedo, puestos todos en ordenanza con nuestro alférez, que entonces era Antonio de Villarroel (marido que fue de Isabel de Ojeda, que después se mudó el nombre el Villarroel y se llamó Antonio Serrano de Cardona), fuimos por unas sabanas grandes adonde habían dado guerra a Francisco de Lugo y a Pedro de Alvarado, y llamábase aquella sabana y pueblo Zintla, sujeto al mismo Tabasco, una legua del aposento donde salimos. Y nuestro Cortés se apartó un poco espacio de trecho de nosotros, por mor de unas ciénagas que no podían pasar los caballos. Y yendo de la manera que he dicho, dimos con todo el poder de escuadrones de indios guerreros, que venían ya a buscarnos a los aposentos, y fue junto al mismo pueblo de Zintla, en un buen llano, por manera que si aquellos guerreros tenían deseo de darnos guerra y nos iban a buscar, nosotros los encontramos con el mismo motivo. Y dejarlo he aquí, y diré lo que pasó en la batalla; y bien se puede nombrar así, como adelante verán.

CAPÍTULO XXXIV

CÓMO NOS DIERON GUERRA Y UNA GRAN BATALLA TODOS LOS CACIQUES DE TABASCO Y SUS PROVINCIAS, Y LO QUE SOBRE ELLO SUCEDIÓ

Ya he dicho de la manera y concierto que íbamos. Y topamos todas las capitanías y escuadrones que nos iban a buscar, y traían grandes penachos, y atambores y trompetillas, y las caras almagradas, blancas y prietas, y con grandes arcos y flechas, y lanzas y rodelas, y espadas como montantes de a dos manos, y muchas hondas y piedra y varas tostadas, y cada uno sus armas colchadas de algodón. Y así como llegaron a nosotros, como eran grandes escuadrones, que todas las sabanas cubrían, y se vienen como rabiosos y nos cercan por todas partes, y tiran tanta de flecha, y vara, y piedra, que de la primera arremetida hirieron más de setenta de los nuestros, y con las lanzas pie con pie nos hacían mucho daño; y un soldado murió luego, de un flechazo que le dieron por el oído; y no hacían sino flechar y herir en los nuestros, y nosotros, con los tiros y escopetas y ballestas y a grandes estocadas no perdíamos punto de buen pelear; y poco a poco, desde que conocieron las estocadas, se apartaban de nosotros; mas era para flechar mas a su salvo, puesto que Mesa, el artillero, con los tiros les mató muchos de ellos, porque como eran grandes escuadrones y no se apartaban, daba en ellos a su placer, y con todos los males y heridos que les hacíamos no los pudimos apartar. Yo dije: "Diego de Ordaz, paréceme que podemos apechugar con ellos, porque verdaderamente sienten bien el cortar de las espadas y estocadas, y por esto se desvían algo de nosotros, por temor de ellas y por mejor tirarnos sus flechas y varas tostadas y tantas piedras como granizos." Y respondió que no era buen acuerdo, porque había para cada uno de nosotros trescientos indios; y que no nos podríamos sostener con tanta multitud; y así estábamos con ellos sosteniéndonos. Y acordamos de allegarnos cuanto pudiésemos a ellos, como se lo había dicho al Ordaz, por darles mal año de estocadas, y bien lo sintieron, que se pasaron de la parte de una ciénaga. Y en todo este tiempo, Cortés, con los de a caballo, no venía, y aunque le deseábamos temíamos que por ventura no le hubiese acaecido algún desastre.

Acuérdome, que cuando soltábamos los tiros que daban los indios grandes silbos y gritos y echaban pajas y tierra en alto, porque no viésemos el daño que les hacíamos, y tañían atambores y trompetillas y silbos, y voces, y decían: *Alala, Alala.* Estando en esto, vimos asomar los de a caballo, y como aquellos grandes escuadrones estaban embebecidos dándonos guerra, no miraron tan de presto en ellos como venían por las espaldas, y como el campo era llano y los caballeros buenos, y los caballos algunos de ellos muy revueltos y corredores, danles tan buena mano y alancean a su placer. Pues los que estábamos peleando, desde que los vimos, nos dimos tanta prisa, que los de a caballo por una parte y nosotros por otra, de presto volvieron las espaldas. Y aquí creyeron los indios que el caballo y el caballero eran todo uno, como jamás habían visto caballos. Iban aquellas sabanas y campos llenos de ellos, y acogiéronse a unos espesos montes que allí había.

Y desde que los hubimos desbaratado, Cortés nos contó cómo no habían podido venir más presto, por mor de una ciénaga, y cómo estuvo peleando con otros escuadrones de guerreros antes que a nosotros llegasen. Y venían tres de los caballeros de a caballo heridos, y cinco caballos. Y después de apeados debajo de unos árboles y casas que allí estaban, dimos muchas gracias a Dios por habernos dado aquella victoria tan cumplida; y como era día de Nuestra Señora de Marzo llamóse una villa que se pobló, el tiempo andando, Santa María de la Victoria, así por ser día de Nuestra Señora como por la gran victoria que tuvimos. Ésta fue la primera guerra que tuvimos en compañía de Cortés en la Nueva España. Y esto pasado, apretamos las heridas a los heridos con paños, que otra cosa no había, y se curaron los caballos con quemarles las heridas con unto de un indio de los muertos, que abrimos para sacarle el unto; y fuimos a ver los muertos que había por el campo, y eran más de ochocientos, y todos los más de estocadas, y otros de los tiros y escopetas y ballestas, y muchos estaban medio muertos y tendidos, pues donde anduvieron los de a caballo había buen recaudo de ellos muertos, y otros quejándose de las heridas. Estuvimos en esta batalla sobre una hora, que no les pudimos hacer perder punto de buenos guerreros hasta que vinieron los de a caballo. Y prendimos cinco indios y los dos de ellos capitanes, y como era tarde y hartos de pelear, y no habíamos comido, nos volvimos al real, y luego enterramos dos soldados que iban heridos por la garganta y otro por el oído, y quemamos las heridas a los demás y a los caballos, con el unto del indio, y pusimos buenas velas y escuchas, y cenamos y reposamos.

Aquí es donde dice Francisco López de Gómara que salió Francisco de Morla en un caballo rucio picado, antes que llegase Cortés con los de a caballo, y que eran los santos apóstoles señor Santiago o señor San Pedro. Digo que todas nuestras obras y victorias son por mano de Nuestro Señor Jesucristo, y que en aquella batalla había para cada uno de nosotros tantos indios que a puñados de tierra nos cegaran, salvo que la gran misericordia de Nuestro Señor en todo nos ayudaba; y pudiera ser que los que dice Gómara fueran los gloriosos apóstoles señor Santiago o señor San Pedro, y yo, como pecador, no fuese digno de verlo. Lo que yo entonces vi y conocí fue a Francisco de Morla en un caballo castaño, y venía juntamente con Cortés, que me parece que ahora que lo estoy escribiendo se me representa por estos ojos pecadores toda la guerra según y de la manera que allí pasamos. Y ya que yo, como indigno, no fuera merecedor de ver a cualquiera de aquellos gloriosos apóstoles, allí en nuestra compañía había sobre cuatrocientos soldados, y Cortés y otros muchos caballeros, y platicárase de ello, y se tomara por testimonio, y se hubiera hecho una iglesia cuando se pobló la villa, y se nombrara la villa de Santiago de la Victoria, o de San Pedro de la Victoria, como se nombró Santa María de la Victoria. Y si fuera así como dice Gómara, harto malos cristianos fuéramos que enviándonos Nuestro Señor Dios sus santos apóstoles, no reconocer la gran merced que nos hacía, y reverenciar cada día aquella iglesia, y plugiera a Dios que así fuera, como el coronista dice: y hasta que leí su corónica nunca entre conquistadores que allí se hallaron tal les oí. Y dejémosle aquí, y diré lo que más pasamos.

CAPÍTULO XXXV

CÓMO ENVIÓ CORTÉS A LLAMAR TODOS LOS CACIQUES DE AQUELLAS PROVINCIAS, Y LO QUE SOBRE ELLO SE HIZO

YA HE DICHO cómo prendimos en aquella batalla cinco indios, y los dos de ellos capitanes, con los cuales estuvo Aguilar, la lengua, a pláticas, y conoció en lo que le dijeron que serían hombres para enviar por mensajeros y díjole al capitán Cortés que los soltasen, y que fuesen a hablar a los caciques de aquel pueblo, y otros cualesquiera que pudiesen ver. Y [a] aquellos dos indios mensajeros se les dio cuentas verdes y diamantes azules; y les dijo Aguilar muchas palabras bien sabrosas y de halagos, y que les queremos tener por hermanos y que no hubiesen miedo, y que lo pasado de aquella guerra que ellos tenían la culpa, y que llamasen a todos los caciques de todos los pueblos, que les queremos hablar; y se les amonestó otras muchas cosas bien mansamente, para atraerlos de paz. Y fueron de buena voluntad, y hablaron con los principales y caciques, y les dijeron todo lo que le enviamos a hacer saber sobre la paz. Y oída nuestra embajada, fue entre ellos acordado de enviar luego quince indios de los esclavos que entre ellos tenían, y todos entiznadas las caras, y las mantas y bragueros que traían muy ruines, y con ellos enviaron gallinas y pescado asado, y pan de maíz. Y llegados delante de Cortés, los recibió de buena voluntad, y Aguilar, la lengua, les dijo medio enojado que cómo venían de aquella manera puestas las caras, que más venían de guerra que para tratar paces, y que luego fuesen a los caciques y les dijesen que si querían paz, como se la ofrecimos, que viniesen señores a tratar de ella, como se usa, y no envíen esclavos. [A] aquellos mismos entiznados se les hizo ciertos halagos y se envió con ellos cuentas azules, en señal de paz y para ablandarles los pensamientos.

Y luego otro día vinieron treinta indios principales, y con buenas mantas, y trajeron gallinas y pescado y fruta y pan de maíz; y demandaron licencia a Cortés para quemar y enterrar los cuerpos de los muertos en las batallas pasadas, porque no oliesen mal o los comiesen tigres o leones; la cual licencia les dio luego, y ellos se dieron prisa en traer mucha gente para enterrarlos y quemar los cuerpos a su usanza. Y según Cortés supo de ellos, dijeron que les faltaba sobre ochocientos hombres, sin los que estaban heridos; y dijeron que no se podían detener con nosotros en palabras ni paces porque otro día habían de venir todos los principales y señores de todos aquellos pueblos y concertarían las paces. Y como Cortés en todo era muy avisado, nos dijo riendo a los soldados que allí nos hallamos teniéndole compañía: "Sabéis, señores, que me parece que estos indios temerán mucho a los caballos, y deben de pensar que ellos solos hacen la guerra, y asimismo las lombardas; he pensado una cosa para que mejor lo crean: que traigan la yegua de Juan Sedeño, que parió el otro día en el navío, y atarla han aquí, adonde yo estoy; y traigan el caballo de Ortiz, el Músico, que es muy rijoso, y tomará olor de la yegua, y desde que haya tomado olor de ella, llevarán la yegua y el caballo cada uno por sí, en parte donde desde que vengan los caciques que han de venir no los oigan relinchar, ni los vean hasta que vengan delante de mí y estemos hablando." Y así se hizo, según y de la manera que lo mandó, que trajeron la yegua, y el caballo, y tomó olor de ella en el aposento de Cortés, y demás de esto, mandó que cebasen un tiro, el mayor, con una buena pelota y bien cargado de pólvora. Y estando en esto, que ya era mediodía, vinieron cuarenta indios, todos caciques, con buena manera y mantas ricas, a la usanza de ellos, y saludaron a Cortés y a todos nosotros, y traían de sus inciensos, y andaban sahumando a cuantos allí estábamos, y demandaron perdón de lo pasado, y que desde allí delante serían buenos. Cortés les respondió algo con gravedad, como enojado, y por nuestra lengua, Aguilar, dijo que ya ellos habían visto cuántas veces les había requerido con la paz, y que ellos tenían la culpa, y que ahora eran merecedores que a ellos y a cuantos quedan en todos sus pueblos matásemos, y que somos vasallos de un gran rey y señor que nos envió a estas partes, que se dice el emperador don Carlos, que manda que a los que estuvieren en su real servicio que les ayudemos y favorezcamos, y que si ellos fueren buenos, como dicen, que así lo haremos, y si no que soltará de aquellos

s que los maten (y al hie-
n en su lengua *tepuzque)*, y aun por lo pasado que han hecho en darnos guerra están enojados algunos de ellos. Entonces secretamente mandó poner fuego a la lombarda que estaba cebada, y dio tan buen trueno como era menester. Iba la pelota zumbando por los montes, que como era mediodía y hacía calma llevaba gran ruido, y los caciques se espantaron de oírla; como no habían visto cosa como aquella, creyeron que era verdad lo que Cortés les dijo. Y Cortés les dijo, con Aguilar, que ya no hubiesen miedo, que él mandó que no hiciesen daño. Y en aquel instante trajeron el caballo que había tomado olor de la yegua, y átanlo no muy lejos de donde estaba Cortés hablando con los caciques. Y como la yegua la habían tenido en el mismo aposento adonde Cortés y los indios estaban hablando, pateaba el caballo y relinchaba y hacía bramuras, y siempre los ojos mirando a los indios y al aposento adonde había tomado olor de yegua. Y los caciques creyeron que por ellos hacía aquellas bramuras, y estaban espantados. Y desde que Cortés los vio de aquel arte se levantó de la silla y se fue para el caballo, y mandó a dos mozos de espuelas que luego le llevasen de allí lejos, y dijo a los indios que ya mandó al caballo que no estuviese enojado, pues ellos venían de paz y eran buenos. Estando en esto, vinieron sobre treinta indios de los de carga, y que entre ellos llaman *tamemes*, que traían la comida de gallinas y pescado y otras cosas de frutas, que parece ser se quedaron atrás y no pudieron venir juntamente con los caciques. Y allí hubo muchas pláticas Cortés con aquellos principales, y los caciques con Cortés, y dijeron que otro día vendrían y traerían un presente y hablarían en otras cosas, y así se fueron muy contentos. Donde los dejaré ahora, hasta otro día.

CAPÍTULO XXXVI

CÓMO VINIERON TODOS LOS CACIQUES Y CALACHONIS DEL RÍO GRIJALVA, Y TRAJERON UN PRESENTE Y LO QUE SOBRE ELLO PASÓ

OTRO DÍA DE MAÑANA, que fueron a quince días del mes de marzo de mil quinientos diez y nueve años, vinieron muchos caciques y principales de aquel pueblo de Tabasco, y de otros comarcanos, haciendo mucho acato a todos nosotros, y trajeron un presente de oro, que fueron cuatro diademas y unas lagartijas, y dos como perrillos y orejeras, y cinco ánades, y dos figuras de caras de indios, y dos suelas de oro como de sus cotaras, y otras cosillas de poco valor, que ya no me acuerdo qué tanto valían. Y trajeron mantas de las que ellos hacían, que son muy bastas, porque ya habrán oído decir los que tienen noticia de aquella provincia que no las hay en aquella tierra sino de poca valía. Y no fue nada todo este presente en comparación de veinte mujeres, y entre ellas una muy excelente mujer que se dijo doña Marina, que así se llamó después de vuelta cristiana. Y dejaré esta plática y de hablar de ella y de las demás mujeres que trajeron, y diré que Cortés recibió aquel presente con alegría y se apartó con todos los caciques y con Aguilar, el intérprete, a hablar; y les dijo que por aquello que traían se lo tenía en gracia, mas que una cosa les rogaba: luego mandasen poblar aquel pueblo con toda su gente y mujeres e hijos, y que dentro en dos días le quiere ver poblado, y que en esto conocerá tener verdadera paz. Y luego los caciques mandaron llamar todos los vecinos, y con sus hijos y mujeres en dos días se pobló; y lo otro que les mandó, que dejasen sus ídolos y sacrificios, y respondieron que así lo harían; y les declaramos con Aguilar, lo mejor que Cortés pudo, las cosas tocantes a nuestra santa fe, y cómo éramos cristianos y adorábamos en un solo Dios verdadero, y se les mostró una imagen muy devota de Nuestra Señora con su hijo precioso en los brazos, y se les declaró que en aquella santa imagen reverenciamos, porque así está en el cielo y es Madre de Nuestro Señor Dios. Y los caciques dijeron que les parecía muy bien aquella gran *tececiguata,* y que se la diesen para tener en su pueblo, porque a las grandes señoras en aquellas tierras, en su lengua, llaman *tececiguatas*. Y dijo Cortés que sí daría, y les mandó hacer un buen altar, bien labrado, el cual luego hicieron. Y otro día de mañana mandó Cortés a dos de nuestros carpinteros de lo blanco, que se decían Alonso Yáñez y Álvaro López, que luego labrasen una cruz muy alta, y después de haber mandado todo esto, les dijo qué fue la causa que nos dieron guerra, tres veces requiriéndoles con la paz. Y respondieron que ya habían demandado perdón de ello y estaban perdonados, y que el cacique de Champotón, su hermano, se lo aconsejó, y porque no le tuviesen por cobarde, y porque se lo reñían y deshonraban, y porque no nos dio guerra cuando la otra vez vino otro capitán con cuatro navíos, y, según parece, decíalo por Juan de Grijalva, y también que el indio que traíamos por lengua, que se huyó una noche, se lo aconsejó, y que de día y de noche nos diesen guerra. Y luego Cortés les mandó que en todo caso se lo trajesen, y dijeron que como les vio que en la batalla no les fue bien, que se les fue huyendo, y que no sabían de él y aunque le han buscado; y supimos que le sacrificaron, pues tan caro les costó sus consejos. Y más les preguntó de qué parte traían oro y aquellas joyezuelas; respondieron que hacia donde se pone el sol, y decían "Culúa" y "México", y como no sabíamos qué cosa era *México* ni *Culúa,* dejábamoslo pasar por alto. Y allí traíamos otra lengua que se decía Francisco, que hubimos cuando lo de Grijalva, ya otra vez por mí memorado, más no entendía poco ni mucho la de Tabasco, sino la de Culúa, que es la mexicana, y medio por señas dijo a Cortés que *Culúa* era muy adelante, y nombraba *México* y no lo entendimos.

Y en esto cesó la plática hasta otro día, que se puso en el altar la santa imagen de Nuestra Señora y la cruz, la cual todos adoramos, y dijo misa el padre fray Bartolomé de Olmedo; y estaban todos los caciques y principales delante, y púsose nombre a aquel pueblo Santa María de la Victoria, y así se llama ahora a la villa de Tabasco. Y el mismo fraile, con nuestra lengua, Aguilar, predicó a las veinte indias que nos presentaron muchas buenas cosas de nuestra santa fe, y que no creyesen en los ídolos que de antes creían, que eran malos y no eran dioses, ni más les sacrificasen, que las traían engañadas, y adorasen en Nuestro Señor Jesucristo. Y luego se bautizaron, y se puso por nombre doña Marina [a] aquella india y señora que allí nos dieron, y verdaderamente era gran cacica e hija de grandes caciques y señora de vasallos, y bien se le parecía en su persona; lo cual diré adelante cómo y de qué manera fue allí traída. Y las otras mujeres no me acuerdo bien de todos sus nombres, y no hace al caso nombrar algunas; mas éstas fueron las primeras cristianas que hubo en la Nueva España, y Cortés las repartió a cada capitán la suya, y a esta doña Marina, como era de buen parecer y entremetida y desenvuelta, dio a Alonso Hernándes Puerto Carrero, que ya he dicho otra vez que era muy buen caballero, primo del conde de Medellín, y después que fue a Castilla Puerto Carrero estuvo la doña Marina con Cortés, y hubo en ella un hijo que se dijo don Martín Cortés.

En aquel pueblo estuvimos cinco días, así porque se curaran las heridas como por los que estaban con dolor de lomos, que allí se les quitó, y demás de esto, porque Cortés siempre atraía con buenas palabras a todos los caciques, y les dijo cómo el emperador nuestro señor, cuyos vasallos somos, tiene a su mandar muchos grandes señores, y que es bien que ellos le den la obediencia, y que en lo que hubieren menester, así favor de nosotros o cualquiera cosa, que se lo hagan saber donde quiera que estuviésemos, que él les vendrá a ayudar. Y todos los caciques les dieron muchas gracias por ello, y allí se otorgaron por vasallos de nuestro gran emperador; y éstos fueron los primeros vasallos que en la Nueva España dieron la obediencia a Su Majestad.

Y luego Cortés les mandó que para otro día, que era Domingo de Ramos, muy de mañana viniesen al altar con sus hijos y mujeres para que adorasen la santa imagen de Nuestra Señora y la cruz, y asimismo les mandó que viniesen luego seis indios carpinteros y que fuesen con nuestros carpinteros y que en el pueblo de Zintla, adonde nuestro Señor Dios fue servido darnos aquella victoria de la batalla pasada, por mí memorada, que hiciesen una cruz en un árbol grande que allí estaba, que entre ellos llamaban ceiba, e hiciéronla en aquel árbol a efecto que durase mucho, que con la corteza que suele reverdecer está siempre la cruz señalada. Hecho esto mandó que aparejasen todas las canoas que tenían para ayudarnos a embarcar, porque luego aquel santo día nos queríamos hacer a la vela, porque en aquella sazón vinieron dos pilotos a decir a Cortés que estaban en gran riesgo los navíos por la mar del norte, que es travesía. Y otro día, muy de mañana, vinieron todos los caciques y principales con todas las canoas y sus mujeres e hijos, y estaban ya en el patio donde teníamos la iglesia y cruz y muchos ramos cortados para andar en procesión. Y desde que los caciques vimos juntos, así Cortés y capitanes y todos a una con gran devoción anduvimos una muy devota procesión, y el padre de la Merced y Juan Díaz, el clérigo, revestidos, y se dijo misa, y adoramos y besamos la santa cruz, y los caciques e indios mirándonos. Y hecha nuestra solemne fiesta, según el tiempo, vinieron los principales y trajeron a Cortés hasta diez gallinas y pescado y otras legumbres, y nos despedimos de ellos y siempre Cortés encomendándoles la santa imagen y santas cruces, y que las tuviesen muy limpias y barridas, y enramado y que las reverenciasen y hallarían salud y buenas sementeras. Y después de que era ya tarde nos embarcamos, y otro día por la mañana nos hicimos a la vela, y con buen viaje navegamos y fuimos la vía de San Juan de Ulúa, y siempre muy juntos a tierra.

Y yendo navegando con buen tiempo, decíamos a Cortés los que sabíamos aquella derrota: "Señor, allí queda la Rambla", que en lengua de indios se dice Ayagualulco.[22] Y luego que llegamos en el paraje de Tonala, que se dice San Antón, se lo señalábamos; más adelante le mostrábamos el gran río de Guazaqualco; y vio las muy altas sierras nevadas; y luego las sierras de San Martín, y más adelante le mostramos la roca partida, que es unos grandes peñascos que entran en la mar y tienen una señal arriba como manera de silla; y más adelante le mostramos el río de Alvarado, que es adonde entró Pedro de Alvarado cuando lo de Grijalva; y luego vimos el río de Banderas, que fue

[22] Ahualulco, Ayahualulco, *corona de agua:* supone Gil y Sáenz haya sido, como más al oriente Xicalanco, una colonia azteca enclavada en comarcas mayas. *Historia de Tabasco*, San Juan Bautista, 1892. Pág. 22.

donde rescatamos los diez y seis mil pesos, y luego le mostramos la isla Blanca, y también le dijimos adonde quedaba la isla Verde; y junto a tierra vio la isla de Sacrificios, donde hallamos los altares, cuando lo de Grijalva, y los indios sacrificados; y luego en buena hora llegamos a San Juan de Ulúa, jueves de la Cena, después de mediodía. Y acuérdome que se llegó un caballero, que se decía Alonso Hernández Puerto Carrero, y dijo a Cortés: "Paréceme, señor, que os han venido diciendo estos caballeros que han venido otras dos veces a estas tierras:

> Cata Francia, Montesinos,
> cata París, la ciudad:
> cata las aguas del Duero
> do van a dar en la mar.

Yo digo que mire las tierras ricas, y sabeos bien gobernar." Luego Cortés bien entendió a qué fin fueron aquellas palabras dichas, y respondió: "Denos Dios ventura en armas, como al paladín Roldán, que en lo demás, teniendo a vuestra merced, y a otros caballeros por señores, bien me sabré entender." Y dejémoslo, y no pasemos de aquí. Y esto es lo que pasó, y Cortés no entró en el río de Alvarado, como lo dice Gómara.

CAPÍTULO XXXVII

CÓMO DOÑA MARINA ERA CACICA, E HIJA DE GRANDES SEÑORES, Y SEÑORA DE PUEBLOS Y VASALLOS, Y DE LA MANERA QUE FUE TRAÍDA A TABASCO

ANTES QUE MÁS meta la mano en lo del gran Montezuma y su gran México y mexicanos, quiero decir lo de doña Marina, cómo desde su niñez fue gran señora y cacica de pueblos y vasallos; y es de esta manera: Que su padre y madre eran señores y caciques de un pueblo que se dice Painala,[23] y tenía otros pueblos sujetos a él, obra de ocho leguas de la villa de Guazacualco; y murió el padre, quedando muy niña, y la madre se casó con otro cacique mancebo, y hubieron un hijo, y según pareció, queríanlo bien al hijo que habían habido; acordaron entre el padre y la madre de darle el cacicazgo después de sus días, y porque en ello no hubiese estorbo, dieron de noche a la niña doña Marina a unos indios de Xicalango, porque no fuese vista, y echaron fama que se había muerto. Y en aquella sazón murió una hija de una india esclava suya y publicaron que era la heredera; por manera que los de Xicalango la dieron a los de Tabasco, y los de Tabasco a Cortés. Y conocí a su madre y a su hermano de madre, hijo de la vieja, que era ya hombre y mandaba juntamente con la madre a su pueblo, porque el marido postrero de la vieja ya era fallecido. Y después de vueltos cristianos se llamó la vieja Marta y el hijo Lázaro, y esto sélo muy bien, porque en el año de mil quinientos veinte y tres años, después de conquistado México y otras provincias, y se había alzado Cristóbal de Olid en las Hibueras, fue Cortés allí y pasó por Guazacualco. Fuimos con él aquel viaje toda la mayor parte de los vecinos de aquella villa, como diré en su tiempo y lugar; y como doña Marina en todas las guerras de la Nueva España y Tlaxcala y México fue tan excelente mujer y buena lengua, como adelante diré,

[23] Pueblo que desapareció. Figura en el mapa incluido en el t. I, de la *Historia Antigua de México y de su Conquista,* por el P. Francisco J. Clavijero. México, 1959. Ed. Porrúa, S. A.

a esta causa la traía siempre Cortés consigo. Y en aquella sazón y viaje se casó con ella un hidalgo que se decía Juan Jaramillo, en un pueblo que se decía Orizaba, delante ciertos testigos, que uno de ellos se decía Aranda, vecino que fue de Tabasco; y aquél contaba el casamiento, y no como lo dice el coronista Gómara. Y la doña Marina tenía mucho ser y mandaba absolutamente entre los indios en toda la Nueva España.

Y estando Cortés en la villa de Guazacualco, envió a llamar a todos los caciques de aquella provincia para hacerles un parlamento acerca de la santa doctrina, y sobre su buen tratamiento, y entonces vino la madre de doña Marina y su hermano de madre, Lázaro, con otros caciques. Días había que me había dicho la doña Marina que era de aquella provincia y señora de vasallos, y bien lo sabía el capitán Cortés y Aguilar, la lengua. Por manera que vino la madre y su hijo, el hermano, y se conocieron, que claramente era su hija, porque se le parecía mucho. Tuvieron miedo de ella, que creyeron que los enviaba [a] hallar para matarlos, y lloraban. Y como así los vio llorar la doña Marina, les consoló y dijo que no hubiesen miedo, que cuando la traspusieron con los de Xicalango que no supieron lo que hacían, y se los perdonaba, y les dio muchas joyas de oro y ropa, y que se volviesen a su pueblo; y que Dios la había hecho mucha merced en quitarla de adorar ídolos ahora y ser cristiana, y tener un hijo de su amo y señor Cortés, y ser casada con un caballero como era su marido Juan Jaramillo; que aunque la hicieran cacica de todas cuantas provincias había en la Nueva España, no lo sería, que en más tenía servir a su marido y a Cortés que cuanto en el mundo hay. Y todo esto que digo sélo yo muy certificadamente,[24] y esto me parece que quiere remedar lo que le acaeció con sus hermanos en Egipto a Josef, que vinieron en su poder cuando lo del trigo. Esto es lo que pasó y no la relación que dieron a Gómara, y también dice otras cosas que dejo por alto. Y volviendo a nuestra materia, doña Marina sabía la lengua de Guazacualco, que es la propia de México, y sabía la de Tabasco, como Jerónimo Aguilar sabía la de Yucatán y Tabasco, que es toda una; entendíanse bien, y Aguilar lo declaraba en castellano a Cortés; fue gran principio para nuestra conquista, y así se nos hacían todas las cosas, loado sea Dios, muy prósperamente. He querido declarar esto porque sin ir doña Marina no podíamos entender la lengua de la Nueva España y México. Donde lo dejaré y volveré a decir cómo nos desembarcamos en el puerto de San Juan de Ulúa.

[24] Tachado en el original: *y lo juro.*

CAPÍTULO XXXVIII

CÓMO LLEGAMOS CON TODOS LOS NAVÍOS A SAN JUAN DE ULÚA Y LO QUE ALLÍ PASAMOS

En Jueves Santo de la Cena de mil quinientos diez y nueve años llegamos con toda la armada al puerto de San Juan de Ulúa, y como el piloto Alaminos lo sabía muy bien desde cuando vinimos con Juan de Grijalva, luego mandó surgir en parte que los navíos estuviesen seguros del norte, y pusieron en la nao capitana sus estandartes reales y veletas. Y después, obra de media hora que hubimos surgido, vinieron dos canoas muy grandes, que en aquellas partes a las canoas grandes llaman piraguas, y en ellas vinieron muchos indios mexicanos, y como vieron los estandartes y el navío grande, conocieron que allí habían de ir a hablar al capitán. Y fuéronse derechos al navío, y entran dentro y preguntan cuál era el *tatuan,* que en su lengua dicen el señor, y doña Marina, que bien lo entendió, porque sabía muy bien la lengua, se le mostró a Cortés, y los indios hicieron mucho acato a Cortés a su usanza, y le dijeron que fuese bien venido, y que un criado del gran Montezuma, su señor, les enviaba a saber qué hombres éramos y qué buscábamos, y que si algo hubiésemos menester para nosotros y los navíos, que se lo dijésemos, que traerán recaudo para ello. Y Cortés respondió con las dos lenguas, Aguilar y doña Marina, que se lo tenía en merced y luego les mandó dar de comer y beber vino, y unas cuentas azules; y desde que hubieron bebido les dijo que veníamos para verlos y contratar, y que no se les haría enojo ninguno, y que hubiesen por buena nuestra llegada [a] aquella tierra. Y los mensajeros se volvieron muy contentos. Y otro día, que fue Viernes Santo de la Cruz, desembarcamos así caballos como artillería en unos montones y médanos de arena que allí hay, altos, que no había tierra llana, sino todos arenales y asestaron los tiros como mejor le pareció al artillero, que se decía Mesa, e hicimos un altar adonde se dijo luego misa; e hicieron chozas y ramadas para Cortés y para los capitanes, y entre trescientos soldados acarreábamos madera, e hicimos nuestras chozas, y los caballos se pusieron adonde estuviesen seguros, y en esto se pasó aquel Viernes Santo. Y otro día, sábado, víspera de Pascua de la Santa Resurrección, vinieron muchos indios que envió un principal que era gobernador de Montezuma, que se decía Pitalpitoque, que después le llamamos Obandillo, y trajeron hachas y adobaron las chozas del capitán Cortés y los ranchos que más cerca hallaron, y les pusieron mantas grandes encima por mor del sol, que era Cuaresma y hacía muy gran calor, y trajeron gallinas y pan de maíz, y ciruelas, que era tiempo de ellas, y paréceme que entonces trajeron unas joyas de oro, y todo lo presentaron a Cortés y dijeron que otro día había de venir un gobernador a traer más bastimento. Cortés se lo agradeció mucho, y les mandó dar ciertas cosas de rescate, con que fueron muy contentos.

Y otro día, Pascua Santa de Resurrección, vino el gobernador que habían dicho, que se decía Tendile [25] hombre de negocios, y trajo con él a Pitalpitoque,[26] que también era persona entre ellos principal, y traían detrás de sí muchos indios con presentes y gallinas y otras legumbres; y a éstos que lo traían mandó Tendile que se apartasen un poco a un cabo, y con mucha humildad hizo tres reverencias a Cortés a su usanza, y después a todos los soldados que más cercanos nos hallamos. Y Cortés les dijo con las lenguas que fuesen bien venidos, y les abrazó y les dijo que esperasen, y que luego les hablaría. Y entre tanto mandó hacer un altar, lo mejor que en aquel tiempo se pudo hacer, y dijo misa cantada fray Bartolomé de Olmedo, que era gran cantor, y la beneficiaba el padre Juan Díaz, y estuvieron a la misa los dos gobernadores y otros principales de los que traían en su compañía, y oído misa comió Cortés y ciertos ca-

[25] La versión indígena recogida por Sahagún (*Historia General de las Cosas de Nueva España,* México, 1956. Edición Garibay. [Ed. Porrúa, S. A.] t. IV, pág. 25) llama a este cacique *Tentlitl,* como acompañante del gobernador de Cotaxtla, que era *Pinotl.* Torquemada. Orozco y Berra y otros historiadores le nombran *Teuhtilli.*

[26] El nombre correcto es *Cuitlalpitoc* (Sahagún, *Ibid*). V. la nota de D. José F. Ramírez en la pág. 5 del t. II de la *Colección de Documentos* de García Icazbalceta, México, 1866.

pitanes y los dos indios criados del gran Montezuma, y alzadas las mesas, se apartaron Cortés con las dos lenguas y con aquellos caciques, y les dijo cómo éramos cristianos y vasallos del mayor señor que hay en el mundo, que se dice el emperador don Carlos, y que tiene por vasallos y criados a muchos grandes señores, y que por su mandado venimos a estas tierras, porque ha muchos años que tiene noticia de ellos y del gran señor que les manda, y que le quiere tener por amigo y decirle muchas cosas en su real nombre; y después que las sepa y haya entendido, se holgará; y también para contratar con él y sus indios y vasallos de buena amistad; y que quería saber dónde manda su merced que se vean. Y el Tendile respondió algo soberbio, y dijo: "Aún ahora has llegado y ya le quieres hablar; recibe ahora este presente que te damos en nombre de nuestro señor, y después me dirás lo que te cumpliere." Y luego sacó de una petaca, que es como caja, muchas piezas de oro y de buenas labores y ricas, y mandó traer diez cargas de ropa blanca de algodón y de pluma, cosas muy de ver, y otras cosas que ya no me acuerdo, y mucha comida, que eran gallinas, fruta y pescado asado. Cortés lo recibió riendo y con buena gracia, y les dio cuentas torcidas y otras cuentezuelas de las de Castilla, y les rogó que mandasen en sus pueblos que viniesen a contratar con nosotros, porque él traía muchas cuentas a trocar por oro; y dijeron que así lo mandarían. Y según después supimos, estos Tendile y Pitalpitoque eran gobernadores de unas provincias que se dicen Cotustan y Tustepeque y Guazpaltepeque y Tatalteco [27] y de otros pueblos que nuevamente tenían sojuzgados. Y luego Cortés mandó traer una silla de caderas con entalladuras de taracea y unas piedras margaritas, que tienen dentro de sí muchas labores, y envueltas en unos algodones que tenían almizcle porque oliesen bien, y un sartal de diamantes torcidos, y una gorra de carmesí con una medalla de oro de San Jorge como que estaba a caballo con su lanza, que mata un dragón, dijo a Tendile que luego enviase aquella silla en que se asiente el señor Montezuma, que ya sabíamos que así se llamaba, para cuando le vaya a ver y hablar, y que aquella gorra que la ponga en la cabeza, y que aquella piedra y todo lo demás le manda dar el rey nuestro señor en señal de amistad, porque sabe que es gran señor, y que mande señalar para qué día y en qué parte quiere que le vaya a ver. Y el Tendile lo recibió y dijo que su señor Montezuma es tan gran señor que holgara de conocer a nuestro gran rey, y que le llevará presto aquel presente y traerá respuesta.

Y parece ser Tendile traía consigo grandes pintores, que los hay tales en México, y mandó pintar al natural la cara y rostro y cuerpo y facciones de Cortés y de todos los capitanes y soldados, y navíos y velas, y caballos, y a doña Marina y Aguilar, y hasta dos lebreles, y tiros y pelotas, y todo el ejército que traíamos, y lo llevó a su señor. Y luego mandó Cortés a los artilleros que tuviesen muy bien cebadas las lombardas, con buen golpe de pólvora, para que hiciese gran trueno cuando lo soltasen. Y mandó a Pedro de Alvarado que él y todos los de a caballo se aparejasen para que aquellos criados de Montezuma los viesen correr, y que llevasen pretales de cascabeles, y también Cortés cabalgó y dijo: "Si en estos mé-

[27] V. la nota anterior. Sahagún habla de administradores o gobernadores de los pueblos de Cuetlaxtan o Cotaxtla, de Mictlanquauhtla y de Teocinyocan. Torquemada cita tres lugares: Nauhtla, Tuxtla y Mictlanquauhtla, aunque este nombre lo divide como si fueran dos (*Monarquía Indiana*, Madrid, 1723, t. I, pág. 379). Bernal cita a Tuxtepec y Huazpaltepec, que ahora pertenecen a Oaxaca, aunque en el mapa de Álvaro Patiño (V. nota al Cap. XLIX), aparece otro Tuxtepec en la región de Veracruz.

danos de arena pudiéramos correr bueno fuera; mas ya verán que a pie atollamos en el arena; salgamos a la playa después que sea menguante y correremos de dos en dos." Y al Pedro de Alvarado, que era su yegua alazana de gran carrera y revuelta, le dio el cargo de todos los de a caballo; todo lo cual se hizo delante de aquellos dos embajadores, y para que viesen salir los tiros hizo Cortés que los quería tornar a hablar con otros muchos principales, y ponen fuego a las lombardas. Y en aquella sazón hacía calma, y van las piedras por los montes retumbando con gran ruido, y los gobernadores y todos los indios se espantaron de cosas tan nuevas para ellos, y todo lo mandaron pintar a sus pintores para que su señor Montezuma lo viese.

Y parece ser que un soldado tenía un casco medio dorado, y aunque mohoso; y vio el Tendile, que era más entremetido indio que el otro, y dijo que le quería ver, que parecía a uno que ellos tenían que les habían dejado sus antepasados y linaje de donde venían, lo cual tenían puesto a sus dioses Huychilobos [28] y que su señor Montezuma se holgaría de verlo. Y luego se lo dieron, y les dijo Cortés que porque querían saber si el oro de esta tierra es como lo que sacan en la nuestra de los ríos, que le envíen aquel casco lleno de granos de oro para enviarlo a nuestro gran emperador. Y después de todo esto el Tendile se despidió de Cortés y de todos nosotros, y después de muchos ofrecimientos que le hizo Cortés se despidió de él y dijo que él volvería con la respuesta con toda brevedad. Y ya ido Tendile, alcanzamos a saber que, después de ser indio de grandes negocios, fue el más suelto peón que su amo Montezuma tenía. El cual fue en posta y dio relación de todo a su señor, y le mostró todo el dibujo que llevó pintado y el presente que le envió Cortés; y dizque el gran Montezuma, desde que lo vio, quedó admirado y recibió por otra parte mucho contento, y desde que vio el casco y el que tenía su Huychilobos tuvo por cierto que éramos de los que le habían dicho sus antepasados que vendrían a señorear aquella tierra.

Aquí es donde dice el coronista Gómara muchas cosas que no le dieron buena relación. Y dejarlo he y diré lo que más acaeció.

[28] Huitzilopochtli, dios de la guerra entre los aztecas.

CAPÍTULO XXXIX

CÓMO FUE TENDILE A HABLAR A SU SEÑOR MONTEZUMA Y LLEVAR EL PRESENTE Y LO QUE SE HIZO EN NUESTRO REAL

Desde que fue Tendile con el presente que el capitán Cortés le dio para su señor Montezuma, y había quedado en nuestro real el otro gobernador, que se decía Pitalpitoque, quedó en unas chozas apartadas de nosotros, y allí trajeron indias para que hiciesen pan de su maíz, y gallinas y fruta y pescado, y de aquello proveían a Cortés y a los capitanes que comían con él, que a nosotros los soldados, si no lo mariscábamos o íbamos a pescar, no lo teníamos. Y en aquella sazón vinieron muchos indios de los pueblos por mí nombrados, donde eran gobernadores aquellos criados del gran Montezuma, y traían algunos de ellos oro y joyas de poco valor y gallinas a trocar por nuestros rescates, que eran cuentas verdes y diamantes y otras joyas, y con aquello nos sustentábamos, porque comúnmente todos los soldados traíamos rescate, como teníamos aviso cuando lo de Grijalva que era bueno traer cuentas. Y en esto se pasaron seis o siete días. Y estando en esto vino Tendile una mañana con más de cien indios cargados; y venía con ellos un gran cacique mexicano, y en el rostro y facciones y cuerpo se parecía al capitán Cortés, y adrede le envió el gran Montezuma, porque según dijeron, que cuando a Cortés lo llevó Tendile dibujado su misma figura, todos los principales que estaban con Montezuma dijeron que un principal que se decía Quintalbor [29] se le parecía a lo propio a Cortés, que así se llamaba aquel gran cacique que venía con Tendile, y como parecía a Cortés, así le llamábamos en el real, Cortés acá, Cortés acullá. Volvamos a su venida y lo que hicieron. Que en llegando donde nuestro capitán estaba, besó la tierra, y con braseros que traían de barro, y en ellos de su incienso, le sahumaron, y a todos los demás soldados que allí cerca nos hallamos. Y Cortés les mostró mucho amor, y asentólos cabe sí.

Y aquel principal que venía con aquel presente traía cargo de hablar juntamente con el Tendile; ya he dicho que se decía Quintalbor. Y después de haber dado el parabién venido a aquella tierra y otras muchas pláticas que pasaron, mandó sacar el presente que traían, y encima de unas esteras que llaman petates, y tendidas otras mantas de algodón encima de ellas, y lo primero que dio fue una rueda de hechura de sol de oro muy fino, que sería tamaña como una rueda de carreta, con muchas maneras de pinturas, gran obra de mirar, que valía, a lo que después dijeron, que la habían pesado, sobre diez mil pesos, y otra mayor rueda de plata, figurada la luna, y con muchos resplandores y otras figuras en ella, y ésta era de gran peso, que valía mucho; y trajo el casco lleno de oro en granos chicos, como le sacan de las minas, que valía tres mil pesos. Aquel oro del casco tuvimos en más por saber cierto que había buenas minas, que si trajeran veinte mil pesos. Mas trajo veinte ánades de oro, muy prima labor y muy al natural, y unos como perros de los que entre ellos tienen, y muchas piezas de oro de tigres y leones y monos; y diez collares hechos de una hechura muy prima, y otros pinjantes; y doce flechas y un arco con su cuerda, y dos varas como de justicia, de largor de cinco palmos; y todo esto que he dicho de oro muy fino y de obra vaciadizo. Y luego mandó traer penachos de oro y de ricas plumas verdes y otros de plata, y aventadores de lo mismo; pues venados de oro, sacados de vaciadizo, y fueron tantas cosas que como ha ya tantos años que pasó no me acuerdo de todo. Y luego mandó traer allí sobre treinta cargas de ropa de algodón, tan prima y de muchos géneros de labores, y de pluma de muchos colores, que por ser tantas no quiero en ello meter más la pluma porque no lo sabré escribir. Y después que lo hubo dado, dijo aquel gran cacique Quintalbor, y el Tendile, a Cortés, que reciba aquello con la gran voluntad que su señor se la envía, y que la reparta con los *teules* y hombres que consigo trae. Y Cortés con alegría lo recibió. Y dijeron a Cortés aquellos embajadores que le querían hablar lo que su señor le envía a decir, y lo primero que le dijeron, que se ha holgado que hombres tan esforzados vengan a su tierra, como le han dicho que somos, porque sabía lo de Tabasco, y que deseará mucho ver a nuestro gran emperador, pues tan gran señor es, pues de tan lejanas tierras como venimos tiene noticia de él, y que le enviará un presente de piedras

[29] Orozco y Berra (*Historia Antigua y de la Conquista de México*, México, 1880, t. IV, pág. 136) cita el hecho, tomado de Bernal, y observando que el nombre no es mexicano, sigue en este punto la opinión de Clavijero, Ob. cit., t. II.

ricas, y que entretanto que allí en aquel puerto estuviéremos, si en algo nos puede servir que lo hará de buena voluntad; y cuanto a las vistas, que no curasen de ellas, que no había para qué, poniendo muchos inconvenientes.

Cortés les tornó a dar las gracias con buen semblante por ello, y con muchos halagos y ofrecimientos dio a cada gobernador dos camisas de Holanda, y diamantes azules y otras cosillas, y les rogó que volviesen por su embajador a México a decir a su señor, el gran Montezuma, que pues habíamos pasado tantas mares y veníamos de tan lejanas tierras solamente por verle y hablar de su persona a la suya, que si así se volviese que no le recibirá de buena manera nuestro gran rey y señor, y que adonde quiera que estuviera le quiere ir a ver y hacer lo que mandare. Y los gobernadores dijeron que ellos irían y se lo dirían, mas que las vistas que dice que entienden que son por demás. Y envió Cortés con aquellos mensajeros a Montezuma de la pobreza que traíamos, que era una copa de vidrio de Florencia, labrada y dorada con muchas arboledas y monterías que estaban en la copa, y tres camisas de Holanda, y otras cosas, y les encomendó la respuesta. Y fuéronse estos dos gobernadores, y quedó en el real Pitalpitoque, que parece ser le dieron cargo los demás criados de Montezuma para que trajese la comida de los pueblos más cercanos. Y dejarlo he aquí, y diré lo que en nuestro real pasó.

CAPÍTULO XL

CÓMO CORTÉS ENVIÓ A BUSCAR OTRO PUERTO Y ASIENTO PARA POBLAR, Y LO QUE SOBRE ELLO SE HIZO

Despachados los mensajeros para México, luego Cortés mandó ir dos navíos a descubrir la costa adelante, y por capitán de ellos a Francisco de Montejo, y le mandó que siguiese el viaje que habíamos llevado con Juan de Grijalva, porque el mismo Montejo había venido en nuestra compañía, como otra vez he dicho; y que procurase de buscar puerto seguro y mirase por tierras en que pudiésemos estar, porque ya bien veía que en aquellos arenales no nos podíamos valer de mosquitos, y estar tan lejos de poblazones. Y mandó al piloto Alaminos y a Juan Álvarez, *el Manquillo,* fuesen por pilotos, porque como ya sabían aquella derrota, y que diez días navegasen costa a costa todo lo que pudiesen. Y fueron de la manera que les fue mandado, y llegaron en el paraje del río grande, que es cerca de Pánuco; y desde allí adelante no pudieron pasar por las grandes corrientes; que fue el río donde la otra vez llegamos, cuando lo del capitán Juan de Grijalva. Y viendo aquella mala navegación, dio la vuelta a San Juan de Ulúa, sin más pasar adelante, ni otra relación, excepto que doce leguas de allí habían visto un pueblo como puerto en fortaleza, el cual pueblo se llamaba Quiahuiztlan, y que cerca de aquel pueblo estaba un puerto que le parecía al piloto que podrían estar los navíos seguros del norte. Púsole un nombre feo, que es el tal de Bernal, que parece a otro puerto de España que tenía aquel nombre; y en estas idas y venidas se pasaron al Montejo diez o doce días.

Volveré a decir que el indio Pitalpitoque, que quedaba para traer comida, aflojó de tal manera que no traía ninguna cosa al real, y teníamos gran falta de mantenimientos, porque ya el cazabe amargaba de mohoso y podrido, y sucio de fátulas; y si no íbamos a mariscar no comíamos, y los indios que solían traer oro y gallinas a rescatar, ya no venían tantos como al principio, y esos que acudían muy recatados y medrosos; y estábamos aguardando los mensajeros que fueron a México, por horas. Y estando de esta manera vuelve Tendile con muchos indios, y después de haber hecho el acato que suelen entre ellos, de sahumar a Cortés y a todos nosotros, dio diez cargas de mantas de pluma muy fina y ricas y cuatro *chalchiuis*, que son unas piedras verdes muy de gran valor, y tenidas entre ellos más que nosotros las esmeraldas, y es color verde; y ciertas piezas de oro que dijeron que valía el oro, sin los *chalchiuis*, tres mil pesos. Y entonces vinieron el Tendile, y Pitalpitoque, porque el otro gran cacique que se decía Quintalbor, no volvió, por que había adolecido en el camino, y aquellos dos gobernadores se apartaron con Cortés y doña Marina y Aguilar, y le dijeron que su señor Montezuma recibió el presente, y que se holgó con él, y que en cuanto a las vistas, que no le hablen más sobre ello, y que aquellas ricas piedras de *chalchiuis* que las envía para el gran emperador, y porque son tan ricas que vale cada una de ellas una gran carga de oro, y que en más estima las tenía, y que ya no cure de enviar más mensajeros a México. Y Cortés les dio las gracias con ofrecimientos, y ciertamente que le pesó que tan claramente le decían que no podríamos ver a Montezuma, y dijo a ciertos soldados que allí nos hallamos: "Verdaderamente debe ser gran señor y rico, y, si Dios quisiere, algún día le hemos de ir a ver." Y respondimos los soldados: "Ya querríamos estar envueltos con él."

Y dejemos por ahora las vistas, y digamos que en aquella sazón era hora del Ave María, y en el real tañíamos una campana, y todos nos arrodillamos delante de una cruz que teníamos puesta en un médano de arena, y delante de aquella cruz decíamos la oración del Ave María. Y como Tendile y Pitalpitoque nos vieron así arrodillados, como eran muy entendidos, preguntaron que a qué fin nos humillábamos delante de aquel palo hecho de aquella manera, y como Cortés lo oyó y el fraile de la Merced estaba presente, le dijo al fraile: "Bien es ahora, padre, que hay buena materia para ello, que les demos a entender con nuestras lenguas las cosas tocantes a nuestra fe." Y entonces se les hizo un tan buen razonamiento para en tal tiempo que unos teólogos no lo dijeran mejor, y después de declarado cómo somos cristianos y todas las cosas tocantes a nuestra santa fe que se convenían decir, y les dijeron que sus ídolos son malos y que no son buenos, que huyen donde está aquella señal de la cruz, porque en otra de aquella hechura padeció muerte y pasión el Señor del cielo y de la tierra y de todo lo criado, que es en el que nosotros adoramos y creemos, que es nuestro Dios verdadero, que se dice Jesucristo, y que quiso sufrir y pasar aquella muerte por salvar todo el género humano, y que resucitó al tercero día, y está en los cielos, y que habemos de ser juzgados de él. Y se les dijo otras muchas cosas, muy perfectamente dichas; y las entendían bien, y respondían cómo ellos lo dirían a su señor Montezuma. Y también se les declaró las cosas por qué nos envió a estas partes nuestro gran emperador; fue para quitar que no sacrificasen ningunos indios ni otra manera de sacrificios malos que hacen, ni se robasen unos a otros, ni adorasen aquellas malditas figuras, y que les ruega que pongan en su ciudad, en los adoratorios donde están los ídolos que ellos tienen por dioses, una cruz como aquella, y pongan una imagen de Nuestra Señora, que allí les dio, con su hijo precioso en los brazos, y verán cuánto bien les va y lo que nuestro Dios por ellos hace. Y porque pasaron otros muchos razonamientos y yo no los sabré escribir, lo dejaré y traeré a la memoria que como vinieron con Tendile muchos indios esta postrera vez a rescatar piezas de oro, y no de mucha valía, todos los soldados los rescatábamos, y aquel oro que rescatábamos dábamos a los hombres que traíamos de la mar, que iban a pescar, a trueco de su pescado, para tener de comer, porque de otra manera pasábamos mucha necesidad de hambre. Y Cortés se holgaba de ello y lo disimulaba, y aunque lo veía y se lo decían muchos criados y amigos de Diego Velázquez que para qué nos dejaba rescatar. Y lo que sobre ello pasó diré adelante.

CAPÍTULO XLI

DE LO QUE SE HIZO SOBRE EL RESCATAR DEL ORO, Y DE OTRAS COSAS QUE EN EL REAL PASARON

Como vieron los amigos de Diego Velázquez que algunos soldados rescatábamos oro, dijéronselo a Cortés que para qué lo consentía y que no le envió Diego Velázquez para que los soldados se llevasen todo el más del oro, y que era bien mandar pregonar que no rescatasen más de ahí adelante sino fuese el mismo Cortés, y lo que hubiesen habido que lo manifestasen para sacar el real quinto, y que se pusiese una persona que fuese conveniente para cargo de tesorero. Cortés a todo dijo que era bien lo que decían, y que la tal persona que la nombrasen ellos, y señalaron a un Gonzalo Mejía. Y después de hecho esto les dijo Cortés no de buen semblante: "Mirad, señores, que nuestros compañeros pasan gran trabajo de no tener con qué se sustentar, y por esta causa habíamos de disimular, porque todos comiesen, cuanto más que es una miseria cuanto rescatan, que mediante Dios mucho es lo que habemos de haber, porque todas las cosas tienen su haz y envés. Ya está pregonado que no rescaten más oro, como habéis querido, y veremos de qué comeremos." Aquí es donde dice el coronista Gómara que lo hacía Cortés porque no creyese Montezuma que se nos daba nada por oro, y no le informaron bien, que desde lo de Grijalva en el río de Banderas lo sabía muy claramente; y, demás de esto, cuando le enviamos a demandar el casco de oro en granos de las minas y nos veían rescatar, ¿pues qué, gente mexicana [era] para no entenderlo? Y dejemos esto, pues dice que por información lo sabe, y digamos cómo una mañana no amaneció indio ninguno de los que estaban en las chozas, que solían traer de comer, ni los que rescataban, y con ellos Pitalpitoque, que sin hablar palabra se fueron huyendo. Y la causa fue, según después alcanzamos a saber, que se lo envió a mandar Montezuma que no aguardasen más pláticas de Cortés ni de los que con él estábamos, porque parece ser, como Montezuma era muy devoto de sus ídolos, que se decían Tezcatepuca e Huichilobos; el uno decían que era dios de la guerra y el Tezcatepuca el dios del infierno, y les sacrificaba cada día muchachos para que le diesen respuesta de lo que había de hacer de nosotros, porque el Montezuma tenía pensamiento que si no nos tornábamos a ir en los navíos, de nos haber todos a las manos para que hiciésemos generación,[30] y también para tener que sacrificar, según después supimos; que la respuesta que le dieron sus ídolos, que no curase más de oír a Cortés, ni las palabras que le envía a decir que tuviese cruz, y la imagen de Nuestra Señora que no la trajesen a su ciudad, y por esta causa se fueron sin hablar.

Y como vimos aquella novedad creímos que estaban de guerra, y estábamos siempre muy más a punto apercibidos. Y un día, estando yo y otro soldado puestos por espías en unos arenales, vimos venir por la playa cinco indios, y por no hacer alboroto por poca cosa en el real los dejamos llegar a nosotros, y con alegres rostros nos hicieron reverencia a su usanza, y por señas nos dijeron que los llevásemos al real. Yo dije a mi compañero que se quedase en el puesto, y yo iría con ellos, que en aquella sazón no me pesaban los pies como ahora que soy viejo. Y desde que llegaron adonde Cortés estaba, le hicieron gran acato, y le dijeron: *Lope luzio, lope luzio,* que quiere decir en lengua totonaque: "Señor, y gran señor." Y traían unos grandes agujeros en los bezos de abajo, y en ellos unas rodajas de piedras pintadillas de azul, y otros con unas hojas de oro delgadas, y en las orejas muy grandes agujeros, en ellas puestas otras rodajas con oro y piedras, y muy diferente traje y habla que traían que la de los mexicanos que solían estar con nosotros. Y como doña Marina y Aguilar, las lenguas, oyeron aquello de *Lope luze,* no lo entendían. Dijo la doña Marina en la lengua de México que si había allí entre ellos nahuatlatos, que son intérpretes de la lengua mexicana, y respondieron los dos de aquellos cinco que sí, que ellos la entendían, y dijeron que fuésemos bien venidos, y que su señor les enviaba a saber quién éramos y que se holgara servir a hombres tan esforzados, porque parece ser ya sabían lo de Tabasco y lo de Pontonchan, y más dijeron: Que ya hubieran venido a vernos si no por temor de los de *Culúa,* que solían estar allí con nosotros. Y *culúa* entiéndese por mexicanos, que es como si dijésemos cordobeses o sevillanos, y que supieron que había tres días que se habían ido huyendo a sus tierras. Y de plática en plática supo Cortés cómo tenía Montezuma enemigos y contrarios, de lo cual se holgó, y con dádivas y halagos que les dio despidió aquellos cinco mensajeros y les dijo que dijesen a su señor que él les iría a ver muy presto. Aquellos indios llamábamos de ahí en adelante los *lopes luzios.*

Y dejarlo he ahora, y pasemos adelante y digamos que en aquellos arenales donde estábamos había siempre muchos mosquitos, así de los zancudos como de los chicos, que llaman xexenes, que son peores que los grandes, y no podíamos dormir de ellos, y no había bastimentos, y el cazabe se apocaba, y muy mohoso y sucio de las fátulas, y algunos soldados de los que solían tener indios en la isla de Cuba, suspirando por volverse a sus casas, en especial de los criados y amigos de Diego Velázquez; y como Cortés así vido la cosa y voluntades, mandó que nos fuésemos al pueblo que había visto Montejo y el piloto Alaminos, que estaba en fortaleza, que se dice Quiauiztlan, y que los navíos estarían al abrigo del peñol por mí nombrado. Y como se ponía por la obra para nos ir, todos los amigos y deudos y criados de Diego Velázquez dijeron a Cortés que para qué quería hacer aquel viaje sin bastimentos, y que no tenía posibilidad para pasar más adelante, porque ya se habían muerto en nuestro real, de heridas de lo de Tabasco y de dolencias y hambre, sobre treinta y cinco soldados, y que la tierra era grande y las poblazones de mucha gente, y que nos darían guerra un día que otro, y que sería mejor que nos volviésemos a Cuba y dar cuenta a Diego Velázquez del oro rescatado, pues era cantidad, y de los

[30] Tachado en el original: *y con ella hazer la guerra.*

grandes presentes de Montezuma, que era el sol y luna de plata y el casquete de oro menudo de minas, y de todas las joyas y ropa por mí memoradas. Y Cortés les respondió que no es buen consejo volver sin ver por qué, y que hasta ahora que no nos podíamos quejar de la fortuna, y que diésemos gracias a Dios que en todo nos ayudaba, y que en cuanto a los que se han muerto, que en las guerras y trabajos suele acontecer, y que será bien saber lo que hay en la tierra, y que entretanto del maíz y bastimentos que tienen los indios y pueblos cercanos comeríamos o mal nos andarían las manos. Y con esta respuesta se sosegó algo la parcialidad de Diego Velázquez, aunque no mucho, que ya había corrillos de ellos y plática en el real sobre la vuelta a Cuba. Y dejarlo he aquí, y diré lo que más avino.

CAPÍTULO XLII

CÓMO ALZAMOS A HERNANDO CORTÉS POR CAPITÁN GENERAL Y JUSTICIA MAYOR HASTA QUE SU MAJESTAD EN ELLO MANDASE LO QUE FUESE SERVIDO, Y LO QUE EN ELLO SE HIZO

YA HE DICHO que en el real andaban los parientes y amigos de Diego Velázquez perturbando que no pasásemos adelante, y que desde allí, de San Juan de Ulúa, nos volviésemos a la isla de Cuba. Parece ser que ya Cortés tenía puesto en pláticas con Alonso Hernández Puertocarrero y con Pedro de Alvarado y sus cuatro hermanos, Jorge y Gonzalo y Gómez y Juan, todos Alvarados; y con Cristóbal de Olid, y Alonso de Ávila, y Juan de Escalante, y Francisco de Lugo, y conmigo y otros caballeros y capitanes, que le pidiésemos por capitán, Francisco de Montejo bien lo entendió, y estábase a la mira, y una noche, a más de medianoche, vinieron a mi choza Alonso Hernández Puertocarrero y Juan de Escalante y Francisco de Lugo, que éramos algo deudo yo y Lugo, y de una tierra, y me dijeron: "¡Ah, señor Bernal Díaz del Castillo, salid acá con vuestras armas a rondar, acompañaremos a Cortés, que anda rondando." Y desde que estuve apartado de la choza me dijeron: "Mirad, señor, tened secreto de un poco que os queremos decir, que pesa mucho, y no lo entiendan los compañeros que están en vuestro rancho que son de la parte de Diego Velázquez." Y lo que me platicaron fue: "¿Paréceos, señor, bien que Hernando Cortés así nos haya traído engañados a todos, y dio pregones en Cuba que venía a poblar, y ahora hemos sabido que no trae poder para ello, sino para rescatar, y quieren que nos volvamos a Santiago de Cuba con todo el oro que se ha habido y quedaremos todos perdidos, y tomarse ha el oro Diego Velázquez, como la otra vez? Mirad, señor, que habéis venido ya tres veces con esta postrera, gastando vuestros haberes, y habéis quedado empeñado, aventurando tantas veces la vida con tantas heridas; hacémoslo, señor, saber porque no pase esto más adelante, y estamos muchos caballeros que sabemos que son amigos de vuestra merced para que esta tierra se pueble en nombre de Su Majestad, y Hernando Cortés en su real nombre, y en teniendo que tengamos posibilidad, hacerlo saber en Castilla a nuestro rey y señor, y tenga, señor, cuidado de dar el voto para que todos le elijamos por capitán, de unánime voluntad, porque es servicio de Dios y de nuestro rey y señor." Yo respondí que la ida de Cuba no era buen acuerdo, y que sería bien que la tierra se poblase y que eligiésemos a Cortés por general y justicia mayor, hasta que Su Majestad otra cosa mandase. Y andando de soldado en soldado este concierto, alcánzanlo a saber los deudos y amigos de Diego Velázquez, que eran muchos más que nosotros; y con palabras algo sobradas dijeron a Cortés que para qué andaban con mañas para quedarse en esta tierra, sin ir a dar cuenta a quien le envió para ser capitán, porque Diego Velázquez no se lo tendría a bien; y que luego nos fuésemos a embarcar, y que no curase de más rodeos y andar en secretos con los soldados, pues no tenía bastimentos, ni gente, ni posibilidad para que pudiese poblar.

Y Cortés respondió sin mostrar enojo, y dijo que le placía, que no iría contra las instrucciones y memorias que traía de Diego Velázquez, y mandó luego pregonar que para otro día todos nos embarcásemos, cada uno en el navío que había venido. Y los que habíamos sido en el concierto le respondimos que no era bien traernos así engañados: que en Cuba pregonó que venía a poblar, y que viene a rescatar, y que le requerimos de parte de Dios Nuestro Señor y de Su Majestad que luego poblase y no hiciese otra cosa, porque era muy gran bien y servicio de Dios y de Su Majestad. Y se le dijo muchas cosas bien dichas sobre el caso, diciendo que los naturales no nos dejarían desembarcar otra vez como ahora, y que en estar poblada esta tierra siempre acudirían de todas las islas soldados para ayudarnos, y que Diego Velázquez nos ha echado a perder con publicar que tenía provisiones de Su Majestad para poblar, siendo al contrario, y que nosotros queríamos poblar y que se fuese quien quisiese a Cuba. Por manera que Cortés aceptó, y aunque se hacía mucho de rogar; y como dice el refrán, tú me lo ruegas y yo me lo quiero; y fue con condición que le hiciésemos justicia mayor y capitán general, y lo peor de todo que le otorgamos que le diésemos el quinto del oro de lo que se hubiese, después de sacado el real quinto. Y luego le dimos poderes muy vastísimos, delante de un escribano del rey que se decía Diego de Godoy, para todo lo por mí aquí dicho. Y luego ordenamos de hacer y fundar y poblar una villa que se nombró la Villa Rica de la Vera Cruz, porque llegamos Jueves de la Cena y desembarcamos en Viernes Santo de la Cruz, y rica por aquel caballero que dije en el capítulo (XXVI) que se llegó a Cortés y le dijo que mirase las tierras ricas y que se supiese bien gobernar, y quiso decir que se quedase por capitán general, el cual era Alonso Hernández de Puertocarrero.

Y volvamos a nuestra relación. Y fundada la villa, hicimos alcaldes y regidores, y fueron los primeros alcaldes Alonso Hernández Puertocarrero y Francisco de Montejo, y a este Montejo, porque no estaba muy bien con Cortés, por meterle en los primeros y principal, le mandó nombrar por alcalde; y los regidores dejarlos he de escribir, porque no hace al caso que nombre algunos; y diré cómo se puso una picota en la plaza y fuera de la villa una horca, y señalamos por capitán para las entradas a Pedro de Alvarado, y maestre de campo a Cristóbal de Olid, y alguacil mayor a Juan de Escalante, y tesorero Gonzalo Mejía, y contador Alonso de Ávila, y alférez a fulano Corral, porque el Villarroel, que había sido alférez no sé qué enojo había hecho a Cortés, sobre una india de Cuba, y se le quitó el cargo; y alguacil del real a Ochoa, vizcaíno, y a un Alonso Romero.

Dirán ahora que cómo no nombro en esta relación al capitán Gonzalo de Sandoval, siendo un capitán tan nombrado, que después de Cortés fue la segunda persona y de quien tanta noticia tuvo el emperador nuestro señor. A esto digo que como era mancebo entonces no se tuvo tanta cuenta con él y con otros valerosos capitanes, hasta que le vimos florecer en tanta manera, que Cortés y todos los soldados le teníamos en tanta estima como al mismo Cortés, como adelante diré. Y quedarse ha aquí esta relación, y diré cómo el coronista Gómara dice que por relación sabe lo que escribe, y esto que aquí digo pasó así, y todo lo demás que escribe no le dieron buena cuenta de lo que dice. Y otra cosa veo: que para que parezca ser verdad lo que en ello escribe, todo lo que en el caso pone es muy al revés, por más buena retórica que en el escribir ponga. Y dejarlo he y diré lo que la parcialidad de Diego Velázquez hizo sobre que no fuese por capitán elegido Cortés y nos volviésemos a la isla de Cuba.

CAPÍTULO XLIII

CÓMO LA PARCIALIDAD DE DIEGO VELÁZQUEZ PERTURBABA EL PODER QUE HABÍAMOS DADO A CORTÉS, Y LO QUE SOBRE ELLO SE HIZO

DESPUÉS QUE [los de] la parcialidad de Diego Velázquez vieron que de hecho habíamos elegido a Cortés por capitán general y justicia mayor, nombrada la villa y alcaldes y regidores, y nombrado capitán a Pedro de Alvarado, y alguacil mayor y maestre de campo, y todo lo por mí dicho, estaban tan enojados y rabiosos que comenzaron a armar bandos y chirinolas, y aun palabras muy mal dichas contra Cortés y contra los que le elegimos; y que no era bien hecho sin ser sabedores de ello todos los capitanes y soldados que allí venían, y que no le dio tales poderes Diego Velázquez sino para rescatar, y harto teníamos los del bando de Cortés de mirar que no se desvergonzasen más y viniésemos a las armas. Entonces avisó Cortés secretamente a Juan de Escalante que le hiciésemos parecer las instrucciones que traía de Diego Velázquez, lo cual luego Cortés las sacó del seno y las dio a un escribano del rey que las leyese, y desde que decía en ellas: "Desque hobiéredes rescatado lo más que pudiéredes, os volveréis", y venían firmadas de Diego Velázquez y refrendadas de su secretario Andrés de Duero, pedimos a Cortés que las mandase incorporar juntamente con el poder que le dimos, y asimismo el pregón que se dio en la isla de Cuba, y esto fue a causa que Su Majestad supiese en España cómo todo lo que hacíamos era en su real servicio, y no nos levantasen alguna cosa contraria de la verdad; y fue harto buen acuerdo, según en Castilla nos trataba don Juan Rodríguez de Fonseca, obispo de Burgos y arzobispo de Rosano, que así se llamaba, lo cual supimos por muy cierto que andaba por destruirnos, como adelante diré.

Hecho esto, volvieron otra vez los mismos amigos y criados de Diego Velázquez a decir que no estaba bien hecho haberle elegido sin ellos, y que no querían estar bajo de su mando, sino volverse luego a la isla de Cuba. Y Cortés les respondía que él no detendría a ninguno por fuerza, y cualquiera que le viniese a pedir licencia se la daría de buena voluntad, aunque se quedase solo; y con esto los asosegó a algunos de ellos, excepto a Juan Velázquez de León, que era pariente de Diego Velázquez, y a Diego de Ordaz, y a Escobar, que llamábamos el *Paje*, porque había sido criado de Diego

Velázquez, y a Pedro Escudero y a otros amigos de Diego Velázquez. Y a tanto vino la cosa, que poco ni mucho le querían obedecer, y Cortés, con nuestro favor, determinó de prender a Juan Velázquez de León, y a Diego de Ordaz, y a Escobar el *Paje,* y a Pedro Escudero, y a otros que ya no recuerdo; y por los demás mirábamos no hubiese algún ruido, y estuvieron presos con cadenas y velas que les mandaban poner ciertos días. Y pasaré adelante, y diré cómo fue Pedro de Alvarado a entrar en un pueblo cerca de allí.

Aquí dice el coronista Gómara en su historia muy contrario de lo que pasó, y quien viere su historia verá ser muy extremado en hablar, si bien le informaran, y él dijera lo que pensaba.

CAPÍTULO XLIV

CÓMO FUE ACORDADO DE ENVIAR A PEDRO DE ALVARADO LA TIERRA ADENTRO, A BUSCAR MAÍZ Y BASTIMENTO, Y LO QUE MÁS PASÓ

YA QUE HABÍAMOS HECHO y ordenado lo por mí aquí dicho, acordamos que fuese Pedro de Alvarado la tierra adentro, a unos pueblos que teníamos noticia que estaban cerca, para que viese qué tierra era, y para traer maíz y algún bastimento, porque en el real pasábamos mucha necesidad; y llevó cien soldados, y entre ellos quince ballesteros y seis escopeteros, y eran de estos soldados más de la mitad de la parcialidad de Diego Velázquez, y quedamos con Cortés todos los de su bando, por temor no hubiese más ruido ni chirinola y se levantasen contra él, hasta asegurar más la cosa. Y de esta manera fue Alvarado a unos pueblos chicos, sujetos de otro pueblo que se decía Cotastan,[31] que eran de lengua de *Culúa,* y este nombre de *Culúa* es en aquella tierra como si dijesen los romanos o sus aliados; así es toda la lengua de la parcialidad de México y de Montezuma, y a este fin en toda esta tierra, cuando dijese *Culúa,* son vasallos y sujetos a México, y así se han de entender.

Y llegado Pedro de Alvarado a los pueblos, todos estaban despoblados de aquel mismo día, y halló sacrificados en unos *cúes* hombres y muchachos, y las paredes y altares de sus ídolos con sangre, y los corazones presentados a los ídolos; y también hallaron las piedras sobre que los sacrificaban, y los cuchillazos de pedernal con que los abrían por los pechos para sacarles los corazones. Dijo Pedro de Alvarado que habían hallado en todos los más de aquellos cuerpos muertos sin brazos y piernas, y que dijeron otros indios que los habían llevado para comer, de lo cual nuestros soldados se admiraron mucho de tan grandes crueldades. Y dejemos de hablar de tanto sacrificio, pues desde allí adelante en cada pueblo no hallábamos otra cosa y volvamos a Pedro de Alvarado, que en aquellos pueblos los halló muy abastecidos de comida y despoblados de aquel día, de indios, que no pudo hallar sino dos indios que le trajeron maíz; y así hubo de cargar cada soldado de gallinas y de otras legumbres, y volvióse al real sin hacerles más daño, aunque halló bien en qué, porque así se lo mandó Cortés, que no fuese como lo de Cozumel.

Y en el real nos holgamos con aquel poco bastimento que trajo,

[31] Cotaxtla. Ver la nota número 27, en la página 64.

porque todos los males y trabajos se pasan con el comer. Aquí es donde dice el coronista Gómara que fue Cortés la tierra adentro con cuatrocientos soldados; no le informaron bien, que el primero que fue es el por mí aquí dicho, y no otro. Y tornemos a nuestra plática, que como Cortés en todo ponía gran diligencia, procuró de hacerse amigo de la parcialidad de Diego Velázquez, porque a unos con dádivas del oro que habíamos habido, que quebranta peñas, y otros prometimientos, los atrajo a sí, y los sacó de las prisiones, excepto a Juan Velázquez de León y a Diego de Ordaz, que estaban en cadenas en los navíos, y de allí a pocos días también los soltó de las prisiones, e hizo tan buenos y verdaderos amigos de ellos como adelante verán, y todo con el oro, que lo amansa. Ya todas las cosas puestas en este estado, acordamos de irnos al pueblo que estaba en fortaleza, ya otra vez por mí memorado, que se dice Quiauiztlan, y que los navíos se fuesen al peñol y puerto que estaba enfrente de aquel pueblo, obra de una legua de él. Y yendo costa a costa, acuérdome que se mató un gran pescado, que le echó la mar en la costa en seco, y llegamos a un río donde está poblado ahora la Veracruz, y venía algo hondo; y con unas canoas quebradas, que son como artesas, y a nado y en balsas, pasamos. Y de aquella parte del río estaban unos pueblos sujetos a otro gran pueblo que se decía Cempoal,[32] donde eran naturales los cinco indios de los bezotes de oro, que he dicho que vinieron por mensajeros a Cortés, que les llamamos *lopelucios* en el arenal. Y hallamos las casas de ídolos y sacrificaderos y sangre derramada, e inciensos con que sahumaban, y otras cosas de ídolos y de piedras con que sacrificaban, y plumas de papagayos, y muchos libros de su papel, cogidos a dobleces, como a manera de paños de Castilla, y no hallamos indios ninguno porque se habían ya huido, que como no habían visto hombres como nosotros, ni caballos, tuvieron temor.

Y allí dormimos aquella noche, y no hubo qué cenar, y otro día caminamos la tierra adentro hacia el poniente, y dejamos la costa, y no sabíamos el camino, y topamos unos buenos prados que llaman sabanas, y estaban paciendo unos venados, y corrió Pedro de Alvarado con su yegua alazana tras un venado, y le dio una lanzada, y herido se metió por un monte, que no se pudo haber. Y estando en esto vimos venir doce indios que eran vecinos de aquellas estancias donde habíamos dormido, y venían de hablar a su cacique, y traían gallinas y pan de maíz, y dijeron a Cortés, con nuestras lenguas, que su señor envía aquellas gallinas que comiésemos, y nos rogaba fuésemos a su pueblo, que estaba de allí, a lo que señalaron, andadura de un día, porque es un sol. Y Cortés les dio las gracias y les halagó, y caminamos adelante y dormimos en otro pueblo chico, que también tenía hechos muchos sacrificios. Y porque estarán hartos de oír de tantos indios e indias que hallábamos sacrificados, en todos los pueblos y caminos que topábamos, pasaré delante sin decir de qué manera y qué cosas tenían, y diré cómo nos dieron en aquel poblezuelo de cenar, y supimos que era por Cempoal el camino para ir a Quiauiztlan, que ya he dicho que estaba en una fuerza. Y pasaré adelante, y diré cómo entramos en Cempoal.

[32] Cempoalla o Cempoala, en la actualidad cabecera de municipio en Veracruz.

CAPÍTULO XLV

CÓMO ENTRAMOS EN CEMPOAL, QUE EN AQUELLA SAZÓN ERA MUY BUENA POBLAZÓN, Y LO QUE ALLÍ PASAMOS

Y COMO DORMIMOS en aquel poblezuelo, donde nos aposentaron los doce indios que he dicho, y después de bien informados del camino que habíamos de llevar para ir al pueblo que estaba en el peñol, muy de mañana se lo hicimos saber a los caciques de Cempoal cómo íbamos a su pueblo, y que lo tuviesen por bien, y para ello envió los seis indios por mensajeros, y los otros seis quedaron para que nos guiasen. Y mandó Cortés poner muy en orden los tiros y escopeteros y ballesteros, y siempre corredores del campo descubriendo, y los de caballo y todos los demás muy apercibidos, y de esta manera caminamos hasta que llegamos una legua del pueblo, y ya que estábamos cerca de él salieron veinte indios principales a recibirnos de parte del cacique, y trajeron unas piñas de rosas de la tierra muy olorosas, y dieron a Cortés y a los de a caballo con gran amor, y le dijeron que su señor nos estaba esperando en los aposentos, y por ser hombre muy gordo y pesado no podía venir a recibirnos. Y Cortés les dio las gracias, y se fueron adelante, y ya que íbamos entrando entre las casas, de que vimos tan grande pueblo, y no habíamos visto otro mayor, nos admiramos mucho de ello, y cómo estaba tan vicioso y hecho un vergel, y tan poblado de hombres y mujeres, las calles llenas, que nos salían a ver, dábamos muchos loores a Dios que tales tierras habíamos descubierto. Y nuestros corredores del campo, que iban a caballo, parece ser llegaron a la gran plaza y patios donde estaban los aposentos, y de pocos días, según pareció, teníanlos muy encalados y relucientes, que lo saben muy bien hacer, y pareció al uno de los de [a] caballo que era aquello blanco que relucía plata, y vuelve a rienda suelta a decir a Cortés cómo tienen las paredes de plata, y doña Marina y Aguilar dijeron que sería yeso o cal, y tuvimos bien que reír de su plata y frenesí, que siempre después le decíamos que todo lo blanco le parecía plata.

Dejemos de la burla y digamos cómo llegamos a los aposentos, y el cacique gordo [33] nos salió a recibir junto al patio, que porque era muy gordo así lo nombraré; e hizo muy gran reverencia a Cortés y le sahumó, que así lo tenían de costumbre, y Cortés le abrazó. Y allí nos aposentaron, en unos aposentos harto buenos y grandes, que cabíamos todos; y nos dieron de comer y pusieron unos cestos de ciruelas, que había muchas, porque era tiempo de ellas, y pan de su maíz. Y como veníamos hambrientos y no habíamos visto otro tanto bastimento como entonces, pusimos nombre aquel pueblo Villaviciosa, y yo le nombraré Sevilla. Y mandó Cortés que ningún soldado les hiciese enojo, ni se apartase de aquella plaza, y después que el cacique gordo supo que habíamos comido, le envió a decir a Cortés que le quería ir a ver; y vino con buena copia de indios principales, y todos traían grandes bezotes de oro y ricas mantas; y Cortés también le salió al encuentro

[33] Es digno de observar que los autores que escribieron relaciones de la conquista, designan a este señor en iguales términos que Bernal. Sin embargo. Torquemada, al tratar del señorío de Cempoala nos da el nombre de *Quauhtlaebana*. Ob. Cit., t. I., página 280.

del aposento, y con grandes caricias y halagos le tornó [a] abrazar. Y luego mandó el cacique gordo que trajesen un presente que tenía aparejado, de cosas de joyas de oro y mantas, y aunque no fue mucho, sino de poco valor, y le dijo a Cortés: "*Lope luzio; lope luzio,* recibe esto de buena voluntad", y que si más tuviera que se lo diera. Ya he dicho que en lengua totonaque dijeron "señor y gran señor" cuando dice *lope luzio,* etc. Y Cortés le dijo, con doña Marina y Aguilar, que él se lo pagaría en buenas obras, y que lo que hubiese menester que se lo dijesen, que él lo haría por ellos, porque somos vasallos de un tan gran señor, que es el emperador don Carlos, que manda muchos reinos y tierras y que nos envía para deshacer agravios y castigar a los malos, y mandar que no sacrifiquen más ánimas; y se les dio a entender otras muchas cosas tocantes a nuestra santa fe.

Y luego como aquello oyó el cacique gordo, dando suspiros se queja reciamente del gran Montezuma y de sus gobernadores, diciendo que de pocos tiempos acá le había sojuzgado y que le ha llevado todas sus joyas de oro, y les tiene tan apremiados y que no osan hacer sino lo que les manda, porque es señor de grandes ciudades y tierras, y vasallos y ejércitos de guerra. Y como Cortés entendió que de aquellas quejas que daban al presente no podía entender en ello, les dijo que él haría de manera que fuesen desagraviados, y porque él iba a ver sus *acales,* que en lengua de indios así llaman a los navíos, y hacer su estada y asiento en el pueblo de Quiauiztlan, que después que allí esté de asiento se verán más despacio. Y el cacique gordo le respondió muy concertadamente. Y otro día de mañana salimos de Cempoal, y tenían aparejados sobre cuatrocientos indios de carga, que en aquellas partes llaman *tamemes,* que llevan dos arrobas de peso a cuestas y caminan con ellas cinco leguas. Y desde que vimos tanto indio para carga nos holgamos, porque de antes siempre traíamos a cuestas nuestras mochilas, los que no teníamos indios de Cuba, porque no pasaron en la armada sino cinco o seis, y no tantos como dice Gómara. Y doña Marina y Aguilar nos dijeron que en estas tierras, cuando están de paz, sin demandar quién lleve la carga, los caciques son obligados de dar de aquellos *tamemes;* y desde allí adelante dondequiera que íbamos demandábamos indios para las cargas.

Y despedido Cortés del cacique gordo, otro día caminamos nuestro camino y fuimos a dormir a un poblezuelo cerca de Quiauiztlan, y estaba despoblado; y los de Cempoal trajeron de cenar. Aquí es donde dice el coronista Gómara que estuvo Cortés muchos días en Cempoal, y que se concertó la rebelión y liga contra Montezuma; no le informaron bien, porque, como he dicho, otro día por la mañana salimos de allí. Y donde se concertó la rebelión y por qué causa, adelante lo diré. Y quédese así, y digamos cómo entramos en Quiauiztlan.

CAPÍTULO XLVI

CÓMO ENTRAMOS EN QUIAUIZTLAN, QUE ERA PUEBLO PUESTO EN FORTALEZA, Y NOS ACOGIERON DE PAZ

Otro día, a hora de las diez, llegamos en el pueblo fuerte que se dice Quiauiztlan, que está entre grandes peñascos y muy altas cuestas, y si hubiera resistencia era malo de tomar. Y yendo con buen concierto y ordenanza, creyendo que estuviese de guerra, iba la artillería delante y todos subíamos en aquella fortaleza, de manera que si algo aconteciera, hacer lo que éramos obligados. Entonces Alonso de Ávila llevó cargo de capitán. Como era soberbio y de mala condición, porque un soldado que se decía Hernando Alonso de Villanueva no iba en buena ordenanza, le dio un bote de lanza en un brazo que le mancó, y después se llamó Hernando Alonso de Villanueva el *Manquillo*. Dirán que siempre salgo de orden al mejor tiempo por contar cosas viejas. Dejémoslo, y digamos que en la mitad de aquel pueblo no hallamos indio ninguno con quien hablar, de lo cual nos maravillamos, que se habían ido huyendo de miedo aquel propio día desde que nos vieron subir a sus casas. Y estando en lo más alto de la fortaleza, en una plaza junto adonde tenían los *cúes* y casas grandes de sus ídolos, vimos estar quince indios con buenas mantas, y cada uno un brasero de barro y en ellos de su incienso; y vinieron donde Cortés estaba y le sahumaron y a los soldados que cerca de ellos estábamos, y con grandes reverencias le dicen que les perdone porque no han salido a recibirnos, y que fuésemos bien venidos y que reposásemos; y que de miedo se habían ausentado hasta ver qué cosa éramos, porque tenían miedo de nosotros y de los caballos, y que aquella noche les mandarían poblar todo el pueblo. Y Cortés les mostró mucho amor y les dijo muchas cosas tocantes a nuestra santa fe, como siempre lo teníamos de costumbre adondequiera que llegábamos, y que éramos vasallos de nuestro gran emperador don Carlos, y les dio unas cuentas verdes y otras cosillas de Castilla: y ellos trajeron luego gallinas y pan de maíz.

Y estando en estas pláticas vinieron luego a decir a Cortés que venía el cacique gordo de Cempoal en andas y a cuestas de muchos indios principales. Y desde que llegó el cacique estuvo hablando con Cortés, juntamente con el cacique y otros principales de aquel pueblo, dando tantas quejas de Montezuma; y contaba de sus grandes poderes, y decíalo con lágrimas y suspiros, que Cortés y los que estábamos presentes tuvimos mancilla. Y demás de contar por qué vía les había sujetado, que cada año les demandaban muchos hijos e hijas para sacrificar, y otros para servir en sus casas y sementeras; y otras muchas quejas, que fueron tantas, que ya no se me acuerda; y que los recaudadores de Montezuma les tomaban sus mujeres e hijas si eran hermosas, y las forzaban; y que otro tanto hacían en toda aquella tierra de la lengua totonaque, que eran más de treinta pueblos. Y Cortés les consolaba con nuestras lenguas cuanto podía y que les favorecería en todo lo que pudiese, y quitaría aquellos robos y agravios, y que para eso le envió a estas partes el emperador nuestro señor; y que no tuviesen pena ninguna, y que presto lo verían, lo que sobre ello hacíamos. Y con estas palabras recibieron algún contento; mas no se les aseguraba el corazón, con el gran temor que tenían a los mexicanos.

Y estando en estas pláticas vinieron unos indios del mismo pueblo muy de prisa a decir a todos los caciques que allí estaban hablando con Cortés como venían cinco mexicanos, que eran los recaudadores de Montezuma, y desde que lo oyeron se les perdió la color y temblaban de miedo; y dejan solo a Cortés y los salen a recibir; y de presto les enraman una sala y les guisan de comer y les hacen mucho cacao, que es la mejor cosa que entre ellos beben. Y cuando entraron por el pueblo los cinco indios vinieron por donde estábamos, porque allí estaban las casas del cacique y nuestros aposentos, y pasaron con tanta continencia y presunción que sin hablar a Cortés ni a ninguno de nosotros se fueron delante. Y traían ricas mantas labradas, y los bragueros de la misma manera (que entonces bragueros se ponían), y el cabello lucio y alzado, como atado en la cabeza, y cada uno con unas rosas, oliéndolas, y mosqueadores que les traían otros indios como criados; y cada uno un bordón como garabato en la mano, y muy acompañados de principales de otros pueblos de la lengua totonaque, y hasta que los llevaron [a] aposentar y les dieron de comer muy altamente, no los dejaron de acompañar. Y después que hubieron comido, mandaron llamar al cacique gordo y a todos los más principales y les riñeron que por que nos habían hospedado en sus pueblos, y qué tenían ahora que hablar y ver con nosotros, y que su señor Montezuma no será servido de aquello, porque sin su licencia y mandado no nos habían de recoger, ni dar joyas de oro. Y sobre ello al cacique gordo y a los demás principales les dijeron muchas amenazas, y que luego les diesen veinte indios e indias para aplacar a sus dioses por el maleficio que habían hecho. Y estando en esto, Cortés preguntó a doña Marina y a Jerónimo de Aguilar, nuestras lenguas, que de qué estaban alborotados los caciques desde que vinieron aquellos indios, y quién eran. Y la doña Marina, que muy bien lo entendió, le contó lo que pasaba. Y luego Cortés mandó llamar al cacique gordo y a todos los más principales, y les dijo que quién eran aquellos indios que les hacían tanta fiesta; y dijeron que los recaudadores del gran Montezuma, y que vienen a ver por qué causa nos habían recibido sin licencia de su señor, y que les demandan ahora veinte indios e indias para sacrificar a su dios Huichilobos, porque les dé victoria contra nosotros, porque han dicho que dice Montezuma que los quiere tomar para que sean sus esclavos. Y Cortés les consoló y que no hubiesen miedo, que él estaba allí con todos nosotros y que los castigaría. Y pasemos adelante a otro capítulo y lo que sobre ellos se hizo.

CAPÍTULO XLVII

CÓMO CORTÉS MANDÓ QUE PRENDIESEN AQUELLOS CINCO RECAUDADORES DE MONTEZUMA, Y MANDÓ QUE DESDE AHÍ ADELANTE NO LE OBEDECIESEN NI DIESEN TRIBUTO, Y LA REBELIÓN QUE ENTONCES SE ORDENÓ CONTRA MONTEZUMA

Como Cortés entendió lo que los caciques le decían, les dijo que ya les había dicho otras veces que el rey, nuestro señor le mandó que viniese a castigar los malhechores, y que no consintiese sacrificios ni robos, y pues aquellos recaudadores venían con aquella demanda, les mandó que luego les aprisionasen y los tuviesen presos hasta que su señor Montezuma sepa la causa cómo vienen a robar y a llevar por esclavos sus hijos y mujeres y [a] hacer otras fuerzas. Y cuando los caciques lo oyeron estaban espantados de tal osadía: mandar que los mensajeros del gran Montezuma fuesen maltratados, y temían, y no osaban hacerlo. Y todavía Cortés les convocó que luego los echasen en prisiones, y así lo hicieron, y de tal manera, que en unas varas largas y con collares, según entre ellos se usa, los pusieron de arte que no se les podían ir; y uno de ellos, porque no se dejaba atar, le dieron de palos. Y demás de esto mandó Cortés a todos los caciques que no les diesen más tributo ni obediencia a Montezuma, y que así lo publicasen en todos los pueblos sus aliados y amigos: y que si otros recaudadores hubiese en otros pueblos como aquéllos, que lo hiciesen saber, que él enviaría por ellos. Y como aquella nueva se supo en toda aquella provincia, porque luego envió mensajeros el cacique gordo haciéndoselo saber, y también lo publicaron los principales que habían traído en su compañía aquellos recaudadores, que como los vieron presos luego se desgarraron y fueron cada uno a su pueblo a dar mandado y a contar todo lo acaecido; y viendo cosas maravillosas y de tanto peso para ellos, dijeron que no osaron hacer aquellos hombres humanos, sino *teules*, que así llamaban a sus ídolos en que adoran. Y a esta causa, desde allí adelante nos llamaron *teules*, que es, como he dicho, o dioses o demonios, y cuando dijere en esta relación *teules* en cosas que han de ser mentadas nuestras personas, sepan que se dice por nosotros.

Volvamos a decir de los prisioneros, que los querían sacrificar por consejo de todos los caciques, porque no se les fuese alguno de ellos a dar mandado a México, y como Cortés lo entendió les mandó que no los matasen, que él los quería guardar, y puso de nuestros soldados que los velasen, y a medianoche mandó llamar Cortés a los mismos nuestros soldados que los guardaban y les dijo: "Mira que soltéis los dos de ellos, los más diligentes que os parecieren, de manera que no lo sientan los indios de estos pueblos", y que se los llevasen a su aposento. Y después que los tuvo delante les preguntó con nuestras lenguas que por qué estaban presos y de qué tierra eran, como haciendo que no los conocía. Y respondieron que los caciques de Cempoal y de aquel pueblo, con su favor y el nuestro, los prendieron. Y Cortés respondió que él no sabía nada, y que le pesa de ello, y les mandó dar de comer y les dijo palabras de muchos halagos y que se fuesen luego a decir a su señor Montezuma cómo éramos todos nosotros sus grandes amigos y servidores, y porque no pasasen más mal les quitó las prisiones y riñó con los caciques que les tenían presos, y que todo lo que hubieren menester para su servicio que lo hará de muy buena voluntad; y que los tres indios sus compañeros que tienen en prisiones, que él los mandará soltar y guardar, y que vayan muy presto no los tornen a prender y los maten. Y los dos prisioneros respondieron que se lo tenían en merced y que habían miedo que los tornarían a las manos, porque por fuerza han de pasar por sus tierras. Y luego mandó Cortés a seis hombres de la mar que esa noche los llevasen en un batel obra de cuatro leguas de allí hasta sacarles a tierra segura, fuera de los términos de Cempoal.

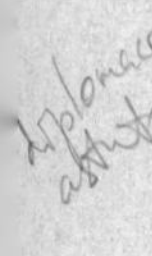

Y como amaneció y los caciques de aquel pueblo y el cacique gordo hallaron menos los dos prisioneros, querían muy de hecho sacrificar los otros tres que quedaban, si Cortés no se los quitara de poder; e hizo del enojado, porque se habían huido los otros dos, y mandó traer una cadena del navío y echólos en ella, y luego los mandó llevar a los navíos y dijo que él los quería guardar, pues tan mal cobro pusieron en los demás. Y después de que los hubieron llevado les mandó quitar las cadenas, y con buenas palabras les dijo que presto los enviaría a México. Dejémoslo así, que luego que esto fue hecho todos los caciques de Cempoal y de aquel pueblo y de otros que se habían allí juntado de la lengua totonaque, dijeron a Cortés que qué harían, que ciertamente vendrían sobre ellos los poderes de México, del gran Montezuma, y que no podrían escapar de ser muertos y destruidos. Y dijo Cortés con semblante muy alegre que él y sus hermanos, que allí estábamos, les defenderíamos y mataríamos a quien enojarlos quisiese. Entonces prometieron todos aquellos pueblos y caciques a una que serían con nosotros en todo lo que les quisiésemos mandar y juntarían sus poderes contra Montezuma y todos sus aliados. Y aquí dieron la obediencia a Su Majestad, por ante un Diego de Godoy, el escribano, y todo lo que pasó lo enviaron a decir a los más pueblos de aquella provincia. Como ya no daban tributo ninguno y los recogedores no parecían, no cabían de gozo haber quitado aquel dominio. Y dejemos esto y diré cómo acordamos de nos bajar a lo llano, a unos prados, donde comenzamos [a] hacer una fortaleza. Esto es lo que pasa, y no la relación que sobre ello dieron al coronista Gómara.

CAPÍTULO XLVIII

CÓMO ACORDAMOS DE POBLAR LA VILLA RICA DE LA VERA CRUZ Y DE HACER UNA FORTALEZA EN UNOS PRADOS, JUNTO A UNAS SALINAS Y CERCA DEL PUERTO DEL NOMBRE FEO, DONDE ESTABAN ANCLADOS NUESTROS NAVÍOS, Y LO QUE ALLÍ SE HIZO

DESPUÉS QUE HUBIMOS hecho liga y amistad con más de treinta pueblos de las sierras, que se decían los totonaques, que entonces se rebelaron al gran Montezuma y dieron la obediencia a Su Majestad, y se profirieron de nos servir, con aquella ayuda tan presta acordamos de fundar la Villa Rica de la Vera Cruz, en unos llanos, media legua del pueblo, que estaba como en fortaleza que se dice Quiauiztlan, y trazada iglesia y plaza y atarazanas, y todas las cosas que convenían para ser villa, e hicimos una fortaleza y desde en los cimientos, y en acabarla de tener alta para enmaderar y hechas troneras y cubos y barbacanas, dimos tanta prisa, que desde Cortés, que comenzó el primero a sacar tierra a cuestas y piedras y ahondar los cimientos, como todos los capitanes y soldados, a la continua, entendíamos en ello, y trabajábamos por acabarla de presto, los unos en los cimientos, y otros en hacer las tapias, y otros en acarrear agua, y en las caleras, en hacer ladrillos y tejas, y en buscar comida; otros en la madera, los herreros en la clavazón, porque teníamos dos herreros, y de esta manera trabajamos en ello a la continua desde el mayor hasta el menor, y los indios que nos ayudaban, de manera que ya estaba hecha iglesia y casas y casi la fortaleza.

Estando en esto parece ser que el gran Montezuma tuvo noticia en México cómo le habían preso sus recaudadores y que le habían quitado la obediencia, y cómo estaban rebelados los pueblos totonaques; mostró tener mucho enojo de Cortés y de todos nosotros, y tenía ya mandado a un su gran ejército de guerreros que viniesen a dar guerra a los pueblos que se le rebelaron, y que no quedase ninguno de ellos con vida, y para contra nosotros aparejaba de venir con gran pujanza de capitanías; y en aquel instante van los dos indios prisioneros que Cortés mandó soltar, según he dicho en el capítulo pasado. Y desde que Montezuma entendió que Cortés les quitó de las prisiones y los envió a México, y las palabras de ofrecimientos que le envió a decir, quiso Nuestro Señor Dios que amansó su ira y acordó de enviar a saber de nosotros, qué voluntad teníamos, y para ello vinieron dos mancebos sobrinos suyos,[34] con cuatro viejos, grandes caciques, que los traían a cargo. Y con ellos envió un presente

[34] Supone Clavijero (Ob. cit., t. III, página 40) que fueron quizás hijos de Cuitláhuac.

espectáculo de potros

de oro y mantas y a dar las gracias a Cortés porque les soltó a sus criados; y por otra parte se envió a quejar mucho diciendo que con nuestro favor se habían atrevido aquellos pueblos de hacerle tan gran traición, y que no le diesen tributo y quitarle la obediencia; y que ahora teniendo respeto a que tiene por cierto que somos los que sus antepasados les han dicho que habían de venir a sus tierras, y que debemos de ser de su linaje, y porque estábamos en casas de los traidores, no les envió luego a destruir, mas que el tiempo andando no se alabarán de aquellas traiciones.

Y Cortés recibió el oro y la ropa, que valía sobre dos mil pesos, les abrazó y dio por disculpa que él y todos nosotros éramos muy amigos de su señor Montezuma, y como tal servidor le tiene guardado sus tres recaudadores. Y luego los mandó traer de los navíos, y con buenas mantas y bien tratados se los entregó. Y también Cortés se quejó mucho del Montezuma y dijo cómo su gobernador Pitalpitoque se fue una noche del real sin hablarles, y que no fue bien hecho, y que cree y tiene por cierto que no se lo mandaría el señor Montezuma que hiciese tal villanía; y que por aquella causa nos venimos [a] aquellos pueblos, donde estábamos, y que hemos recibido de ellos honra; y que le pide por merced que les perdone el desacato que contra él han tenido, y que en cuanto a lo que dice que no le acuden con el tributo, que no pueden servir a dos señores, que en aquellos días que habemos estado nos han servido en nombre de nuestro rey y señor, y porque él, Cortés y todos sus hermanos iríamos presto a verle y servirle, y después que allá estemos se dará orden en todo lo que mandare. Y después de estas pláticas y otras muchas que pasaron, mandó dar [a] aquellos mancebos, que eran grandes caciques, y a los cuatro viejos que los traían a cargo, que eran hombres principales, diamantes azules y cuentas verdes; y se les hizo honra, y allí delante de ellos, porque había buenos prados, mandó Cortés que corriesen y escaramuceasen Pedro de Alvarado, que tenía una buena yegua alazana, que era muy revuelta, y otros caballeros, de lo cual se holgaron de haberlos visto correr; y despedidos y muy contentos de Cortés y de todos nosotros, se fueron a su México.

En aquella sazón se le murió el caballo a Cortés, y compró o le dieron otro que se decía el *Arriero*, que era castaño oscuro, que fue de Ortiz, el *Músico*, y un Bartolomé García, el *Minero;* y fue uno de los mejores caballos que vinieron en la armada. Dejemos de hablar en esto y diré que como aquellos pueblos de la sierra, nuestros amigos, y el pueblo de Cempoal solían estar de antes muy temerosos de los mexicanos, creyendo que el gran Montezuma los había de enviar a destruir con sus grandes ejércitos de guerreros, y desde que vieron a aquellos parientes del gran Montezuma que venían con el presente por mí memorado, y a darse por servidores de Cortés y de todos nosotros, estaban espantados y decían unos caciques a otros que ciertamente éramos *teules,* pues que Montezuma nos había miedo, pues enviaba oro en presentes. Y si de antes teníamos mucha reputación de esforzados, de allí adelante nos tuvieron en mucho más. Y quedarse ha aquí, y diré lo que hizo el cacique gordo y otros sus amigos.

CAPÍTULO XLIX

CÓMO VINO EL CACIQUE GORDO Y OTROS PRINCIPALES A QUEJARSE A CORTÉS CÓMO EN UN PUEBLO FUERTE, QUE SE DECÍA CINGAPACINGA, ESTABAN GUARNICIONES DE MEXICANOS Y LES HACÍAN MUCHO DAÑO, Y LO QUE SOBRE ELLO SE HIZO

DESPUÉS DE DESPEDIDOS los mensajeros mexicanos, vino el cacique gordo con otros muchos principales, nuestros amigos, a decir a Cortés que luego vaya a un pueblo que se dice Cingapacinga[35] que estaría de Cempoal dos días de andadura, que serían ocho o nueve leguas, porque decían que estaban en él juntos muchos indios de guerra de los *culúas,* que se entienden por los mexicanos, y que les venían a destruir sus sementeras y estancias; y les salteaban sus vasallos, y les hacían otros muchos malos tratamientos. Y Cortés lo creyó según se lo decían tan afectadamente; y viendo aquellas quejas y con tantas importunaciones, y habiéndoles prometido que les ayudaría y mataría a los *culúas* o a otros indios que les quisiesen enojar, a esta causa no sabía qué decir, salvo que iría de buena voluntad o enviaría algunos soldados de nosotros para echarlos de allí. Y estuvo pensando en ello, y dijo riendo a ciertos compañeros que estábamos acompañándole: "Sabéis, señores, que me parece que en todas estas tierras ya tenemos fama de esforzados, y por lo que han visto estas gentes por los recaudadores de Montezuma nos tienen por dioses, o por cosas como sus ídolos; he pensado que, para que crean que uno de nosotros basta para desbaratar a aquellos indios guerreros que dicen que están en el pueblo de la fortaleza, sus enemigos, enviemos a Heredia el viejo", que era vizcaíno y tenía mala catadura en la cara, y la barba grande y la cara medio acuchillada, y un ojo tuerto, y cojo de una pierna, y era escopetero; el cual le mandó llamar, y le dijo: "Id con estos caciques hasta el río (que estaba de allí un cuarto de legua) y cuando allá llegáredes, haced que os paráis a beber y lavar las manos, y tirad un tiro con vuestra escopeta, que yo os enviaré a llamar, que esto hago porque crean que somos dioses, o de aquel nombre y reputación que nos tienen puesto, y como vos sois mal agestado creerán que sois ídolo." Y el Heredia lo hizo según y de la manera que le fue mandado, porque era hombre bien entendido y avisado, que había sido soldado en Italia.

Y luego envió Cortés a llamar al cacique gordo y a todos los más principales que estaban aguardando la ayuda y socorro, y les dijo: "Allá envío con vosotros ese mi hermano, para que mate y eche todos los *culúas* de ese pueblo y me traiga presos a los que no se quisieren ir." Y los caciques estaban enlevados desde que lo oyeron, y no sabían si creerlo o no, y miraban a Cortés si hacía algún mudamiento en el rostro, que creyeron que era verdad lo que les decía. Y luego el viejo Heredia que iba con ellos carga su escopeta e iba tirando tiros al aire, por los montes, por que lo oyesen y viesen los indios. Y los caciques

[35] Posiblemente se trata de *Tizapancingo* o *Tizanpancinco,* pueblo desaparecido que figura en el mapa agregado al informe del alcalde mayor de la Antigua Veracruz. Álvaro Patiño, de 15 de marzo de 1580. Puede consultarse copia MS., en la Biblioteca Nacional, registrada con el nombre de Alonso Hernández Diosdado, secretario que la redactó.

enviaron a dar mandado a otros pueblos cómo llevaban a un *teul* para matar a los mexicanos que estaban en *Cingapacinga.* Y esto pongo aquí por cosa de risa, porque vean las mañas que tenía Cortés. Y desde que entendió que habría llegado Heredia al río que le había dicho, mandó de presto que lo fuesen a llamar, y vueltos los caciques y el viejo Heredia, les tornó a decir Cortés, a los caciques, que por la buena voluntad que les tenía, que el propio Cortés en persona, con algunos de sus hermanos, quería ir a hacerles aquel socorro, y a ver aquellas tierras y fortalezas y que luego le trajeron cien hombres *tamemes* para llevar los *tepuzquez,* que son los tiros; y vinieron otro día por la mañana. Y habíamos de partir aquel mismo día con cuatrocientos soldados y catorce de caballo y ballesteros y escopeteros, que estaban apercibidos. Y ciertos soldados que eran de la parcialidad de Diego Velázquez dijeron que no querían ir, y que se fuese Cortés con los que quisiese, que ellos a Cuba se querían volver. Y lo que sobre ello se hizo diré adelante.

CAPÍTULO L

CÓMO CIERTOS SOLDADOS DE LA PARCIALIDAD DE DIEGO VELÁZQUEZ, VIENDO QUE DE HECHO QUERÍAMOS POBLAR Y COMENZAMOS A PACIFICAR PUEBLOS, DIJERON QUE NO QUERÍAN IR A NINGUNA ENTRADA, SINO VOLVERSE A LA ISLA DE CUBA

YA ME HABRÁN oído decir, en el capítulo antes de éste, que Cortés había de ir a un pueblo que se dice Cingapacinga, y había de llevar consigo cuatrocientos soldados y catorce de caballo y ballesteros y escopeteros; y tenían puestos en la memoria para ir con nosotros a ciertos soldados de la parcialidad de Diego de Velázquez. Y yendo los cuadrilleros [a] apercibirlos que saliesen luego con sus armas y caballos los que los tenían, respondieron soberbiamente que no querían ir a ninguna entrada, sino volverse a sus estancias y haciendas que dejaron en Cuba; que bastaba lo que habían perdido por sacarlos Cortés de sus casas, y que les había prometido en el Arenal que cualquiera persona que se quisiese ir, que le daría licencia y navío y matalotaje; y a esta causa estaban siete soldados apercibidos para volverse a Cuba. Y como Cortés lo supo, los envió a llamar, y preguntado por qué hacían aquella cosa tan fea, respondieron algo alterados y dijeron que se maravillaban de él, querer poblar adonde había tanta fama de millares de indios, y grandes poblazones, con tan pocos soldados como éramos, y que ellos estaban dolientes y hartos de andar de una parte a otra, y que se querían ir a Cuba a sus casas y haciendas; que les diese luego licencia, como se lo había prometido. Y Cortés les respondió mansamente que es verdad que se la prometió, mas que no hacían lo que debían en dejar la bandera de su capitán desamparada; y luego les mandó que sin detenimiento ninguno se fuesen a embarcar, y les señaló navío y les mandó dar cazabe y una botija de aceite y otras legumbres de bastimentos, de lo que teníamos. Y uno de aquellos soldados, que se decía fulano Morón, vecino de la villa de Bayamo, tenía un buen caballo overo, labrado de las manos; le vendió luego bien vendido a un

Juan Ruano, a trueque de otras haciendas que el Juan Ruano dejaba en Cuba; y ya que se querían hacer a la vela fuimos todos los compañeros alcaldes y regidores de nuestra Villa Rica, a requerir a Cortés que por vía ninguna no diese licencia a ninguna persona para salir de la tierra, porque así convenía al servicio de Dios Nuestro Señor y de Su Majestad, y que la persona que tal licencia pidiese la tuviese por hombre que merecía pena de muerte, conforme a las leyes de lo militar, pues quieren dejar su capitán y bandera desamparada en la guerra y peligro, en especial habiendo tanta multitud de pueblos de indios guerreros, como ellos han dicho. Y Cortés hizo como que les quería dar la licencia, mas a la postre se la revocó, y se quedaron burlados y aun avergonzados, y Morón su caballo vendido, y Juan Ruano, que lo hubo, no se lo quiso volver. Y todo esto fue mandado por Cortés; y fuimos nuestra entrada a Cingapacinga.

CAPÍTULO LI

LO QUE NOS ACAECIÓ EN CINGAPACINGA Y A LA VUELTA QUE VOLVIMOS POR CEMPOAL LES DERROCAMOS SUS ÍDOLOS, Y OTRAS COSAS QUE PASARON

Como ya los siete hombres que se querían volver a Cuba estaban pacíficos, luego partimos con los soldados y caballeros e infantería, ya por mí memorados, y fuimos a dormir al pueblo de Cempoal, y tenían aparejado para salir con nosotros dos mil indios de guerra, en cuatro capitanías. Y el primer día caminamos cinco leguas con buen concierto, y otro día, a poco más de vísperas, llegamos a las estancias que estaban junto al pueblo de Cingapacinga, y los naturales de él tuvieron noticia cómo íbamos. Y ya que comenzábamos a subir por la fortaleza y casas, que estaban entre grandes riscos y peñascos, salieron de paz a nosotros ocho indios principales y *papas,* y dicen a Cortés llorando de los ojos que por qué les quiere matar y destruir, no habiendo hecho por qué, y pues tenemos fama que a todos hacíamos bien y desagraviamos a los que estaban robados y habíamos prendido a los recaudadores de Montezuma; y que aquellos indios de guerra de Cempoal que allí iban con nosotros estaban mal con ellos de enemistades viejas, que habían tenido sobre tierras y términos, y que con nuestro favor les venían a matar y robar; y que es verdad que mexicanos solían estar en guarnición en aquel pueblo, y que pocos días había se habían ido a sus tierras luego que supieron que habíamos preso a otros recaudadores; y que le ruegan que no pase más adelante la cosa y les favorezca.

Y después que Cortés lo hubo muy bien entendido con nuestras lenguas doña Marina y Aguilar, luego con mucha brevedad mandó al capitán Pedro de Alvarado y al maestre de campo, que era Cristóbal de Olid, y a todos nosotros, los compañeros que con él íbamos, que detuviésemos a los indios de Cempoal que no pasasen más adelante, y así lo hicimos; y por presto que fuimos a detenerlos, ya estaban robando en las estancias; de lo cual hubo Cortés grande enojo y mandó que viniesen luego los capitanes que traían a cargo a aquellos guerreros de Cempoal, y con palabras de muy enojado y de grandes amenazas les dijo que luego le trajesen los indios e indias, y mantas y gallinas que han robado en las estancias, y que no entre ninguno de ellos en aquel pueblo; y que porque le habían mentido y venían a sacrificar y robar a sus vecinos, con nuestro favor, eran dignos de muerte, y que nuestro rey y señor, cuyos vasallos somos, no nos envió a estas partes y tierras para que hiciesen aquellas maldades y que abriesen bien los ojos no les aconteciese otra como aquélla, porque no quedaría hombre de ellos con vida. Y luego los caciques y capitanes de Cempoal trajeron a Cortés todo lo que habían robado, así indios como indias y gallinas, y se les entregó a los dueños cuyo era, y con semblante muy furioso los tornó a mandar que se saliesen a dormir al campo; y así lo hicieron.

Y desde que los caciques y *papas* de aquel pueblo y otros comarcanos vieron qué tan justificados éramos, y las palabras amorosas que Cortés les decía con nuestras lenguas, y también las cosas tocantes a nuestra santa fe, como lo teníamos de costumbre, y dejasen el sacrificio, y de robarse unos a otros; y las suciedades de sodomías; y que no adorasen sus malditos ídolos, y se les dijo otras muchas cosas buenas, tomáronnos tan buena voluntad, que luego fueron a llamar a otros pueblos comarcanos, y todos dieron la obediencia a Su Majestad; y allí luego dieron muchas quejas de Montezuma, como las pasadas que habían dado los de Cempoal, cuando estábamos en el pueblo de Quiauiztlan. Y otro día por la mañana Cortés mandó llamar a los capitanes y caciques de Cempoal, que estaban en el campo aguardando para ver lo que les mandábamos, y aun muy temerosos de Cortés por lo que habían hecho en haberle mentido; y venidos delante, hizo amistades entre ellos y los de aquel pueblo, que nunca faltó por ninguno de ellos.

Y luego partimos para Cempoal por otro camino, y pasamos por dos pueblos amigos de los de Cingapacinga, y estábamos descansando porque hacía recio sol y veníamos muy cansados, con las armas a cuestas, y un soldado que se decía fulano de Mora, natural de Ciudad Rodrigo, tomó dos gallinas de una casa de indios de aquel pueblo, y Cortés, que lo acertó a ver, hubo tanto enojo de lo que delante de él se hizo por aquel soldado en los pueblos de paz, en tomar las gallinas, que luego le mandó echar una soga a la garganta, y le tenían ahorcado, si Pedro de Alvarado que se halló junto a Cortés, que le cortó la soga con la espada, y medio muerto quedó el pobre soldado. He querido traer esto aquí a la memoria para que vean los curiosos lectores, y aun los sacerdotes que ahora tienen cargo de administrar los Santos Sacramentos y doctrina a los naturales de estas partes, que porque aquel soldado tomó dos gallinas en pueblo de paz presto le costara la vida, y para que vean ahora ellos de qué manera se han de haber con los indios, y no tomarles sus haciendas. Después murió este soldado en una guerra, en la provincia de Guatemala, sobre un peñol.

Volvamos a nuestra relación. Que como salimos de aquellos pueblos que dejamos en paz, yendo para Cempoal, estaban el cacique gordo con otros principales aguardándonos en unas chozas, con comida; que, aunque son indios, vieron y entendieron que la justicia es santa y buena, y que las palabras que Cortés les había dicho que veníamos a desagraviar y quitar tiranías conformaba con lo que pasó en aquella entrada, y tuviéronnos en mucho más que antes. Y allí dormimos en aquellas chozas, y todos los caciques nos llevaron acompañando hasta los aposentos de su pueblo; y verdaderamente quisieran que no saliéramos de su tierra, porque se temían de Montezuma no enviase su gente de guerra contra ellos. Y dijeron a Cortés que pues éramos ya sus amigos, que nos quieren tener por hermanos, que será bien que tomásemos de sus hijas y parientes para hacer generación; y que para que más fijas sean las amistades trajeron ocho indias, todas hijas de caciques, y dieron a Cortés una de aquellas cacicas, y era sobrina del mismo cacique gordo; y otra dieron a Alonso Hernández Puerto Carrero, y era hija de otro gran cacique que se decía Cuesco en su lengua; y traíanlas vestidas a todas ocho con ricas camisas de la tierra y bien ataviadas a su usanza, y cada una de ellas un collar de oro al cuello, y en las orejas zarcillos de oro; y venían acompañadas de otras indias para servirse de ellas. Y cuando el cacique gordo las presentó, dijo a Cortés: "*Tecle* (que quiere decir en su lengua señor), estas siete mujeres son para los capitanes que tienes, y ésta, que es mi sobrina, es para ti, que es señora de pueblos y vasallos." Cortés la[s] recibió con alegre semblante, y les dijo que se lo tenían en merced, mas para tomarlas como dice y que seamos hermanos que hay necesidad que no tengan aquellos ídolos en que creen y adoran, que los traen engañados, y que no les sacrifiquen más ánimas, y que como él vea aquellas cosas malísimas en el suelo y que no sacrifican, que luego tendrán con nosotros muy más fija la hermandad, y que aquellas mujeres que se volverán cristianas primero que las recibamos, y que también habían de ser limpios de sodomías, porque tenían muchachos vestidos en hábitos de mujeres que andaban a ganar en aquel maldito oficio, y cada día sacrificaban delante de nosotros tres o cuatro o cinco indios, y los corazones ofrecían a sus ídolos, y la sangre pegaban por las paredes, y cortábanles las piernas y los brazos y muslos, y lo comían como vaca que se trae de las carnicerías en nuestra tierra, y aun tengo creído que lo vendían por menudo en los *tianguez,* que son mercados; y que como estas maldades se quiten y que no lo usen, que no solamente les seremos amigos, mas que les hará que sean señores de otras provincias. Y todos los caciques, *papas* y principales respondieron que no les estaba bien dejar sus ídolos y sacrificios, y que aquellos sus dioses les daban salud y buenas sementeras y todo lo que habían menester; y que en cuanto a lo de las sodomías, que pondrán resistencia en ello para que no se use más.

Y como Cortés y todos nosotros vimos aquella respuesta tan desacatada, y habíamos visto tantas crueldades y torpedades, ya por mí otra vez dichas, no las pudimos sufrir. Entonces nos habló Cortés sobre ello y nos trajo a la memoria unas buenas y muy santas doctrinas, y que cómo podíamos hacer ninguna cosa buena si no volvíamos por la honra de Dios y en quitar los sacrificios que hacían a los ídolos, y que estuviésemos muy apercibidos para pelear si nos viniesen a defender que no se los derrocásemos, y que aunque nos costase las vidas, en aquel día habían de venir al suelo. Y puesto que estamos todos muy a punto con nuestras armas, como lo teníamos de costumbre, para pelear, les dijo Cortés a los caciques que los habían de derrocar. Y desde que aquello vieron, luego mandó el cacique gordo a otros sus capitanes que se apercibiesen muchos guerreros en defensa de sus ídolos; y desque queríamos subir en un alto *cu,* que es su adoratorio, que estaba alto y había muchas gradas, que ya no se me acuerda qué tantas eran, vino el cacique gordo con otros principales, muy alborotados y sañudos, y dijeron a Cortés que por qué les queríamos destruir, y que si les hacíamos deshonor a sus dioses o se los quitábamos, que todos ellos perecerían, y aun nosotros con ellos. Y Cortés les respondió muy enojado que otras veces les ha dicho que no sacrifiquen a aquellas malas figuras, porque no les traigan más engañados, y que a esta causa los veníamos a quitar de allí, y que luego a la hora los quitasen ellos, si no que los echaríamos a rodar por las gradas abajo; y les dijo que no los tendríamos por amigos, sino por enemigos mortales, pues que les da buen consejo y no lo quieren creer; y porque ha visto que han venido sus capitanías puestas en armas de guerreros, que está enojado de ellos y que se lo pagarán con quitarles las vidas. Y desde que vieron a Cortés que les decía aquellas amenazas, y nuestra lengua doña Marina que se los sabía muy bien dar a entender, y aun les amenazaba con los poderes de Montezuma, que cada día los aguardaban, por temor de esto dijeron que ellos no eran dignos de llegar a sus dioses, y que si nosotros los queríamos derrocar, que no era con su consentimiento; que se los derrocásemos o hiciésemos lo que quisiésemos. Y no lo hubo bien dicho cuando subimos sobre cincuenta soldados y los derrocamos, y vienen rodando aquellos sus ídolos hechos pedazos, y eran de manera de dragones espantables, tan grandes como becerros, y otras figuras de manera de medio hombre, y de perros grandes, y de malas semejanzas. Y cuando así los vieron hechos pedazos, los caciques y *papas* que con ellos estaban lloraban y taparon los ojos, y en su lengua totonaque les decían que los perdonasen, y que no era más en su mano, ni tenían culpa, sino esos *teules,* que os derrocan, y que por temor de los mexicanos no nos daban guerra. Y cuando aquello pasó comenzaban las capitanías de los indios guerreros que he dicho que venían a darnos guerra a querer flechar, y desde que aquello vimos echamos mano al cacique gordo y a seis *papas* y a otros principales, y les dijo Cortés que si hacían algún descomedimiento de guerra, que habían de morir todos ellos. Y luego el cacique gordo mandó a sus gentes que se fuesen de delante de nosotros y que no hiciesen guerra. Y después que Cortés los vio sosegados les hizo un parlamento, lo cual diré adelante, y así se apaciguó todo.

Y esto de Cingapacinga fue la primera entrada que hizo Cortés en la Nueva España, y fue harto provecho, y no como dice el coronista Gómara, que matamos y prendimos y asolamos tantos millares de hombres en lo de Cingapacinga. Y miren los curiosos que esto leyeren cuánto va de lo uno a lo otro, por muy buen estilo que lo dice en su corónica, pues en todo lo que escribe no pasa como dice.

CAPÍTULO LII

CÓMO CORTÉS MANDÓ HACER UN ALTAR Y SE PUSO UNA IMAGEN DE NUESTRA SEÑORA Y UNA CRUZ, Y SE DIJO MISA Y SE BAUTIZARON LAS OCHO INDIAS

COMO YA CALLABAN los caciques y *papas* y todos los más principales, mandó Cortés que a los ídolos que derrocamos, hechos pedazos, que los llevasen adonde no pareciesen más y los quemasen; y luego salieron de un aposento ocho *papas,* que tenían cargos de ellos, y toman sus ídolos y los llevan a la misma casa donde salieron, y los quemaron. El hábito que traían aquellos *papas* eran unas mantas prietas a manera de sotanas y lobas, largas hasta los pies, y unos como capillos que querían parecer a los que traen los canónigos, y otros capillos traían más chicos, como los que traen los dominicos; y traían el cabello muy largo hasta la cinta, y aun algunos hasta los pies, llenos de sangre pegada y muy enretrados, que no se podían esparcir; y las orejas hechas pedazos, sacrificados de ellas, y hedían como azufre, y tenían otro muy mal olor, como de carne muerta; y según decían y alcanzamos a saber, aquellos *papas* eran hijos de principales y no tenían mujeres, mas tenían el maldito oficio de sodomías, y ayunaban ciertos días; y lo que yo les veía comer eran unos meollos o pepitas del algodón cuando lo desmontan, salvo si ellos no comían otras cosas que yo no se las pudiese ver.

Dejemos a los *papas* y volvamos a Cortés, que les hizo un muy buen razonamiento con nuestras lenguas doña Marina y Jerónimo de Aguilar, y les dijo que ahora les tendríamos como a hermanos, y que les favorecería en todo lo que pudiese contra Montezuma y sus mexicanos, porque ya envió a mandar que no les diesen guerra ni les llevasen tributo. Y que pues en aquellos sus altos *cúes* no habían de tener más ídolos, que él les quiere dejar una gran señora, que es madre de Nuestro Señor Jesucristo, en quien creemos y adoramos, para que ellos también la tengan por señora y abogada, y sobre ello y otras cosas de pláticas que pasaron se les hizo un muy buen razonamiento, y tan bien propuesto para según el tiempo que no había más que decir, y se les declaró muchas cosas tocantes a nuestra santa fe, tan bien dichas como ahora los religiosos se lo dan a entender, de manera que lo oían de buena voluntad. Y luego les mandó llamar todos los indios albañiles que había en aquel pueblo y traer mucha cal para que lo aderezasen, y mandó que quitasen las costras de sangre que estaban en aquellos *cúes*, y que lo aderezasen muy bien. Y luego otro día se encaló y se hizo un altar con buenas mantas; y mandó traer muchas rosas, de las naturales que había en la tierra, que eran bien olorosas, y muchos ramos, y lo mandó enramar y que lo tuviesen limpio y barrido a la continua. Y para que tuviesen cargo de ello, apercibió a cuatro *papas* que se trasquilasen el cabello, que los traían largos, como otra vez he dicho, y que vistiesen mantas blancas y se quitasen las que traían, y que siempre anduviesen limpios y que sirviesen aquella santa imagen de Nuestra Señora, en barrer y enramar, y para que tuviesen más cargo de ello puso a un nuestro soldado cojo y viejo, que se decía Juan de Torres, de Córdoba, que estuviese allí por ermitaño y que mirase que se hiciese cada día así como lo mandaba a los *papas*. Y mandó a nuestros carpinteros, otras veces por mí nombrados, que hiciesen una cruz y la pusiesen en un pilar que teníamos ya nuevamente hecho y muy bien encalado; y otro día de mañana se dijo misa en el altar, la cual dijo el padre fray Bartolomé de Olmedo, y entonces a la misa se dio orden cómo con el incienso de la tierra se incensasen la santa imagen de Nuestra Señora y a la santa cruz, y también se les mostró a hacer candelas de la cera de la tierra, y se les mandó que con aquellas candelas siempre tuviesen ardiendo delante del altar, porque hasta entonces no sabían aprovecharse de la cera.

Y a la misa estuvieron los más principales caciques de aquel pueblo y de otros que se habían juntado, y asimismo se trajeron las ocho indias para volver cristianas, que todavía estaban en poder de sus padres y tíos; y se les dio a entender que no habían más de sacrificar ni adorar ídolos, salvo que habían de creer en Nuestro Señor Dios; y se les amonestó muchas cosas tocantes a nuestra santa fe; y se bautizaron, y se llamó a la sobrina del cacique gordo doña Catalina, y era muy fea; aquélla dieron a Cortés por la mano, y él la recibió con buen semblante. A la hija de Cuesco, que era un gran cacique, se puso nombre doña Francisca; ésta era muy hermosa para ser india, y la dio Cortés [a] Alonso Hernández Puerto Carrero; las otras seis ya no se me acuerda el nombre de todas, mas sé que Cortés las repartió entre soldados. Y después de hecho esto, nos despedimos de todos los caciques y principales, y de allí en adelante siempre nos tuvieron muy buena voluntad, especialmente desde que vieron que recibió Cortés sus hijas y las llevamos con nosotros, y con grandes ofrecimientos que Cortés les hizo que les ayudaría, nos fuimos a nuestra Villa Rica. Y lo que allí se hizo lo diré adelante.

Esto es lo que pasó en este pueblo de Cempoal, y no otra cosa que sobre ello hayan escrito Gómara ni los demás coronistas, que todo es burla y trampas.

CAPÍTULO LIII

CÓMO VOLVIMOS A NUESTRA VILLA RICA DE LA VERA CRUZ, Y LO QUE ALLÍ PASÓ

DESPUÉS QUE HUBIMOS hecho aquella jornada y quedaron amigos los de Cingapacinga con los de Cempoal, y otros pueblos comarcanos dieron la obediencia a Su Majestad, y se derrocaron los ídolos y se puso la imagen de Nuestra Señora y la santa cruz, y se puso por ermitaño el viejo soldado, y todo lo por mí memorado, nos fuimos a la villa, y llevábamos con nosotros ciertos principales de Cempoal; y hallamos que aquel día había venido de la isla de Cuba un navío, y por capitán de él un Francisco de Saucedo, que llamábamos el *Pulido,* y pusímosle aquel nombre porque en demasía se preciaba de galán y pulido; y decían que había sido maestresala del almirante de Castilla, y era natural de Medina de Ríoseco, y vino entonces Luis Marín, capitán que fue en lo de México, persona que valió mucho, y vinieron diez soldados. Y traía el Saucedo un caballo y Luis Marín una yegua, y nuevas de Cuba que le habían llegado de Castilla a Diego Velázquez las provisiones para poder rescatar y poblar. Y los amigos de Diego Velázquez se regocijaron mucho, y demás de que supieron que le trajeron provisión para ser adelantado de Cuba.

Y estando en aquella villa sin tener en qué entender más de acabar de hacer la fortaleza, que todavía se entendía en ella, dijimos a Cortés todos los más soldados que se quedase aquello que estaba hecho en ella para memoria, pues estaba ya para enmaderar, y que hacía ya más de tres meses que estábamos en aquella tierra; que sería bueno ir a ver qué cosa era el gran Montezuma, y buscar la vida y nuestra ventura; y que antes que nos metiésemos en camino, enviásemos a besar los pies a Su Majestad y a darle cuenta y relación de todo lo acaecido después que salimos desde la isla de Cuba; y también se puso en plática que enviásemos a Su Majestad todo el oro que se había habido, así rescatando como los presentes que nos envió Montezuma. Y respondió Cortés que era muy bien acordado, y que ya lo había él puesto en plática con ciertos caballeros, y porque en lo del oro por ventura habría algunos soldados que querrán sus partes, y si se partiese que sería poco lo que se podría enviar; por esta causa dio cargo a Diego de Ordaz y a Francisco de Montejo, que eran personas de negocios, que fuesen de soldado en soldado, de los que se tuviese sospecha que demandarían las partes del oro, y les decían estas palabras: "Señores, ya veis que queremos hacer un presente a Su Majestad del oro que aquí hemos habido, y para ser el primero que enviamos de estas tierras había de ser mucho más; parécenos que todos le sirvamos con las partes que nos caben; los caballeros y soldados que aquí estamos escritos tenemos firmados cómo no queremos parte ninguna de ello, sino que servimos a Su Majestad con ello porque nos haga mercedes. El que quisiere su parte, no se le negará; el que no la quisiera, haga lo que todos hemos hecho, fírmelo aquí." Y de esta manera todos a una lo firmaron. Y esto hecho, luego se nombraron para procuradores que fuesen a Castilla [a] Alonso Hernández Puerto Carrero y a Francisco de Montejo, porque ya Cortés le había dado sobre dos mil pesos por tenerle de su parte; y se mandó apercibir el mejor navío de toda la flota y con dos pilotos, que fue uno Antón de Alaminos, que sabía cómo habían de desembocar por el canal de Bahama, porque él fue el primero que navegó por aquel canal. Y también apercibimos quince marineros, y se les dio todo recaudo de matalotaje. Y esto apercibido, acordamos de escribir y hacer saber a Su Majestad todo lo acaecido. Y Cortés escribió por sí, según él nos dijo, con recta relación, mas no vimos su carta; y el Cabildo escribió, juntamente con diez soldados de los que fuimos en que se poblase la tierra y le alzamos a Cortés por general, y con toda verdad, que no faltó cosa ninguna en la carta; iba yo firmado en ella; y demás de estas cartas y relaciones, todos los capitanes y soldados juntamente escribimos otra carta y relación. Y lo que se contenía en la carta que escribimos es lo siguiente:

CAPÍTULO LIV

DE LA RELACIÓN Y CARTA QUE ESCRIBIMOS A SU MAJESTAD CON NUESTROS PROCURADORES ALONSO HERNÁNDEZ PUERTO CARRERO Y FRANCISCO DE MONTEJO, LA CUAL CARTA IBA FIRMADA DE ALGUNOS CAPITANES Y SOLDADOS

DESPUÉS DE PONER en el principio aquel muy debido acato que somos obligados a tan gran majestad del emperador nuestro señor, que fue así: S. C. C. R. M., y poner otras cosas que se convenían decir en la relación y cuenta de nuestra vida y viaje, cada capítulo por sí, fue esto que aquí diré en suma breve: Cómo salimos de la isla de Cuba con Hernando Cortés; los pregones que se dieron cómo veníamos a poblar, y que Diego Velázquez secretamente enviaba a rescatar y no a poblar; cómo Cortés se quería volver con cierto oro rescatado, conforme a las instrucciones que de Diego Velázquez traía, de las cuales hicimos presentación; cómo hicimos a Cortés que poblase y le nombramos por capitán general y justicia mayor hasta que otra cosa Su Majestad fuese servido mandar; cómo le prometimos el quinto de lo que se hubiese, después de sacado su real quinto; cómo llegamos a Cozumel, y por qué ventura se hubo [a] Jerónimo de Aguilar en la Punta de Cotoche, y de la manera que decía que allí aportó él y un Gonzalo Guerrero, que quedó con los indios por estar casado y tener hijos, y estar ya hecho indio; cómo llegamos a Tabasco, y de las guerras que nos dieron y batalla que con ellos tuvimos; cómo los atrajimos de paz; cómo a doquiera que allegamos se les hacen buenos razonamientos para que dejen sus ídolos y se les declara las cosas tocantes a nuestra santa fe; cómo dieron la obediencia a su Real Majestad y son los primeros vasallos que tienen en estas partes; cómo trajeron un presente de mujeres, y en él una cacica, para india de mucho ser, que sabe la lengua de México, que es la que se usa en toda la tierra, y que con ella y con Aguilar tenemos verdaderas lenguas; cómo desembarcamos en San Juan de Ulúa y de las pláticas de los embajadores del gran Montezuma, y quién era Montezuma y lo que se decía de sus grandezas; y del presente que trajeron, y cómo fuimos a Cempoal, que es un pueblo grande, y desde allí a otro pueblo que se dice Quiauiztlan, que estaba en fortaleza; y cómo se hizo liga y confederación con nosotros, y quitaron la obediencia a Montezuma en aquel pueblo, demás de treinta pueblos que todos le dieron obediencia y están en su real patrimonio; la ida de Cingapacinga; cómo hicimos la fortaleza, y que ahora estamos en camino para ir la tierra adentro, hasta vernos con Montezuma; cómo esta tierra es muy grande y de muchas ciudades y muy pobladísimas, y los naturales grandes guerreros; cómo entre ellos hay muchas diversidades de lenguas y tienen guerra unos con otros; cómo son idólatras, y se sacrifican y matan en sacrificios muchos hombres y niños y mujeres, y comen carne humana y usan otras torpedades; cómo el primer descubridor fue un Francisco Hernández de Córdoba, y luego cómo vino Juan de Grijalva; y que ahora al presente le servimos con el oro que hemos habido, que es el sol de oro y la luna de plata, y un casco de oro en granos como se coge de las minas, muchas diversidades y géneros de piezas de oro hechas de muchas maneras, y mantas de algodón, muy labradas de plumas, y primas, y otras muchas piezas de oro, que fueron mosqueadores, rodelas y otras cosas que ya no se me acuerda, como ha ya tantos años que pasó. También enviamos cuatro indios que quitamos en Cempoal, que tenían a engordar en unas jaulas de madera, para después de gordos sacrificarlos y comérselos.

Y después de hecha esta relación y otras cosas, dimos cuenta y relación cómo quedamos en estos sus reinos cuatrocientos y cincuenta soldados a muy gran peligro, entre tanta multitud de pueblos y gentes belicosas y grandes guerreros, por servir a Dios y a su real corona, y le suplicamos que en todo lo que se nos ofreciese nos haga mercedes; y que no hiciese merced de la gobernación de estas tierras, ni de ningunos oficios reales a persona ninguna, porque son tales y ricas y de grandes pueblos y ciudades que convienen para un infante o gran señor; y tenemos pensamiento que como don Juan Rodríguez de Fonseca, obispo de Burgos y arzobispo de Rosano, es su presidente y manda a todas las Indias, que lo dará [a] algún su deudo o amigo, especialmente a un Diego Velázquez, que está por gobernador en la isla de Cuba; y la causa por que se le dará, la gobernación u otro cualquier cargo, que siempre le sirve con presentes de oro y le ha dejado en la misma isla pueblos de indios, que le sacan oro de las minas; de lo cual había primeramente de dar los mejores pueblos para su real corona, y no le dejó ningunos, que solamente por esto es digno de que no se le hagan mercedes. Y que como en todo somos muy leales servidores y hasta fenecer nuestras vidas le hemos de servir, se lo hacemos saber para que tenga noticia de todo; y que estamos determinados que hasta que sea servido, que nuestros procuradores que allá enviamos besen sus reales pies y vea nuestras cartas y nosotros veamos su real firma, que entonces, los pechos por tierra, para obedecer sus reales mandos; y que si el obispo de Burgos, por su mandado, nos envía a cualquier persona a gobernar o a ser capitán, que primero que se obedezca se lo haremos saber a su real persona a doquiera que estuviere, y lo que fuere servido mandar que lo obedeceremos como mandado de nuestro rey y señor, como somos obligados. Y demás de estas relaciones le suplicamos que, entre tanto que otra cosa sea servido mandar, que le hiciese merced de la gobernación a Hernando Cortés, y dimos tantos loores de él y tan gran servidor suyo, hasta ponerle en las nubes. Y después de haber escrito todas estas relaciones, con todo el mayor acato y humildad que pudimos y convenía, y cada capítulo por sí, declarando cada cosa cómo y cuándo y de qué arte pasaron, como carta para nuestro rey y señor, y no del arte que va aquí en esta mi relación, y la firmamos todos los capitanes y soldados que éramos de la parte de Cortés; y fueron dos cartas duplicadas, y nos rogó que se las mostrásemos, y como vio la relación tan verdadera y los grandes loores que de él dábamos, hubo mucho placer y dijo que nos lo tenía en merced, con grandes ofrecimientos que nos hizo; empero, no quisiera que en ella dijéramos ni mentáramos del quinto del oro que le prometimos, ni que declaráramos quién fueron los primeros descubridores, porque, según entendimos, no hacía en su carta relación de Francisco Hernández de Córdoba ni de Grijalva, sino de él solo, a quien atribuía el descubrimiento, la honra y honor de todo, y dijo que ahora al presente que aquélla estuviera mejor por escribir y no dar relación de ello a Su Majestad; y no faltó quien le dijo que a nuestro rey y señor que no se le ha de dejar de decir todo lo que pasa. Pues ya escritas estas cartas y dadas a nuestros procuradores, les encomendamos mucho que por vía ninguna no entrasen en la Habana, ni fuesen a una estancia que tenía allí Francisco de Montejo, que se decía el Marien, que era puerto para navíos, porque no alcanzase a saber Diego Velázquez lo que pasaba; y no lo hicieron así, como adelante diré.

Pues ya puesto todo a punto para irse a embarcar, dijo misa el padre de la Merced, y encomendándoles al Espíritu Santo que les guiase, y en veinte y seis días del mes de julio de mil quinientos y diez y nueve años partieron de San Juan de Ulúa y con buen tiempo llegaron a la Habana. Y Francisco de Montejo, con grandes importunaciones, convocó y atrajo al piloto Alaminos, guiase a su estancia, diciendo que iba a tomar bastimento de puercos y cazabe, hasta que le hizo hacer lo que quiso y fue a surgir a su estancia, porque Puerto Carrero iba muy malo y no hizo cuenta de él. Y la noche que allí llegaron desde la nao echaron un marinero en tierra con cartas y avisos para Diego Velázquez, y supimos que Montejo le mandó que fuese con las cartas; y en posta fue el marinero por la isla de Cuba, de pueblo en pueblo, publicando todo lo por mí aquí dicho, hasta que Diego Velázquez lo supo. Y lo que sobre ello hizo, adelante lo diré.

CAPÍTULO LV

CÓMO DIEGO VELÁZQUEZ, GOBERNADOR DE CUBA, SUPO POR CARTAS MUY DE CIERTO QUE ENVIÁBAMOS PROCURADORES CON EMBAJADAS Y PRESENTES A NUESTRO REY Y SEÑOR, Y LO QUE SOBRE ELLO SE HIZO

Como Diego Velázquez, gobernador de Cuba, supo las nuevas, así por las cartas que le enviaron secretas, y dijeron que fueron de Montejo, como del marinero, que se halló presente en todo lo por mí dicho en el capítulo pasado, que se había echado a nado para llevarle las cartas; y cuando entendió del gran presente de oro que enviabamos a Su Majestad y supo quién eran los embajadores y procuradores, tomábale trasudores de muerte, y decía palabras muy lastimosas y maldiciones contra Cortés y su secretario Duero y el contador Amador de Lares, que le aconsejaron en hacer general a Cortés. Y de presto mandó armar dos navíos de poco porte, grandes veleros, con toda la artillería y soldados que pudo haber, y con dos capitanes que fueron en ellos, y que se decían Gabriel de Rojas y el otro capitán se decía fulano de Guzmán. Y les mandó que fuesen hasta la Habana, y desde allí al canal de Bahama, y que en todo caso le trajesen presa la nao en que iban nuestros procuradores y todo el oro que llevaban. Y de presto, así como lo mandó, llegaron en ciertos días de navegación al canal de Bahama y preguntaban a los barcos que andaban por la mar, de acarreto, que si habían visto una nao de mucho porte; y todos daban noticia de ella, y que ya sería desembocada por el canal de Bahama, porque siempre tuvieron buen tiempo. Y después de andar barloventeando con aquellos dos navíos entre el canal y la Habana, y no hallaron recaudo de lo que venían a buscar, se volvieron a Santiago de Cuba. Y si triste estaba Diego Velázquez de antes que enviase los navíos, muy más se congojó después que los vio volver de aquel arte. Y luego le aconsejaron sus amigos que se enviase a quejar a España, al obispo de Burgos, que estaba por presidente de Indias, y hacía mucho por él. Y también envió a dar sus quejas a la isla de Santo Domingo a la Audiencia Real que en ella residía, y a los frailes jerónimos que estaban por gobernadores en ella, que se decían fray Luis de Figueroa y fray Alonso de Santo Domingo y fray Bernardino de Manzanedo, los cuales religiosos solían estar y residir en el Monasterio de la Mejorada, que es dos leguas de Medina del Campo; y enviar en posta un navío a darles muchas quejas de Cortés y de todos nosotros.

Y como alcanzaron a saber nuestros grandes servicios, la respuesta que le dieron los frailes jerónimos fue que Cortés y los que con él andábamos en las guerras que no se nos podía poner culpa, pues sobre todas las cosas ocurríamos a nuestro rey y señor, y le enviábamos tan gran presente que otro como él no se ha visto de muchos tiempos pasados en nuestra España. Y esto dijeron porque en aquel tiempo y sazón no había Perú ni memoria de él; y también le enviaron a decir que éramos dignos que Su Majestad nos hiciese muchas mercedes. Y entonces le enviaron a Diego Velázquez, a Cuba, a un licenciado que se decía Zuazo para que le tome residencia, o al menos había pocos meses que había llegado a la isla, y el mismo licenciado dio relación a los frailes jerónimos.[36] Y como aquella respuesta le trajeron a Diego Velázquez, se acongojó mucho más, y como de antes era muy gordo, se paró flaco en aquellos días.

Y luego con gran diligencia manda buscar todos los navíos que pudo haber en la isla de Cuba y apercibir soldados y capitanes; y procuró enviar una recia armada para prender a Cortés y a todos nosotros. Y tanta diligencia puso, que él mismo en persona andaba de villa en villa y en unas estancias y en otras, y escribía a todas las partes de la isla donde él no podía ir, a rogar a sus amigos fuesen [a] aquella jornada. Por manera que en obra de once meses o un año allegó diez y ocho velas grandes y chicas, y sobre mil trescientos soldados, entre capitanes y marineros, porque como le veían tan apasionado y corrido, todos los más principales vecinos de Cuba, así sus parientes como los que tenían indios, se aparejaron para servirle; y también envió por capitán general de toda la armada a un hidalgo que se decía Pánfilo de Narváez, hombre alto de cuerpo y membru-

[36] Por el tiempo a que se refiere Bernal, hasta 520, estaba el Lic. Alonso Zuazo en Santo Domingo, sujeto a residencia; fue después a Cuba enviado por el almirante D. Diego Colón. Oviedo, Ob. cit., t. I. págs. 107 y 496.

do, y hablaba algo entonado, como medio de bóveda; y era natural de Valladolid, y casado en la isla de Cuba con una dueña ya viuda que se llamaba María de Valenzuela, y tenía buenos pueblos de indios y era muy rico. Donde lo dejaré ahora haciendo y aderezando su armada, y volveré a decir de nuestros procuradores y su buen viaje; y porque en una sazón acontecían tres y cuatro cosas, no puedo seguir la relación y materia de lo que voy hablando, por dejar de decir lo que más viene al propósito, y a esta causa no me culpen porque algo salgo y me aparto de la orden por decir lo que más adelante pasa.

CAPÍTULO LVI

CÓMO NUESTROS PROCURADORES, CON BUEN TIEMPO, DESEMBOCARON EL CANAL DE BAHAMA Y EN POCOS DÍAS LLEGARON A CASTILLA, Y LO QUE EN LA CORTE LES AVINO

YA HE DICHO que partieron nuestros procuradores del puerto de San Juan de Ulúa en seis días del mes de julio de mil quinientos diez y nueve años, y con buen viaje llegaron a la Habana, y luego desembocaron el canal, y dizque aquélla fue la primera vez que por allí navegaron; y en poco tiempo llegaron a las islas de la Tercera, y desde allí a Sevilla, y fueron en posta a la corte, que estaba en Valladolid, y por presidente del Real Consejo de Indias don Juan Rodríguez de Fonseca, que era obispo de Burgos y se nombraba arzobispo de Rosano, y mandaba toda la corte, porque el emperador nuestro señor estaba en Flandes; y cómo nuestros procuradores le fueron a besar las manos al presidente muy ufanos, creyendo que les hiciera mercedes, y a darle nuestras cartas y relaciones, y a presentar todo el oro y joyas, y le suplicaron que luego, hiciese mensajero a Su Majestad y le enviasen aquel presente y cartas, y que ellos mismos irían con ello a besar los reales pies; y porque se lo dijeron les mostró tan mala cara y peor voluntad, y aun les dijo palabras mal miradas, que nuestros embajadores estuvieron para responderle de manera que se reportaron, y dijeron que mirase su señoría los grandes servicios que Cortés y sus compañeros hacíamos a Su Majestad, y que le suplicaban otra vez que todas aquellas joyas de oro y cartas y relaciones las enviase luego a Su Majestad, para que sepa lo que hay, y que ellos irían con él. Y les tornó a responder muy soberbiamente, y aun les mandó que no tuviesen ellos cargo de ello, que él escribiría lo que pasaba y no lo que le decían, pues se habían levantado contra Diego Velázquez; y pasaron otras muchas palabras agrias.

Y en esta sazón llegó a la corte Benito Martín, capellán de Diego Velázquez, otra vez por mí nombrado, dando muchas quejas de Cortés y de todos nosotros, de que el obispo se airó mucho más contra nosotros. Y porque Alonso Hernández Puerto Carrero, como era caballero, primo del conde de Medellín, porque Montejo estábase a la mira y no osaba desagradar al presidente, y decía al obispo que le suplicaba muy ahincadamente que sin pasión fuesen oídos, y que no dijese las palabras como decía, y que luego enviase aquellos recaudos, así como los traían a Su Majestad; y que éramos muy buenos servidores de la real corona y dignos de mercedes, y no de ser por palabras afrentados; y desde que aquello oyó el obispo le mandó echar preso, y porque le informaron que había sacado de Medellín, tres años había, a una mujer y la llevó a las Indias. Por manera que todos nuestros servicios y presentes de oro estaban del arte que aquí he dicho, y acordaron nuestros embajadores de callar hasta su tiempo y lugar. Y el obispo escribió a Su Majestad a Flandes, en favor de su privado y amigo Diego Velázquez y muy malas palabras contra Cortés y contra todos nosotros, y no hizo relación de las cartas que le enviábamos, salvo que se había alzado Hernando Cortés a Diego Velázquez, y otras cosas que dijo.

Volvamos a decir de Alonso Hernández Puerto Carrero y de Francisco de Montejo, y aun de Martín Cortés, padre del mismo Cortés, y de un licenciado Núñez, relator del Real Consejo de Su Majestad y cercano pariente de Cortés, que hacían por él, acordaron de enviar mensajero a Flandes con otras cartas como las que dieron al obispo, porque venían duplicadas las que enviamos con los procuradores, y escribieron a Su Majestad todo lo que pasaba, y la memoria de las joyas de oro del presente, y dando quejas del obispo y descubriendo sus tratos que tenía con Diego Velázquez. Y aun otros caballeros les favorecieron, que no estaban muy bien con don Juan Rodríguez de Fonseca, porque, según decían, era malquisto por muchas demasías y soberbias que mostraba con los grandes cargos que tenía. Y como nuestros grandes servicios son por Dios Nuestro Señor y por Su Majestad, y siempre poníamos nuestras fuerzas en ello, quiso Dios que Su Majestad lo alcanzó a saber muy claramente, y desde que lo vio y entendió fue tanto el contentamiento que mostró, y los duques y marqueses y condes y otros caballeros que estaban en su real corte, que en otra cosa no hablaban por algunos días sino de Cortés y de todos nosotros los que le ayudamos en las conquistas, y las riquezas que de estas partes le enviamos. Y así por las cartas glosadas que sobre ello le escribió el obispo de Burgos, después que vio Su Majestad que todo era al contrario de la verdad, desde allí adelante le tuvo mala voluntad al obispo, en especialmente que no envió todas las piezas de oro, y se quedó con gran parte de ellas. Todo lo cual alcanzó a saber el mismo obispo, que se lo escribieron desde Flandes, de lo cual recibió muy grande enojo; y si de antes que fuesen nuestras cartas ante Su Majestad el obispo decía muchos males de Cortés y de todos nosotros, desde allí adelante a boca llena nos llamaba traidores; mas quiso Dios que perdió la furia y braveza, que desde ahí a dos años fue recusado y aun quedó corrido y afrentado, y nosotros quedamos por muy leales servidores, como adelante diré, que venga a coyuntura. Y escribió Su Majestad que presto vendría a Castilla, y entendería en lo que nos conviniese y nos haría mercedes.

Y porque adelante lo diré muy por extenso cómo y de qué manera pasó, se quedará aquí así que nuestros procuradores, aguardando la venida de Su Majestad. Y antes que más pase adelante quiero decir, por lo que me han preguntado ciertos caballeros muy curiosos, y aun tienen razón de saberlo, que cómo puedo yo escribir en esta relación lo que no vi, pues estaba en aquella sazón en las conquistas de la Nueva España, cuando nuestros procuradores dieron las cartas y recaudos y presentes de oro que llevaban para Su Majestad, y tuvieron aquellas contiendas con el obispo de Burgos. A esto digo que nuestros procuradores nos escribían a los verdaderos conquistadores lo que pasaba, así lo del obispo de Burgos como lo que Su Majestad fue servido mandar en nuestro favor, letra por letra, en capítulos, y de qué manera pasaba. Y Cortés nos enviaba otras cartas que recibía de nuestros procuradores a las villas donde vivíamos en aquella sazón, para que viésemos cuán bien negociaban con Su Majestad y cuán contrario teníamos al obispo. Y esto doy por descargo de lo que me preguntaban. Dejemos esto y digamos en otro capítulo lo que en nuestro real pasó.

CAPÍTULO LVII

CÓMO DESPUÉS QUE PARTIERON NUESTROS EMBAJADORES PARA SU MAJESTAD CON TODO EL ORO Y CARTAS Y RELACIONES, LO QUE EN EL REAL SE HIZO Y LA JUSTICIA QUE CORTÉS MANDÓ HACER

Después de cuatro días que partieron nuestros procuradores para ir ante el emperador nuestro señor, como dicho habemos, y los corazones de los hombres son de muchas calidades y pensamientos, parece ser que unos amigos y criados de Diego Velázquez, que se decían Pedro Escudero, y un Juan Cermeño, y un Gonzalo de Umbría, piloto, y un Bernardino de Coria, vecino que fue después de Chiapa, padre de un fulano Centeno, y un clérigo que se decía Juan Díaz, y ciertos hombres de la mar que se decían Peñates, naturales de Gibraleón, estaban mal con Cortés, los unos porque no les dio licencia para volverse a Cuba cuando se la había prometido, y otros porque no les dio parte del oro que enviamos a Castilla; los Peñates porque les azotó en Cozumel, como otra vez he dicho en el capítulo [XXVII], cuando hurtaron los tocinos a un Barrio; acordaron todos de tomar un navío de poco porte e irse con él a Cuba a dar mandado a Diego Velázquez para avisarle cómo en la Habana podían tomar en la estancia de Francisco de Montejo a nuestros procuradores con el oro y recaudos, que según pareció que de otras personas que estaban en nuestro real fueron aconsejados que fuesen a aquella estancia, y aun escribieron para que Diego Velázquez tuviese tiempo de haberlos a las manos; por manera que las personas que he dicho ya tenían metido matalotaje, que era pan cazabe y aceite y pescado y agua y otras pobrezas de lo que podían haber. Y ya que se iban a embarcar y era más de medianoche, el uno de ellos, que era el Bernardino de Coria, parece ser que se arrepintió de volverse a Cuba, lo que fue a hacer saber a Cortés.

Y como lo supo, y de qué manera y cuántos y por qué causa se querían ir, y quién fueron en los consejos y tramas para ello, les mandó luego sacar las velas y aguja y timón del navío, y los mandó echar presos, y les tomó sus confesiones; y confesaron la verdad y condenaron a otros que estaban con nosotros que se disimuló por el tiempo, que no permitía otra cosa, y por sentencia que dio mandó ahorcar a Pedro Escudero y a Juan Cermeño, y cortar los pies al piloto Gonzalo de Umbría, y azotar a los marineros Peñates, a cada doscientos azotes, y al padre Juan Díaz si no fuera de misa también le castigaran, mas metióle harto temor. Acuérdome que cuando Cortés firmó aquella sentencia dijo con grandes suspiros y sentimientos: "¡Oh, quién no supiera escribir, por no firmar muertes de hombres!" y paréceme que este dicho es muy común entre jueces que sentencian algunas personas a muerte, que tomaron de aquel cruel Nerón, en el tiempo que dio muestras de buen emperador.

Y así como se hubo ejecutado la sentencia, se fue Cortés luego a matacaballo a Cempoal, que son cinco leguas de la villa, y nos mandó que luego fuésemos tras él doscientos soldados y todos los de caballo. Y acuérdome que Pedro de Alvarado, que había tres días que le había enviado Cortés con otros doscientos soldados por los pueblos de la Sierra, porque tuviesen qué comer, porque en nuestra villa pasábamos mucha necesidad de bastimentos; y le mandó que se fuese a Cempoal, para que allí daríamos orden de nuestro viaje para México; por manera que Pedro de Alvarado no se halló presente cuando se hizo la justicia que dicho tengo. Y luego que nos vimos todos juntos en Cempoal, la orden que se dio en todo diré adelante.

CAPÍTULO LVIII

CÓMO ACORDAMOS DE IR A MÉXICO, Y ANTES QUE PARTIÉSEMOS DAR TODOS LOS NAVÍOS AL TRAVÉS, Y LO QUE MÁS PASÓ, Y ESTO DE DAR CON LOS NAVÍOS AL TRAVÉS FUE POR CONSEJO Y ACUERDO DE TODOS NOSOTROS LOS QUE ÉRAMOS AMIGOS DE CORTÉS

ESTANDO EN CEMPOAL, como dicho tengo, platicando con Cortés en las cosas de la guerra y camino que teníamos por delante, de plática en plática le aconsejamos los que éramos sus amigos, y otros hubo contrarios, que no dejase navío ninguno en el puerto, sino que luego diese al través con todos y no quedasen embarazos, porque entretanto que estábamos en la tierra adentro no se alzasen otras personas, como los pasados; y demás de esto, que tendríamos mucha ayuda de los maestres y pilotos y marineros, que serían al pie de cien personas, y que mejor nos ayudarían a velar y a guerrear que no estar en el puerto. Y según entendí, esta plática de dar con los navíos al través, que allí le propusimos, el mismo Cortés lo tenía ya concertado, sino quiso que saliese de nosotros, porque si algo le demandasen que pagase los navíos, que era por nuestro consejo y todos fuésemos en los pagar. Y luego mandó a un Juan de Escalante que era alguacil mayor y persona de mucho valor y gran amigo de Cortés y enemigo de Diego Velázquez, porque en la isla de Cuba no le dio buenos indios, que luego fuese a la villa y que de todos los navíos se sacasen todas las anclas y cables y velas y lo que dentro tenían de que se pudiesen aprovechar, y que diese con todos ellos al través, que no quedasen más de los bateles, y que los pilotos y maestres viejos y marineros que no eran para ir a la guerra, que se quedasen en la villa, y con dos chinchorros que tuviesen cargo de pescar, que en aquel puerto siempre había pescado y aunque no mucho. Y Juan de Escalante lo hizo según y de la manera que le fue mandado, y luego se vino a Cempoal con una capitanía de hombres de la mar, que fueron los que sacó de los navíos, y salieron algunos de ellos muy buenos soldados.

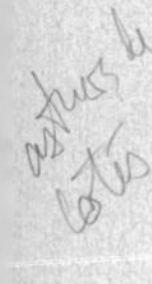

Pues hecho esto, mandó Cortés llamar a todos los caciques de la serranía, de los pueblos nuestros confederados y rebelados al gran Montezuma, y les dijo cómo habían de servir a los que quedaban en la Villa Rica y acabar de hacer la iglesia y fortaleza y casas, y allí delante de ellos tomó Cortés por la mano a Juan de Escalante, y les dijo: "Éste es mi hermano", y lo que les mandase que lo hiciesen, y que si hubiesen menester favor y ayuda contra algunos indios mexicanos, que a él ocurriesen, que él iría en persona a ayudarles. Y todos los caciques se ofrecieron de buena voluntad de hacer lo que les mandase. Acuérdome que luego le sahumaron a Juan de Escalante con sus inciensos, y aunque no quiso. Ya he dicho era persona muy bastante para cualquier cargo, y amigo de Cortés, y con aquella confianza le puso en aquella villa y puerto por capitán para si algo enviase Diego Velázquez que hubiere resistencia. Y dejarlo he aquí, y diré lo que pasó.

Aquí es donde dice el coronista Gómara que cuando Cortés mandó barrenar los navíos, que no lo osaba publicar a los soldados que quería ir a México en busca del gran Montezuma. No pasó como dice, pues, ¿de qué condición somos los españoles para no ir adelante y estarnos en partes que no tengamos provecho y guerras? También dice el mismo Gómara que Pedro de Ircio quedó por capitán en la Vera Cruz; no le informaron bien; Juan de Escalante fue el que quedó por capitán y alguacil mayor de la Nueva España, que aún a Pedro de Ircio no le habían dado cargo ninguno, ni aun de cuadrillero.

CAPÍTULO LIX

DE UN RAZONAMIENTO QUE CORTÉS NOS HIZO DESPUÉS DE HABER DADO CON LOS NAVÍOS DE TRAVÉS Y [CÓMO] APRESTÁBAMOS NUESTRA IDA PARA MÉXICO

Julio César

DESPUÉS DE HABER dado con los navíos al través a ojos vistas, y no como lo dice el coronista Gómara, una mañana, después de haber oído misa, estando que estábamos todos los capitanes y soldados juntos hablando con Cortés en cosas de lo militar, dijo que nos pedía por merced que le oyésemos, y propuso un razonamiento de esta manera: Que ya habíamos entendido la jornada que íbamos y que, mediante Nuestro Señor Jesucristo, habíamos de vencer todas las batallas y reencuentros; y que habíamos de estar tan prestos para ello como convenía, porque en cualquier parte donde fuésemos desbaratados, lo cual Dios no permitiese, no podríamos alzar cabeza, por ser muy pocos, y que no teníamos otro socorro ni ayuda sino el de Dios, porque ya no teníamos navíos para ir a Cuba, salvo nuestro buen pelear y corazones fuertes; y sobre ello dijo otras muchas comparaciones y hechos heroicos de los romanos. Y todos a una le respondimos que haríamos lo que ordenase, que echada estaba la suerte de la buena ventura, como dijo Julio César sobre el Rubicón, pues eran todos nuestros servicios para servir a Dios y a Su Majestad. Y después de este razonamiento, que fue muy bueno (cierto con otras palabras más melosas y elocuencia que yo aquí no las digo), y luego mandó llamar al cacique gordo y él tornó a traer a la memoria que tuviesen muy reverenciada y limpia la iglesia y cruz, y demás de esto le dijo que se quería partir luego para México a mandar a Montezuma que no robe ni sacrifique; y que ha menester doscientos indios *tamemes* para llevar la artillería, que ya he dicho otra vez que llevan dos arrobas a cuestas y andan con ellas cinco leguas; y también le demandó cincuenta principales, hombres de guerra, que fuesen con nosotros.

Estando de esta manera para partir vino de la Villa Rica un soldado

¿ej. de los romanos

con una carta de Juan de Escalante, que ya le había mandado Cortés que fuese a la Villa para que le enviase otros soldados y lo que en la carta decía Escalante era que andaba un navío por la costa, y que le había hecho ahumadas y otras grandes señas, y había puesto unas mantas blancas por banderas, y que cabalgó a caballo con una capa de grana colorada porque le viesen los del navío, y que le pareció a él que bien vieron las señas y banderas y caballo y capa y no quisieron venir al puerto; y que luego envió españoles a ver en qué paraje iba el navío, y que le trajeron respuesta que tres leguas de allí estaba surto, cerca de un río, y que se lo hace saber para ver lo que manda. Y como Cortés vio la carta, mandó a Pedro de Alvarado que tuviese cargo de todo el ejército que estaba allí en Cempoal, y juntamente con Gonzalo de Sandoval, que ya daba muestras de varón muy esforzado, como siempre lo fue, y éste fue el primer cargo que tuvo Sandoval, y aun por haberle dado aquel cargo y se le dejó de dar a Alonso de Ávila tuvieron ciertas cosquillas Alonso de Ávila y Sandoval. Y luego Cortés cabalgó con cuatro de caballo que le acompañaron, y mandó que le siguiésemos cincuenta soldados de los más sueltos. Y Cortés allí nos nombró los que habíamos de ir con él, y aquella noche llegamos a la Villa Rica. Y lo que allí pasamos se dirá adelante.[37]

[37] De puño y letra de Bernal Díaz del Castillo, está agregada al manuscrito, en una tira de papel, lo siguiente:
"Y también había otros soldados muy esforzados, que se decían Andrés de Tapia y Cristóbal de Olea, natural de Castilla la Vieja; no lo digo por el maestre de Campo que se decía Cristóbal de Olid y un Juan de Serna, Bernal Díaz del Castillo. Pongo el postrero de estos esforzados soldados que uno y otros eran hombres para ser capitanes y buenos guerreros, y por sus muchas virtudes les dio el cargo de capitanes de que dejaron todos muy buena fama. Volvamos a nuestra relación."

CAPÍTULO LX

CÓMO CORTÉS FUE ADONDE ESTABA SURTO EL NAVÍO, Y PRENDIMOS SEIS SOLDADOS Y MARINEROS QUE DEL NAVÍO HUBIMOS, Y LO QUE SOBRE ELLO PASÓ

Así como llegamos a la Villa Rica, como dicho tengo, vino Juan de Escalante a hablar a Cortés y le dijo que sería bien ir luego aquella noche al navío por ventura no alzase velas y se fuese; y que reposase Cortés, que él iría con veinte soldados. Y Cortés dijo que no podía reposar, que cabra coja no tenga siesta; que él quería ir en persona con los soldados que consigo traía; y antes que bocado comiésemos comenzamos a caminar la costa adelante, y topamos en el camino a cuatro españoles que venían a tomar posesión en aquella tierra por Francisco de Garay, gobernador de Jamaica, los cuales enviaba un capitán que estaba poblado en el río Pánuco, que se llamaba Alonso Álvarez Pineda o Pinedo, y los cuatro españoles que tomamos se decían Guillén de la Loa, éste venía por escribano y los testigos que traía para tomar la posesión se decían Andrés Núñez, y era carpintero de ribera, y el otro se decía maestre Pedro el de la Arpa, y era valenciano; el otro no me acuerdo el nombre. Y luego que Cortés hubo bien entendido cómo venían a tomar posesión en nombre de Francisco de Garay, y supo que quedaba en Jamaica y enviaba capitanes, preguntóles Cortés que por qué título o por qué vía venían aquellos capitanes, y respondieron los cuatro hombres que en el año de mil quinientos diez y ocho, como había fama en todas las islas de las tierras que descubrimos cuando lo de Francisco Hernández de Córdoba y Juan de Grijalva y llevamos a Cuba los veinte mil pesos de oro a Diego Velázquez, que entonces tuvo relación Garay del piloto Antón de Alaminos y de otro piloto que habíamos traído con nosotros que podía pedir a Su Majestad, desde el río de San Pedro y San Pablo, por la banda del Norte, todo lo que descubriese, y como el Garay tenía en la Corte quien lo favorecía, que era el obispo de Burgos, y el licenciado Zapata y el secretario Conchillos, con el favor que esperaba, envió un su mayordomo, que se decía Torralba, a negociarlo, y trajo provisiones para que fuese adelantado y gobernador desde el río de San Pedro y San Pablo y de todo lo que descubriese; y por aquellas provisiones envió luego tres navíos con hasta doscientos y setenta soldados con bastimentos y caballos, con el capitán por mí memorado, que se decía Alonso Álvarez Pineda o Pinedo, y que estaba poblado en un río que se dice de Pánuco, obra de setenta leguas de allí, y que ellos hicieron lo que su capitán les mandó, y que no tienen culpa. Y después que lo hubo entendido Cortés, con palabras amorosas les halagó y dijo que si podríamos tomar aquel navío. Y Guillén de la Loa, que era el más principal de los cuatro hombres, dijo que capearían y harían lo que pudiesen, y por bien que los llamaron y capearon, ni por señas que les hicieron, no quisieron venir, porque, según dijeron aquellos hombres, su capitán les mandó que mirasen que los soldados de Cortés no topasen con ellos, porque tenían noticia que estábamos en aquella tierra.

Y desde que vimos que no venía el batel, bien entendimos que desde el navío nos habían visto venir por la costa adelante, y que si no era con maña no volverían con el batel [a] aquella tierra. Y rogóles Cortés que se desnudasen aquellos cuatro hombres sus vestidos para que se vistiesen otros cuatro de los nuestros, y así lo hicieron. Y luego nos volvimos por la costa adelante por donde habíamos venido, para que nos viesen volver y creyesen los del navío que de hecho nos volvíamos. Y quedábamos los cuatro de nuestros soldados vestidos los vestidos de los otros cuatro; y estuvimos con Cortés en el monte escondidos hasta más de medianoche, que se puso la luna e hizo oscuro para volvernos enfrente del riachuelo, como nos volvimos, y muy escondidos que no parecíamos otros sino los cuatro soldados de los nuestros que he dicho. Y luego que amaneció comenzaron a capear los cuatro soldados y luego vinieron en el batel seis marineros, y los dos saltaron en tierra a henchir dos botijas de agua, y entonces aguardamos los que estábamos con Cortés escondidos que saltasen los demás, y no quisieron saltar en tierra, y los cuatro de los nuestros que tenían vestidos las ropas de los otros de Garay hacían que se estaban lavando las manos y escondiendo las caras y rostros, y decían los del batel: "Veníos a embarcar, ¿qué hacéis? ¿Por qué no venís?" Entonces respondió uno de los nuestros: "Salta en tierra y veréis aquí un pozo." Y como desconocieron en la voz se volvieron con su batel, y por más que les llamaron no quisieron responder; y queríamos tirarles con las escopetas y ballestas; y Cortés dijo que no se hiciese tal, que se fuesen con Dios a dar mandado a su capitán. Por manera que se hubieron de aquel navío seis soldados; los cuatro que hubimos primero y dos marineros que saltaron en tierra; y así nos volvimos a la Villa Rica; y todo esto sin comer cosa ninguna. Y esto es lo que se hizo, y no como lo escribe el coronista Gómara, porque dice que vino Garay en aquel tiempo, y no fue así, que primero que viniese envió tres capitanes con navíos, lo cual diré adelante en qué tiempo vinieron y qué se hizo de ellos, y también en el tiempo que vino Garay. Y pasemos adelante, y diré cómo acordamos de ir a México.

CAPÍTULO LXI

CÓMO ORDENAMOS DE IR A LA CIUDAD DE MÉXICO, Y POR CONSEJO DEL CACIQUE FUIMOS POR TLAXCALA, Y DE LO QUE NOS ACAECIÓ ASÍ DE REENCUENTROS DE GUERRA COMO OTRAS COSAS QUE NOS AVINIERON

Después de bien considerada la partida para México, tomamos consejo sobre el camino que habíamos de llevar, y fue acordado por los principales de Cempoal que el mejor y más conveniente camino era por la provincia de Tlaxcala, porque eran sus amigos, y mortales enemigos de mexicanos. Y ya tenían aparejados cuarenta principales, y todos hombres de guerra, que fueron con nosotros y nos ayudaron mucho en aquella jornada, y más nos dieron doscientos *tamemes* para llevar la artillería, que para nosotros, los pobres soldados, no habíamos menester ninguno, porque en aquel tiempo no teníamos qué llevar, porque nuestras armas, así lanzas como escopetas y ballestas y rodelas y todo otro género de ellas, con ellas dormíamos y caminábamos, y calzados nuestros alpargates, que era nuestro calzado, y, como he dicho, siempre muy apercibidos para pelear. Y partimos de Cempoal mediado el mes de agosto de mil quinientos diez y nueve años, y siempre con muy buena orden, y los corredores del campo y ciertos soldados muy sueltos delante. Y la primera jornada fuimos a un pueblo que se dice Xalapa,[38] y desde allí a Socochima;[39] y estaba bien fuerte y mala entrada, y en él había muchas parras de uva de la tierra. Y en estos pueblos se les dijo con doña Marina y Jerónimo de Aguilar, nuestras lenguas, todas las cosas tocantes a nuestra santa fe, y cómo éramos vasallos del emperador don Carlos, y que nos envió para quitar que no haya más sacrificios de hombres, ni se robasen unos a otros, y se les declaró muchas cosas que se convenían decir. Y como eran amigos de los de Cempoal y no tributaban a Montezuma, hallábamos en ellos buena voluntad y nos daban de comer. Y se puso en cada pueblo una cruz, y se les declaró lo que significaba, y que la tuviesen en mucha reverencia. Y desde Socochima pasamos unas altas sierras y puerto y llegamos a otro pueblo que se dice Tejutla;[40] y también hallamos en ellos buena voluntad, porque tampoco daban tributo a México, como los demás. Y desde aquel pueblo acabamos de subir todas las sierras y entramos en el despoblado, donde hacía muy gran frío, y granizó y llovió. Aquella noche tuvimos falta

[38] Fray Juan de Torquemada hace la observación atinada de que es imposible que fueran de Cempoala a Xalapa en un día, es decir, en una jornada. Ob. cit., t. I, pág. 411. Es más justa la estimación de jornadas de Cortés (Segunda Carta de Relación) que afirma fueron en cuatro de Cempoala a Xicochimalco.

[39] Este Socochima y el Sienchimalen de Cortés, en su Segunda Carta de Relación citada, era el antiguo Xicochimalco. La actual villa de Jico, en el Estado de Veracruz, está en distinto asiento, pero cerca de ella existen las ruinas del Xico viejo, o Xicochimalco,

[40] Texutla, pueblo que desapareció.

de comida, y venía un viento de la sierra nevada, que estaba a un lado, que nos hacía temblar de frío, porque como habíamos venido de la isla de Cuba y de la Villa Rica, y toda aquella costa era muy calurosa, y entramos en tierra fría, y no teníamos con qué nos abrigar sino con nuestras armas, sentíamos las heladas, como éramos acostumbrados a diferente temple. Y desde allí pasamos a otro puerto, donde hallamos unas caserías y grandes adoratorios de ídolos, que ya he dicho que se dicen *cúes*, y tenían grandes rimeros de leña para el servicio de los ídolos que estaban en aquellos adoratorios. Y tampoco tuvimos qué comer, y hacía recio frío. Y desde allí entramos en tierra de un pueblo que se dice Zocotlan,[41] y enviamos dos indios de Cempoal a decirle al cacique cómo íbamos; que tuviesen por bien nuestra llegada a sus casas; y era sujeto de México. Y siempre caminábamos muy apercibidos y con gran concierto porque veíamos que ya era otra manera de tierra.

Y desde que vimos blanquear azoteas y las casas del cacique y los *cúes* y adoratorios, que eran muy altos y encalados, parecían muy bien, como algunos pueblos de nuestra España; y pusímosle nombre Castil-blanco,[41 bis] porque dijeron unos soldados portugueses que parecía a la villa de Castil-blanco, de Portugal, y así se llama ahora. Y como supieron en aquel pueblo, por los mensajeros que enviamos, cómo íbamos, salió el cacique a recibirnos con otros principales, junto a sus casas; el cual cacique se llamaba Olintecle.[42] Y nos llevaron a unos aposentos, y nos dieron de comer, poca cosa y de mala voluntad. Y después que hubimos comido, Cortés les preguntó con nuestras lenguas de las cosas de su señor Montezuma, y dijo de sus grandes poderes de guerreros que tenía en todas las provincias sus sujetas, sin otros muchos ejércitos que tenían en las fronteras y provincias comarcanas; y luego dijo de la gran fortaleza de México, y cómo estaban fundadas las casas sobre agua, y que de una casa a otra no se podía pasar sino por puentes que tenían hechos, y en canoas, y las casas todas de azoteas, y en cada azotea, si querían poner mamparos eran fortalezas; y que para entrar dentro en su ciudad había tres calzadas, y en cada calzada cuatro o cinco aberturas, por donde pasaba el agua de una parte a otra; en cada una de aquella abertura había un puente, y con alzar cualquiera de ellos, que son hechos de madera, no pueden entrar en México. Y luego dijo del mucho oro, y plata, y piedras *chalchiuis* y riquezas que tenía Montezuma, que nunca acababa de decir otras muchas cosas de cuán gran señor era, que Cortés y todos nosotros estábamos admirados de lo oír. Y con todo cuanto contaban de su gran fortaleza y puentes, como somos de tal calidad los soldados españoles, quisiéramos ya estar probando ventura; y aunque nos parecía cosa imposible, según lo señalaba y decía el Olintecle, y verdaderamente era México muy más fuerte y tenía mayores pertrechos de albarradas que todo lo que decía, porque una cosa es haberlo visto la manera y fuerzas que tenía que no como lo escribo. Y dijo que era tan gran señor Montezuma, que todo lo que quería señoreaba, y que no sabía si sería contento cuando supiese nuestra estada allí, en aquel pueblo, por habernos aposentado y dado de comer sin su licencia.

Y Cortés le dijo con nuestras lenguas: "Pues hágoos saber que nosotros venimos de lejanas tierras por mandado de nuestro rey y señor, que es el emperador don Carlos, de quien son vasallos muchos grandes señores, y envía a mandar a ese

[41] Seguramente se hace referencia a Tzaoctlan, nombre que en la actualidad se ha convertido en Zautla.

[41 bis] Este nombre dieron los conquistadores al pueblo de Iztacmaxtitlan, pueblo que cambió de asiento y se dice ahora Iztacamaxtitlán.

[42] Olintetl, según Torquemada, Clavijero y Orozco y Berra.

vuestro gran Montezuma que no sacrifique ni mate ningunos indios, ni robe sus vasallos, ni tome ningunas tierras, y para que dé la obediencia a nuestro rey y señor; y ahora lo digo asimismo a vos, Olintecle, y a todos los más caciques que aquí estáis, que dejéis vuestros sacrificios y no comáis carnes de vuestros prójimos, ni hagáis sodomías, ni las cosas feas que soleis hacer, porque así lo manda Nuestro Señor Dios, que es el que adoramos y creemos, y nos da la vida y la muerte, y nos ha de llevar a los cielos." Y se les declaró otras muchas cosas tocantes a nuestra santa fe; y ellos a todo callaban. Y dijo Cortés a los soldados que allí nos hallamos: "Paréceme, señores, que ya no podemos hacer otra cosa, sino que se ponga una cruz." Y respondió el padre fray Bartolomé de Olmedo: "Paréceme, señor, que en estos pueblos no es tiempo para dejarles cruz en su poder, porque son desvergonzados y sin temor, y como son vasallos de Montezuma no la quemen o hagan alguna cosa mala. Y esto que se les ha dicho basta, hasta que tengan más conocimientos de nuestra santa fe." Y así se quedó sin poner la cruz.

Dejemos esto y de las santas amonestaciones, y digamos que como llevábamos un lebrel de gran cuerpo, que era de Francisco de Lugo, y ladraba mucho de noche, parece ser preguntaban aquellos caciques del pueblo a los amigos qué traíamos de Cempoal, que si era tigre o león o cosa con que matábamos los indios. Y respondieron: "Tráenlo para cuando alguno los enoja, los mate." Y también les preguntaron que aquellas lombardas que traíamos que qué hacían con ellas. Y respondieron que con unas piedras que metíamos dentro de ellas matábamos a quien queríamos, y que los caballos, que corrían como venados, y que alcanzábamos con ellos a quién les mandábamos. Y dijo el Olintecle, y los demás principales: "Luego de esa manera, *teules* deben de ser." Ya he dicho otras veces que a los ídolos, o sus dioses, o cosas malas, llamaban *teules*. Y respondieron nuestros amigos: "Pues como ahora los veis, por eso mirad no hagáis cosa con que les deis enojo, que luego lo sabrán, que saben lo que tenéis en el pensamiento, porque estos *teules* son los que prendieron a los recaudadores de vuestro gran Montezuma y mandaron que no le diesen más tributos en todas las sierras, ni en nuestro pueblo de Cempoal, y éstos son los que nos derrocaron de nuestros cúes nuestros *teules* y pusieron los suyos, y han vencido los de Tabasco y Champotón, y son tan buenos, que hicieron amistades entre nosotros y los de Cingapacinga; y, demás de esto, ya habréis visto cómo el gran Montezuma, aunque tiene tantos poderes, les envía oro y mantas; y ahora han venido a este vuestro pueblo, y veo que no les dais nada; andad presto y traedles algún presente." Por manera que traíamos con nosotros buenos echacuervos, porque luego trajeron cuatro pinjantes y tres collares, y unas lagartijas, y todo de oro, y aunque era muy bajo; y más trajeron cuatro indias, que fueron buenas para moler pan, y una carga de mantas. Cortés los recibió con alegre voluntad y con grandes ofrecimientos.

Acuérdome que tenía en una plaza, adonde estaban unos adoratorios, puestos tantos rimeros de calaveras de muertos, que se podían contar, según el concierto como estaban puestas, que al parecer que serían más de cien mil, y digo otra vez sobre cien mil; y en otra parte de la plaza estaban otros tantos rimeros de zancarrones, huesos de muerto, que no se podían contar, y tenían en unas vigas muchas cabezas colgadas de una parte a otra, y estaban guardando aquellos huesos y calaveras tres *papas*, que, según entendimos, tenían cargo de ello; de lo cual tuvimos que mirar más después que entramos bien la tierra adentro, en todos los pueblos estaban de aquella manera, y también en lo de Tlaxcala. Pasado todo esto que aquí he dicho, acordamos de ir nuestro camino por Tlaxcala, porque decían nuestros amigos estaba muy cerca, y que los términos estaban allí juntos, donde tenían puestos por señales unos mojones. Y sobre ello se preguntó al cacique Olintecle que cuál era mejor camino y más llano para ir a México; y dijo que por un pueblo muy grande que se decía Cholula; y los de Cempoal dijeron a Cortés: "Señor, no vayas por Cholula, que son muy traidores y tiene allí siempre Montezuma sus guarniciones de guerra", y que fuésemos por Tlaxcala, que eran sus amigos y enemigos de mexicanos. Y así acordamos de tomar el consejo de los de Cempoal, que Dios lo encaminaba todo. Y Cortés demandó luego al Olintecle veinte hombres principales, guerreros, que fuesen con nosotros, y luego nos los dieron. Y otro día de mañana fuimos camino de Tlaxcala y llegamos a un poblezuelo que era de los de Xalacingo; y de allí enviamos por mensajeros dos indios de los principales de Cempoal, de los que solían decir muchos bienes y loas de los tlaxcaltecas, y que eran sus amigos, y les enviamos una carta, puesto que sabíamos que no la entenderían, y también un chapeo de los vedejudos colorados de Flandes que entonces se usaban. Y lo que se hizo diremos adelante.

CAPÍTULO LXII

CÓMO SE DETERMINÓ QUE FUÉSEMOS POR TLAXCALA, Y LES ENVÍABAMOS MENSAJEROS PARA QUE TUVIESEN POR BIEN NUESTRA IDA POR SU TIERRA, Y CÓMO PRENDIERON A LOS MENSAJEROS Y LO QUE MÁS SE HIZO

Como salimos de Castil-blanco y fuimos por nuestro camino, los corredores del campo siempre adelante y muy bien apercibidos y gran concierto, los escopeteros y ballesteros como convenía, y los de a caballo mucho mejor, y siempre nuestras armas vestidas como lo teníamos de costumbre. Y dejemos de esto, que no sé para qué gasto más palabras sobre ello, sino que estábamos tan apercibidos, así de día como de noche, que si diesen alarma diez veces, en aquel punto nos hallaran muy prestos. Y con esta orden llegamos a un poblezuelo de Xalacingo; y allí nos dieron un collar de oro y unas mantas y dos indios, y desde aquel pueblo enviamos dos mensajeros principales de los de Cempoal a Tlaxcala, con una carta y con un chapeo vedejudo de Flandes, colorado, que se usaban entonces; y puesto que la carta bien entendimos que no la sabrían leer, sino que como viesen el papel diferenciado de lo suyo, conocerían que era de mensajería. Y lo que les enviamos a decir era que íbamos a su pueblo, que lo tuviesen por bien; que no les íbamos a hacer enojo, sino tenerles por amigos; y esto fue porque en aquel poblezuelo nos certificaron que toda Tlaxcala estaba puesta en armas contra nosotros, porque, según pareció, ya tenían noticia cómo íbamos y llevábamos en nuestra compañía muchos amigos, así de Cempoal como los de Zocotlan y de otros pueblos por donde habíamos pasado, y todos solían dar tributo a Montezuma, tuvieron por cierto que íbamos contra ellos; y como otras veces con mañas y cautelas les entraban en la tierra y se la saqueaban, pensaron querían hacer lo mismo ahora. Por manera que luego que llegaron los dos nuestros mensajeros con la carta y el chapeo, y comenzaron a decir su embajada, los mandaron prender, sin ser más oídos. Y estuvimos aguardando respuesta aquel día y otro, y desde que no venían, después de haber hablado Cortés a los principales de aquel pueblo y dicho las cosas que convenían decir, acerca de nuestra santa fe, y cómo éramos vasallos de nuestro rey y señor, que nos envió a estas partes para quitar que no sacrifiquen ni maten hombres, ni coman carne humana, ni hagan las torpedades que suelen hacer, y se les dijo otras muchas cosas que en los más pueblos por donde pasábamos les solíamos decir; y después de muchos ofrecimientos que les hizo, que les ayudaría, y les demandó veinte indios principales de guerra que fuesen con nosotros, y ellos nos los dieron de buena voluntad.

Y con la buena ventura, encomendándonos a Dios, partimos otro día para Tlaxcala; y yendo por nuestro camino vienen nuestros dos mensajeros que tenían presos, que parece ser que como andaban revueltos en la guerra, los indios que los tenían a cargo y guarda se descuidaron, y soltaron de las prisiones. Y vinieron tan medrosos de lo que habían visto y oído, que no lo acertaban a decir, porque, según dijeron, cuando estaban presos, que les amenazaban y les decían: "Ahora hemos de matar a esos que llamáis *teules*, y comer sus carnes, y veremos si son tan esforzados como publicáis; y también comeremos vuestras carnes, pues venís con traiciones y con embustes de aquel traidor de Montezuma." Y por más que les decían los mensajeros que éramos contra los mexicanos y que a todos los tlaxcaltecas los queremos tener por hermanos, no aprovechaban nada sus razones. Y después que Cortés y todos nosotros entendimos aquellas soberbias palabras, y cómo estaban de guerra, puesto que nos dio bien qué pensar en ello, dijimos todos: "Pues que así es, adelante, en buena hora." Y nos encomendamos a Dios, y nuestra bandera tendida, que llevaba el alférez Corral, porque ciertamente nos certificaron los indios del poblezuelo donde dormimos que habían de salir al camino a defendernos la entrada, y asimismo nos lo dijeron los de Cempoal, como dicho tengo. Pues yendo de esta manera siempre íbamos hablando cómo habían de entrar y salir los de caballo, a media rienda y las lanzas algo terciadas, y de tres en tres, porque se ayudasen, y que cuando rompiésemos por los escuadrones, que llevasen las lanzas por las caras y no parasen a dar lanzadas, porque no les echasen mano de ella; y que si acaeciese que les echasen mano, que con toda fuerza la tuviesen y debajo del brazo se ayudasen, y, poniendo espuelas, con la furia del caballo se la tornarían a sacar o llevarían al indio arrastrando.

Dirán ahora que para qué tanta diligencia sin ver contrarios guerreros que nos acometiesen. A esto respondo y digo que decía Cortés: "Mirad, señores compañeros; ya veis que somos pocos; hemos de estar siempre tan apercibidos y avisados como si ahora viésemos venir los contrarios a pelear, y no solamente verlos venir, sino hacer cuenta que ya estamos en la batalla con ellos, y que como acaece muchas veces, que echan mano de la lanza, por esto habemos de estar avisados para el tal menester; así de ello como de otras cosas que convienen en lo militar, que ya bien he entendido que en el pelear no tenemos necesidad de avisos, porque he conocido que por bien que yo lo quiera decir lo hacéis muy más animosamente."

Y de esta manera caminamos obra de dos leguas, y hallamos una fuerza bien fuerte, hecha de calicanto y de otro betún tan recio que con picos de hierro era mala de deshacer, y hecha de tal manera, que para defensa y ofensa era harto recia de tomar. Y parámonos a mirar en ella, y preguntó Cortés a los indios de Zocotlan que a qué fin tenían aquella fuerza hecha de aquella manera. Y dijeron que como entre su señor Montezuma y los de Tlaxcala tenían guerras a la continua, que los tlaxcaltecas, para defender sus pueblos, la habían hecho tan fuerte, porque ya aquélla es su tierra. Y reparamos un rato y nos dio bien qué pensar en ello y en la fortaleza. Y Cortés dijo: "Señores, sigamos nuestra bandera, que es la señal de la santa cruz, que con ella venceremos." Y todos a una le respondimos que vamos mucho en buena hora, que Dios es la fuerza verdadera.

Y así comenzamos a caminar con el concierto que he dicho. Y no muy lejos vieron nuestros corredores del campo hasta treinta indios que estaban por espías, y tenían espadas de dos manos, y rodelas y lanzas y penachos; y las espadas son de pedernales, que cortan más que navajas, puestas de arte que no se pueden quebrar ni quitar las navajas, y son largas como montantes; y tenían sus divisas y penachos como he dicho. Y vistos por nuestros corredores del campo, volvieron a dar mandado. Y Cortés mandó a los mismos que corriesen tras ellos y que procurasen de tomar alguno, sin heridas; y luego envió otros cinco de [a] caballo porque si hubiesen alguna celada, para que se ayudasen. Y con todo nuestro ejército dimos prisa, y el paso largo, y con gran concierto, porque los amigos que traíamos nos dijeron que ciertamente tenían gran copia de guerreros en celadas. Y desde que los treinta indios que estaban por espías vieron que los de a caballo iban hacia ellos y los llamaban con la mano, no quisieron aguardar hasta que los alcanzaron, y quisieron tomar alguno de ellos; mas defendiéronse muy bien, que con los montantes y sus lanzas hirieron los caballos. Y desde que los nuestros los vieron tan bravamente pelear, y sus caballos heridos, procuraron hacer lo que eran obligados, y mataron cinco de ellos. Y estando en esto viene muy de presto y con gran furia un escuadrón de tlaxcaltecas, que estaban en celada, de más de tres mil de ellos, y comenzaron a flechar en todos los nuestros de caballo, que ya estábamos juntos todos, y dan una refriega de flechas y varas tostadas, y con sus montantes hacían maravillas. Y en este instante llegamos con nuestra artillería y escopetas y ballestas; y poco a poco comenzaron a volver las espaldas, puesto que se detuvieron buen rato peleando con buen concierto.

Y en aquel reencuentro hirieron a cuatro de los nuestros, y paréceme que desde ahí a pocos días murió el uno de las heridas. Y como era tarde, se fueron recogiendo y no los seguimos, y quedaron muertos hasta diez y siete de ellos, sin muchos heridos. Y donde aquellas rencillas pasamos era llano, y había muchas casas y labranzas de maíz y magueyales, que es donde hacen el vino; y dormimos cabe un arroyo, y con el unto de un indio gordo de los que allí matamos, que se abrió, se curaron los heridos, que aceite no lo había. Y tuvimos muy bien de cenar de unos perrillos que ellos crían, puesto que estaban todas las casas despobladas y alzado el hato, y aunque a los perrillos llevaban consigo, de noche se volvían a sus casas, y allí los apañábamos, que era harto buen mantenimiento. Y estuvimos toda la noche muy a punto, con escuchas y buenas rondas, y corredores del campo, y los caballos ensillados y enfrenados, por temor no diesen sobre nosotros. Y quedarse ha aquí, y diré de las guerras que nos dieron.

CAPÍTULO LXIII

DE LAS GUERRAS Y BATALLAS MUY PELIGROSAS QUE TUVIMOS CON LOS TLAXCALTECAS, Y DE LO QUE MÁS PASÓ

OTRO DÍA, DESPUÉS de encomendarnos a Dios, partimos de allí, muy concertados nuestros escuadrones y los de caballo muy avisados cómo habían de entrar rompiendo, y salir; y en todo caso procurar que no nos rompiesen ni nos apartásemos unos de otros. Y yendo así viénense a encontrar con nosotros dos escuadrones de guerreros, que habría seis mil, con grandes gritas, y atambores y trompetillas, y flechando y tirando varas, y haciendo como fuertes guerreros. Cortés mandó que estuviésemos quedos, y con tres prisioneros que les habíamos tomado el día antes les enviamos a decir y a requerir no diesen guerra, que les queremos tener por hermanos. Y dijo a uno de nuestros soldados que se decía Diego de Godoy, que era escribano de Su Majestad, que mirase lo que pasaba y diese testimonio de ello, si se hubiese menester, porque en algún tiempo no nos demandasen las muertes y daños que se recreciesen, pues los requeríamos con la paz. Y como les hablaron los tres prisioneros que les enviamos, mostráronse muy más recios, y nos daban tanta guerra que no les podíamos sufrir. Entonces dijo Cortés: "Santiago, y a ellos." Y de hecho arremetimos de manera que les matamos y herimos muchas de sus gentes con los tiros; y entre ellos tres capitanes; y vanse retrayendo hacia unos arcabucos donde estaban en celada sobre más de cuarenta mil guerreros con su capitán general, que se decía Xicotenga,[43] y con sus divisas de blanco y colorado, porque aquella divisa y librea era la de aquel Xicotenga. Y como había allí unas quebradas, no nos podíamos aprovechar de los caballos, y con mucho concierto las pasamos, y al pasar tuvimos muy gran peligro, porque se aprovechaban de su buen flechar, y con sus lanzas y montantes nos hacían mala obra, y aun las hondas y piedras como granizos eran harto malas. Y después que nos vimos en lo llano con los caballos y artillería, nos lo pagaban; mas no osamos deshacer nuestro escuadrón, porque el soldado que en algo se desmandaba para seguir a algunos de los montantes o capitanes, luego era herido y corría gran peligro. Y andando en esas batallas, nos cercan por todas partes, que no nos podíamos valer poco ni mucho, que no osábamos arremeter a ellos, sino era todos juntos porque no nos desconcertasen y rompiesen; y si arremetíamos, hallábamos sobre veinte escuadrones sobre nosotros, que nos resistían; y estaban nuestras vidas en mucho peligro, porque eran tantos guerreros que a puñadas de tierra nos cegaran, sino que la gran misericordia de Dios socorría y nos guardaba.

Y andando en estas prisas, entre aquellos grandes guerreros y sus temerosos montantes, parece ser acordaron de juntarse muchos de ellos, de mayores fuerzas, para tomar a manos algún caballo. Y lo pusieron por obra arremetiendo, y echan mano a una muy buena yegua y bien revuelta de juego y de carrera, y el caballero que en ella iba, buen jinete, que se decía Pedro de Morón, y como entró rompiendo con otros tres de a caballo entre los escuadrones de los contrarios, porque así les era mandado, porque se ayudasen unos a otros, échanle

[43] Xicotencatl el mozo.

mano de la lanza, que no la pudo sacar, y otros le dan de cuchilladas con los montantes, y le hirieron malamente; y entonces dieron una cuchillada a la yegua que le cortaron el pescuezo redondo y colgado del pellejo; y allí quedó muerta. Y si de presto no socorrieran sus compañeros de a caballo a Pedro de Morón, también le acabaran de matar; pues quizás podíamos con todo nuestro escuadrón ayudarle. Digo otra vez que, por temor que no nos acabasen de desbaratar, no podíamos ir a una para ni a otra, que harto teníamos que sustentar no nos llevasen de vencida, que estábamos muy en peligro; y todavía acudimos a la prisa de la yegua y tuvimos lugar a salvar a Morón y quitárseles de poder, que ya le llevaban medio muerto, y cortamos la cincha de la yegua porque no se quedase allí la silla; y allí, en aquel socorro hirieron diez de los nuestros. Y tengo para mí que mataron entonces cuatro capitanes, porque andábamos juntos, pie con pie, y con las espadas les hacíamos mucho daño; porque como aquello pasó se comenzaron a retirar y llevaron la yegua, la cual hicieron pedazos para mostrar en todos los pueblos de Tlaxcala. Y después supimos que habían ofrecido a sus ídolos las herraduras y el chapeo de Flandes, y las dos cartas que les enviamos para que viniesen de paz. La yegua que mataron era de Juan Sedeño, y porque en aquella sazón estaba herido Sedeño de tres heridas del día antes, por esta causa se la dio a Morón, que era muy buen jinete. Y murió Morón entonces, o de allí a dos días, de las heridas, porque no me acuerdo verle más.

Y volvamos a nuestra batalla, que, como había una hora que estábamos en las rencillas peleando, y los tiros les debieron hacer mucho mal, porque como eran muchos andaban tan juntos, y por fuerza les habían de llevar copia de ellos; pues los de caballo y escopetas y ballestas y espadas y rodelas y lanzas, todos a una peleábamos como varones, por salvar nuestras vidas y hacer lo que éramos obligados, porque ciertamente las teníamos en gran peligro cual nunca estuvieron. Y a lo que después nos dijeron; en aquella batalla les matamos muchos indios, y entre ellos ocho capitanes muy principales e hijos de los viejos caciques, que estaban en el pueblo cabecera mayor, y a esta causa se retrajeron con muy buen concierto, y a nosotros que no nos pesó de ello, y no los seguimos porque no nos podíamos tener en los pies de cansados; allí nos quedamos en aquel poblezuelo, que todos aquellos campos estaban muy poblados, y aun tenían hechas otras casas debajo de tierra, como cuevas, en que vivían muchos indios. Y llamábase donde pasó esta batalla Tehuacingo o Tehuacacingo [44] y fue dada en dos días de septiembre de mil quinientos diez y nueve años. Y de que nos vimos con victoria dimos muchas gracias a Dios, que nos libró de tan grandes peligros; y desde allí nos retrajimos luego con todo nuestro real a unos *cúes* que estaban buenos y altos, como en fortaleza. Y con el unto de indios, que ya he dicho otras veces se curaron

[44] Tzompantzinco. Don Manuel Orozco y Berra, en su *Historia Antigua y de la Conquista,* ya citada, t. IV, pág. 204, escribió con ocasión de este nombre la siguiente nota: "Bernal Díaz, cap. LXIII, llama al lugar Tehuacingo o Tehuacacingo, mientras en el cap. LXVIII lo nombra Tecoadzumpancingo, sujeto al pueblo de Zumpancingo a una legua de distancia. Gómara, pone Teocacingo; el padre Durán, Tzopachtzinco; Ixtlilxochitl, Tecoatzinco; Clavijero, Teoatzinco, lugar de agua divina. Según Cortés, distaba el lugar seis leguas de Tlaxcala; Bernal Díaz, cap. LXIV, le coloca a dos leguas del campamento de Xicotencatl, situado en Tecuacinpancingo. Los autores del *Viaje de Cortés,* Lorenzana, pág. VIII, aseguran corresponder al cerro de Tzompachtepec, una legua de Texcalac, del cual se fundó el pueblo de San Salvador Tzompantzinco, conocido hoy por San Salvador de los Comales, por construirse ahí muchas de estas vasijas de barro."

nuestros soldados, que fueron quince, y murió uno de ellos de las heridas, y también se curaron cuatro caballos que estaban heridos. Y reposamos y cenamos muy bien aquella noche, porque teníamos muchas gallinas y perrillos que hubimos en aquellas casas, y con muy buen recaudo de escuchas y rondas y los corredores del campo, descansamos hasta otro día por la mañana. Una cosa tenían los tlaxcaltecas en esta batalla y en todas las demás; que en hiriéndoles cualquier indio luego los llevaban y no podíamos ver los muertos.

CAPÍTULO LXIV

CÓMO TUVIMOS NUESTRO REAL ASENTADO EN UNOS PUEBLOS Y CASERÍAS QUE SE DICEN TEOACINGO, O TEUACINGO, Y LO QUE ALLÍ HICIMOS

Como nos sentimos muy trabajados de las batallas pasadas, y estaban muchos soldados y caballos heridos, sin los que allí murieron, y teníamos necesidad de adobar las ballestas y alistar de saetas, estuvimos un día sin hacer cosa que de contar sea. Y otro día por la mañana dijo Cortés que sería bueno ir a correr el campo con los de caballo que estaban buenos para ello, porque no pensasen los tlaxcaltecas que dejábamos de guerrear por la batalla pasada, y porque viesen que siempre los habíamos de seguir, y el día pasado habíamos estado sin salir a buscarlos, y que era mejor irles nosotros [a] acometer que ellos a nosotros, porque no sintiesen nuestra flaqueza y porque aquel campo es muy llano y muy poblado. Por manera que con siete de a caballo y pocos ballesteros y escopeteros y obra de doscientos soldados, y con nuestros amigos, salimos y dejamos en el real buen recaudo, según nuestra posibilidad. Y por las casas y pueblos por donde íbamos prendimos hasta veinte indios e indias, sin hacerles ningún mal, y los amigos, como son crueles, quemaron muchas casas y trajeron bien de comer, y gallinas y perrillos; y luego nos volvimos al real, que era cerca. Y acordó Cortés se soltasen los prisioneros; y se les dio primero de comer, y doña Marina y Aguilar les halagaron y dieron cuentas, y les dijeron que no fuesen más locos y que viniesen de paz, que nosotros los queremos ayudar y tener por hermanos. Y entonces soltamos los dos prisioneros primeros, que eran principales, y se les dio otra carta para que fuesen a decir a los caciques mayores, que estaban en el pueblo cabecera de todos los de aquella provincia, que no les venimos a hacer mal ni enojo, sino para pasar por su tierra e ir a México a hablar a Montezuma.

Y los dos mensajeros fueron al real de Xicotenga, que estaba de allí obra de dos leguas, en unos pueblos y casas que me parece que se llamaban Tecuacinpacingo, y como les dieron la carta y dijeron nuestra embajada, la respuesta que les dio Xicotenga [fue] que fuésemos a su pueblo, adonde está su padre, y que allá harán las paces con hartarse de nuestras carnes y honrar sus dioses con nuestros corazones y sangre, y que para otro día de mañana veríamos su respuesta. Y de que Cortés y todos nosotros oímos aquellas tan soberbias palabras, como estábamos hostigados de las pasadas batallas y reencuentros, verdaderamente no lo tuvimos por bueno. Y aquellos mensajeros los halagó Cortés con blandas palabras, porque le pareció que habían perdido el miedo, y les mandó dar unos sartalejos de cuentas, y esto para tornarlos a enviar por mensajeros sobre la paz.

Entonces se informó muy por extenso cómo y de qué manera estaba el capitán Xicotenga, y qué poderes tenía consigo; y le dijeron que tenía muy más gente que la otra vez cuando nos dio guerra, porque traía cinco capitanes consigo, y que cada capitanía traía diez mil guerreros. Y fue de esta manera que lo contaba, que de la parcialidad de Xicotenga, que ya no veía de viejo, padre del mismo capitán, venían diez mil, y de la parte de otro gran cacique que se decía Maseescaci,[45] otros diez mil, y de otro gran principal, que se decía Chichimecatecle,[46] otros tantos, y de la parte de otro cacique, señor de Topeyanco, que se decía Tecapaneca,[47] otros diez mil, y de otro cacique, que se decía Guaxobcin, otros diez mil; por manera que eran a la cuenta cincuenta mil, y que habían de sacar su bandera y seña, que era una ave blanca, tendidas las alas como que quería volar, que parece como avestruz; y cada capitanía con su divisa y librea, porque cada cacique así las tenían diferenciadas, como en nuestra Castilla tienen los duques y condes. Y todo esto que aquí he dicho tuvímoslo por muy cierto, porque ciertos indios de los que tuvimos presos, que soltamos aquel día, lo decían muy claramente, y aunque no eran creídos por entonces. Y desde que aquello vimos, como somos hombres y temíamos la muerte, muchos de nosotros, y aun todos los demás, nos confesamos con el padre de la Merced y con el clérigo Juan Díaz, que toda la noche estuvieron en oír de penitencia, y encomendámonos a Dios que nos librase no fuésemos vencidos; y de esta manera pasamos hasta otro día. Y la batalla que nos dieron, aquí lo diré.

[45] Maxixcatzin.

[46] Chichimecatecuhtli.

[47] Tecpanecatl, V. Muñoz Camargo, *Historia de Tlaxcala*. México, 1892, página 208, que cita varios nombres de capitanes, siendo difícil de identificar al de *Guaxobcin*.

CAPÍTULO LXV

DE LA GRAN BATALLA QUE HUBIMOS CON EL PODER DE TLAXCALTECA, Y QUISO DIOS NUESTRO SEÑOR DARNOS VICTORIA, Y LO QUE MÁS PASÓ

Otro día de mañana, que fueron cinco de septiembre de mil quinientos diez y nueve años, pusimos los caballos en concierto, que no quedó ninguno de los heridos que allí no saliesen para hacer cuerpo y ayudasen lo que pudiesen; y percibidos los ballesteros que con gran concierto gastasen el almacén, unos armando, otros soltando, y los escopeteros por el consiguiente, y los de espada y rodela que la estocada o cuchillada que diésemos que pasasen las entrañas porque no se osasen juntar tanto como la otra vez. La artillería bien apercibida iba; y como ya tenían aviso los de caballo que se ayudasen unos a otros, y las lanzas terciadas, sin pararse a lancear, sino por las caras y ojos, entrando y saliendo a media rienda, y que ningún soldado saliese del escuadrón; y con nuestra bandera tendida y cuatro compañeros aguardando al alférez Corral. Así salimos de nuestro real, y no habíamos andado medio cuarto de legua cuando vimos asomar los campos llenos de guerreros con grandes penachos y sus divisas, y mucho ruido de trompetillas y bocinas. Aquí había bien que escribir y ponerlo en relación lo que en esta peligrosa y dudosa batalla pasamos, porque nos cercaron por todas partes tantos guerreros que se podría comparar como si hubiese unos grandes prados de dos leguas de ancho y otras tantas de largo [y] en medio de ellos cuatrocientos hombres; así era[n] todos los campos llenos de ellos, y nosotros obra de cuatrocientos, muchos heridos y dolientes. Y supimos cierto que esta vez que venían con pensamiento que no habían de dejar ninguno de nosotros con vida, que no habían de ser sacrificados a sus ídolos.

Volvamos a nuestra batalla. Pues como comenzaron a romper con nosotros, ¡qué granizo de piedra de los honderos! Pues flecheros, todo el suelo hecho parva de varas tostadas de a dos gajos, que pasan cualquier arma y las entrañas adonde no hay defensa; y los de espada y rodela y de otras mayores que espadas, como montantes y lanzas; ¡qué prisa nos daban y con qué braveza se juntaban con nosotros y con qué grandísimos gritos y alaridos! Puesto que nos ayudábamos con tan gran concierto con nuestra artillería y escopetas y ballestas, que les hacíamos harto daño; a los que se nos llegaban con sus espadas y montantes les dábamos buenas estocadas, que les hacíamos apartar, y no se juntaban tanto como la otra vez pasada; los de a caballo estaban tan diestros y hacíanlo tan varonilmente que, después de Dios, que es el que nos guardaba, ellos fueron fortaleza.

Yo vi entonces medio desbaratado nuestro escuadrón, que no aprovechaban voces de Cortés ni de otros capitanes, para que tornásemos a cerrar; tanto número de indios cargó entonces sobre nosotros, que milagrosamente, a puras estocadas, les hicimos que nos diesen lugar, con que volvimos a ponernos en concierto. Una cosa nos daba la vida, y era que, como eran muchos y estaban amontonados, los tiros les hacían mucho mal; y demás de esto no se sabían capitanear, porque no podían llegar todos los capitanes con sus gentes, y, a lo que supimos, desde la otra batalla pasada habían tenido pendencias y rencillas entre el capitán Xicotenga con otro capitán hijo de Chichimecatecle, sobre que decía el un capitán al otro que no había hecho bien en la batalla pasada, y el hijo de Chichimecatecle respondió que muy mejor que él, y se lo haría conocer de su persona a la de Xicotenga. Por manera que en esta batalla no quiso ayudar con su gente el Chichimecatecle al Xicotenga; antes supimos muy ciertamente que convocó a la capitanía de Guaxolcingo [48] que no pelease. Y demás de esto, desde la batalla pasada temían los caballos y tiros y espadas y ballestas, y nuestro buen pelear, y sobre todo la gran misericordia de Dios, que nos daba esfuerzo para sustentarnos.

Y como el Xicotenga no era obedecido de dos capitanes, y nosotros les hacíamos gran daño, que les matábamos muchas de sus gentes, las cuales encubrían, porque como eran muchos, en hiriéndolos a cualquiera de los suyos luego lo apañaban y lo llevaban a cuestas, así en esta batalla como en la pasada no podíamos ver ningún muerto. Y como ya peleaban de mala gana y sintieron que las capitanías de los dos capitanes por mí memorados no les acudían, comenzaron [a] aflojar; y porque, según pareció, en aquella batalla matamos un capitán muy principal, que de los otros no los cuento, comenzaron a retraerse con buen concierto, y los de caballo, a media rienda, siguiéndolos poco trecho, porque no se podían ya tener de cansados. Y desde que nos vimos libres de aquella multitud de guerreros dimos muchas gracias a Dios.

Allí nos mataron un soldado e hirieron más de sesenta y también hirieron a todos los caballos. A mí me dieron dos heridas, la una en la cabeza, de pedrada, y otra en el muslo, de un flechazo, mas no eran

[48] Huexotzinco, hoy Huejotzingo.

para dejar de pelear y velar, y ayudar a nuestros soldados; y asimismo lo hacían todos los soldados que estaban heridos, que si no eran muy peligrosas las heridas habíamos de pelear y velar con ellas, porque de otra manera pocos quedaran que estuviesen sin heridas. Y luego nos fuimos a nuestro real muy contentos y dando muchas gracias a Dios, y enterramos el muerto en una de aquellas casas que tenían hechas en los soterraños, porque no lo viesen los indios que éramos mortales, sino que creyesen que éramos *teules*, como ellos decían; y derrocamos mucha tierra encima de la casa porque no oliesen los cuerpos; y se curaron todos los heridos con el unto del indio que otras veces he dicho. ¡Oh qué mal refrigerio teníamos, que aun aceite para curar, ni sal, había! Otra falta teníamos y grande, que era ropa para abrigarnos, que venía un viento tan frío de la sierra nevada que nos hacía ateritar, porque las lanzas y escopetas y ballestas mal nos cobijaban. Aquella noche dormimos con más sosiego que la pasada, puesto que teníamos mucho recaudo de corredores y espías y velas y rondas. Y dejarlo he aquí, y diré lo que otro día hicimos. En esta batalla prendimos tres indios principales.

CAPÍTULO LXVI

CÓMO OTRO DÍA ENVIAMOS MENSAJEROS A LOS CACIQUES DE TLAXCALA, ROGÁNDOLES CON LA PAZ Y LO QUE SOBRE ELLO HICIERON

DESPUÉS DE PASADA la batalla por mí memorada y prendido en ella los tres indios principales, enviólos luego nuestro capitán Cortés juntamente con los dos que estaban en nuestro real, que habían ido otras veces por mensajeros, y les mandó que dijesen a los caciques de Tlaxcala que les rogábamos que luego vengan de paz y que nos den pasada por su tierra para ir a México, como otras veces les hemos enviado a decir, y que si ahora no vienen, que les mataremos todas sus gentes, y porque les queremos mucho y tener por hermanos no les quisiéramos enojar si ellos no hubiesen dado causa a ello; y se les dijo muchos halagos para traerlos a nuestra amistad. Y aquellos mensajeros fueron luego de buena gana a la cabecera de Tlaxcala y dijeron su embajada a todos los caciques por mí ya nombrados, los cuales hallaron juntos, con otros muchos viejos y *papas,* y estaban muy tristes, así del mal suceso de la guerra como de la muerte de los capitanes parientes o hijos suyos, que en las batallas murieron, y dizque no los quisieron escuchar de buena gana; y lo que sobre ello acordaron fue que luego mandaron llamar todos los adivinos y *papas* y otros que echaban suertes, que llaman *tacalnaguas,* que son como hechiceros, y dijeron que mirasen por sus adivinanzas y hechizos y suertes qué gente éramos y si podríamos ser vencidos dándonos guerra de día y de noche a la contina, y también para saber si éramos *teules,* así como les decían los de Cempoal (que ya he dicho otras veces que son cosas malas como demonios), y qué cosas comíamos, y que mirasen todo esto con mucha diligencia. Y después que se juntaron los adivinos y hechiceros y muchos *papas,* y hechas sus adivinanzas y echadas sus suertes, y todo lo que solían hacer, parece ser dijeron que en las suertes hallaron que éramos hombres de hueso y carne, y que comíamos gallinas y perros y pan y fruta, cuando lo teníamos; y que no comíamos carnes de indios ni corazones de los que matábamos, porque, según pareció, los indios amigos que traíamos de Cempoal les hicieron creer que éramos *teules* y que comíamos corazones de los indios, y que las lombardas echaban rayos como caen del cielo, y que el lebrel que era tigre o león, y que los caballos eran para alcanzar a los indios cuando los queríamos matar; y les dijeron otras muchas niñerías. Y lo peor de todo que les dijeron sus *papas* y adivinos fue que de día no podíamos ser vencidos, sino de noche, porque como anochecía se nos quitaban las fuerzas; y más les dijeron los hechiceros, que éramos esforzados, y que todas estas virtudes teníamos de día hasta que se ponía el sol, y después que anochecía no teníamos fuerza ninguna. Y desde que aquello entendieron los caciques y lo tuvieron por muy cierto, se lo enviaron a decir a su capitán general Xicotenga, para que luego con brevedad venga una noche con grandes poderes a darnos guerra. El cual, desde que lo supo, juntó obra de diez mil indios, los más esforzados que tenían, y vino a nuestro real y por tres partes nos comenzó a dar una mano de flecha y tirar varas con sus tiraderas de un gajo, y los de espadas y macanas y montantes por otra parte, por manera que de repente tuvieron por cierto que llevarían algunos de nosotros para sacrificar.

Y mejor lo hizo Nuestro Señor Dios, que por muy secretamente que ellos venían nos hallaron muy apercibidos, porque como sintieron su gran ruido que traían a matacaballo vinieron nuestros corredores del campo y las espías a dar alarma; y como estábamos tan acostumbrados a dormir calzados y las armas vestidas, y los caballos ensillados y enfrenados, y todo género de armas muy a punto, les resistimos con las escopetas y ballestas y a estocadas; de presto vuelven las espaldas. Y como era el campo llano y hacía luna, los de a caballo los siguieron un poco, donde por la mañana hallamos tendidos, muertos y heridos, hasta veinte de ellos; por manera que se vuelven con gran pérdida y muy arrepentidos de la venida de noche. Y aun oí decir que como no les sucedió bien lo que los *papas* y las suertes y hechiceros les dijeron, que sacrificaron a dos de ellos.

Aquella noche mataron un indio de nuestros amigos de Cempoal e hirieron dos soldados y un caballo, y allí prendimos cuatro de ellos. Y después que nos vimos libres de aquella arrebatada refriega, dimos gracias a Dios y enterramos el amigo de Cempoal, y curamos los heridos y al caballo y dormimos lo que quedó de la noche con grande recaudo en el real, así como lo teníamos de costumbre. Y desde que amaneció y nos vimos todos heridos, a dos y a tres heridas, y muy cansados, y otros dolientes y entrapajados, y Xicotenga que siempre nos seguía, y faltaban ya sobre cuarenta y cinco soldados que se habían muerto en las batallas y dolencias y fríos, y estaban dolientes otros doce, y asimismo nuestro capitán Cortés también tenía calenturas, y aun el padre de la Merced, que con los trabajos y peso de las armas que siempre traíamos a cuestas, y otras malas venturas de fríos y falta de sal, que no la comíamos ni la hallábamos y, demás de esto, dábanos que pensar qué fin habríamos en estas guerras, y, ya que allí se acabasen, qué sería de nosotros, adónde habíamos de ir, porque entrar en México teníamoslo por cosa recia, a causa de sus grandes fuerzas, y decíamos que cuando aquellos de Tlaxcala nos han puesto en aquel punto y nos hicieron creer nuestros amigos los de Cempoal que estaban de paz, que cuando nos viésemos en la guerra con los grandes poderes de Montezuma que qué podríamos hacer. Y, demás de esto, no sabíamos de los que quedaron poblados en la Villa Rica, ni ellos de nosotros.

Y como entre todos nosotros había caballeros y soldados tan excelentes varones y tan esforzados y de buen consejo, que Cortés ninguna cosa decía ni hacía sin primero tomar sobre ello muy maduro consejo y acuerdo con nosotros, puesto que el coronista Gómara diga hizo Cortés esto, fue allá, vino de acullá, y dice otras tantas cosas que no llevan camino, y aunque Cortés fuera de hierro, según lo cuenta Gómara en su historia, no podía acudir a todas partes. Bastaba que dijera que lo hacía como buen capitán. Y esto digo porque después de las grandes mercedes que Nuestro Señor nos hacía, en todos nuestros hechos y en las victorias pasadas y en todo lo demás, parece ser que a los soldados nos daba Dios gracia y buen consejo para aconsejar que Cortés hiciese todas las cosas muy bien hechas. Dejemos de loar y hablar en loas pasadas, pues no hacen mucho a nuestra historia, y digamos cómo todos a una esforzábamos a Cortés y le dijimos que curase su persona, que ya allí estábamos, y que con la ayuda de Dios, que pues habíamos escapado de tan peligrosas batallas, que para algún buen fin era Nuestro Señor Jesucristo servido guardarnos, y que luego soltase los prisioneros y que los enviase a los caciques mayores, otra vez por mí memorados, que vengan de paz, y que se les perdonará todo lo hecho y la muerte de la yegua.

Dejemos esto y digamos cómo doña Marina, con ser mujer de la tierra, qué esfuerzo tan varonil tenía, que con oír cada día que nos habían de matar y comer nuestras carnes con *ají*, y habernos visto cercados en las batallas pasadas, y que ahora todos estábamos heridos y dolientes, jamás vimos flaqueza en ella, sino muy mayor esfuerzo que de mujer. Y a los mensajeros que ahora enviábamos les habló doña Marina y Jerónimo de Aguilar que vengan luego de paz, que si no vienen dentro de dos días les iremos a matar y destruir sus tierras, e iremos a buscarlos a su ciudad. Y con estas bravosas palabras fueron a la cabecera donde estaba Xicotenga el Viejo y Maseescaci. Dejemos esto y diré otra cosa: que he visto que el coronista Gómara no escribe en su historia ni hace mención si nos mataban o estábamos heridos, ni pasábamos trabajo, ni adolecíamos, sino todo lo que escribe es como quien va a bodas, y lo hallábamos hecho. ¡O cuán mal le informaron los que tal le aconsejaron que lo pusiese así en su historia! Y a todos los conquistadores nos ha dado qué pensar, en lo que ha escrito, no siendo así, y debía considerar que desde que viésemos su historia habíamos de decir la verdad. Olvidemos a Gómara y digamos cómo nuestros mensajeros fueron a la cabecera de Tlaxcala con nuestro mensaje, y paréceme que llevaron una carta que, aunque sabíamos que no la habían de entender, sino que hallaron a los dos caciques mayores que estaban hablando con otros principales. Y lo que sobre ello respondieron adelante lo diré.

CAPÍTULO LXVII

CÓMO TORNAMOS A ENVIAR MENSAJEROS A LOS CACIQUES DE TLAXCALA PARA QUE VENGAN DE PAZ, Y LO QUE SOBRE ELLO HICIERON Y ACORDARON

COMO LLEGARON a Tlaxcala los mensajeros que envíamos a tratar de las paces, les hallaron que estaban en consulta los dos más principales caciques, que se decían Maseescaci y Xicotenga el Viejo, padre del capitán general, que también se decía Xicotenga, otras muchas veces por mí memorado. Y después que les oyeron su embajada estuvieron suspensos un rato, que no hablaron, y quiso Dios que inspiró en los pensamientos que hiciesen paces con nosotros. Y luego enviaron a llamar a todos los más caciques y capitanes que había en sus poblazones y a los de una provincia que está junto con ellos, que se dice Huexocingo, que eran sus amigos y confederados; y todos juntos en aquel pueblo que estaban, que era cabecera, les hizo Maseescaci, y el viejo Xicotenga, que eran bien entendidos, un razonamiento, casi que fue de esta manera según después se entendió, aunque no las palabras formales: "Hermanos y amigos nuestros: Ya habéis visto cuántas veces esos *teules* que están en el campo esperando guerras nos han enviado mensajeros a demandar paz, y dicen que nos vienen a ayudar y tener el lugar de hermanos, y asimismo habéis visto cuántas veces han llevado presos muchos de nuestros vasallos, que no les hacen mal y luego los sueltan. Bien veis como les hemos dado guerra tres veces, con todos nuestros poderes, así de día como de noche, y no han sido vencidos, y ellos nos han muerto en los combates que les hemos dado muchas de nuestras gentes e hijos y parientes y capitanes. Ahora de nuevo vuelven a demandar paz, y los de Cempoal que traen en su compañía dicen que son contrarios de Montezuma y sus mexicanos, y que les han mandado que no le den tributo los pueblos de la sierra totonaques, ni los de Cempoal; pues bien se os acordará que los mexicanos nos dan guerra cada año, de más de cien años a esta parte, y bien veis que estamos en estas tierras como acorralados, que no osamos salir a buscar sal, ni aun la comemos, ni aun algodón, que pocas mantas de ello traemos, pues si salen o han salido algunos de los nuestros a buscarlo, pocos vuelven con las vidas, que estos traidores mexicanos y sus confederados nos los matan y hacen esclavos. Ya nuestros *tacalnaguas* y adivinos y *papas* nos han dicho lo que sienten de las personas de estos *teules,* y que son esforzados. Lo que me parece es que procuremos de tener amistad con ellos, y si no fueren hombres, sino *teules,* de una manera o de otra les hagamos buena compañía; y luego vayan cuatro de nuestros principales y les lleven muy bien de comer; y mostrémosles amor y paz, porque nos ayuden y defiendan de nuestros enemigos, y traigámosles aquí luego con nosotros, y démosles mujeres para que de su generación tengamos parientes, pues, según dicen los embajadores que nos envían a tratar las paces, que traen mujeres entre ellos."

Y después que oyeron este razonamiento todos los caciques y principales, les pareció bien y dijeron que era cosa acertada, y que luego vayan a entender en las paces, y que se le envíe a hacer saber a su capitán Xicotenga y a los demás capitanes que consigo tienen para que luego se vengan sin dar más guerras, y les digan que ya tenemos hechas paces; y enviaron luego mensajeros sobre ello.

Y el capitán Xicotenga el Mozo no lo quiso escuchar a los cuatro principales y mostró tener enojo y los trató mal de palabras, y que no estaba por las paces; y dijo que ya había muerto muchos *teules,* y la yegua, y que él quería dar otra noche sobre nosotros y acabarnos de vencer y matar. La cual respuesta luego que la oyó su padre Xicotenga el Viejo y Maseescaci, y los demás caciques, se enojaron de manera que luego enviaron a mandar a los capitanes y a todo su ejército que no fuesen con el Xicotenga a darnos guerra, ni en tal caso le obedeciesen en cosa que les mandase, si no fuese para hacer paces; y tampoco lo quiso obedecer. Y desde que vieron la desobediencia de su capitán, luego enviaron los cuatro principales que otra vez les habían mandado, que viniesen a nuestro real y trajesen bastimento y para tratar las paces en nombre de toda Tlaxcala y Guaxocingo, y los cuatro viejos, por temor de Xicotenga el Mozo, no vinieron en aquella sazón.

Y porque en un instante acaecen dos y tres cosas, así en nuestro real como en este tratar de paces, y por fuerza tengo de tomar entre manos lo que más viene al propósito, dejaré de hablar en los cuatro indios principales que envían a tratar las paces, que aún no han venido por temor de Xicotenga. En este tiempo fuimos con Cortés a un pueblo junto a nuestro real, y lo que pasó diré adelante.

CAPÍTULO LXVIII

CÓMO ACORDAMOS DE IR A UN PUEBLO QUE ESTABA CERCA DE NUESTRO REAL, Y LO QUE SOBRE ELLO SE HIZO

Como había dos días que estábamos sin hacer cosa que de contar sea, fue acordado, y aun aconsejamos a Cortés, que un pueblo que estaba obra de una legua de nuestro real, que le habíamos enviado llamar de paz y no venía, que fuésemos una noche y diésemos sobre él, no para hacerles mal, digo matarles, ni herirles, ni traerlos presos, mas de traer comida y atemorizarles o hablarles de paz, según viésemos lo que ellos hacían; y dícese este pueblo Zumpancingo,[49] y era cabecera de muchos pueblos chicos, y era su sujeto el pueblo donde estábamos, allí adonde teníamos nuestro real, que se dice Tecoadzumpancingo, que todo alrededor estaba muy poblado. Por manera que una noche, al cuarto de la modorra, madrugamos para ir [a] aquel pueblo con seis de caballo, de los mejores, y con los más sanos soldados y con diez ballesteros y ocho escopeteros, y Cortés por nuestro capitán puesto que tenía calenturas o tercianas, y dejamos el mejor recaudo que podíamos en el real. Antes que amaneciese con dos horas comenzamos a caminar, y hacía un viento tan frío aquella mañana, que venía de la sierra nevada, que nos hacía temblar o tiritar, y bien lo sintieron los caballos que llevábamos, porque dos de ellos se atorzonaron y estaban temblando, de lo cual nos pesó, creyendo no se muriesen. Y Cortés los mandó que se volviesen al real los caballeros dueños cuyos eran, a curar de ellos; y como estaba cerca el pueblo, llegamos antes que fuese de día. Y luego que nos sintieron los naturales de él fuéronse huyendo de sus casas, dando voces unos a otros que se guardasen de los *teules,* que les íbamos a matar, que no se aguardaban padres a hijos. Y desde que aquello vimos hicimos alto en un patio hasta que fue de día, que no se les hizo ningún daño.

Y después de que unos *papas* que estaban en unos *cúes* y otros viejos principales vieron que estábamos allí sin hacerles enojo ninguno, vienen a Cortés y le dicen que les perdone porque no han ido a nuestro real de paz ni [a] llevar de comer, cuando los enviamos a llamar, y la causa ha sido que el capitán Xicotenga, que está de allí muy cerca, se lo ha enviado a decir que no lo den, y porque de aquel pueblo y otros muchos le bastecen su real, y que tiene consigo los hombres de guerra hijos de aquel pueblo, y de toda la tierra de Tlaxcala. Y Cortés les dijo con nuestras lenguas, doña Marina y Aguilar, que siempre iban con nosotros a cualquiera entrada que íbamos, y aun-

[49] V. la nota 44 en la pág. 109.

que fuese de noche, que no hubiesen miedo, y que luego fuesen a decir a sus caciques a la cabecera que vengan de paz, porque la guerra es mala para ellos. Y envió a estos *papas* porque de los otros mensajeros que habíamos enviado aún no teníamos respuesta ninguna de lo por mí memorado sobre que enviábamos a tratar de paces a los caciques de Tlaxcala con los cuatro principales, que no habían venido en aquella sazón. Y aquellos *papas* de aquel pueblo buscaron de presto sobre cuarenta gallinas y gallos y dos indias para moler tortillas, y las trajeron. Y Cortés se lo agradeció y mando que luego le llevasen veinte indios de aquel pueblo a nuestro real, y sin temor ninguno fueron con el bastimento y se estuvieron en el real hasta la tarde, y se les dio contezuelas, con que volvieron muy contentos a su casa, y a todas aquellas caserías, nuestros vecinos decían que éramos buenos, que no les enojábamos; y aquellos *papas* y viejos lo hicieron saber al capitán Xicotenga cómo habían dado la comida y las indias, y riñó con ellos, y fueron luego a la cabecera a hacerlo saber a los caciques viejos, y después que lo supieron que no les hacíamos mal ninguno, y aunque pudiéramos matarles aquella noche muchas de sus gentes, y les enviamos a demandar paces, se holgaron y les mandaron que cada día nos trajesen todo lo que hubiésemos menester, y tornaron otra vez a mandar a los cuatro principales que otras veces les encargaron las paces que luego en aquel instante fuesen a nuestro real y llevasen toda la comida que les mandaban. Y así nos volvimos luego a nuestro real con el bastimento e indias y muy contentos. Y quedarse [a] aquí, y diré lo que pasó en el real entretanto que habíamos ido aquel pueblo.

CAPÍTULO LXIX

CÓMO DESPUÉS QUE VOLVIMOS CON CORTÉS DE ZUMPANCINGO CON BASTIMENTOS, HALLAMOS EN NUESTRO REAL CIERTAS PLÁTICAS, Y LO QUE CORTÉS RESPONDIÓ A ELLAS

VUELTOS DE Zumpancingo, que así se dice, con los bastimentos y muy contentos en dejarlos de paz, hallamos en el real corrillos y pláticas sobre los grandísimos peligros en que cada día estábamos en aquella guerra. Y desde que hubimos llegado avivaron más la plática, y los que más en ello hablaban y asistían eran los que en la isla de Cuba dejaban sus casas y repartimientos de indios. Y juntáronse hasta siete de ellos, que aquí no quiero nombrar por su honor, y fueron al rancho y aposento de Cortés; y uno de ellos, que habló por todos, que tenía buena expresiva, y aun tenía bien en la memoria lo que había de proponer, dijo, como a manera de aconsejarle a Cortés, que mirase cuál andábamos, malamente heridos y flacos, y corridos, y los grandes trabajos que teníamos, así de noche, con velas y con espías y rondas y corredores de campo, como de día y de noche peleando, y que por la cuenta que han echado, que desde que salimos de Cuba faltaban ya sobre cincuenta y cinco compañeros, y que no sabemos de los de la Villa Rica que dejamos poblados; y que, pues Dios nos había dado victoria en las batallas y reencuentros desde que venimos de Cuba y en aquella provincia habíamos habido, y con su gran misericordia nos sostenía, y que no le debíamos tentar tantas veces, y que no quiera ser peor que Pedro Carbonero, que nos había metido en parte que no se esperaba sino que un día u otro habíamos de ser sacrificados a los ídolos, lo cual plega a Dios tal no permita; y que sería bien volver a nuestra villa y que en la fortaleza que hicimos y entre los pueblos de los totonaques, nuestros amigos, nos estaríamos hasta que hiciésemos un navío que fuese a dar mandado a Diego Velázquez y a otras partes e islas para que nos enviasen socorros y ayudas, y que ahora fueran buenos los navíos que dimos con todos al través, o que se quedaran siquiera dos para necesidad, si se ocurriese, y que sin darles parte de ello ni de cosa ninguna, por consejo de quien no saben considerar las cosas de fortuna, mandó dar con todos al través, y que plega a Dios que él ni los que tal consejo le dieron no se arrepientan de ello; y que ya no podíamos sufrir la carga, cuanto más muchas sobrecargas; y que andábamos peores que bestias, porque las bestias después que han hecho sus jornadas les quitan las albardas y les dan de comer y reposan, y que nosotros de día y de noche siempre andábamos cargados de armas y calzados.

Y más le dijeron: que mirase en todas las historias, así de romanos como las de Alejandro, ni de otros capitanes de los muy nombrados que en el mundo ha habido, no se atrevió a dar con los navíos al través, y con tan poca gente meterse en tan grandes poblazones y de muchos guerreros, como él ha hecho, y que parece que es homicidio de su muerte y de todos nosotros, y que quiera conservar su vida y las nuestras; y que luego nos volviésemos a la Villa Rica, pues estaba de paz la tierra; y que no se lo habían dicho hasta entonces porque no han visto tiempo para ello por los muchos guerreros que teníamos cada día por delante y en los lados, y pues ya no tornaban de nuevo, lo cual creían que sí volverían, pues Xicotenga, con su gran poder, no nos ha venido a buscar aquellos tres días pasados, que debe estar allegando gente, y que no deberíamos aguardar otra como las pasadas; y le dijeron otras cosas sobre el caso.

Y viendo Cortés que se lo decían algo como soberbios, puesto que iban a manera de consejo, les respondió muy mansamente, y dijo que bien conocido tenía muchas cosas de las que habían dicho, y que a lo que ha visto y tiene creído, que en el universo hubiese otros españoles más fuertes ni con tanto ánimo hayan peleado y pasado tan excesivos trabajos como éramos nosotros, y que andar con las armas a la contina a cuestas, y velas y rondas, y fríos, que si así no lo hubiéramos hecho, ya fuéramos perdidos, y por salvar nuestras vidas que aquellos trabajos y otros mayores habíamos de tomar. Y dijo: "¿Para qué es, señores, contar en esto cosas de valentías, que verdaderamente Nuestro Señor es servido ayudarnos? Que cuando se me acuerda vernos cercados de tantas capitanías de contrarios, y verles esgrimir sus montantes y andar tan junto de nosotros, ahora me pone grima, especial cuando nos mataron la yegua de una cuchillada, cuán perdidos y desbaratados estábamos, y entonces conocí vuestro muy grandísimo ánimo más que nunca." Y pues Dios nos libró de tan gran peligro, que esperanza tenía que así había de ser de allí adelante. Y más dijo. "Pues en todos estos peligros no me conoceríais tener pereza, que en ellos me hallaba con vosotros." Y tuvo razón de decirlo, porque ciertamente en todas las batallas se hallaba de los primeros. "He querido, señores, traeros esto a la memoria, que pues Nuestro Señor fue servido guardarnos, tuviésemos esperanza que así había de ser adelante; pues desde que entramos en la tierra en todos los pueblos les predicamos la santa doctrina lo mejor que podemos, y les procuramos de deshacer sus ídolos, y pues que ya veíamos que el capitán Xicotenga ni sus capitanías no parecen, y que de miedo no debe de osar verle, porque les debiéramos de hacer mala obra en las batallas pasadas, y que no podría ya juntar sus gentes, habiendo ya sido desbaratado tres veces, y por esta causa tenía confianza en Dios y en su abogado señor San Pedro, que ruega por nosotros, que era fenecida la guerra de aquella provincia, y ahora, como habéis visto, traen de comer los de Cinpancingo y quedan de paz, y estos nuestros vecinos que están por aquí poblados en sus casas; y que en cuanto dar con los navíos al través, fue muy bien aconsejado, y que si no llamó alguno de ellos al consejo como a otros caballeros [fue] por lo que sintió en el Arenal, que no lo quisiera traer ahora a la memoria; y que el acuerdo y consejo que ahora le dan es todo de una manera que el que le podrían dar entonces, y que miren que hay otros muchos caballeros en el real que serán muy contrarios de lo que ahora piden y aconsejan, y que encaminemos siempre todas las cosas a Dios y seguirlas en su santo servicio será mejor. Y a lo que, señores, decís que jamás capitán romano de los muy nombrados han acometido tan grandes hechos como nosotros, dicen verdad, y ahora y adelante, mediante Dios, dirán en las historias que de esto harán memoria mucho más que de los antepasados; pues, como he dicho, todas nuestras cosas son en servicio de Dios y de nuestro gran emperador don Carlos. Y aun debajo de su recta justicia y cristiandad somos ayudados de la misericordia de Dios Nuestro Señor, y nos sostendrá, que vamos de bien en mejor. Así que, señores, no es cosa bien acertada volver un paso atrás, que si nos viesen volver estas gentes y los que dejamos de paz, las piedras se levantarían contra nosotros, y como ahora nos tienen por dioses o ídolos, que así nos llaman, nos juzgarían por muy cobardes y de pocas fuerzas. Y a lo que decís de estar entre los amigos totonaques, nuestros aliados, si nos viesen que damos vuelta sin ir a México, se levantarían contra nosotros, y la causa de ello sería que como les quitamos que no diesen tributo a Montezuma, enviaría sus poderes mexicanos contra ellos para que le tornasen a tributar, y sobre ello darles guerra, y aun les mandara que nos la den a nosotros, y ellos por no ser destruidos, porque les temen en gran manera, lo pondrían por la obra. Así que donde pensábamos tener amigos serían enemigos. Pues desde que lo supiese el gran Montezuma que nos habíamos vuelto, ¡qué diría!, ¡en qué tendría nuestras palabras ni lo que le enviamos a decir! ¡Que todo era cosa de burla o juego de niños! Así que, señores, mal allá y peor acullá, más vale que estemos aquí donde estamos, que es bien llano y todo bien poblado, y este nuestro real bien abastecido; unas veces gallinas y otras perros, gracias a Dios no nos falta de comer, si tuviésemos sal, que es la mayor falta que al presente tenemos, y ropa para guarecernos del frío. Y a lo que decís, señores, que se han muerto desde que salimos de la isla de Cuba cincuenta y cinco soldados de heridas y hambres y fríos y dolencias y trabajos, que somos pocos y todos los más heridos y dolientes, Dios nos da esfuerzo por muchos, porque vista cosa es que en las guerras [se] gastan hombres y caballos, y que unas veces comemos bien, y no venimos al presente para descansar, sino para pelear cuando se ofreciere; por tanto, os pido, señores, por merced, que pues sois caballeros y personas que antes habíais de esforzar a quien vieseis mostrar flaqueza, que de aquí adelante se os quite del pensamiento la isla de Cuba y lo que allá dejáis, y procuremos hacer lo que siempre habéis hecho como buenos soldados, que después de Dios, que es nuestro socorro y ayuda, han de ser nuestros valerosos brazos."

Y como Cortés hubo dado esta respuesta, volvieron aquellos soldados a repetir en la misma plática, y dijeron que todo lo que decía estaba bien dicho, mas que cuando salimos de la villa que dejábamos poblada, nuestro intento era, y aún ahora es, ir a México, pues hay tan gran fama de tan fuerte ciudad y tanta multitud de guerreros, y que aquellos tlaxcaltecas decían los de Cempoal que eran pacíficos y no había fama de ellos como de los de México, y habemos estado tan a riesgo nuestras vidas, que si otro día nos dieran otra batalla como alguna de las pasadas, ya no nos podíamos tener de cansados, y ya que no nos diesen más guerras, que la ida de México les parecía muy terrible cosa, y que mirase lo que decía y ordenaba. Y Cortés les respondió medio enojado que valía más morir por buenos, como dicen los cantares, que vivir deshonrados; y además de esto que Cortés les dijo, todos los más soldados que le fuimos en alzar por capitán y dimos consejo sobre el dar al través con los navíos, dijimos en alta voz que no curase de corrillos ni de oír semejantes pláticas, sino que, con la ayuda de Dios, con buen concierto estemos apercibidos para hacer lo que convenga; y así cesaron todas las pláticas. Verdad es que murmuraban de Cortés, y le maldecían, y aun de nosotros, que le aconsejábamos, y de los de Cempoal, que por tal camino nos trajeron, y decían otras cosas no bien dichas; mas en tales tiempos se disimulaban. En fin, todos obedecieron muy bien.

Y dejaré de hablar en esto y diré cómo los caciques viejos de la cabecera de Tlaxcala, por mí memorados, enviaron otra vez mensajeros de nuevo a su capitán general Xicotenga, que en todo caso que luego vaya de paz a vernos y llevar de comer, porque así está ordenado por todos los caciques y principales de aquella tierra y de Guaxalcingo; y también enviaron a mandar a los capitanes que tenían en su compañía, que si no fuese para tratar paces, que en cosa ninguna le obedeciesen; y esto le tornaron a enviar a decir tres veces, porque sabían cierto que no les quería obedecer y tenía determinado el Xicotenga que una noche había de dar otra vez nuestro real, porque para ello tenía juntos veinte mil hombres, y como era soberbio y muy porfiado, así ahora como las otras veces no quiso obedecer. Y lo que sobre ello hizo diré adelante.

CAPÍTULO LXX

CÓMO EL CAPITÁN XICOTENGA TENÍA APERCIBIDOS VEINTE MIL GUERREROS ESCOGIDOS PARA DAR EN NUESTRO REAL, Y LO QUE SOBRE ELLO SE HIZO

Como Maseescaci y Xicotenga el Viejo, y todos los más caciques de la cabecera de Tlaxcala enviaron cuatro veces a decir a su capitán que no nos diese guerra, sino que nos fuese a hablar de paz, pues estaba cerca de nuestro real, y mandaron a los demás capitanes que con él estaban que no le siguiesen sino fuese para acompañarle si nos iba a ver de paz, y como el Xicotenga era de mala condición, y porfiado y soberbio, acordó de nos enviar cuarenta indios con comida de gallinas y pan y fruta y cuatro mujeres, indias viejas y de ruin manera, y mucho copal y plumas de papagayos, y los indios que lo traían al parecer creíamos que venían de paz, y llegados a nuestro real sahumaron a Cortés, y sin hacer acato, como suelen entre ellos, dijeron:

"Esto os envía el capitán Xicotenga que comáis si sois *teules* bravos, como dicen los de Cempoal, y queréis sacrificios, tomad esas cuatro mujeres que sacrifiquéis y podáis comer de sus carnes y corazones, y porque no sabemos de qué manera lo hacéis, por eso no las hemos sacrificado ahora delante de vosotros, y si sois hombres, comed de esas gallinas y pan y fruta, y si sois *teules* mansos, ahí os traemos copal, que ya he dicho que es como incienso, y plumas de papagayos; haced vuestro sacrificio con ello." Y Cortés respondió, con nuestras lenguas, que ya les había enviado a decir que quiere paz y que no venía a dar guerra, y les venía a rogar y manifestar de parte de Nuestro Señor Jesucristo, que es él en quien creemos y adoramos, y del emperador don Carlos, cuyos vasallos somos, que no maten ni sacrifiquen a ninguna persona, como lo suelen hacer, y que todos nosotros somos hombres de hueso y de carne como ellos, y no *teules,* sino cristianos, que no tenemos por costumbres de matar a ningunos; que si matar quisiéramos, que toda las veces que nos dieron guerra de día y de noche había en ellos hartos en que pudiéramos hacer crueldades, y que por aquella comida que allí traen se lo agradece, y que no sean más locos de lo que han sido y vengan de paz.

Y parece ser aquellos indios que envió el Xicotenga con la comida eran espías para mirar nuestras chozas, y ranchos, y caballos, y artillería, y cuántos estábamos en cada choza, y entradas y salidas, todo lo que en nuestro real había. Y estuvieron aquel día y la noche, y se iban unos con mensajes a su Xicotenga y venían otros, y los amigos que traíamos de Cempoal miraron y cayeron en ello, que no era cosa acostumbrada estar de día y de noche nuestros enemigos en el real sin propósito ninguno; y que cierto eran espías. Y tomaron de ello más sospecha porque cuando fuimos al poblezuelo de Zumpancingo dijeron dos viejos de aquel pueblo a los de Cempoal que estaba apercibido Xicotenga con muchos guerreros para dar en nuestro real, de noche, de manera que no fuesen sentidos; y los de Cempoal entonces tuviéronlo por burla y cosa de fieros, y por no saberlo muy de cierto no se lo habían dicho a Cortés. Y súpolo luego doña Marina y ella lo dijo a Cortés, y para saber la verdad mandó apartar dos de los tlaxcaltecas que parecían más hombres de bien, y confesaron que eran espías, y tomáronse otros dos y dijeron que eran asimismo espías de Xicotenga, y todo al fin que venían. Y Cortés los mandó soltar, y tomáronse otra vez otros dos, ni más ni menos; y más dijeron que estaba su capitán Xicotenga aguardando la respuesta para dar aquella noche con todas sus capitanías en nosotros. Y como Cortés lo hubo entendido, lo hizo saber en todo el real para que estuviésemos muy alerta, creyendo que habían de venir como lo tenían concertado.

Y luego mandó prender hasta diez y siete indios de aquellos espías, y de ellos se cortaron las manos, y a otros los dedos pulgares, y los enviamos a su señor Xicotenga; y se les dijo que por el atrevimiento de venir de aquella manera se les ha hecho ahora aquel castigo, y digan que vengan cuando quisieren, de día y de noche, que allí le aguardaríamos dos días, y que si dentro de los dos días no viniese, que le iríamos a buscar a su real; y que ya hubiéramos ido a darlos guerra y matarles sino porque les queremos mucho, y que no sean locos y vengan de paz. Y como fueron aquellos indios de las manos y dedos cortados, en aquel instante dizque ya Xicotenga quería salir de su real con todos sus poderes para dar sobre nosotros de noche, como lo tenía concertado, y como vio ir a sus espías de aquella manera, se maravilló y preguntó la causa de ello, y le contaron todo lo acaecido, y desde entonces perdió el brío y soberbia, y demás de esto, ya se le había ido del real un capitán con toda su gente con quien había tenido contienda y bandos en las batallas pasadas. Y pasemos adelante.

CAPÍTULO LXXI

CÓMO VINIERON A NUESTRO REAL LOS CUATRO PRINCIPALES QUE HABÍAN ENVIADO A TRATAR PACES, Y EL RAZONAMIENTO QUE HICIERON, Y LO QUE MÁS PASÓ

Estando en nuestro real sin saber que habían de venir de paz, puesto que la deseábamos en gran manera y estábamos entendiendo en aderezar armas y en hacer saetas, y cada uno en lo que había de menester para en cosas de la guerra, en este instante vino uno de nuestros corredores del campo a gran prisa y dice que por el camino principal de Tlaxcala vienen muchos indios e indias con cargas, y que sin torcer por el camino vienen hacia nuestro real, y que el otro su compañero, de a caballo, corredor del campo, estaba atalayando para ver a qué parte van; y estando en esto llegó el otro su compañero de a caballo y dijo que allí muy cerca venían derechos adonde estábamos, y que de rato en rato hacían paradillas. Y Cortés y todos nosotros nos alegramos con aquellas nuevas, porque creímos ser de paz, como lo fue. Y mandó Cortés que no se hiciese alboroto ni sentimiento, y que disimulados nos estuviésemos en nuestras chozas. Y luego de todas aquellas gentes que venían con las cargas se adelantaron cuatro principales, que traían cargo de entender en las paces, como les fue mandado por los caciques viejos, y haciendo señas de paz, que era abajar la cabeza, se vinieron derechos a la choza y aposento de Cortés, y pusieron la mano en el suelo y besaron la tierra e hicieron tres reverencias, y quemaron sus copales y dijeron que todos los caciques de Tlaxcala, y vasallos y aliados, y amigos y confederados suyos, se vienen a meter debajo de la amistad y paces de Cortés y de todos sus hermanos los *teules* que con él estábamos, y que les perdone porque no han salido de paz y por la guerra que nos han dado, porque creyeron y tuvieron por cierto que éramos amigos de Montezuma y sus mexicanos, los cuales son sus enemigos mortales de tiempos muy antiguos, porque vieron que venían con nosotros y en nuestra compañía muchos de sus vasallos que le dan tributos, y que con engaños y traiciones les querían entrar en su tierra, como lo tenían de costumbre, para llevar robados sus hijos y mujeres, y que por esta causa no creían a los mensajeros que les enviamos; y demás de esto, dijeron que los primeros indios que nos salieran a dar guerra, así como entramos en sus tierras, que no fue por su mandado y consejo, sino por los *chontales* y *otomíes,* que son gentes como monteses y sin razón, que como vieron que éramos tan pocos, que creyeron de tomarnos a manos y llevarnos presos a sus señores, y ganar gracias con ellos; y que ahora vienen a demandar perdón de su atrevimiento, y que allí traen aquel bastimento y que cada día traerán más, y que lo recibamos con el amo que lo envían, y que de ahí a dos días vendrá el capitán Xicotenga con otros caciques y dará más relación de la buena voluntad que todo Tlaxcala tiene de nuestra buena amistad. Y después que hubieron acabado su razonamiento abajaron sus cabezas y pusieron las manos en el suelo y besaron la tierra.

Y luego Cortés les habló con nuestras lenguas, con gravedad, e hizo del enojado, y dijo que puesto que había causas para no oírlos ni tener amistad con ellos, porque desde que entramos por su tierra les enviamos a demandar paces, y les envió a decir que les quería favorecer contra sus enemigos los de México y no lo quisieron creer, y querían matar nuestros embajadores; y no contentos con aquello nos dieron guerra tres veces, de día y de noche, y que tenían espías y acechanzas sobre nosotros; y en las guerras que nos daban les pudiéramos matar muchos de sus vasallos, y no quiso; y que los que murieron le pesa por ello, y que ellos dieron causa a ello, y que tenía determinado ir adonde están los caciques viejos a darles guerra, que pues ahora vienen de paz, de parte de aquella provincia, que él lo recibe en nombre de nuestro rey y señor, y les agradece el bastimento que traen. Y les mandó que luego vayan a sus señores a decirles vengan o envíen a tratar las paces con más certificación, y que si no vienen, que iríamos a su pueblo a darles guerra. Y les mandó dar cuentas azules para que diesen a los caciques en señal de paz, y se les amonestó que cuando viniesen a nuestro real fuese de día y no de noche, porque les mataríamos.

Y luego se fueron aquellos cuatro mensajeros y dejaron en unas casas de indios algo apartadas de nuestro real las indias que traían para hacer pan, y gallinas y todo servicio, y veinte indios que les traían agua y leña; y desde allí adelante nos traían muy bien de comer. Y cuando aquello vimos y nos pareció que eran verdaderas las paces, dimos muchas gracias a Dios por ello. Y vinieron en tiempo que ya estábamos tan flacos y trabajados y descontentos con las guerras, sin saber el fin que habría de ellas, cual se puede colegir. Y en los capítulos pasados dice el coronista Gómara, lo uno, que Cortés se subió en unos peñascos y que vio el pueblo de Cinpancingo, digo que estaba tan junto a nuestro real, que harto ciego era el soldado que le quería ver que no le veía muy claro; también dice que se le querían amotinar y rebelar los soldados y dice otras cosas que yo no las quiero escribir, porque es gastar palabras. Digo que nunca capitán fue obedecido con tanto acato y puntualidad en el mundo, según adelante verán, y que tal por pensamiento pasó a ningún soldado después que entramos en la tierra adentro, sino fue cuando lo de los arenales, y las palabras que le decían en el capítulo pasado era por vía de aconsejarle y porque les parecía que eran bien dichas, y no por otra vía, porque siempre le siguieron muy bien y lealmente. Y quien viere su historia lo que dice creerá que es verdad, según lo relata con tanta elocuencia, siendo muy contrario de lo que pasó. Y dejarlo he aquí, y diré lo que más adelante nos avino con unos mensajeros que envió el gran Montezuma.

CAPÍTULO LXXII

CÓMO VINIERON A NUESTRO REAL EMBAJADORES DE MONTEZUMA, GRAN SEÑOR DE MÉXICO, Y DEL PRESENTE QUE TRAJERON

Como Nuestro Señor Dios, por su gran misericordia, fue servido darnos victoria de aquellas batallas de Tlaxcala, voló nuestra fama por todas aquellas comarcas, y fue a oídos del gran Montezuma, a la gran ciudad de México, y si de antes nos tenían por *teules,* que son como sus ídolos, de ahí adelante nos tenían en muy mayor reputación y por fuertes guerreros; y puso espanto en toda la tierra cómo siendo nosotros tan pocos y los tlaxcaltecas de muy grandes poderes y los vencimos, y ahora enviarnos a demandar paz. Por manera que Montezuma, gran señor de México, de muy bueno que era temió nuestra ida a su ciudad y despachó cinco principales hombres de mucha cuenta a Tlaxcala y a nuestro real, para darnos el bien venidos y a decir que se había holgado mucho de la gran victoria que hubimos contra tantos escuadrones de contrarios, y envió en presente obra de mil pesos de oro en joyas muy ricas y de muchas maneras labradas, y veinte cargas de ropa fina de algodón; y envió a decir que quería ser vasallo de nuestro gran emperador y que se holgaba porque estábamos ya cerca de su ciudad, por la buena voluntad que tenía a Cortés y a todos los *teules,* sus hermanos que con él estábamos, que así nos llamaban; y que viese cuánto quería de tributo cada año para nuestro gran emperador, que lo dará en oro y plata y ropa y piedras de *chalchiuis,* con tal que no fuésemos a México; y esto, que no lo hacía porque de muy buena voluntad no nos acogiera, sino por ser la tierra estéril y fragosa, y que le pesaría de nuestro trabajo si nos lo viese pasar; y que por ventura que él no lo podría remediar tan bien como querría. Cortés le respondió y dijo que le tenía en gran merced la voluntad que mostraba y el presente que envió y el ofrecimiento de dar a Su Majestad el tributo que decía; y rogó a los mensajeros que no se fuesen hasta ir a la cabecera de Tlaxcala, y que allí los despacharía, porque viesen en lo que paraba aquello de la guerra. Y no los quiso dar luego la respuesta porque estaba purgado del día antes, y purgóse con unas manzanillas que hay en las islas de Cuba y son muy buenas para quien sabe cómo se han de tomar. Dejaré esta materia y diré lo que más en nuestro real pasó.

CAPÍTULO LXXIII

CÓMO VINO XICOTENGA, CAPITÁN GENERAL DE TLAXCALA, A ENTENDER EN LAS PACES

ESTANDO PLATICANDO Cortés con los embajadores de Montezuma, como dicho habemos, y [que] quería reposar porque estaba malo de calenturas y purgado de otro día antes, viénenle a decir que venía el capitán Xicotenga con muchos caciques y capitanes, y que traen cubiertas mantas blancas y coloradas, digo la mitad de las mantas blancas y la otra mitad coloradas, que era su divisa y librea; y muy de paz, y traía consigo hasta cincuenta hombres principales que le acompañaban. Y llegado al aposento de Cortés le hizo muy gran acato en sus reverencias, y mandó quemar mucho copal; y Cortés, con gran amor, le mandó sentar cabe sí. Y dijo el Xicotenga que él venía de parte de su padre y de Maseescaci y de todos los caciques y república de Tlaxcala a rogarle que les admitiese a nuestra amistad, y que venía a dar la obediencia a nuestro rey y señor, y a demandar perdón por haber tomado armas y habernos dado guerras; y que si lo hicieron que fue por no saber quién éramos, porque tuvieron por cierto que veníamos de la parte de su enemigo Montezuma que, como muchas veces suelen tener astucias y mañas para entrar en sus tierras y robarles y saquearles, que así creyeron que les quería hacer ahora, y que por esta causa procuraban defender sus personas y patria, y fue forzado pelear; y que ellos eran muy pobres, que no alcanzan oro, ni plata, ni piedras ricas, ni ropa de algodón, y aun sal para comer, porque Montezuma no les da lugar a ello para salirlo a buscar, y que si sus antepasados tenían algún oro y piedras de valor, que [a] Montezuma se lo habían dado cuando algunas veces hacían paces y treguas, porque no les destruyesen, y esto en los tiempos muy atrás pasados; y porque al presente no tienen qué dar, que les perdonen, que su pobreza da causa a ello, y no la buena voluntad.

Y dio muchas quejas de Montezuma y de sus aliados, que todos eran contra ellos y les daban guerra, puesto que se habían defendido muy bien, y que ahora quisiera hacer lo mismo contra nosotros, y no pudieron, y aun que se había juntado tres veces con todos sus guerreros, y que éramos invencibles, y que como conocieron esto de nuestras personas que quieren ser nuestros amigos y vasallos del gran señor emperador don Carlos, porque tenían por cierto que con nuestra compañía serán guardados y amparados sus personas y mujeres e hijos y no estarán siempre con sobresalto de los traidores mexicanos. Y dijo otras muchas palabras de ofrecimientos de sus personas y ciudad.

Era este Xicotenga alto de cuerpo y de grande espalda y bien hecho, y la cara tenía larga y como hoyosa y robusta; y era de hasta treinta y cinco años, y en el parecer mostraba en su persona gravedad. Y Cortés le dio las gracias muy cumplidas, con halagos que le mostró, y dijo que los recibía por tales vasallos de nuestro rey y señor y amigos nuestros. Y luego dijo Xicotenga que nos rogaba fuésemos a su ciudad, porque estaban todos los caciques y viejos y *papas* aguardándonos con mucho regocijo. Y Cortés les respondió que él iría presto, y que luego fuera sino porque estaba entendiendo en negocios del gran Montezuma, y como haya despachado aquellos mensajeros que él será allá y tornó Cortés a decir, algo más áspero y con gravedad, de las guerras que nos habían dado de día y de noche, y que pues ya no puede haber enmienda en ello, que se lo perdona, y que miren que las paces que ahora les damos que sean firmes y no haya mudamiento, porque si otra cosa hacen que los matará y destruirá su ciudad, y que no aguardasen otras palabras de paces, sino de guerra. Y como aquello oyó el Xicotenga y todos los principales que con él venían, respondieron a una que serían firmes y verdaderas, y que para ello quedarían todos en rehenes. Y pasaron otras pláticas de Cortés a Xicotenga, y de todos los más principales, y se les dieron unas cuentas verdes y azules para su padre y para él y para los demás caciques; y les mandó que dijesen que Cortés iría pronto a su ciudad.

Y a todas estas pláticas y ofrecimientos estaban presentes los embajadores mexicanos, de lo cual les pesó en gran manera de las paces, porque bien entendieron que por ellas no les había de venir bien ninguno. Y desde que se hubo despedido Xicotenga dijeron a Cortés los embajadores de Montezuma, medio riendo, que si creía algo de aquellos ofrecimientos que habían hecho de parte de toda Tlaxcala; que todo era burla, y que no los creyesen, que eran palabras muy de traidores, y engañosas, que lo hacían para que después que nos tuviesen en su ciudad, en parte donde nos pudiesen tomar a su salvo, darnos guerra y matarnos; y que tuviésemos en la memoria cuántas veces nos habían venido con todos sus poderes a matar, y como no pudieron y fueron de ellos muchos muertos y otros heridos, que se querían ahora vengar con demandar paz fingida. Y Cortés respondió con semblante de muy esforzado, y dijo que no se le daba nada porque tuviesen tal pensamiento como decían, y ya que todo fuese verdad, que él holgara de ello para castigarles con quitarles las vidas, y que eso se le da que den guerra de día y de noche, ni que sea en el campo que en la ciudad, que en tanto tenía lo uno como lo otro, y para ver si es verdad que por esta causa determina de ir allá. Y viendo aquellos embajadores su determinación, rogáronle que aguardásemos allí en nuestro real seis días, porque querían enviar dos de sus compañeros a su señor Montezuma, y que vendrían dentro de los seis días con respuesta. Y Cortés se lo prometió, lo uno porque, como he dicho, estaba con calenturas, y lo otro, como aquellos embajadores le dijeron aquellas palabras, puesto que hizo semblante [de] no hacer caso de ellas, miró que si por ventura serían verdad hasta ver más certinidad en las paces, porque eran tales que había que pensar en ellas.

Y como en aquella sazón vio que habían venido de paz, y en todo el camino por donde venimos de nuestra Villa Rica de la Vera Cruz eran los pueblos nuestros amigos y confederados, escribió Cortés a Juan de Escalante, que ya he dicho que quedó en la villa para acabar de hacer la fortaleza y por capitán de obra de sesenta soldados viejos y dolientes, que allí quedaron, en las cuales cartas les hizo saber las grandes mercedes que nuestro Señor Jesucristo nos había hecho en las victorias que hubimos en las batallas y reencuentros desde que entramos en la provincia de Tlaxcala, donde ahora han venido de paz; y que todos diesen gracias a Dios por ello, y que mirasen que siempre favoreciesen a los pueblos totonaques, nuestros amigos, y que le enviase luego en posta dos botijas de vino que había dejado enterradas en cierta parte señalada de su aposento, y asimismo trajesen hostias de las que habíamos traído de la isla de Cuba, porque las que trajimos de aquella entrada ya se habían acabado. Con las cuales cartas dizque hubieron mucho placer, y Escalante escribió lo que allá había sucedido, y todo vino muy presto. Y en aquellos días en nuestro real pusimos una cruz muy suntuosa y alta; y mandó Cortés a los indios de Cinpancingo, y a los de las casas que estaban juntos de nuestro real, que lo encalasen y estuviese bien aderezado.

Dejemos de escribir de esto, y volvamos a nuestros nuevos amigos los caciques de Tlaxcala, que desde que vieron que no íbamos a su pueblo, ellos venían a nuestro real con gallinas y tunas, que era tiempo de ellas, y cada uno traía del bastimento que tenía en su casa, y con buena voluntad nos lo daban, sin que quisiesen por ello cosa ninguna, y siempre rogando a Cortés que se fuese luego con ellos a su ciudad. Y como estábamos aguardando a los mexicanos los seis días, como les prometió, con palabras blandas les detenía. Y cumplido el plazo que habían dicho, vinieron de México seis principales, hombres de mucha estima, y trajeron un rico presente que envió el gran Montezuma, que fueron más de tres mil pesos de oro en ricas joyas de diversas maneras, y doscientas piezas de ropa de mantas muy ricas, de plumas y de otras labores; y dijeron a Cortés, cuando lo presentaron, que su señor Montezuma se huelga de nuestra buena andanza, y que le ruega muy ahincadamente que en bueno ni malo no fuese con los de Tlaxcala a su pueblo, ni se confiase de ellos, que le querían llevar allá para robarle oro y ropa, porque son muy pobres, que una manta buena de algodón no alcanzan, y que por saber que Montezuma nos tiene por amigos y nos envía aquel oro y joyas y mantas, lo procurarán de robar muy mejor. Y Cortés recibió con alegría aquel presente y dijo que se lo tendría en merced y que él lo pagaría al señor Montezuma en buenas obras, y que si sintiese que los tlaxcaltecas les pasase por el pensamiento lo que Montezuma les envía a avisar, que se lo pagarían con quitarles a todos las vidas, y que él sabe muy cierto que no harán villanía ninguna, y que todavía quiere ir a ver lo que hacen. Y estando en estas razones vienen otros muchos mensajeros de Tlaxcala a decir a Cortés cómo vienen cerca de allí todos los caciques viejos de la cabecera de toda la provincia a nuestros ranchos y chozas, a ver a Cortés y a todos nosotros, para llevarnos a su ciudad. Y como Cortés lo supo, rogó a los embajadores mexicanos que aguardasen tres días por los despachos para su señor, porque tenía al presente que hablar y despachar sobre la guerra pasada o paces que ahora tratan; y ellos dijeron que aguardarían. Y lo que los caciques viejos dijeron a Cortés, diré adelante.

CAPÍTULO LXXIV

CÓMO VINIERON A NUESTRO REAL LOS CACIQUES VIEJOS DE TLAXCALA A ROGAR A CORTÉS Y A TODOS NOSOTROS QUE LUEGO NOS FUÉSEMOS CON ELLOS A SU CIUDAD, Y LO QUE SOBRE ELLO PASÓ

Desde que los caciques viejos de toda Tlaxcala vieron que no íbamos a su ciudad, acordaron de venir en andas, y otros en hamacas y a cuestas, y otros a pie; los cuales eran los que por mí ya nombrados que se decían Maseescaci, Xicotenga el Viejo y Guaxolocingo,[50] Chichimeca Tecle, Tepacneca de Topeyanco, los cuales llegaron a nuestro real con otra gran compañía de principales, y con gran acato hicieron a Cortés y a todos nosotros tres reverencias, y quemaron copal y tocaron las manos en el suelo y besaron la tierra. Y el Xicotenga el Viejo, comenzó a hablar a Cortés de esta manera, y dijo: "Malinchi, Malinchi: muchas veces te hemos enviado a rogar que nos perdones porque salimos de guerra, y ya te enviamos a dar nuestro descargo, que fue por defendernos del malo de Montezuma y sus grandes poderes, porque creíamos que érais de su bando y confederados, y si supiéramos lo que ahora sabemos, no digo yo saliros a recibir a los caminos con muchos bastimentos, sino teneroslos barridos y aun fuéramos por vosotros a la mar adonde teníais vuestros *acales* (que son navíos), y pues ya nos habéis perdonado, lo que ahora os venimos a rogar yo y todos estos caciques es que vayáis luego con nosotros a nuestra ciudad, y allí os daremos de lo que tuviéremos, y os serviremos con nuestras personas y haciendas. Y mira, Malinche, no hagas otra cosa, sino luego nos vamos, y porque tememos que por ventura te habrán dicho esos mexicanos alguna cosa de falsedades y mentiras de las que suelen decir de nosotros; no los creas ni los oigas, que en todo son falsos; y tenemos entendido que por causa de ellos no has querido ir a nuestra ciudad."

Y Cortés respondió con alegre semblante y dijo que bien sabía desde muchos años antes pasados, y primero que a estas sus tierras viniésemos, cómo eran buenos, y que de eso se maravilló cuando nos salieron de guerra y que los mexicanos que allí estaban aguardaban respuesta para su señor Montezuma; y a lo que decían que fuésemos luego a su ciudad, y por el bastimento que siempre traían y otros

[50] Es probable que este nombre corresponda a Tlehuexolotzin. A los otros nombres nos hemos referido en nota anterior.

cumplimientos, que se lo agradecía mucho y lo pagará en buenas obras, y que ya se hubiera ido si tuviera quien nos llevase los *tepuzques*, que son las lombardas. Y luego que oyeron aquella palabra sintieron tanto placer, que en los rostros se conoció, y dijeron: "Pues, ¿cómo por eso has estado y no lo has dicho?" Y en menos de media hora traen sobre quinientos indios de carga, y otro día muy de mañana comenzamos a marchar camino de la cabecera de Tlaxcala, con mucho concierto, así artillería como de caballo y escopetas y ballestas y todo lo demás, según lo teníamos de costumbre. Ya había rogado Cortés a los mensajeros de Montezuma que se fuesen con nosotros para ver en qué paraba lo de Tlaxcala, y desde allí los despacharía, y que en su aposento estarían porque no recibiesen ningún deshonor, porque según dijeron temíanse de los tlaxcaltecas.

Antes que más pase adelante quiero decir cómo en todos los pueblos por donde pasamos y en otros en donde tenían noticia de nosotros, llamaban a Cortés Malinche, y así lo nombraré de aquí adelante, Malinche, en todas las pláticas que tuviéramos con cualesquier indios, así de esta provincia como de la ciudad de México, y no le nombraré Cortés sino en parte que convenga. Y la causa de haberle puesto este nombre es que como doña Marina nuestra lengua, estaba siempre en su compañía, especial cuando venían embajadores o pláticas de caciques, y ella lo declaraba en la lengua mexicana, por esta causa le llamaban a Cortés el capitán de Marina y para más breve le llamaron Malinche; y también se le quedó este nombre a un Juan Pérez de Artiaga, vecino de la Puebla, por causa que siempre andaba con doña Marina y con Jerónimo de Aguilar aprendiendo la lengua, y a esta causa le llamaban Juan Pérez Malinche, que es renombre de Artiaga de obra de dos años a esta parte lo sabemos. He querido traer algo de esto a la memoria, aunque no había para qué, porque se entienda el nombre de Cortés de aquí adelante, que se dice Malinche, y también quiero decir que desde que entramos en tierra de Tlaxcala hasta que fuimos a su ciudad se pasaron veinticuatro días; y entramos en ella a veinte y tres de septiembre de mil quinientos diez y nueve años. Y vamos a otro capitulo, y diré lo que allí nos avino.

CAPÍTULO LXXV

CÓMO FUIMOS A LA CIUDAD DE TLAXCALA, Y LO QUE LOS CACIQUES VIEJOS HICIERON, DE UN PRESENTE QUE NOS DIERON Y CÓMO TRAJERON SUS HIJOS Y SOBRINOS, Y LO QUE MÁS PASÓ

Como los caciques vieron que comenzaba a ir nuestro fardaje camino de su ciudad, luego se fueron adelante para mandar que todo estuviese muy aparejado para recibirnos y para tener los aposentos muy enramados. Y ya que llegábamos a un cuarto de legua de la ciudad, sálennos a recibir los mismos caciques que se habían adelantado, y traen consigo sus hijos y sobrinos y muchos principales, cada parentela y bando y parcialidad por sí; porque en Tlaxcala había cuatro parcialidades, sin la de Tecapaneca, señor de Topeyanco, que eran cinco; y también vinieron de todos los lugares sus sujetos, y traían sus libreas diferenciadas, que, aunque eran de *henequén*, eran muy primas y de buenas labores y pinturas, porque algodón no lo alcanzaban. Y luego vinieron los *papas* de toda la provincia, que había muchos por los grandes adoratorios que tenían, que ya he dicho que entre ellos se dicen *cúes*, que son donde tienen sus ídolos y sacrifican. Y traían aquellos *papas* braseros con ascuas de brasas, y con sus inciensos, sahumando a todos nosotros; y traían vestidos algunos de ellos ropas muy largas, a manera de sobrepellices, y eran blancas y traían capillas en ellos, querían parecer como a las de las que traen los canónigos, como ya lo tengo dicho, y los cabellos muy largos y engreñados, que no se pueden desparcir si no se cortan, y llenos de sangre, que les salía de las orejas, que en aquel día se habían sacrificado, y abajaban las cabezas, como a manera de humildad, cuando nos vieron, y traían las uñas de los dedos de las manos muy largas; y oímos decir que [a] aquellos *papas* tenían por religiosos y de buena vida.

Y junto a Cortés se allegaron muchos principales, acompañándole, y desde que entramos en lo poblado no cabían por las calles y azoteas de tantos indios e indias que nos salían a ver con rostros muy alegres, y trajeron obra de veinte piñas, hechas de muchas rosas de la tierra, diferenciados los colores y de buenos olores, y los dan a Cortés y a los demás soldados que les parecían capitanes, especial a los de caballo; y desde que llegamos a unos buenos patios, adonde estaban los aposentos, tomaron luego por la mano a Cortés y Xicotenga el Viejo y Maseescaci y les meten en los aposentos, y allí tenían aparejados para cada uno de nosotros, a su usanza, unas camillas de esteras y mantas de *henequén*, y también se aposentaron los amigos que traíamos de Cempoal y de Zocotlán cerca de nosotros. Mandó Cortés que los mensajeros del gran Montezuma se aposentasen junto con su aposento.

Y puesto que estábamos en tierra que veíamos claramente que estaban de buenas voluntades y muy de paz, no nos descuidábamos de estar muy apercibidos, según lo teníamos de costumbre. Y parece ser que un capitán a quien cabía el cuarto de poner corredores del campo y espías y velas, dijo a Cortés: "Parece, señor, que están muy de paz; no habemos menester tanta guarda, ni estar tan recatados como solemos." Y Cortés dijo: "Mirad, señores, bien veo lo que decís; mas por la buena costumbre hemos de estar apercibidos, que aunque sean muy buenos, no habemos de creer en su paz, sino como si nos quisiesen dar guerra y los viésemos venir a encontrar con nosotros, que muchos capitanes por confiarse y descuido fueron desbaratados; especialmente nosotros, como somos tan pocos, y habiéndonos enviado avisar el gran Montezuma, puesto que sea fingido y no verdad, hemos de estar muy alerta." Dejemos de hablar de tantos cumplimientos y orden como teníamos en nuestras velas y guardas, y volvamos a decir cómo Xicotenga el Viejo y Maseescaci, que eran grandes caciques, se enojaron mucho con Cortés y le dijeron con nuestras lenguas: "Malinche: o tú nos tienes por enemigos, o no muestras obras en lo que te vemos hacer, que no tienes confianza de nuestras personas y en las paces que nos has dado y nosotros a ti, y esto te decimos porque vemos que así os veláis y venís por los caminos apercibidos como cuando veníais a encontrar con nuestros escuadrones; y esto, Malinche, creemos que lo haces por las traiciones y maldades que los mexicanos te han dicho en secreto, para que estés mal con nosotros; mira, no los creas, que ya aquí estás y te daremos todo lo que quisieres, hasta nuestras personas e hijos, y moriremos por vosotros; por eso demanda en rehenes lo que fuere tu voluntad." Y Cortés y todos nosotros estábamos espantados de la gracia y amor con que lo decían; y Cortés les respondió que así lo tiene creído, y que no ha menester rehenes, sino ver sus muy buenas voluntades; y que en cuanto a venir apercibidos, que siempre lo teníamos de costumbre, y que no lo tuviese a mal, y por todos los ofrecimientos se lo tenía en merced y lo pagaría el tiempo andando. Y pasadas estas pláticas, vienen otros principales con muy gran aparato de gallinas y pan de maíz y tunas, y otras cosas de legumbres que había en la tierra, y abastecen el real muy cumplidamente; que en veinte días que allí estuvimos siempre lo hubo muy sobrado; y entramos en esta ciudad, como dicho es, en veinte y tres días del mes de septiembre de mil quinientos diez y nueve años. Y quedarse ha aquí y diré lo que más pasó.

CAPÍTULO LXXVI

CÓMO SE DIJO MISA ESTANDO PRESENTES MUCHOS CACIQUES, Y DE UN PRESENTE QUE TRAJERON LOS CACIQUES VIEJOS

Otro día de mañana mandó Cortés que se pusiese un altar para que se dijese misa, porque ya teníamos vino y hostias, la cual misa dijo el clérigo Juan Díaz, porque el Padre de la Merced estaba con calenturas y muy flaco, y estando presente Maseescaci y el viejo Xicotenga y otros caciques; y acabada la misa, Cortés se entró en su aposento y con él parte de los soldados que le solíamos acompañar, y también los dos caciques viejos, y díjole el Xicotenga que le querían traer un presente, y Cortés les mostraba mucho amor, y les dijo que cuando quisiesen. Y luego tendieron unas esteras y una manta encima, y trajeron seis o siete pecezuelas de oro y piedras de poco valor y ciertas cargas de ropa de *henequén,* que todo era muy pobre, que no valía veinte pesos, y cuando lo daban, dijeron aquellos caciques riendo: "Malinche: bien creemos que como es poco eso que te damos no lo recibirás con buena voluntad; ya te hemos enviado a decir que somos pobres y que no tenemos oro ni ningunas riquezas, y la causa de ello es que esos traidores y malos de los mexicanos, y Montezuma, que ahora es señor, nos lo han sacado todo cuanto solíamos tener, por paces y treguas que les demandábamos porque no nos diesen guerra; y no mires que es de poco valor, sino recíbelo con buena voluntad, como cosa de amigos y servidores que te seremos." Y entonces también trajeron apartadamente mucho bastimento. Cortés lo recibió con alegría y les dijo que más tenía aquello, por ser de su mano y con la voluntad que se lo daban, que si les trajeran otros una casa llena de oro en granos, y que así lo recibe, y les mostró mucho amor.

Y parece ser tenían concertado entre todos los caciques de darnos sus hijas y sobrinas, las más hermosas que tenían, que fuesen doncellas por casar; y dijo el viejo Xicotenga: "Malinche: porque más claramente conozcáis el bien que os queremos y deseamos en todo contentaros, nosotros queremos dar nuestras hijas para que sean vuestras mujeres y hagáis generación, porque queremos teneros por hermanos, pues sois tan buenos y esforzados. Yo tengo una hija muy hermosa, y no ha sido casada; quiérola para vos." Y asimismo Maseescaci y todos los más caciques dijeron que traerían sus hijas, y que las recibiésemos por mujeres; y dijeron otras muchas palabras y ofrecimientos, y en todo el día no se quitaban, así Maseescaci como Xicotenga, de cabe Cortés; y como era ciego de viejo Xicotenga, con la mano tentaba a Cortés en la cabeza y en las barbas y rostro y se las traía por todo el cuerpo. Y Cortés les respondió a lo de las mujeres que él y todos nosotros se lo teníamos en merced, y que en buenas obras se lo pagaríamos el tiempo andando. Y estaba allí presente el padre de la Merced, y Cortés le dijo: "Señor padre: paréceme que será ahora bien que demos un tiento a estos caciques para que dejen sus ídolos y no sacrifiquen, porque cualquier cosa harán que les mandáremos por causa del gran temor que tienen a los mexicanos." Y el fraile dijo: "Señor, bien es, y dejémoslo hasta que traigan las hijas, y entonces habrá materia para ello; y hará vuestra merced que no las quiere recibir hasta que prometan de no sacrificar; si aprovechare, bien; si no, haremos lo que somos obligados." Y así se quedo para otro día. Y lo que se hizo se dirá adelante.

CAPÍTULO LXXVII

CÓMO TRAJERON LAS HIJAS A PRESENTAR A CORTÉS Y A TODOS NOSOTROS, Y LO QUE SOBRE ELLO SE HIZO

Otro día vinieron los mismos caciques viejos y trajeron cinco indias, hermosas doncellas y mozas, y para ser indias eran de buen parecer y bien ataviadas, y traían para cada india otra india moza para su servicio, y todas eran hijas de caciques. Y dijo Xicotenga a Cortés: "Malinche: ésta es mi hija, y no ha sido casada, que es doncella, y tomadla para vos." La cual le dio por la mano, y las demás que las diese a los capitanes. Y Cortés se lo agradeció, y con buen semblante que mostró dijo que él las recibía y tomaba por suyas, y que ahora al presente que las tuviesen en poder sus padres. Y preguntaron los mismos caciques que por qué causa no las tomábamos ahora; y Cortés respondió porque quiero hacer primero lo que manda Dios Nuestro Señor, que es en el que creemos y adoramos, y a lo que le envió el rey nuestro señor, que se quiten sus ídolos y que no sacrifiquen ni maten más hombres, ni hagan otras torpedades malas que suelen hacer, y crean en lo que nosotros creemos, que es un solo Dios verdadero. Y se les dijo otras muchas cosas tocantes a nuestra santa fe, y verdaderamente fueron muy bien declaradas, porque doña Marina y Aguilar, nuestras lenguas, estaban ya tan expertos en ello que se lo daban a entender muy bien. Y se les mostró una imagen de Nuestra Señora con su hijo precioso en los brazos, y se les dio a entender cómo aquella imagen es figura como Nuestra Señora que se dice Santa María, que está en los altos cielos, y es la madre de Nuestro Señor, que es aquel Niño Jesús que tiene en los brazos, y que le concibió por gracia del Espíritu Santo, quedando virgen antes del parto y en el parto y después del parto, y esta gran señora ruega por nosotros a su hijo precioso, que es Nuestro Dios y Señor.

Y se les dijo otras muchas cosas que se convenían decir sobre nuestra santa fe, y que si quieren ser nuestros hermanos y tener amistad verdadera con nosotros, y para que con mejor voluntad tomásemos aquellas sus hijas para tenerlas, como dicen, por mujeres, que luego dejen sus malos ídolos y crean y adoren en Nuestro Señor Dios, que es el en que nosotros creemos y adoramos y verán cuánto bien les irá, porque, demás de tener salud y buenos temporales, sus cosas se les hará prósperamente, y cuando se mueran irán sus ánimas a los cielos a gozar de la gloria perdurable, y que si hacen los sacrificios que suelen hacer [a] aquellos sus ídolos, que son diablos, les llevarán a los infiernos, donde para siempre arderán en vivas llamas. Y porque en otros razonamientos se les había dicho otras cosas acerca que dejen los ídolos, en esta plática no se les dijo más. Y lo que respondieron a todo es que dijeron: "Malinche: ya te hemos entendido antes de ahora y bien creemos que ese vuestro Dios y esa gran señora, que son muy buenos; mas mira, ahora viniste a estas nuestras casas; el tiempo andando entenderemos muy más claramente vuestras cosas, y veremos cómo son y haremos lo que es bueno. ¿Cómo quieres que dejemos nuestros *teules,* que desde muchos años nuestros antepasados tienen por dioses y les han adorado y sacrificado? Ya que nosotros, que somos viejos, por complacerte lo quisiésemos hacer, ¿qué dirán todos nuestros *papas* y todos los vecinos y mozos y niños de esta provincia, sino levantarse contra nosotros? Especialmente, que los *papas* han ya hablado con nuestro *teul* el mayor, y les respondieron que no los olvidásemos en sacrificios de hombres y en todo lo que de antes solíamos hacer; si no, que toda esta provincia destruirían con hambres, pestilencia y guerras." Así que dijeron y dieron por respuesta que no curásemos más de hablarles en aquella cosa, porque no los habían de dejar de sacrificar aunque les matasen. Y desde que vimos aquella respuesta que la daban tan de veras y sin temor, dijo el padre de la Merced, que era hombre entendido y teólogo: "Señor, no cure vuestra merced de más les importunar sobre esto, que no es justo que por fuerza les hagamos ser cristianos, y aun lo que hicimos en Cempoal de derrocarles sus ídolos no quisiera yo que se hiciera hasta que tengan conocimiento de nuestra santa fe. ¿Qué aprovecha quitarles ahora sus ídolos de un *cu* y adoratorio si los pasan luego a otros? Bien es que vayan sintiendo nuestras amonestaciones, que son santas y buenas, para que conozcan adelante los buenos consejos que les damos." Y también le hablaron a Cortés tres caballeros, que fueron Juan Velázquez de León y Francisco de Lugo, y dijeron a Cortés: "Muy bien dice el padre, y vuestra merced con lo que ha hecho cumple, y no se toque más a estos caciques sobre el caso." Y así se hizo.

Lo que les mandamos con ruegos fue que luego desembarazasen un *cu* que estaba allí cerca, y era nuevamente hecho, y quitasen unos ídolos, y lo encalasen y limpiasen, para poner en ellos una cruz y la imagen de Nuestra Señora; lo cual luego hicieron, y en él se dijo misa, se bautizaron aquellas cacicas, y se puso nombre a la hija de Xicotenga el ciego, doña Luisa; y Cortés la tomó por la mano y se la dio a Pedro de Alvarado; y dijo al Xicotenga que aquel a quien la daba era su hermano y su capitán, y que lo hubiese por bien, porque sería de él muy bien tratada; y Xicotenga recibió contentamiento de ello. Y la hija o sobrina de Maseescaci se puso nombre doña Elvira, y era muy hermosa, y paréceme que la dio a Juan Velázquez de León; y las demás se pusieron sus nombres de pila y todas con dones, y Cortés las dio a Gonzalo de Sandoval y a Cristóbal de Olid y Alonso de Ávila; y después de esto hecho, se les declaró a qué fin se pusieron dos cruces, y que eran porque tienen temor de ellas sus ídolos, y que adoquiera que estamos de asiento o dormimos se ponen en los caminos; y a todo estaban muy contentos.

Antes que más pase adelante quiero decir cómo de aquella cacica, hija de Xicotenga, que se llamó doña Luisa, que se dio a Pedro de Alvarado, que así como se la dieron toda la mayor parte de Tlaxcala la acataban y le daban presentes y la tenían por su señora, y de ella hubo Pedro de Alvarado siendo soltero, un hijo, que se dijo don Pedro, y una hija que se dice doña Leonor, mujer que ahora es de don Francisco de la Cueva, buen caballero, primo del duque de Alburquerque, y ha habido en ella cuatro o cinco hijos, muy buenos caballeros; y esta señora doña Leonor es tan excelente señora, en fin, como hija de tal padre, que fue comendador de Santiago, adelantado y gobernador de Guatemala, y es el que fue al Perú con grande armada; y por la parte de Xicotenga, gran señor de Tlaxcala. Y dejemos estas relaciones y volvamos a Cortés, que se informó de estos caciques y les preguntó muy por entero de las cosas de México. Y lo que sobre ello dieron es esto que diré.

CAPÍTULO LXXVIII

CÓMO CORTÉS PREGUNTÓ A MASEESCACI Y A XICOTENGA POR LAS COSAS DE MÉXICO, Y LO QUE EN LA RELACIÓN DIJERON

Luego Cortés apartó a aquellos caciques y les preguntó muy por extenso las cosas de México; y Xicotenga, como era más avisado y gran señor, tomó la mano a hablar, y de cuando en cuando le ayudaba Maseescaci, que también era gran señor. Y dijo que tenía Montezuma tan grandes poderes de gente de guerra, que cuando quería tomar un gran pueblo o hacer un asalto en una provincia, que ponía en campo ciento y cincuenta mil hombres, y que esto que lo tenía bien experimentado, por las guerras y enemistades pasadas que con ellos tienen de más de cien años. Y Cortés les dijo: "Pues con tanto guerrero que decís que venían sobre vosotros, ¿cómo nunca os acabaron de vencer?" Y respondieron, que puesto que algunas veces les desbarataban y les mataban y llevaban muchos de sus vasallos para sacrificar, que también de los contrarios quedaban en el campo muchos muertos y otros presos, y que no venían tan encubiertos que de ello no tuviesen noticia, y cuando lo sabían que se apercibían con todos sus poderes, y con ayuda de los de Guaxocingo se defendían y ofendían, y que como todas las provincias y pueblos que ha robado Montezuma y puesto debajo de su dominio están muy mal con los mexicanos, y traían de ellos, por fuerza, a la guerra, no pelean de buena voluntad, antes de los mismos tenían avisos, y que a esta causa les defendían sus tierras lo mejor que podían, y que donde más mal les ha venido a la contina es de una ciudad muy grande que está de allí un día de andadura que se dice Cholula, que son grandes traidores. Y que allí metía Montezuma secretamente sus capitanías, y como estaban cerca, de noche hacían salto.

Y más dijo Maseescaci: Que tenía Montezuma en todas las provincias puestas guarniciones de muchos guerreros, sin los muchos que sacaba de la ciudad, y que todas aquellas provincias le tributaban oro y plata, y plumas y piedras, y ropa de mantas y algodón, e indios e indias para sacrificar y otras para servir; y que es tan gran señor que todo lo que quiere tiene, y que en las casas que vive tiene llenas de riquezas y piedras y *chalchiuis*, que ha robado y tomado por fuerza a quien no se lo da de grado, y todas las riquezas de la tierra están en su poder. Y luego contaron del gran servicio de su casa, que era para nunca acabar si lo hubiese aquí de decir. Pues de las muchas mujeres que tenía y cómo casaba a algunas de ellas, de todo daban relación.

Y luego dijeron de la gran fortaleza de su ciudad, de la manera que es la laguna y la hondura del agua, y de las calzadas que hay por donde han de entrar en la ciudad, y las puentes de madera que tienen en cada calzada, y cómo entra y sale por el trecho de abertura que hay en cada puente, y cómo en alzando cualquiera de ellas se pueden quedar aislados entre puente y puente sin entrar en su ciudad; y cómo está toda la mayor parte de la ciudad poblada dentro de la laguna y no se puede pasar de casa en casa sino es por una puente levadiza, y tienen hechas canoas, y todas las casas son de azoteas y en las azoteas tienen hechos a manera de mamparos, y pueden pelear desde encima de ellas; y la manera como se provee la ciudad de agua dulce desde una fuente que se dice Chapultepeque, que está de la ciudad obra de media legua; va el agua por unos edificios, y llega en parte que con canoas la llevan a vender por las calles. Y luego contaron de la manera de las armas, que eran varas de a dos gajos, y tiraban con tiraderas, que pasan cualesquier armas, y muchos buenos flechadores, y otros con lanzas de pedernales, que tienen una braza de cuchilla, hechas de arte que cortan más que navajas, y rodelas y armas de algodón y muchos honderos con piedras rollizas, y otras lanzas muy buenas y largas, y espadas de a dos manos, de navajas. Y trajeron pintadas en unos grandes paños de *henequén* las batallas que con ellos habían habido, y la manera de pelear.

Y como nuestro capitán y todos nosotros estábamos ya informados de antes de todo lo que decían aquellos caciques, estorbó la plática y metióles en otra más honda, y fue cómo habían ellos venido a poblar aquella tierra, y de qué parte vinieron, que tan diferentes y enemigos eran de los mexicanos, siendo unas tierras tan cerca de otras. Y dijeron que les habían dicho sus antecesores que en los tiempos pasados que había allı entre ellos poblados hombres y mujeres muy altos de cuerpo y de grandes huesos, que porque eran muy malos y de malas maneras que los mataron peleando con ellos, y otros que de ellos quedaban se murieron. Y para que viésemos qué tamaños y altos cuerpos tenían trajeron un hueso o zancarrón de uno de ellos, y era muy grueso, el altor tamaño como un hombre de razonable estatura, y aquel zancarrón era desde la rodilla hasta la cadera. Yo me medí con él y tenía tan gran altor como yo, puesto que soy de razonable cuerpo. Y trajeron otros pedazos de huesos como el primero, mas estaban ya comidos y deshechos de la tierra; y todos nos espantamos de ver aquellos zancarrones, y tuvimos por cierto haber habido gigantes en esta tierra. Y nuestro capitán Cortés nos dijo que sería bien enviar aquel gran hueso a Castilla para que lo viese Su Majestad, y así lo enviamos con los primeros procuradores que fueron. También dijeron aquellos mismos caciques que sabían de sus antecesores que les había dicho un su ídolo en quien ellos tenían mucha devoción, que vendrían hombres de las partes de donde sale el sol y de lejanas tierras a los sojuzgar y señorear; que si somos nosotros, que holgarán de ello, que pues tan esforzados y buenos somos. Y cuando trataron las paces se les acordó de esto que les habían dicho sus ídolos, y que por aquella causa nos dan sus hijas para tener parientes que les defiendan de los mexicanos. Y después que acabaron su razonamiento, todos quedamos espantados y decíamos si por ventura decían verdad. Y luego nuestro capitán Cortés les replicó y dijo que ciertamente veníamos de hacia donde sale el sol, y que por esta causa nos envió el rey nuestro señor a tenerles por hermanos, porque tiene noticia de ellos, y que plega a Dios que nos dé gracia para que por nuestras manos e intercesión se salven. Y dijimos todos amén.

Hartos estarán ya los caballeros que esto leyeren de oír razonamientos y pláticas de nosotros a los tlaxcaltecas y ellos a nosotros; querría acabar ya, y por fuerza me he de detener en otras cosas que con ellos pasamos, y es aquel el volcán que está cabe Guaxocingo, echaba en aquella sazón que estábamos en Tlaxcala mucho fuego, más que otras veces solía echar, de lo cual nuestro capitán Cortés y todos nosotros, como no habíamos visto tal, nos admiramos de ello; y un capitán de los nuestros que se decía Diego de Ordaz tomóle codicia de ir a ver qué cosa era, y demandó licencia a nuestro general para subir en él, la cual licencia le dio y aun de hecho se lo mandó. Y llevó consigo dos de nuestros soldados y ciertos indios principales de Guaxocingo; y los principales que consigo llevaba poníanle temor con decirle que luego que estuviese a medio camino de Popocatepeque, que así llaman aquel volcán, no podría sufrir el temblor de la tierra y llamas y piedras y ceniza que de él sale, y que ellos no se atreverían a subir más de donde tienen unos *cúes* de ídolos que llaman los *teules* de Popocatepeque. Y todavía Diego de Ordaz con sus dos compañeros fue su camino hasta llegar arriba, y los indios que iban en su compañía se le quedaron en lo bajo, que no se atrevieron a subir, y parece ser, según dijo después Ordaz y los dos soldados, que al subir que comenzó el volcán a echar grandes llamaradas de fuego y piedras medio quemadas y livianas, y mucha ceniza, y que temblaba toda aquella sierra y montaña adonde está el volcán, y que estuvieron quedos sin dar más paso adelante hasta de ahí a una hora que sintieron que había pasado aquella llamarada y no echaba tanta ceniza ni humo, y que subieron hasta la boca, que era muy redonda y ancha, y que habría en el anchor un cuarto de legua, y que desde allí se parecía la gran ciudad de México y toda la laguna y todos los pueblos que están en ella poblados.

Y está este volcán de México obra de doce o trece leguas. Y después de bien visto, muy gozoso Ordaz y admirado de haber visto a México y sus ciudades, volvió a Tlaxcala con sus compañeros, y los indios de Guaxocingo y los de Tlaxcala se lo tuvieron a mucho atrevimiento, y cuando lo contaba al capitán Cortés y a todos nosotros, como en aquella sazón no lo habíamos visto ni oído como ahora, que sabemos lo que es y han subido encima de la boca muchos españoles y aun frailes franciscanos, nos admiramos entonces de ello, y cuando fue Diego de Ordaz a Castilla lo demandó por armas a Su Majestad, y así las tiene ahora en su sobrino Ordaz, que vive en la Puebla. Después acá desde que estamos en esta tierra no le habemos visto echar tanto fuego ni con tanto ruido como al principio, y aun estuvo ciertos años que no echaba fuego hasta el año de mil quinientos treinta y nueve, que echó muy grandes llamas y piedra y ceniza.

Dejemos de contar del volcán, que ahora que sabemos qué cosa es y habemos visto otros volcanes, como son los de Nicaragua y los de Guatemala, se podían haber callado los de Guaxalcingo[51] sin poner en relación, y diré cómo hallamos en este pueblo de Tlaxcala casas de madera hechas de redes y llenas de indios e indias que tenían dentro encarcelados y a cebo, hasta que estuviesen gordos para comer y sacrificar: las cuales cárceles les quebramos y deshicimos para que se fuesen los presos que en ellas estaban, y los tristes indios no osaban ir a cabo nin-

[51] Adviértase cómo líneas antes escribe el autor Guexocingo, por Huexotzinco, y cambia esa forma en un instante.

guno, sino estarse allí con nosotros, y así escaparon las vidas; y de allí en adelante en todos los pueblos que entrábamos lo primero que mandaba nuestro capitán era quebrarles las tales cárceles y echar fuera los prisioneros, y comúnmente en todas estas tierras los tenían. Y como Cortés y todos nosotros vimos aquella gran crueldad, mostró tener mucho enojo de los caciques de Tlaxcala, y se lo riñó bien enojado, y prometieron que desde allí adelante que no matarían ni comerían de aquella manera más indios. Digo yo que, qué aprovechaba todos aquellos prometimientos, que en volviendo la cabeza hacían las mismas crueldades. Y dejémoslo así y digamos cómo ordenamos de ir a México.

CAPÍTULO LXXIX

CÓMO ACORDÓ NUESTRO CAPITÁN HERNANDO CORTÉS CON TODOS NUESTROS CAPITANES Y SOLDADOS QUE FUÉSEMOS A MÉXICO, Y LO QUE SOBRE ELLO PASÓ

VIENDO NUESTRO CAPITÁN que había ya diez y siete días que estábamos holgando en Tlaxcala y oíamos decir de las grandes riquezas de Montezuma y su próspera ciudad, acordó tomar consejo con todos nuestros capitanes y soldados, en quien sentía que le tenían buena voluntad, para ir adelante, y fue acordado que con brevedad fuese nuestra partida. Y sobre este camino hubo en el real muchas pláticas de desconformidad, porque decían unos soldados que era cosa muy temerosa irnos a meter en tan fuerte ciudad siendo nosotros tan pocos, y decían de los grandes poderes de Montezuma. Y el capitán Cortés respondía que ya no podíamos hacer otra cosa, porque siempre nuestra demanda y apellido fue ver a Montezuma, y que por demás eran ya otros consejos. Y viendo que tan determinadamente lo decía y sintieron los del contrario parecer que muchos de los soldados le ayudamos a Cortés de buena voluntad con decir "¡adelante en buena hora!", no hubo más contradicción. Y los que andaban en estas pláticas contrarias eran de los que tenían en Cuba haciendas, que yo y otros pobres soldados ofrecido teníamos siempre nuestras ánimas a Dios, que las crió, y los cuerpos a heridas y trabajos hasta morir en servicio de Nuestro Señor Dios y de Su Majestad.

Pues viendo Xicotenga y Maseescaci, señores de Tlaxcala, que de hecho queríamos ir a México, pesábales en el alma, y siempre estaban con Cortés avisándole que no curase de ir aquel camino, y que no se confiase poco ni mucho de Montezuma ni de ningún mexicano, y que no se creyese de sus grandes reverencias, ni de sus palabras tan humildes y llenas de cortesía, ni aun de cuantos presentes le ha enviado, ni de otros ningunos ofrecimientos, que todos eran de atraidorados, que en una hora se lo tornaría a tomar cuanto le había dado, y que de noche y de día se guardase muy bien de ellos, porque tienen bien entendido que cuando más descuidados estuviésemos nos darían guerra, y que cuando peleásemos con ellos que los que pudiésemos matar que no quedasen con las vidas: al mancebo, porque no tome armas; al viejo, porque no dé consejo, y le dijeron otros muchos avisos. Y nuestro capitán les dijo que se lo agradecía el buen consejo, y les mostró mucho amor, con ofrecimientos y dádivas que luego les dio al viejo Xicotenga y a Maseescaci, y a todos los más caciques, y les dio mucha parte de la ropa fina de mantas que había presentado Montezuma, y les dijo que sería bueno tratar paces entre ellos y los mexicanos para que tuviesen amistad y trajesen sal y algodón y otras mercaderías. Y Xicotenga respondió que eran por demás las paces, y que su enemistad tienen siempre en los corazones arraigadas, y que son tales los mexicanos que, so color de las paces, les harán mayores traiciones, porque jamás mantienen verdad en cosa ninguna que prometen, y que no curase de hablar en ellas, sino que le tornaban a rogar que se guardase muy bien de no caer en manos de tan malas gentes.

Y estando platicando sobre el camino que habíamos de llevar para México, porque los embajadores de Montezuma que estaban con nosotros, que iban por guías, decían que el mejor camino y más llano era por la ciudad de Cholula, por ser vasallos del gran Montezuma, donde recibiríamos servicio, y a todos nosotros nos pareció bien que fuésemos a aquella ciudad; y como los caciques de Tlaxcala entendieron que nos queríamos ir por donde nos encaminaban los mexicanos, se entristecieron y tornaron a decir que, en todo caso, fuésemos por Guaxocingo, que eran sus parientes y nuestros amigos, y no por Cholula, porque en Cholula siempre tiene Montezuma sus tratos dobles encubiertos. Y por más que nos dijeron y aconsejaron que no entrásemos en aquella ciudad, siempre nuestro capitán con nuestro consejo muy bien platicado, acordamos de ir por Cholula: lo uno, porque decían todos que era grande poblazón y muy bien torreada y de altos y grandes *cúes*, y en un buen llano asentada, que verdaderamente de lejos parecía en aquella sazón a nuestro Valladolid de Castilla la Vieja; y lo otro, porque estaba en partes cercana de grandes poblazones y tener muchos bastimentos y tan a la mano a nuestros amigos los de Tlaxcala, y con intención de estarnos allí hasta ver de qué manera podríamos ir a México sin tener guerra, porque era de temer el gran poder de mexicanos, si Dios Nuestro Señor primeramente no ponía su divina mano y misericordia, con que siempre nos ayudaba y daba esfuerzo, no podíamos entrar de otra manera.

Y después de muchas pláticas y acuerdos, nuestro camino fue por Cholula. Y luego Cortés mandó que fuesen mensajeros a decirles que como estando tan cerca de nosotros no nos envían a visitar y hacer aquel acato que son obligados a mensajeros como somos de tan gran rey y señor como es el que nos envió a notificar su salvación, y que les ruega que luego viniesen todos los caciques y *papas* de aquella ciudad a vernos y dar la obediencia a nuestro rey y señor; si no, que los tendría por de malas intenciones. Y estando diciendo esto y otras cosas que convenía enviarles a decir sobre este caso, vinieron a hacer saber a Cortés cómo el gran Montezuma enviaba cuatro embajadores con presentes de oro, porque jamás a lo que habíamos visto, envió mensaje sin presente de oro y mantas, porque lo tenían por afrenta enviar mensajes si no enviaba con ellos dádivas. Y lo que dijeron aquellos mensajeros diré adelante.

CAPÍTULO LXXX

CÓMO EL GRAN MONTEZUMA ENVIÓ CUATRO PRINCIPALES HOMBRES DE MUCHA CUENTA CON UN PRESENTE DE ORO Y MANTAS, Y LO QUE DIJERON A NUESTRO CAPITÁN

ESTANDO PLATICANDO CORTÉS con todos nosotros y con los caciques de Tlaxcala sobre nuestra partida y en las cosas de la guerra, viniéronle a decir que llegaron [a] aquel pueblo cuatro embajadores de Montezuma, todos principales, y traían presentes. Y Cortés les mandó llamar, y desde que llegaron donde estaba hiciéronle grande acato y a todos los soldados que allí nos hallamos, y presentando su presente de ricas joyas de oro y de muchos géneros de hechuras, que valía bien dos mil pesos, y diez cargas de mantas de muy buenas labores de pluma, Cortés los recibió con buen semblante. Y luego dijeron aquellos embajadores, por parte de su señor Montezuma, que se maravillaba mucho de nosotros estar tantos días entre aquellas gentes pobres y sin policía, que aun para esclavos no son buenos, por ser tan malos y traidores y robadores, que cuando más descuidados estuviésemos de día o de noche, nos matarían por robarnos, y que nos rogaba que fuésemos luego a su ciudad y que nos daría de lo que tuviese, y aunque no tan cumplido como nosotros merecíamos y él deseaba, y puesto que todas las vituallas le entran en su ciudad de acarreto, que mandaría proveernos lo mejor que pudiese. Esto hacía Montezuma por sacarnos de Tlaxcala, porque supo que habíamos hecho las amistades que dicho tengo en el capítulo que de ello habla, y para ser perfectas habían dado sus hijas a Malinche, porque bien tuvieron entendido que no les podía venir bien ninguno de nuestras confederaciones. A esta causa nos cebaba con oro y presentes para que fuésemos a sus tierras, o al menos porque saliésemos de Tlaxcala. Volvamos a decir de los embajadores, que los conocieron bien los de Tlaxcala, y dijeron a nuestro capitán que todos eran señores de pueblos y vasallos, con quien Montezuma enviaba a tratar cosas de mucha importancia. Cortés les dio muchas gracias a los mensajeros, con grandes quiricias y señales de amor que les mostró, y les dio por respuesta que él iría muy presto a ver al señor Montezuma, y les rogó que estuviesen algunos días allí con nosotros.

En aquella sazón acordó Cortés que fuesen dos de nuestros capitanes, personas señaladas, a ver y hablar al gran Montezuma y ver la gran ciudad de México y sus grandes fuerzas y fortaleza. E iban ya de camino Pedro de Alvarado y Bernaldino Vázquez de Tapia, y quedaron en rehenes cuatro de aquellos embajadores que habían traído el presente, y otros embajadores del gran Montezuma, de los que solían estar con nosotros, fueron en su compañía. Y porque en aquel tiempo Cortés había enviado así a la ventura [a] aquellos caballeros, se lo retrajimos y dijimos que cómo los enviaba a México no más de para ver [52] la ciudad y sus fuerzas;

[52] En el original aparece tachado, hasta el comienzo del capítulo LXXXI, lo siguiente: *ver la gran ciudad de Méjico, y sus grandes fuerzas y fortalezas, y parésceme que fueron Pedro de Alvarado y Bernaldino Vázquez de Tapia, y quedaron en rehenes cuatro de aquellos embajadores que habían traído el presente, y los otros cuatro fueron con ellos, y porque en aquel tiempo yo estaba muy mal herido, har-*

que no era buen acuerdo, y que luego los fuese a llamar y que no pasen más adelante. Y les escribió que se volviesen luego. Demás de esto, Bernaldino Vázquez de Tapia ya había adolecido en el camino de calenturas. Y luego que vieron las cartas se volvieron. Y los embajadores con quien iban dieron relación de ello a su Montezuma, y les preguntó que qué manera de rostros y proporciones de cuerpos llevaban los dos *teules* que iban a México, y si eran capitanes. Y parece ser que le dijeron que Pedro de Alvarado era de muy linda gracia, así en el rostro como en su persona, y que parecía como al sol, y que era capitán, y demás de esto se le llevaron figurado muy al natural su dibujo y cara, y desde entonces le pusieron nombre de Tonatio, que quiere decir el sol o el hijo del sol, y así le llamaron de allí adelante; y Bernaldino Vázquez de Tapia dijeron que era hombre robusto y de muy buena disposición, que también era capitán. Y a Montezuma le pesó porque se habían vuelto del camino. Y aquellos embajadores tuvieron razón de compararlos, así en los rostros como en el aspecto de las personas y cuerpos, como lo significaron a su señor Montezuma; porque Pedro de Alvarado era de muy buen cuerpo y ligero, y facciones y presencia, así en el rostro como en el hablar, en todo era agraciado, que parecía que se estaba riendo; y Bernaldino Vázquez de Tapia era algo robusto, puesto que tenía buena presencia. Y de que volvieron a nuestro real nos holgamos con ellos, y les decíamos que no era cosa acertada lo que Cortés les mandaba. Y dejemos esta materia, pues no hace mucho a nuestra relación, y diré de los mensajeros que Cortés envió a Cholula, la respuesta que enviaron.

---

to tenía que curarme y no lo alcancé a saber por entero. Ya [he] escrito a Méjico a tres amigos míos que se hallaron en todas las más conquistas para que me envíen relación, porque no vaya ansí incierto. Si no se pusiese aquí lo que sobre ello dijeren, remítome a los conquistadores para que lo enmienden; mas sé sin duda ninguna que Bernaldino Vázquez de Tapia, yendo por el camino tuvo grandes calenturas y se quedó en un pueblo que se decía... y que Pedro de Alvarado iba a Méjico, y se volvió del camino, y entonces aquellos cuatro principales que llevaba le pusieron por nombre Tonatio, que en lengua mejicana quiere decir sol, y ansí le llamaban de ahí adelante, y pusiéronle aquel nombre porque era de muy buen cuerpo y ligero y facciones y presencia, ansí en el rostro como en el hablar, en todo era agraciado, que parecía que se estaba riendo. Y también sé lo que dicho tengo, que no llegaron los sobredichos capitanes a Méjico, porque cuando partieron de nuestro real nos pesó a todos los soldados de su vida, y a nuestro capitán le dijimos que para qué enviaba dos tan extremados varones que fuesen a la ventura, si los mataban; y luego Cortés les escribió en posta que se volviesen: No lo sé bien: remítome a los que se hallaron presentes. Otros conquistadores me dijeron que como Bernaldino Vázquez de Tapia estaba malo en un pueblo, que se lo hicieron saber a Montezuma sus mensajeros, y envió a mandar que no pasase de allí él ni Pedro de Alvarado, porque si fueran a Méjico no era cosa para no se saber muy claramente [por] todos los soldados. Volvamos a decir de los mensajeros que envió Cortés a Cholula la respuesta que enviaron, lo cual diré adelante.

CAPÍTULO LXXXI

CÓMO ENVIARON LOS DE CHOLULA CUATRO INDIOS DE POCA VALÍA A DISCULPARSE POR NO HABER VENIDO A TLAXCALA, Y LO QUE SOBRE ELLO PASÓ

YA HE DICHO en el capítulo pasado cómo envió nuestro capitán mensajeros a Cholula para que nos viniesen a ver a Tlaxcala. Y los caciques de aquella ciudad, desde que entendieron lo que Cortés les mandaba, parecióles que sería bien enviar cuatro indios de poca valía a disculparse y a decir que por estar malos no venían, y no trajeron bastimento ni otra cosa, sino así secamente dijeron aquella respuesta. Y cuando vinieron estos mensajeros estaban presentes los caciques de Tlaxcala, y dijeron a nuestro capitán que para hacer burla de él y de todos nosotros enviaban los de Cholula aquellos indios, y que eran *maceguales* y de poca calidad; por manera que Cortés les tornó a enviar luego con otros cuatro indios de Cempoal, avisándoles que viniesen dentro de tres días hombres principales, pues estaban cinco leguas de allí, y que si no venían que los tendría por rebeldes; y que luego que vengan les quiere decir cosas que les conviene para salvación de sus ánimas y policía para su buen vivir, y tenerlos por amigos y hermanos, como son los de Tlaxcala, sus vecinos, y que si otra cosa acordaren y no quieren nuestra amistad, que nosotros procuraríamos de descomplacerles y enojarles. Y de que oyeron aquella embajada, respondieron que no habían de venir a Tlaxcala, porque son sus enemigos, porque saben que han dicho de ellos y de su señor Montezuma muchos males, y que vamos a su ciudad y salgamos de los términos de Tlaxcala, y si no hicieren lo que deben, que los tengamos por tales como les enviamos a decir. Y viendo nuestro capitán que la excusa que decían era muy justa, acordamos de ir allá; y desde que los caciques de Tlaxcala vieron que determinadamente nuestra ida era por Cholula, dijeron a Cortés: "Pues que así quieres creer a los mexicanos y no a nosotros, que somos tus amigos, ya te hemos dicho muchas veces que te guardes de los de Cholula y del poder de México. Para que mejor te puedas ayudar de nosotros tenémoste aparejados diez mil hombres de guerra que vayan en tu compañía." Y Cortés les dio muchas gracias por ello y consultó con todos nosotros que no sería bien que llevásemos tantos guerreros a tierra que habíamos de procurar amistades, y que sería bien que llevásemos mil, y éstos les demandó, y que los demás que se quedasen en sus casas. Y dejemos esta plática, y diré de nuestro camino.

CAPÍTULO LXXXII

CÓMO FUIMOS A LA CIUDAD DE CHOLULA [53] Y DEL GRAN RECIBIMIENTO QUE NOS HICIERON

UNA MAÑANA COMENZAMOS a marchar por nuestro camino para la ciudad de Cholula, e íbamos con el mayor concierto que podíamos, porque, como otras veces he dicho, adonde esperábamos haber revueltas o guerras nos apercibíamos muy mejor, y aquel día fuimos a dormir a un río que pasa obra de una legua chica de Cholula, adonde está ahora hecho un puente de piedra, y allí nos hicieron unas chozas y ranchos. Y esta misma noche enviaron los caciques de Cholula mensajeros, hombres principales, a darnos el parabién venidos a su tierra, y trajeron bastimentos de gallinas y pan de maíz, y dijeron que en la mañana vendrían todos los caciques y *papas* a recibirnos, y que les perdonemos porque no habían salido luego. Y Cortés les dijo con nuestras lenguas doña Marina y Jerónimo de Aguilar que se los agradecía, así por el bastimento que traían como por la buena voluntad que mostraban. Y allí dormimos aquella noche con buenas velas y escuchas y corredores del campo, y desde que amaneció comenzamos a caminar hacia la ciudad. Y yendo por nuestro camino ya cerca de la población nos salieron a recibir los caciques y *papas* y otros muchos indios. Y todos los más traían vestidas unas ropas de algodón de hechuras de marlotas, como las traen los indios zapotecas, y esto digo a quien las ha visto y ha estado en aquella provincia, porque en aquella ciudad así se usaban; y venían muy de paz y de buena voluntad, y los *papas* traían braseros con incienso con que sahumaron a nuestro capitán y a los soldados que cerca de él nos hallamos. Y parecer aquellos *papas* y principales, como vieron los indios tlaxcaltecas que con nosotros venían, dijéronselo a doña Marina, que se lo dijese al general, que no era bien que de aquella manera entrasen sus enemigos con armas en su ciudad. Y como nuestro capitán lo entendió, mandó a los capitanes y soldados y el fardaje que parásemos, y desde que nos vio juntos y que no caminaba ninguno, dijo: "Paréceme, señores, que antes que entremos en Cholula que demos un tiento con buenas palabras a estos caciques y *papas* y veamos que es su voluntad, porque vienen murmurando de estos nuestros amigos tlaxcaltecas, y tienen mucha razón en lo que dicen, y con buenas palabras les quiero dar a entender la causa porqué venimos a su ciudad; y porque ya, señores, habéis entendido lo que nos han dicho los tlaxcaltecas, que son bulliciosos, y será bien que por bien den la obediencia a Su Majestad. Y esto me parece que conviene."

Y luego mandó a doña Marina que llamase a los caciques y *papas* ahí donde estaba a caballo y todos nosotros juntos con Cortés. Y luego vinieron tres principales y dos *papas*, y dijeron: "Malinche: perdónanos porque no fuimos a Tlaxcala a verte y llevar comida, no por falta de voluntad, sino porque son nuestros enemigos Maseescaci y Xicotenga y toda Tlaxcala, y que han dicho muchos males de nosotros y del gran Montezuma, nuestro señor, y que no basta lo que han dicho, sino que ahora tengan atrevimiento, con vuestro favor, de venir con armas a

[53] Tachado en el original: *En doce de octubre de mill e quinientos y diez y nueve años.*

nuestra ciudad"; y que le piden por merced que les mande volver a sus tierras, o al menos que se queden en el campo y que no entren de aquella manera en su ciudad, y que nosotros que vamos mucho en buena hora. Y como el capitán vio la razón que tenían, mandó luego a Pedro de Alvarado y al maestre de campo, que era Cristóbal de Olid, que rogasen a los tlaxcaltecas que allí en el campo hiciesen sus ranchos y chozas y que no entrasen con nosotros sino los que llevaban la artillería y nuestros amigos los de Cempoal, y les dijesen que la causa porque se les mandaba era porque todos aquellos caciques *papas* se temen de ellos, y que cuando hubiésemos de pasar de Cholula para México que los enviará a llamar, y que no lo hayan por enojo. Y después que los de Cholula vieron lo que Cortés mandó, parecían que estaban más sosegados, y les comenzó Cortés a hacer un parlamento diciendo que nuestro rey y señor, cuyos vasallos somos, tiene tan grandes poderes y tiene debajo de su mando a muchos grandes príncipes y caciques, y que nos envió a estas tierras a notificarles y mandar que no adoren ídolos, ni sacrifiquen hombres, ni coman de sus carnes, ni hagan sodomías ni otras torpedades, y que por ser el camino por allí para México, adonde vamos a hablar al gran Montezuma, y por no haber otro más cercano, venimos por su ciudad, y también para tenerles por hermanos, y que pues otros grandes caciques han dado la obediencia a Su Majestad, que será bien que ellos la den como los demás. Y respondieron que aún no habemos entrado en su tierra y ya les mandábamos dejar sus *teules*, que así llamaban a sus ídolos, que no lo pueden hacer, y que dar la obediencia a ese vuestro rey que decís, les place, y así la dieron de palabra y no ante escribano. Y esto hecho, luego comenzaron a marchar para la ciudad. Y era tanta la gente que nos salía a ver, que las calles y azoteas estaban llenas, y no me maravillo de ello, porque no habían visto hombres como nosotros, ni caballos. Y nos llevaron [a] aposentar a unas grandes salas, en que estuvimos todos, y nuestros amigos los de Cempoal y los tlaxcaltecas que llevaron el fardaje. Y nos dieron de comer aquel día y otro muy bien y abastadamente. Y quedarse ha aquí, y diré lo que más pasamos.

CAPÍTULO LXXXIII

COMÓ TENÍAN CONCERTADO EN ESTA CIUDAD DE CHOLULA DE MATARNOS, POR MANDADO DE MONTEZUMA, Y LO QUE SOBRE ELLO PASÓ

HABIÉNDONOS RECIBIDO TAN solemnemente como dicho tengo, y ciertamente de buena voluntad, sino que después pareció envió a mandar Montezuma a sus embajadores que con nosotros estaban, que tratasen con los de Cholula que con un escuadrón de veinte mil hombres que envió Montezuma, que tenía apercibidos para en entrando en aquella ciudad que todos nos diesen guerra, de noche o de día, nos acapillasen, y los que pudiesen llevar atados de nosotros a México, que se los llevasen, y con grandes prometimientos que les mandó, y muchas joyas y ropa que entonces les envió, y un atambor de oro, y a los *papas* de aquella ciudad, que habían de tomar veinte de nosotros para hacer sacrificios a sus ídolos. Pues ya todo concertado, y los guerreros que Montezuma luego envió estaban en unos ranchos y arcabuesos, obra de media legua de Cholula, y otros estaban ya dentro en las casas, y todos puestos a punto con sus armas, y hechos mamparos en las azoteas y en las calles hoyos y albarradas para que no pudiesen correr los caballos, y aun tenían en unas casas llenas de varas largas y colleras de cueros y cordeles con que nos habían de atar y llevarnos a México. Mejor lo hizo Nuestro Señor Dios, que todo se los volvió al revés.

Y dejémoslo ahora, y volvamos a decir que así como nos aposentaron, como dicho he, nos dieron muy bien de comer los dos días primeros, y puesto que los veíamos que estaban muy de paz, no dejábamos siempre de estar muy apercibidos, por la buena costumbre que en ello teníamos; y al tercero día ni nos daban de comer ni parecía cacique ni *papa;* y si algunos indios nos venían a ver estaban apartados, que no se llegaban a nosotros, y riéndose, como cosa de burla. Y desde que aquello vio nuestro capitán dijo a doña Marina y Aguilar, nuestras lenguas, que dijesen a los embajadores del gran Montezuma, que allí estaban, que mandasen a los caciques traer de comer, y lo que traían era agua y leña; y unos viejos que lo traían decían que no tenían maíz. Y en aquel mismo día vinieron otros embajadores de Montezuma y se juntaron con los que estaban con nosotros, y dijeron a Cortés muy desvergonzadamente que su señor les enviaba a decir que no fuésemos a su ciudad porque no tenía qué nos dar de comer, y que luego se querían volver a México con la respuesta. Y después que aquello vio Cortés, y le pareció mal su plática, con palabras blandas dijo a los embajadores que se maravillaba de tan gran señor como es Montezuma de tener tantos acuerdos, y que les rogaba que no se fuesen a México, porque otro día se quería partir para verle y hacer lo que mandase, y aun me parece que les dio unos sartalejos de cuentas. Y los embajadores dijeron que sí aguardarían.

Hecho esto, nuestro capitán nos mandó juntar, y nos dijo: "Muy desconcertada veo esta gente; estemos muy alerta, que alguna maldad hay entre ellos." Y luego envió a llamar al cacique principal, que ya no se me acuerda cómo se llamaba, o que enviase algunos principales; y respondió que estaba malo y que no podía venir. Y desde que aquello vio nuestro capitán mandó que de un gran *cúe* que estaba junto a nuestros aposentos le trajésemos dos *papas* con buenas razones, porque había muchos en él. Trajimos dos de ellos sin hacerles deshonor, y Cortés les mandó dar a cada uno un *chalchui,* que son muy estimados entre ellos, como esmeraldas, y les dijo con palabras amorosas que por qué causa el cacique y principales y todos los más *papas* están amedrentados, que los ha enviado a llamar y no han querido venir. Y parece ser que el uno de aquellos *papas* era hombre muy principal entre ellos y tenía cargo o mando en todos los demás *cúes* de aquella ciudad, que debía de ser a manera de obispo entre ellos y le tenían gran acato, y dijo que ellos, que son *papas,* que no tenían temor de nosotros; que si el cacique y principales no han querido venir, que él irá a llamarlos, y que como él les hable que tiene creído que no harán otra cosa y que vendrán. Y luego Cortés dijo que fuese y quedase su compañero allí, aguardando hasta que viniese. Y fue aquel *papa* y llamó al cacique y principales, y luego vinieron juntos con él al aposento de Cortés. Y les preguntó con nuestras lenguas que por qué habían miedo y que por qué causa no nos daban de comer, y que si reciben pena de nuestra estada en su ciudad, que otro día por la mañana nos queríamos partir para México a ver y hablar al señor Montezuma; y que le tengan aparejados *tamemes* para llevar el fardaje. Y *tepuzques,* que son las lombardas, y también que luego traigan comida. Y el cacique estaba tan cortado, que no acertaba a hablar, y dijo que la comida que la buscarían; mas que su señor Montezuma les ha enviado a mandar que no la diesen, ni quería que pasásemos de allí adelante.

Y estando en estas pláticas vinieron tres indios de los de Cempoal, nuestros amigos, y secretamente dijeron a Cortés que han hallado, junto adonde estábamos aposentados, hechos hoyos en las calles, encubiertos con madera y tierra encima, que si no miran mucho en ello no se podría ver, y que quitaron la tierra de encima de un hoyo y estaba lleno de estacas muy agudas, para matar los caballos si corriesen, y que las azoteas que las tienen llenas de piedras y mamparos de adobes, y que ciertamente no estaban de buena arte, porque también hallaron albarradas de maderos gruesos en otra calle. Y en aquel instante vinieron ocho indios tlaxcaltecas, de los que dejamos en el campo, que no entraron en Cholula, y dijeron a Cortés: "Mira, Malinche, que esta ciudad está de mala manera, porque sabemos que esta noche han sacrificado a su ídolo, que es el de la guerra, siete personas, y los cinco de ellos son niños, porque les dé victoria contra vosotros, y también habemos visto que sacan todo el fardaje y mujeres y niños." Desde que aquello oyó Cortés luego les despachó para que fuesen a sus capitanes los tlaxcaltecas y que estuviesen muy aparejados si les enviásemos a llamar; y tornó a hablar al cacique y *papas* y principales de Cholula que no tuviesen miedo ni anduviesen alterados, y que mirasen la obediencia que dieron que no la quebrantasen, que les castigaría por ello, que ya les ha dicho que nos queremos ir por la mañana, que ha menester [54] dos mil hombres de guerra de aquella ciudad que vayan con nosotros, como nos han dado los de Tlaxcala, porque en los caminos los habrá menester. Y dijéronle que sí darían, y demandaron licencia para irse luego a apercibirlos, y muy contentos se fueron, porque creyeron que con los guerreros que nos habían de dar y con las capitanías de Montezuma que estaban en los arcabuesos y barracas, que allí de muertos o presos no podríamos escapar por causa que no podrían correr los caballos, y por ciertos mamparos y albarradas, que dieron luego por aviso a los que estaban en guarnición que hiciesen, a manera de callejón, que no pudiésemos pasar, y les avisaron que otro día habíamos de partir y que estuviesen muy a punto todos, porque ellos nos darían [55] dos mil hombres de guerra, y como fuésemos descuidados, que allí harían su presa los unos y los otros y nos podían atar; y que esto que lo tuviesen por cierto, porque ya habían hecho sacrificios a sus ídolos de la guerra y les han prometido la victoria.

Y dejemos de hablar en ello, que pensaban que sería cierto, y volvamos a nuestro capitán, que quiso saber muy por extenso todo el concierto y lo que pasaba, y dijo a doña Marina que llevase más *chalchiuis* a los dos *papas* que habían hablado primero, pues no tenían miedo, y con palabras amorosas les dijese que los quería tornar a hablar Malinche, y que los trajese consigo. Y la doña Marina fue y les habló de tal manera, que lo sabía muy bien hacer, y con dádivas vinieron luego con ella. Y Cortés les dijo que dijesen la verdad de lo que supiesen, pues eran sacerdotes de ídolos y principales que no habían de mentir, y que lo que dijesen que no sería descubierto por vía ninguna, pues que otro día nos habíamos de partir, y que les daría mucha ropa. Y dijeron que la verdad es que su señor Montezuma supo que íbamos [a] aquella ciudad, y que cada día estaba en muchos acuerdos, y que no determinaba bien la cosa, y que unas veces les enviaba a mandar que si allá fuésemos que nos hiciesen mucha honra y nos encaminasen a su ciudad, y otras veces les enviaba a decir que ya no era su voluntad que fuésemos a México; que ahora nuevamente le han aconsejado su

[54] Tachado: *tres o quatro.*

[55] Tachado: *quatro.*

a y su Ichilobos, en quien n gran devoción, que allí a nos matasen o llevasen México, y que habían enviado el día antes veinte mil hombres de guerra, y que la mitad están ya aquí dentro de esta ciudad y la otra mitad están cerca de aquí entre unas quebradas, y que ya tienen aviso cómo habéis de ir mañana, y de las albarradas que les mandaron hacer, y de los dos mil guerreros que os habemos de dar; y cómo tenían ya hecho conciertos que habían de quedar veinte de nosotros para sacrificar a los ídolos de Cholula. Cortés les mandó dar mantas muy labradas y les rogó que no lo dijesen, porque si lo descubrían que a la vuelta que volviésemos de México los matarían; y que se quería ir muy de mañana; y que hiciesen venir a todos los caciques para hablarles, como dicho les tiene.

Y luego aquella noche tomó consejo Cortés de lo que habíamos de hacer, porque tenía muy extremados varones y de buenos consejos; y como en tales casos suele acaecer, unos decían que sería bien torcer el camino e irnos por Guaxocingo; otros decían que procurásemos haber paz por cualquier vía que pudiésemos, y que nos volviésemos a Tlaxcala; otros dimos parecer que si aquellas traiciones dejábamos pasar sin castigo, que en cualquier parte nos tratarían otras peores, y pues que estábamos allí en aquel gran pueblo, y había hartos bastimentos, les diésemos guerra, porque más la sentirían en sus casas que no en el campo, y que luego apercibiésemos a los tlaxcaltecas que se hallasen en ello; y a todos pareció bien este postrer acuerdo. Y fue de esta manera: que ya que les había dicho Cortés que nos habíamos de partir para otro día, que hiciésemos que liábamos nuestro hato, que era harto poco, y que en unos grandes patios que había donde posábamos, que estaban con altas cercas, que diésemos en los indios de guerra, pues aquello era su merecido; y que con los embajadores de Montezuma disimulásemos y les dijésemos que los malos cholultecas han querido hacer una traición y echar la culpa de ella a su señor Montezuma, y a ellos mismos, como sus embajadores, lo cual no creímos que tal mandase hacer, y que les rogábamos que se estuviesen en el aposento y no tuviesen más plática con los de aquella ciudad porque no nos den que pensar que andan juntamente con ellos en las traiciones, y para que se vayan con nosotros a México por guías. Y respondieron que ellos ni su señor Montezuma no saben cosa ninguna de lo que les dicen, y aunque no quisieron les pusimos guardas porque no se fuesen sin licencia y porque no supiese Montezuma que nosotros sabíamos que él era quien lo había mandado hacer.

Y aquella noche estuvimos muy apercibidos y armados, y los caballos ensillados y enfrenados, con grandes velas y rondas, que esto siempre lo teníamos de costumbres, porque tuvimos por cierto que todas las capitanías, así de mexicanos como de cholultecas, aquella noche habían de dar sobre nosotros.

Y una india vieja, mujer de un cacique, como sabía el concierto y trama que tenían ordenado, vino secretamente a doña Marina, nuestra lengua; como la vio moza y de buen parecer y rica, le dijo y aconsejó que se fuese con ella [a] su casa si quería escapar la vida, porque ciertamente aquella noche y otro día nos habían de matar a todos, porque ya estaba así mandado y concertado por el gran Montezuma, para que entre los de aquella ciudad y los mexicanos se juntasen y no quedase ninguno de nosotros a vida, y nos llevasen atados a Mexico, y que porque sabe esto y por mancilla que tenía de la doña Marina, se lo venía a decir, y que tomase todo su hato y se fuese con ella a su casa, y que allí la casaría con su hijo, hermano de otro mozo que traía la vieja, que la acompañaba. Y como lo entendió la doña Marina y en todo era muy avisada, la dijo: "¡Oh, madre, qué mucho tengo que agradeceros eso que me decís! Yo me fuera ahora con vos, sino que no tengo aquí de quién me fiar para llevar mis mantas y joyas de oro, que es mucho; por vuestra vida, madre, que aguardéis un poco vos y vuestro hijo, y esta noche nos iremos, que ahora ya veis que estos *teules* están velando y sentirnos han." Y la vieja creyó lo que le decía y quedóse con ella platicando; y le preguntó que de qué manera nos habían de matar y cómo y cuándo y adónde se hizo el concierto. Y la vieja se lo dijo ni más ni menos que lo habían dicho los dos *papas*. Y respondió la doña Marina: "¿Pues cómo siendo tan secreto ese negocio lo alcanzastes vos a saber?" Dijo que su marido se lo había dicho, que es capitán de una parcialidad de aquella ciudad y, como tal capitán, está ahora con la gente de guerra que tiene a cargo dando orden para que se junten en las barrancas con los escuadrones del gran Montezuma, y que cree que estarán juntos esperando para cuando fuésemos, y que allí nos matarían; y que esto del concierto que lo sabe tres días había, porque de México enviaron a su marido un atambor dorado y a otros tres capitanes también les envió ricas mantas y joyas de oro, porque nos llevasen atados a su señor Montezuma. Y la doña Marina, como lo oyó, disimuló con la vieja y dijo: "¡Oh, cuánto me huelgo en saber que vuestro hijo, con quien me queréis casar, es persona principal; mucho hemos estado hablando; no querría que nos sintiesen; por eso, madre, aguardad aquí; comenzaré a traer mi hacienda, porque no la podré sacar todo junto, y vos y vuestro hijo, mi hermano, lo guardaréis, y luego nos podremos ir!" Y la vieja todo se lo creía. Y sentóse de reposo la vieja y su hijo. Y la doña Marina entra de presto donde estaba el capitán y le dice todo lo que pasó con la india, la cual luego la mandó traer ante él; y la tornó a preguntar sobre las traiciones y conciertos; y le dijo ni más ni menos que los *papas*. Y la pusieron guardas porque no se fuese.

Y desde que amaneció, ¡qué cosa era de ver la prisa que traían los caciques y *papas* con los indios de guerra, con muchas risadas y muy contentos, como si ya nos tuvieran metidos en el garlito y redes! Y trajeron más indios de guerra que les demandamos, que no cupieron en los patios, por muy grandes que son, que aún todavía están sin deshacer por memoria de lo pasado. Y por bien de mañana que vinieron los cholultecas con la gente de guerra, ya todos nosotros estábamos muy a punto para lo que se había de hacer, y los soldados de espada y rodela puestos a la puerta del gran patio, para no dejar salir ningún indio de los que estaban con armas y nuestro capitán también estaba a caballo, acompañado de muchos soldados para su guarda. Y desde que vio que tan de mañana habían venido los caciques y *papas* y gente de guerra, dijo: "¡Qué voluntad tienen estos traidores de vernos entre las barrancas para hartarse de nuestras carnes; mejor lo hará Nuestro Señor!" Y preguntó por los dos *papas* que habían descubierto el secreto, y le dijeron que estaban a la puerta del patio con otros caciques que querían entrar. Y mandó Cortés [a] Aguilar, nuestra lengua, que les dijese que se fuesen a sus casas y que ahora no tenían necesidad de ellos; y esto fue por causa que pues nos hicieron buena obra no recibiesen mal por ella, porque no los matásemos. Y como estaba a caballo y doña Marina junto a él, comenzó a decir a los caciques que, sin haberles hecho enojo ninguno, a qué causa nos querían matar la noche pasada, y que si les hemos hecho o dicho cosa para que nos tratasen aquellas traiciones más de amonestarles las cosas que a todos los más pueblos por donde hemos venido, les decimos: que no sean malos, ni sacrifiquen hombres, ni adoren sus ídolos, ni coman carne de sus prójimos, que no sean sométicos, y que tengan buena manera en su vivir, y decirles las cosas tocantes a nuestra santa fe, y esto sin apremiarles en cosa ninguna, y a qué fin tienen ahora nuevamente aparejadas muchas varas largas y recias con colleras y muchos cordeles en una casa junto al gran *cu,* y por qué han hecho de tres días acá albarradas en las calles y hoyos y pertrechos en las azoteas, y por qué han sacado de su ciudad sus hijos y mujeres y hacienda. Y que bien se ha parecido su mala voluntad y las traiciones, que no las pudieron encubrir, que aun de comer no nos daban, que por burlar traían agua y leña y decían que no había maíz, y que bien sabe que tienen cerca de allí, en unas barrancas, muchas capitanías de guerreros esperándonos, creyendo que habíamos de ir por aquel camino a México, para hacer la traición que tienen acordada con otra mucha gente de guerra que esta noche se han juntado con ellos. Que pues como en pago de que venimos a tenerlos por hermanos y decirles lo que Dios Nuestro Señor y el rey manda, nos querían matar y comer nuestras carnes, que ya tenían aparejadas las ollas, con sal y *ají* y tomates, que si esto querían hacer, que fuera mejor que nos dieran guerra como esforzados y buenos guerreros, en los campos, como hicieron sus vecinos los tlaxcaltecas, y que sabe por muy cierto que tenían concertado que en aquella ciudad, y aun prometido a su ídolo, abogado de la guerra, que le habían de sacrificar veinte de nosotros delante del ídolo, y tres noches antes, ya pasadas, que le sacrificaron siete indios porque les diese victoria, lo cual les prometió, y como es malo y falso no tiene ni tuvo poder contra nosotros, y que todas estas maldades y traiciones que han tratado y puesto por la obra han de caer sobre ellos.

Y esta razón se lo decía doña Marina, y se lo daba muy bien a entender. Y desde que lo oyeron los *papas* y caciques y capitanes, dijeron que así es verdad lo que les dice, y que de ello no tienen culpa, porque los embajadores de Montezuma lo ordenaron por mandado de su señor. Entonces les dijo Cortés que tales traiciones como aquéllas, que mandan las leyes reales que no queden sin castigo, y que por su delito que han de morir. Y luego mandó soltar una escopeta, que era la señal que teníamos apercibida para aquel efecto, y se les dio una mano que se les acordará para siempre, porque matamos muchos de ellos,[56] que no les aprovechó las promesas de sus falsos ídolos. Y no tardaron dos horas cuando llegaron allí nuestros amigos los tlaxcaltecas que dejamos en el campo, como ya he dicho otra vez, y pelean muy fuertemente en las calles donde los cholultecas tenían otras capitanías, defendiéndolas, porque no les entrásemos, y de presto fueron desbaratadas. Iban por la ciudad robando y cautivando, que no les podíamos detener. Y otro día vinieron otras capitanías de las poblazones de Tlaxcala y les hacen grandes daños, porque estaban muy mal con los de Cholula. Y desde que aquello vimos, así Cortés y los demás capitanes y soldados, por mancilla que hubimos de ellos, detuvimos a los tlaxcaltecas que no hiciesen más mal. Y Cortés mandó a Cristóbal de Olid que le trajese todos los capitanes de Tlaxcala para hablarles, y no tardaron de venir, y les mandó que recogiesen toda su gente y que se estuviesen en el campo, y así lo hicieron, que no quedaron con nosotros sino los de Cempoal.

Y en este instante vinieron ciertos caciques y *papas* cholultecas, que eran de otros barrios que no se hallaron en las traiciones, según ellos decían, que, como es gran ciudad, era bando y parcialidad por sí, y rogaron a Cortés y a todos nosotros que perdonásemos el enojo de las traiciones que nos tenían ordenado, pues los traidores habían pagado con las vidas. Y luego vinieron los dos *papas* amigos nuestros que nos descubrieron el secreto, y la vieja mujer del capitán que quería ser suegra

[56] Tachado: *y otros se quemaron.*

de doña Marina, como ya he dicho otra vez, y todos rogaron a Cortés fuesen perdonados. Y Cortés, cuando se lo decían, mostró tener gran enojo y mandó llamar a los embajadores de Montezuma, que estaban detenidos en nuestra compañía, y dijo que puesto que toda aquella ciudad merecía ser asolada, que teniendo respeto a su señor Montezuma, cuyos vasallos son, los perdona, y que de ahí en adelante que sean buenos, y que no les acontezca otra como la pasada, que morirían por ello. Y luego mandó llamar los caciques de Tlaxcala que estaban en el campo y les dijo que volviesen los hombres y mujeres que habían cautivado, que bastaban los males que habían hecho. Y puesto que se les hacía de mal devolverlos y decían que de muchos más daños eran merecedores, por las traiciones que siempre de aquella ciudad han recibido, y que por mandarlo Cortés volvieron muchas personas, mas ellos quedaron de esta vez ricos, así de oro y mantas y algodón y sal y esclavos; y, demás de esto, Cortés los hizo amigos con los de Cholula, que a lo que yo después vi y entendí, jamás quebraron las amistades. Y más les mandó a todos los *papas* y caciques cholultecas que poblasen su ciudad y que hiciesen *tianguez* y mercados, y que no hubiesen temor, que no les haría enojo ninguno. Respondieron que dentro en cinco días harían poblar toda la ciudad, porque en aquella sazón todos los más vecinos estaban remontados, y dijeron que tenían necesidad que Cortés les nombrase cacique, porque el que solía mandar fue uno de los que murieron en el patio. Y luego preguntó que a quién le venía el cacicazgo. Y dijeron que a un su hermano, el cual luego les señaló por gobernador hasta que otra cosa les fuese mandado.

Y además de esto, después que vio la ciudad poblada y estaban seguros en sus mercados, mandó que se juntasen los *papas* y capitanes, con los demás principales de aquella ciudad, y se les dio a entender muy claramente todas las cosas tocantes a nuestra santa fe, y que dejasen de adorar ídolos y no sacrificasen ni comiesen carne humana, ni se robasen unos a otros, ni usasen las torpedades que solían usar, y que mirasen que sus ídolos los traen engañados y que son malos y no dicen verdad, y que tuviesen memoria que cinco días había las mentiras que les prometió, que les daría victoria cuando le sacrificaron las siete personas, y cómo todo cuanto dicen a los *papas* y a ellos es todo maldad, y que les rogaba que luego les derrocasen e hiciesen pedazos, y si ellos no querían, que nosotros los quitaríamos, y que hiciesen encalar uno como humilladero para donde pusiésemos una cruz. Lo de la cruz luego lo hicieron, y respondieron que quitarían los ídolos; y puesto que se lo mandó muchas veces que los quitasen, lo dilataban. Y entonces dijo el padre de la Merced a Cortés que era por demás a los principios quitarles sus ídolos hasta que vayan entendiendo más las cosas y ver en qué paraba nuestra entrada en México, y el tiempo nos diría lo que habíamos de hacer, que al presente bastaban las amonestaciones que se les ha hecho y ponerles la cruz.

Dejaré de hablar de esto y diré cómo aquella ciudad está asentada en un llano y en parte y sitio donde están muchas poblazones cercanas que son Tepeaca, Tlaxcala, Chalco, Tecamachalco, Guaxocingo y otros muchos pueblos que, por ser tantos, aquí no los nombro. Y es tierra de mucho maíz y otras legumbres, y de mucho *ají,* y toda llena de magueyales, que es donde hacen el vino. Hacen en ella muy buena loza de barro, colorado y prieto y blanco, de diversas pinturas, y se abastece de ella México y todas las provincias comarcanas, digamos ahora como en Castilla lo de Talavera o Plasencia.

Tenía aquella ciudad en aquel tiempo tantas torres muy altas, que eran *cúes* y adoratorios donde estaban sus ídolos, especial el *cu* mayor, era de más altor que el de México, puesto que era muy suntuoso y alto el *cu* mexicano, y tenía otros patios para servicio de los *cúes*. Según entendimos, había allí un ídolo muy grande, el nombre de él no me acuerdo; mas entre ellos se tenía gran devoción y venían de muchas partes a sacrificarle y a tener como a manera de novenas, y le presentaban de las haciendas que tenían. Acuérdome, cuando en aquella ciudad entramos, que desde que vimos tan altas torres y blanquear, nos pareció al propio Valladolid.

Dejemos de hablar de esta ciudad y todo lo acaecido en ella, y digamos cómo los escuadrones que había enviado el gran Montezuma, que estaban ya puestos entre los arcabuesos que están cabe Cholula, y tenían hecho mamparos y callejones para que no pudiesen correr los caballos, como lo tenían concertado, como ya otra vez lo he dicho, desde que supieron lo acaecido, se vuelven más que de paso para México y dan relación a su Montezuma según y de la manera que todo pasó. Y por presto que fueron ya tenía la nueva de dos principales que con nosotros estaban y que fueron en posta. Y supimos muy de cierto que cuando lo supo Montezuma que sintió gran dolor y enojo, y que luego sacrificó ciertos indios a su ídolo Uichilobos, que le tenían por dios de la guerra, porque le dijese en lo que había de parar nuestra ida a México, o si nos dejaría entrar en su ciudad; y aun supimos que estuvo encerrado en sus devociones y sacrificios dos días, juntamente con diez *papas*, los más principales, y que hubo respuesta de aquellos ídolos, y fue que le aconsejaron que nos enviase mensajeros a disculpar de lo de Cholula y que con muestras de paz nos deje entrar en México, y que estando dentro, con quitarnos la comida y agua o alzarnos cualquiera de los puentes nos matarían, y que en un día si nos daba guerra no quedaría ninguno de nosotros a vida, y que allí podría hacer sus sacrificios así al Uichilobos, que le dio esta respuesta, como a Tezcatepuca, que tenía por dios del infierno. Y tendrían hartazgos de nuestros muslos y piernas y brazos, y las tripas y el cuerpo y todo lo demás hartarían las culebras y sierpes y tigres que tenían en unas casas de madera, como adelante diré, en su tiempo y lugar.

Dejemos de hablar de lo que Montezuma sintió y digamos cómo esta cosa y castigo de Cholula fue sabido en todas las provincias de la Nueva España. Si de antes teníamos fama de esforzados y habían sabido de las guerras de Potonchan y Tabasco y de Cingapacinga y lo de Tlaxcala, y nos llamaban *teules*, que es nombre como de sus dioses, o cosas malas, desde ahí adelante nos tenían por adivinos, y decían que no se nos podría encubrir cosa ninguna mala que contra nosotros tratasen que no lo supiésemos, y a esta causa nos mostraban buena voluntad. Ya creo que estarán hartos los curiosos lectores de oír esta relación de Cholula; ya quisiera haberla acabado de escribir, y no puedo dejar de traer aquí a la memoria las redes de maderos gruesos que en ella hallamos que estaban llenas de indios y muchachos a cebo, para sacrificar y comer sus carnes, las cuales redes quebramos y los indios que en ellas estaban presos les mandó Cortés que se fuesen adonde eran naturales y con amenazas mandó a los caciques y capitanes y *papas* de aquella ciudad que no tuviesen más indios de aquella manera, ni comiesen carne humana, y así lo prometieron; mas, que aprovechaba aquellos prometimientos, que no lo cumplían.

Pasemos ya adelante y digamos que éstas fueron las grandes crueldades que escribe y nunca acaba de decir el obispo de Chiapa, fray Bartolomé de las Casas, porque afirma que sin causa ninguna, sino por nuestro pasatiempo, y porque se nos antojó, se hizo aquel castigo, y aun dícelo de arte en su libro a quien no lo vio ni lo sabe, que les hará creer que es así aquello y otras crueldades que escribe, siendo todo al revés[57] que no pasó como lo escribe. Miren los religiosos de la Orden de Señor Santo Domingo lo que leen en el libro en lo que ha escrito, y hallarán ser muy contrario lo uno de lo otro. Y también quiero decir que unos buenos religiosos franciscanos, que fueron los primeros frailes que Su Majestad envió a esta Nueva España, después de ganado México, según adelante diré, fueron a Cholula para saber e inquirir cómo y de qué manera pasó aquel castigo, y por qué causa, y la pesquisa que hicieron fue con los mismos *papas* y viejos de aquella ciudad, y después de bien informados de ellos mismos, hallaron ser ni más ni menos que en esta relación escribo, y no como lo dice el obispo. Y si por ventura no se hiciera aquel castigo, nuestras vidas estaban en mucho peligro, según los escuadrones y capitanías que tenían de guerreros mexicanos y de Cholula, y albarradas y pertrechos, y que si allí por nuestra desdicha nos mataran, esta Nueva España no se ganara tan presto ni se atreviera [a] venir otra armada, y ya que viniese estuvieran siempre en sus idolatrías. Yo he oído decir a un fraile francisco de buena vida, que se decía fray Toribio Motolinía, que si se pudiera excusar aquel castigo y ellos no dieran causa a que se hiciese, que mejor fuera; mas ya que se hizo, que fue bueno para que todos los indios de las provincias de la Nueva España viesen y conociesen que aquellos ídolos y todos los demás son malos y mentirosos; y que viendo lo que les había prometido salió al revés, y que perdieron la devoción que antes tenían con ellos, y que desde allí en adelante no les sacrificaban ni venían como en romería de otras partes como solían y desde entonces no curaron de él y le quitaron de alto *cu* donde estaba, o le escondieron o quebraron, que no pareció más, y en su lugar habían puesto otro ídolo. Dejémoslo ya, y diré lo que más adelante hicimos.

[57] Tachado: *perdóneme su señoría que lo diga tan claro.*

CAPÍTULO LXXXIV

DE CIERTAS PLÁTICAS Y MENSAJEROS QUE ENVIAMOS AL GRAN MONTEZUMA

Como habían ya pasado catorce días que estábamos en Cholula y no teníamos más en qué entender, y vimos que quedaba aquella ciudad muy poblada y hacían mercados, y habíamos hecho amistades entre ellos y los de Tlaxcala, y les teníamos puesto una cruz, y amonestado las cosas tocantes a nuestra santa fe, y veíamos que el gran Montezuma enviaba a nuestro real espías encubiertamente a saber e inquirir qué era nuestra voluntad y si habíamos de pasar adelante para ir a su ciudad, porque todo lo alcanzaba a saber muy enteramente por dos embajadores que estaban en nuestra compañía, acordó nuestro capitán de entrar en consejo con ciertos capitanes y algunos soldados que sabía que le tenían buena voluntad, porque, además de ser muy esforzados, eran de buen consejo, porque ninguna cosa hacía sin primero tomar sobre ello nuestro parecer. Y fue acordado que blanda y amorosamente enviásemos a decir al gran Montezuma que para cumplir a lo que nuestro rey y señor nos envió a estas partes, y hemos pasado muchos mares y remotas tierras solamente para verle y decirle cosas que le serán muy provechosas después que las haya entendido, que viniendo que veníamos camino de su ciudad, porque sus embajadores nos encaminaron por Cholula, que dijeron que eran sus vasallos, y que dos días, los primeros que en ella entramos, nos recibieron muy bien, y para otro día tenían ordenada una traición con pensamiento de matarnos, y porque somos hombres que tenemos tal calidad que no se nos puede encubrir cosa de trato ni tratación ni maldad que contra nosotros quieran hacer, que luego lo sabemos, y que por esta causa castigamos algunos que querían ponerlo por obra, y que porque supo que eran sus sujetos, teniendo respeto a su persona y a nuestra gran amistad dejó de asolar y matar todos los que fueron en pensar en la traición. Y lo peor de todo es que dijeron los *papas* y caciques que por consejo y mandado de él y de sus embajadores lo querían hacer, lo cual nunca creímos que tan gran señor como él es tal mandase, especialmente habiéndose dado por nuestro amigo, y tenemos colegido de su persona que ya que tan mal pensamiento sus ídolos le pusieron de darnos guerra, que sería en el campo, mas en tanto teníamos que pelease en campo que en poblado, que de día que de noche, porque le mataríamos a quien tal pensase hacer, mas como le tiene por gran amigo, y le desea ver y hablar, luego nos partimos para su ciudad a darle cuenta muy por entero de lo que el rey nuestro señor nos mandó. Y como Montezuma oyó esta embajada y entendió que por lo de Cholula no le poníamos toda la culpa, oímos decir que tornó a entrar con sus *papas* en ayunos y sacrificios que hicieron a sus ídolos para que se tornase a rectificar que si nos dejaría entrar en su ciudad o no, y si se lo tornaba a mandar, como le había dicho otra vez. Y la respuesta que les tornó a dar fue como la primera, y que de hecho nos deje entrar, y que dentro nos mataría a su voluntad; y más le aconsejaron sus capitanes y *papas* que si ponía estorbo en la entrada, que le haríamos guerra en los pueblos sus subjetos, teniendo, como teníamos, por amigos a los tlaxcaltecas y todos los totonaques de la sierra, y a otros pueblos que habían tomado nuestra amistad; y por excusar estos males, que mejor y más sano consejo es el que les ha dado su Uichilobos. Dejemos de más decir de lo que Montezuma tenía acordado. Y diré lo que sobre ello hizo, y cómo acordamos de ir camino de México, y estando de partida llegaron mensajeros de Montezuma con un presente, y lo que envió a decir.

CAPÍTULO LXXXV

CÓMO EL GRAN MONTEZUMA ENVIÓ UN PRESENTE DE ORO, Y LO QUE ENVIÓ A DECIR, Y CÓMO ACORDAMOS DE IR CAMINO DE MÉXICO Y LO QUE MÁS ACAECIÓ SOBRE ELLO

Como el gran Montezuma hubo tomado otra vez consejo con su Uichilobos y *papas* y capitanes, y todos le aconsejaron que nos deje entrar en su ciudad y que allí nos mataría a su salvo, y después que oyó las palabras que le enviamos a decir acerca de nuestra amistad, y también otras razones bravosas, cómo somos hombres que no se nos encubre traición que contra nosotros se trate que no la sepamos, y que en lo de la guerra que eso se nos da que sea en el campo o en poblado, que de noche o de día, o de otra cualquier maña, y como había entendido las guerras de Tlaxcala y había sabido lo de Potonchan y Tabasco y Cingapacinga y ahora lo de Cholula, estaba asombrado y aun temeroso; y después de muchos acuerdos que tuvo envió seis principales con un presente de oro y joyas de mucha diversidad de hechuras, que valdría, a lo que juzgaban, sobre dos mil pesos, y también envió ciertas cargas de mantas muy ricas y de primas labores. Y cuando aquellos principales llegaron ante Cortés con el presente, besaron la tierra con la mano, y con gran acato, como entre ellos se usa, dijeron: "Malinche: nuestro señor, el gran Montezuma, te envía este presente, y dice que le recibas con el amor grande que te tiene, y a todos vuestros hermanos, y que le pesa del enojo que le dieron los de Cholula, y que quisiera que los castigara más en sus personas, porque son malos y mentirosos, que las maldades que ellos querían hacer le echaban a él la culpa y a sus embajadores, y que tuviésemos por muy cierto que era nuestro amigo y que vamos a su ciudad cuando quisiéremos, que puesto que él nos quiere hacer mucha honra, como a personas tan esforzadas y mensajeros de tan alto rey como decís que es, y porque no tiene que darnos de comer, que [a] la ciudad se lleva todo el bastimento de acarreto, por estar en la laguna poblada, no lo podrá hacer tan cumplidamente; mas que él procurará de hacernos toda la más honra que pudiere, y que por los pueblos por donde habíamos de pasar que él ha mandado que nos den lo que hubiésemos menester." Y dijo otros muchos cumplimientos de palabra. Y como Cortés lo entendió, por nuestras lenguas, recibió aquel presente con muestras de amor, y abrazó a los mensajeros y les mandó dar ciertos diamantes torcidos. Y todos nuestros capitanes y soldados nos alegramos con tan buenas nuevas en mandarnos que vamos a su ciudad, porque de día a día lo estábamos deseando todos los más soldados, especial los que no dejábamos en la isla de Cuba bienes ningunos y habíamos venido dos veces a descubrir primero que Cortés.

Dejemos esto y digamos cómo el capitán les dio buena respuesta y muy amorosa, y mandó que se quedasen tres mensajeros de los que vinieron con el presente para que fuesen con nosotros por guías, y los otros tres volvieron con la respuesta a su señor y le avisan que ya íbamos camino.[58] Y cuando aquella nuestra partida entendieron los caciques mayores de Tlaxcala, que se decían Xicotenga el viejo y ciego y Maseescaci, los cuales he nombrado otras veces, les pesó en el alma, y enviaron a decir a Cortés que ya le habían dicho muchas veces que mirase lo que hacía y se guardase de entrar en tan recia ciudad, donde había tantas fuerzas y tanta multitud de guerreros, porque un día u otro nos darían guerra, y temía que no podríamos salir con las vidas: y que por la buena voluntad que nos tiene, que ellos quieren enviar diez mil hombres con capitanes esforzados que vayan con nosotros, con bastimento para el camino. Cortés se lo agradeció mucho su buena voluntad, y les dijo que no es justo entrar en México con tanta copia de guerreros, especialmente siendo tan contrarios los unos de los otros; que solamente había menester mil hombres para llevar los *tepuzquez* y fardaje y para adobar algunos caminos. Ya he dicho otra vez que *tepuzquez* en estas partes dicen por los tiros, que son de hierro, que llevábamos.

[58] Tachado en el original lo siguiente: *y dejarlo he aquí y diré como mandamos a nuestros amigos de Tlaxcala que nos aparejasen mil hombres de guerra para ir con nosotros a México y de que lo supo Xicontenga el ciego y Maseescaci, les pesó en gran manera porque íbamos así de repente y mandábamos por mil hombres de guerra para ir con nosotros a México, y de que...*

Y luego despacharon los mil indios muy apercibidos, y ya que estábamos a punto para caminar, vinieron ante Cortés los caciques y todos los más principales guerreros que sacamos de Cempoal, que andaban en nuestra compañía y nos sirvieron muy bien y lealmente, y dijeron que se querían volver a Cempoal, y que no pasarían de Cholula adelante para ir a México, porque cierto tenían que si allá iban que habían de morir ellos y nosotros, y que el gran Montezuma les mandaría matar, porque eran personas muy principales de los de Cempoal, que fueron en quitarle la obediencia y en que no se le diese tributo, y en aprisionar sus recaudadores cuando hubo la rebelión ya por mí otra vez escrita en esta relación. Y desde que Cortés los vio que con tanta voluntad le demandaban aquella licencia, les respondió con doña Marina y Aguilar que no hubiesen temor ninguno que recibirían mal ni daño, y que pues iban en nuestra compañía, que quién había de ser osado a enojarlos a ellos ni a nosotros, y que les rogaba que mudasen su voluntad y que se quedasen con nosotros; y les prometió que les haría ricos. Y por más que se lo rogó Cortés, y doña Marina se lo decía muy afectuosamente, nunca quisieron quedar, sino que se querían volver. Y desde que aquello vio Cortés, dijo: "Nunca Dios quiera que nosotros llevemos por fuerza a estos indios que tan bien nos han servido." Y mandó traer muchas cargas de mantas ricas y se las repartió entre todos, y también envió al cacique gordo, nuestro amigo, señor de Cempoal, dos cargas de mantas para él y para su sobrino Cuesco, que así se llama otro gran cacique, y escribió al teniente Juan de Escalante, que dejábamos por capitán, y era en aquella sazón alguacil mayor, todo lo que nos había acaecido, y cómo íbamos camino de México, y que mirase muy bien por todos los vecinos, y se velase, y que siempre estuviese de día y de noche con gran cuidado, y que acabase de hacer la fortaleza; y que a los naturales de aquellos pueblos que los favoreciese contra mexicanos, y no se les hiciese agravio por ningún soldado de los que con él estaban. Y escrita esta carta y partidos los de Cempoal, comenzamos nuestro camino muy apercibidos.

CAPÍTULO LXXXVI

CÓMO COMENZAMOS A CAMINAR PARA LA CIUDAD DE MÉXICO, Y LO QUE EN EL CAMINO NOS AVINO, Y LO QUE MONTEZUMA ENVIÓ A DECIR

Así como salimos de Cholula con gran concierto, como lo teníamos de costumbre, los corredores de campo a caballo descubriendo la tierra, y peones muy sueltos juntamente con ellos para si algún mal paso o embarazo hubiese ayudasen los unos a los otros, y nuestros tiros muy a punto, y escopeteros y ballesteros y los de a caballo de tres en tres, para que se ayudasen, y todos los más soldados en gran concierto. No sé yo para qué lo traigo tanto a la memoria, sino que en las cosas de la guerra por fuerza hemos de hacer relación de ello, para que se vea cuál andábamos, la barba siempre sobre el hombro, y así caminando llegamos aquel día a unos ranchos que están en una como serrezuela, que es poblazón de Guaxocingo, que me parece que se dicen los ranchos de Iscalpán,[59] cua-

[59] Calpan aceptando la opinión de Orozco y Berra (*Ob cit.*, t. IV, pági-

tro leguas de Cholula. Y allí vinieron luego los caciques y *papas* de los pueblos de Guaxocingo, que estaba cerca, y eran amigos y confederados de los tlaxcaltecas, y también vinieron otros poblezuelos que están poblados a las faldas del volcán que confina con ellos, y trajeron bastimento y un presente de joyas de oro de poca valía, y dijeron a Cortés que recibiese aquello y no mirase a lo poco que era, sino a la voluntad con que se lo daban, y le aconsejaron que no fuese a México, que era una ciudad muy fuerte y de muchos guerreros, y que correríamos mucho peligro, y que mirase que, ya que íbamos, que subido aquel puerto, que había dos caminos muy anchos, y que el uno iba a un pueblo que se dice Chalco, y el otro a Tamanalco,[60] que era otro pueblo, y entrambos sujetos a México; y que el un camino estaba muy barrido y limpio para que vamos por él, y que el otro camino le tenían ciego y cortados muchos árboles muy gruesos y grandes pinos, porque no puedan ir caballos ni pudiésemos pasar adelante, y que abajo un poco de la sierra, por el camino que tenían limpio, creyendo que habíamos de ir por él, tenían cortado un pedazo de la sierra, y había allí mamparos y albarradas, y que han estado en el paso ciertos escuadrones de mexicanos para nos matar, y que nos aconsejaban que no fuésemos por el que estaba limpio, sino por donde estaban los árboles atravesados, y que ellos nos darán mucha gente que lo desembaracen, y pues que iban con nosotros los tlaxcaltecas, que todos quitarían los árboles, y que aquel camino salía a Tamanalco. Y Cortés les recibió el presente con mucho amor, y les dijo que les agradecía el aviso que le daban, y con la ayuda de Dios que no dejará de seguir su camino, y que irá por donde le aconsejaban. Y luego otro día bien de mañana comenzamos a caminar, y ya era cerca de mediodía cuando llegamos en lo alto de la sierra, donde hallamos los caminos ni más ni menos que los de Guaxocingo dijeron, y allí reparamos un poco y aun nos dio qué pensar en lo de los escuadrones mexicanos y en la sierra cortada donde estaban las albarradas de que nos avisaron.

Y Cortés mandó llamar a los embajadores del gran Montezuma que iban en nuestra compañía y les preguntó que cómo estaban aquellos dos caminos de aquella manera: el uno muy limpio y barrido y el otro lleno de árboles cortados nuevamente. Y respondieron que porque vamos por el limpio, que sale a una ciudad que se dice Chalco, donde nos harán buen recibimiento, que es de su señor Montezuma, y que el otro camino, que le pusieron aquellos árboles y le cegaron porque no fuésemos por él, que hay malos pasos y se rodea algo para ir a México, que sale a otro pueblo que no es tan grande como Chalco. Entonces dijo Cortés que quería ir por el que estaba embarazado. Y comenzaron a subir la sierra puestos en gran concierto, y nuestros amigos apartando los árboles muy grandes y muy gruesos, por donde pasamos con gran trabajo, y hasta hoy en día están algunos de ellos fuera del camino. Y subiendo a lo más alto, comenzó a nevar y se cuajó de nieve la tierra, y caminamos la sierra abajo, y fuimos a dormir a unas caserías que eran como a manera de aposentos o mesones, donde posaban indios mercaderes, y tuvimos bien de cenar y con gran frío, y pusimos nuestras velas y rondas y escuchas y aun corredores del campo.

Y otro día comenzamos a caminar, y a hora de misas mayores llegamos a un pueblo que ya he dicho que se dice Tamanalco, y nos recibieron bien, y de comer no faltó, y como supieron de otros pueblos de nuestra llegada, luego vinieron los de Chalco y se juntaron con los de Tamanalco y Chimaloacán y Meca-

na 259). Cortés no cita este pueblo en su segunda Carta de Relación.

[60] Actualmente conserva su nombre: Tlalmanalco.

meca[61] y Acacingo, donde están las canoas, que es puerto de ellos, y otros poblezuelos que ya no se me acuerda el nombre de ellos. Y todos juntos trajeron un presente de oro y dos cargas de mantas y ocho indias, que valdría el oro sobre ciento cincuenta pesos, y dijeron: "Malinche: recibe estos presentes que te damos y tennos de aquí adelante por tus amigos." Y Cortés lo recibió con grande amor y se les ofreció que en todo lo que hubiesen menester les ayudaría; y desde que los vio juntos dijo al Padre de la Merced que les amonestase las cosas tocantes a nuestra santa fe y dejasen sus ídolos, y se les dijo todo lo que solíamos decir en todos los más pueblos por donde habíamos venido, y a todo respondieron que bien dicho estaba, y que lo verían adelante. También se les dio a entender el gran poder del emperador nuestro señor, y que veníamos a deshacer agravios y robos, y que para ello nos envió a estas partes. Y como aquello oyeron todos aquellos pueblos que dicho tengo, secretamente, que no lo sintieron los embajadores mexicanos, dan tantas quejas de Montezuma y de sus recaudadores, que les robaban cuanto tenían, y las mujeres e hijas, si eran hermosas, las forzaban delante de ellos y de sus maridos y se las tomaban, y que les hacían trabajar como si fueran esclavos, que les hacían llevar en canoas y por tierra madera de pinos, y piedra, y leña y maíz y otros muchos servicios de sembrar maizales, y les tomaban sus tierras para servicio de sus ídolos y otras muchas quejas que, como ha ya muchos años que pasó, no me acuerdo. Y Cortés les consoló con palabras amorosas que se las sabía muy bien decir con doña Marina, y que ahora al presente no puede entender en hacerles justicia, y que se sufriesen, que él les quitaría aquel dominio.

Y secretamente les mandó que fuesen dos principales con otros cuatro de nuestros amigos de Tlaxcala a ver el camino barrido que nos hubieron dicho los de Guaxocingo que no fuésemos por él, para que viesen qué albarradas y mamparo tenían, y si estaban allí algunos escuadrones de guerra.[62] Y los caciques respondieron: "Malinche: no hay necesidad de ir a ver, porque todo está ahora muy llano y aderezado, y has de saber que habrá seis días que estaban a un mal paso que tenían cortada la sierra porque no pudieses pasar, con mucha gente de guerra. Del gran Montezuma hemos sabido que su Uichilobos, que es el dios que tienen de la guerra, les aconsejó que os dejen pasar, y desde que entréis en México que allí os matarán; por tanto, lo que nos parece es que os estéis aquí con nosotros, y os daremos de lo que tuviéremos, y no vais a México, que sabemos cierto que, según es fuerte y de muchos guerreros, no os dejarán con las vidas." Y Cortés les dijo con buen semblante que no tenían los mexicanos ni otras ninguna naciones poder de matarnos, salvo Nuestro Señor Dios, en quien creemos, y que porque vean que al mismo Montezuma y a todos sus caciques y *papas* les vamos a dar a entender lo que nuestro Dios manda, que luego se quería partir, y que le diesen veinte hombres principales que vayan en nuestra compañía, y que haría mucho por ellos y les haría justicia desde que haya entrado en México, para que Montezuma ni sus recaudadores no les hagan las demasías ni fuerzas que han dicho que les hacen. Y con alegre rostro todos los de aquellos pueblos por mí ya nombrados dieron buenas respuestas, y nos trajeron los veinte indios, y ya que estábamos para partir vinieron mensajeros del gran Montezuma; y lo que dijeron diré adelante.

[61] Chimalhuacan y Amaquemecan.

[62] El itinerario que da Bernal resulta ilógico, pues las obstrucciones en el camino parecen por su relato que las intentaron los de México antes de Amecameca o de Tlalmanalco; y no había para qué mandar ver el estado del camino de allí adelante.

CAPÍTULO LXXXVII

CÓMO EL GRAN MONTEZUMA NOS ENVIÓ OTROS EMBAJADORES CON UN PRESENTE DE ORO Y MANTAS, Y LO QUE DIJERON A CORTÉS Y LO QUE LES RESPONDIÓ

YA QUE ESTÁBAMOS de partida para ir nuestro camino a México, vinieron ante Cortés cuatro principales mexicanos que envió Montezuma y trajeron un presente de oro y mantas, y después de hecho su acato, como lo tenían de costumbre, dijeron: "Malinche: este presente te envía nuestro señor el gran Montezuma, y dice que le pesa mucho por el trabajo que habéis pasado en venir de tan lejas tierras a verle, y que ya te ha enviado decir otra vez que te dará mucho oro y plata y *chalchiuis* en tributo para vuestro emperador y para vos y los demás *teules* que traéis, y que no vengas a México, y ahora nuevamente te pide por merced que no pases de aquí adelante, sino que te vuelvas por donde viniste, que él te promete de te enviar al puerto mucha cantidad de oro y plata y ricas piedras para ese vuestro rey, y para ti te dará cuatro cargas de oro, y para cada uno de tus hermanos una carga, porque ir a México es excusada tu entrada dentro, que todos sus vasallos están puestos en armas para no os dejar entrar, y demás de esto, que no tenía camino, sino muy angosto, ni bastimentos que comiésemos." Y dijo otras muchas razones de inconvenientes para que no pasásemos de allí. Y Cortés, con mucho amor, abrazó a los mensajeros, puesto que le pesó de la embajada, y recibió el presente, que ya no se me acuerda qué tanto valía, y a lo que yo vi y entendí, jamás dejó de enviar Montezuma oro, poco o mucho, cuando enviaba mensajeros, como otra vez he dicho.

Y volviendo a nuestra relación, Cortés les respondió que se maravillaba del señor Montezuma, habiéndose dado por nuestro amigo y siendo tan gran señor, tener tantas mudanzas, que unas veces dice uno y otras envía a mandar al contrario, y que en cuanto a lo que dice que dará el oro para nuestro señor el emperador y para nosotros, que se lo tiene en merced, y por aquello que ahora le envía que en buenas obras se lo pagará el tiempo andando, y que si le parecerá bien que estando tan cerca de su ciudad, será bueno volvernos del camino sin hacer aquello que nuestro señor nos manda; que si el señor Montezuma hubiese enviado sus mensajeros y embajadores [a] algún gran señor como él es, ya que llegasen cerca de su casa aquellos mensajeros que enviaba se volviesen sin hablarle y decirle a lo que iban, después que volviesen ante su presencia con aquel recaudo, ¿qué mercedes les haría sino tenerles por cobardes y de poca calidad? Que así haría nuestro señor el emperador con nosotros, y que de una manera o de otra que habíamos de entrar en su ciudad, y desde allí adelante que no le envíe más excusas sobre aquel caso, porque le ha de ver y hablar y dar razón de todo el recaudo a que hemos venido, y ha de ser a su sola persona; y después que lo haya entendido, si no le estuviere bien nuestra estada en su ciudad, que nos volveremos por donde vinimos. Y cuanto a lo que dice que no tiene comida sino muy poco y que no nos podremos sustentar, que somos hombres que con poca cosa que comemos nos pasamos, y que ya vamos camino de su ciudad, que haya por bien nuestra ida.

Y luego en despachando los mensajeros comenzamos a caminar para México, y como nos habían dicho y avisado los de Guaxocingo y los de Chalco que Montezuma había tenido pláticas con sus ídolos y *papas* que si nos dejaría entrar en México o si nos daría guerra, y todos sus *papas* le respondieron que decía su Uichilobos que nos dejase entrar, que allí nos podrá matar, según dicho tengo otras veces en el capítulo que de ello habla; y como somos hombres y temíamos la muerte, no dejábamos de pensar en ello, y como aquella tierra es muy poblada, íbamos siempre caminando muy chicas jornadas y encomendándonos a Dios y su bendita madre Nuestra Señora, y platicando cómo y de qué manera podíamos entrar, y pusimos en nuestros corazones, con buena esperanza, que pues Nuestro Señor Jesucristo fue servido guardarnos de los peligros pasados, que también nos guardaría del poder de México.

Y fuimos a dormir a un pueblo que se dice Ixtapalatengo,[63] que está la mitad de las casas en el agua y la mitad en tierra firme, donde está una serrezuela y ahora está una venta, y allí tuvimos bien de cenar. Dejemos esto y volvamos al gran Montezuma, que como llegaron sus mensajeros y oyó la respuesta que Cortés le envió, luego acordó de enviar a un su sobrino, que se decía Cacamatzin, señor de Tezcuco, con muy gran fausto, a dar el bienvenido a Cortés y a todos nosotros. Y como siempre teníamos de costumbre de tener velas y corredores del campo, vino uno de nuestros corredores [a] avisar que venían por el camino muy gran copia de mexicanos de paz, y que al parecer venían de ricas mantas vestidos; y entonces cuando esto pasó era muy de mañana, y queríamos caminar, y Cortés nos dijo que reparásemos en nuestras posadas hasta ver qué cosa era. Y en aquel instante vinieron cuatro principales y hacen a Cortés gran reverencia y le dicen que allí cerca viene Cacamatzin, gran señor de Tezcuco, sobrino del gran Montezuma, y que nos pide por merced que aguardemos hasta que venga, y no tardó mucho, porque luego llegó con el mayor fausto y grandeza que ningún señor de los mexicanos habíamos visto traer, porque venía en andas muy ricas, labradas de plumas verdes y mucha argentería y otras ricas pedrerías engastadas en arboledas de oro que en ellas traía hechas de oro muy fino, y traían las andas a cuestas ocho principales, y todos, según decían, eran señores de pueblos. Ya que llegaron cerca del aposento donde estaba Cortés le ayudaron a salir de las andas y le barrieron el suelo, y le quitaban las pajas por donde había de pasar, y desde que llegaron ante nuestro capitán le hicieron grande acato, y el Cacamatzin le dijo: "Malinche: aquí venimos yo y estos señores a servirte y hacerte dar todo lo que hubieres menester para ti y tus compañeros, y meteros en vuestras casas, que es nuestra ciudad, porque así nos es mandado por nuestro señor el gran Montezuma, y dice que le perdones porque él mismo no viene a lo que nosotros venimos, y porque está mal dispuesto lo deja, y no por falta de muy buena voluntad que os tiene."

Y cuando nuestro capitán y todos nosotros vimos tanto aparato y majestad como traían aquellos caciques, especialmente el sobrino de Montezuma, lo tuvimos por gran cosa y platicamos entre nosotros que cuando aquel cacique traía tanto triunfo, qué haría el gran Montezuma. Y como el Cacamatzin hubo dicho su razonamiento, Cortés le abrazó y le hizo muchas quiricias a él y a todos los más principales, y le dio tres piedras que se llaman margaritas, que tienen dentro de sí muchas pinturas de diversos colores; y a los demás principales se les dio diamantes azules: y les dijo que

[63] Pueblo que no identifico. En una tachadura, líneas adelante habla Bernal de otra noche pasada en Mizquic, y la parada anterior en Tlalmanalco, para seguir por Cuitlahuac, hoy Tlahuac, a Iztapalapa.

se lo tenía en merced y que cuándo pagaría al señor Montezuma las mercedes que cada día nos hace. Y acabada la plática, luego nos partimos, y como habían venido aquellos caciques que dicho tengo, traían mucha gente consigo y de otros muchos pueblos que están en aquella comarca, que salían a vernos, todos los caminos estaban llenos de ellos.[64]

Y otro día por la mañana llegamos a la calzada ancha y vamos camino de Estapalapa.[65] Y desde que vimos tantas ciudades y villas pobladas en el agua, y en tierra firme otras grandes poblazones, y aquella calzada tan derecha y por nivel cómo iba a México, nos quedamos admirados, y decíamos que parecía a las cosas de encantamiento que cuentan en el libro de Amadís, por las grandes torres y *cúes* y edificios que tenían dentro en el agua, y todos de calicanto, y aun algunos de nuestros soldados decían que si aquello que veían si era entre sueños, y no es de maravillar que yo escriba aquí de esta manera, porque hay mucho que ponderar en ello que no sé como lo cuente: ver cosas nunca oídas, ni aun soñadas, como veíamos. Pues desde que llegamos cerca de Estapalapa, ver la grandeza de otros caciques que nos salieron a recibir, que fue el señor de aquel pueblo, que se decía Coadlabaca,[66] y el señor de Culuacán, que entrambos eran deudos muy cercanos de Montezuma. Y después que entramos en aquella ciudad de Estapalapa, de la manera de los palacios donde nos aposentaron, de cuán grandes y bien labrados eran, de cantería muy prima, y la madera de cedros y de otros buenos árboles olorosos, con grandes patios y cuartos, cosas muy de ver, y entoldados con paramentos de algodón. Después de bien visto todo aquello fuimos a la huerta y jardín, que fue cosa muy admirable verlo y pasearlo, que no me hartaba de mirar la diversidad de árboles y los olores que cada uno tenía, y andenes llenos de rosas y flores, y muchos frutales y rosales de la tierra, y un estanque de agua dulce, y otra cosa de ver: que podían entrar en el vergel grandes canoas desde la laguna por una abertura que tenían hecha, sin saltar en tierra, y todo muy encalado y lucido, de muchas maneras de piedras y pinturas en ellas que había harto que ponderar, y de las aves de muchas diversidades y raleas que entraban en el estanque. Digo otra vez lo que estuve mirando, que creí que en el mundo hubiese otras tierras descubiertas como éstas, porque en aquel tiempo no había Perú ni memoria de él. Ahora todo está por el suelo, perdido, que no hay cosa.

Pasemos adelante, y diré cómo trajeron un presente de oro los caciques de aquella ciudad y los de Cuyuacán[67] que valía sobre dos mil pesos, y Cortés les dio muchas gracias por ello y les mostró grande amor, y se les dijo con nuestras lenguas las cosas tocantes a nuestra santa fe, y se les declaró el gran

[64] Tachado en el original: *que no podíamos andar, y los mismos caciques decían a sus vasallos que hiciesen lugar, e que mirasen que éramos* teules, *que si no hacían lugar nos enojaríamos con ellos. Y por estas palabras que les decían nos desembarazaron el camino e fuimos a dormir a otro pueblo que está poblado en la laguna, que me parece que se dice Mezquique [Mizquic], que después se puso nombre Venezuela, y tenía tantas torres y grandes* cúes *que blanqueaban, y el cacique de él y principales nos hicieron mucha honra, y dieron a Cortés un presente de oro y mantas ricas, que valdría el oro cuatrocientos pesos; y nuestro Cortés les dio muchas gracias por ello. Allí se les declaró las cosas tocante a nuestra santa fe, como hacíamos en todos los pueblos por donde veníamos, y, según paresció, aquellos de aquel pueblo estaban muy mal con Montezuma, de muchos agravios que les había hecho, y se quejaron de él. Y Cortés les dijo que presto se remediaría, y que ahora llegaríamos a México, si Dios fuese servido, y entendería en ello.*

[65] Iztapalapa, al comenzar el capítulo LXXXVIII, escrita correctamente.

[66] Cuitlahuac.

[67] Coyohuacan, Coyoacan.

poder de nuestro señor el emperador; y porque hubo otras muchas pláticas, lo dejaré de decir, y diré que en aquella sazón era muy gran pueblo, y que estaba poblada la mitad de las casas en tierra y la otra mitad en el agua, y ahora en esta sazón está todo seco y siembran donde solía ser laguna. Está de otra manera mudado, que si no lo hubiere de antes visto, dijera que no era posible que aquello que estaba lleno de agua que está ahora sembrado de maizales. Dejémoslo aquí, y diré del solemnísimo recibimiento que nos hizo Montezuma a Cortés y a todos nosotros en la entrada de la gran ciudad de México.

CAPÍTULO LXXXVIII

DEL GRANDE Y SOLEMNE RECIBIMIENTO QUE NOS HIZO EL GRAN MONTEZUMA A CORTÉS Y A TODOS NOSOTROS EN LA ENTRADA DE LA GRAN CIUDAD DE MÉXICO

Luego otro día de mañana partimos de Estapalapa, muy acompañados de aquellos grandes caciques que atrás he dicho; íbamos por nuestra calzada adelante, la cual es ancha de ocho pasos, y va tan derecha a la ciudad de México, que me parece que no se torcía poco ni mucho, y puesto que es bien ancha, toda iba llena de aquellas gentes que no cabían, unos que entraban en México y otros que salían, y los indios que nos venían a ver, que no nos podíamos rodear de tantos como vinieron, porque estaban llenas las torres y *cúes* y en las canoas y de todas partes de la laguna, y no era cosa de maravillar, porque jamás habían visto caballos ni hombres como nosotros. Y de que vimos cosas tan admirables no sabíamos qué decir, o si era verdad lo que por delante parecía, que por una parte en tierra había grandes ciudades, y en la laguna otras muchas, y veíamoslo todo lleno de canoas, y en la calzada muchas puentes de trecho a trecho, y por delante estaba la gran ciudad de México; y nosotros aún no llegábamos a cuatrocientos soldados, y teníamos muy bien en la memoria las pláticas y avisos que nos dijeron los de Guaxocingo y Tlaxcala y de Tamanalco, y con otros muchos avisos que nos habían dado para que nos guardásemos de entrar en México, que nos habían de matar desde que dentro nos tuviesen. Miren los curiosos lectores si esto que escribo si había bien que ponderar en ello, ¿qué hombres [ha] habido en el universo que tal atrevimiento tuviesen?

Pasemos adelante. Íbamos por nuestra calzada; ya que llegamos donde se aparta otra calzadilla que iba a Cuyuacán, que es otra ciudad adonde estaban unas como torres que eran sus adoratorios, vinieron muchos principales y caciques con muy ricas mantas sobre sí, con galanía de libreas diferenciadas las de los unos caciques de los otros, y las calzadas llenas de ellos, y aquellos grandes caciques enviaba el gran Montezuma adelante a recibirnos, y así como llegaban ante Cortés decían en su lengua que fuésemos bien venidos, y en señal de paz tocaban con la mano en el suelo y besaban la tierra con la misma mano. Así que estuvimos parados un buen rato, y desde allí se adelantaron Cacamatzin, señor de Tezcuco, y el señor de Iztapalapa, y el señor de Tacuba, y el señor de Cuyuacán a encontrarse con el gran Montezuma, que venía cerca, en ricas andas, acompañado de otros grandes señores y caciques que tenían vasallos.

Ya que llegábamos cerca de México, adonde estaban otras torrecillas, se apeó el gran Montezuma de las andas, y traíanle de brazo aquellos grandes caciques, debajo de un palio muy riquísimo a maravilla, y el color de plumas verdes con grandes labores de oro, con mucha argentería y perlas y piedras *chalchiuis*, que colgaban de unas como bordaduras, que hubo mucho que mirar en ello. Y el gran Montezuma venía muy ricamente ataviado, según su usanza, y traía calzados unos como *cotaras*,[68] que así se dice lo que se calzan; las suelas de oro y muy preciada pedrería por encima en ellas; y los cuatro señores que le traían de brazo venían con rica manera de vestidos a su usanza, que parece ser se los tenían aparejados en el camino para entrar con su señor que no traían los vestidos con los que nos fueron a recibir, y venían, sin aquellos cuatro señores, otros cuatro grandes caciques que traían el palio sobre sus cabezas, y otros muchos señores que venían delante del gran Montezuma, barriendo el suelo por donde había de pisar, y le ponían mantas porque no pisase la tierra. Todos estos señores ni por pensamiento le miraban en la cara, sino los ojos bajos y con mucho acato, excepto aquellos cuatro deudos y sobrinos suyos que lo llevaban de brazo. Y como Cortés vio y entendió y le dijeron que venía el gran Montezuma, se apeó del caballo, y desde que llegó cerca de Montezuma, a una se hicieron grandes acatos. El Montezuma le dio el bienvenido, y nuestro Cortés le respondió con doña Marina que él fuese el muy bien estado; y paréceme que Cortés, con la lengua doña Marina, que iba junto a Cortés, le daba la mano derecha, y Montezuma no la quiso y se la dio a Cortés. Y entonces sacó Cortés un collar que traía muy a mano de unas piedras de vidrio, que ya he dicho que se dicen margaritas, que tienen dentro de sí muchas labores y diversidad de colores y venía ensartado en unos cordones de oro con almizque porque diesen buen olor, y se le echó al cuello el gran Montezuma, y cuando se le puso le iba [a] abrazar, y aquellos grandes señores que iban con Montezuma le tuvieron el brazo a Cortés que no le abrazase, porque lo tenían por menosprecio.

Y luego Cortés con la lengua doña Marina le dijo que holgaba ahora su corazón en haber visto un tan gran príncipe, y que le tenía en gran merced la venida de su persona a recibirle y las mercedes que le hace a la contina. Entonces Montezuma le dijo otras palabras de buen comedimiento, y mandó a dos de sus sobrinos de los que le traían de brazo, que era el señor de Tezcuco y el señor de Cuyuacán, que se fuesen con nosotros hasta aposentarnos, y Montezuma con los otros dos sus parientes, Cuedlavaca y el señor de Tacuba, que le acompañaban, se volvió a la ciudad, y también se volvieron con él todas aquellas grandes compañías de caciques y principales que le habían venido a acompañar; y cuando se volvían con su señor estábamoslos mirando cómo iban todos los ojos puestos en tierra, sin mirarle, y muy arrimados a la pared, y con gran acato le acompañaban; y así tuvimos lugar nosotros de entrar por las calles de México sin tener tanto embarazo.

Quiero ahora decir la multitud de hombres y mujeres y muchachos que estaban en las calles y azoteas y en canoas en aquellas acequias que nos salían a mirar. Era cosa de notar, que ahora que lo estoy escribiendo se me representa todo delante de mis ojos como si ayer fuera cuando esto pasó, y considerada la cosa, es gran merced que Nuestro Señor Jesucristo fue servido darnos gracia y esfuerzo para osar entrar en tal ciudad y me haber guardado de muchos peligros de muerte, como

[68] V. Pichardo, Esteban. *Diccionario Provincial de Vozes Cubanas.* Habana, 1862. Cutara, especie de chancletas. La palabra es caribe; en nahuatl es *cactli.*

adelante verán. Doyle muchas gracias por ello, que a tal tiempo me ha traído para poderlo escribir, y aunque no tan cumplidamente como convenía y se requiere. Y dejemos palabras, pues las obras son buen testigo de lo que digo en alguna de estas partes, y volvamos a nuestra entrada en México, que nos llevaron [a] aposentar a unas grandes casas donde había aposentos para todos nosotros, que habían sido de su padre del gran Montezuma, que se decía Axayaca,[69] adonde, en aquella sazón, tenía Montezuma sus grandes adoratorios de ídolos y tenía una recámara muy secreta de piezas y joyas de oro, que era como tesoro de lo que había heredado de su padre Axayaca, que no tocaba en ello. Y asimismo nos llevaron [a] aposentar [a] aquella casa por causa que, como nos llamaban *teules* y por tales nos tenían, que estuviésemos entre sus ídolos como *teules* que allí tenían. Sea de una manera o sea de otra, allí nos llevaron, donde tenían hechos grandes estrados y salas muy entoldadas de paramentos de la tierra para nuestro capitán, y para cada uno de nosotros otras camas de esteras y unos toldillos encima, que no se da más cama por muy gran señor que sea, porque no las usan; y todos aquellos palacios, muy lucidos y encalados y barridos y enramados.

Y como llegamos y entramos en un gran patio, luego tomó por la mano el gran Montezuma a nuestro capitán, que allí le estuvo esperando, y le metió en el aposento y sala adonde había de posar, que le tenía muy ricamente aderezada para según su usanza, y tenía aparejado un muy rico collar de oro de hechura de camarones, obra muy maravillosa, y el mismo Montezuma se le echó al cuello a nuestro capitán Cortés, que tuvieron bien que mirar sus capitanes del gran favor que le dio. Y después que se lo hubo puesto Cortés le dio las gracias con nuestras lenguas, y dijo Montezuma: "Malinche: en vuestra casa estáis vos y vuestros hermanos; descansa." Y luego se fue a sus palacios, que no estaban lejos, y nosotros repartimos nuestros aposentos por capitanías, y nuestra artillería asestada en parte conveniente, y muy bien platicado el orden que en todo habíamos de tener y estar muy apercibidos, así los de a caballo como todos nuestros soldados. Y nos tenían aparejada una comida muy suntuosa, a su uso y costumbre, que luego comimos. Y fue esta nuestra venturosa y atrevida entrada en la gran ciudad de Tenustitlán México, a ocho días del mes de noviembre, año de Nuestro Salvador Jesucristo de mil quinientos diecinueve años. Gracias a Nuestro Señor Jesucristo por todo, y puesto que no vaya expresado otras cosas que había que decir, perdónenme sus mercedes que no lo sé mejor decir por ahora hasta su tiempo. Y dejemos de más pláticas, y volvamos a nuestra relación de lo que más nos avino, lo cual diré adelante.

[69] Axayácatl.

CAPÍTULO LXXXIX

CÓMO EL GRAN MONTEZUMA VINO A NUESTROS APOSENTOS CON MUCHOS CACIQUES QUE LE ACOMPAÑABAN, Y LA PLÁTICA QUE TUVO CON NUESTRO CAPITÁN

Como el gran Montezuma hubo comido y supo que nuestro capitán y todos nosotros asimismo había buen rato que habíamos hecho lo mismo, vino a nuestro aposento con gran copia de principales y todos deudos suyos y con gran pompa. Y como a Cortés le dijeron que venía, le salió a mitad de la sala a recibir, y Montezuma le tomó por la mano; y trajeron unos como asentadores hechos a su usanza y muy ricos y labrados de muchas maneras con oro. Y Montezuma dijo a nuestro capitán que se asentase, y se asentaron entrambos, cada uno en el suyo. Y luego comenzó Montezuma un muy buen parlamento, y dijo que en gran manera se holgaba de tener en su casa y reino unos caballeros tan esforzados como era el capitán Cortés y todos nosotros; y que había dos años que tuvo noticia de otro capitán que vino a lo de Champotón; y también el año pasado le trajeron nuevas de otro capitán que vino con cuatro navíos, y que siempre los deseó ver y que ahora que nos tiene ya consigo para servirnos y darnos de todo lo que tuviese, y que verdaderamente debe de ser cierto que somos los que sus antecesores, muchos tiempos pasados, habían dicho que vendrían hombres de donde sale el sol a señorear estas tierras, y que debemos ser nosotros, pues tan valientemente peleamos en lo de Potonchan y Tabasco y con los tlaxcaltecas, porque todas las batallas se las trajeron pintadas al natural.

Y Cortés le respondió con nuestras lenguas que consigo siempre estaban, especial la doña Marina, y le dijo que no sabe con qué pagar él ni todos nosotros las grandes mercedes recibidas de cada día, y que ciertamente veníamos de donde sale el sol, y somos vasallos y criados de un gran señor que se dice el emperador don Carlos, que tiene sujetos a sí muchos y grandes príncipes, y que teniendo noticia de él y de cuán gran señor es, nos envió a estas partes a verle y a rogar que sean cristianos como es nuestro emperador, y todos nosotros, y que salvarán sus ánimas él y todos sus vasallos, y que adelante le declarará más cómo y de qué manera ha de ser, y cómo adoramos a un solo Dios verdadero, y quién es, y otras muchas buenas cosas que oirá, como les había dicho a sus embajadores Tendile y Pitalpitoque y Quintalvor cuando estábamos en los Arenales.

Y acabado este parlamento, tenía apercibido el gran Montezuma muy ricas joyas de oro y de muchas hechuras, que dio a nuestro capitán, y asimismo a cada uno de nuestros capitanes dio cositas de oro y tres cargas de mantas de labores ricas de plumas; y entre todos los soldados también nos dio a cada uno a dos cargas de mantas, con una alegría, y en todo bien parecía gran señor. Y desde que lo hubo repartido preguntó a Cortés si éramos todos hermanos y vasallos de nuestro gran emperador; y dijo que sí, que éramos hermanos en el amor y amistad y personas muy principales, y criados de nuestro gran rey y señor. Y porque pasaron otras pláticas de buenos comedimientos entre Montezuma y Cortés, y por ser ésta la primera vez que nos venía a visitar, y por serle pesado, cesaron los razonamientos.

Y había mandado Montezuma a sus mayordomos que a nuestro modo y usanza de todo estuviésemos proveídos, que es maíz y piedras e indias para hacer pan, y gallinas y fruta, y mucha hierba para los caballos. Y Montezuma se despidió con gran cortesía de nuestro capitán y de todos nosotros, y salimos con él hasta la calle; y Cortés nos mandó que al presente que no fuésemos muy lejos de los aposentos hasta entender más lo que conviniese. Y quedarse ha aquí, y diré lo que adelante pasó.

CAPÍTULO XC

CÓMO LUEGO OTRO DÍA FUE NUESTRO CAPITÁN A VER AL GRAN MONTEZUMA, Y DE CIERTAS PLÁTICAS QUE TUVIERON

OTRO DÍA ACORDÓ Cortés de ir a los palacios de Montezuma, y primero envió a saber qué hacía y supiese cómo íbamos, y llevó consigo cuatro capitanes, que fue Pedro de Alvarado y Juan Velázquez de León y a Diego de Ordaz y a Gonzalo de Sandoval, y también fuimos cinco soldados. Y como Montezuma lo supo, salió a recibirnos a mitad de la sala, muy acompañado de sus sobrinos, porque otros señores no entraban ni comunicaban adonde Montezuma estaba si no era en negocios importantes, y con gran acato que hizo a Cortés, y Cortés a él, se tomaron por las manos, y adonde estaba su estrado le hizo sentar a la mano derecha, y, asimismo, nos mandó asentar a todos nosotros en asientos que allí mandó traer. Y Cortés le comenzó a hacer un razonamiento con nuestras lenguas doña Marina y Aguilar, y dijo que ahora que había venido a ver y hablar a un tan gran señor como era, estaba descansado y todos nosotros, pues ha cumplido el viaje y mandado que nuestro gran rey y señor le mandó, y a lo que más le viene a decir de parte de Nuestro Señor Dios es que ya su merced habrá entendido de sus embajadores Tendile y Pitalpitoque y Quintalvor, cuando nos hizo las mercedes de enviarnos la luna y el sol de oro al Arenal, cómo les dijimos que éramos cristianos y adoramos a un solo Dios verdadero, que se dice Jesucristo, el cual padeció muerte y pasión por salvarnos, y les dijimos que una cruz que nos preguntaron por qué la adorábamos, que fue señal de otra donde Nuestro Señor Dios fue crucificado por nuestra salvación, y que esta muerte y pasión que permitió que así fuese por salvar por ella todo el linaje humano, que estaba perdido, que este Nuestro Dios resucitó al tercero día y está en los cielos, y es el que hizo el cielo y la tierra, y la mar y arenas, y creó todas las cosas que hay en el mundo, y da las aguas y rocíos, y ninguna cosa se hace en el mundo sin su santa voluntad, y que en Él creemos y adoramos, y que aquellos que ellos tienen por dioses, que no lo son, sino diablos, que son cosas muy malas, y cuales tienen las figuras, que peores tienen los hechos, y que mirasen cuán malos son y de poca valía, que adonde tenemos puestas cruces como las que vieron sus embajadores, con temor de ellas no osan parecer delante, y que el tiempo andando lo verán. Y lo que ahora le pide por merced que esté atento a las palabras que ahora le quiere decir.

Y luego le dijo muy bien dado a entender, de la creación del mundo, y cómo todos somos hermanos, hijos de un padre y de una madre, que se decían Adán y Eva, y cómo tal hermano, nuestro gran emperador, doliéndose de la perdición de las ánimas, que son muchas las que aquellos sus ídolos llevan al infierno, donde arden a vivas llamas, nos envió para que esto que ha ya oído lo remedie, y no adorar aquellos ídolos ni les sacrifiquen más indios ni indias, pues todos somos hermanos, ni consienta sodomías ni robos. Y más les dijo: que el tiempo andando enviaría nuestro rey y señor unos hombres que entre nosotros viven muy santamente, mejores que nosotros, para que se lo den a entender, porque al presente no venimos más de a se lo notificar, y así se lo pide por merced que lo haga y cumpla. Y porque pareció que Montezuma quería responder, cesó Cortés la plática, y dijo a todos nosotros que con él fuimos: "Con esto cumplimos, por ser el primer toque."

Y Montezuma respondió: "Señor Malinche: muy bien tengo entendido vuestras pláticas y razonamientos antes de ahora, que a mis criados, antes de esto, les dijistes en el Arenal eso de tres dioses y de la cruz, y todas las cosas que en los pueblos por donde habéis venido habéis predicado; no os hemos respondido a cosa ninguna de ellas porque desde *ab initio* acá adoramos nuestros dioses y los tenemos por buenos; así deben ser los vuestros, y no curéis más al presente de hablarnos de ellos; y en eso de la creación del mundo, así lo tenemos nosotros creído muchos tiempos ha pasados, y a esta causa tenemos por cierto que sois los que nuestros antecesores nos dijeron que vendrían de adonde sale el sol; y a ese vuestro gran rey yo le soy en cargo y le daré de lo que tuviere, porque, como dicho tengo otra vez, bien ha dos años tengo noticia de capitanes que vinieron con navíos por donde vosotros venistes, y decían que eran criados de ese vuestro gran rey, querría saber si sois todos unos." Y Cortés le dijo que sí, que todos éramos hermanos y criados de nuestro emperador, y que aquellos vinieron a ver el camino y mares y puertos, para saberlo muy bien y venir nosotros, como venimos. Y decíalo Montezuma por lo de Francisco de Córdoba y Grijalva, cuando venimos a descubrir la primera vez; y dijo que desde entonces tuvo pensamiento de haber algunos de aquellos hombres que venían, para tener en sus reinos y ciudades para honrarles, y que pues sus dioses les habían cumplido sus buenos deseos y ya estábamos en su casa, las cuales que se pueden llamar nuestras, que holgásemos y tuviésemos descanso, que allí seríamos servidos; y que si algunas veces nos enviaba a decir que no entrásemos en su ciudad, que no era de su voluntad, sino porque sus vasallos tenían temor, que les decían que echábamos rayos y relámpagos, y con los caballos matábamos muchos indios, y que éramos *teules* bravos y otras cosas de niñerías, y que ahora que ha visto nuestras personas y que somos de hueso y carne y de mucha razón, y sabe que somos muy esforzados, y por estas causas nos tiene en mucha más estima que le habían dicho, y que nos daría de lo que tuviese." Y Cortés y todos nosotros respondimos que se lo teníamos en gran merced, tan sobrada voluntad.

Y luego Montezuma dijo riendo, porque en todo era muy regocijado en su hablar de gran señor: "Malinche; bien sé que te han dicho esos de Tlaxcala, con quien tanta amistad habéis tomado, que yo soy como dios o *teul,* y que cuanto hay en mis casas es todo oro y plata y piedras ricas; bien tengo conocido que como sois entendidos, que no lo creeríais y lo tendríais por burla; lo que ahora señor Malinche, veis mi cuerpo de hueso y de carne como los vuestros, mis casas y palacios de piedra y madera y cal: de señor, yo gran rey sí soy y tener riquezas de mis antecesores sí tengo, mas no las locuras y mentiras que de mí os han dicho; así que también lo tendréis por burla, como yo tengo de vuestros truenos y relámpagos." Y Cortés le respondió también riendo, y dijo que los contrarios enemigos siempre dicen cosas malas y sin verdad de los que quieren mal, y que bien ha conocido que otro señor, en estas partes, más magnífico no le espera ver, y que no sin causa es tan nombrado delante nuestro emperador.

Y estando en estas pláticas, mandó secretamente Montezuma a un gran cacique, sobrino suyo, de los que estaban en su compañía, que mandase a sus mayordomos que trajesen ciertas piezas de oro, que parece ser debieran estar apartadas para dar a Cortés, y diez cargas de ropa fina, lo cual repartió; el oro y mantas entre Cortés y a los cuatro capitanes, y a nosotros los soldados a cada uno dos collares de ue valdría cada collar diez pesos, y dos cargas de mantas. Valía todo el oro que entonces dio sobre mil pesos, y esto daba con una alegría y semblante de grande y valeroso señor. Y porque pasaba la hora más de mediodía y por no serle más importuno, le dijo Cortés: "Señor Montezuma: siempre tiene por costumbre de echarnos un cargo sobre otro en hacernos cada día mercedes; ya es hora que vuestra merced coma." Y Montezuma respondió que antes, por haberle ido a visitar, le hicimos mercedes. Y así nos despedimos, con grandes cortesías de él, y nos fuimos a nuestros aposentos, e íbamos platicando de la buena manera y crianza que en todo tenía, y que nosotros en todo le tuviésemos mucho acato, y con las gorras de armas colchadas quitadas cuando delante de él pasásemos, y así lo hacíamos. Y dejémoslo aquí y pasemos adelante.

CAPÍTULO XCI

DE LA MANERA Y PERSONA DEL GRAN MONTEZUMA, Y DE CUÁN GRANDE SEÑOR ERA

Era el gran Montezuma de edad de hasta cuarenta años y de buena estatura y bien proporcionado, y cenceño, y pocas carnes, y el color ni muy moreno, sino propio color y matiz de indio, y traía los cabellos no muy largos, sino cuanto le cubrían las orejas, y pocas barbas, prietas y bien puestas y ralas, y el rostro algo largo y alegre, y los ojos de buena manera, y mostraba en su persona, en el mirar, por un cabo amor y cuando era menester gravedad; era muy pulido y limpio; bañábase cada día una vez, a la tarde; tenía muchas mujeres por amigas, hijas de señores, puesto que tenía dos grandes cacicas por sus legítimas mujeres, que cuando usaba con ellas era tan secretamente que no lo alcanzaban a saber sino alguno de los que le servían. Era muy limpio de sodomías; las mantas o ropas que se ponía un día, no se las ponía sino de tres o cuatro días; tenía sobre doscientos principales de su guarda en otras salas junto a la suya, y éstos no para que hablasen todos con él, sino cuál y cuál, y cuando le iban a hablar se habían de quitar las mantas ricas y ponerse otras de poca valía, mas habían de ser limpias, y habían de entrar descalzos y los ojos bajos, puestos en tierra, y no mirarle a la cara, y con tres reverencias que le hacían y le decían en ellas: "Señor, mi señor, mi gran señor", primero que a él llegasen; y desde que le daban relación a lo que iban, con pocas palabras les despachaba; no le volvían las espaldas al despedirse de él, sino la cara y ojos bajos, en tierra, hacia donde estaba, y no vueltas las espaldas hasta que salían de la sala.

Y otra cosa vi: que cuando otros grandes señores venían de lejas tierras a pleitos o negocios, cuando llegaban a los aposentos del gran Montezuma habían de venir descalzos y con pobres mantas, y no habían de entrar derecho en los palacios, sino rodear un poco por un lado de la puerta del palacio, que entrar de rota batida teníanlo por desacato.

En el comer, le tenían sus cocineros sobre treinta manera de guisados, hechos a su manera y usanza, y teníanlos puestos en braseros de barro chicos debajo, porque no se enfriasen, y de aquello que el gran Montezuma había de comer guisaban más de trescientos platos, sin más de mil para la gente de guarda; y cuando habían de comer salíase Montezuma algunas veces con sus principales y mayordomos y le señalaban cuál guisado era mejor, y de qué aves y cosas estaba guisado, y de lo que le decían de aquello había de comer, y cuando salía a verlo eran pocas veces y como por pasatiempo. Oí decir que le solían guisar carnes de muchachos de poca edad, y, como tenía tantas diversidades de guisados y de tantas cosas, no lo echábamos de ver si era carne humana o de otras cosas, porque cotidianamente le guisaban gallinas, gallos de papada, faisanes, perdices de la tierra, codornices, patos mansos y bravos, venado, puerco de la tierra, pajaritos de caña, y palomas y liebres y conejos, y muchas maneras de aves y cosas que se crían en esta tierra, que son tantas que no las acabaré de nombrar tan presto. Y así no miramos en ello; mas sé que ciertamente desde que nuestro capitán le reprendía el sacrificio y comer de carne humana, que desde entonces mandó que no le guisasen tal manjar.

Dejemos de hablar en esto y volvamos a la manera que tenía en su servicio al tiempo del comer. Y es de esta manera: que si hacía frío, teníanle hecha mucha lumbre de ascuas de una leña de cortezas de árboles que no hacía humo; el olor de las cortezas de que hacían aquellas ascuas era muy oloroso, y porque no le diesen más calor de lo que él quería, ponían delante una como tabla labrada con oro y otras figuras de ídolos, y él sentado en un asentadero bajo, rico y blando, y la mesa también baja, hecha de la misma manera de los sentadores; y allí le ponían sus manteles de mantas blancas y unos pañizuelos algo largos de lo mismo, y cuatro mujeres muy hermosas y limpias le daban agua a manos en unos como a manera de aguamaniles hondos, que llaman *xicales;* le ponían debajo, para recoger el agua, otros a manera de platos, y le daban sus toallas, y otras dos mujeres le traían el pan de tortillas. Y ya que encomenzaba a comer echábanle delante una como puerta de madera muy pintada de oro, porque no le viesen comer, y estaban apartadas las cuatro mujeres aparte; y allí se le ponían a sus lados cuatro grandes señores viejos y de edad, con quien Montezuma de cuando en cuando platicaba y preguntaba cosas; y por mucho favor daba a cada uno de estos viejos un plato de lo que él más le sabía, y decían que aquellos viejos eran sus deudos muy cercanos y consejeros y jueces de pleitos, y el plato y manjar que les daba Montezuma comían en pie y con mucho acato, y todo sin mirarle a la cara. Servíase con barro de Cholula, uno colorado y otro prieto.

Mientras que comía, ni por pensamiento habían de hacer alboroto ni hablar alto los de su guarda, que estaban en las salas, cerca de la de Montezuma. Traíanle fruta de todas cuantas había en la tierra, mas no comía sino muy poca de cuando en cuando. Traían en unas como a manera de copas de oro fino con cierta bebida hecha del mismo cacao; decían que era para tener acceso con mujeres y entonces no mirábamos en ello; mas lo que yo vi que traían sobre cincuenta jarros grandes, hechos de buen cacao, con su espuma, y de aquello bebía, y las mujeres le servían al beber con gran acato, y algunas veces al tiempo de comer estaban unos indios corcovados, muy feos, porque eran chicos de cuerpo y quebrados por medio los cuerpos, que entre ellos eran chocarreros, y otros indios que debieran ser truhanes, que le decían gracias, y otros que le cantaban y bailaban, porque Montezuma era aficionado a placeres y cantares, y [a] aquéllos mandaba dar los relieves y jarros del cacao, y las mismas cuatro mujeres alzaban los manteles y le tornaban a dar aguamanos, y con mucho acato que le hacían; y hablaba Montezuma [a] aquellos cuatro principales viejos en cosas que le convenían; y se despedían de

CACAO

él con gran reverencia que le tenían; y él se quedaba reposando.

Y después que el gran Montezuma había comido, luego comían todos los de su guarda y otros muchos de sus serviciales de casa, y me parece que sacaban sobre mil platos de aquellos manjares que dicho tengo; pues jarros de cacao con su espuma, como entre mexicanos se hace, más de dos mil, y fruta infinita. Pues para sus mujeres, y criadas, y panaderas, y cacahuateras, ¡qué gran costo tendría! Dejemos de hablar de la costa y comida de su casa, y digamos de los mayordomos y tesoreros y despensas y botellería, y de los que tenían cargo de las casas adonde tenían el maíz. Digo que había tanto, que escribir cada cosa por sí, que yo no sé por donde encomenzar, sino que estábamos admirados del gran concierto y abasto que en todo tenía, y más digo, que se me había olvidado, que es bien tornarlo a recitar, y es que le servían a Montezuma, y estando a la mesa cuando comía, como dicho tengo, otras dos mujeres muy agraciadas de traer tortillas amasadas con huevos y otras cosas sustanciosas, y eran muy blancas las tortillas, y traíanselas en unos platos cobijados con sus paños limpios, y también le traían otra manera de pan, que son como bollos largos hechos y amasados con otra manera de cosas sustanciales, y pan pachol, que en esta tierra así se dice, que es a manera de unas obleas; también le ponían en la mesa tres cañutos muy pintados y dorados, y dentro tenían liquidámbar revuelto con una hierba que se dice tabaco, y cuando acababa de comer, después que le habían bailado y cantado y alzado la mesa, tomaba el humo de uno de aquellos cañutos, y muy poco, y con ello se adormía.

Dejemos ya de decir del servicio de su mesa, y volvamos a nuestra relación. Acuérdome que era en aquel tiempo su mayordomo mayor un gran cacique, que le pusimos por nombre Tapia, y tenía cuenta de todas las rentas que le traían a Montezuma con sus libros, hechos de su papel, que se dice *amal*, y tenían de estos libros una gran casa de ellos. Dejemos de hablar de los libros y cuentas, pues va fuera de nuestra relación, y digamos cómo tenía Montezuma dos casas llenas de todo género de armas, y muchas de ellas ricas, con oro y pedrería, donde eran rodelas grandes y chicas, y unas como macanas, y otras a manera de espadas de a dos manos, engastadas en ellas unas navajas de pedernal, que cortan muy mejor que nuestras espadas, y otras lanzas más largas que no las nuestras, con una braza de cuchilla, engastadas en ellas muchas navajas, que aunque den con ella en un broquel o rodela no saltan, y cortan, en fin, como navajas, que se rapan con ellas las cabezas; y tenían muy buenos arcos y flechas, y varas de a dos gajos, y otras de a uno, con sus tiraderas, y muchas hondas y piedras rollizas hechas a mano, y unos como paveses que son de arte que los pueden arrollar arriba cuando no pelean, porque no les estorbe, y al tiempo del pelear, cuando son menester, los dejan caer y quedan cubiertos sus cuerpos de arriba abajo. También tenía muchas armas de algodón colchadas y ricamente labradas por de fuera de plumas de muchos colores, a manera de divisas e invenciones, y tenían otros como capacetes y cascos de madera y de hueso, también muy labrados de pluma por de fuera, y tenían otras armas de otras hechuras, que por excusar prolijidad lo dejo de decir; y sus oficiales, que siempre labraban y entendían en ello, y mayordomos que tenían cargo de las armas.

Dejemos esto y vamos a la casa de aves, y por fuerza he [de] detenerme en contar cada género, de qué calidad eran. Digo que desde águilas reales y otras águilas más chicas y otras muchas maneras de aves de grandes cuerpos, hasta pajaritos muy chicos, pintados de diversos colores, también, donde hacen aquellos ricos plumajes que labran de plumas verdes, y las aves de estas plumas son el cuerpo de ellas a manera de las picaces que hay en nuestra España; llámanse en esta tierra *quezales;* y otros pájaros que tienen la pluma de cinco colores, que es verde y colorado y blanco y amarillo y azul; éstos no sé cómo se llaman. Pues papagayos de otras diferenciadas colores tenían tantos que no se me acuerdan los nombres de ellos; dejemos patos de buena pluma y otros mayores, que les querían parecer, y de todas estas aves les pelaban las plumas en tiempos que para ello era convenible, y tornaban a pelechar, y todas las más aves que dicho tengo criaban en aquella casa, y al tiempo del enclocar tenían cargo de echarles sus huevos ciertos indios e indias que miraban por todas las aves y de limpiarles sus nidos y darles de comer, y esto a cada género de aves lo que era su mantenimiento. Y en aquella casa que dicho tengo había un gran estanque de agua dulce, y tenía en él otra manera de aves muy altas de zancas y colorado todo el cuerpo y alas y cola; no sé el nombre de ellas, mas en la isla de Cuba las llamaban *ipiris* a otras como ellas; y también en aquel estanque había otras muchas raleas de aves que siempre estaban en el agua.

Dejemos esto y vamos a otra gran casa donde tenían muchos ídolos y decían que eran sus dioses bravos, y con ellos todo género de alimañas, de tigres y leones de dos maneras, unos que son de hechura de lobos, que en esta tierra se llaman adives y zorros, y otras alimañas chicas, y todas estas carniceras se mantenían con carne, y las más de ellas criaban en aquella casa, y las daban de comer venados, gallinas, perrillos y otras cosas que cazaban; y aun oí decir que cuerpos de indios de los que sacrificaban. Y es de esta manera: que ya me habrán oído decir que cuando sacrificaban algún triste indio, que le aserraban con unos navajones de pedernal por los pechos, y bulliendo le sacaban el corazón y sangre y lo presentaban a sus ídolos, en cuyo nombre hacían aquel sacrificio, y luego les cortaban los muslos y brazos y cabeza, y aquello comían en fiestas y banquetes, y la cabeza colgaban de unas vigas, y el cuerpo del sacrificado no llegaban a él para comerle, sino dábanlo a aquellos bravos animales.

Pues más tenían en aquella maldita casa muchas víboras y culebras emponzoñadas, que traen en la cola uno que suena como cascabeles; éstas son las peores víboras de todas, y teníanlas en unas tinajas y en cántaros grandes, y en ellas mucha pluma, y allí ponían sus huevos y criaban sus viboreznos; y les daban a comer de los cuerpos de los indios que sacrificaban y otras carnes de perros de los que ellos solían criar; y aun tuvimos por cierto que cuando nos echaron de México y nos mataron sobre ochocientos cincuenta de nuestros soldados, que de los muertos mantuvieron muchos días aquellas fieras alimañas y culebras, según diré en su tiempo y sazón; y estas culebras y alimañas tenían ofrecidas [a] aquellos sus ídolos bravos para que estuviesen en su compañía. Digamos ahora las cosas infernales, cuando bramaban los tigres y leones, y aullaban los adives y zorros, y silbaban las sierpes, era grima oírlo y parecía infierno.

Pasemos adelante y digamos de los grandes oficiales que tenía de cada oficio que entre ellos se usaban. Comencemos por lapidarios y plateros de oro y plata y todo vaciadizo, que en nuestra España los grandes plateros tienen que mirar en ello, y de éstos tenía tantos y tan primos en un pueblo que se dice Escapuzalco [70] una legua de México. Pues labrar piedras finas y *chalchiuis,* que son como esmeraldas, otros muchos grandes maestros. Vamos adelante a los grandes oficiales de labrar y asentar de pluma, y pintores y entalladores muy sublimados, que por lo que ahora hemos visto la obra que hacen, tendremos consideración en lo que entonces labraban; que tres indios hay ahora

[70] Azcapotzalco.

en la ciudad de México tan primísimos en su oficio de entalladores y pintores, que se dicen Marcos de Aquino y Juan de la Cruz y el Crespillo, que si fueran en el tiempo de aquel antiguo o afamado Apeles, o de Micael Ángel, o Berruguete, que son de nuestros tiempos, también les pusieran en el número de ellos. Pasemos adelante y vamos a las indias tejedoras o labranderas, que le hacían tanta multitud de ropa fina con muy grandes labores de plumas. De donde más cotidianamente le traían era de unos pueblos y provincia que están en la costa del norte de cabe la Veracruz, que se decían Cotastan, muy cerca de San Juan de Ulúa, donde desembarcamos cuando vinimos con Cortés. Y en su casa del mismo gran Montezuma todas las hijas de señores que él tenía por amigas siempre tejían cosas muy primas, y otras muchas hijas de vecinos mexicanos, que estaban como a manera de recogimiento, que querían parecer monjas, también tejían, y todo de pluma. Estas monjas tenían sus casas cerca del gran *cú* del Uichilobos, y por devoción suya o de otro ídolo de mujer, que decían que era su abogada para casamientos, las metían sus padres en aquella religión hasta que se casaban, y de allí las sacaban para las casar. Pasemos adelante y digamos de la gran cantidad que tenía el gran Montezuma de bailadores y danzadores, y otros que traen un palo con los pies, y de otros que vuelan cuando bailan por alto, y de otros que parecen como matachines, y éstos eran para darle placer. Digo que tenía un barrio de éstos que no entendían en otra cosa. Pasemos adelante y digamos de los oficiales que tenía de canteros y albañiles, carpinteros, que todos entendían en las obras de sus casas; también digo que tenía tantas cuantas quería.

No olvidemos las huertas de flores y árboles olorosos, y de los muchos géneros que de ellos tenía, y el concierto y paseaderos de ellas, y de sus albercas y estanques de agua dulce; cómo viene el agua por un cabo y va por otro, y de los baños que dentro tenía, y de la diversidad de pajaritos chicos que en los árboles criaban, y de qué yerbas medicinales y de provecho que en ellas tenía era cosa de ver, y para todo esto muchos hortelanos, y todo labrado de cantería y muy encalado, así baños como paseaderos, y otros retretes y apartamientos como cenaderos, y también adonde bailaban y cantaban; y había tanto que mirar en esto de las huertas como en todo lo demás, que no nos hartábamos de ver su gran poder; y así, por el consiguiente, tenía cuantos oficios entre ellos se usaban, de todos gran cantidad de indios maestros de ellos. Y porque ya estoy harto de escribir sobre esta materia y más lo estarán los curiosos lectores, lo dejaré de decir, y diré cómo fue nuestro Cortés con muchos de nuestros capitanes y soldados a ver el Tatelulco, que es la gran plaza de México, y subimos en alto *cú* donde estaban sus ídolos Tezcatepuca y su Uichilobos. Y ésta fue la primera vez que nuestro capitán salió a ver la ciudad y lo que en ello más pasó.

CAPÍTULO XCII

CÓMO NUESTRO CAPITÁN SALIÓ A VER LA CIUDAD DE MÉXICO Y EL TATELULCO QUE ES LA PLAZA MAYOR, Y EL GRAN "CU" DE SU UICHILOBOS, Y LO QUE MÁS PASÓ

Como había ya cuatro días que estábamos en México y no salía el capitán ni ninguno de nosotros de los aposentos, excepto a las casas y huertas, nos dijo Cortés que sería bien ir a la plaza mayor y ver el gran adoratorio de su Uichilobos, y que quería enviarlo a decir al gran Montezuma que lo tuviese por bien. Y para ello envió por mensajero a Jerónimo de Aguilar y a doña Marina, y con ellos a un pajecillo de nuestro capitán que entendía ya algo la lengua, que se decía Orteguilla. Y Montezuma como lo supo envió a decir que fuésemos mucho en buena hora, y por otra parte temió no le fuésemos a hacer algún deshonor en sus ídolos, y acordó de ir él en persona con muchos de sus principales, y en sus ricas andas salió de sus palacios hasta la mitad del camino; cabe unos adoratorios se apeó de las andas, porque tenía por gran deshonor de sus ídolos ir hasta su casa y adoratorio de aquella manera, y llevábanle del brazo grandes principales; iban adelante de él señores de vasallos, y llevaban delante dos bastones como cetros alzados en alto, que era señal que iba allí el gran Montezuma, y cuando iba en las andas llevaba una varita medio de oro y medio de palo, levantada, como vara de justicia. Y así se fue y subió en su gran *cú*, acompañado de muchos *papas*, y comenzó a sahumar y hacer otras ceremonias a Uichilobos.

Dejemos a Montezuma, que ya había ido adelante, como dicho tengo, y volvamos a Cortés y a nuestros capitanes y soldados, que, como siempre, teníamos por costumbre de noche y de día estar armados, y así nos veía estar Montezuma cuando le íbamos a ver, no lo tenía por cosa nueva. Digo esto porque a caballo nuestro capitán con todos los demás que tenían caballo, y la más parte de nuestros soldados muy apercibidos, fuimos al Tatelulco. Iban muchos caciques que Montezuma envió para que nos acompañasen; y desde que llegamos a la gran plaza, que se dice el Tatelulco, como no habíamos visto tal cosa, quedamos admirados de la multitud de gente y mercaderías que en ella había y del gran concierto y regimiento que en todo tenían. Y los principales que iban con nosotros nos lo iban mostrando; cada género de mercaderías estaban por sí, y tenían situados y señalados sus asientos. Comencemos por los mercaderes de oro y plata y piedras ricas y plumas y mantas y cosas labradas, y otras mercaderías de indios esclavos y esclavas; digo que traían tantos de ellos a vender [a] aquella gran plaza como traen los portugueses los negros de Guinea, y traíanlos atados en unas varas largas con colleras a los pescuezos, porque no se les huyesen, y otros dejaban sueltos. Luego estaban otros mercaderes que vendían ropa más basta y algodón y cosas de hilo torcido, y cacahuateros que vendían cacao, y de esta manera estaban cuantos géneros de mercaderías hay en toda la Nueva España, puesto por su concierto de la manera que hay en mi tierra, que es Medina del Campo, donde se hacen las ferias, que en cada calle están sus mercaderías, por sí; así estaban en esta gran plaza, y los que vendían mantas de *henequén* y sogas y *cotaras,* que son los zapatos que calzan y hacen del mismo árbol, y raíces muy dulces cocidas, y otras *rebusterías*, que sacan del mismo árbol, todo estaba en una parte de la plaza en su lugar señalado; y cueros de tigres, de leones y de nutrias, y de adives y de venados y de otras alimañas, tejones y gatos monteses, de ellos adobados, y otros sin adobar, estaban en otra parte, y otros géneros de cosas y mercaderías.

Pasemos adelante y digamos de los que vendían frijoles y chía y otras legumbres y yerbas a otra parte. Vamos a los que vendían gallinas, gallos de papada, conejos, liebres, venados y anadones, perrillos y otras cosas de este arte, a su parte de la plaza. Digamos de las fruteras, de las que vendían cosas cocidas, *mazamorreras* y malcocinado, también a su parte. Pues todo género de loza, hecha de mil maneras, desde tinajas grandes y jarrillos chicos, que estaban por sí aparte; y también los que vendían miel y melcochas y otras golosinas que hacían como nuégados. Pues los que vendían madera, tablas, cunas y vigas y tajos y bancos, todo por sí. Vamos a los que vendían leña, ocote, y otras cosas de esta manera. Qué quieren más que diga que, hablando con acato, también vendían muchas canoas llenas de yenda de hombres, que tenían en los esteros cerca de la plaza, y esto era para hacer sal o para curtir cueros, que sin ella dicen que no se hacía buena. Bien tengo entendido que algunos señores se reirán de esto; pues digo que es así; y más digo que tenían por costumbres que en todos los caminos tenían hechos de cañas o pajas o yerba, porque no los viesen los que pasasen por ellos; allí se metían si tenían ganas de purgar los vientres, porque no se les perdiese aquella suciedad. Para qué gasto yo tantas palabras de lo que vendían en aquella gran plaza, porque es para no acabar tan presto de contar por menudo todas las cosas, sino que papel, que en esta tierra llaman *amal*, y unos cañutos de olores con liquidámbar, llenos de tabaco, y otros ungüentos amarillos y cosas de este arte vendían por sí; y vendían mucha grana debajo los portales que estaban en aquella gran plaza. Había muchos herbolarios y mercaderías de otra manera; y tenían allí sus casas, adonde juzgaban, tres jueces y otros como alguaciles ejecutores que miraban las mercaderías. Olvidado se me había la sal y los que hacían navajas de pedernal, y de cómo las sacaban de la misma piedra. Pues pescaderas y otros que vendían unos panecillos que hacen de una como lama que cogen de aquella gran laguna, que se cuaja y hacen panes de ello que tienen un sabor a manera de queso; y vendían hachas de latón y cobre y estaño, y jícaras, y unos jarros muy pintados, de madera hechos.

Ya querría haber acabado de decir todas las cosas que allí se vendían, porque eran tantas de diversas calidades, que para que lo acabáramos de ver e inquirir, que como la gran plaza estaba llena de tanta gente y toda cercada de portales, en dos días no se viera todo. Y fuimos al gran *cu,* y ya que íbamos cerca de sus grandes patios, y antes de salir de la misma plaza estaban otros muchos mercaderes, que, según dijeron, eran de los que traían a vender oro en granos como lo sacan de las minas, metido el oro en unos canutillos delgados de los de ansarones de la tierra, y así blancos porque se pareciese el oro por de fuera; y por el largor y gordor de los canutillos tenían entre ellos su cuenta qué tantas mantas o qué *xiquipiles* de cacao valía, o qué esclavos u otra cualesquiera cosas a que lo trocaban.

Y así dejamos la gran plaza sin más verla y llegamos a los grandes patios y cercas donde está el gran *cu;* tenía antes de llegar a él un gran circuito de patios, que me parece que eran más que la plaza que hay en Salamanca, y con dos cercas alrededor, de calicanto, y el mismo patio y sitio todo empedrado de piedras grandes, de losas blancas y muy lisas, y adonde no había de aquellas piedras estaba encalado y bruñido y todo muy limpio, que no hallaran una paja ni polvo en todo él. Y desde que llegamos cerca del gran *cu,* antes que subiésemos ninguna grada de él envió el gran Montezuma desde arriba, donde estaba haciendo sacrificios, seis *papas* y dos principales para que acompañasen a nuestro capitán, y al subir de las gradas, que eran ciento y catorce, le iban a tomar de los brazos para ayudarle a subir, creyendo que se cansaría, como ayudaban a su señor Montezuma, y Cortés no quiso que llegasen a él. Y después que subimos a lo alto del gran *cu,* en una placeta que arriba se hacía, adonde tenían un espacio a manera de andamios, y en ellos puestas unas grandes piedras, adonde ponían los tristes indios para sacrificar, y allí había un gran bulto de como dragón, y otras malas figuras, y mucha sangre derramada de aquel día.

Y así como llegamos salió Montezuma de un adoratorio, adonde estaban sus malditos ídolos, que era en lo alto del gran *cu,* y vinieron con él dos *papas,* y con mucho acato que hicieron a Cortés y a todos nosotros, le dijo: "Cansado estaréis, señor Malinche, de subir a este nuestro gran templo." Y Cortés le dijo con nuestras lenguas, que iban con nosotros, que él ni nosotros no nos cansábamos en cosa ninguna. Y luego le tomó por la mano y le dijo que mirase su gran ciudad y todas las más ciudades que había dentro en el agua, y otros muchos pueblos alrededor de la misma laguna, en tierra; y que si no había visto muy bien su gran plaza, que desde allí la podría ver muy mejor, y así lo estuvimos mirando, porque desde aquel grande y maldito templo estaba tan alto que todo lo señoreaba muy bien; y de allí vimos las tres calzadas que entran en México, que es la de Iztapalapa, que fue por la que entramos cuatro días había, y la de Tacuba, que fue por donde después salimos huyendo la noche de nuestro gran desbarate, cuando Cuedlabaca, nuevo señor, nos echó de la ciudad, como adelante diremos, y la de Tepeaquilla. Y veíamos el agua dulce que venía de Chapultepec, de que se proveía la ciudad, y en aquellas tres calzadas, las puentes que tenía hechas de trecho a trecho, por donde entraba y salía el agua de la laguna de una parte a otra; y veíamos en aquella gran laguna tanta multitud de canoas, unas que venían con bastimentos y otras que volvían con cargas y mercaderías; y veíamos que cada casa de aquella gran ciudad, y de todas las más ciudades que estaban pobladas en el agua, de casa a casa no se pasaba sino por unas puentes levadizas que tenían hechas de madera, o en canoas; y veíamos en aquellas ciudades *cúes* y adoratorios a manera de torres y fortalezas, y todas blanqueando, que era cosa de admiración, y las casas de azoteas, y en las calzadas otras torrecillas y adoratorios que eran como fortalezas. Y después de bien mirado y considerado todo lo que habíamos visto, tornamos a ver la gran plaza y la multitud de gente que en ella había, unos comprando y otros vendiendo, que solamente el rumor y zumbido de las voces y palabras que allí había sonaba más que de una legua, y entre nosotros hubo soldados que habían estado en muchas partes del mundo, y en Constantinopla, y en toda Italia y Roma, y dijeron que plaza tan bien compasada y con tanto concierto y tamaña y llena de tanta gente no la habían visto.

Dejemos esto y volvamos a nuestro capitán, que dijo a fray Bartolomé de Olmedo, ya otras veces por mí memorado, que allí se halló: "Paréceme, señor padre, que será bien que demos un tiento a Montezuma sobre que nos deje hacer aquí nuestra iglesia." Y el padre dijo que será bien, si aprovechase; mas que le parecía que no era cosa convenible hablar en tal tiempo; que no veía a Montezuma de arte que en tal cosa concediese. Y luego nuestro Cortés dijo a Montezuma, con doña Marina, la lengua: "Muy gran señor es vuestra merced, y de mucho más es merecedor; hemos holgado de ver vuestras ciudades; lo que os pido por merced, que pues que estamos aquí, en vuestro templo, que nos mostréis vuestros dioses y *teules*." Y Montezuma dijo que primero hablaría con sus grandes *papas*. Y luego que con ellos hubo hablado dijo que entrásemos en una torrecilla y apartamiento a manera de sala, donde estaban dos como altares, con muy ricas tablazones encima del techo, y en cada altar, estaban dos bultos, como de gigante, de muy altos cuerpos y muy gordos, y el primero, que estaba a mano derecha, decían que era el de Uichilobos, su dios de la guerra, y tenía la cara y rostro muy ancho y los ojos disformes y espantables; en todo el cuerpo tanta de la pedrería y oro y perlas y aljófar pegado con engrudo, que hacen en esta tierra de unas como raíces, que todo el cuerpo y cabeza estaba lleno de ello, y ceñido el cuerpo unas a manera de grandes culebras hechas de oro y pedrería, y en una mano tenía un arco y en otra unas flechas. Y otro ídolo pequeño que allí junto a él estaba, que decían que era su paje, le tenía una lanza no larga y una rodela muy rica de oro y pedrería; y tenía puesto al cuello el Uichilobos unas caras de indios y otros como corazones de los mismos indios, y éstos de oro y de ellos de plata, con mucha pedrería azules; y estaban allí unos braseros con incienso, que es su copal, y con tres corazones de indios que aquel día habían sacrificado y se quemaban, y con el humo y copal le habían hecho aquel sacrificio. Y estaban todas las paredes de aquel adoratorio tan bañado y negro de costras de sangre, y asimismo el suelo, que todo hedía muy malamente. Luego vimos a otra parte, de la mano izquierda, estar el otro gran bulto del altor de Uichilobos, y tenía un rostro como de oso, y unos ojos que le relumbraban, hechos de sus espejos, que se dice *tezcal*, y el cuerpo con ricas piedras pegadas según y de la manera del otro su Uichilobos, porque, según decían, entrambos eran hermanos, y este Tezcatepuca era el dios de los infiernos, y tenía cargo de las ánimas de los mexicanos, y tenía ceñido el cuerpo con unas figuras como diablillos chicos y las colas de ellos como sierpes, y tenía en las paredes tantas costras de sangre y el suelo todo bañado de ello, como en los mataderos de Castilla no había tanto hedor. Y allí le tenían presentado cinco corazones de aquel día sacrificados, y en lo alto de todo el *cu* estaba otra concavidad muy ricamente labrada la madera de ella, y estaba otro bulto como de medio hombre y medio lagarto, todo lleno de piedras ricas y la mitad de él enmantado. Éste decían que el cuerpo de él estaba lleno de todas las semillas que había en toda la tierra, y decían que era el dios de las sementeras y frutas; no se me acuerda el nombre, y todo estaba lleno de sangre, así paredes como altar, y era tanto el hedor, que no veíamos la hora de salirnos afuera. Y allí tenían un atambor muy grande en demasía, que cuando le tañían el sonido de él era tan triste y de tal manera como dicen estrumento de los infiernos, y más de dos leguas de allí se oía; decían que los cueros de aquel atambor eran de sierpes muy grandes.

Y en aquella placeta tenían tantas cosas muy diabólicas de ver, de bocinas y trompetillas y navajones, y muchos corazones de indios que habían quemado, con que sahumaban a aquellos sus ídolos, y todo cuajado de sangre. Tenían tanto, que los doy a la maldición; y como todo hedía a carnicería, no veíamos la hora de quitarnos de tal mal hedor y peor vista. Y nuestro capitán dijo a Montezuma, con nuestra lengua, como medio riendo: "Señor Montezuma: no sé yo cómo un tan gran señor y sabio varón como vuestra merced es, no haya colegido en su pensamiento cómo no son estos vuestros ídolos dioses, sino cosas malas, que se llaman diablos, y para que vuestra merced lo conozca y todos sus *papas* lo vean claro, hacedme una merced: que hayáis por bien que en lo alto de esta torre pongamos una cruz, y en una parte de estos adoratorios, donde están vuestros Uichilobos y Tezcatepuca, haremos un aparato donde pongamos una imagen de Nuestra Señora (la cual imagen ya Montezuma la había visto), y veréis el temor que de ello tienen esos ídolos que os tienen engañados." Y Montezuma respondió medio enojado, y dos *papas* que con él estaban mostraron malas señales, y dijo: "Señor Malinche: si tal deshonor como has dicho creyera que habías de decir, no te mostrara mis dioses. Estos tenemos por muy buenos, y ellos nos dan salud y aguas y buenas sementeras y temporales y victorias cuantas queremos; y tenémoslos de adorar y sacrificar; lo que os ruego es que no se diga otras palabras en su deshonor." Y desde que aquello le oyó nuestro capitán y tan alterado, no le replicó más en ello, y con cara alegre le dijo: "Hora es que vuestra merced y nosotros nos vamos." Y Montezuma respondió que era bien; y que porque él tenía que rezar y hacer cierto sacrificio en recompensa del gran *tatacul,* que quiere decir pecado, que había hecho en dejarnos subir en su gran *cu,* y ser causa de que nos dejase ver a sus dioses, y del deshonor que le hicimos en decir mal de ellos, que antes que se fuese lo había de rezar y adorar. Y Cortés le dijo: "Pues que así es, perdone, señor."

Y luego nos bajamos las gradas abajo, y como eran ciento y catorce y algunos de nuestros soldados estaban malos de bubas o humores, les dolieron los muslos del bajar. Y dejaré de hablar de su adoratorio y diré lo que me parece del circuito y manera que tenía, y si no lo dijere tan al natural como era, no se maravillen, porque en aquel tiempo tenía otro pensamiento de entender en lo que traíamos entre manos, que es en lo militar y en lo que mi capitán me mandaba, y no en hacer relaciones. Volvamos a nuestra materia. Paréceme que el circuito del gran *cu* sería de seis muy grandes solares de los que dan en esta tierra, y desde abajo hasta arriba, adonde estaba una torrecilla, y allí estaban sus ídolos, ya estrechando y en medio del alto *cu,* hasta lo más alto de él, van cinco concavidades a manera de barbacanas y descubiertas, sin mamparos. Y porque hay muchos *cúes* pintados en reposteros de conquistadores, y en uno que yo tengo, que cualquiera de ellos a quien los han visto podría colegir la manera que tenían por de fuera; mas no lo que yo vi y entendí, y de ello hubo fama en aquellos tiempos que fundaron aquel gran *cu,* en el cimiento de él habían ofrecido de todos los vecinos de aquella gran ciudad oro y plata y aljófar y piedras ricas, y que le habían bañado con mucha sangre de indios que sacrificaron, que habían tomado en las guerras, y de toda manera, de diversidad de semillas que había en toda la tierra, porque les diesen sus ídolos victorias y riquezas y muchos frutos.

Dirán ahora algunos lectores muy curiosos que cómo pudimos alcanzar a saber que en cimiento de aquel gran *cu* echaron oro y plata y piedras de *chalchiuis* ricas y semillas, y lo rociaban con sangre humana de indios que sacrificaban, habiendo sobre mil años que se fabricó y se hizo. A esto doy por respuesta que después que ganamos aquella fuerte y gran ciudad y se repartieron los solares, que luego propusimos que en aquel gran *cu* habíamos de hacer la iglesia de nuestro patrón y guiador Señor Santiago, y cupo mucha parte de la del solar del alto *cu* para el solar de la santa iglesia de aquel *cu* de Uichilobos, y cuando abrían los cimientos para hacerlos más fijos, hallaron mucho oro y plata y *chalchiuis* y perlas y aljófar y otras piedras; y asimismo a un vecino de México, que le cupo otra parte del mismo solar, halló lo mismo, y los oficiales de la Hacienda de Su Majestad lo demandaban por de Su Majestad, que les venía de derecho, y sobre ello hubo pleito, y no se me acuerda lo que pasó, mas que se informaron de los caciques y principales de México y [de] Guatemuz, que entonces era vivo, y dijeron que es verdad que todos los vecinos de México de aquel tiempo echaron en los cimientos aquellas joyas y todo lo demás, y que así lo tenían por memoria en sus libros y pinturas de cosas antiguas, y por esta causa aquella riqueza se quedó para la obra de la santa iglesia de Señor Santiago.

Dejemos esto y digamos de los grandes y suntuosos patios que estaban delante del Uichilobos, adonde está ahora Señor Santiago, que se dice el Tatelulco, porque así se solía llamar. Ya he dicho que tenían dos cercas de calicanto antes de entrar dentro, y que era empedrado de piedras blancas como losas, y muy encalado y bruñido y limpio, y sería de tanto compás y tan ancho como la plaza de Salamanca; y un poco apartado del gran *cu* estaba otra torrecilla que también era casa de ídolos o puro infierno, porque tenía la boca de la una puerta una muy espantable boca de las que pintan que dicen que están en los infiernos con la boca abierta y grandes colmillos para tragar las ánimas; y asimismo estaban unos bultos de diablos y cuerpos de sierpes junto a la puerta, y tenían un poco apartado un sacrificadero, y todo ello muy ensangrentado y negro de humo y costras de sangre, y tenían muchas ollas grandes y cántaros y tinajas dentro de la casa llenas de agua, que era allí donde cocinaban la carne de los tristes indios que sacrificaban y que comían los *papas*, porque también tenían cabe el sacrificadero muchos navajones y unos tajos de madera, como en los que cortan carne en las carnicerías; y asimismo detrás de aquella maldita casa, bien apartado de ella, estaban unos grandes rimeros de leña, y no muy lejos una gran alberca de agua, que se henchía y vaciaba que le venía por su caño encubierto de lo que entraba en la ciudad, de Chapultepec. Yo siempre le llamaba [a] aquella casa el infierno.

Pasemos adelante del patio, y vamos a otro *cu* donde era enterramiento de grandes señores mexicanos, que también tenía otros muchos ídolos, y todo lleno de sangre y humo, y tenía otras puertas y figuras de infierno; y luego junto de aquel *cu* estaba otro lleno de calaveras y zancarrones, puestos con gran concierto, que se podían ver mas no se podrían contar, porque eran muchas, y las calaveras por sí y los zancarrones en otros rimeros; y allí había otros ídolos, y en cada casa o *cu* y adoratorio que he dicho estaban *papas* con sus vestiduras largas de mantas prietas y las capillas largas asimismo, como de dominicos, que también tiraban un poco a las de los canónigos, y el cabello muy largo y hecho que no se puede esparcir ni desenhebrar, y todos los más sacrificadas las orejas, y en los mismos cabellos mucha sangre. Pasemos adelante que había otros *cúes* apartados un poco, donde estaban las calaveras, que tenían ídolos y sacrificios de otras malas pinturas, y aquellos ídolos decían que eran abogados de los casamientos de los hombres. No quiero detenerme más en contar de ídolos, sino solamente diré que alrededor de aquel gran patio había muchas casas y no altas, y eran adonde posaban y residían los *papas* y otros indios que tenían cargo de los ídolos, y también tenían otra muy mayor alberca o estanque de agua, y muy limpia, a una parte del gran *cu;* era dedicada solamente para el servicio del Uichilobos, Tezcatepuca y entraba el agua en aquella alberca por caños encubiertos, que venía de Chapultepec.

Y allí cerca estaban otros grandes aposentos a manera de monasterios, adonde estaban recogidas muchas hijas de vecinos mexicanos, como monjas, hasta que se casaban: y allí estaban dos bultos de ídolos de mujeres, que eran abogadas de los casamientos de las mujeres, y aquéllas sacrificaban y hacían fiestas porque les diesen buenos maridos. Mucho me he detenido en contar de este gran *cu* del Tatelulco y sus patios, pues digo era el mayor templo de todo México, porque había tantos muy suntuosos, que entre cuatro o cinco parroquias o barrios tenían un adoratorio y sus ídolos; y porque eran muchos y yo no sé la cuenta de todos, pasaré adelante y diré que, en Cholula, el gran adoratorio que en él tenían era de mayor altor que no el de México, porque tenía ciento y veinte gradas, y, según decían, el ídolo de Cholula teníanle por bueno e iban a él en romería de todas partes de la Nueva España a ganar perdones, y a esta causa le hicieron tan suntuoso *cu;* mas era de otra hechura que el mexicano, y asimismo los patios muy grandes y con dos cercas. También digo que el *cu* de la ciudad de Tezcuco era muy alto, de ciento y diez y siete gradas, y los patios anchos y buenos y hechos de otra manera que los demás, y una cosa de reír es que tenían en cada provincia sus ídolos, y los de la una provincia o ciudad no aprovechaban a los otros, y así tenían infinitos ídolos, y a todos sacrificaban. Y después que nuestro capitán y todos nosotros nos cansamos de andar y ver tantas diversidades de ídolos y sus sacrificios, nos volvimos a nuestros aposentos, y siempre muy acompañados de principales y caciques que Montezuma enviaba con nosotros. Y quedarse ha aquí, y diré lo que más hicimos.

CAPÍTULO XCIII

CÓMO HICIMOS NUESTRA IGLESIA Y ALTAR EN NUESTRO APOSENTO, Y UNA CRUZ FUERA DEL APOSENTO, Y LO QUE MÁS PASAMOS, Y HALLAMOS LA SALA Y RECÁMARA DEL TESORO DEL PADRE DE MONTEZUMA, Y DE CÓMO SE ACORDÓ PRENDER A MONTEZUMA

Como nuestro capitán Cortés y el fraile de la Merced vieron que Montezuma no tenía voluntad que en el *cu* de su Uichilobos pusiésemos la cruz ni hiciésemos iglesia, y porque desde que entramos en aquella ciudad de México, cuando se decía misa hacíamos un altar sobre mesas y le tornaban a quitar, acordóse que demandásemos a los mayordomos del gran Montezuma albañiles para que en nuestro aposento hiciésemos una iglesia, y los mayordomos dijeron que lo harían saber a Montezuma. Y nuestro capitán envió a decírselo con doña Marina y Aguilar y con Orteguilla su paje, que entendía ya algo la lengua, y luego dio licencia y mandó dar todo recaudo. Y en dos días teníamos nuestra iglesia hecha y la santa cruz puesta delante de los aposentos, y allí se decía misa cada día hasta que se acabó el vino, que como Cortés y otros capitanes y el fraile estuvieron malos cuando las guerras de Tlaxcala, dieron prisa al vino que teníamos para misas, y después que se acabó cada día estábamos en la iglesia rezando de rodillas delante del altar e imágenes; lo uno, por lo que éramos obligados a cristianos y buena costumbre, y lo otro, porque Montezuma y todos sus capitanes lo viesen y se inclinasen a ello, y porque viesen el adorar y vernos de rodillas delante de la cruz, especial cuando tañíamos el Avemaría.

Pues estando que estábamos en aquellos aposentos, como somos de tal calidad y todo lo trascendemos y queremos saber, cuando mirábamos adónde mejor y más convenible parte habíamos de hacer el altar, dos de nuestros soldados, que uno de ellos era carpintero de lo blanco, que se decía Alonso Yáñez, vio en una pared una como señal que había sido puerta, y estaba cerrada, y muy bien encalada y bruñida, y como había fama y teníamos relación que en aquel aposento tenía Montezuma el tesoro de su padre Axayaca, sospechóse que estaría en aquella sala que estaba de pocos días cerrada y encalada, y Yáñez lo dijo a Juan Velázquez de León y a Francisco de Lugo, que eran capitanes y aun deudos míos, y Alonso Yáñez se allegaba en su compañía como criado; y aquellos capitanes se lo dijeron a Cortés, y secretamente se abrió la puerta. Y desde que fue abierta y Cortés con ciertos capitanes entraron primero dentro y vieron tanto número de joyas de oro y en planchas, y tejuelos muchos, y piedras de *chalchiuis* y otras muy grandes riquezas, quedaron elevados y no supieron qué decir de tanta riqueza. Y luego lo supimos entre todos los demás capitanes y soldados y lo entramos a ver muy secretamente; y desde que yo lo vi, digo que me admiré, y como en aquel tiempo era mancebo y no había visto en mi vida riquezas como aquéllas, tuve por cierto que en el mundo no se debieran haber otras tantas. Y acordóse por todos nuestros capitanes y soldados que ni por pensamiento se tocase en cosa ninguna de ellas, sino que la misma puerta se tornase luego a poner sus piedras y se cerrase, y encalase de la manera que la hallamos, y que no se hablase en ello porque no lo alcanzase a saber Montezuma, hasta ver otro tiempo.

Dejemos esto de esta riqueza y digamos que como teníamos tan esforzados capitanes y soldados y de muchos buenos consejos y pareceres, y primeramente Nuestro Señor Jesucristo ponía su divina mano en todas nuestras cosas, y así lo teníamos por cierto, apartaron a Cortés en la iglesia cuatro de nuestros capitanes, y juntamente doce soldados de quien él se fiaba y comunicaba, y yo era uno de ellos, y le dijimos que mirase la red y garlito donde estábamos y la gran fortaleza de aquella ciudad, y mirase las puentes y calzadas y las palabras y avisos que por todos los pueblos por donde hemos venido nos han dado que había aconsejado el Uichilobos a Montezuma que nos dejase entrar en su ciudad y que allí nos matarían, y que mirase que los corazones de los hombres que son muy mudables, en especial en los indios, y que no tuviese confianza de la buena voluntad y amor que Montezuma nos muestra, porque de una hora a otra hora la mudaría, cuando se le antojase darnos guerra, que con quitarnos la comida o el agua o alzar cualquiera puente, que no nos podríamos valer, y que mire la gran multitud de indios que tiene de guerra en su guarda, y que qué podríamos nosotros hacer para ofenderlos o para defendernos, porque todas las casas tienen en el agua. Pues socorros de nuestros amigos los de Tlaxcala, ¿por dónde han de entrar?

Y pues es cosa de ponderar todo esto que le decíamos, que luego sin más dilación prendiésemos a Montezuma, si queríamos asegurar nuestras vidas, y que no se aguardase para otro día, y que mirase que con todo el oro que nos daba Montezuma, ni el que habíamos visto en el tesoro de su padre Axayaca, ni con cuanta comida comíamos, que todo se nos hacía rejalgar en el cuerpo, y que de noche ni de día no dormíamos ni reposábamos con este pensamiento, y que si otra cosa algunos de nuestros soldados menos que esto que le decían sintiesen, que serían como bestias que no tenían sentido, que se están al dulzor del oro, no viendo la muerte al ojo. Y después que esto oyó Cortés, dijo: "No creáis, caballeros, que duermo ni estoy sin el mismo cuidado, que bien me lo habréis sentido; mas, ¿qué poder tenemos nosotros para hacer tan grande atrevimiento, prender a tan gran señor en sus mismos palacios, teniendo sus gentes de guarda y de guerra? ¿Qué manera o arte se puede tener en quererlo poner por efecto que no apellide sus guerreros y luego nos combatan?"

Y replicaron nuestros capitanes, que fue Juan Velázquez de León, y Diego de Ordaz, y Gonzalo de Sandoval, y Pedro de Alvarado, que con buenas palabras sacarle de su sala y traerlo a nuestros aposentos, y decirle que ha de estar preso, que si se altera o diere voces que lo pagará su persona, y que si Cortés no lo quiere hacer luego, que les dé licencia, que ellos lo pondrán por la obra, y que de dos grandes peligros en que estamos, que el mejor y más a propósito es prenderle y no aguardar que nos diese guerra, que si la comenzaba, ¿qué remedio podíamos tener? También le dijeron ciertos soldados que nos parecía que los mayordomos de Montezuma que servían en darnos bastimentos se desvergonzaban y no los traían cumplidamente como los primeros días y también dos indios tlaxcaltecas, nuestros amigos, dijeron secretamente a Jerónimo de Aguilar, nuestra lengua, que no les parecía bien la voluntad de los mexicanos de dos días atrás; por manera que estuvimos platicando en este acuerdo bien una hora si le prenderíamos o no y qué manera teníamos; y a nuestro capitán bien se le encajó este postrer consejo; y dejábamos para otro día que en todo caso le habíamos de prender, y aun toda la noche estuvimos rogando a Dios que lo encaminase para su santo servicio.

Después de estas pláticas, otro día por la mañana vinieron dos indios de Tlaxcala y muy secretamente con unas cartas de la Villa Rica; y lo que se contenía en ellas decía que Juan de Escalante, que quedó por alguacil mayor, era muerto, y seis soldados juntamente con él, en una batalla que le dieron los mexicanos, y también le mataron el caballo y a muchos indios totonaques que llevó en su compañía, y que todos los pueblos de la sierra y Cempoal y su sujeto están alterados y no les quieren dar comida ni servir en la fortaleza, y que no saben qué se hacer, y que como de antes los tenían por *teules,* que ahora que han visto aquel desbarate les hacen fieros, así los totonaques como los mexicanos, y que no les tienen en nada ni saben qué remedio tomar. Y desde que oímos aquellas nuevas, sabe Dios cuánto pesar tuvimos todos. Éste fue el primer desbarate que tuvimos en la Nueva España. Miren los curiosos lectores la adversa fortuna cómo vuelve rodando. ¡Quien nos vio entrar en aquella ciudad con tal solemne recibimiento y triunfante, y nos teníamos en posesión de ricos con lo que Montezuma nos daba cada día, así al capitán como a nosotros, y haber visto la casa por mí memorada llena de oro y que nos tenían por *teules,* que son ídolos, y que todas las batallas vencíamos, y ahora habernos venido tan gran desmán que no nos tuviesen en aquella reputación que de antes, sino por hombres que podíamos ser vencidos, y haber sentido cómo se desvergonzaban contra nosotros! En fin de más razones fue acordado que aquel mismo día, de una manera o de otra, se prendiese [a] Montezuma, o morir todos sobre ello. Y porque para que vean los lectores de la manera que fue esta batalla de Juan de Escalante, cómo le mataron a él y los seis soldados. y el caballo y los amigos totonaques que llevaba consigo, lo quiero aquí declarar antes de la prisión de Montezuma, por no quedarle atrás, porque es menester darlo bien a entender.

CAPÍTULO XCIV

CÓMO FUE LA BATALLA QUE DIERON LOS CAPITANES MEXICANOS A JUAN DE ESCALANTE, Y CÓMO LE MATARON A ÉL Y AL CABALLO Y A SEIS SOLDADOS Y A MUCHOS AMIGOS INDIOS TOTONAQUES QUE TAMBIÉN ALLÍ MURIERON

Y ES DE ESTA MANERA; que ya me habrán oído decir, en el capítulo [XLVII] que de ello habla, que cuando estábamos en un pueblo que se dice Quiahuiztlan, que se juntaron muchos pueblos, sus confederados, que eran amigos de los de Cempoal, y por consejo y convocación de nuestro capitán, que les atrajo a ello, quitó que no diesen tributo a Montezuma, y se le rebelaron, y fueron más de treinta pueblos en ello; y esto fue cuando le prendimos sus recaudadores, según otras veces dicho tengo en el capítulo que de ello habla. Y cuando partimos de Cempoal para venir a México, quedó en la Villa Rica por capitán y alguacil mayor de la Nueva España un Juan de Escalante, que era persona de mucho ser y amigo de Cortés, y le mandó que en todo lo que aquellos pueblos nuestros amigos hubiesen menester les favoreciese. Y parece ser que como el gran Montezuma tenía muchas guarniciones y capitanías de gente de guerra en todas las provincias, que siempre estaban junto a la raya de ellos, porque una tenía en lo de Soconusco por guarda de lo de Guatemala y Chiapa, y otra tenía en lo de Guazacualco, y otra capitanía en lo de Mechuacán y otra a la raya de Pánuco, entre Tuzapán [71] y un pueblo que le pusimos por nombre Almería [72] que es en la costa del Norte. Y como aquella guarnición que tenía cerca de Tuzapán pareció ser demandaron tributos de indios e indias y bastimento para sus gentes a ciertos pueblos que estaban allí cerca o confinaban con ellos, que eran amigos de Cempoal y servían a Juan de Escalante y a los vecinos que quedaron en la Villa Rica y entendían en hacer la fortaleza, y como les demandaban los mexicanos el tributo y servicio, dijeron que no se lo querían dar porque Malinche les mandó que no lo diesen y que el gran Montezuma lo ha tenido por bien. Y los capitanes mexicanos respondieron que si no lo daban que les vendrían a destruir sus pueblos y llevarlos cautivos, y que su señor Montezuma se lo había mandado de poco tiempo acá.

Y desde que aquellas amenazas vieron nuestros amigos los totonaques, vinieron al capitán Juan de Escalante y quéjanse reciamente que los mexicanos les vienen a robar y destruir sus tierras. Y desde que Escalante lo entendió envió mensajeros a los mismos mexicanos para que no hiciesen enojo ni robasen aquellos pueblos, pues su señor Montezuma lo había por bien, que somos todos grandes amigos, si no, que irá contra ellos y les dará guerra. Los mexicanos no hicieron caso de aquella respuesta ni fieros, y respondieron que en el campo los hallaría. Y Juan de Escalante, que era hombre muy bastante y de sangre en el ojo, apercibió todos los pueblos nuestros amigos de la sierra que viniesen con sus armas, que eran arcos, flechas, lanzas, rodelas, y asimismo apercibió los soldados más sueltos y sanos que tenía, porque ya he dicho otra vez que todos los más vecinos que quedaban en la Villa Rica estaban dolientes, y hombres de la mar, y con dos tiros y

[71] Tuxpan, en Veracruz.
[72] Nauhtla, *ibíd.*

un poco de pólvora y tres ballestas y dos escopetas y cuarenta soldados y sobre dos mil indios totonaques, fue adonde estaban las guarniciones de los mexicanos, que andaban ya robando un pueblo de nuestros amigos, y en el campo se encontraron al cuarto del alba.

Y como los mexicanos eran doblados que nuestros amigos los totonaques, y como siempre estaban atemorizados de ellos en las guerras pasadas, a la primera refriega de flechas y varas y piedras y gritas huyeron y dejaron a Juan de Escalante peleando con los mexicanos, y de tal manera, que llegó con sus pobres soldados hasta un pueblo que llaman Almería, y puso fuego y le quemó las casas. Allí reposó un poco, porque estaba mal herido, y en aquellas refriegas y guerra le llevaron un soldado vivo, que se decía Argüello, que era natural de León, y tenía la cabeza muy grande y la barba prieta y crespa, y era muy robusto de gesto y mancebo de muchas fuerzas, y le hirieron muy malamente a Escalante y a otros seis soldados, y le mataron el caballo; y se volvió a la Villa Rica y de allí a tres días murió él y los soldados.

Y de esta manera pasó lo que decimos de Almería, y no como lo cuenta el coronista Gómara, que dice en su historia que iba Pedro de Ircio a poblar a Pánuco con ciertos soldados. No sé en qué entendimiento de un tan retórico coronista cabía que había de escribir tal cosa que, aunque con todos los soldados que estábamos con Cortés en México no llegamos a cuatrocientos, y los más heridos de las batallas de Tlaxcala y Tabasco, que aun para bien velar no teníamos recaudo, cuando más enviar a poblar a Pánuco. Y dice que iba por capitán Pedro de Ircio, y aun en aquel tiempo no era capitán ni aun cuadrillero, ni le daban cargo, ni se hacía cuenta de él, y se quedó con nosotros en México. También dice el mismo coronista otras muchas cosas sobre la prisión de Montezuma. Yo no le entiendo su escribir, y había de mirar que cuando lo escribía en su historia que había de haber vivos conquistadores de los de aquel tiempo que le dirían cuando lo leyesen: "Esto no pasa así. En esto otro, dice lo que quiere."

Y dejarlo he aquí, y volvamos a nuestra materia, y diré cómo los capitanes mexicanos, después de darle la batalla que dicho tengo a Juan de Escalante, se lo hicieron saber a Montezuma, y aun le llevaron presentada la cabeza de Argüello, que pareció ser murió en el camino de las heridas, que vivo le llevaban. Y supimos que Montezuma, cuando se la mostraron, como era robusta y grande y tenía grandes barbas y crespas, hubo pavor y temió de la ver, y mandó que no la ofreciesen a ningún *cu* de México, sino en otros ídolos de otros pueblos. Y preguntó Montezuma a sus capitanes que siendo ellos muchos millares de guerreros, que cómo no vencieron a tan pocos *teules*. Y respondieron que no aprovechaban nada sus varas y flechas ni buen pelear, que no los pudieron hacer retraer, porque una gran *tequecihuata* de Castilla venía delante de ellos, y que aquella señora ponía a los mexicanos temor y decía palabras a sus *teules* que les esforzaban. Y el Montezuma entonces creyó que aquella gran señora era Santa María y la que le habíamos dicho que era nuestra abogada, que de antes dimos a Montezuma con su precioso hijo en los brazos. Y porque esto yo no lo vi, porque estaba en México, sino lo que dijeron ciertos conquistadores que se hallaron en ello, y plugiese a Dios que así fuese, y ciertamente todos los soldados que pasamos con Cortés tenemos muy creído, y así es verdad, y que la misericordia divina y Nuestra Señora la Virgen María siempre era con nosotros, por lo cual le doy muchas gracias. Y dejarlo he aquí, y diré lo que pasamos en la prisión del gran Montezuma.

CAPÍTULO XCV

DE LA PRISIÓN DEL GRAN MONTEZUMA Y LO QUE SOBRE ELLO SE HIZO

COMO TENÍAMOS acordado el día antes de prender a Montezuma, toda la noche estuvimos en oración rogando a Dios que fuese de tal manera que redundase para su santo servicio, y otro día de mañana fue acordado de la manera que había de ser. Llevó consigo Cortés cinco capitanes, que fueron Pedro de Alvarado, y Gonzalo de Sandoval, Juan Velázquez de León, y Francisco de Lugo y Alonso de Ávila, y a mí, y con nuestras lenguas doña Marina y Aguilar; y todos nosotros mandó que estuviésemos muy a punto y los de a caballo ensillados y enfrenados. En lo de las armas no había necesidad de ponerlo yo aquí por memoria, porque siempre, de día y de noche, estamos armados y calzados nuestros alpargates, que en aquella sazón era nuestro calzado, y cuando solíamos ir a hablar a Montezuma siempre nos veía armados de aquella manera, y esto digo puesto que Cortés con los cinco capitanes iban con todas sus armas para prenderle, no lo tenía Montezuma por cosa nueva ni se alteraba de ello. Ya puestos a punto todos, envióle nuestro capitán a hacerle saber cómo iba a su palacio, porque así lo tenía por costumbre, y no se alterase viéndolo ir de sobresalto. Y Montezuma bien entendió, poco más o menos, que iba enojado por lo de Almería, y no [lo] tenía en una castañeta, y mandó que fuese mucho en buena hora. Y como entró Cortés, después de haberle hecho sus acatos acostumbrados, le dijo con nuestras lenguas: "Señor Montezuma, muy maravillado de vos estoy que, siendo tan valeroso príncipe y haberse dado por nuestro amigo, mandar a vuestros capitanes que teníais en la costa cerca de Tuzapán que tomasen armas contra mis españoles, y tener atrevimiento de robar los pueblos que están en guarda y mamparo de nuestro rey y señor, y demandarles indios e indias para sacrificar, y matar un español, hermano mío, y un caballo." No le quiso decir del capitán ni de los seis soldados que murieron luego que llegaron a la Villa Rica, porque Montezuma no lo alcanzó a saber, ni tampoco lo supieron los indios capitanes que les dieron la guerra; y más le dijo Cortés: "que teniéndole por tan su amigo, mandé a mis capitanes que en todo lo que posible fuese os sirviesen y favoreciesen, y vuestra merced por el contrario no lo ha hecho, y asimismo en lo de Cholula tuvieron vuestros capitanes con gran copia de guerreros ordenado por vuestro mandado que nos matasen. Helo disimulado lo de entonces por lo mucho que os quiero, y asimismo ahora vuestros vasallos y capitanes se han desvergonzado y tienen pláticas secretas que nos queréis mandar matar; por estas causas no querría encomenzar guerra ni destruir esta ciudad. Conviene que para todo se excusar que luego, callando y sin hacer ningún alboroto, se vaya con nosotros a nuestro aposento, que allí seréis servido y mirado muy bien como en vuestra propia casa. Y que si alboroto o voces daba, que luego sería muerto de estos mis capitanes, que no los traigo para otro efecto."

Y cuando esto oyó Montezuma, estuvo muy espantado y sin sentido, y respondió que nunca tal mandó que tomasen armas contra nosotros, y que enviaría luego a llamar sus capitanes y se sabría la verdad, y los castigaría. Y luego en aquel instante quitó de su brazo y muñeca el sello y señal de Uichilobos, que aquello era cuando mandaba alguna cosa grave y de peso, para que se cumpliese, y luego se cumplía. Y en lo de ir preso y salir de sus palacios contra su voluntad, que no era persona la suya para que tal le mandase, y que no era su voluntad salir. Y Cortés le replicó muy buenas razones, y Montezuma le respondió muy mejores, y que no había de salir de sus casas; por manera que estuvieron más de media hora en estas pláticas. Y desde que Juan Velázquez de León y los demás capitanes vieron que se detenía con él y no veían la hora de haberlo sacado de sus casas y tenerlo preso, hablaron a Cortés algo alterados y dijeron: "¿Qué hace vuestra merced ya con tantas palabras? O lo llevamos preso, o darle hemos de estocadas. Por eso, tórnele a decir que si da voces o hace alboroto que le mataremos, porque más vale que de esta vez aseguremos nuestras vidas o las perdamos."

Y como Juan Velázquez lo decía con voz algo alta y espantosa, porque así era su hablar, y Montezuma vio a nuestros capitanes como enojados, preguntó a doña Marina que qué decían con aquellas palabras altas, y como doña Marina era muy entendida, le dijo: "Señor Montezuma: lo que yo os aconsejo es que vais luego con ellos a su aposento, sin ruido ninguno, que yo sé que os harán mucha honra, como gran señor que sois, y de otra manera aquí quedaréis muerto, y en su aposento se sabrá la verdad." Y entonces Montezuma dijo a Cortés: "Señor Malinche: ya que eso queréis que sea, yo tengo un hijo y dos hijas legítimos, tomadlos en rehenes, y a mí no me hagáis esta afrenta. ¿Qué dirán mis principales si me viesen llevar preso?" Tornó a decir Cortés que su persona había de ir con ellos, y no había de ser otra cosa; y en fin de muchas razones que pasaron, dijo que él iría de buena voluntad. Y entonces Cortés y nuestros capitanes le hicieron muchas quiricias y le dijeron que le pedían por merced que no hubiese enojo y que dijese a sus capitanes y a los de su guarda que iba de su voluntad, porque había tenido plática de su ídolo Uichilobos y de los *papas* que le servían que convenía para su salud y guardar su vida estar con nosotros. Y luego le trajeron sus ricas andas, en que solía salir con todos sus capitanes que le acompañaron; fue a nuestro aposento, donde le pusimos guardas y velas. Y todos cuantos servicios y placeres que le podíamos hacer, así Cortés como todos nosotros, tantos le hacíamos, y no se le echó prisiones ningunas.

Y luego le vinieron a ver todos los mayores principales mexicanos y sus sobrinos a hablar con él y a saber la causa de su prisión, y si mandaba que nos diesen guerra. Y Montezuma les respondía que él holgaba de estar algunos días allí con nosotros de buena voluntad y no por fuerza, y que cuando él algo quisiese que se lo diría, y que no se alborotasen ellos ni la ciudad, ni tomasen pesar de ello, porque esto que ha pasado de estar allí, que su Uichilobos lo tiene por bien, y se lo han dicho ciertos *papas* que lo saben, que hablaron con su ídolo sobre ello. Y de esta manera que he dicho fue la prisión del gran Montezuma; y allí donde estaba tenía su servicio y mujeres, y baños en que se bañaba, y siempre a la contina estaban en su compañía veinte grandes señores y consejeros y capitanes, y se hizo a estar preso sin mostrar pasión en ello, y allí venían con pleitos embajadores de lejanas tierras y le traían sus tributos, y despachaba negocios de importancia.

Acuérdome que cuando venían ante él grandes caciques de lejanas tierras, sobre términos o pueblos, u otras cosas de aquel arte, que por muy gran señor que fuese se quitaba las mantas ricas y se ponía otras de *henequén* y de poca valía, y descalzo había de venir, y cuando llegaba a los aposentos, no entraba derecho, sino por un lado de ellos, y cuando parecía delante del gran Montezuma, los ojos bajos en tierra, y antes que a él llegasen le hacían tres reverencias y le decían: "Señor, mi señor y mi gran señor"; entonces le traían pintado y dibujado el pleito o embarazo sobre que venían, en unos paños y mantas de *henequén,* y con unas varitas muy delgadas y pulidas le señalaban la causa del pleito; y estaban allí junto a Montezuma dos hombres viejos, grandes caciques y después que bien habían entendido el pleito, aquellos jueces se lo decían a Montezuma, la justicia que tenía; con pocas palabras los despachaba y mandaba quien había de llevar las tierras o pueblos, y sin más replicar en ello se salían los pleiteantes, sin volver las espaldas, y con las tres reverencias se salían hasta la sala, y después que se veían fuera de su presencia de Montezuma se ponían otras mantas ricas y se paseaban por México.

Y dejaré de decir al presente de esta prisión, y digamos cómo los mensajeros que envió Montezuma con su señal y sello a llamar sus capitanes que mataron nuestros soldados, vinieron ante él presos, y lo que con ellos habló yo no lo sé, mas que se los envió a Cortés para que hiciese justicia de ellos; y tomada su confesión sin estar Montezuma delante, confesaron ser verdad lo atrás ya por mí dicho, y que su señor se lo había mandado que diesen guerra y cobrasen los tributos, y que si algunos *teules* fuesen en su defensa, que también les diesen guerra o matasen. Y vista esta confesión por Cortés, envióselo a hacer saber a Montezuma cómo le condenaban en aquella cosa; y él se disculpó cuando pudo. Y nuestro capitán le envió a decir que así lo creía, que puesto que merecía castigo, conforme a lo que nuestro rey manda, que la persona que manda matar a otros, sin culpa o con culpa, que muera por ellos; mas que le quiere tanto y le desea todo bien, que ya que aquella culpa tuviese, que antes la pagaría él, Cortés, por su persona que vérsela pasar a Montezuma. Y con todo esto que le envió a decir, estaba temeroso. Y sin más gastar razones, Cortés sentenció a aquellos capitanes a muerte y que fuesen quemados delante de los palacios de Montezuma, y así se ejecutó luego la sentencia. Y porque no hubiese algún embarazo entretanto que se quemaban, mandó echar unos grillos al mismo Montezuma. Y desde que se los echaron, él hacía bramuras, y si de antes estaba temeroso, entonces estuvo mucho más.

Y después de quemados fue nuestro Cortés con cinco de nuestros capitanes a su aposento, y él mismo le quitó los grillos, y tales palabras le dijo y tan amorosas, que se le pasó luego el enojo; porque nuestro Cortés le dijo que no solamente le tenía por hermano, sino mucho más; y que como es señor y rey de tantos pueblos y provincias, que si él podía, el tiempo andando, le haría que fuese señor de más tierras de las que no ha podido conquistar ni le obedecían, y que si quiere ir a sus palacios, que le da licencia para ello. Y decíaselo Cortés con nuestras lenguas, y cuando se lo estaba diciendo Cortés, parecía que se le saltaban las lágrimas de los ojos a Montezuma. Y respondió con gran cortesía que se lo tenía en merced. Empero bien entendió que todo era palabras, las de Cortés, y que ahora al presente que convenía estar allí preso, porque, por ventura, como sus principales son muchos y sus sobrinos y parientes le vienen cada día a decir que será bien darnos guerra y sacarlo de prisión, que desde que le vean fuera que le atraerán a ello, y que no quería ver en su ciudad revueltas, y que si no hace su voluntad, por ventura querrán alzar a otro señor, y que él les quitaba aquellos pensamientos con decirles que su dios Uichilobos se lo ha enviado a decir que esté preso. Y a lo que entendimos, y lo más cierto, Cortés había dicho a Aguilar que le dijese secreto que aunque Malinche le mandase salir de la prisión, que los demás de nuestros capitanes y soldados no querríamos. Y después que aquello lo oyó Cortés, le echó los brazos encima y le abrazó y dijo: "No en balde, señor Montezuma, os quiero tanto como a mí mismo."

Y luego Montezuma le demandó a Cortés un paje español que le servía, que sabía ya la lengua, que se decía Orteguilla y fue harto provechoso, así para Montezuma como para nosotros, porque de aquel paje inquiría y sabía muchas cosas de las de Castilla, Montezuma, y nosotros de lo que le decían sus capitanes, y verdaderamente le era tan buen servicial el paje, que lo quería mucho Montezuma. Dejemos de hablar de cómo estaba ya Montezuma algo contento con los grandes halagos y servicios y conversación que con todos nosotros tenía, porque siempre que ante él pasábamos, y aunque fuese Cortés, le quitábamos los bonetes de armas o cascos que siempre estábamos armados, y él nos hacía gran mesura y honraba a todos.

Y digamos los nombres de aquellos capitanes de Montezuma que se quemaron por justicia. El principal se decía Quetzalpopoca, y los otros se decían el uno Coate y el otro Quiavit; [73] el otro no me acuerdo el nombre, que poco va en saber sus nombres. Y digamos que como este castigo se supo en todas las provincias de la Nueva España, temieron, y los pueblos de la costa adonde mataron nuestros soldados volvieron a servir muy bien a los vecinos que quedaban en la Villa Rica. Y han de considerar los curiosos que esto leyeren tan grandes hechos que entonces hicimos: dar con los navíos al través; lo otro, osar entrar en tan fuerte ciudad, teniendo tantos avisos que allí nos habían de matar después que dentro nos tuviesen; lo otro, tener tanta osadía, osar prender al gran Montezuma, que era rey de aquella tierra dentro en su gran ciudad y en sus mismos palacios, teniendo tan gran número de guerreros de su guarda, y lo otro, osar quemar sus capitanes delante sus palacios y echarle grillos entretanto que se hacía la justicia.

Muchas veces, ahora que soy viejo, me paro a considerar las cosas heroicas que en aquel tiempo pasamos, que me parece las veo presentes, y digo que nuestros hechos que no los hacíamos nosotros, sino que venían todos encaminados por Dios; porque, ¿qué hombres [ha] habido en el mundo que osasen entrar cuatrocientos soldados (y aun no llegábamos a ellos), en una fuerte ciudad como es México, que es mayor que Venecia, estando apartados de nuestra Castilla sobre más de mil quinientas leguas, y prender a un tan gran señor y hacer justicia de sus capitanes delante de él? Porque hay mucho que ponderar en ello, y no así secamente como yo lo digo. Pasaré adelante y diré cómo Cortés despachó luego otro capitán que estuviese en la Villa Rica como estaba Juan Escalante que mataron.

[73] Cortés llama al jefe de la guarnición de Nauhtla, en su segunda *Carta de Relación, Cualpopoca;* Orozco y Berra *(Ob. cit.,* t. IV, pág. 317) le da el nombre de *Cuauhpopoca,* y se refiere a un hijo de éste y quince nobles más. En *Anales de Cuauhtitlán* (pág. 83), encontramos una variante más fuerte, pues nos da el nombre de *Coatlpopoca.* Ixtlilxochitl, *Obras,* t. II, pág. 378, escribió *Cuauhpopocatzin.*

CAPÍTULO XCVI

CÓMO NUESTRO CORTÉS ENVIÓ A LA VILLA RICA POR TENIENTE Y CAPITÁN A UN HIDALGO QUE SE DECÍA ALONSO DE GRADO, EN LUGAR DEL ALGUACIL MAYOR, JUAN DE ESCALANTE, Y EL ALGUACILAZGO MAYOR SE LO DIO A GONZALO DE SANDOVAL, Y DESDE ENTONCES FUE ALGUACIL MAYOR, Y LO QUE SOBRE ELLO PASÓ DIRÉ ADELANTE

DESPUÉS DE HECHA justicia de Quetzalpopoca y sus capitanes y amansado el gran Montezuma, acordó nuestro capitán de enviar a la Villa Rica por teniente de ella a un soldado que se decía Alonso de Grado, porque era hombre muy entendido y de buena plática y presencia, y músico y gran escribano. Este Alonso de Grado era uno de los que siempre fue contrario de nuestro Cortés para que no fuésemos a México, y nos volviésemos a la Villa Rica cuando hubo en lo de Tlaxcala ciertos corrillos ya por mí dichos en el capítulo que de ello habla; y Alonso de Grado era el que lo muñía, y si como era de buenas gracias fuera hombre de guerra, bien le ayudara todo junto. Y esto digo porque cuando nuestro Cortés le dio el cargo, como conocía su condición, que no era hombre de afrenta, y Cortés era gracioso en lo que decía, le dijo: "He aquí, señor Alonso de Grado, vuestros deseos cumplidos que iréis ahora a la Villa Rica, como lo deseabais, y entenderéis en la fortaleza, y mirad no vais a ninguna entrada, como hizo Juan de Escalante, y os maten." Y cuando se lo estaba diciendo guiñaba el ojo porque lo viésemos los soldados que allí nos hallamos y sintiésemos a qué fin lo decía, porque conocía de él que aunque se lo mandara con pena no fuera. Pues dadas las provisiones e instrucciones de lo que había de hacer, Alonso de Grado le suplicó que le hiciese merced de la vara de alguacil mayor como la tenía Juan de Escalante, que mataron los indios, y Cortés le dijo que ya la había dado a Gonzalo de Sandoval, y que para él, que no le faltaría, el tiempo andando, otro oficio muy honroso, y que se fuese con Dios, y le encargó que mirase por los vecinos y los honrase, y a los indios amigos no se les hiciese ningún agravio ni se les tomase cosa por fuerza, y que a dos herreros que en aquella villa quedaban y les había enviado a decir y mandar que luego hiciesen dos cadenas gruesas de hierro y anclas que sacaron de los navíos que dimos al través, que con brevedad las enviase, y que diese prisa en la fortaleza que se acabase de poner la madera y cubrirla de teja.

Y como Alonso de Grado llegó a la villa, mostró mucha gravedad con los vecinos, y quería hacerse servir de ellos como gran señor, y con los pueblos que estaban de paz, que fueron más de treinta, enviaba a demandarles joyas de oro, e indias hermosas, y en la fortaleza no se le daba nada para entender en ella. En lo que gastaba el tiempo era en bien comer y en jugar, y sobre todo esto, que fue peor que lo pasado, secretamente convocaba a sus amigos y a los que no lo eran para que si viniese aquella tierra Diego Velázquez, de Cuba, o cualquier su capitán, de darle la tierra y hacerse con él. Todo lo cual muy en posta se lo hicieron saber por cartas a Cortés, a México, y como lo supo hubo enojo consigo mismo por haber enviado a Grado, conociéndole sus malas entrañas y condición dañada. Y como tenía siempre en el pensamiento que Diego Velázquez, gobernador de Cuba, por una parte o por otra había de alcanzar a saber cómo habíamos enviado nuestros procuradores a Su Majestad, y que no le acudiríamos a cosa ninguna, y que por ventura enviaría armada y capitanes contra nosotros, parecióle que sería bien poner hombre de quien fiar el puerto y la villa, y envió a Gonzalo de Sandoval, que ya era alguacil mayor por muerte de Juan de Escalante, y llevó en su compañía a Pedro de Ircio, aquel de quien cuenta el coronista Gómara que iba a poblar a Pánuco.

Y entonces Pedro de Ircio fue a la villa y tomó tanta amistad Gonzalo de Sandoval con él, porque Pedro de Ircio, como había sido criado en la casa del conde de Ureña y de don Pedro Girón, siempre contaba lo que les había acontecido, y como Gonzalo de Sandoval era de buena voluntad y no nada malicioso, y le contaba aquellos cuentos que le complacían, tomó amistad con él, como dicho tengo, y siempre le hizo subir hasta ser capitán. Y si en este tiempo de ahora fuera, algunas palabras que no eran de decir decía Pedro de Ircio, en lugar de gracias, que se las reprehendía harto Gonzalo de Sandoval, le castigarían por ellas por el Santo Oficio.

Dejemos de contar vidas ajenas, y volvamos a Gonzalo Sandoval, que llegó a la Villa Rica y luego envió preso a México con indios que le guardasen a Alonso de Grado, porque así se lo mandó Cortés. Y todos los vecinos querían mucho a Gonzalo de Sandoval, porque a los que halló que estaban dolientes él les proveía lo mejor que podía, y les mostraba mucho amor, y a los pueblos de paz tenía en mucha justicia y les favorecía en todo lo que podía, y en la fortaleza comenzó a enmaderar y tejer, y hacía todas las cosas como convienen hacer; todo lo que los buenos capitanes son obligados a hacer, y fue harto provechoso a Cortés y a todos nosotros, como adelante verán en su tiempo o sazón. Dejemos a Sandoval en la Villa Rica y volvamos a Alonso de Grado, que llegó preso a México, y quería ir a hablar a Cortés, y no le consintió que pareciese delante de él, antes le mandó echar preso en un cepo de madera, que entonces hicieron nuevamente. Acuérdome que olía la madera de aquel cepo como a sabor de ajos o cebollas. Y estuvo preso dos días, y como Alonso de Grado era muy plático y hombre de muchos medios, hizo grandes ofrecimientos a Cortés que le sería muy servidor y en todo le sería leal, y tantas muestras de desearle servir le hizo, que le convenció y luego le soltó, y aun desde allí adelante vi que siempre privaba con Cortés, mas no para que le diese cargos de cosas de guerra, sino conforme a su condición, y aun el tiempo andando le dio la contaduría que solía tener Alonso de Ávila, porque en aquel tiempo envió al mismo Alonso de Ávila a la isla de Santo Domingo por procurador, según adelante diré en su coyuntura.

No quiero dejar de traer aquí a la memoria cómo cuando Cortés envió a Gonzalo de Sandoval a la Villa Rica por teniente y capitán y alguacil mayor le mandó que así como llegase le enviase dos herreros con todos sus aparejos de fuelles y herramientas y mucho hierro de lo de los navíos que dimos al través, y las dos cadenas grandes de hierro que estaban ya hechas, y que enviase velas y jarcias, y pez y estopa, y una aguja de marear, y todo otro cualquier aparejo para hacer dos bergantines para andar en la laguna de México; lo cual luego se lo envió Sandoval muy cumplidamente según y de la manera que lo mandó.

CAPÍTULO XCVII

CÓMO ESTANDO EL GRAN MONTEZUMA PRESO, SIEMPRE CORTÉS Y TODOS NUESTROS SOLDADOS LE FESTEJAMOS Y REGOCIJAMOS, Y AUN SE LE DIO LICENCIA PARA IR A CAZA, Y FUE ESTA LICENCIA PARA VER SU INTENCIÓN

COMO NUESTRO CAPITÁN en todo era muy diligente y vio que Montezuma estaba preso, y por temor no se congojase con estar encerrado y detenido, procuraba cada día, después de haber rezado (que entonces no teníamos vino para decir misa), de irle a tener palacio, e iban con él cuatro capitanes, especialmente Pedro de Alvarado, y Juan Velázquez de León, y Diego de Ordaz, y preguntaba a Montezuma con mucho acato que qué tal estaba, y que mirase lo que manda, que todo se haría y que no tuviese congoja de su prisión. Y él respondía que antes se holgaba de estar preso, y esto porque nuestros dioses nos daban poder para ello, o su Uichilobos lo permitía, y de plática en plática le dieron a entender más por extenso las cosas de nuestra santa fe y el gran poder del emperador nuestro señor; y aun algunas veces jugaba Montezuma con Cortés al *totoloque,* que es un juego que ellos así le llaman, con unos bodoquillos chicos muy lisos que tenían hechos de oro para aquel juego, y tiraban con los bodoquillos algo lejos, y unos tejuelos que también eran de oro, y a cinco rayas ganaban o perdían ciertas piezas y joyas ricas que ponían. Acuérdome que tanteaba a Cortés, Pedro de Alvarado y al gran Montezuma un sobrino suyo, gran señor, y Pedro de Alvarado siempre tanteaba una raya de más de las que había Cortés, y Montezuma, como lo vio, decía, con gracia y risa, que no quería que le tantease a Cortés el Tonatio, que así llamaban a Pedro de Alvarado, porque hacía mucho *ixoxol* en lo que tanteaba, que quiere decir en su lengua que mentía, que echaba siempre una raya de más. Y Cortés y todos nosotros los soldados que en aquella sazón hacíamos guarda no podíamos estar de risa por lo que dijo el gran Montezuma. Dirán ahora que por qué nos reímos de aquella palabra. Es porque Pedro de Alvarado, puesto que era de gentil cuerpo y buena manera, era vicioso en el hablar demasiado, y como le conocimos su condición, por esto nos reímos tanto. Y volvamos al juego.

Y si ganaba Cortés, daba las joyas [a] aquellos sus sobrinos y privados de Montezuma que le servían, y si ganaba Montezuma, nos lo repartía a los soldados que le hacíamos guarda, y aun no por lo que nos daba del juego dejaba cada día de darnos presentes de oro y ropa, así a nosotros como al capitán de la guarda, que entonces era Juan Velázquez de León, y en todo se mostraba su amigo de Montezuma. Y también me acuerdo que era de la vela un soldado muy alto de cuerpo, y bien dispuesto y de muy grandes fuerzas, que se decía fulano de Trujillo, y era hombre de la mar, y cuando le cabía el cuarto de noche de la vela era tan mal mirado, que, hablando aquí con acato de los señores leyentes, hacía cosas deshonestas, que lo oyó Montezuma, y como era un rey de estas tierras tan valeroso, túvolo a mala crianza y desacato que en parte que él lo oyese se hiciese tal cosa y sin miramiento de su persona; y preguntó a su paje Orteguilla que quién era aquel malcriado y sucio; y dijo que era hombre que solía andar en la mar y que no sabe de policía y buena crianza, y también le dio a entender de la calidad de cada uno de los soldados que allí estábamos, cuál era caballero y cuál no, y le decía a la contina muchas cosas que Montezuma deseaba saber. Volvamos a nuestro soldado Trujillo. Que desde que fue de día, Montezuma lo mandó llamar y le dijo que por qué era de aquella condición que, sin tener miramiento a su persona, no tenía aquel acato debido; que le rogaba que otra vez no lo hiciese, y mandóle dar una joya de oro que pesaba cinco pesos. Y Trujillo no se le dio nada por lo que le dijo, y otra noche lo hizo adrede creyendo que le daría otra cosa, y Montezuma lo hizo saber a Juan Velázquez, capitán de la guarda; y marchó luego el capitán [a] quitar a Trujillo, que no velase más y con palabras ásperas lo reprehendieron.

También acaeció que otro soldado que se decía Pero López gran ballestero, y era hombre que no se le entendía mucho, y era bien dispuesto y velaba a Montezuma, y sobre si era hora de tomar el cuarto o no, de noche tuvo palabras con un cuadrillero, y dijo: "¡Oh, pese a tal con este perro, que por velarle a la contina estoy muy malo del estómago, para me morir!" Y Montezuma oyó aquella palabra, y pesóle en el alma. Y cuando vino Cortés a tenerle palacio, lo alcanzó a saber, y tomó tanto enojo de ello, que a Pero López, con ser muy buen soldado, le mandó azotar dentro en nuestros aposentos, y desde allí adelante todos los soldados a quien cabía la vela con mucho silencio y crianza estaban velando, puesto que no había menester mandarlo a muchos de nosotros que le velábamos sobre este buen comedimiento que con este gran cacique habíamos de tener, y él bien conocía a todos, y sabía nuestros nombres y aun calidades, y era tan bueno, que a todos nos daba joyas, a otros mantas e indias hermosas.

Como en aquel tiempo yo era mancebo, y siempre que estaba en su guarda o pasaba delante de él con muy gran acato le quitaba mi bonete de armas, y aun le había dicho el paje Ortega que vine dos veces a descubrir esta Nueva España primero que Cortés, y yo le había hablado a Orteguilla que le quería demandar a Montezuma que me hiciese merced de una india muy hermosa, y como lo supo Montezuma me mandó llamar y me dijo: "Bernal Díaz del Castillo, hánme dicho que tenéis *motolinea* de ropa y oro, y os mandaré dar hoy una buena moza; tratadla muy bien, que es hija de hombre principal; y también os darán oro, y mantas." Yo le respondí, con mucho acato, que le besaba las manos por tan gran merced, y que Dios Nuestro Señor le prosperase. Y parece ser preguntó al paje que qué había respondido, y le declaró la respuesta; y dizque le dijo Montezuma: "De noble condición me parece Bernal Díaz"; porque a todos nos sabía los nombres como dicho tengo. Y me mandó dar tres tejuelos de oro y dos cargas de mantas.

Dejemos hablar de esto y digamos cómo por la mañana, después que hacían sus oraciones y sacrificios a los ídolos, o almorzaba poca cosa, y no era carne, sino *ají* estaba empachado una hora en oír pleitos de muchas partes de caciques que a él venían de lejanas tierras. Ya he dicho otra vez, en el capítulo [XCV] que de ello habla, de la manera que entraban a negociar y el acato que le tenían, y cómo siempre estaban en su compañía en aquel tiempo para despachar negocios veinte hombres ancianos, que eran sus jueces, y porque está ya memorado no lo tornaré a recitar. Y entonces alcanzamos a saber que las muchas mujeres que tenía por amigas casaba de ellas con sus capitanes o personas principales muy privados, y aun de ellas dio a nuestros soldados, y la que me dio a mí era una señora de ellas, y bien se pareció en ella, que se dijo doña Francisca; y así se pasaba la vida, unas veces riendo, y otras pensando en su prisión.

Quiero aquí decir, puesto que no

vaya a propósito de nuestra relación, porque me lo han preguntado algunas personas curiosas, que porque solamente el soldado por mí nombrado llamó perro a Montezuma, aun no en su presencia, le mandó Cortés azotar, siendo tan pocos soldados como éramos y que los indios tuviesen noticia de ello. A esto digo que en aquel tiempo todos nosotros, y aun el mismo Cortés, cuando pasábamos delante del gran Montezuma le hacíamos reverencia con los bonetes de armas, que siempre traíamos quitados, y él era tan bueno y tan bien mirado, que a todos nos hacía mucha honra; que además de ser rey de esta Nueva España, su persona y condición lo merecía, y demás de todo esto, si bien se considera la cosa en que estaban nuestras vidas sino solamente mandar a sus vasallos le sacasen de la prisión y darnos luego guerra que en ver su presencia y real franqueza, y cómo veíamos que tenía a la contina consigo muchos señores que le acompañaban y venían de lejanas tierras otros muchos más señores, y del gran palacio que le hacían, y al gran número de gente que a la contina daba de comer y beber, ni más ni menos que cuando estaba sin prisión; y todo esto considerado, Cortés hubo mucho enojo luego que lo supo que tal palabra le dijese, y como estaba airado de ello, de repente le mandó castigar como dicho tengo, y fue bien empleado en él. Pasemos adelante y digamos que en aquel instante llegaron de la Villa Rica indios cargados con las dos cadenas de hierro gruesas que Cortés había mandado hacer a los herreros; también trajeron todas las cosas pertenecientes para los bergantines, como dicho tengo, y así como fue traído, se lo hizo saber al gran Montezuma. Y dejarlo he aquí, y diré lo que sobre ello pasó.

CAPÍTULO XCVIII

CÓMO CORTÉS MANDÓ HACER DOS BERGANTINES DE MUCHO SOSTÉN Y VELEROS PARA ANDAR EN LA LAGUNA, Y CÓMO EL GRAN MONTEZUMA DIJO A CORTÉS QUE LE DIESE LICENCIA PARA IR A HACER ORACIÓN A SUS TEMPLOS, Y LO QUE CORTÉS LE DIJO, Y CÓMO LE DIO LA LICENCIA

Pues como hubo llegado todo el aparejo para hacer los bergantines, luego Cortés se lo fue a hacer saber al gran Montezuma, que quería hacer dos navíos chicos para andarse holgando en la laguna; que mandase a sus carpinteros que fuesen a cortar la madera, y que irían con nuestros maestros de hacer navíos, que se decían Martín López y un Andrés Núñez. Y como la madera de roble estaba obra de cuatro leguas de allí, de presto fue traída y dado el gálibo de ella. Y como había muchos carpinteros de los indios, fueron de presto hechos y calafateados y breados y puesto sus jarcias y velas a su tamaño y medida y una tolda a cada uno, y salieron tan buenos y veleros como si estuvieran un mes en tomar los gálibos, porque Martín López era muy extremado maestro, y éste fue el que hizo los trece bergantines para ayudar a ganar México, como adelante diré, y fue un buen soldado para la guerra.

Dejemos aparte esto, y diré cómo Montezuma dijo a Cortés que quería salir e ir a sus templos a hacer sacrificios y cumplir sus devociones, para lo que a sus dioses era obligado, como para que conozcan sus capitanes y principales, especial ciertos sobrinos suyos que cada día le vienen a decir le quieren soltar y darnos guerra, y que él les da por respuesta que él se huelga de estar con nosotros, porque crean que es como se lo ha dicho, y que así se lo ha mandado su dios Uichilobos, como ya otra vez se los ha hecho creer. Y cuanto a la licencia que le demandaba, Cortés le dijo que mirase que no hiciese cosa con que perdiese la vida, y que para ver si había algún descomedimiento o mandaba a sus capitanes o *papas* que le soltasen o nos diesen guerra, que para aquel efecto enviaba capitanes y soldados para que luego le matasen a estocadas en sintiendo alguna novedad de su persona, y que vaya mucho en buena hora, y que no sacrificase ningunas personas, que era gran pecado contra nuestro Dios verdadero, que es el que le hemos predicado, y que allí estaban nuestros altares y la imagen de Nuestra Señora ante quien podría hacer oración. Y Montezuma dijo que no sacrificaría ánima ninguna; y fue en sus ricas andas muy acompañado de grandes caciques, con gran pompa, como solía, y llevaba delante sus insignias, que era como vara o bastón, que era la señal que iba allí su persona real, como hacen a los visorreyes de esta Nueva España. Y con él iban para guardarle cuatro de nuestros capitanes, que se decían Juan Velázquez de León, y Pedro de Alvarado, y Alonso de Ávila, y Francisco de Lugo, con ciento cincuenta soldados, y también iba con nosotros el padre de la Merced para retraerle el sacrificio, si le hiciese de hombres.

Y yendo como íbamos al *cu* del *Uichilobos*, ya que llegábamos cerca del maldito templo, mandó que le sacasen de las andas, y fue arrimado a hombros de sus sobrinos y de otros caciques hasta que llegó al templo. Ya he dicho otras veces que por las calles por donde iba su persona todos los principales habían de llevar los ojos puestos en el suelo, y no le miraban a la cara. Y llegado a las gradas de lo alto del adoratorio, estaban muchos *papas* aguardándole para ayudarle a subir de los brazos y ya le tenían sacrificado de la noche antes cuatro indios, y por más que nuestro capitán le decía y se lo retraía el fraile de la Merced, no aprovechaba cosa ninguna, sino que había de matar hombres y muchachos para hacer su sacrificio, y no podíamos en aquella sazón hacer otra cosa sino disimular con él, porque estaba muy revuelto México y otras grandes ciudades con los sobrinos de Montezuma, como adelante diré. Y después que hubo hecho sus sacrificios, porque no tardó mucho en hacerlos, nos volvimos con él a nuestros aposentos, y estaba muy alegre, y a los soldados que con él fuimos luego nos hizo merced de joyas de oro. Dejémoslo aquí y diré lo que más pasó.

CAPÍTULO XCIX

CÓMO ECHAMOS LOS DOS BERGANTINES AL AGUA Y CÓMO EL GRAN MONTEZUMA DIJO QUE QUERÍA IR A CAZA Y FUE EN LOS BERGANTINES HASTA UN PEÑOL DONDE HABÍA MUCHOS VENADOS Y CASA, QUE NO ENTRABA A CAZAR EN ÉL PERSONA NINGUNA, CON GRAVE PENA

Después de que los dos bergantines fueron acabados de hacer y echados al agua y puestos y aderezados todas sus jarcias y mástiles, con sus banderas reales e imperiales, y apercibidos hombres de la mar para marearlos, fueron en ellos al remo y a vela, y eran muy buenos veleros. Y como Montezuma lo supo, dijo a Cortés que quería ir a caza en la laguna a un peñol que estaba acotado, que no osaban entrar en él a montear, por muy principal que fuese, so pena de muerte. Y Cortés le dijo que fuesen mucho en buena hora, y que mirase lo que de antes le había dicho cuando fue a sus ídolos, que no era más su vida de revolver alguna cosa; y que en aquellos bergantines iría, que era mejor navegación ir en ellos que en sus canoas y piraguas, por grandes que sean. Y Montezuma se holgó de ir en el bergantín más velero, y metió consigo muchos señores y principales, y en el otro bergantín fue lleno de caciques y un hijo de Montezuma, y apercibió sus monteros que fuesen en canoas y piraguas.

Cortés mandó a Juan Velázquez de León, que era capitán de la guarda, y a Pedro de Alvarado y a Cristóbal de Olid fuesen con él, y Alonso de Ávila, con doscientos soldados, que llevasen gran advertencia del cargo que les daba y mirasen por el gran Montezuma. Y como todos estos capitanes que he nombrado eran de sangre en el ojo, metieron todos los soldados que he dicho y cuatro tiros de bronce con toda la pólvora que había con nuestros artilleros, que se decían Mesa y Arvenga, y se hizo un toldo muy emparamentado, según el tiempo, y allí entró Montezuma con sus principales. Y como en aquella sazón hizo el viento muy fresco y los marineros se holgaban de contentar y agradar a Montezuma, mareaban las velas de arte que iban volando, y las canoas en que iban sus monteros y principales quedábanse atrás por muchos remeros que llevaban. Holgábase Montezuma y decía que era gran maestría lo de las velas y remos todo junto.

Y llegó al peñol, que no era muy lejos, y mató toda la caza que quiso de venados y liebres y conejos, y volvió muy contento a la ciudad. Y cuando llegábamos cerca de México mandó Pedro de Alvarado y Juan de Velázquez de León y los demás capitanes que disparasen la artillería, de que se holgó mucho Montezuma, que, como le veíamos tan franco y bueno, le teníamos en el acato que se tiene a los reyes de estas partes, y él nos hacía lo mismo. Y si hubiese de contar las cosas y condición que él tenía, de gran señor, y el acato y servicio que todos los señores de la Nueva España y de otras provincias le hacían, es para nunca acabar, porque cosa ninguna que mandaba que le trajesen, y aunque fuese volando, que luego no le era traído. Y esto dígolo porque un día estábamos tres de nuestros capitanes y ciertos soldados con el gran Montezuma y acaso abatióse un gavilán en unas salas como corredores por una codorniz, que cerca de las casas y palacios donde estaba preso Montezuma estaban unas palomas y codornices mansas, porque por grandeza las tenía allí para criar el indio mayordomo que tenía cargo de barrer los aposentos, y como el gavilán se abatió y llevó presa, viéronlo nuestros capitanes, y dijo uno de ellos, que se decía Francisco de Saucedo, *el Pulido,* que fue maestresala del almirante de Castilla: "¡Oh, qué lindo gavilán y qué presa hizo y tan buen vuelo tiene!"; y respondimos los demás soldados que era muy bueno y que había en estas tierras muchas buenas aves de caza de volatería. Y Montezuma estuvo mirando en lo que hablábamos, y preguntó a su paje Orteguilla sobre la plática; y le respondió que decíamos aquellos capitanes que el gavilán que entró a cazar era muy bueno, y que si tuviésemos otros como aquél, que le mostrarían a venir a la mano, y que en el campo le echarían a cualquier ave, aunque fuese algo grande y la mataría. Entonces Montezuma dijo: "Pues yo mandaré ahora que tomen aquel mismo gavilán, y veremos si le amansan y cazan con él."

Todos nosotros los que allí nos

hallamos le quitamos las gorras de armas por la merced. Y luego mandó llamar sus cazadores de volatería, y les dijo que le trajesen el mismo gavilán, y tal maña se dieron en tomarle, que a horas del Avemaría vienen con el mismo gavilán, y le dieron a Francisco de Saucedo; y le mostró al señuelo. Y porque luego se nos ofrecieron otras cosas en que iba más que la caza, se dejará aquí de hablar de ello. Y helo dicho porque era tan gran príncipe, que no solamente le traían tributos de todas las más partes de la Nueva España y señoreaba tantas tierras y en todas bien obedecido, que aun estando preso sus vasallos temblaban de él, que hasta las aves que vuelan por el aire hacía tomar. Dejemos esto aparte y digamos cómo la adversa fortuna vuelve de cuando en cuando su rueda. En este tiempo tenían convocado entre los sobrinos y deudos del gran Montezuma a otros muchos caciques y a toda la tierra para darnos guerra y soltar a Montezuma y alzarse algunos de ellos por reyes de México, lo cual diré adelante.

CAPÍTULO C

CÓMO LOS SOBRINOS DEL GRAN MONTEZUMA ANDABAN CONVOCANDO Y ATRAYENDO A SÍ LAS VOLUNTADES DE OTROS SEÑORES PARA VENIR A MÉXICO Y SACAR DE LA PRISIÓN AL GRAN MONTEZUMA Y ECHARNOS DE LA GRAN CIUDAD Y MATARNOS

DESDE QUE CACAMATZIN, señor de la ciudad de Tezcuco, que es después de México la mayor y más principal ciudad que hay en la Nueva España, entendió que hacía muchos días que estaba preso su tío Montezuma y que en todo lo que nosotros podíamos nos íbamos señoreando, y aun alcanzó a saber que habíamos abierto la casa adonde estaba el gran tesoro de su abuelo Axayaca, y que no habíamos tomado cosa ninguna de ello, y antes que lo tomásemos, acordó de convocar a todos los señores de Tezcuco, sus vasallos, y al señor de Coyoacán, que era su primo, y sobrino de Montezuma, y al señor de Tacuba, y al señor de Iztapalapa, y a otro cacique muy grande, señor de Matalcingo,[74] que eran parientes muy cercanos de Montezuma; y aun decían que le venía de derecho el reino y señorío de México, y este cacique era muy valiente por su persona entre los indios. Pues andando concertando con ellos y con otros señores mexicanos que para en tal día viniesen con todos sus poderes y nos diesen guerra, parece ser que al cacique que he dicho que era valiente por su persona, que no le sé el nombre, dijo que si le daban a él el señorío de México, pues le venía de derecho, que él con toda su parentela y de una provincia que se dice Matalcingo serían los primeros que vendrían con sus armas a echarnos de México, y no quedaría ninguno de nosotros a vida. Y Cacamatzin, según pareció, respondió que a él le venía el cacicazgo y él había de ser rey, pues era sobrino de Montezuma, que si no quería venir, que sin él y su gente haría guerra; por manera que ya tenía Cacamatzin apercibidos los pueblos y señores por mí nombrados, y tenía ya concertado que para tal día viniese sobre México y con los señores que dentro estaban de su parte les daría lugar a la entrada.

[74] Matlatzinco, escribió Orozco y *Berra*. Ob. cit., t. IV, pág. 333.

Y andando en estos tratos, lo supo muy bien Montezuma por la parte de su gran deudo, que no quiso conceder en lo que Cacamatzin quería, y para mejor lo saber envió Montezuma a llamar todos sus caciques y principales de aquella ciudad, y le dijeron cómo Cacamatzin los andaba convocando [a] todos con palabras o dádivas para que le ayudasen a darnos guerra y soltar al tío. Y como el Montezuma era cuerdo y no quería ver su ciudad puesta en armas ni alborotos, se lo dijo a Cortés según y de la manera que pasaba; el cual alboroto muy bien sabía nuestro capitán y todos nosotros, mas no tan por entero como se lo dijo. Y el consejo que sobre ello se tomó era que nos diese de su gente mexicana, e iríamos sobre Tezcuco, y que le prenderíamos o destruiríamos aquella ciudad y sus comarcas; y a Montezuma no le cuadró este consejo. Por manera que Cortés le envió a decir a Cacamatzin que se quitase de andar revolviendo guerra, que será causa de su perdición, y que le quiere tener por amigo, y que en todo lo que hubiere menester de su persona lo hará por él, y otros muchos cumplimientos. Y como Cacamatzin era mancebo y halló otros muchos de su parecer que le acudirían en la guerra, envió a decir a Cortés que ya había entendido sus palabras de halagos, que no las quería más oír sino cuando le viese venir, que entonces le hablaría lo que quisiese. Tornó otra vez Cortés a enviarle a decir que mirase que no hiciese deservicio a nuestro rey y señor, que lo pagaría en su persona y le quitaría la vida por ello. Y respondió que ni conocía a rey ni quisiera haber conocido a Cortés, que con palabras blandas y mentiras prendió a su tío.

Después que envió aquella respuesta, nuestro capitán rogó a Montezuma, pues era tan gran señor y dentro en Tezcuco tenía grandes caciques y parientes por capitanes, y no estaban bien con Cacamatzin, por ser muy soberbio y malquisto, y pues allí en México con Montezuma estaba un hermano del mismo Cacamatzin, mancebo de buena disposición, que estaba huído del propio hermano porque no le matase, que después de Cacamatzin heredaba el reino de Tezcuco, que tuviese manera y concierto con todos los de Tezcuco que prendiesen a Cacamatzin, o que secretamente le enviase a llamar, y que si viniese que le echasen mano y le tuviesen en su poder hasta que estuviese más sosegado, y que pues que aquel su sobrino estaba en su casa y le sirve, que le alce luego por señor y le quite el señorío a Cacamatzin, que está en su deservicio y anda revolviendo todas las ciudades y caciques de la tierra por señorear su ciudad y reino. Y Montezuma dijo que le enviaría luego a llamar; mas que sentía de él que no querría venir, y que si no viniese que se tendría concierto con sus capitanes y parientes que le prendan. Y Cortés le dio muchas gracias por ello, y aun le dijo: "Señor Montezuma: bien podréis creer que si os queréis ir a vuestros palacios, que en vuestra mano está, que desde que tengo entendido que me tenéis buena voluntad yo os quiero tanto, que no fuera yo de tal condición que luego no os fuera acompañando para que os fuerais con toda vuestra caballería a vuestros palacios, y si lo he dejado de hacer es por estos capitanes que os fueron a prender, porque no quieren que os suelte; y porque vuestra merced dice que quiere estar preso por excusar las revueltas que vuestros sobrinos traen, por haber en su poder esta vuestra ciudad y quitaros el mando."

Y Montezuma dijo que se lo tenía en merced, y como iba entendiendo las palabras halagüeñas de Cortés y veía que lo decía no para soltarle, sino para probar su voluntad, y también Orteguilla, su paje, se lo había dicho a Montezuma, que nuestros capitanes eran los que le aconsejaron que le prendiesen, y que no creyese a Cortés, y que sin ellos no le soltaría, dijo Montezuma que muy bien estaba preso, y que hasta ver en qué paraban los tratos de sus sobrinos, y que luego enviaría mensajeros a Cacamatzin rogándole que viniese ante él, que le quería hablar en amistades entre él y nosotros. Y le envió a decir que de su prisión que no tenga él cuidado, que si se quisiese soltar que muchos tiempos ha tenido para ello, y que Malinche le ha dicho dos veces que se vaya a sus palacios, y que él no quiere, por cumplir el mando de sus dioses, que le han dicho que esté preso, y que si no lo está que luego será muerto; y que esto que lo sabe muchos días ha de los *papas* que están en servicio de los ídolos, y que a esta causa será bien que tenga amistad con Malinche y sus hermanos. Y estas mismas palabras envió Montezuma a decir a los capitanes de Tezcuco, cómo enviaba a llamar a su sobrino para hacer las amistades, y que mirasen no les trastornase su seso aquel mancebo para tomar armas contra nosotros.

Y dejemos esta plática, que muy bien la entendió Cacamatzin, y sus principales entraron en consejo sobre lo que harían; y Cacamatzin comenzó a bravear, y que nos había de matar dentro de cuatro días, y que el tío era una gallina, y que por no darnos guerra cuando se lo aconsejaban, al bajar la sierra de Chalco, cuando tuvo allí buen aparejo con sus guarniciones y que nos metió él por su persona en su ciudad, como si tuviera conocido que íbamos para hacerle algún bien; y que cuanto oro le han traído de sus tributos nos daba, y que le habíamos escalado y abierto la casa donde está el tesoro de su abuelo Axayaca; y que sobre todo esto le teníamos preso; y que ya le andábamos diciendo que quitasen los ídolos del gran Uichilobos, y queríamos poner los nuestros, y que porque esto no viniese a más mal, y para castigar tales cosas e injurias, que les rogaba que le ayudasen, pues todo lo que les ha dicho han visto por sus ojos; y cómo quemamos los capitanes del mismo Montezuma, que ya no se puede compadecer otra cosa sino que todos juntos a una nos diesen guerra. Y allí les prometió Cacamatzin que si quedaba con el señorío de México que les había de hacer grandes señores, y también les dio muchas joyas de oro y les dijo que ya tenía concertado con sus primos los señores de Coyoacán y de Iztapalapa y el de Tacuba, y otros deudos que le ayudarían; y que en México tenía de su parte otras personas principales que le darían entrada y ayuda a cualquiera hora que quisiese, y que unos por las calzadas y todos los más en sus piraguas y canoas chicas por la laguna, podrían entrar sin tener contrarios que se lo defendiesen, pues su tío estaba preso; y que no tuviesen miedo de nosotros, pues saben que pocos días había pasado que en lo de Almería sus capitanes del mismo su tío habían muerto muchos *teules* y un caballo, lo cual vieron bien [en] la cabeza del un *teul* y el cuerpo del caballo, y que en una hora nos despacharían y con nuestros cuerpos tendrían buenas fiestas y hartazgos.

Y después que hubo hecho aquel razonamiento, dicen que se miraban unos capitanes a otros para que hablasen los que solían hablar primero en cosas de guerra, y que cuatro o cinco de aquellos capitanes le dijeron que cómo habían de ir sin licencia de su gran señor Montezuma y dar guerra en su propia casa y ciudad, y que se lo envíen primero a hacer saber, y que de otra manera que no le quieren ser traidores. Y pareció ser que Cacamatzin se enojó con los capitanes que le dieron aquella respuesta, y mandó echar presos tres de ellos, y como había allí en el consejo y junta que tenían otros sus deudos y ganosos de bullicios, dijeron que le ayudarían hasta morir. Y acordó de enviar a decir a su tío el gran Montezuma que había de tener empacho enviarle a decir que venga a tener amistad con quien tanto mal y deshonra le ha hecho teniéndole preso; y que no es posible sino que nosotros éramos hechiceros y con hechizos le teníamos quitado su gran corazón y fuerza, o que nuestros dioses y la gran mujer de Castilla que les dijimos que era nuestra abogada nos da aquel gran poder para hacer lo que hacíamos. Y en esto que dijo a la postre no lo erraba, que ciertamente la gran misericordia de Dios y su bendita Madre Nuestra Señora nos ayudaba.

Y volvamos a nuestra plática, que en lo que resumió fue enviar a decir que él vendría, a pesar nuestro y de su tío, a hablarnos y matarnos. Y cuando el gran Montezuma oyó aquella respuesta tan desvergonzada, recibió mucho enojo, y luego en aquella hora envió a llamar seis de sus capitanes de mucha cuenta y les dio su sello y aun les dio ciertas joyas de oro y les mandó que luego fuesen a Tezcuco y que mostrasen secretamente aquel su sello a ciertos capitanes y parientes que estaban muy mal con Cacamatzin, por ser muy soberbio, y que tuviesen tal orden y manera que a él y a los que eran en su consejo los prendiesen y que luego se los trajeran delante. Y como fueron aquellos capitanes y en Tezcuco entendieron lo que Montezuma mandaba, y Cacamatzin era malquisto, en sus propios palacios le prendieron, que estaba platicando con aquellos sus confederados en cosas de la guerra. Y también trajeron otros cinco presos con él. Y como aquella ciudad está poblada junto a la gran laguna, aderezan una gran piragua con sus toldos y le meten en ella con los demás, y con gran copia de remeros los traen a México.

Y después que hubo desembarcado le meten en sus ricas andas como rey que era, y con gran acato le llevan ante Montezuma, y parece ser estuvo hablando con el tío y desvergonzóse más de lo que antes estaba, y supo Montezuma de los conciertos en que andaba, que era alzarse por señor de México, lo cual alcanzó a saber más por entero de los demás prisioneros que le trajeron, y si enojado estaba de antes del sobrino, muy más estuvo entonces. Y luego se lo envió a nuestro capitán para que le echase preso, y a los demás prisioneros mandó soltar. Y luego Cortés fue a los palacios y al aposento de Montezuma y le dio las gracias por tamaña merced, y se dio orden que se alzase por rey de Tezcuco el mancebo que estaba en compañía del gran Montezuma, que también era su sobrino, hermano de Cacamatzin, que ya he dicho que por su temor estaba allí retraído al favor del tío porque no le matase, que era también heredero muy propincuo del reino de Tezcuco. Y para hacerlo solemnemente y con acuerdo de toda la ciudad mandó Montezuma que viniesen ante él los más principales de toda aquella provincia, y después de muy bien platicada la cosa le alzaron por rey y señor de aquella gran ciudad, y se llamó don Carlos.

Ya todo esto hecho, como los caciques y reyezuelos, sobrinos del gran Montezuma, que eran el señor de Coyoacán, el señor de Iztapalapa, y el de Tacuba, vieron y oyeron la prisión de Cacamatzin y supieron que el gran Montezuma había sabido que ellos entraban en la conjuración para quitarle su reino y dárselo a Cacamatzin, temieron y no le venían a hacer palacio como solían. Y con acuerdo de Cortés, que le convocó y atrajo a Montezuma para que los mandase prender, en ocho días todos estuvieron presos en la cadena gorda, que no poco se holgó nuestro capitán y todos nosotros. Miren los curiosos lectores, cuál andaban nuestras vidas tratando de matarnos cada día y comer nuestras carnes, si la gran misericordia de Dios, que siempre era con nosotros y nos acorría, y aquel buen Montezuma a todas nuestras cosas daba buena corte.

Y miren qué gran señor era que estando preso así era tan obedecido. Pues ya todo apaciguado y aquellos señores presos, siempre nuestro Cortés con otros capitanes y el fraile de la Merced estaban teniéndole palacio, y en todo lo que podían le daban mucho placer y burlaban, no de manera de desacato, que digo que no se sentaba Cortés ni ningún capitán hasta que Montezuma les mandaba traer sus asentaderos ricos y les mandaba asentar, y en esto era tan bien mirado, que todos le queríamos con gran amor, porque verdaderamente era gran señor en todas las cosas que le veíamos hacer. Y volviendo a nuestra plática, unas veces le daban a entender las cosas tocantes a nuestra santa fe, y se lo decía el fraile con el paje Orteguilla, que parecía que le entraban ya algunas razones en el corazón, pues las escuchaba con atención mejor que al principio. También le daban a entender el gran poder del emperador nuestro señor, y cómo le dan vasallaje muchos grandes señores que le obedecían, y de lejanas tierras, y le decían otras muchas cosas que él se holgaba de oírlas; y otras veces jugaba Cortés con él al *totoliques*, como he dicho otra vez, y de esta manera siempre le teníamos palacio. Y él, como no era nada escaso, nos daba cada día cuál joyas de oro o mantas. Y dejaré de hablar en ello y pasaré adelante.

CAPÍTULO CI

CÓMO EL GRAN MONTEZUMA CON MUCHOS CACIQUES Y PRINCIPALES DE LA COMARCA, DIERON LA OBEDIENCIA A SU MAJESTAD, Y DE OTRAS COSAS QUE SOBRE ELLO PASÓ

Como el capitán Cortés vio que ya estaban presos aquellos reyecillos por mí memorados y todas las ciudades pacíficas, dijo a Montezuma que dos veces le había enviado a decir antes que entrásemos en México que quería dar tributo a Su Majestad, y que pues ya había entendido el gran poder de nuestro rey y señor, y que de muchas tierras le dan parias y tributos y le son sujetos muy grandes reyes, que será bien que él y todos sus vasallos le den la obediencia, porque así se tiene por costumbre que primero se da la obediencia que dan las parias y tributos. Y Montezuma dijo que juntaría sus vasallos y hablaría sobre ello, y en diez días se juntaron todos los más caciques de aquella comarca, y no vino el cacique pariente muy cercano de Montezuma, que ya hemos dicho que decían que era muy esforzado, y en la presencia y cuerpo y miembros y en el semblante bien lo parecía. Era algo atronado, y en aquella sazón estaba en un pueblo suyo que se decía Tula, y a este cacique, según decían, le venía el reino de México después de Montezuma. Y como le llamaron, envió a decir que no quería venir ni dar tributo, que aun con lo que tiene de sus provincias no se puede sustentar; de la cual respuesta hubo enojo Montezuma, y luego envió ciertos capitanes para que le prendiesen, y como era gran señor y muy emparentado, tuvo aviso de ello y metióse en su provincia, donde no le pudo haber por entonces.

Y dejarlo he aquí y diré que en la plática que tuvo Montezuma con todos los caciques de toda la tierra que había mandado llamar, que después que les había hecho un parlamento, sin estar Cortés ni ninguno de nosotros delante, salvo Orteguilla el paje, dicen que les dijo que mirasen que de muchos años pasados sabían por muy cierto, por lo que sus antepasados les han dicho, y así lo tiene señalado en sus libros de cosas de memorias, que de donde sale el sol habían de venir gentes que habían de señorear estas tierras, y que se había de acabar en aquella sazón el señorío y reino de los mexicanos, y que él tiene entendido, por lo que sus dioses le han dicho, que somos nosotros, y que se lo han preguntado a su Uichilobos los *papas* que lo declaren, y sobre ello les hacen sacrificios, y no quieren responderles como suelen, y lo que más les da a entender el Uichilobos es que lo que les ha dicho otras veces aquello da ahora por respuesta, y que no le pregunten más, y que así bien dan a entender que demos la obediencia al rey de Castilla, cuyos vasallos dicen estos *teules* que son, y porque al presente no va nada en ello, y el tiempo andando veremos si tenemos otra mejor respuesta de nuestros dioses, y como viéremos el tiempo, así haremos. "Lo que yo os mando y ruego que todos de buena voluntad, al presente, se lo demos y contribuyamos con alguna señal de vasallaje, que presto os diré lo que más nos convenga, y porque ahora soy importunado a ello por Malinche, ninguno lo rehuse, y mirad que en diez y ocho años ha que soy vuestro señor siempre me habéis sido muy leales, y yo os he enriquecido y ensanchado vuestras tierras, y os he dado mandos y haciendas, y si ahora al presente nuestros dioses permiten que yo esté aquí detenido, no lo estuviera sino que yo os he dicho muchas veces que mi gran Uichilobos me lo ha mandado." Y desde que oyeron este razonamiento, todos dieron por respuesta que harían lo que mandase, y con muchas lágrimas y suspiros, y Montezuma muchas más. Y luego envió a decir con un principal que para otro día darían la obediencia y vasallaje a Su Majestad, que fueron en...[75] días del mes...[76] de mil quinientos diez y nueve años. Después Montezuma volvió a hablar con sus caciques sobre el caso, estando Cortés delante y nuestros capitanes y muchos soldados y Pero Hernández, secretario de Cortés, dieron la obediencia a Su Majestad, y con mucha tristeza que mostraron, y Montezuma no pudo sostener las lágrimas. Y queríamoslo tanto y [era tan] de buenas entrañas, que a nosotros de verle llorar se nos enternecieron los ojos, y soldado hubo que lloraba tanto como Montezuma; tanto era el amor que le teníamos.

Y dejarlo he aquí, y diré que siempre Cortés y el fraile de la Merced, que era bien entendido, estaban en los palacios de Montezuma por alegrarle, atrayéndole para que deje sus ídolos, y pasaré adelante.

[75] Espacio en blanco en el original.
[76] Espacio en blanco en el original.

CAPÍTULO CII

CÓMO NUESTRO CORTÉS PROCURÓ DE SABER DE LAS MINAS DE ORO Y DE QUÉ CALIDAD ERAN, Y ASIMISMO EN QUÉ RÍOS ESTABAN, Y QUÉ PUERTOS PARA NAVÍOS HABÍA DESDE LO DE PÁNUCO HASTA LO DE TABASCO, ESPECIALMENTE EL RÍO GRANDE DE GUAZAQUALCO, Y LO QUE SOBRE ELLO PASÓ

ESTANDO CORTÉS y otros capitanes con el gran Montezuma teniéndole palacio, entre otras pláticas que le decía con nuestras lenguas doña Marina y Jerónimo de Aguilar y Orteguilla, le preguntó que a qué parte eran las minas, y en qué ríos, y cómo y de qué manera cogían el oro que le traían en granos, porque quería enviar a verlo [a] dos de nuestros soldados, grandes mineros. Y Montezuma dijo que de tres partes, y que de donde más oro le solían traer que era de una provincia que se dice Zacatula,[77] que es a la banda del Sur y que está de aquella ciudad andadura de diez o doce días, y que lo cogían con unas *xicales*, y que lavan la tierra para que allí queden unos granos menudos después de lavado; y que ahora al presente que se lo traen de otra provincia que se dice Tustepeque, cerca de donde desembarcamos, que es en la banda del Norte, y que lo cogen de dos ríos, y que cerca de aquella provincia hay otras buenas minas en parte que no son sus sujetos, que se dicen los chinantecas y zapotecas, y que no le obedecen, y que si quiere enviar sus soldados, que él dará principales que vayan con ellos.

Y Cortés le dio las gracias por ello, y luego despachó a un piloto que se decía Gonzalo de Umbría con otros dos soldados mineros a lo de Zacatula. Este Gonzalo de Umbría era al que Cortés mandó cortar los pies, cuando ahorcó a Pedro Escudero y a Juan Cermeño y azotó los Peñates, porque se alzaban en San Juan de Ulúa con el navío, según más largamente lo tengo escrito en el capítulo que de ello habla. Y dejemos de contar más en lo pasado y digamos cómo fueron con Umbría y se les dio de plazo para ir y volver cuarenta días. Y por la banda del Norte despachó para ver las minas a un capitán que se decía Pizarro, mancebo de hasta veinte y cinco años, y a este Pizarro trataba Cortés como a pariente. En aquel tiempo no había fama del Perú, ni se nombraban Pizarros en esta tierra. Y con cuatro soldados mineros fue y llevó de plazo otros cuarenta días para ir y volver, porque había desde México obra de ochenta leguas, y con cuatro principales mexicanos.

Ya partidos para ver las minas, como dicho tengo, volvamos a decir cómo le dio el gran Montezuma a nuestro capitán, en un paño de *henequén*, pintados y señalados muy al natural todos los ríos y ancones que había en la costa del Norte, desde Pánuco hasta Tabasco, que son obra de ciento y cuarenta leguas, y en ellos venía señalado el río de Guazaqualco, y como ya sabíamos todos los puertos y ancones que señalaban en el paño que le dio Montezuma, de cuando venimos a descubrir con Grijalva, excepto el río de Guazaqualco, que dijeron que era muy poderoso y hondo, acordó Cortés de enviar a ver qué cosa era, y para sondar el puerto y la entrada. Y como uno de nuestros capitanes, que se decía Diego de Ordaz, otras veces por mí memorado, era hombre muy entendido y bien esforzado, dijo al capitán que él quería ir a ver aquel río, y qué tierras había, y qué manera de gente era, y que le diese hombres, indios principales que vayan con él. Y Cortés lo rehusaba por ser hombre de buenos consejos y tenerle en su compañía, y por no le descomplacer le dio licencia para que fuese. Y Montezuma le dijo a Ordaz que en lo de Guazaqualco no llegaba su señorío, y que eran muy esforzados, y que mirase lo que hacía, y que si algo le aconteciese no le culpasen a él, y que antes de llegar aquella provincia toparía con sus guarniciones de gente de guerra que tenía en la frontera, y que si los hubiese menester que los llevase consigo; y dijo otros muchos cumplimientos. Y Cortés y Diego de Ordaz le dieron las gracias, y así partió con dos de nuestros soldados y con otros principales que Montezuma les dio.

Aquí es donde dice el coronista Francisco López de Gómara que iba Juan Velázquez con cien soldados a poblar a Guazaqualco, y que Pedro de Ircio había ido a poblar a Pánuco, y porque ya estoy harto de mirar en lo que el coronista va fuera de lo que pasó, lo dejaré de decir, y diré lo que cada uno de los capitanes que nuestro Cortés envió hizo, y vinieron con muestras de oro.

[77] Zacatula, en la costa del Pacífico. Cortés no habla en su segunda *Carta de Relación* de esta provincia, sino de las de Cuzula, Tuxtepec, Malinaltepec y Chinantla, en Oaxaca.

CAPÍTULO CIII

CÓMO VOLVIERON LOS CAPITANES QUE NUESTRO CORTÉS ENVIÓ A VER LAS MINAS Y A SONDAR EL PUERTO Y RÍO DE GUAZAQUALCO

El primero que volvió a la ciudad de México a dar razón de lo que Cortés le envió fue Gonzalo de Umbría y sus compañeros, y trajeron obra de trescientos pesos en granos, que sacaron delante de ellos los indios de un pueblo que se dice Zacatula; que, según contaba Umbría, los caciques de aquella provincia llevaron muchos indios a los ríos, y con unas como bateas chicas, y con ellas lavaban la tierra y cogían el oro. Y era de dos ríos; y dijeron que si fuesen buenos mineros y lo lavasen como en la isla de Santo Domingo o como en la isla de Cuba, que serían ricas minas. Y, asimismo, trajeron consigo dos principales que envió aquella provincia, y trajeron un presente de oro hecho en joyas que valdría doscientos pesos, y a darse y ofrecerse por servidores de Su Majestad. Y Cortés se holgó tanto con el oro como si fueran treinta mil pesos, en saber cierto que había buenas minas, y a los caciques que trajeron el presente les mostró mucho amor y les mandó dar cuentas verdes de Castilla, y con buenas palabras se volvieron a su tierra muy contentos. Y decía Umbría que no muy lejos de México había grandes poblaciones y de gente pulida y parece ser eran los pueblos del pariente de Montezuma, y otra provincia que se dice Matacingo; y a lo que sentimos y vimos, Umbría y sus compañeros vinieron ricos, con mucho oro y bien aprovechados, que a este efecto le envió Cortés para hacer buen amigo de él, por lo pasado que dicho tengo.

Dejémosle, pues volvió con buen recaudo, y volvamos al capitán Diego de Ordaz, que fue a ver el río de Guazaqualco, que son sobre ciento y veinte leguas de México, y dijo que pasó por muy grandes pueblos, que allí los nombró, y que todos le hacían honra, y que en el camino cerca de Guazaqualco topó a las guarniciones de Montezuma que estaban en frontera, y que todas aquellas comarcas se quejaban de ellos, así de robos que les hacían, y les tomaban sus mujeres, y les demandaban otros tributos. Y Ordaz con los principales mexicanos que llevaba reprehendió a los capitanes de Montezuma que tenían cargo de aquellas gentes, y les amenazaron que si más robaban que se lo harían saber a su señor Montezuma y que enviaría por ellos y los castigaría como hizo a Quetzalpopoca y sus compañeros porque habían robado los pueblos de nuestros amigos, y con estas palabras les metió temor. Y luego fue camino de Guazaqualco y no llevó más de un principal mexicano. Y desde que el cacique de aquella provincia, que se decía Tochel,[78] supo que iba, envió sus principales a recibirle, y le mostraron mucha voluntad, porque aquellos de aquella provincia ya todos tenían relación y noticia de nuestras personas de cuando vinimos a descubrir con Juan de Grijalva, según largamente lo he escrito en el capítulo pasado que de ello habla. Y volvamos a decir que desde que los caciques de Guazaqualco entendieron a lo que iba, luego le dieron muchas y grandes canoas, y el mismo cacique Tochel y con él otros muchos principales y sondaron la boca del río, y hallaron tres brazas largas sin la de caída en lo más bajo, y

[78] Cortés (Segunda *Carta*) llama a este cacique Tuchintecla.

entrados en el río un poco arriba podían nadar grandes navíos, y mientras más arriba, más hondo, y junto a un pueblo que en aquella sazón estaba poblado de indios, pueden estar carracas.

Y después que Ordaz lo hubo sondado y se vino con los caciques al pueblo, le dieron ciertas joyas de oro y una india hermosa, y se ofrecieron por servidores de Su Majestad, y se le quejaron de Montezuma y de su guarnición de gente de guerra, y que había poco tiempo que tuvieron una batalla con ellos, y que cerca de un pueblo de pocas casas mataron los de aquella provincia a los mexicanos muchas de sus gentes, y por aquella causa llaman hoy en día donde aquella guerra pasó Cuylonemiquis, que en su lengua quiere decir donde mataron los putos mexicanos. Y Ordaz le dio muchas gracias por la honra que había recibido, y les dio ciertas cuentas de Castilla que llevaba para aquel efecto, y se volvió a México, y fue alegremente recibido de Cortés y de todos nosotros, y decía que era buena tierra para ganados y granjerías, y el puerto a pique para las islas de Cuba y Santo Domingo y Jamaica, excepto que era lejos de México y había grandes ciénegas; y a esta causa nunca tuvimos confianza del puerto para el descargo y trato de México.

Dejemos a Ordaz y digamos del capitán Pizarro y sus compañeros que fueron en los de Tustepeque a buscar oro y ver las minas: que volvió Pizarro con un soldado solo a dar cuenta a Cortés, y trajeron sobre mil pesos de granos de oro, sacado de las minas y dijeron que en la provincia de Tustepeque y Malinaltepeque [79] y otros pueblos comarcanos fue a los ríos con mucha gente que le dieron y cogieron la tercia parte del oro que allí traían, y que fueron en las sierras más arriba a otra provincia que se dice los chinantecas, y como llegaron a su tierra que salieron muchos indios con armas, que son unas lanzas mayores que las nuestras, y arcos y flechas y pavesinas; y dijeron que ni un indio mexicano no les entrase en su tierra; si no, que les matarían, y que los *teules* que vayan mucho en buena hora; y así fueron y se quedaron los mexicanos, que no pasaron adelante. Y después que los caciques de Chinanta entendieron a lo que iban, juntaron copia de sus gentes para lavar oro, y lo llevaron a unos ríos, donde cogieron el demás oro que venía por su parte en granos crespillos, porque dijeron los mineros que aquello era de más duraderas minas, como de nacimiento; y también trajo el capitán Pizarro dos caciques de aquella tierra que vinieron a ofrecerse por vasallos de Su Majestad y tener nuestra amistad, y aun trajeron un presente de oro; y todos aquellos caciques a una decían mucho mal de los mexicanos, que eran tan aburridos de aquellas provincias por los robos que les hacían, que no los podían ver ni aun mentar sus nombres.

Cortés recibió bien a Pizarro y a los principales que traía y tomó el presente que le dieron, y porque han pasado muchos años no me acuerdo qué tanto era; y se ofreció con buenas palabras que les ayudaría y sería su amigo de los chinantecas, y les mandó que se fuesen; y porque no recibiesen algunas molestias de mexicanos en el camino, mandó a dos principales mexicanos que les pusiesen en sus tierras y que no se quitasen de ellos hasta que estuviesen en salvo, y fueron muy contentos.

Volvamos a nuestra plática. Y preguntó Cortés por los demás soldados que había llevado Pizarro en su compañía, que se decían Barrientos, y Heredia el Viejo, y Escalona el Mozo, y Cervantes el Chocarrero, y dijo que porque les pareció muy bien aquella tierra y era rica de minas y los pueblos por donde fue muy de paz, les mandó que hiciesen una gran estancia de cacahuatales y maizales y pusiesen muchas

[79] Véase la nota del capítulo anterior.

aves de la tierra y otras granjerías que había de algodón, y que desde allí fuesen catando todos los ríos y viesen qué minas había. Y puesto que Cortés calló por entonces, no se lo tuvo a bien a su pariente haber salido de su mandado; supimos que en secreto riñó mucho con él sobre ello, y le dijo que era de poca calidad querer entender en cosas de criar aves y cacahuatales. Y luego envió otro soldado que se decía Alonso Luis a llamar a los demás que había dejado Pizarro, y para que luego viniesen llevó un mandamiento. Y lo que aquellos soldados hicieron diré adelante en su tiempo y lugar.

CAPÍTULO CIV

CÓMO CORTÉS DIJO AL GRAN MONTEZUMA QUE MANDASE A TODOS LOS CACIQUES DE TODA SU TIERRA QUE TRIBUTASEN A SU MAJESTAD, PUES COMÚNMENTE SABÍAN QUE TENÍA ORO, Y LO QUE SOBRE ELLO SE HIZO

PUES COMO EL CAPITÁN Diego de Ordaz y los demás soldados por mí memorados vinieron con muestras de oro y relación que toda la tierra era rica, Cortés, con consejo de Ordaz y de otros capitanes y soldados, acordó de decir y demandar a Montezuma que todos los caciques y pueblos de la tierra tributasen a Su Majestad, y que él mismo, como gran señor, también diese de sus tesoros. Y respondió que él enviaría por todos los pueblos a demandar oro, mas que muchos de ellos no lo alcanzaban, sino joyas de poca valía que habían habido de sus antepasados. Y de presto despachó principales a las partes donde había minas y les mandó que diese cada pueblo tantos tejuelos de oro fino, del tamaño y gordor de otros que le solían tributar, y llevaban para muestras dos tejuelos, y de otras partes no le traían sino joyezuelas de poca valía. También envió a la provincia donde era cacique aquel su pariente muy cercano que no le quería obedecer, otra vez por mí memorado, que estaba de México obra de doce leguas. Y la respuesta que trajeron los mensajeros que decía que no quería dar oro ni obedecer a Montezuma, y que también él era señor de México y le venía el señorío como al mismo Montezuma que le enviaba a pedir por tributo. Y luego que esto oyó Montezuma tuvo tanto enojo, que de presto envió su señal y su sello y con buenos capitanes para que se lo trajesen preso. Y venido en su presencia el pariente, le habló muy desacatadamente y sin ningún temor, o de muy esforzado; y decían que tenía ramos de locura, porque era como atronado. Todo lo cual alcanzó a saber Cortés, y envió a pedir por merced a Montezuma que se lo diese, que él lo quería guardar, porque, según le dijeron, le había mandado matar Montezuma; y traído ante Cortés le habló muy amorosamente y que no fuese loco contra su señor, y le quería soltar. Y Montezuma después que lo supo dijo que no le soltasen, sino que le echasen en la cadena gorda como a los otros reyezuelos por mí ya nombrados.

Tornemos a decir que en obra de veinte días vinieron todos los principales que Montezuma había enviado a cobrar los tributos del oro que dicho tengo, y así como vinieron envió a llamar a Cortés y a nuestros capitanes, y a ciertos soldados que conocía, que éramos de la guarda, y dijo estas palabras formales, u otras como ellas: "Hágoos saber, señor Malinche y señores capitanes y soldados, que a vuestro gran rey yo le soy en cargo, y le tengo buena voluntad así por ser tan gran señor como por haber enviado de tan lejanas tierras a saber de mí, y lo que más me pone el pensamiento es que él ha de ser el que nos ha de señorear, según nuestros antepasados nos han dicho, y aun nuestros dioses nos dan a entender por las respuestas que de ellos tenemos. Toma ese oro que se ha recogido; por ser de prisa no se trae más. Lo que yo tengo aparejado para el emperador es todo el tesoro que he habido de mi padre y que está en vuestro poder y aposentos; que bien sé que luego que aquí viniste abriste la casa y lo mirasteis todo, y la tornasteis a cerrar como de antes estaba. Y cuando se lo enviareis decirle en vuestros *amales* y cartas: Esto os envía vuestro buen vasallo Montezuma. Y también yo os daré unas piedras muy ricas que le envíes en mi nombre, que son *chalchiuis*, que no son para dar a otras personas sino para ese vuestro gran señor, que vale cada piedra dos cargas de oro; también le quiero enviar tres cerbatanas con sus esqueros y bodoqueras, y que tienen tales obras de pedrería, que se holgará de verlas, y también yo quiero dar de lo que tuviere, aunque es poco, porque todo el más oro y joyas que tenía os he dado en veces."

Y desde que aquello le oyó Cortés y todos nosotros, estuvimos espantados de la gran bondad y liberalidad del gran Montezuma, y con mucho acato le quitamos todos las gorras de armas y le dijimos que se lo teníamos en merced. Y con palabras de mucho amor le prometió Cortés que escribiríamos a Su Majestad de la magnificencia y franqueza del oro que nos dio en su real nombre. Y después que tuvimos otras pláticas de buenos comedimientos, luego en aquella hora envió Montezuma sus mayordomos para entregar todo el tesoro de oro y riqueza que estaba en aquella sala encalada; y para verlo y quitarlo de sus bordaduras y donde estaba engastado tardamos tres días, y aun para quitarlo y deshacer vinieron los plateros de Montezuma de un pueblo que se dice Escapuzalco. Y digo que era tanto, que después de deshecho eran tres montones de oro, y pesado hubo en ellos sobre seiscientos mil pesos, como adelante diré, sin la plata y otras muchas riquezas, y no cuento con ello los tejuelos y planchas de oro y el oro en granos de las minas. Y se comenzó a fundir con los indios plateros que dicho tengo, naturales de Escapuzalco, y se hicieron unas barras muy anchas de ello, de medida como de tres dedos de la mano el anchor de cada barra; pues ya fundido y hecho barras, traen otro presente por sí de lo que el gran Montezuma había dicho que daría, que fue cosa de admiración de tanto oro, y las riquezas de otras joyas que trajo, pues las piedras *chalchiuis* eran tan ricas algunas de ellas, que valían entre los mismos caciques mucha cantidad de oro. Pues las tres cerbatanas con sus bodoqueras, los engastes que tenían de pedrerías y perlas y las pinturas de pluma y de pajaritos llenos de aljófar y otras aves, todo era de gran valor. Dejemos de decir de penachos y plumas, y otras muchas cosas ricas, que es para nunca acabar de traerlo aquí a la memoria.

Digamos ahora cómo se marcó todo el oro que dicho tengo, con una marca de hierro que mandó hacer Cortés y los oficiales del rey proveídos por Cortés, y acuerdo de todos nosotros en nombre de Su Majestad, hasta que otra cosa mandase, que en aquella sazón era Gonzalo Mexía, y Alonso de Ávila, contador; y la marca fue las armas reales como de un real y del tamaño de un tostón de a cuatro. Y esto sin las joyas ricas que nos pareció que no eran para deshacer. Pues para pesar todas estas barras de oro y plata, y las joyas que quedaron por deshacer no teníamos pesos de marcos ni balanzas, y pareció a Cortés a los mismos oficiales de la Hacienda de Su Majestad que sería bien hacer de hierro unas pesas de hasta una arroba y otras de media arroba, y de dos libras, y de una libra, y de media libra y de cuatro onzas, y de tantas onzas; y esto no para que viniese muy justo, sino media onza más o menos en cada peso que se pesaba.

Y después que se pesó dijeron los oficiales del rey que había en el oro, así en lo que estaba hecho barras como en los granos de las minas y en los tejuelos y joyas, más de seiscientos mil pesos, sin la plata y otras muchas joyas que se dejaron de avaluar. Algunos soldados decían que había más, y como no había que hacer en ello sino sacar el real quinto y dar a cada capitán y soldado nuestras partes, y a los que quedaban en el puerto de la Villa Rica también las suyas, parece ser Cortés procuraba de no lo repartir tan presto hasta que hubiese más oro y hubiese buenas pesas y razón y cuenta de a cómo salían. Y todos los más soldados y capitanes dijimos que luego se repartiese, porque habíamos visto que cuando se deshacía de las piezas del tesoro de Montezuma estaba en los montones mucho más oro, y que faltaba la tercia parte de ello, que lo tomaban y escondían, así por la parte de Cortés como de los capitanes, como el fraile de la Merced, y se iba menoscabando. Y a poder de muchas pláticas se pesó en lo que quedaba, y hallaron sobre seiscientos mil pesos, sin las joyas y tejuelos, y para otro día habían de dar las partes. Y diré cómo lo repartieron, y todo lo más se quedó con ello el capitán Cortés y otras personas. Y lo que sobre ello se hizo diré adelante.

CAPÍTULO CV

CÓMO SE REPARTIÓ EL ORO QUE HUBIMOS, ASÍ DE LO QUE DIO EL GRAN MONTEZUMA COMO LO QUE SE RECOGIÓ DE LOS PUEBLOS, Y DE LO QUE SOBRE ELLO ACAECIÓ A UN SOLDADO

LO PRIMERO, se sacó el real quinto, y luego Cortés dijo que le sacasen a él otro quinto como a Su Majestad, pues se lo prometimos en el Arenal cuando le alzamos por capitán general y justicia mayor, como ya lo he dicho en el capítulo que de ello habla. Luego tras esto dijo que había hecho cierta costa en la isla de Cuba, que gastó en la armada, que lo sacasen del montón; y demás de esto, que se apartase del mismo montón la costa que había hecho Diego Velázquez en los navíos que dimos al través, pues todos fuimos en ello; y tras esto, que para los procuradores que fueron a Castilla, y demás de esto, para los que quedaban en la Villa Rica, que eran setenta vecinos, y para el caballo que se le murió, y para la yegua de Juan Sedeño que mataron los de Tlaxcala de una cuchillada; pues para el fraile de la Merced y el clérigo Juan Díaz, y los capitanes, y los que traían caballos dobladas partes, y escopeteros y ballesteros por el consiguiente, y otras sacaliñas, de manera que quedaba muy poco de parte, y por ser tan poco, muchos soldados hubo que no lo quisieron recibir, y con todo se quedaba Cortés, pues en aquel tiempo no podíamos hacer otra cosa sino callar, porque demandar justicia sobre ello era por demás; y otros soldados hubo que tomaron sus partes a cien pesos, y daban voces por lo demás, y Cortés secretamente daba a unos y a otros, por vía que les hacía merced, por contentarlos, y con buenas palabras que les decía sufrían. Pues vamos a las partes que quedaban a los de la Villa Rica, que se lo mandó llevar a Tlaxcala para que allí se lo guardasen; y como ello fue mal repartido, en tal paró todo como adelante diré a su tiempo.

En aquella sazón muchos de nuestros capitanes mandaron hacer cadenas de oro muy grandes a los plateros del gran Montezuma, que ya he dicho que tenía un gran pueblo de ellos, media legua de México, que se dice Escapuzalco, y asimismo Cortés mandó hacer muchas joyas y gran servicio de vajilla, y algunos de nuestros soldados que habían henchido las manos; por manera que ya andaban públicamente muchos tejuelos de oro marcado y sin marcar, y joyas de muchas diversidades de hechuras; y el juego largo, con unos naipes que hacían de cueros de atambores, tan buenos y tan bien pintados como los de verdad, los cuales naipes hacía un Pedro Valenciano, y de esta manera estábamos.

Dejemos de hablar en el oro y de lo mal que se repartió y peor se gozó, y diré lo que a un soldado que se decía fulano de Cárdenas le acaeció. Parece ser aquel soldado era piloto y hombre de la mar, natural de Triana o del Condado, y el pobre tenía en su tierra mujer e hijos, y, como a muchos nos acontece, debería estar pobre, y vino a buscar la vida para volverse a su mujer e hijos, y como había visto tanta riqueza en oro, en planchas y en granos de las minas, y tejuelos, y barras fundidas, y al repartir de ello vio que no le daban sino cien pesos, cayó malo de pensamiento y tristeza, y un su amigo, como le veía cada día tan pensativo y malo, íbale a ver y decíale que de qué estaba de aquella manera y suspiraba tanto de rato en rato; y respondió el piloto Cárdenas, que es el que estaba malo: "¡Oh, cuerpo de tal conmigo! ¿Y no he de estar malo, viendo que Cortés así se lleva todo el oro, y como rey lleva quinto, y ha sacado para el caballo que se le murió, y para los navíos de Diego Velázquez, y para otras muchas trancanillas? ¡Y que muera mi mujer e hijos de hambre, pudiéndolos socorrer cuando fueron los procuradores con nuestras cartas y le enviamos todo el oro y plata que habíamos habido en aquel tiempo!" Y respondióle aquel su amigo: "¿Pues qué oro teníais vos para enviarles?" Y Cárdenas dijo: "Si Cortés me diera mi parte de lo que me cabía, con ello se sostuvieran mi mujer e hijos, y aun les sobraran; mas mirad qué embustes tuvo, hacernos firmar que sirviésemos a Su Majestad con nuestras partes, y sacar del oro para su padre Martín Cortés sobre seis mil pesos, y lo que escondió; y yo y otros pobres que estamos de noche y de día batallando, como habéis visto en las guerras pasadas de Tabasco y Tlaxcala, y lo de Cingapacinga y Cholula, y ahora estar en tan grandes peligros como estamos, y cada día la muerte al ojo si se levantasen en esta ciudad. Y que se alce con todo el oro y que lleve quinto como rey." Y dijo otras palabras sobre ello, y que tal quinto no le habíamos de dejar sacar, ni de tener tantos reyes, sino solamente a Su Majestad.

Y replicó su compañero y dijo: "Pues esos cuidados os matan, y ahora veis que con todo lo que traen los caciques y Montezuma se consume en el uno en papo y otro en saco y otro so el sobaco, y allá va todo donde quiere Cortés, él y estos nuestros capitanes, que hasta el bastimento todo lo llevan; por eso, dejaos de esos pensamientos y rogad a Dios que en esta ciudad no perdamos las vidas." Y así cesaron sus pláticas, las cuales alcanzó a saber Cortés; y como le decían que había muchos soldados descontentos por las partes del oro y de lo que habían hurtado del montón, acordó de hacer a todos un parlamento con palabras muy melifluas; y dijo que todo lo que tenía era para nosotros, y que él no quería quinto, sino la parte que le cabe de capitán general, y cualquiera que hubiese menester algo, que se lo daría, y aquel oro que habíamos habido que era un poco de aire; que mirásemos las grandes ciudades que hay, y ricas minas; que todos seríamos señores de ellas, y muy prósperos y ricos; y dijo otras razones muy bien dichas, que las sabía bien proponer; y demás de esto, a ciertos soldados secretamente daba joyas de oro, y a otros hacía grandes promesas; y mandó que los bastimentos que traían los mayordomos de Montezuma que los repartiesen entre todos los soldados como a su persona. Y demás de esto llamó aparte a Cárdenas y con palabras le halagó, y le prometió que en los primeros navíos le enviaría a Castilla a su mujer e hijos, y le dio trescientos pesos, y así se quedó contento con ellos. Y quedarse [ha] aquí, y diré cuando venga a coyuntura lo que a Cárdenas acaeció cuando fue a Castilla, y cómo le fue muy contrario a Cortés en los negocios que tuvo ante Su Majestad.

CAPÍTULO CVI

CÓMO HUBIERON PALABRAS JUAN VELÁZQUEZ DE LEÓN Y EL TESORERO GONZALO MEXÍA SOBRE EL ORO QUE FALTABA DE LOS MONTONES ANTES QUE SE FUNDIESE, Y LO QUE CORTÉS HIZO SOBRE ELLO

COMO EL ORO comúnmente todos los hombres lo deseamos, y mientras unos más tienen más quieren, aconteció que como faltaban muchas piezas del oro conocidas de los montones, ya otras veces por mí dicho, y Juan Velázquez de León en aquel tiempo hacía labrar a los indios de Escapuzalco, que eran todos plateros del gran Montezuma, grandes cadenas de oro y otras piezas de vajillas para su servicio. Y como Gonzalo Mexía, que era tesorero, le dijo secretamente que se las diese, pues no estaban quintadas y eran conocidamente ser de las que había dado Montezuma, y Juan Velázquez de León, que era muy privado de Cortés, dijo que no le quería dar ninguna cosa, y que no lo había tomado de lo que estaba allegado ni de otra parte ninguna, salvo que Cortés se las había dado antes que se hiciesen barras; y Gonzalo Mexía respondió que bastaba lo que Cortés había escondido y tomado a los compañeros, y todavía como tesorero demandaba mucho oro que no se había pagado el real quinto, y de palabras en palabras vinieron a demandarse y echaron mano a las espadas, y si de presto no los metiéramos en paz, entrambos a dos acabaran allí sus vidas, porque eran personas de mucho ser y valientes por las armas, y salieron heridos cada uno con dos heridas.

Y como Cortés lo supo, los mandó echar presos cada uno en una cadena gorda, y parece ser, según muchos soldados dijeron, que secretamente habló Cortés a Juan Velázques de León, como era mucho su amigo, que se estuviese preso dos días en la misma cadena, y que sacarían de la prisión a Gonzalo Mexía como a tesorero; y esto lo hacía Cortés porque viésemos todos los capitanes y soldados que hacía justicia, y aun ser Juan Velázquez uña y carne del mismo capitán, le tenía preso. Y porque pasaron otras cosas acerca de Gonzalo Mexía, que dijo a Cortés que tomaba escondidas sobre el mucho oro que faltaba, y que se le quejaban de ello todos los soldados porque no se lo demandaba al mismo capitán, pues era tesorero, y porque es larga relación, lo dejaré de decir y diré que como Juan Velázquez de León estaba preso en una sala cerca del aposento de Montezuma, en una cadena gorda, y como Juan Velázquez era hombre de gran cuerpo y muy membrudo, y cuando se paseaba por la sala llevaba la cadena arrastrando y hacía gran sonido, que lo oyó Montezuma y preguntó a su paje Orteguilla a quién tenía preso Cortés en las cadenas; y el paje le dijo que a Juan Velázquez, el que solía tener guarda de su persona, porque ya en aquella sazón no lo era, sino Cristóbal de Olid. Y preguntó que por qué causa; y el paje le dijo que por cierto oro que faltaba.

Y aquel mismo día fue Cortés a tener palacio a Montezuma, y después de los acatos acostumbrados y otras palabras que entre ellos pasaron, preguntó Montezuma a Cortés que por qué tenía preso a Juan Velázquez siendo buen capitán y muy esforzado, porque Montezuma, como otras veces he dicho, bien conocía a todos nosotros, y aun sus cualidades. Y Cortés le dijo medio riendo que porque era tabalilo, que quiere decir loco, y que porque no le dan mucho oro quiere ir por sus pueblos y ciudades a demandarlo a los caciques, y porque no mate algunos, y por esta causa le tiene preso. Y Montezuma respondió que le pedía por merced que le soltase, y que él enviaría a buscar más oro y le daría de lo suyo. Y Cortés hacía como que se le hacía de mal soltarle, y al fin dijo que sí haría por complacer a Montezuma. Y paréceme que le sentenció en que fuese desterrado del real y fuese a un pueblo que se dice Cholula, con mensajeros de Montezuma, a demandar oro; y primero los hizo amigos a Gonzalo Mexía y a Juan Velázquez; y vi que dentro de seis días volvió de cumplir su destierro, y desde allí adelante Gonzalo Mexía y Cortés no se llevaban muy bien y Juan Velázquez vino con más oro. He traído esto aquí a la memoria, y aunque va fuera de nuestra relación, para que vean que Cortés, so color de hacer justicia, porque todos le temiésemos, era con grandes mañas. Y dejarémoslo aquí.

CAPITULO CVII

CÓMO EL GRAN MONTEZUMA DIJO A CORTÉS QUE LE QUERÍA DAR UNA HIJA DE LAS SUYAS PARA QUE SE CASASE CON ELLA Y LO QUE CORTÉS LE RESPONDIÓ, Y TODAVÍA LA TOMÓ, Y LA SERVÍAN Y HONRABAN COMO HIJA DE TAL SEÑOR

COMO OTRAS MUCHAS veces he dicho, siempre Cortés y todos nosotros procurábamos de agradar y servir a Montezuma y tenerle palacio, y un día le dijo Montezuma: "Mira, Malinche, que tanto os amo, que os quiero dar una hija mía muy hermosa para que os caseis con ella y que la tengáis por vuestra legítima mujer." Y Cortés le quitó la gorra por la merced, y dijo que era gran merced la que le hacía, mas que era casado y tenía mujer, y que entre nosotros no podemos tener más de una mujer, y que él la tendría en aquel grado que hija de tan gran señor merece, y que primero quiere se vuelva cristiana, como son otras señoras, hijas de señores. Y Montezuma lo hubo por bien, y siempre mostraba el gran Montezuma su acostumbrada voluntad. Mas de un día en otro no cesaba Montezuma sus sacrificios, y de matar en ellos personas, y Cortés se lo retraía, y no aprovechaba cosa ninguna, hasta que tomó consejo con nuestros capitanes que qué haríamos en aquel caso, porque no se atrevía a poner remedio en ello por no revolver la ciudad y los *papas* que estaban en el Uichilobos. Y el consejo que sobre ello se dio por nuestros capitanes y soldados, que hiciese que quería ir a derrocar los ídolos del alto Uichilobos, y si viésemos que se ponían en defenderlo o que se alborotaban, que le demandase licencia para hacer un altar en una gran parte del gran *cu* y poner un crucifijo y una imagen de Nuestra Señora.

Y como esto se acordó, fue Cortés a los palacios adonde estaba preso Montezuma, y llevó consigo siete capitanes y soldados, y dijo a Montezuma: "Señor: ya muchas veces he dicho a vuestra merced que no sacrifique más ánimas a esos vuestros dioses que os traen engañados, y no lo quiere hacer, y hágoos saber, señor, que todos mis compañeros y estos capitanes que conmigo vienen, os vienen a pedir por merced que les deis licencia para quitarlos de allí y pondremos a Nuestra Señora Santa María y una cruz, y que si ahora no les dais licencia, que ellos irán a quitarlos y no querría que matasen algunos *papas.*" Y después que Montezuma oyó aquellas palabras y vio ir a los capitanes algo alterados, dijo: "¡Oh, Malinche, y cómo nos queréis echar a perder a toda esta ciudad! Porque estaban muy enojados nuestros dioses contra nosotros, y aun de vuestras vidas no sé en qué pararan. Lo que os ruego es que ahora al presente os sufráis, que yo enviaré a llamar a todos los *papas*, y veré su respuesta." Y luego que aquello oyó Cortés hizo un ademán que le quería hablar muy secretamente a Montezuma y que no estuviesen presentes nuestros capitanes que llevaba en su compañía, los cuales mandó que le dejasen solo, y los mandó salir. Y desde que salieron de la sala dijo a Montezuma que por que no saliese de allí aquello y se hiciese alboroto, ni los *papas* lo tuviesen a mal derrocarle sus ídolos, que él trataría con los mismos nuestros capitanes que no se hiciese tal cosa, con tal que en un apartamiento del gran *cu* hiciesen un altar para poner la imagen de Nuestra Señora y una cruz, y que el tiempo andando, verían cuán buenos y provechosos son para sus ánimas y para darles salud y buenas sementeras y prosperidades.

Y Montezuma, puesto que con suspiros y semblante muy triste, dijo que él lo trataría con los *papas*; y en fin de muchas palabras que sobre ello hubo se puso en [80] días del mes de [81] de mil quinientos diez y nueve años. Y puesto nuestro altar apartado de sus malditos ídolos y la imagen de Nuestra Señora y una cruz, y con mucha devoción, y todos dando gracias a Dios, dijo misa cantada el padre de la Merced, y ayudaron a la misa el clérigo Juan Díaz y muchos de los nuestros soldados. Y allí mandó poner nuestro capitán a un soldado viejo para que tuviese guarda en ello, y rogó a Montezuma que mandase a los *papas* que no tocasen en ello, salvo para barrer y quemar incienso y poner candelas de cera ardiendo de noche y de día, y enramarlo y poner flores. Y dejarlo he aquí, y diré lo que sobre ello avino.

[80] Espacio en blanco en el original.
[81] Espacio en blanco en el original.

CAPÍTULO CVIII

CÓMO EL GRAN MONTEZUMA DIJO A NUESTRO CAPITÁN CORTÉS QUE SE SALIESE DE MÉXICO CON TODOS LOS SOLDADOS, PORQUE SE QUERÍAN LEVANTAR TODOS LOS CACIQUES Y "PAPAS" Y DARNOS GUERRA HASTA MATARNOS, PORQUE ASÍ ESTABA ACORDADO Y DADO CONSEJO POR SUS ÍDOLOS, Y LO QUE CORTÉS SOBRE ELLO HIZO

COMO SIEMPRE, a la contina nunca nos faltaban sobresaltos, y de tal calidad que eran para acabar con las vidas en ellos si Nuestro Señor Dios no lo remediara; y fue que como habíamos puesto en el gran *cu* en el altar que hicimos, la imagen de Nuestra Señora y la cruz, y se dijo el Santo Evangelio y misa, parece ser que los Uichilobos y el Texcatepuca hablaron con los *papas* y les dijeron que se querían ir de su provincia, pues tan mal tratados son de los *teules,* y que donde están aquellas figuras y cruz que no quieren estar, o que ellos no estarían allí si no nos mataban, y que aquello les daba por respuesta, y que no curasen de tener otra, y que se lo dijesen a Montezuma y a todos sus capitanes que luego comenzasen la guerra y nos matasen.

Y les dijo el ídolo que mirasen que todo el oro que solían tener para honrarlos lo habíamos deshecho y hecho ladrillos, y que mirasen que nos íbamos señoreando de la tierra y que teníamos presos a cinco grandes caciques, y les dijeron otras maldades para atraerlos a darnos guerra. Y para que Cortés y todos nosotros lo supiésemos, el gran Montezuma envió llamar a Cortés para que le quería hablar en cosas que iban mucho en ellas. Y vino el paje Orteguilla y dijo que estaba muy alterado y triste Montezuma, y que aquella noche y parte del día habían estado con él muchos *papas* y capitanes muy principales, y secretamente hablaban que no lo pudo entender. Y después que Cortés lo oyó fue de presto al palacio donde estaba Montezuma y llevó consigo a Cristóbal de Olid, que era capitán de la guardia, y a otros capitanes, y a doña Marina, y a Jerónimo de Aguilar, y después que le hicieron mucho acato, dijo Montezuma: "¡Oh, señor Malinche, y señores capitanes: cuánto me pesa de la respuesta y mando que nuestros *teules* han dado a nuestros *papas* y a mí y a todos mis capitanes, y es que os demos guerra y os matemos y os hagamos ir por la mar adelante; lo que he colegido de ello, y me parece, que antes que comiencen la guerra, que luego salgáis de esta ciudad y no quede ninguno de vosotros aquí, y esto, señor Malinche, os digo que hagáis de todas maneras, que os conviene: si no mataros han, y mirad que os va las vidas."

Y Cortés y nuestros capitanes sintieron pesar y aun se alteraron, y no era de maravillar, de cosa tan nueva y determinada, que era poner nuestras vidas en gran peligro sobre ello en aquel instante, pues tan determinadamente nos lo avisaban. Y Cortés le dijo que él se lo tenía en merced el aviso, y que al presente de dos cosas le pesaba: no tener navíos en qué irse, que los mandó quebrar los que trajo, y la otra, que por fuerza había de ir Montezuma con nosotros para que le vea nuestro gran emperador, y que le pide por merced que tenga por bien que, hasta que se hagan tres navíos en el Arenal, que detenga a los *papas* y capitanes, porque para ellos es el mejor partido si comienzan ellos la guerra, porque todos morirían en la guerra si la quisiesen dar; y más dijo, que porque vea Montezuma que quiere luego hacer lo que le dice, que mande a sus carpinteros que vayan con dos de nuestros soldados, que son grandes maestros de hacer navíos, a cortar la madera cerca del Arenal. Y Montezuma estuvo muy más triste que de antes, como Cortés le dijo que había de ir con nosotros ante el emperador, y dijo que él daría los carpinteros, y que luego despachase y no hubiese más palabras, sino obras, y que entretanto él mandaría a los *papas* y a los capitanes que no curasen de alborotar la ciudad, y que a sus ídolos de Uichilobos que mandaría aplacasen con sacrificios, que no sería con muerte de hombres.

Y con esta tan alborotada plática se despidió Cortés y los capitanes de Montezuma; y estábamos todos con gran congoja, esperando cuándo habían de comenzar la guerra. Luego Cortés mandó llamar a Martín López, carpintero de hacer navíos, y Andrés Núñez, y con los indios carpinteros que le dio el gran Montezuma, después de platicado el porte que se podría labrar los tres navíos, le mandó que luego pusiese por la obra de hacerlos y poner a punto, pues que en la Villa Rica había todo aparejo de hierro y herreros, y jarcia, y estopa, y calafates, y brea; y así fueron y cortaron la madera en la costa de la Villa Rica, y con toda la cuenta y gálibo de ella y con buena prisa comenzó a labrar sus navíos. Lo que Cortés le dijo a Martín López sobre ello no lo sé, y esto digo porque dice el coronista Gómara en su historia que le mandó que hiciese muestra, como cosa de burla, que los labraba, porque lo supiese el gran Montezuma. Remítome a lo que ellos dijeren, que gracias a Dios son vivos en este tiempo; mas muy secretamente me dijo Martín López que de hecho y aprisa los labraba, y así los dejó en astillero, tres navíos.

Dejémosles labrando los navíos y digamos cuáles andábamos todos en aquella gran ciudad, tan pensativos, temiendo que de una hora a otra nos habían de dar guerra, y nuestras *naborías* de Tlaxcala y doña Marina así lo decían al capitán; y Orteguilla, el paje de Montezuma, siempre estaba llorando, y todos nosotros muy a punto y buenas guardas a Montezuma. Digo de nosotros estar a punto no había necesidad de decirlo tantas veces, porque de día ni de noche no se nos quitaban las armas, gorjales y antipares, y con ello dormíamos. Y dirán ahora dónde dormíamos; de qué eran nuestras camas, sino un poco de paja y una estera, y el que tenía un toldillo ponerle debajo, y calzados y armados, y todo género de armas muy a punto, y los caballos ensillados y enfrenados todo el día, y todos tan prestos, que en tocando al arma, como si estuviéramos puestos y aguardando para aquel punto; pues velar cada noche, que no quedaba soldado que no velaba.

Y otra cosa digo, y no por jactanciarme de ello: que quedé yo tan acostumbrado a andar armado y dormir de la manera que he dicho que después de conquistada la Nueva España tenía por costumbre de acostarme vestido y sin cama, y que dormía mejor que en colchones; y ahora cuando voy a los pueblos de mi encomienda no llevo cama; y si alguna vez la llevo, no es por mi voluntad, sino por algunos caballeros que se hallan presentes, porque no vean que por falta de buena cama la dejo de llevar; mas en verdad que me echo vestido en ella. Y otra cosa digo: que no puedo dormir sino un rato de la noche, que me tengo de levantar a ver el cielo y estrellas, y me he de pasear un rato al sereno, y esto sin poner en la cabeza cosa ninguna de bonete ni paño, y gracias a Dios no me hace mal, por la costumbre que tenía. Y esto he dicho porque sepan de qué arte andábamos los verdaderos conquistadores, y cómo estábamos tan acostumbrados a las armas y a velar. Y dejemos de hablar en ello, pues que salgo fuera de nuestra relación, y digamos cómo

Nuestro Señor Jesucristo siempre nos hace muchas mercedes. Y es que en la isla de Cuba Diego Velázquez dio mucha prisa en su armada, como adelante diré, y vino en aquel instante a la Nueva España un capitán que se decía Pánfilo de Narváez.

CAPÍTULO CIX

CÓMO DIEGO VELÁZQUEZ, GOBERNADOR DE CUBA, DIO MUY GRAN PRISA EN ENVIAR SU ARMADA CONTRA NOSOTROS, Y EN ELLA POR CAPITÁN GENERAL A PÁNFILO DE NARVÁEZ, Y CÓMO VINO EN SU COMPAÑÍA EL LICENCIADO LUCAS VÁZQUEZ DE AYLLÓN, OIDOR DE LA REAL AUDIENCIA DE SANTO DOMINGO, Y LO QUE SOBRE ELLO SE HIZO

Volvamos ahora a decir algo atrás de nuestra relación, para que bien se entienda lo que ahora diré. Ya he dicho en el capítulo que de ella habla, que como Diego Velázquez, gobernador de Cuba, supo que habíamos enviado nuestros procuradores a Su Majestad, con todo el oro que habíamos habido, y el sol y la luna, y muchas diversidades de joyas y oro en granos sacado de las minas, y otras muchas cosas de gran valor, y que no le acudimos con cosa ninguna; y asimismo cómo don Juan Rodríguez de Fonseca, obispo de Burgos y arzobispo de Rosano, que así se nombraba, y en aquella sazón era presidente de Indias y lo mandaba todo muy absolutamente, porque Su Majestad estaba en Flandes, y había tratado muy mal el obispo a nuestros procuradores, y dicen que le envió el mismo obispo desde Castilla, en aquella sazón, muchos favores a Diego Velázquez y aviso y mandado para que nos enviase a prender y que él le daría desde Castilla todo favor para ello.

Y Diego Velázquez, con aquel gran favor, hizo una armada de diez y nueve navíos y con mil cuatrocientos soldados, en que traían sobre veinte tiros y mucha pólvora, y todo género de aparejos de piedras y pelotas, y dos artilleros (que el capitán de la artillería se decía Rodrigo Martín) y traía ochenta de caballo y noventa ballesteros, y setenta escopeteros. Y el mismo Diego Velázquez, por su persona, y aunque era bien gordo y pesado, andaba en Cuba de villa en villa y pueblo en pueblo proveyendo la armada y atrayendo los vecinos que tenían indios, y parientes y amigos que viniesen con Pánfilo de Narváez para que le llevasen presos a Cortés y a todos nosotros sus capitanes y soldados, o, al menos, no quedásemos algunos con las vidas; y andaba tan encendido de enojo y tan diligente, que vino hasta Guaniguanico, que es pasada la Habana más de sesenta leguas, y andando de esta manera, antes que saliese su armada pareció ser alcanzáronlo a saber la real Audiencia de Santo Domingo y los frailes jerónimos que estaban por gobernadores, el cual aviso y relación de ello les envió desde Cuba el licenciado Zuazo, que había venido [a] aquella isla a tomar residencia al mismo Diego Velázquez.

Pues como lo supieron la real Audiencia y tenían memoria de nuestros muchos y buenos y leales servicios que hacíamos a Dios y a Su Majestad, y habíamos enviado nuestros procuradores con grandes presentes a nuestro rey y señor, y que Diego Velázquez no tenía razón ni justicia para que con su mano armada venga a tomar venganza de nosotros, sino que por justicia lo demandase, y que si venía con la armada que era gran estorbo para nuestra conquista, acordaron de enviar a un licenciado que se decía Lucas Vázquez de Ayllón, que era oidor de la misma real Audiencia, para que estorbase la armada a Diego Velázquez y no la dejase pasar, y que sobre ello pusiese grandes penas. Y vino a Cuba el mismo oidor e hizo sus diligencias y protestaciones como le era mandado por la real Audiencia, para que no saliese con su intención Velázquez, y por más penas y requerimientos que le hizo y puso, no aprovechó cosa ninguna porque como Diego Velázquez era tan favorecido del obispo de Burgos y había gastado cuanto tenía en hacer aquella gente de guerra contra nosotros, no tuvo todos los requerimientos que le hicieron en una castañeta, en nada, antes se mostró más bravoso. Y después que aquello vio el oidor, vínose con el mismo Narváez para poner paces y dar buenos conciertos entre Cortés y Narváez. Otros soldados dijeron que venía con intención de ayudarnos, y si no lo pudiese hacer, tomar la tierra en sí por Su Majestad como oidor, y de esta manera vino hasta el puerto de San Juan de Ulúa. Y quedarse ha aquí, y pasaré adelante lo que sobre ello se hizo.

CAPÍTULO CX [82]

CÓMO PÁNFILO DE NARVÁEZ LLEGÓ AL PUERTO DE SAN JUAN DE ULÚA, QUE SE DICE DE LA VERACRUZ, CON TODA SU ARMADA, Y LO QUE LE SUCEDIÓ

VINIENDO PÁNFILO DE NARVÁEZ con toda su flota, que eran diez y nueve navíos, por la mar, parece ser, junto a las tierras de San Martín, que así se llaman, tuvo un viento norte, y en aquella costa es travesía, y de noche se le perdió un navío de poco porte, que dio al través; venía en él por capitán un hidalgo que se decía Cristóbal de Morante, natural de Medina del Campo, y se ahogaron cierta gente. Y con toda la más flota vino a San Juan de Ulúa, y como se supo de aquella grande armada, que para haberse hecho en la isla de Cuba grande se puede llamar, tuvieron noticia de ella los soldados que había enviado Cortés a buscar las minas, y viénense a los navíos de Narváez los tres de ellos, que se decían Cervantes el Chocarrero y Escalona, y otro que se decía Alonso Hernández Carretero; y cuando se vieron dentro de los navíos y con Narváez, dizque alzaban las manos a Dios que les libró del poder de Cortés y de salir de la gran ciudad de México, donde cada día esperaban la muerte. Y, como comían con Narváez y bebían vino, y hartos de beber demasiado, estábanse diciendo los unos a los otros delante del mismo general: "Mirad si es mejor estar aquí bebiendo buen vino que no cautivo en poder de Cortés, que nos traía, de noche y de día, tan avasallados que no osábamos hablar, y aguardando de un día a otro la muerte al ojo." Y aun decía Cervantes, como era truhán, so color de gracias: "¡Oh, Narváez, Narváez, qué bienaventurado que eres y a qué tiempo has venido! Que tiene ese traidor de Cortés allegados más de setecientos mil pesos de oro, y todos los soldados están

[82] Este capítulo se halla cruzado con varias líneas que no son seguramente del autor, y que no dificultan la lectura del texto, en el MS., de Guatemala.

muy mal con él porque les ha tomado mucha parte de lo que les cabía del oro de parte, y no lo quieren recibir lo que les da."

Por manera que aquellos soldados que se nos huyeron, como eran ruines y soeces, decían a Narváez mucho más de lo que quería saber, y también le dieron por aviso que ocho leguas de allí estaba poblada una villa que se dice la Villa Rica [de la] Veracruz, y estaba en ella por capitán un Gonzalo de Sandoval con setenta soldados, todos viejos y dolientes, y que si enviase a ellos gente de guerra luego se le darían, y le dicen otras muchas cosas.

Dejemos todas estas pláticas y digamos cómo luego lo alcanzó a saber el gran Montezuma, cómo estaban allí surtos en el puerto los navíos, muchos capitanes y soldados, y envió sus principales secretamente, que no lo supo Cortés, y les mandó dar comida y oro y ropa, y que de los pueblos más cercanos les proveyesen de bastimento, y Narváez envió a decir a Montezuma muchas malas palabras y descomedimientos contra Cortés y de todos nosotros: que éramos unas gentes malas, ladrones, que venimos huyendo de Castilla sin licencia de nuestro rey y señor, y que como se tuvo noticia, el rey nuestro señor, que estábamos en estas tierras, y de los males y robos que hacíamos, y teníamos preso a Montezuma, y para estorbar tantos daños, que le mandó a Narváez que luego viniese con todas aquellas naos y soldados y caballos, para que le suelten de las prisiones, y que a Cortés y a todos nosotros, como malos, nos prendiesen o matasen y en las mismas naos nos enviase a Castilla, y que después que allá llegásemos nos mandaría matar; y le envió a decir otros muchos desatinos. Y eran los intérpretes para dárselo a entender a los indios los tres soldados que se nos fueron, que ya sabían la lengua, y demás de estas pláticas le envió Narváez ciertas cosas de Castilla. Y cuando Montezuma lo supo tuvo gran contento con aquellas nuevas, porque como le decían que tenía tantos navíos, y caballos y tiros y escopeteros y ballesteros, y eran mil y trescientos soldados y de allí arriba, creyó que nos prendería; y demás de esto, como sus principales vieron a nuestros tres soldados con Narváez, y veían que decían mucho mal de Cortés, tuvo por cierto todo lo que Narváez le envió a decir.

Y toda la armada se la llevaron pintada en unos paños al natural. Entonces Montezuma le envió mucho más oro y mantas, y mandó que todos los pueblos de la comarca le llevasen bien de comer; y ya hacía tres días que lo sabía Montezuma, y Cortés no sabía cosa ninguna. Y un día, yéndole a ver nuestro capitán y tenerle palacio, y después de las cortesías que entre ellos se tenían, pareció al capitán Cortés que estaba Montezuma muy alegre y de buen semblante, y le dijo qué tal se sentía. Y Montezuma respondió que mejor estaba. Y también como Montezuma lo vio ir a visitarle en un día dos veces, temió que Cortés sabía de los navíos, y por ganar por la mano y no le tuviese por sospechoso, le dijo: "Señor Malinche: ahora en este punto me han llegado mensajeros de cómo en el puerto adonde desembarcasteis han venido diez y ocho y más navíos, y mucha gente y caballos, y todo nos lo traen pintado en unas mantas, y como me visitasteis hoy dos veces, creí que me veníais a dar nuevas de ellos, así que no habrás menester hacer navíos. Y porque no me lo decíais, por una parte tenía enojo de vos tenérmelo encubierto, y por otra me holgaba, porque vienen vuestros hermanos para que todos os vayáis a Castilla, y no haya más palabras."

Y cuando Cortés oyó lo de los navíos y vio la pintura del paño, se holgó en gran manera y dijo: "Gracias a Dios, que al mejor tiempo provee." Pues nosotros, los soldados, era tanto el gozo que no podíamos estar quedos, y de alegría escaramucearon los de a caballo y tiramos tiros; y Cortés estuvo muy pensativo, porque bien entendió que aquella armada que la enviaba el gobernador Diego Velázquez contra él y contra todos nosotros; y como sabio que era, comunicó lo que sentía de ella con todos nosotros, capitanes y soldados, y con grandes dádivas de oro que nos da y ofrecimientos que nos haría ricos, a todos nos atraía para que estuviésemos con él. Y no sabía quién venía por capitán, y estábamos muy alegres con las nuevas y con el más oro de lo que nos había dado por vía de mercedes, como que lo daba de su hacienda y no de lo que nos cabía de parte. Y fue gran socorro y ayuda que Nuestro Señor Jesucristo nos enviaba. Y quedarse ha aquí, y diré lo que pasó en el real de Narváez.

CAPÍTULO CXI

CÓMO PÁNFILO DE NARVÁEZ ENVIÓ CON CINCO PERSONAS DE SU ARMADA A REQUERIR A GONZALO DE SANDOVAL, QUE ESTABA POR CAPITÁN EN LA VILLA RICA, QUE SE DIESE LUEGO CON TODOS LOS VECINOS, Y LO QUE SOBRE ELLO PASÓ

COMO AQUELLOS tres malos de nuestros soldados por mí memorados que se le pasaron a Narváez, le daban aviso de todas las cosas que Cortés y todos nosotros habíamos hecho desde que entramos en la Nueva España, y le avisaron que el capitán Gonzalo de Sandoval estaba obra de ocho o nueve leguas de allí, en una villa que estaba poblada, que se decía la Villa Rica de la Veracruz, y que tenía consigo setenta vecinos, y todos los más viejos y dolientes, acordó de enviar a la villa a un clérigo que se decía Guevara, que tenia buena expresiva, y a otro hombre de mucha cuenta, que se decía Anaya, pariente de Diego Velázquez, gobernador de Cuba, y a un escribano que se decía Vergara, y tres testigos, los nombres de ellos no me acuerdo, los cuales envió para que notificasen a Gonzalo de Sandoval que luego se diese a Narváez, y para ello dijeron que traían unos traslados de las provisiones. Y dicen que ya Gonzalo de Sandoval sabía de los navíos por nuevas de indios, y de la mucha gente que en ellos venía, y como era muy varón en sus cosas, siempre estaba muy apercibido él y sus soldados armados, y sospechando que aquella armada era de Diego Velázquez, que enviaría a aquella villa de sus gentes para apoderarse de ella, y por estar más desembarazados de los soldados viejos y dolientes, los envió luego a un pueblo de indios que se dice Papalote [83] y quedó con los sanos.

Y Sandoval siempre tenía buenas velas en los caminos de Cempoal, que es por donde habían de venir a la villa, y estaba convocando Sandoval y atrayendo a sus soldados que si viniese Diego Velázquez u otra persona, que no se les diese la villa, y todos los soldados dicen que les respondieron conforme a su voluntad, y mandó hacer una horca en un cerro. Pues estando unos espías en los caminos, vienen de presto y le dan noticia que vienen cerca de la villa donde estaba seis españoles e indios de Cuba. Y Sandoval aguardó en su casa, que no les salió a recibir. Ya había mandado que ningún soldado saliese de su casa ni les hablase. Y como el clérigo y

[83] Ninguna población hay de ese nombre en Veracruz. En el capítulo XIV llamó así Bernal al río Papaloapan. El nombre original pudo haber sido Papalotla.

los demás que traían en su compañía no topaban a ningún vecino español con quien hablar, si no eran indios que hacían la obra de la fortaleza y no les entendían, y como entraron en la villa fuéronse a la iglesia a hacer oración, y luego se fueron a la casa de Sandoval, que les pareció que era la mayor de la villa. Y el clérigo, después de "Enhorabuena estéis", que así dizque dijo, y Sandoval le respondió: "Que en tal buena hora viniese", dicen que el clérigo Guevara, que así se llamaba, comenzó un razonamiento diciendo que el señor Diego Velázquez, gobernador de Cuba, había gastado muchos dineros en la armada, y que Cortés y todos los demás que había traído en su compañía le habían sido traidores, y que les venía a notificar que luego fuesen a dar la obediencia al señor Pánfilo de Narváez, que venía por capitán general de Diego Velázquez. Y como Sandoval oyó aquellas palabras y descomedimientos que el padre Guevara dijo, se estaba carcomiendo de pesar de lo que oía, y le dijo: "Señor padre: muy mal habláis en decir esas palabras de traidores; aquí somos mejores servidores de Su Majestad que no Diego Velázquez, y porque sois clérigo no os castigo conforme a vuestra mala crianza. Andad con Dios a México, que allá está Cortés, que es capitán general y justicia mayor de esta Nueva España, y os responderá; aquí no tenéis más que hablar."

Entonces el clérigo dijo muy bravoso a su escribano que con él venía, que se decía Vergara, que luego sacase las provisiones que traía en el seno y las notificase a Sandoval y a los vecinos que con él estaban. Y dijo Sandoval al escribano que no leyese ningunos papeles, que no sabía si eran provisiones u otras escrituras, y de plática en plática ya el escribano comenzaba a sacar del seno las escrituras que traía; y Sandoval le dijo: "Mirad, Vergara: ya os he dicho que no leais ningunos papeles aquí, sino ir a México, y os prometo que si tal leyerais, que yo os haga dar cien azotes, porque ni sabemos si sois escribano del rey o no; mostrad título de ello, y si lo traeis leedlo; y tampoco sabemos si son originales las provisiones o traslados u otros papeles." Y el clérigo, que era muy soberbio, dijo: "¿Qué haceis con estos traidores? Sacad esas provisiones y notificádselas." Y esto dijo con mucho enojo. Y como Sandoval oyó aquella palabra, le dijo que mentía como ruin clérigo; y luego mandó a sus soldados que los llevasen presos a México. Y no lo hubo bien dicho, cuando en *hamaquillas* de redes, como ánimas pecadoras, los arrebataron muchos indios de los que trabajaban en la fortaleza, que los llevaron a cuestas, y en cuatro días dan con ellos cerca de México, que de noche y de día, con indios de remuda caminaban, e iban espantados desde que veían tantas ciudades y pueblos grandes que les traían de comer; y unos los tomaban y otros los dejaban, y andar por su camino. Dizque iban pensando si era encantamiento o sueño.

Y Sandoval envió con ellos por alguacil, hasta que los llevase a México, a Pedro de Solís, el yerno que fue de Orduña, que ahora llaman Solís tras de la puerta. Y as como los envió presos, escribió muy en posta a Cortés quien era el capitán de la armada y todo lo acaecido. Y como Cortés lo supo que venían presos y llegaban cerca de México, envióles cabalgaduras para los tres más principales; y mandó que luego los soltasen de la prisión, y les escribió que le pesó de que Gonzalo de Sandoval tal desacato hubiese hecho, y que quisiera que les hiciera mucha honra. Y desde que llegaron a México los salió a recibir y los metió en la ciudad muy honradamente.

Y desde que el clérigo y los demás sus compañeros vieron a México ser tan grandísima ciudad, y la riqueza de oro que teníamos, y otras muchas ciudades en el agua de la laguna, y todos nuestros capitanes y soldados, y la gran franqueza de

Cortés, estaban admirados; y a cabo de dos días que estuvieron con nosotros, Cortés les habló de tal manera, con prometimientos y halagos, y aun les untó las manos de tejuelos y joyas de oro, y los tornó a enviar a su Narváez con bastimento que les dio para el camino, que donde venían muy bravosos leones volvieron muy mansos, y se le ofrecieron por servidores; y así como llegaron a Cempoal y dieron relación a su capitán, comenzaron a convocar todo el real de Narváez que se pasasen con nosotros. Y dejarlo he aquí, y diré cómo Cortés escribió a Narváez, y lo que sobre ello pasó.

CAPÍTULO CXII

CÓMO CORTÉS, DESPUÉS DE BIEN INFORMADO DE QUIÉN ERA CAPITÁN Y QUIÉN Y CUÁNTOS VENÍAN EN LA ARMADA, Y LOS PERTRECHOS DE GUERRA QUE TRAÍAN, Y DE LOS TRES NUESTROS FALSOS SOLDADOS QUE A NARVÁEZ SE PASARON, ESCRIBIÓ AL CAPITÁN Y A OTROS SUS AMIGOS, ESPECIALMENTE [A] ANDRÉS DE DUERO, SECRETARIO DE DIEGO VELÁZQUEZ; Y TAMBIÉN SUPO CÓMO MONTEZUMA ENVIABA ORO Y ROPA A NARVÁEZ, Y LAS PALABRAS QUE LE ENVIÓ A DECIR A MONTEZUMA; Y DE CÓMO VENÍA EN AQUELLA ARMADA EL LICENCIADO LUCAS VÁZQUEZ DE AYLLÓN, OIDOR DE LA AUDIENCIA REAL DE SANTO DOMINGO, Y LA INSTRUCCIÓN QUE TRAÍA

Como Cortés en todo tenía gran cuidado y advertencia y cosa ninguna se le pasaba que no procuraba poner remedio y, como muchas veces he dicho antes de ahora, tenía tan acertados y buenos capitanes y soldados que, demás de ser muy esforzados, le dábamos buenos consejos, acordóse por todos que se escribiese en posta con indios que llevasen las cartas a Narváez antes que llegase el clérigo Guevara, con muchas quiricias y ofrecimientos, que todos a una le hiciésemos, que haríamos lo que su merced mandase, y que le pedíamos por merced que no alborotase la tierra, ni los indios viesen entre nosotros divisiones. Y esto de este ofrecimiento fue por causa que, como éramos los de Cortés pocos soldados en comparación de los que Narváez traía, porque nos tuviese buena voluntad, y para ver lo que sucedía, y nos ofreciésemos por sus servidores; y también debajo de estas buenas palabras no dejásemos de buscar amigos entre los capitanes de Narváez, porque el padre Guevara y el escribano Vergara dijeron a Cortés que Narváez no venía bien quisto con sus capitanes y que les enviase algunos tejuelos y cadenas de oro, porque dádivas quebrantan peñas.

Y Cortés les escribió que se había holgado en gran manera él y todos nosotros sus compañeros con su llegada [a] aquel puerto, y pues son amigos de tiempos pasados, que le pide por merced que no dé causa a que Montezuma, que está preso, se suelte y la ciudad se levante, porque será para perderse él y su gente y todos nosotros las vidas, por los grandes poderes que tiene; y esto que lo dice porque Montezuma está muy alterado y toda la ciudad revuelta con las palabras que de allá le han enviado a decir; y que cree y tiene por cierto que de un tan esforzado y sabio varón como él es no habían de salir de su boca cosas de tal arte dichas, ni en tal tiempo, sino que Cervantes el Chocarrero y los soldados que llevaba consigo lo dirían. Y demás de otras palabras que en la carta iban, se le ofreció con su persona y hacienda, y que en todo se haría lo que mandase.

Y también escribió Cortés al secretario Andrés de Duero, y al oidor Lucas Vázquez de Ayllón, y con las cartas envió ciertas joyas de oro para sus amigos. Y después que hubo enviado esta carta, secretamente mandó dar al oidor cadenas y tejuelos, y rogó al padre de la Merced que luego tras las cartas fuese al real de Narváez, y le dio otras cadenas de oro y tejuelos y joyas muy estimadas que diese allá a sus amigos. Y así como llegó la primera carta que dicho habemos que escribió Cortés, con los indios, antes que llegase el padre Guevara, que fue el que Narváez nos envió, andábala mostrando Narváez a sus capitanes haciendo burla de ella, y aun de nosotros. Y un capitán de los que traía Narváez, que venía por veedor, que se decía Salvatierra, dicen que hacía bramuras desde que la oyó; y decía a Narváez, reprendiéndole, que para qué leía la carta de un traidor como Cortés y los que con él estaban, y que luego fuese contra nosotros, y que no quedase ninguno a vida; y juró que las orejas de Cortés que las había de asar y comer la una de ellas, y decía otras liviandades. Por manera que no quiso responder a la carta ni nos tenía en una castañeta.

Y en este instante llegó el clérigo Guevara y sus compañeros, y hablan a Narváez que Cortés era muy buen caballero y gran servidor del rey, y le dicen del gran poder de México y de las muchas ciudades que vieron por donde pasaron, y que entendieron que Cortés que le será servidor y hará cuanto mandase, y que será bien que por paz y sin ruido haya entre los unos y los otros concierto, y que mire el señor Narváez a qué parte quiere ir de toda la Nueva España con la gente que trae que allí vaya, y deje a Cortés en otras provincias, pues hay tierras hartas donde se pueden albergar. Y como esto oyó Narváez, dicen que se enojó de tal manera con el padre Guevara y con Anaya, que no les quería después más ver ni escuchar. Y después que los del real de Narváez les vieron ir tan ricos al padre Guevara y al escribano Vergara y a los demás, y decían secretamente a todos los de Narváez tanto bien de Cortés y de todos nosotros, y que habían visto tanta multitud de oro que en el real andaba en el juego [de los naipes], muchos de los de Narváez deseaban estar ya en nuestro real. Y en este instante llegó nuestro padre de la Merced, como dicho tengo, al real de Narváez, con los tejuelos que Cortés le dio y con cartas secretas, y fue a besar las manos de Narváez y a decirle que Cortés hará todo lo que le mandare, y que tengan paz y amor. Y Narváez, como era cabezudo y venía muy pujante, no le quiso oír, antes dijo delante del mismo padre que Cortés y todos nosotros éramos unos traidores, y porque el fraile respondía que antes éramos muy leales servidores del rey, le trató mal de palabra. Y muy secretamente repartió el fraile los tejuelos y cadenas de oro a quien Cortés le mandó, y convocaba y atraía a sí a los más principales del real de Narváez. Y dejarlo he aquí, y diré lo que al oidor Lucas Vázquez de Ayllón y a Narváez les aconteció, y lo que sobre ello pasó.

CAPÍTULO CXIII

CÓMO HUBIERON PALABRAS EL CAPITÁN PÁNFILO DE NARVÁEZ Y EL OIDOR LUCAS VÁZQUEZ DE AYLIÓN; Y NARVÁEZ LE MANDÓ PRENDER Y LE ENVIÓ EN UN NAVÍO PRESO A CUBA O A CASTILLA, Y LO QUE SOBRE ELLO AVINO

Parece ser que como el oidor Lucas Vázquez de Ayllón venía a favorecer las cosas de Cortés y de todos nosotros, porque así se lo habían mandado la real Audiencia de Santo Domingo y los frailes jerónimos que estaban por gobernadores, como sabían los muchos y buenos y leales servicios que hacíamos a Dios primeramente, y a nuestro rey y señor, y del gran presente que enviamos a Castilla con nuestros procuradores; y, demás de lo que la Audiencia real le mandó, como el oidor vio las cartas de Cortés, y con ellas tejuelos de oro, si de antes decía que aquella armada que enviaba era injusta y contra toda justicia, que a tan buenos servidores del rey como éramos que era mal hecho venir, y de allí adelante lo decía muy más claro y abiertamente; y decía tanto bien de Cortés y de todos los que con él estábamos, que en el real de Narváez no se hablaba de otra cosa; y demás de esto, como veían y conocían en Narváez ser la pura miseria, y el oro y ropa que Montezuma le enviaba todo se lo guardaba y no daba cosa de ello a ningún capitán ni soldado, antes decía con voz que hablaba muy entonado, medio de bóveda, a su mayordomo: "Mira que no falte ninguna manta porque todas están puestas por memoria." Y como aquello conocían de él, y oían lo que dicho tengo de Cortés y los que con él estábamos de muy francos, todo su real estaba medio alborotado, y tuvo pensamiento Narváez que el oidor entendía en ello, en poner cizaña; y demás de esto, cuando Montezuma les enviaba bastimento, que repartía el despensero o mayordomo de Narváez, no tenía cuenta con el oidor ni con sus criados, como era razón, y sobre ello hubo ciertas cosquillas y ruido en el real. Y también por consejo que daban a Narváez, Salvatierra, que dicho tengo que venía por veedor, y un Juan Bono de Quexo, vizcaíno, y sobre todo los grandes favores que tenía Narváez de Castilla de don Juan Rodríguez de Fonseca, obispo de Burgos y arzobispo de Rosano, tuvo tal atrevimiento Narváez, que prendió al oidor del rey y envióle preso a él y a ciertos sus criados, y a su escribano, y los hizo embarcar en un navío y los envió a Castilla, o a la isla de Cuba; y a un hidalgo que se decía fulano de Oblanca, y era letrado, porque decía que Cortés era muy servidor del rey, y todos nosotros los que estábamos con él, y que éramos dignos de muchas mercedes, y que parecía mal llamarnos traidores, y que era mal hecho prender a un oidor de Su Majestad, y por eso que le dijo le mandó echar preso; y como Gonzalo de Oblanca era muy noble, de enojo murió dentro de cuatro días; y también mandó echar presos a otros dos soldados que traía en su navío, que sabía que hablaban bien de Cortés, y entre ellos fue un Sancho de Barahona, vecino que fue de Guatemala.

Tornemos a decir del oidor que llevaban preso a Castilla, que con palabras buenas y con temores que puso al capitán y al piloto y maestre que le llevaban a cargo en el navío, que llegados a Castilla que Su Majestad, en lugar de paga de lo que hacen, les mandaría ahorcar; y desde que aquellas palabras oyeron, le dijeron que les pagase su trabajo y le llevarían a Santo Domingo. Y así mudaron la derrota que les había mandado Narváez. Y llegados a la isla de Santo Domingo y desembarcado, desde que la Audiencia real, que allí residía, y los frailes jerónimos que estaban por gobernadores oyeron al licenciado Lucas Vázquez de Ayllón, y vieron tan gran desacato y atrevimiento, sintiéronlo mucho y con tanto enojo que luego lo escribieron a Castilla, al Real Consejo de Su Majestad; y como el obispo de Burgos era presidente y lo mandaba todo, y Su Majestad no había venido de Flandes, no hubo lugar de hacerse cosa ninguna de justicia en nuestro favor; antes don Juan Rodríguez de Fonseca dizque se holgó mucho, creyendo que Narváez nos había desbaratado.

Y cuando Su Majestad, que estaba en Flandes, oyó a nuestros procuradores y lo que Diego Velázquez y Narváez habían hecho en enviar la armada sin su real licencia, y haber prendido a su oidor, les hizo harto daño en los pleitos y demandas que después que acusaron a Cortés le pusieron, y a todos nosotros, como delante diré, por más que decían que tenían licencia del obispo de Burgos, que era presidente, para hacer la armada que contra nosotros enviaron. Pues como ciertos soldados, deudos y amigos del oidor Lucas Vázquez de Ayllón, vieron que Narváez había hecho aquel gran desacato y contra el oidor de Su Majestad, en enviarle preso, y temiéronse de Narváez, que los traía ya sobre ojos y estaba mal con ellos, acordaron de huirse de los arenales donde Narváez estaba e irse a la villa donde les habían [dicho] que estaba el capitán Sandoval, y supo de ellos todo lo acaecido, y como quería enviar a la villa soldados a prenderle, de la villa se fue a unos pueblos y fuerzas. Y lo que más pasó diré en su tiempo.

CAPÍTULO CXIV

CÓMO NARVÁEZ, DESPUÉS QUE ENVIÓ PRESO AL OIDOR LUCAS VÁZQUEZ DE AYLLÓN Y A SU ESCRIBANO, SE PASÓ CON TODA LA ARMADA A UN PUEBLO QUE SE DICE CEMPOAL, QUE EN AQUELLA SAZÓN ERA GRANDE, Y LO QUE EN ÉL CONCERTÓ, Y LO QUE NUESTRO CORTÉS Y TODOS NOSOTROS HICIMOS ESTANDO EN MÉXICO, Y CÓMO ACORDAMOS IR SOBRE NARVÁEZ

Como Narváez hubo enviado preso al oidor de la Audiencia real de Santo Domingo, procuró de irse con todo su fardaje y municiones y pertrechos de guerra a sentar real en un pueblo que en aquella sazón era muy poblado, que se dice Cempoal; y la primera cosa que hizo, tomó por fuerza al cacique gordo, que así se llama, todas las mantas y ropa y oro que Cortés le dio a guardar antes que partiésemos para Tlaxcala, y también le tomó las indias que habían dado los caciques de aquel pueblo, que se las dejamos en casa de sus padres, porque eran hijas de señores y para ir a la guerra muy delicadas. Y, hecho esto, el cacique gordo dijo muchas veces a Narváez que no le tomase cosa alguna de lo que Cortés le dejó en poder, porque si lo sabía que se lo tomaban, que mataría Cortés a Narváez por ello, y aun se le quejó al mismo Narváez de muchos males y robos que sus gentes le hacían en aquel pueblo. Y le dijeron que cuando estaba allí Malinche, que así llamaban a Cortés, y su gente, que no les tomaban cosa ninguna, y que era muy bueno y justificado, así él como todos los *teules* que traía; y que le diese luego sus indias y oro y mantas, y si no que se enviaría a quejarse a Malinche. Y como aquello le oían, hacían burla de lo que decía, y el veedor Salvatierra, otras veces por mí nombrado, que era el que más bravezas hablaba, dijo a otros sus amigos y al mismo Narváez: "¿No oís qué miedo tienen todos estos caciques de este nonada de Cortesillo?" Digo yo miren cuánto vale no decir mal de lo bueno, que digo de verdad que cuando dimos sobre Narváez, uno de los más cobardes fue Salvatierra, como adelante diré; y no porque no tenía membrudo cuerpo y fuerzas, mas era mal engalibado, y no de la lengua. Decían que era natural de un pueblo adelante de Burgos.

Dejemos de hablar de él y digamos cómo Narváez envió a requerir a nuestro capitán y a todos nosotros con unas provisiones, que decían eran traslados de los originales que traía, para ser capitán por el gobernador Diego Velázquez, las cuales enviaba para que nos las notificasen a un escribano que se decía fulano de Mata, el cual después fue ballestero, y, el tiempo andando, fue vecino de la Puebla; y enviaba con él cuatro soldados, personas muy de calidad, para ser testigos. Y dejarlo he aquí, así a Narváez y al escribano que enviaba, hasta su tiempo, y volvamos a Cortés, que, como cada día tenía cartas y avisos, así de los del real de Narváez como del capitán Gonzalo de Sandoval, que quedaba en la Villa Rica y le hizo saber que tenía allí consigo los cinco soldados, personas muy principales parientes y amigos del licenciado Lucas Vázquez de Ayllón, que envió preso Narváez, que se le pasaron del real de Narváez; y la causa que daban por qué se vinieron fue que pues Narváez no tuvo respeto a un oidor del rey, que menos se lo tendría a ellos, que eran sus deudos; de los cuales soldados supo muy por extenso Sandoval todo lo que pasaba y había hecho Narváez, y que decía que había de ir en nuestra busca a México para castigarnos.

Pasemos adelante y digamos que Cortés tomó parecer y acuerdo con todos nosotros, los que solíamos ser sus amigos, y fue acordado que era conveniente, sin más aguardar, fuésemos sobre Narváez, y que Pedro de Alvarado quedase en México en guarda de Montezuma, con todos los soldados que no tuviesen disposición de ir [a] aquella jornada. También para que quedasen allí las personas sospechosas que sentíamos ser amigos de Diego Velázquez.

Y en aquella sazón, antes que Narváez viniese, había enviado Cortés a Tlaxcala por mucho maíz, porque había malas sementeras en tierra de México por falta de aguas y hubo necesidad de ello, y como teníamos muchos indios *naborías* de Tlaxcala, habíamoslo menester. El cual maíz trajeron y gallinas y otros bastimentos, que dejamos a Pedro de Alvarado, y aun le hicimos unos mamparos y fortalezas con ciertos pertrechos y tiros de bronce y toda la pólvora que había, y catorce escopeteros y ocho ballesteros y cinco caballos, y quedaron con él ochenta soldados por todos. Pues desde que el gran Montezuma vio que queríamos ir sobre Narváez, y como Cortés le iba a ver cada día y a tenerle palacio, jamás Cortés le quiso dar a entender que Montezuma ayudaba a Narváez y le enviaba oro y mantas y le mandaba dar bastimentos; y de plática en plática le preguntó Montezuma a Cortés que adónde quería ir y para qué había hecho aquellos pertrechos y fortaleza, y que cómo andábamos todos rebozados. Y lo que Cortés le respondió y en lo que se resumió la plática diré más adelante.

CAPÍTULO CXV

CÓMO EL GRAN MONTEZUMA PREGUNTÓ A CORTÉS QUE CÓMO QUERÍA IR SOBRE NARVÁEZ, SIENDO LOS QUE TRAÍA NARVÁEZ MUCHOS Y CORTÉS TENER POCOS, Y QUE LE PESARÍA SI NOS VINIESE ALGÚN MAL

COMO ESTABAN platicando Cortés y el gran Montezuma, como lo tenían de costumbre, dijo Montezuma a Cortés: "Señor Malinche: a todos vuestros capitanes y soldados os veo andar desasosegados, y también he visto que no me visitáis sino de cuando en cuando, y Orteguilla, el paje, me dice que queréis ir sobre esos vuestros hermanos que vienen en los navíos, y queréis dejar aquí en mi guarda al Tonatio; hacedme merced que me lo declaréis para que si en algo os pudiere ayudar que lo haré de buena voluntad; y también, señor Malinche, no querría que os viniese algún desmán, porque vos tenéis muy pocos *teules* y esos que vienen son cinco veces más, y ellos dicen que son cristianos como vosotros y criados de ese vuestro emperador, y tienen imágenes y ponen cruces y les dicen misa, y dicen y publican que sois gente que vinisteis huyendo de vuestro rey, y que os vienen a prender y matar; yo no os entiendo, por eso mirad lo que hacéis." Cortés le respondió con un semblante de alegría y le dijo, con doña Marina, que siempre estaba con él en todos los razonamientos, y aun Jerónimo de Aguilar, nuestras lenguas, que le dijesen que si no le había venido a dar relación de ello que como le quiere mucho y por no darle pesar con nuestra partida, que por esta causa lo ha dejado, porque así tiene por cierto que Montezuma les tiene buena voluntad. Y que cuanto a lo que dice que todos somos criados y vasallos del gran emperador, que es verdad, y que son cristianos como nosotros, y que en lo que dicen que venimos huyendo de nuestro rey y señor, que no es así, porque el rey nuestro señor nos envió para verle y hablarle todo lo que le han platicado en su real nombre; y a lo que dicen que trae muchos soldados y noventa caballos y muchos tiros de pólvora, y que nosotros somos pocos, y que nos vienen a prender, Nuestro Señor Jesucristo, en quien creemos, y Nuestra Señora Santa María, nos dará fuerza y esfuerzo más que no a ellos, pues son malos y vienen de aquella manera. Y que como nuestro emperador tiene muchos reinos y señoríos, hay en ellos mucha diversidad de gentes, unas muy esforzadas y otras mucho más, y que nosotros somos de dentro de Castilla la Vieja, y nos dicen castellanos, y aquel capitán que está en Cempoal, y la gente que trae, es de otra provincia, que llaman Vizcaya, y se llaman vizcaínos, que hablan como los otomíes, cerca de México, y que él vería cuál se los traíamos presos: y que no tuviese pesar por nuestra ida, que presto volveríamos con victoria. Y lo que ahora le pide por merced es que mire que queda con él su hermano Tonatio, que así llamaban a Pedro de Alvarado, con ochenta soldados; que después que salgamos de aquella ciudad no haya algún alboroto, ni consienta a sus capitanes y *papas* hagan cosa que después que volvamos tengan los revoltosos que pagar con las vidas, y que todo lo que hubiese menester de bastimentos, que se lo den.

Y allí le abrazó Cortés dos veces a Montezuma, y asimismo Montezuma a Cortés. Y doña Marina, como era tan avisada, se lo decía de arte que ponía tristeza con nuestra partida. Allí se ofreció que haría todo lo que Cortés le había encargado, y aun prometió que enviaría en nuestra ayuda cinco mil hombres de guerra. Y Cortés le dió las gracias por ello, más bien vio que no los había de enviar, y le dijo que no había menester más de la ayuda de Dios primeramente y de sus compañeros; y también dijo que mirase que la imagen de Nuestra Señora y la cruz que siempre tuviesen enramado y con candelas de cera ardiendo de noche y de día, y que no consintiesen a ningún *papa* que hiciesen otra cosa, porque en aquello conocería su buena amistad. Y después de tornados otra vez a abrazarse, le dijo que le perdonase que no podía estar más con él por entender en la partida. Y luego habló a Pedro de Alvarado y a todos los soldados que con él quedaban, y les encargó que en todo guardasen al gran Montezuma no se soltase, y obedeciesen a Pedro de Alvarado, y que prometía que, mediante Nuestro Señor, que los había de hacer a todos ricos.

Y allí se quedó con ellos el clérigo Juan Díaz, que no fue con nosotros, y otros hombres sospechosos. Y nos abrazamos los unos a los otros, sin llevar indias ni servicios, sino a la ligera tiramos por nuestras jornadas por Cholula. Y en el camino envió Cortés a Tlaxcala a rogar a nuestros amigos Xicotenga y Maseescaci que nos enviasen de presto cinco mil hombres de guerra. Y enviaron a decir que si fueran para contra indios como ellos, que sí hicieran, y aun muchos más, y que para contra *teules* como nosotros, y contra caballos, y contra lombardas y ballestas, que no querían; y proveyeron diez cargas de gallinas.

También Cortés escribió a Sandoval que se juntase con todos sus soldados muy presto con nosotros, que íbamos a unos pueblos obra de doce leguas de Cempoal, que se dicen Tanpaniquita y Mitlanguita,[84] que ahora son de la encomienda de Pedro Moreno Medrano, que vive en la Puebla; y que mirase muy bien Narváez no le prendiese ni hubiese a las manos a él ni a ninguno de sus soldados. Pues yendo que íbamos de la manera que he dicho con mucho concierto para pelear si encontrásemos gente de guerra de Narváez, o al mismo Narváez, y nuestros corredores del campo descubriendo y siempre una jornada adelante dos de nuestros soldados, grandes peones, personas de mucha confianza, y éstos no iban por camino derecho, sino por parte que no podían ir a caballo, para saber e inquirir de indios de la gente de Narváez, pues yendo nuestros corredores del campo descubriendo vieron venir a un Alonso de Mata, el que decían que era escribano, que venía a notificar los papeles o traslados de las provisiones, según dije atrás en el capítulo que de ello habla, y a los cuatro españoles que con él venían por testigos. Y luego vinieron los dos nuestros soldados de a caballo a dar mandado, y los otros dos corredores del campo se estuvieron en palabras con Alonso Mata y con los cuatro testigos, y en este instante nos dimos prisa en andar y alargamos el paso. Y desde que llegaron cerca de nosotros hicieron gran reverencia a Cortés y a todos nosotros. Y Cortés se apeó del caballo y supo a lo que venían; y como Alonso de Mata quería notificar los despachos que traía, Cortés le dijo que si era escribano del rey, y dijo que sí; y mandóle que luego exhibiese el título, y que si lo traía que leyese los recaudos, y que haría lo que viese que era servicio de Dios y de Su Majestad; y si no lo traía, que no leyese aquellos papeles, y que también había de ver los originales

[84] No han existido poblados de tales nombres, o parecidos, en la costa veracruzana. Acaso el Mitlanguita fuese el pueblo de Mictlanquauhtla, que desapareció. Orozco y Berra supone (Ob. cit., t. IV, pág. 387) que Tanpaniquita haya podido referirse a Tepazacualco, que aparecía en el mapa de Álvaro Patiño, ya citado.

de Su Majestad. Por manera que Mata, medio cortado porque no era escribano de Su Majestad, y los que con él venían, no sabían qué decir. Y Cortés les mandó dar de comer porque reparamos allí; y les dijo Cortés que íbamos a unos pueblos cerca del real de Narváez, que se decían Tanpanequita, y que allí podía enviar a notificar lo que su capitán mandase.

Y tenía Cortés tanto sufrimiento, que nunca dijo mala palabra de Narváez; y apartadamente habló con ellos y les tomó las manos y les dio cierto oro; y luego se volvieron a su Narváez diciendo bien de Cortés y de todos nosotros. Y como muchos de nuestros soldados, por gentileza, en aquel instante llevábamos en las armas joyas de oro y cadenas y collares al pescuezo, y aquellos que venían a notificar los papeles las vieron, dicen en Cempoal maravillas de nosotros; y muchos había en el real de Narváez, personas principales, que querían venir a traer paces y tratarlas con Cortés, y después que todos los veían ir ricos. Por manera que llegamos a Panganequita, y otro día llegó el capitán Sandoval con los soldados que tenía, que serían hasta sesenta, porque los demás viejos y dolientes los dejó en unos pueblos de indios de nuestros amigos que se decían Papalote, para que allí les diesen de comer; y también vinieron con él los cinco soldados parientes y amigos de Lucas Vázquez de Ayllón, que se habían venido huyendo del real de Narváez; y vinieron a besar las manos a Cortés, a los cuales con mucha alegría recibió muy bien.

Y allí estuvo contando Sandoval a Cortés de lo que les acaeció con el clérigo furioso Guevara, y con el Vergara y con los demás, y cómo los mandó llevar presos a México según y de la manera que dicho tengo en el capítulo pasado; y también dijo cómo desde la Villa envió dos soldados hechos indios, puestos *masteles* y mantas como indios propios, al real de Narváez, y como eran morenos de suyo dijo que no parecían españoles, sino propios indios, y cada uno llevó una carguilla de ciruelas a cuestas, que en aquella sazón era tiempo de ellas, cuando estaba Narváez en los arenales, antes que se pasasen al pueblo de Cempoal, y que fueron al rancho del bravoso Salvatierra, y que les dio por las ciruelas un sartalejo de cuentas amarillas. Y desde que hubieron vendido las ciruelas, Salvatierra les mandó que le fuesen por yerba, creyendo que eran indios, allí junto a un riachuelo que estaba cerca de los ranchos, para su caballo; y fueron y cogieron unas carguillas de yerba, y esto era a hora de la Avemaría cuando volvieron con la yerba, y se estuvieron en el rancho en cuclillas como indios hasta que anocheció; y tenían ojo y sentido en lo que decían ciertos soldados de Narváez, que vinieron a tener palacio y compañía a Salvatierra. Dizque les decía Salvatierra: "¡Oh, a qué tiempo hemos venido!, que tiene allegado ese traidor de Cortés más de setecientos mil pesos de oro y todos seremos ricos, pues los soldados y capitanes que consigo trae no será menos sino que tengan mucho oro." Y decían por ahí otras palabras. Y desde que fue bien oscuro vienen los dos de nuestros soldados que estaban como hechos indios, y callando salen del rancho y van adonde tenían el caballo, y con el freno que estaba junto con la silla le enfrenan y ensillan y cabalga con él; y viniéndose para la villa y de camino, topan otro caballo maneado cabe el riachuelo, y también se lo trajeron. Y preguntó Cortés a Sandoval por los mismos caballos, y dijo que los dejó en el pueblo de Papalote, donde quedaban los dolientes, porque por donde él venía con sus compañeros no podían pasar caballos, porque era tierra muy fragosa y de grandes sierras, y que vino por allí por no topar con gente de Narváez. Y cuando Cortés supo que era un caballo de Salvatierra, se holgó en gran manera, y dijo: "Ahora braveará más desde que le halle menos." Volvamos a Salvatierra, que desde que amaneció y no halló a los dos indios que le trajeron a vender las ciruelas, ni halló su caballo ni la silla y el freno, dijeron después muchos soldados de los del mismo Narváez que decía cosas que les hacía reír, porque luego conoció que eran españoles de los de Cortés los que les llevaron los caballos, y desde allí adelante se velaban. Volvamos a nuestra materia. Y luego Cortés con todos nuestros capitanes y soldados estuvimos platicando cómo y de qué manera daríamos en el real de Narváez.

Y lo que se concertó antes que fuésemos sobre Narváez diré adelante.

CAPÍTULO CXVI

CÓMO ACORDÓ CORTÉS CON TODOS NUESTROS SOLDADOS QUE TORNÁSEMOS A A ENVIAR AL REAL DE NARVÁEZ AL FRAILE DE LA MERCED, QUE ERA MUY SAGAZ Y DE BUENOS MEDIOS, Y QUE SE HICIESE MUY SERVIDOR DE NARVÁEZ Y QUE SE MOSTRASE FAVORABLE A SU PARTE MÁS QUE NO A LA DE CORTÉS, Y QUE SECRETAMENTE CONVOCASE AL ARTILLERO QUE SE DECÍA RODRIGO MARTÍN Y A OTRO ARTILLERO QUE SE DECÍA USAGRE, Y QUE HABLASE CON ANDRÉS DE DUERO PARA QUE VINIESE A VERSE CON CORTÉS, Y QUE OTRA CARTA QUE ESCRIBIMOS A NARVÁEZ QUE MIRASE QUE SE LA DIESE EN SUS MANOS, Y LO QUE EN TAL CASO CONVENÍA, Y TUVIESE MUCHA ADVERTENCIA, Y PARA ESTO LLEVÓ MUCHA CANTIDAD DE TEJUELOS Y CADENAS DE ORO [PARA REPARTIR]

PUES COMO YA estábamos en aquel pueblo todos juntos, acordamos que con el padre de la Merced se escribiese otra carta a Narváez, que decía en ella así u otras palabras formales como éstas, después de puesto su acato con gran cortesía: Que nos habíamos holgado de su venida, y creíamos que con su generosa persona haríamos gran servicio a Dios y a Su Majestad, y que no nos ha querido responder cosa ninguna, antes nos llama de traidores, siendo muy leales servidores del rey, y ha revuelto toda la tierra con las palabras que envió a decir a Montezuma, y que le envió Cortés a pedir que escogiese la provincia que en cualquiera parte que quisiese quedar con la gente que tiene o fuese adelante, y que nosotros iríamos a otras tierras y haríamos lo que buenos servidores de Su Majestad somos obligados, y que le hemos pedido por merced que si trae provisiones de Su Majestad que envíe los originales para ver y entender si vienen con la real firma, y verlo y qué es lo que en ellas se contiene, para que luego que lo veamos los pechos por tierra obedecerla; y que no ha querido hacer lo uno ni lo otro, sino tratarnos mal de palabra y revolver la tierra; que le pedimos y requerimos de parte de Dios y del rey nuestro señor que dentro en tres días envíe a notificar los despachos que trae con escribano de Su Majestad, y que lo cumpliremos como mandado de nuestro rey y señor todo lo que en las reales provisiones mandare, que para aquel efecto nos hemos venido a aquel pueblo de Panguenequita, por estar más cerca de su real; y que si no trae las provisiones y se quisiere volver a Cuba, que se vuelva y no alborote más la tierra, con protestación, que si otra cosa hace, que iremos contra él a prenderle y enviarlo preso a nuestro rey y señor, pues sin su real licencia nos viene a dar guerra y desasosegar todas las ciudades, y que todos los males y muertes y fuegos y menoscabos que sobre esto acaecieren que sea a su cargo y no al nuestro. Y esto se escribe ahora por carta mensiva, porque no osa ningún escribano de Su Majestad írselo a notificar por temor no les acaezca el gran desacato como el que se tuvo con un oidor de Su Majestad; y que dónde se vio tal atrevimiento de enviarle preso, y que allende de lo que dicho tiene, por lo que es obligado a la honra y justicia de nuestro rey, que le conviene castigar aquel gran desacato y delito como capitán general y justicia mayor que es de esta Nueva España, le cita y emplaza para ello, y se lo demandará usando de justicia, pues es crimen *lege magestatis* en lo que ha tratado y que hace a Dios testigo de lo que ahora dice.

Y también le envió a decir que luego volviese al cacique gordo las mantas y ropas y joyas de oro que le habían tomado por fuerza, y asimismo las hijas de señores que nos habían dadó sus padres, y mandase a sus soldados que no robasen a los indios de aquel pueblo ni de otros. Y después de puesto su cortesía y firmada de Cortés y de nuestros capitanes y algunos soldados, iba allí mi firma. Y entonces se fue con el mismo fraile un soldado que se decía Bartolomé de Usagre, por que era hermano del artillero Usagre que tenía cargo de la artillería de Narváez. Y llegado nuestro religioso y Usagre a Cempoal adonde estaba Narváez, diré lo que dizque pasó.

CAPÍTULO CXVII

CÓMO EL FRAILE DE LA MERCED FUE A CEMPOAL, DONDE ESTABA NARVÁEZ Y TODOS SUS CAPITANES, Y LO QUE PASÓ CON ELLOS, Y LES DIO LA CARTA

COMO EL FRAILE de la Merced llegó al real de Narváez, sin yo gastar más palabras en tornarlo a recitar, hizo lo que Cortés le mandó, que fue convocar a ciertos caballeros de los de Narváez y al artillero Rodrigo Martín, que así se llamaba, y a Usagre, que tenía también cargo de los tiros, y para mejor atraerle fue su hermano de Usagre con tejuelos de oro, que dio de secreto al hermano. Y asimismo repartió el fraile todo el oro que Cortés le mandó; y habló a Andrés de Duero que luego se viniese a nuestro real a verse con Cortés, y demás de esto ya el fraile había ido a ver y hablar a Narváez y hacérsele muy gran servidor.

Y, andando en estos pasos, tuvieron gran sospecha de lo en que andaba nuestro fraile, y aconsejaban a Narváez que luego le prendiese, y así lo quería hacer; y como lo supo Andrés de Duero, que era secretario de Diego Velázquez y era de Tudela de Duero y teníanse por deudos Narváez y él, porque Narváez también era de tierra de Valladolid, o del mismo Valladolid, y en toda la armada era muy estimado y preminente, Andrés de Duero fue a Narváez y le dijo que le habían dicho que quería prender al fraile de la Merced, mensajero y embajador de Cortés; que mirase que, ya que se tuviese sospecha que el fraile hablaba algunas cosas en favor de Cortés, que no es bien prenderle, pues que claramente se ha visto cuánta honra y dádivas da Cortés a todos los suyos de Narváez que allá van, y que el fraile ha hablado con él después que allí ha venido, y lo que siente de él es que desea que él y otros caballeros del real de Cortés venir a servirle, y que todos fuesen amigos; y que mire cuanto bien dice Cortés a los mensajeros que envía, que no le sale por la boca a él ni a cuantos con él están sino el señor capitán Narváez, y que sería poquedad prender a un religioso; y que otro hombre que vino con él, que es hermano de Usagre el artillero, que le viene a ver; que convide al fraile a comer y le saque del pecho la voluntad que todos los de Cortés tienen.

Y con aquellas palabras y otras sabrosas que le dijo amansó a Narváez; y luego después que esto pasó se despidió Andrés de Duero de Narváez y secretamente habló al padre lo que había pasado. Y luego Narváez envió a llamar al fraile, y como vino le hizo mucho acato; y el fraile, medio riendo, que era muy cuerdo y sagaz, le suplicó que se apartase en secreto, y Narváez se fue con él paseando a un patio, y el fraile le dijo: "Bien entendido tengo que vuestra merced me quería mandar prender; pues hágole saber, señor, que no tiene mejor ni mayor servidor en su real que yo, y tenga por cierto que muchos caballeros y capitanes de los de Cortés le querrían ya ver en manos de vuestra merced, y así creo que vendremos todos, y para más atraerle a que se desconcierte le han hecho escribir una carta de desvaríos, firmada de los soldados, que me dieron que diese a vuestra merced, que no la he querido mostrar hasta ahora que viene a pláticas, que en un río la quise echar por las necedades que en ella trae; y esto hacen sus capitanes y soldados de Cortés por verle ya desconcertar." Y Narváez dijo que se la diese; y el fraile dijo que la dejó en su posada y que iría por ella, y así se despidió para ir por la carta. Y entretanto vino al aposento de Narváez el bravoso Salvatierra, y de presto el fraile llamó a Duero que fuese luego en casa de Narváez para darle la carta, que bien sabía ya Duero de ella, y aun otros capitanes de Narváez que se habían mostrado por Cortés, porque el fraile consigo la traía, sino porque estuviesen juntos muchos de los de aquel real y la oyesen. Y luego como vino el fraile con la carta, se la dio al mismo Narváez, y dijo: "No se maraville vuestra merced con ella, que ya Cortés anda desvariando, y sé cierto que si vuestra merced le habla con amor, que luego se le dará él y todos los que consigo trae."

Dejemos de razones del fraile, que las tenía muy buenas, y digamos que le dijeron a Narváez los soldados y capitanes que leyese la carta, y después que la oyeron dizque hacían bramuras Narváez y Salvatierra; los demás se reían, como haciendo burla de ella. Y entonces dijo Andrés de Duero: "Ahora yo no sé como sea esto, yo no lo entiendo, porque este religioso me ha dicho que Cortés y todos se le darán a vuestra merced, y escribir ahora estos desvaríos." Y luego, de buena tinta, también le ayudó a Duero un Agustín Bermúdez, que era capitán y alguacil mayor del real de Narváez, y dijo: "Ciertamente también he sabido de este fraile de la Merced muy en secreto que como enviase buenos terceros que el mismo Cortés vendría a verse con vuestra merced, para que se diese con sus soldados, y será bien que envíe a su real, pues no está muy lejos, al señor veedor Salvatierra y al señor Andrés de Duero, o yo iré con ellos." Y esto dijo adrede por ver qué diría Salvatierra. Y luego dijo Narváez que fuese Andrés de Duero y Salvatierra. Respondió Salvatierra que estaba mal dispuesto, y que no iría a ver a un traidor. Y el fraile le dijo: "Señor: bueno es tener templanza, pues estad cierto que le tendréis preso antes de muchos días."

Pues, concertada la partida de Andrés de Duero, parece ser muy en secreto trató Narváez con el mismo Duero y con tres capitanes que tuviesen manera con Cortés cómo se viesen en unas estancias y casas de indios, que estaban entre el real de Narváez y el nuestro, y que allí se darían conciertos dónde habíamos de ir con Cortés a poblar y partir términos, y en la vista le prendería; y para ello tenía ya hablado Narváez a veinte soldados de sus amigos, lo cual luego supo el fraile, y asimismo Andrés de Duero, y avisaron a Cortés de todo. Dejemos al fraile en el real de Narváez, que ya se había hecho muy amigo y pariente de Salvatierra, siendo el fraile de Olmedo y Salvatierra de Burgos, y comió con él, y digamos de Andrés de Duero, que quedaba apercibiéndose para ir a nuestro real y llevar consigo a Bartolomé de Usagre, nuestro soldado, porque Narváez no alcanzase a saber de él lo que pasaba, y diré lo que en nuestro real hicimos.

CAPÍTULO CXVIII

CÓMO EN NUESTRO REAL HICIMOS ALARDE DE LOS SOLDADOS QUE ÉRAMOS, Y CÓMO TRAJERON DOSCIENTAS Y CINCUENTA PICAS MUY LARGAS CON DOS HIERROS DE COBRE CADA UNA, QUE CORTÉS HABÍA MANDADO HACER EN UNOS PUEBLOS QUE SE DICEN LOS CHINANTECAS, Y NOS IMPONÍAMOS CÓMO HABÍAMOS DE JUGAR DE ELLAS PARA DERROCAR LA GENTE DE A CABALLO QUE TENÍA NARVÁEZ, Y OTRAS COSAS QUE EN EL REAL PASARON

VOLVAMOS ALGO ATRÁS de lo dicho, lo que más pasó. Así como Cortés tuvo noticia de la armada que traía Narváez, luego despachó un soldado que había estado en Italia, bien diestro de todas armas y más de jugar de una pica, y le envió a una provincia que se dice los chinantecas, junto adonde estaban nuestros soldados, los que fueron a buscar minas, porque aquellos de aquella provincia eran muy enemigos de los mexicanos, y pocos días había que tomaron nuestra amistad, y usaban por armas muy grandes lanzas, mayores que las nuestras de Castilla, con dos brazas de pedernal y navajas. Y enviósele a rogar que luego le trajesen adondequiera que estuviese trescientas de ellas, y que les quitasen las navajas, y que pues tenían mucho cobre que les hiciesen a cada una dos hierros; y llevó el soldado la manera que habían de ser los hierros.

Y como luego de presto buscaron las lanzas e hicieron los hierros, porque en toda la provincia en aquella sazón eran cuatro o cinco pueblos sin muchas estancias, las recogieron e hicieron los hierros muy más perfectamente que se los enviamos a mandar. Y también mandó a nuestro soldado, que se decía Tovilla, que les demandase dos mil hombres de guerra, y que para el día de Pascua de Espíritu Santo viniese con ellos al pueblo de Panganequita, que así se decía, o que preguntase en qué parte estábamos, y que los dos mil hombres trajesen lanzas. Por manera que el soldado se los demandó, y los caciques dijeron que ellos vendrían con la gente de guerra, y el soldado se vino luego con obra de doscientos indios, que trajeron las lanzas; y con los demás indios de guerra quedó para venir con ellos otro soldado de los nuestros que se decía Barrientos, y este Barrientos estaba en la estancia y minas que descubrían, ya por mí otra vez memoradas, y allí se concertó que había de venir de la manera que está dicho a nuestro real, porque sería de andadura diez o doce leguas de lo uno a lo otro. Pues venido nuestro soldado Tovilla con las lanzas, eran muy extremadas de buenas y allí se daba orden y nos imponía el soldado y amostraba [enseñaba] a jugar con ellas, y cómo nos habíamos de haber con los de a caballo.

Y ya teníamos hecho nuestro alarde y copia y memoria de todos los soldados y capitanes de nuestro ejército, y hallamos doscientos sesenta y seis, contados atambor y pífano, sin el fraile, y con cinco de a caballo, y dos tirillos y pocos ballesteros y menos escopeteros, y a lo que tuvimos ojo para pelear con Narváez eran las picas, y fueron muy buenas, como adelante verán. Y dejemos de platicar más en el alarde y lanzas, y diré cómo llegó Andrés de Duero, que envió Narváez a nuestro real, y trajo consigo a nuestro soldado Usagre y dos indios *naborías* de Cuba, y lo que dijeron y concertaron Cortés y Duero, según después alcanzamos a saber.

CAPÍTULO CXIX

CÓMO VINO ANDRÉS DE DUERO A NUESTRO REAL Y EL SOLDADO USAGRE Y DOS INDIOS DE CUBA, "NABORÍAS" DE DUERO, Y QUIÉN ERA DUERO Y A LO QUE VENÍA Y LO QUE TUVIMOS POR CIERTO, Y LO QUE SE CONCERTÓ

Y DE ESTA MANERA que tengo de volver muy atrás a recitar lo pasado. Ya he dicho en el capítulo [XIX], muy atrás pasado, que cuando estábamos en Santiago de Cuba que se concertó Cortés con Andrés de Duero y con un contador del rey que se decía Amador de Lares, que eran grandes amigos de Diego Velázquez, y Duero era su secretario, que tratase con Diego Velázquez que le hiciesen a Cortés capitán general para venir en aquella armada, y que partiría con ellos todo el oro y plata y joyas que le cupiese de su parte de Cortés. Y como Andrés de Duero vio en aquel instante a Cortés, su compañero, tan rico y poderoso, y so color que venía a poner paces y a favorecer a Narváez, en lo que entendió era demandar la parte de la compañía, porque ya el otro su compañero, Amador de Lares, era fallecido; y como Cortés era sagaz y mañoso, no solamente le prometió de darle gran tesoro, sino que también le daría mando en toda la armada, ni más ni menos que su propia persona, y que después de conquistada la Nueva España le daría otros tantos pueblos como a él, con tal que tuviese concierto con Agustín Bermúdez, que era alguacil mayor del real de Narváez, y con otros caballeros que aquí no nombro, que estaban convocados para que en todo caso fuesen en desviar a Narváez para que no saliese con la vida y con honra y le desbaratase; y como a Narváez tuviese muerto o preso, y deshecho a su armada, que ellos quedarían por señores y partirían el oro y pueblos de la Nueva España. Y para más atraerle y convocar a lo que dicho tengo, le cargó de oro sus dos indios de Cuba. Y según pareció, Duero se lo prometió y aun ya se lo tenía prometido Agustín Bermúdez por firmas y cartas, y también envió Cortés a Bermúdez y a un clérigo que se decía Juan de León y al clérigo Guevara, que fue el que primero envió Narváez, y otros sus amigos, muchos tejuelos y joyas de oro, y les escribió lo que le pareció que convenía para que en todo le ayudasen.

Y estuvo Andrés de Duero en nuestro real el día que llegó hasta otro día después de comer, que era día de Pascua del Espíritu Santo, y comió con Cortés, y estuvo hablando en secreto un rato, y después que hubieron comido se despidió Duero de todos nosotros, así capitanes como soldados, y luego fue a caballo otra vez adonde Cortés estaba, y dijo: "¿Qué manda vuestra merced, que me quiero partir?" Y respondióle: "Que vaya con Dios vuestra merced, y mire, señor Andrés de Duero, que haya buen concierto de lo que tenemos platicado; si no, en mi conciencia, que así juraba Cortés, que antes de tres días con todos mis compañeros seré allá en vuestro real, y al primero que le eche la lanza será a vuestra merced si otra cosa siento al contrario de lo que tenemos hablado." Y Duero se rió y dijo: "No faltaré en cosa que sea contrario de servir a vuestra merced." Y luego se fue, y llegado a su real dizque dijo a Narváez que Cortés y todos los que estábamos con él sentía estar de buena voluntad para pasarnos con el mismo Narváez.

Dejemos de hablar de esto de Duero, y diré cómo Cortés luego mandó llamar a un nuestro capitán que se decía Juan Velázquez de León, persona de mucha cuenta y amigo de Cortés, y era pariente muy cercano del gobernador de Cuba, Diego Velázquez, y, a lo que siempre tuvimos creído, también le tenía Cortés convocado y atraído así con grandes dádivas y ofrecimientos que le daría mando en la Nueva España y le haría su igual, porque Juan Velázquez siempre se mostró su muy gran servidor y verdadero amigo, como adelante verán. Y después que hubo venido delante de Cortés y hecho su acato, le dijo: "¿Qué manda vuestra merced?" Y como Cortés hablaba algunas veces muy meloso y con la risa en la boca, le dijo medio riendo: "A lo que al señor Juan Velázquez le hice llamar es que me ha dicho Andrés de Duero que dice Narváez, y en todo su real hay fama, que si vuestra merced va allá que luego yo soy deshecho y desbaratado, porque creen que se ha de hacer con Narváez, y a esta causa he acordado que, por mi vida, si bien me queréis, que luego vaya en su buena yegua rucia y que lleve todo su oro y la fanfarrona (que era muy pesada cadena de oro) y otras cositas que yo le daré, que dé allá por mí a quien yo le dijere, y su fanfarrona, que pesa mucho, llevará al un hombro, y otra cadena que pesa más que ella llevará ceñida con dos vueltas, y allá verá qué le quiere Narváez, y en viniendo que se venga, luego irá allá el señor Diego de Ordaz, que le desean ver en su real, como mayordomo que era de Diego Velázquez."

Y Juan Velázquez respondió que él haría lo que su merced mandaba, mas que su oro y cadenas que no las llevaría consigo, salvo lo que le diese para dar a quien mandase, porque donde su persona estuviese es para siempre servirle más que cuanto oro ni piedras de diamantes puede haber. "Así lo tengo yo creído, dijo Cortés, y con esta confianza, señor, le envío; mas si no lleva todo su oro y joyas, como le mando, no quiero que vaya allá." Y Juan Velázquez respondió: "Hágase lo que vuestra merced mandare." Y no quiso llevar sus joyas. Allí le habló Cortés secretamente, y luego se partió y llevó en su compañía a un mozo de espuelas de Cortés para que le sirviese, que se decía Juan del Río. Y dejemos de esta partida de Juan Velázquez, que dijeron que le envió Cortés por descuidar a Narváez, y volvamos a decir lo que en nuestro real pasó, que de allí a dos horas que se partió Juan Velázquez mandó Cortés tocar el atambor a Canillas, que así se llamaba nuestro atambor, y a Benito de Beger, nuestro pífano, que tocase su tamborino, y mandó a Gonzalo de Sandoval, que era capitán y alguacil mayor, para que llamase a todos los soldados y comenzásemos a marchar luego a paso largo camino de Cempoal.

Y yendo por nuestro camino se mataron dos puercos de la tierra que tienen el ombligo en el espinazo, y dijimos muchos soldados que era señal de victoria, y dormimos en un repecho cerca de un riachuelo, y nuestros corredores del campo adelante, y espías y rondas. Y desde que amaneció caminamos por nuestro camino derecho y fuimos a hora de mediodía a sestear a un río adonde está ahora poblada la Villa Rica de la Veracruz, donde desembarcan las barcas con mercaderías que vienen de Castilla, porque en aquel tiempo estaban pobladas junto al río unas casas de indios y arboledas. Y como en aquella tierra hace grandísimo sol, reposamos, como dicho tengo, porque traíamos nuestras armas y picas. Y dejemos ahora de más caminar y digamos lo que a Juan Velázquez de León le avino con Narváez y con un su capitán que también se decía Diego Velázquez, sobrino de Velázquez, gobernador de Cuba.

CAPÍTULO CXX

CÓMO LLEGÓ JUAN VELÁZQUEZ DE LEÓN Y UN MOZO DE ESPUELAS DE CORTÉS, QUE SE DECÍA JUAN DEL RÍO, AL REAL DE NARVÁEZ, Y LO QUE EN ÉL PASÓ

YA HE DICHO cómo envió Cortés a Juan Velázquez de León, y al mozo de espuelas para que le acompañase a Cempoal y a ver lo que Narváez le quería, que tanto deseo tenía de tenerlo en su compañía. Por manera que así como partieron de nuestro real se dio tanta prisa en el camino, que fue [a] amanecer a Cempoal, y se fue [a] apear Juan Velázquez en casa del cacique gordo, porque Juan del Río no tenía caballo, y desde allí se iban a pie a la posada de Narváez. Pues como los indios le conocieron holgaron de verle y hablar, y decían a voces a unos soldados de Narváez, que allí posaban en casa del cacique gordo, que aquel era Juan Velázquez de León, capitán de Malinche. Y así como los oyeron los soldados fueron corriendo a demandar albricias a Narváez cómo había venido Juan Velázquez de León; y antes que Juan Velázquez llegase a la posada de Narváez, y como de repente supo Narváez su venida, le salió a recibir a la calle, acompañado de ciertos soldados, donde se encontraron Juan Velázquez y Narváez y se hicieron muy grandes acatos. Y Narváez abrazó a Juan Velázquez y le mandó sentar en una silla, que luego trajeron sillas y asentaderos, cerca de si, y le dijo que por qué no se fue [a] apear a su posada, y mandó a sus criados que le fuesen luego por el caballo y fardaje, si llevaba, para que en su casa y su caballeriza y posada estaría. Y Juan Velázquez dijo que luego se quería volver, que no venía sino a besarle las manos y a todos los caballeros de su real y para ver si podía dar concierto que su merced y Cortés tuviesen paz y amistad. Entonces dizque dijo Narváez, habiendo apartado a Juan Velázquez, muy airado, cómo, que tales palabras le había de decir: ¡tener amistad y paz con un traidor, que se alzó a su primo Diego Velázquez con la armada! Y Juan Velázquez respondió que Cortés no era traidor, sino buen servidor de Su Majestad, y que ocurrir a nuestro rey y señor, como envió, no se le ha de atribuir a traición, y que le suplica que delante de él no se diga tal palabra. Y entonces Narváez le comenzó a convocar con grandes prometimientos que se quedase con él, y que concierte con los de Cortés que se le diesen y vengan luego a meterse en su obediencia, prometiéndole con juramento que sería en todo su real el más preeminente capitán, y en el mando segunda persona. Y Juan Velázquez respondió que mayor traición haría él dejar al capitán que tiene jurado en la guerra y desampararle, conociendo que en todo lo que ha hecho en la Nueva España es en servicio de Dios Nuestro Señor y de Su Majestad, que no dejar ocurrir Cortés como ocurrió a nuestro rey y señor; y que le suplica que no le hable más de ello.

En aquella sazón habían venido a ver a Juan Velázquez todos los más principales capitanes del real de Narváez, y le abrazaban con gran cortesía, porque Juan Velázquez era muy del palacio y buen cuerpo, membrudo y buena presencia y rostro, y la barba bien puesta, y llevaba una cadena muy grande de oro echada al hombro, que le daba dos vueltas debajo del brazo; parecíale muy bien como bravoso y buen capitán. Dejemos del bien parecer de Juan Velázquez y como lo estaban mirando todos los capitanes de Narváez, y aun nuestro fraile de la Merced también le vino a ver y en secreto [a] hablar, y asimismo Andrés de Duero y el alguacil mayor Bermúdez.

Pareció ser que en aquel instante ciertos capitanes de Narváez, que se decían Gamarra y un Juan Juste y un Juan Bono de Quexo, vizcaíno, y Salvatierra el bravoso, aconsejaron a Narváez que luego prendiese a Juan Velázquez, porque les pareció que hablaba muy sueltamente en favor de Cortés. Y ya había mandado Narváez secretamente a sus capitanes y alguaciles que le echasen preso; súpolo Agustín Bermúdez y Andrés de Duero y nuestro fraile de la Merced y un clérigo que se decía Juan de León, y otras personas de las que se habían dado por amigos de Cortés, y dicen a Narváez que se maravillan de su merced, querer mandar prender a Juan Velázquez de León; que qué puede hacer Cortés contra él, aunque tenga en su compañía otros cien Juan Velázquez, y que mire la honra y acatos que hace Cortés a todos los que de su real han ido, que les sale a recibir y a todos les da oro y joyas y vienen cargados como abejas a las colmenas, y de otras cosas de mantas y mosqueadores, y que a Andrés de Duero y al clérigo Guevara y Anaya y a Vergara el escribano, y a Alonso de Mata y a otros que han ido a su real bien los pudiera prender y no lo hizo; antes, como dicho tienen, les hace mucha honra, y que será mejor que le torne a hablar a Juan Velázquez con mucha cortesía y le convide a comer. Por manera que Narváez le pareció buen consejo, y luego le tornó a hablar con palabras muy amorosas para que fuese tercero en que Cortés se le diese con todos nosotros, y le convidó a comer. Y Juan Velázquez respondió que haría lo que pudiese en aquel caso, mas que tenía a Cortés por muy porfiado y cabezudo en aquel negocio, y que sería mejor que partiesen las provincias y que escogiese la tierra que más su merced quisiese.

Y esto decía Juan Velázquez por amansarle. Entre aquellas pláticas llegóse al oído de Narváez el fraile de la Merced y díjole, como su privado y consejero que ya se le había hecho: "Mande vuestra merced hacer alarde toda su artillería y caballeros y escopeteros y ballesteros y soldados, para que lo vea Juan Velázquez de León y el mozo de espuelas Juan del Río, para que Cortés tema vuestros poderes y gentes y se venga a vuestra merced aunque le pese." Y esto le dijo el fraile como por vía de su muy gran servidor y amigo y por hacerle que trabajasen todos los de caballo y soldados en su real. Por manera que, por el dicho de nuestro fraile, hizo hacer alarde delante de Juan Velázquez de León y de Juan del Río, estando presente nuestro religioso. Y después que fue acabado de hacer dijo Juan Velázquez a Narváez: "Gran pujanza trae vuestra merced; Dios se lo acreciente." Entonces dijo Narváez: "Ahí verá vuestra merced que, si quisiera haber ido contra Cortés, le hubiera traído preso y a cuantos estáis con él." Entonces respondió Juan Velázquez y dijo: "Téngale vuestra merced por tal y a los soldados que con él estamos, que sabremos muy bien defender nuestras personas." Y así cesaron las pláticas.

Y otro día llevóle convidado a comer a Juan Velázquez, y comía con Narváez un sobrino de Diego Velázquez, gobernador de Cuba, que también era su capitán; y estando comiendo tratóse plática de cómo Cortés no se daba a Narváez y de la carta y requerimiento que le envió, y de unas palabras a otras desmandóse el sobrino de Diego Velázquez, que también se decía Diego Velázquez como el tío, y dijo que Cortés y todos los que con él estábamos éramos traidores, pues no se venían a someter a Narváez. Y Juan Velázquez luego que lo oyó, se levantó de la silla en que estaba, y con mucho acato dijo: "Señor capitán Narváez; ya he suplicado a vuestra merced que no consienta que se digan palabras tales como éstas que dijo de Cortés ni de ninguno de los que con él estamos, porque verdaderamente son mal dichas, decir mal de nosotros que tan lealmente hemos servido a Su Majestad." Y Diego Velázquez respondió que eran bien dichas, y pues volvía por un traidor y traidores, debía de ser otro tal como él, y que no era de los Velázquez de los buenos. Y Juan Velázquez, echando mano a su espada, le dijo que mentía y que era mejor caballero que no él, y de los buenos Velázquez, mejor que no él ni su tío, y que se lo haría conocer si el señor capitán Narváez les daba licencia. Y como había allí muchos capitanes, así de los de Narváez y algunos amigos de los de Cortés, se metieron en medio, que de hecho le iba a dar Juan Velázquez una estocada, y aconsejaron a Narváez que luego le mandase salir de su real, así a él como al fraile y a Juan del Río, porque, a lo que sentían, no hacían provecho ninguno.

Y luego sin más dilación les mandaron que se fuesen, y ellos, que no veían la hora de verse en nuestro real, lo pusieron por obra. Y dizque Juan Velázquez yendo a caballo en su buena yegua y su cota puesta, que siempre andaba con ella, y con su capacete y gran cadena de oro, se fue a despedir de Narváez. Y estaba allí con Narváez el mancebo Diego Velázquez, el de la brega, y dijo a Narváez: "¿Qué manda vuestra merced para nuestro real?" Respondió Narváez, muy enojado, que se fuese, y que valiera más que no hubiera venido. Y dijo el mancebo Diego Velázquez palabras de amenaza a Juan Velázquez. Y le respondió a ellas Juan Velázquez de León, echándose mano a las barbas: "Por éstas, que yo vea antes de muchos días si vuestro esfuerzo es tanto como vuestro hablar." Y como venían con Juan Velázquez seis o siete de los del real de Narváez, que ya estaban convocados por Cortés, que lo iban a despedir, dicen que trabaron de él como enojados, y le dijeron: "Váyase y no cure de más hablar, que es gran atrevimiento y digno de castigo." Y así se despidieron, y a buen andar de sus caballos se van para nuestro real, porque luego les avisaron a Juan Velázquez que Narváez los quería prender y apercibía muchos de [a] caballo que fuesen tras ellos.

Viniendo su camino nos encontraron al río que dicho tengo que está cabe la Veracruz. Estando que estábamos en el río por mí ya nombrado, teniendo la siesta, porque en aquella tierra hace muy recio calor, porque, como caminábamos con todas nuestras armas a cuestas y cada uno con una pica, estábamos cansados; y en este instante vino uno de nuestros corredores del campo a dar mandado a Cortés que veía venir buen rato de allí dos o tres personas de a caballo, y luego presumimos que serían nuestros embajadores Juan Velázquez de León y el fraile y Juan del Río. Y como llegaron adonde estábamos, ¡qué regocijos y alegrías tuvimos todos!, y Cortés, ¡cuántas caricias y buenos comedimientos hizo a Juan Velázquez y a nuestro fraile! Y tenía mucha razón, porque le fueron muy servidores.

Y allí contó Juan Velázquez paso por paso todo lo por mí atrás dicho, que les acaeció con Narváez, y cómo envió secretamente a dar las cadenas y tejuelos y joyas de oro a las personas que Cortés mandó. Pues, oír a nuestro fraile, como era regocijado, sabíalo muy bien representar, cómo se hizo muy servidor de Narváez, y que por hacer burla de él le aconsejó que hiciese el alarde y sacase su artillería, y con qué astucia y mañas le dio la carta. Pues cuando contaba lo que le acaeció con Salvatierra y se le hizo muy pariente, siendo el fraile de Olmedo y Salvatierra delante de Burgos; y de los fieros que le decía Salvatierra que había de hacer y acontecer en prendiendo a Cortés y a todos nosotros, y aun se le quejó de los soldados que le hurtaron su caballo y el de otro capitán. Y todos nosotros nos holgábamos de oírlo, como si fuéramos a bodas y regocijos, y sabíamos que otro día habíamos de entrar en batallas y que habíamos de vencer o morir en ellas, siendo como éramos doscientos y sesenta y seis soldados, y los de Narváez cinco veces más que nosotros.

Y volvamos a nuestra relación. Y es que luego todos caminamos para Cempoal y fuimos a dormir a un riachuelo adonde estaba en aquella sazón una puente, obra de una legua de Cempoal, adonde está ahora una estancia de vacas. Y dejarlo he aquí, y diré lo que se hizo en el real de Narváez después que se vinieron Juan Velázquez y el fraile y Juan del Río, y luego volveré a contar lo que hicimos en nuestro real, porque en un instante acontece dos y tres cosas, y por fuerza he de dejar las unas por contar lo que más viene a propósito de esta relación.

CAPÍTULO CXXI

DE LO QUE SE HIZO EN EL REAL DE NARVÁEZ DESPUÉS QUE DE ALLÍ SALIERON NUESTROS EMBAJADORES

Pareció ser que como se vinieron Juan Velázquez y el fraile y Juan del Río, dijeron a Narváez sus capitanes que en su real sentían que Cortés había enviado muchas joyas de oro y que tenía de su parte amigos en el mismo real, y que sería bien estar muy apercibido y avisase a todos sus soldados que estuviesen con sus armas y caballos prestos. Y demás de esto, el cacique gordo, otras veces por mí memorado, temía a Cortés porque había consentido que Narváez tomase las mantas y oro e indios que le tomó; y siempre tenía espías sobre nosotros, en qué parte dormíamos y por qué camino veníamos, porque así se lo había mandado por fuerza Narváez. Y como supo que ya llegábamos cerca de Cempoal, le dijo el cacique gordo a Narváez: "¿Qué hacéis que estáis muy descuidado? ¿Pensáis que Malinche y los *teules* que trae consigo que son así como vosotros? Pues yo digo que cuando no os catareis será aquí y os matará." Y aunque hacían burla de aquellas palabras que el cacique gordo les dijo, no dejaron de apercibirse, y la primera cosa que hicieron fue pregonar guerra contra nosotros a fuego y sangre y a toda ropa franca. Un soldado que llamaban el Galleguillo, que se vino huyendo del real de Narváez, o le envió Andrés de Duero, dio aviso a Cortés de lo del pregón y de otras cosas que convino saber.

Volvamos a Narváez, que luego mandó sacar toda su artillería y los de [a] caballo, y escopeteros y ballesteros y soldados, a un campo obra de un cuarto de legua de Cempoal para allí aguardarnos y no dejar ninguno de nosotros que no fuese muerto o preso. Y como llovió mucho aquel día, estaban ya los de Narváez hartos de estar aguardándonos al agua, y como no estaban acostumbrados a aguas ni trabajos y no nos tenían en nada, sus capitanes le aconsejaron que se volviesen a los aposentos, y que era afrenta estar allí como estaban aguardando a dos, tres y as, que decían que éramos, y que asestase su artillería delante de sus aposentos, que eran diez y ocho tiros gruesos, y que estuviesen toda la noche cuarenta de [a] caballo esperando en el camino por donde habíamos de ir a Cempoal; y que tuviese al pasar del río, que era por donde habíamos de venir, sus espías, que fuesen buenos hombres de a caballo y peones y ligeros para dar mandado; y que en los patios de los aposentos de Narváez anduviesen toda la noche veinte de [a] caballo.

Y este concierto que le dieron fue por hacerle volver a los aposentos, y más le decían sus capitanes: "¿Pues cómo, señor, por tal tiene a Cortés que se ha de atrever que con tres gatos que tiene ha de venir a este real por el dicho de este indio gordo? No lo crea vuestra merced, sino que ha hecho aquellas algaradas y muestras de venir porque vuestra merced venga a buen concierto con él." Por manera que así como dicho tengo se volvió Narváez a su real, y después de vuelto públicamente prometió que quien matase a Cortés o a Gonzalo de Sandoval que le daría dos mil pesos; y luego puso espías al río, a un Gonzalo Carrasco, que vive ahora en Puebla, y el otro se decía fulano Hurtado, y el nombre y apellido y señal secreta que dio cuando batallasen contra nosotros en su real había de ser: "¡Santa María, Santa María!", y demás de este concierto que tenían hecho, mandó Narváez que en su aposento durmiesen muchos soldados, así escopeteros como ballesteros, y otros con partesanas; y otro tanto mandó que estuviesen en el aposento del veedor Salvatierra y de Gamarra y de Juan Bono. Ya he dicho el concierto que tenía Narváez en su real, y volveré a decir la orden que se dio en el nuestro.

CAPÍTULO CXXII

DEL CONCIERTO Y ORDEN QUE SE DIO EN NUESTRO REAL PARA IR CONTRA NARVÁEZ, Y DEL RAZONAMIENTO QUE CORTÉS NOS HIZO Y LO QUE LE RESPONDIMOS

LLEGADOS QUE FUIMOS al riachuelo que ya he dicho y memorado, que estará obra de una legua de Cempoal y había allí unos buenos prados, y después de haber enviado nuestros corredores del campo, personas de confianza, nuestro capitán Cortés, a caballo, nos envió a llamar, así capitanes como a todos los soldados, y de que nos vio juntos nos dijo que pedía por merced que callásemos, y luego comenzó un parlamento por tan lindo estilo y plática tan bien dicha, cierto otra más sabrosa y llena de ofertas que yo aquí sabré escribir, en que nos trajo luego a la memoria desde que salimos de la isla de Cuba, con todo lo acaecido por nosotros hasta aquella sazón, y nos dijo:

"Bien saben vuestras mercedes que Diego Velázquez, gobernador de Cuba, me eligió por capitán general, no porque entre vuestras mercedes no había muchos caballeros que eran merecedores de ello; ya saben y tuvieron creído que veníamos a poblar, y así se publicaba y pregonó, y, según han visto, enviaba a rescatar. Ya saben lo que pasamos sobre que me quería volver a la isla de Cuba a dar cuenta a Diego Velázquez del cargo que me dio, conforme a sus instrucciones, pues vuestras mercedes me mandaron y requirieron que poblásemos esta tierra en nombre de Su Majestad, como, gracias a Nuestro Señor, la tenemos poblada, y fue cosa muy acertada. Y demás de esto, me hicisteis vuestro capitán general y justicia mayor de ella, hasta que Su Majestad otra cosa sea servido mandar, y como ya he dicho, entre algunos de vuestras mercedes hubo algunas pláticas de volver a Cuba, que no lo quiero aquí más declarar, pues, a manera de decir, ayer pasó, y fue muy santa y buena nuestra quedada, y hemos hecho a Dios y a Su Majestad gran servicio, que esto claro está. Y ya saben lo que prometimos en nuestras cartas a Su Majestad después de haberle dado cuenta y relación de todos nuestros hechos, que punto no quedó, y que esta tierra es de la manera que hemos visto y conocido de ella, que es cuatro veces mayor que Castilla, y de grandes pueblos, y muy rica de oro y minas, y tiene cerca otras provincias; y cómo enviamos a suplicar a Su Majestad que no la diese en gobernación ni de otra cualquier manera a persona ninguna, y porque creíamos y teníamos por cierto que el obispo de Burgos, don Juan Rodríguez de Fonseca, que era en aquella sazón presidente de Indias y tenía mucho mando, que la demandaría a Su Majestad para Diego Velázquez o algún pariente o amigo del mismo obispo, porque esta tierra es tal o tan buena que convenía darse a un infante o gran señor, y que teníamos determinado de no darla a persona alguna hasta que Su Majestad oyese a nuestros procuradores y nosotros viésemos su real firma; y vista, que con lo que fuere servido mandar, los pechos por tierra. Y con las cartas ya saben que enviamos y servimos a Su Majestad con todo el oro y plata y joyas y todo cuanto teníamos y habíamos habido."

Y más dijo: "Bien se les acordará, señores, cuántas veces hemos llegado a puntos de muerte en las guerras y batallas que hemos habido, pues traerlas a la memoria, ¡qué acostumbrados estamos de trabajos y aguas y vientos y algunas veces hambres, y siempre traer las armas a cuestas y dormir por los suelos, así nevando como lloviendo, que si miramos en ello, los cueros tenemos ya curtidos de los trabajos! No quiero decir de más de cincuenta de nuestros compañeros que nos han muerto en las guerras, ni de todas vuestras mercedes cómo estáis entrapajados y mancos de heridas que aun ahora están por sanar; pues que les quiera traer a la memoria los trabajos que trajimos por la mar, y las batallas de Tabasco, y los que se hallaron en lo de Almería y lo de Cingapacinga, y cuántas veces por las sierras y caminos nos procuraban de quitar las vidas; pues en las batallas de Tlaxcala en qué punto nos pusieron y cuáles nos traían; pues la de Cholula, ya tenían puestas las ollas para comer nuestros cuerpos; pues a la subida de los puertos no se les habrá olvidado los poderes que tenía Montezuma para no dejar ninguno de nosotros, y bien vieron los caminos todos llenos de árboles cortados; pues los peligros de la entrada y estada en la gran ciudad de México, cuántas veces teníamos la muerte al ojo, ¿quién los podrá componderar? Pues vean los que han venido de vuestras mercedes dos veces primero que no yo, la una con Francisco Hernández de Córdoba y la otra con Juan de Grijalva, los trabajos, hambres y sed, y heridas y muertes de muchos soldados que en descubrir estas tierras pasasteis, y todo lo que en aquellos dos viajes habéis gastado de vuestras haciendas."

Y dijo que no quería contar otras cosas muchas que tenía por decir por menudo y no habría tiempo para acabarlo de platicar, porque era tarde y venía la noche; y más dijo: "Digamos ahora, señores, cómo viene Pánfilo de Narváez contra nosotros con mucha rabia y deseo de habernos a las manos, y no había desembarcado y nos llamaba traidores y malos, y envió a decir al gran Montezuma, no palabras de sabio capitán, sino de alborotador, y demás de esto tuvo atrevimiento de prender a un oidor de Su Majestad, que por sólo este gran delito es digno de ser muy bien castigado. Ya habrán oído cómo han pregonado en su real guerra contra nosotros a ropa franca, como si fuéramos moros." Y luego, después de haber dicho esto, Cortés comenzó a sublimar nuestras personas y esfuerzos en las guerras y batallas pasadas, y que entonces peleábamos por salvar nuestras vidas, y que ahora hemos de pelear con todo vigor por vida y honra, pues no vienen a prender y echar de nuestras casas y robar nuestras haciendas, y que además de esto, que no sabemos si trae provisiones de nuestro rey y señor, salvo favores del obispo de Burgos, nuestro contrario. Y que si por ventura caemos debajo de sus manos de Narváez, lo cual Dios no permita, que todos nuestros servicios que hemos hecho a Dios primeramente y a Su Majestad, tornará en deservicios y harán procesos contra nosotros, y dirán que hemos muerto y robado y destruido la tierra, donde ellos son los robadores y alborotadores y deservidores de nuestro rey y señor; dirán que le han servido, y pues que vemos por los ojos todo lo que ha dicho, y como buenos caballeros, somos obligados a volver por la honra de Su Majestad y por las nuestras y por nuestras casas y haciendas. Y con esta intención salió de México, teniendo confianza en Dios y de nosotros; que todo lo ponía en las manos de Dios primeramente y después en las nuestras; que veamos lo que nos parece.

Entonces todos a una le respondimos, y también juntamente con nosotros Juan Velázquez de León y Francisco de Lugo y otros capitanes, que tuviese por cierto que, mediante Dios, habíamos de vencer o morir sobre ello, y que mirase no le convenciesen con partidos, porque si alguna cosa hacía fea, que le daríamos de estocadas. Entonces, como vio nuestras voluntades, se holgó mucho y dijo que con aquella confianza venía. Y allí hizo muchas ofertas y prometimientos que seríamos todos muy ricos y valerosos. Y hecho esto tornó a decir que nos pedía por merced que callásemos, y que en las guerras y batallas han menester más prudencia y saber, para bien vencer y los contrarios, que con osadía, y que porque tenía conocido de nuestros grandes esfuerzos, que por ganar honra cada uno de nosotros se quería adelantar de los primeros a encontrar con los enemigos; que fuésemos puestos en ordenanza y capitanías, y para que la primera cosa que hiciésemos fuese tomarles la artillería, que eran diez y ocho tiros que tenía asestados delante de sus aposentos de Narváez, mandó que fuese por capitán un pariente suyo de Cortés que se decía Pizarro, que ya he dicho otras veces en aquella sazón no había fama de Perú ni de Pizarros, que no era descubierto; y era Pizarro suelto mancebo, y le señaló sesenta soldados mancebos, y entre ellos me nombraron a mí; y mandó que después de tomada la artillería acudiésemos todos al aposento de Narváez, que estaba en un muy alto *cu* y para prender a Narváez señaló por capitán a Gonzalo de Sandoval con otros sesenta compañeros, y como era alguacil mayor, le dio un mandamiento que decía así: "Gonzalo de Sandoval, alguacil mayor de esta Nueva España por Su Majestad, yo os mando que prendáis el cuerpo a Pánfilo de Narváez y, si se os defendiese, matadle, que así conviene al servicio de Dios y del rey nuestro señor, por cuanto ha hecho muchas cosas en deservicio de Dios y de Su Majestad y le prendió a un oidor. Dado en este real, y la firma: Hernando Cortés, y refrendado de su secretario, Pero Hernández." Y después de dado el mandamiento, prometió que al primer soldado que le echase mano le daría tres mil pesos, y al segundo dos mil, y al tercero mil, y dijo que aquello que prometía que era para guantes, que ya bien veíamos la riqueza que había entre nuestras manos.

Y luego nombró a Juan Velázquez de León para que prendiese al mancebo Diego Velázquez, con quien había tenido la brega, y le dio otros sesenta soldados; y asimismo nombró a Diego de Ordaz para que prendiese a Salvatierra, y le dio otros sesenta soldados, que cada capitán de éstos estaba en su fortaleza y altos *cúes;* y el mismo Cortés por sobresaliente, con otros veinte soldados para acudir adonde más necesidad hubiese, y donde él tenía el pensamiento de asistir era para prender a Narváez y a Salvatierra. Pues ya dadas las copias a los capitanes, como dicho tengo, dijo: "Bien sé que los de Narváez son por todos cuatro veces más que nosotros; mas ellos no son acostumbrados a las armas, y como están la mayor parte de ellos mal con su capitán y muchos dolientes, y les tomaremos de sobresalto, tengo pensamiento que Dios nos dará victoria, que no porfiarán mucho en su defensa, porque más bienes les haremos nosotros que no su Narváez. Así que, señores, pues nuestra vida y honra está después de Dios en vuestros esfuerzos y vigorosos brazos, no tengo más que pediros por merced ni traer a la memoria sino que en esto está el toque de nuestras honras y famas para siempre jamás, y más vale morir por buenos que vivir afrentados." Y porque en aquella sazón llovía y era tarde no dijo más.

Una cosa me he parado después acá a pensar, que jamás nos dijo: tengo tal concierto en el real hecho, ni fulano ni zutano es en nuestro favor, ni cosa ninguna de éstas, sino que peleásemos como varones, y esto de no decirnos que tenía amigos en el real de Narváez fue de muy cuerdo capitán, que por aquel efecto no dejásemos de batallar como muy esforzados y no tuviésemos esperanza en ellos, sino después de Dios en nuestros grandes ánimos. Dejemos de esto y digamos cómo cada uno de nuestros capitanes por mí nombrados estaban con los soldados señalados, cómo y de qué manera habíamos de pelear, y poniéndose esfuerzo los unos a los otros. Pues mi capitán Pizarro, con quien habíamos de tomar la artillería, que era la cosa de más peligro, y habíamos de ser los primeros que habíamos de romper hasta los tiros, también decía con mucho esfuerzo cómo habíamos de entrar y calar nuestras picas hasta tener la artillería en nuestro poder, y después que se la hubiésemos tomado, que con ella misma mandó a nuestros artilleros, que se decían Mesa y el Siciliano y Usagre y Arvenga, que con las pelotas que estuviesen por descargar diesen guerra a los del aposento de Salvatierra.

También quiero decir la gran necesidad que teníamos de armas, que por un peto o capacete o casco o babera de hierro diéramos aquella noche cuanto nos pidieran por ello, y todo cuanto habíamos ganado. Y luego secretamente nos nombraron el apellido que habíamos de tener estando batallando, que era, ¡Espíritu Santo, Espíritu Santo!, que esto se suele hacer secreto en las guerras porque se conozcan y apelliden por el nombre que no lo sepan unos contrarios de otros. Y los de Narváez tenían su apellido y voz ¡Santa María, Santa María! Ya hecho todo esto, como yo era gran amigo y servidor del capitán Sandoval, me dijo aquella noche que me pedía por merced que después que hubiésemos tomado la artillería que, si quedaba con la vida, que siempre me hallase con él y le siguiese, y yo se lo prometí y así lo hice, como adelante verán.

Digamos ahora en qué se entendió un rato de la noche, sino en aderezar y pensar en lo que teníamos por delante, pues para cenar no teníamos cosa ninguna, y luego fueron nuestros corredores del campo y se puso espías y velas. A mí y a otro soldado nos pusieron por velas, y no tardó mucho cuando viene un corredor del campo a preguntarme que si he sentido algo, y yo dije que no. Y luego vino un cuadrillero y dijo que el Galleguillo que había venido del real de Narváez no parecía y que era espía echada de Narváez, y que mandaba Cortés que luego marchásemos camino de Cempoal; y oímos tocar nuestro pifanón y atambor, y los capitanes apercibidos sus soldados, y comenzamos a marchar; y al Galleguillo hallaron debajo de unas mantas durmiendo, que como llovió y el pobre no era acostumbrado a estar al agua ni fríos, metióse allí a dormir. Pues yendo a nuestro paso tendido, sin tocar pífano ni atambor, y los capitanes apercibiendo sus soldados, y comenzamos a marchar como está dicho; y nuestros corredores del campo descubriendo la tierra, llegamos al río donde estaban las espías de Narváez, que ya he dicho que se decían Gonzalo Carrasco y Hurtado, y estaban tan descuidados, que tuvimos tiempo de prender a Carrasco, y el otro fue dando voces al real de Narváez diciendo: "¡Al arma, al arma, que viene Cortés!"

Y acuérdome que cuando pasábamos aquel río, como llovía, venía un poco hondo y las piedras resbalaban algo, y con las picas y armas nos hacía mucho estorbo. Y también me acuerdo, cuando se prendió a Carrasco, decía a Cortés a grandes voces: "Mirad, señor Cortés, no vayáis allá, que juro a tal que está Narváez esperándoos en el campo con todo su ejército." Y Cortés le dio en guarda a su secretario Pero Hernández. Y como vimos que Hurtado fue a dar mandado, no nos detuvimos cosa, sino que Hurtado iba dando voces y mandando dar "¡Al arma, al arma!" Y Narváez llamando a sus capitanes y nosotros calando nuestras picas y cerrando con la artillería todo fue uno, que no tuvieron tiempo sus artilleros de poner fuego sino a cuatro tiros, y las pelotas algunas de ellas pasaron por alto, y una de ellas mató a tres de nuestros compañeros. Pues en aquel instante llegaron todos nuestros capitanes tocando al arma nuestros pífanos y atambor, y como había muchos de los de Narváez a caballo, detuviéronse un poco con ellos, porque luego derrocaron a seis o siete; pues nosotros, los que tomamos la artillería, no osábamos desmampararla, porque Narváez desde su aposento nos tiraba muchas saetas y escopetas, e hirió siete de los nuestros. Y en aquel instante llegó el capitán Sandoval y sube de presto las gradas arriba, y por mucha resistencia que le ponía Narváez y le tiraban saetas y escopetas, y con partesanas y lanzas, todavía las subió él y sus soldados. Y luego desde que vimos los soldados que ganamos la artillería que no había quien nos la defendiese, se la dimos a nuestros artilleros por mí nombrados, y fuimos muchos de nosotros y el capitán Pizarro a ayudar a Sandoval, que les hacían los de Narváez venir dos gradas abajo retrayéndose, y con nuestra llegada tornó a subirlas. Y estuvimos buen rato peleando con nuestras picas, que eran grandes, y cuando no me acato oímos voces de Narváez que decía: "¡Santa María váleme, que muerto me han y quebrado un ojo!" Y desde que aquello oímos luego dimos voces: ¡Victoria, victoria por los del nombre del Espíritu Santo, que muerto es Narváez! ¡Victoria, victoria por Cortés, que muerto es Narváez!" Y con todo esto no les pudimos entrar en el *cu* donde estaban, hasta que un Martín López, el de los bergantines, como era alto de cuerpo, puso fuego a las pajas del alto *cu*, y vienen todos los de Narváez rodando las gradas abajo. Entonces prendimos a Narváez, y el primero que le echó mano fue Pero Sánchez Farfán, y Sandoval, y yo se lo di a Sandoval, y a otros capitanes que con él estaban, y todavía dando voces y apellido: "¡Viva el rey, viva el rey, y en su real nombre Cortés, Cortés! ¡Victoria, victoria, que muerto es Narváez!"

Dejemos este combate; vamos a Cortés y a los demás capitanes que todavía estaban batallando cada uno con los capitanes de Narváez que aún no se habían dado porque estaban en muy altos *cúes*, y con los tiros que les tiraban nuestros artilleros, y con nuestras voces y muerte de Narváez, y como Cortés era muy avisado, mandó de presto pregonar que todos los de Narváez se vengan luego a someter debajo de la bandera de Su Majestad y de Cortés en su real nombre, so pena de muerte. Y aun con todo esto, no se daban los de Diego Velázquez el Mozo, ni los de Salvatierra, porque estaban en muy altos *cúes* y no los podían entrar, hasta que Gonzalo de Sandoval fue con la mitad de nosotros los que con él estábamos, y con los tiros y con los pregones les entraron, y se prendieron así a Salvatierra como los que con él estaban, y a Diego Velázquez el Mozo. Y luego Sandoval vino con todos nosotros los que fuimos en prender a Narváez a ponerlo más en cobro. Y después que Cortés y Juan Velázquez y Ordaz tuvieron presos a Salvatierra, y a Diego Velázquez el Mozo, y a Gamarra, y a Juan Juste, y a Juan Bono, vizcaíno, y a otras personas principales, se vino Cortés desconocido, acompañado de nuestros capitanes, adonde teníamos a Narváez, y con el calor que hacía grande, y como estaba cargado con las armas y andaba de una parte a otra apellidando nuestros soldados y haciendo dar pregones, venía muy sudado y cansado, y tal que no le alcanzaba un huelgo a otro; y dijo a Sandoval dos veces, que no lo acertaba a decir del trabajo que traía y descansado algo: "¡Ea, cesad! ¿Qué es de Narváez? ¿Qué es de Narváez?" Dijo Sandoval: "Aquí está, aquí está, y a muy buen recaudo." Y tornó Cortés a decir muy sin huelgo: "Mira, hijo Sandoval, que no os quitéis de él, vos y vuestros compañeros, no se os suelte, mientras yo voy a entender en otras cosas, y mirad esos capitanes que con él tenéis presos, que en todo haya recaudo."

Y luego se fue, y manda dar otros

pregones, que so pena de muerte, que todos los de Narváez luego en aquel punto se vengan a someter debajo de la bandera de Su Majestad, y en su real nombre Hernando Cortés, su capitán general y justicia mayor, y que ninguno trajese ningunas armas, sino que todos se las diesen y entregasen a nuestros alguaciles. Y todo esto era de noche, que no amanecía, y aun llovía de rato en rato, y entonces salía la luna, que cuando allí llegamos hacía muy oscuro y llovía, y también la oscuridad ayudó, que como hacía tan oscuro había muchos cocuyos, que así los llaman en Cuba, que relumbran de noche; los de Narváez creyeron que eran mechas de escopetas.

Dejemos esto y pasemos adelante, que como Narváez estaba muy mal herido y quebrado el ojo, demandó licencia a Sandoval para que un su cirujano que traía en su armada, que se decía maestre Juan, le curase el ojo a él y a otros capitanes que estaban heridos, y se la dio. Y estándole curando llegó allí cerca Cortés, disimulado que no le conociesen, a verle. Dijéronle al oído a Narváez que estaba allí Cortés; y como se lo dijeron, dijo Narváez: "Señor capitán Cortés: tened en mucho esta victoria que de mí habéis habido, y en tener presa mi persona." Y Cortés le respondió que daba muchas gracias a Dios que se la dio, y por los esforzados caballeros y compañeros que tiene, que fueron parte para ello, y que una de las menores cosas que en la Nueva España ha hecho es prenderle y desbaratarle; que si le ha parecido bien tener atrevimiento de prender a un oidor de Su Majestad. Y después que hubo dicho esto se fue de allí, que no le habló más, y mandó a Sandoval que le pusiese buenas guardas y que él no se quitase de él con personas de recaudo. Ya le teníamos echado dos pares de grillos, y le llevamos a un aposento, y puestos soldados que le habíamos de guardar, y a mí señaló Sandoval por uno de ellos, y secretamente me mandó que no dejase hablar con él a ninguno de los de Narváez, hasta que amaneciese, y Cortés le pusiese más en cobro.

Dejemos esto y digamos cómo Narváez había enviado cuarenta de a caballo para que nos estuviesen aguardando en el paso cuando viniésemos a su real, como dicho tengo en el capítulo que de ello habla, y supimos que andaban todavía en el campo, tuvimos temor no nos viniesen [a] acometer para quitarnos a sus capitanes y al mismo Narváez que teníamos presos, y estábamos muy apercibidos. Y acordó Cortés de enviarles a pedir por merced que se viniesen al real, con grandes ofrecimientos que a todos prometió, y para traerlos envió a Cristóbal de Olid, que era nuestro maestre de campo, y a Diego de Ordaz, y fueron en unos caballos que tomaron de los de Narváez, que todos los nuestros de caballo no trajeron ninguno que atados quedaron en un montecillo junto a Cempoal, que no trajimos caballos sino picas y espadas y rodelas y puñales; y fueron al campo con un soldado de los de Narváez, que les mostró el rastro por donde habían ido, y se toparon con ellos, y en fin, tantas palabras de ofertas y prometimientos les dijeron por parte de Cortés, que los trajeron. Y ciertos caballeros de ellos le tenían voluntad, y antes que llegasen a nuestro real, que era de día claro, y sin decir cosa ninguna Cortés ni ninguno de nosotros a los atabaleros que Narváez traía, comenzaron a tocar los atabales y a tañer sus pífanos y tamborinos, y decían: "¡Viva, viva la gala de los romanos, que, siendo tan pocos, han vencido a Narváez y a sus soldados!" Y un negro que se decía Guidela, que fue muy gracioso truhán, que traía Narváez, daba voces y decía: "Mira que los romanos no han hecho tal hazaña." Y por más que les decíamos que callasen y no tocasen sus atabales, no querían, hasta que Cortés mandó que prendiesen al atabalero, que era medio loco y se decía Tapia.

Y en ese instante vino Cristóbal de Olid y Diego de Ordaz, y trajeron a los de caballo que dicho tengo, y entre ellos venía Andrés de Duero y Agustín Bermúdez, y muchos amigos de nuestro capitán; y así como venían iban a besar las manos a Cortés, que estaba sentado en una silla de caderas con una ropa larga de color como naranjada con sus armas debajo, acompañado de nosotros. Pues ver la gracia con que les hablaba y abrazaba, y las palabras de tantos cumplimientos que les decía, era cosa de ver, y qué alegre estaba, y tenía mucha razón, de verse en aquel punto tan señor y pujante. Y así como le besaron las manos se fueron cada uno a su posada.

Digamos ahora de los muertos y heridos que hubo aquella noche. Murió el alférez de Narváez, que se decía fulano de Fuentes, que era un hidalgo de Sevilla; murió otro capitán de Narváez, que se decía Rojas, natural de Castilla la Vieja, murieron otros dos de Narváez; murió uno de los tres soldados que se le habían pasado que habían sido de los nuestros, que llamábamos Alonso García el Carretero; y heridos de los de Narváez hubo muchos. Y también murieron de los nuestros otros cuatro, y hubo más heridos, y el cacique gordo también salió herido, porque como supo que veníamos cerca de Cempoal, se acogió al aposento de Narváez, y allí le hirieron. Y luego Cortés le mandó curar muy bien y le puso en su casa, y que no se le hiciese enojo. Pues Cervantes el Loco, y Escalonilla, que son los que se pasaron a Narváez que habían sido de los nuestros, tampoco libraron bien, que Escalona salió bien herido, y Cervantes bien apaleado, y ya he dicho que el Carretero [fue] muerto. Vamos a los del aposento de Salvatierra, el muy fiero, que dijeron sus soldados que en toda su vida vieron hombre para menos ni tan cortado de muerte. Cuando nos oyó tocar al arma y cuando decíamos: "¡Victoria, victoria, que muerto es Narváez!", dizque luego dijo que estaba muy malo del estómago, y que no fue para cosa ninguna. Esto lo he dicho por sus fieros y bravear. Y de los de su capitanía también hubo heridos. Digamos del aposento de Diego Velázquez y otros capitanes que estaban con él y también hubo heridos. Y nuestro capitán Juan Velázquez de León prendió a Diego Velázquez, aquel con quien tuvo las bregas estando comiendo con Narváez, y le llevó a su aposento y le mandó curar y hacer mucha honra. Pues ya he dado cuenta de todo lo acaecido en nuestra batalla, digamos ahora lo que más se hizo.

CAPÍTULO CXXIII

CÓMO DESPUÉS DE DESBARATADO NARVÁEZ SEGÚN Y DE LA MANERA QUE HE DICHO, VINIERON LOS INDIOS DE CHINANTA QUE CORTÉS HABÍA ENVIADO A LLAMAR, Y DE OTRAS COSAS QUE PASARON

Ya he dicho, en el capítulo que de ello habla, que Cortés envió a decir a los pueblos de Chinanta, donde trajeron las lanzas y picas, que viniesen dos mil indios, que ellos con sus lanzas, que son muy más largas que no las nuestras para ayudarnos, y vinieron aquel mismo día, ya algo tarde, después de preso Narváez, y venían por capitanes los caciques de los mismos pueblos, y uno de nuestros soldados que se decía Barrientos, que se había quedado en Chinanta para aquel efecto; y entraron en Cempoal con gran ordenanza, de dos en dos, y como traían las lanzas muy grandes, y de buen grosor, y tienen en ellas una braza de cuchilla de pedernales, que cortan tanto como navajas, según ya otras veces he dicho, y traía cada indio una rodela como pavesina, y con sus banderas tendidas y con muchos plumajes y atambores y trompetillas, y entre cada lancero y lancero, un flechero, y dando gritos y silbos decían: "¡Viva el rey! ¡Viva el rey nuestro señor, y Hernando Cortés en su real nombre!"; Y entraron muy bravosos, que era cosa de notar, y serían mil quinientos, que parecía, de la manera y concierto que venían, que eran tres mil. Y cuando los de Narváez los vieron se admiraron y dizque dijeron unos a otros que si aquella gente les tomara en medio o entraran con nosotros, qué tal que les parara. Y Cortés habló a los indios capitanes muy amorosamente, agradeciéndoles su venida, y les dio cuentas de Castilla, y les mandó que luego se volviesen a sus pueblos y que por el camino no hiciesen daño a otros pueblos, y tornó a enviar con ellos al mismo Barrientos. Y quedarse ha aquí, y diré lo que más Cortés hizo.

CAPÍTULO CXXIV

CÓMO CORTÉS ENVIÓ AL PUERTO AL CAPITÁN FRANCISCO DE LUGO, Y EN SU COMPAÑÍA DOS SOLDADOS QUE HABÍAN SIDO MAESTRES DE NAVÍOS, PARA QUE LUEGO TRAJESEN ALLÍ A CEMPOAL TODOS LOS MAESTRES Y PILOTOS DE LOS NAVÍOS Y FLOTA DE NARVÁEZ, Y QUE LES SACASEN LAS VELAS Y TIMONES Y AGUJAS, PORQUE NO FUESEN A DAR MANDADO A LA ISLA DE CUBA A DIEGO VELÁZQUEZ DE LO ACAECIDO, Y CÓMO PUSO ALMIRANTE DE LA MAR, Y OTRAS COSAS QUE PASARON

PUES ACABADO de desbaratar a Pánfilo de Narváez y presos él y sus capitanes y a todos los demás tomadas las armas, mandó Cortés al capitán Francisco de Lugo que fuese al puerto adonde estaba la flota de Narváez, que eran diez y ocho navíos, y que mandase venir allí a Cempoal a todos los pilotos y maestres de los navíos, y que les sacasen velas y timones y agujas porque no fuesen a dar mandado a Cuba a Diego Velázquez, y que si no le quisiesen obedecer, que les echase presos. Y llevó consigo Francisco de Lugo dos de nuestros soldados que habían sido hombres de la mar que le ayudasen. Y también mandó Cortés que luego le enviasen a un Sancho de Barahona que le tenía preso Narváez con otros dos soldados. Este Barahona fue vecino de Guatemala, hombre rico, y acuérdome que cuando llegó ante Cortés que venía muy doliente y flaco; y le mandó hacer honra.

Volvamos a los maestres y pilotos, que luego vinieron a besar las manos al capitán Cortés, a los cuales tomó juramento que no saldrían de su mandado y que le obedecerían en todo lo que les mandase, y luego les puso por almirante y capitán de la mar a un Pedro Caballero, que había sido maestre de un navío de los de Narváez, persona de quien nuestro Cortés se fio mucho, al cual dicen que le dio primero buenos tejuelos de oro. Y a éste mandó que no dejase ir de aquel puerto ningún navío a parte ninguna, y mandó a todos los demás maestres y pilotos y marineros que todos le obedeciesen, y que si de Cuba enviase Diego Velázquez más navíos, porque tuvo aviso que estaban dos navíos para venir, que tuviese manera y aviso que al capitán que en él viniese le echase preso y le sacase el timón y velas y agujas, hasta que otra cosa en ello Cortés mandase; lo cual así hizo Pedro Caballero como adelante diré.

Y dejemos ya los navíos y el puerto seguro y digamos lo que se concertó en nuestro real y los de Narváez; que luego se dio orden que fuese a conquistar y poblar Juan Velázquez de León a lo de Pánuco, y para ello Cortés le señaló ciento y veinte soldados; los ciento habían de ser los de Narváez y los veinte de los nuestros entremetidos, porque tenían más experiencia en la guerra, y también había de llevar dos navíos, para que desde el río de Pánuco fuesen a descubrir la costa delante. Y también a Diego de Ordaz dio otra capitanía de otros ciento y veinte soldados, para ir a poblar a lo de Guazaqualco, y los ciento habían de ser de los de Narváez y los veinte de los nuestros, según y de la manera que a Juan Velázquez de León, y había de llevar otros dos navíos para desde el río de Guazaqualco enviar a la isla de Jamaica por manadas de yeguas y becerros y puercos y ovejas y gallinas de Castilla y cabras para multiplicar la tierra, porque la provincia de Guazaqualco era buena para ello. Pues para ir aquellos capitanes con sus soldados y llevar todas sus armas, Cortés se las mandó dar y soltar todos los prisioneros capitanes de Narváez, excepto a Narváez y Salvatierra, que decía que estaba malo del estómago. Pues para darles todas las armas, algunos de nuestros soldados les teníamos ya tomado caballos y espadas y otras cosas, manda Cortés que luego se las volviésemos, y sobre no dárselas hubo ciertas pláticas enojosas; y fueron que dijimos los soldados que las teníamos, muy claramente, que no se las queríamos dar, pues que en el real de Narváez pregonaron guerra contra nosotros y a ropa franca, y con aquella intención nos venían a prender y tomar lo que teníamos; y que siendo nosotros tan grandes servidores de Su Majestad, nos llamaban traidores, y que no se las queríamos dar. Y Cortés todavía porfiaba a que se las diésemos, y como era capitán general, húbose de hacer lo que mandó, que yo les di un caballo que tenía ya escondido, ensillado y enfrenado, y dos espadas, y tres puñales, y una daga; y otros muchos de nuestros soldados dieron también otros caballos y armas.

Y como Alonso de Ávila era capitán y persona que osaba decir a Cortés cosas que convenían, y juntamente con él el padre de la Merced, hablaron aparte a Cortés y le dijeron que parecía que quería remedar a Alejandro Macedonio, que después que con sus soldados había hecho alguna gran hazaña, que más procuraba de honrar y hacer mercedes a los que vencía que no a sus capitanes y soldados, que eran los que lo vencían; y esto que lo decían porque lo que veían en aquellos días que allí estábamos, después de preso Narváez, que todas las joyas de oro que le presentaban los indios a Cortés, y bastimentos, daba a los capitanes de Narváez, y que como si no nos conociera así nos olvidaba, y que no era bien hecho, sino muy gran ingratitud, habiéndole puesto en el estado en que estaba. A esto respondió Cortés que todo cuanto tenía, así persona como bienes, era para nosotros, y que al presente no podía más sino con dádivas y palabras y ofrecimientos honrar a los de Narváez, porque, como son muchos y nosotros pocos, no se levanten contra él y contra nosotros y le matasen. A esto respondió Alonso de Ávila y le dijo ciertas palabras algo soberbias; de tal manera que Cortés le dijo que quien no le quisiese seguir, que las mujeres han parido y paren en Castilla soldados. Y Alonso de Ávila dijo, con palabras muy soberbias y sin acato, que así era verdad, que soldados y capitanes y gobernadores, y que aquello merecíamos que dijese. Y como en aquella sazón estaba la cosa de arte que Cortés no podía hacer otra cosa sino callar, y con dádivas y ofertas le atrajo a sí; y como conoció de él ser muy atrevido, y tuvo siempre Cortés temor que por ventura un día u otro no hiciese alguna cosa en su daño, disimuló, y de allí adelante siempre le enviaba a negocios de importancia como fue a la isla de Santo Domingo, y después a España, cuando enviamos la recámara y tesoro del gran Montezuma que robó Juan Florín, gran corsario francés, lo cual diré en su tiempo y lugar.

Y volvamos ahora a Narváez y a un negro que traía lleno de viruelas, que harto negro fue para la Nueva España, que fue causa que se pegase e hinchiese toda la tierra de ellas, de lo cual hubo gran mortandad, que, según decían los indios, jamás tal enfermedad tuvieron, y como no la conocían, lavábanse muchas veces, y a esta causa se murieron gran cantidad de ellos. Por manera que negra la ventura de Narváez, y más prieta la muerte de tanta gente sin ser cristianos.

Dejemos ahora todo esto, y digamos cómo los vecinos de la Villa Rica que habían quedado poblados, que no fueron a México, demandaron a Cortés las partes del oro que les cabía, y dijeron a Cortés que puesto que allí les mandó quedar en aquel puerto y villa, que también servían allí a Dios y al rey como los que fuimos a México, pues entendían en guardar la tierra y hacer la fortaleza, y algunos de ellos se hallaron en lo de Almería, que aún no tenían sanas las heridas, y que todos los más se hallaron en la prisión de Narváez, y que les diesen sus partes. Y viendo Cortés que era muy justo lo que decían, dijo que fuesen dos hombres principales, vecinos de aquella villa, con poder de todos, y que lo tenía apar-
t... darían. Y paréceme que
... en Tlaxcala estaba guar-
...sto no me acuerdo bien;
... despacharon de aquella
...inos por el oro y partes, y el principal se decía Juan Alcántara el Viejo.

Y dejemos de platicar en ello, y después diremos lo que sucedió a Alcántara y al oro, y digamos cómo la adversa fortuna vuelve de presto a su rueda, que a grandes bonanzas y placeres, da tristeza, y es que en este instante vienen nuevas que México está alzado, y que Pedro de Alvarado está cercado en su fortaleza y aposento, y que le ponían fuego por dos partes en la misma fortaleza, y que le han muerto siete soldados, y que estaban otros muchos heridos, y enviaba a demandar socorro con mucha instancia y prisa. Y esta nueva trajeron dos tlaxcaltecas, sin carta ninguna, y luego vino una carta con otros tlaxcaltecas que envió Pedro de Alvarado, en que decía lo mismo. Y desde que aquella tan mala nueva oímos, sabe Dios cuánto nos pesó, y a grandes jornadas comenzamos a marchar para México; y quedó preso en la Villa Rica Narváez y Salvatierra, y por teniente y capitán paréceme que quedó Rodrigo Rangel, que tuviese cargo de guardar a Narváez y de recoger muchos de los de Narváez que estaban dolientes.

Y también en este instante, ya que queríamos partir, vinieron cuatro grandes principales, que envió el gran Montezuma ante Cortés, a quejarse de Pedro de Alvarado, y lo que dijeron llorando muchas lágrimas de sus ojos, que Pedro de Alvarado salió de su aposento con todos los soldados que le dejó Cortés, y sin causa ninguna dio en sus principales y caciques que estaban bailando y haciendo fiesta a sus ídolos Uichilobos y Tezcatipuca, con licencia que para ello les dio Pedro de Alvarado, y que mató e hirió muchos de ellos, y que por defenderse le mataron seis de sus soldados; por manera que daban muchas quejas de Pedro de Alvarado. Y Cortés les respondió a los mensajeros algo desabrido y que él iría a México y pondría remedio en todo; y así fueron con aquella respuesta a su gran Montezuma; y dizque la sintió por muy mala, y hubo enojo de ella. Y asimismo luego despachó Cortés cartas para Pedro de Alvarado, en que le envió a decir que mirase que Montezuma no se soltase, y que íbamos a grandes jornadas, y le hizo saber de la victoria que habíamos habido contra Narváez, lo cual ya sabía el gran Montezuma. Y dejarlo he aquí, y diré lo que más adelante pasó.

CAPÍTULO CXXV

CÓMO FUIMOS A GRANDES JORNADAS ASÍ CORTÉS CON TODOS SUS CAPITANES Y TODOS LOS DE NARVÁEZ, EXCEPTO PÁNFILO DE NARVÁEZ Y SALVATIERRA, QUE QUEDABAN PRESOS

Como llegó la nueva por mí memorada, cómo Pedro de Alvarado estaba cercado y México rebelado, cesaron las capitanías que habían de ir a poblar a Pánuco y a Guazaqualco, que habían dado a Juan Velázquez de León y a Diego de Ordaz, que no fue ninguno de ellos, que todos fueron con nosotros. Y Cortés habló a los de Narváez: que sintió que no irían con nosotros de buena voluntad a hacer aquel socorro, y les rogó que dejasen atrás enemistades pasadas por lo de Narváez, ofreciéndoseles de hacerlos ricos y darles cargos, y pues venían a buscar la vida y estaban en tierra donde podrían hacer servicio a Dios y a Su Majestad y enriquecer, y pues que ahora venía lance. Y tantas palabras les dijo, que todos a una se le ofrecieron que irían con nosotros; y si supieran las fuerzas de México, cierto está que no fuera ninguno. Y luego caminamos a muy grandes jornadas hasta llegar a Tlaxcala, donde supimos que hasta que Montezuma y sus capitanes habían sabido cómo habíamos desbaratado a Narváez, no dejaron de dar guerra a Pedro de Alvarado y le habían ya muerto siete soldados, y le quemaron los aposentos, y que después que supieron nuestra victoria cesaron de darle guerra; mas dijeron que estaban muy fatigados por falta de agua y bastimento; el cual bastimento nunca se lo había mandado dar Montezuma. Y esta nueva trajeron indios de Tlaxcala en aquella misma hora que hubimos llegado.

Y luego Cortés mandó hacer alarde de la gente que llevaba, y halló sobre mil trescientos soldados, así de los nuestros como de los de Narváez, y sobre noventa y seis caballos y ochenta ballesteros, y otros tantos escopeteros, con los cuales le pareció a Cortés que llevaba gente para poder entrar muy a nuestro salvo en México; y demás de esto, en Tlaxcala nos dieron los caciques dos mil indios de guerra. Y luego fuimos a grandes jornadas hasta Tezcuco, que es una gran ciudad; y no se nos hizo honra ninguna en ella, ni pareció ningún señor, sino todo muy remontado y de mal arte. Y llegamos a México día de Señor San Juan de junio de mil quinientos veinte años, y no parecían por las calles caciques ni capitanes, ni indios conocidos, sino todas las casas despobladas. Y como llegamos a los aposentos en que solíamos posar, el gran Montezuma salió al patio para hablar y abrazar a Cortés y darle el bienvenido, y de la victoria con Narváez. Y Cortés, como venía victorioso, no le quiso oír, y Montezuma se entró en su aposento muy triste y pensativo.

Pues ya aposentados cada uno de

nosotros donde solíamos estar antes que saliésemos de México para ir a lo de Narváez, y los de Narváez en otros aposentos, y ya habíamos visto y hablado con Pedro de Alvarado y los soldados que con él se quedaron, y ellos nos daban cuenta de las guerras que los mexicanos les daban y trabajo en que les tenía puesto, y nosotros les dábamos relación de la victoria contra Narváez.

Y dejaré esto, y diré cómo Cortés procuró saber qué fue la causa de levantarse México, porque bien entendido teníamos que Montezuma le pesó de ello, que si le plugiera o fuera por su consejo, dijeron muchos soldados de los que se quedaron con Pedro de Alvarado en aquellos trances, que si Montezuma fuera en ello, que a todos les mataran, y que Montezuma los aplacaba que cesasen la guerra. Y lo que contaba Pedro de Alvarado a Cortés, sobre el caso, era que por libertar los mexicanos a Montezuma, y porque Uichilobos se lo mandó, porque pusimos en su casa la imagen de Nuestra Señora la Virgen Santa María y la Cruz; y más dijo que habían llegado muchos indios a quitar la santa imagen del altar donde la pusimos, y que no pudieron, y que los indios lo tuvieron a gran milagro y que se lo dijeron a Montezuma, y que les mandó que la dejasen en el mismo lugar y altar y que no curasen de hacer otra cosa, y así la dejaron.

Y más dijo Pedro de Alvarado que por lo que Narváez les había enviado a decir a Montezuma que le venía a soltar de las prisiones y a prendernos, y no salió verdad, y como Cortés había dicho a Montezuma que en teniendo navíos nos habíamos de ir a embarcar y salir de toda la tierra, y que no nos íbamos, y que todo eran palabras, y que ahora ha visto venir muchos más *teules*, antes que todos los de Narváez y los nuestros tornásemos a entrar en México, que sería bien matar a Pedro de Alvarado y a sus soldados y soltar al gran Montezuma, y después no quedar a vida a ninguno de los nuestros y de los de Narváez, cuanto más que tuvieron por cierto que nos vencieran Narváez y sus soldados. Estas pláticas y descargo dio Pedro de Alvarado a Cortés. Y le tornó a decir Cortés que a qué causa les fue a dar guerra estando bailando y haciendo sus fiestas. Y respondió que sabía muy ciertamente que en acabando las fiestas y bailes y sacrificios que hacían a su Uichilobos y a Tezcatepuca, que luego le habían de venir a dar guerra, según el concierto [que] tenían entre ellos hecho; y todo lo demás, que lo supo de un *papa* y de dos principales y de otros mexicanos.

Y Cortés le dijo: "Pues hanme dicho que le demandaron licencia para hacer el *areito* y bailes." Dijo que así era verdad, y que fue por tomarles descuidados; y que porque temiesen y no viniesen a darle guerra, que por esto se adelantó a dar en ellos. Y después que aquello Cortés oyó, le dijo muy enojado que era muy mal hecho y gran desatino,[85] y que plugiera a Dios que Montezuma se hubiera soltado y que tal cosa no la oyera a sus oídos. Y así le dejó que no le habló más en ello. También[86] dijo el mismo Pedro de Alvarado que cuando andaba con ellos en aquella guerra

[85] Tachado en el original: *e poca verdad.*

[86] Tachado en el original: *Yo quiero decir que decía el Pedro de Alvarado que cuando peleaban los indios mejicanos con él, que dijeron muchos dellos que una gran tecleciguata, que es gran señora, que era otra como la questaba en su gran* cu, *les echaba tierra en los ojos, y les cegaba, y que un guey* teule *que andaba en un caballo blando les hacían mucho mal, y que si por ellos no fuera que les mataron a todos e que aquello dizque se lo dijeron al gran Montezuma sus principales. Y si aquello fue así, grandísimos milagros son, e de contino hemos de dar gracias a Dios e a la Virgen Santa María Nuestra Señora, su bendita madre, que en todo nos socorre, e al bien aventurado Señor Santiago.*

que mandó poner a un tiro que estaba cebado fuego, el cual tenía una pelota y muchos perdigones, y que como venían muchos escuadrones de indios a quemarle los aposentos, que salió a pelear con ellos y que mandó poner fuego al tiro, y que no salió, y que después hizo una arremetida contra los escuadrones que le daban guerra, y cargaban muchos indios sobre él, que venían retrayéndose a la fuerza y aposento, y que entonces sin poner fuego al tiro salió la pelota y los perdigones y mató muchos indios, y que si aquello no acaeciera, que los enemigos les mataran a todos, como en aquella vez les llevaron dos de sus soldados vivos. Otra cosa dijo Pedro de Alvarado, y esa sola cosa la dijeron otros soldados, que las demás pláticas sólo Pedro de Alvarado lo contaba; y es que no tenían agua para beber; y cavaron en el patio e hicieron un pozo y sacaron agua dulce, siendo todo salado también; todo fue muchos bienes que Nuestro Señor Dios nos hacía. Y a esto del agua digo yo que en México estaba una fuente que muchas veces y todas las más manaba agua algo dulce.[87] Estas cosas y otras sé decir que lo oí a personas de fe y creer, que se hallaron con Pedro de Alvarado cuando aquello pasó. Y dejarlo he aquí, y diré la gran guerra que luego nos dieron, y es de esta manera.

[87] Tachado en el original: *que lo demás que dicen algunas personas que el Pedro de Alvarado, por codicia de haber mucho oro y joyas de gran valor con que bailaban los indios, les fue a dar guerra, yo no lo creo, ni nunca tal oí, ni es de creer que tal hiciese, puesto que lo dice el obispo fray Bartolomé de las Casas, aquello y otras cosas que nunca pasaron, sino que verdaderamente dio en ellos por meterles temor, y que con aquellos males que les hizo tuviesen harto que curar y llorar en ellos, porque no le viniesen a dar guerra; y como dicen que quien acomete, vence; y fue muy peor, según pareció. Y también supimos de mucha verdad que tal guerra nunca el Montezuma mandó dar y que cuando combatían al Pedro de Alvarado, que el Montezuma les mandaba a los suyos que no lo hiciesen, e que le respondían los suyos que ya no era de sufrir tenerle preso, y, estando bailando, irles a matar como fueron, y que le habían de sacar de allí y matar a todos los* teules *que le defendían.*

CAPÍTULO CXXVI

CÓMO NOS DIERON GUERRA EN MÉXICO, Y LOS COMBATES QUE NOS DABAN, Y OTRAS COSAS QUE PASAMOS

Como Cortés vio que en Tezcuco no nos habían hecho ningún recibimiento ni aun dado de comer sino mal y por mal cabo, y que no hallamos principales con quien hablar, y lo vio todo remontado y de mal arte, y venido a México lo mismo, y vio que no hacían *tiánguez,* sino todo levantado, y oyó a Pedro de Alvarado de la manera y desconcierto con que les fue a dar guerra; y parece ser había dicho Cortés en el camino a los capitanes de Narváez, alabándose de sí mismo, el gran acato y mando que tenía, y que por los caminos le saldrían a recibir y hacer fiestas, y que darían oro, y que en México mandaba tan absolutamente así al gran Montezuma como a todos sus capitanes, y que le darían presentes de oro como solían; y viendo que todo estaba muy al contrario de sus pensamientos, que aun de comer no nos daban, estaba muy airado y soberbio con la mucha gente de españoles que traía, y muy triste y mohíno. Y en este instante envió el gran Montezuma dos de sus principales a rogar a nuestro Cortés que le fuese a ver, que le quería hablar: y la respuesta que les dio dijo: "Vaya para perro, que aun *tiánguez* no quiere hacer, ni de comer no nos manda dar." Y entonces como aquello le oyeron a Cortés nuestros capitanes, que fue Juan Velázquez de León y Cristóbal de Olid y Alonso de Ávila y Francisco de Lugo, dijeron: "Señor, temple su ira, y mire cuánto bien y honra nos ha hecho este rey de estas tierras, que es tan bueno que si por él no fuese ya fuéramos muertos y nos habrían comido, y mire que hasta las hijas le ha dado."

Y como esto oyó Cortés, se indignó más de las palabras que le dijeron, como parecían de reprehensión, y dijo: "¿Qué cumplimiento he yo de tener con un perro que se hacía con Narváez secretamente, y ahora veis que aun de comer no nos dan?" Y dijeron nuestros capitanes: "Esto nos parece que debe hacer, y es buen consejo." Y como Cortés tenía allí en México tantos españoles, así de los nuestros como de los de Narváez, no se le daba nada por cosa ninguna, y hablaba tan airado y descomedido. Por manera que tornó a hablar a los principales que le dijesen a su señor Montezuma que luego mande hacer *tiánguez* y mercados; si no, qué hará y qué acontecerá. Y los principales bien entendieron las palabras injuriosas que Cortés dijo de su señor y aun también la reprehensión que nuestros capitanes dieron a Cortés sobre ello; porque bien los conocían que habían sido los que solían tener en guarda a su señor, y sabían que eran grandes servidores de su Montezuma; y según y de la manera que lo entendieron se lo dijeron a Montezuma, y de enojo, o porque ya estaba concertado que nos diesen guerra, no tardó un cuarto de hora que vino un soldado a gran prisa, muy mal herido, que venía de un pueblo que está junto a México que se dice Tacuba, y traía unas indias que eran de Cortés, y la una hija de Montezuma, que parece ser las dejó a guardar allí al señor de Tacuba, que eran sus parientes del mismo señor, cuando fuimos a lo de Narváez. Y dijo aquel soldado que estaba toda la ciudad y camino por donde venía lleno de gente de guerra, con todo género de armas, y que le quitaron las indias que traía y le dieron dos heridas, y que si no se les soltara, que le tenían ya asido para meterle en una canoa y llevarle a sacrificar, y habían deshecho un puente.

Y desde que aquello oyó Cortés y algunos de nosotros, ciertamente nos pesó mucho, porque bien entendido teníamos, los que solíamos batallar con indios, la mucha multitud que de ellos se suelen juntar, y que por bien que peleásemos, y aunque más soldados trajésemos ahora, que habíamos de pasar gran riesgo de nuestras vidas y hambres y trabajos, especialmente estando en tan fuerte ciudad. Pasemos adelante y digamos que luego Cortés mandó a un capitán que se decía Diego de Ordaz que fuese con cuatrocientos soldados, y entre ellos los más ballesteros y escopeteros, y algunos de caballo, y que mirase qué era aquello que decía el soldado que había venido herido y trajo las nuevas; y que si viese que sin guerra y ruido se pudiese apaciguar, lo pacificase. Y como fue Diego de Ordaz de la manera que le fue mandado con sus cuatrocientos soldados, aun no hubo bien llegado a media calle, por donde iba, cuando le salen tantos escuadrones mexicanos de guerra, y otros muchos que estaban en las azoteas, y le dieron tan grandes combates, que le mataron a las primeras arremetidas diez y ocho soldados, y a todos los más hirieron, y al mismo Diego de Ordaz le dieron heridas. Por manera que no pudo pasar un paso adelante, sino volverse poco a poco al aposento, y al retraer le mataron a otro buen soldado que se decía Lezcano, que con un montante había hecho cosas de muy esforzado varón; y en aquel instante, si muchos escuadrones salieron a Diego de Ordaz, muchos más vinieron a nuestros aposentos, y tiran tanta vara y piedras con hondas y flechas, que nos hirieron de aquella vez sobre cuarenta y seis de los nuestros, y doce murieron de las heridas.

Y estaban tantos guerreros sobre nosotros, que Diego de Ordaz, que se venía retrayendo, no podía llegar a los aposentos por la mucha guerra que le daban, unos por detrás y otros por delante y otros desde las azoteas. Pues quizá no aprovechaba mucho nuestros tiros, ni escopetas, ni ballestas, ni lanzas, ni estocadas que les dábamos; ni nuestro buen pelear, que aunque les matábamos y heríamos muchos de ellos, por las puntas de las espadas y lanzas se nos metían; con todo esto cerraban sus escuadrones, y no perdían punto de su buen pelear, ni les podíamos apartar de nosotros. Y en fin, con los tiros y escopetas y ballestas y el mal que les hacíamos de estocadas, tuvo tiempo de entrar Ordaz en el aposento, que hasta entonces, y aunque quería, no podía pasar y con sus soldados bien heridos y catorce menos, y todavía no cesaban muchos escuadrones de darnos guerra y decirnos que éramos como mujeres, y nos llamaban de bellacos, y otros vituperios. Y aun no ha sido nada todo el daño que nos han hecho hasta ahora a lo que después hicieron. Y es que tuvieron tanto atrevimiento, que unos dándonos guerra por unas partes y otros por otra, entraron a ponernos fuego en nuestros aposentos, que no nos podíamos valer con el humo y fuego, hasta que se puso remedio con derrocar sobre él mucha tierra y atajar otras salas por donde venía el fuego, que verdaderamente allí dentro creyeron de quemarnos vivos.

Y duraron estos combates todo el día, y aun la noche estaban sobre nosotros tantos escuadrones de ellos, y tiraban varas y piedras y flechas a bulto y piedra perdida, que de lo del día y lo de entonces estaban todos aquellos patios y suelos hechos parvas de ellos. Pues nosotros aquella noche en curar heridos, y en poner remedio en los portillos que habían hecho, y en apercibirnos para otro día, en esto se pasó. Pues desde que amaneció acordó nuestro capitán que con todos los nuestros y los de Narváez saliésemos a pelear con ellos, y que llevásemos tiros y escopetas y ballestas, y procurásemos de vencerlos, al de menos que sintiesen más nuestras fuerzas y esfuerzo mejor que el del día pasado. Y digo que si nosotros teníamos hecho aquel concierto, que los mexicanos tenían concertado lo mismo, y peleábamos muy bien; mas ellos estaban tan fuertes y tenían tantos escuadrones, que se remudaban de rato en rato, que aunque estuvieran allí diez mil Héctores troyanos y tantos Roldanes, no les pudieran entrar; porque saberlo ahora yo aquí decir cómo pasó, y vimos el tesón en el pelear, digo que no lo sé escribir; porque ni aprovechaban tiros, ni escopetas, ni ballestas, ni apechugar con ellos, ni matarles treinta ni cuarenta de cada vez que arremetíamos, que tan enteros y con más vigor peleaban que al principio; y si algunas veces les íbamos ganando alguna poca de tierra, o parte de calle, hacían que se retraían, era para que les siguiésemos por apartarnos de nuestra fuerza y aposento, para dar más a su salvo en nosotros, creyendo que no volveríamos con las vidas a los aposentos, porque al retraer nos hacían mucho mal. Pues para pasar a quemarles las casas, ya he dicho en el capítulo que de ello habla que de casa a casa tenían un puente de madera levadiza; alzábanla y no podíamos pasar sino por agua muy honda. Pues desde las azoteas, los cantos y piedras y varas no lo podíamos sufrir; por manera que nos maltrataban y herían muchos de los nuestros.

Y no sé yo para qué lo escribo así tan tibiamente, porque unos tres o cuatro soldados que se habían hallado en Italia, que allí estaban con nosotros, juraron muchas veces a Dios que guerras tan bravosas jamás habían visto en algunas que se habían hallado entre cristianos y contra la artillería del rey de Francia, ni del gran turco; ni gente como aquellos indios, con tanto ánimo cerrar los escuadrones vieron, y porque decían otras muchas cosas y causas que daban a ello, como adelante verán; y quedarse ha aquí, y diré cómo con harto trabajo nos retrajimos a nuestros aposentos, y todavía muchos escuadrones de guerreros sobre nosotros, con grandes gritos y silbo y trompetillas y atambores, llamándonos de bellacos y para poco, que no osábamos atenderles todo el día en batalla, sino volvernos retrayendo.

Aquel día mataron otros diez o doce soldados, y todos volvimos bien heridos; y lo que pasó de la noche fue en concertar para de ahí a dos días saliésemos todos los soldados cuantos sanos había en todo el real, y con cuatro ingenios a manera de torres,[88] que se hicieron de madera, bien recios, en que pudiesen ir debajo de cualquiera de ellos veinticinco hombres, y llevaban sus ventanillas y agujeros en ellos para ir los tiros, y también iban escopeteros y ballesteros, y junto con ellos habíamos de ir otros soldados escopeteros y ballesteros, y los tiros y todos los demás y los de a caballo hacer algunas arremetidas. Y hecho este concierto, como estuvimos aquel día, que entendíamos en la obra y en fortalecer muchos portillos que nos tenían hechos, no salimos a pelear aquel día. No sé cómo lo diga, los grandes escuadrones de guerreros que nos vinieron a los aposentos a dar guerra, no solamente por diez o doce partes, sino por más de veinte, porque en todos estábamos repartidos, y en otras muchas partes, y entretanto que los adobamos y fortalecíamos como dicho tengo, otros muchos escuadrones procuraban entrarnos en los aposentos a escala vista, que ni por tiros ni ballestas ni escopetas ni por muchas arremetidas y estocadas les podían retraer. Pues lo que decían que en aquel día no había de quedar ninguno de nosotros, y que habían de sacrificar a sus dioses nuestros corazones y sangre, y con las piernas y brazos que bien tendrían para hacer hartazgas y fiestas, y que los cuerpos echarían a los tigres y leones y víboras y culebras que tienen encerrados, que se harten de ellos; y que a aquel efecto ha dos días que mandaron que no les diesen de comer; y que el oro que teníamos que habríamos mal gozo de él, y de todas las mantas; y a los de Tlaxcala que con nosotros estaban les decían que los meterían en jaulas a engordar, y que poco a poco harían sus sacrificios con sus cuerpos. Y muy afectuosamente decían que les diésemos su gran señor Montezuma y decían otras cosas. Y de noche asimismo siempre muchos silbos y voces y rociada de vara y piedra y flecha.

Y desde que amaneció, después de encomendarnos a Dios, salimos de nuestros aposentos con nuestras torres, que me parece a mí que en otras partes donde me he hallado en guerras, en cosas que han sido menester, les llaman muros y mantas; y con los tiros y escopetas y ballestas delante, y los de [a] caballo haciendo algunas arremetidas, y, como he dicho, aunque les matábamos muchos de ellos no aprovechaba cosa para hacerles volver las espaldas, sino que si muy bravamente habían peleado los dos días pasados, muy más fuertes y con mayores fuerzas y escuadrones estaban este día. Y todavía determinamos, que, aunque a todos costase la vida, de ir con nuestras torres e ingenios hasta el gran *cu* del Uichilobos. No digo por extenso los grandes combates que en una casa fuerte nos dieron, ni diré cómo los caballos los herían, ni nos aprovechábamos de ellos, porque, aunque arremetían a los escuadrones para romperlos, tiránbanles tanta flecha y vara y piedra, que no se podían valer por bien armados que estaban; y si los iban

[88] A estos artificios se les daba el nombre de sambucas.

alcanzando, luego se dejaban caer los mexicanos a su salvo en las acequias y lagunas, donde tenían hechos otros mamparos para los de [a] caballo, y estaban otros muchos indios con lanzas muy largas para acabar de matarlos; así que no aprovechaba cosa ninguna.

Pues apartarnos a quemar ni deshacer ninguna casa era por demás, porque, como he dicho, están todas en el agua, y de casa a casa una puente levadiza; pasarla a nado era cosa muy peligrosa, porque desde las azoteas tenían tanta piedra y cantos y mamparos, que era cosa perdida ponernos en ello; y además de esto, en algunas casas que les poníamos fuego tardaba una casa en quemarse un día entero, y no se podía pegar fuego de una casa a otra, lo uno, por estar apartadas una de otra y el agua en medio, y lo otro, ser de azoteas; así que eran por demás nuestros trabajos en aventurar nuestras personas en aquello. Por manera que fuimos hasta el gran *cu* de sus ídolos, y luego de repente suben en él más de cuatro mil mexicanos, sin otras capitanías que en ellos estaban con grandes lanzas y piedra y vara, y se ponen en defensa y nos resistieron la subida un buen rato, que no bastaban las torres ni los tiros ni ballestas ni escopetas, ni los de caballo, porque aunque querían arremeter los caballos, había unas losas muy grandes empedrando todo el patio, que se iban a los caballos pies y manos, y eran tan lisas, que caían; y como desde las gradas del alto *cu* nos defendían el paso, y a un lado y a otro teníamos tantos contrarios, y aunque nuestros tiros llevaban diez o quince de ellos, y a estocadas y arremetidas matábamos otros muchos, cargaba tanta gente, que no les podíamos subir al alto *cu;* y con gran concierto tornamos a porfiar, sin llevar las torres, porque ya estaban desbaratadas, y les subimos arriba. Aquí se mostró Cortés muy varón como siempre lo fue. ¡Oh, qué pelear y fuerte batalla que aquí tuvimos! Era cosa de notar vernos a todos corriendo sangre y llenos de heridas, y otros muertos; y quiso Nuestro Señor que llegamos adonde solíamos tener la imagen de Nuestra Señora, y no la hallamos, que pareció, según supimos que el gran Montezuma tenía devoción en ella, y la mandó guardar; y pusimos fuego a sus ídolos, y se quemó un buen pedazo de la sala con los ídolos Uichilobos y Tezcatepuca. Entonces nos ayudaron muy bien los tlaxcaltecas. Pues ya hecho esto, estando que estábamos unos peleando y otros poniendo el fuego, como dicho tengo, ver los *papas* que estaban en este gran *cu,* y sobre tres o cuatro mil indios, todos principales, ya que nos bajábamos, cuál nos hacían venir rodando seis gradas y aun diez abajo, y hay tanto que decir de otros escuadrones que estaban en los pretiles y concavidades del gran *cu* tirándonos tanta vara y flecha, que así a unos escuadrones como a los otros no podíamos hacer cara, acordamos con mucho trabajo y riesgo de nuestras personas de volvernos a nuestros aposentos, los castillos deshechos, y todos heridos, y diez y seis muertos y los indios siempre aprestándonos, y otros escuadrones por las espaldas, que quien no nos vio, aunque aquí más claro lo diga, yo no lo sé significar.

Pues aún no digo lo que hicieron los escuadrones mexicanos que estaban dando guerra en los aposentos en tanto que andábamos en este gran *cu,* y tiénenlo por cosa muy heroica, que aunque esta batalla prendimos dos *papas* principales, que Cortés nos mandó que los llevasen a buen recaudo. Muchas veces he visto pintada entre los mexicanos y tlaxcaltecas esta batalla y subida que hicimos en este gran *cu,* y tiénenlo por cosa muy heroica, que aunque nos pintan a todos nosotros muy heridos, corriendo sangre y muchos muertos en retratos que tienen de ello hecho, en mucho lo tienen esto de poner fuego al *cu* y estar tanto guerrero guardándolo, y en los pretiles y concavidades, y otros muchos indios abajo en el suelo y patios llenos, y en los lados, y otros muchos, y deshechas nuestras torres, cómo fue posible subirle. Dejemos de hablar de ello y digamos cómo con gran trabajo tornamos a los aposentos, y si mucha gente nos fueron siguiendo y daban guerra, otros muchos estaban en los aposentos, que ya les tenían derrocadas unas paredes para entrarles, y con nuestra llegada cesaron, mas no de manera que en todo lo que quedó del día dejaban de tirar vara y piedra y flecha, y en la noche, grita y piedra y vara.

Dejemos de su gran tesón y porfía que siempre a la contina tenían de estar sobre nuestros aposentos, como he dicho, y digamos que aquella noche se nos fue en curar heridos y enterrar los muertos y en aderezar para salir otro día a pelear y en poner fuerzas y mamparos a las paredes que habían derrocado y a otros portillos que habían hecho, y tomar consejo cómo y de qué manera podríamos pelear sin que recibiésemos tantos daños ni muertes; y en todo lo que platicamos no hallábamos remedio ninguno. Pues también quiero decir las maldiciones que los de Narváez echaban a Cortés, y las palabras que decían, que renegaban de él y de la tierra, y aun de Diego Velázquez que acá les envió, que bien pacíficos estaban en sus casas en la isla de Cuba, y estaban embelesados y sin sentido.

Volvamos a nuestra plática; que fue acordado de demandarles paces para salir de México. Y desde que amaneció vienen muchos más escuadrones de guerreros, y vienen muy de hecho y nos cercan por todas partes los aposentos, y si mucha piedra y flecha tiraban de antes, muchas más espesas y con mayores alaridos y silbos vinieron este día; y otros escuadrones por otras partes procuraban de entrarnos, que no aprovechaban tiros ni escopetas y aunque les hacían harto mal. Y viendo todo esto acordó Cortés que el gran Montezuma les hablase desde una azotea, y les dijese que cesasen las guerras, y que nos queríamos ir de su ciudad. Y cuando al gran Montezuma se lo fueron a decir de parte de Cortés, dicen que dijo con gran dolor: "¿Qué quiere ya de mí Malinche, que yo no deseo vivir ni oírle, pues en tal estado por su causa mi ventura me ha traído?" Y no quiso venir, y aun dicen que dijo que ya no le quería ver ni oír a él ni a sus falsas palabras ni promesas y mentiras. Y fue el padre de la Merced y Cristóbal de Olid, y le hablaron con mucho acato y palabras muy amorosas. Y dijo Montezuma: "Yo tengo creído que no aprovecharé cosa ninguna para que cese la guerra, porque ya tienen alzado otro señor y han propuesto de no os dejar salir de aquí con la vida; y así creo que todos vosotros habéis de morir."

Y volvamos a los grandes combates que nos daban. Que Montezuma se puso a pretil de una azotea con muchos de nuestros soldados que le guardaban, y les comenzó a hablar con palabras muy amorosas que dejasen la guerra y que nos iríamos de México, y muchos principales y capitanes mexicanos bien le conocieron, y luego mandaron que callasen sus gentes y no tirasen varas ni piedras ni flechas; y cuatro de ellos se llegaron en parte que Montezuma les podía hablar, y ellos a él, y llorando le dijeron: "¡Oh, señor y nuestro gran señor, y cómo nos pesa de todo vuestro mal y daño y de vuestros hijos y parientes! Hacémoos saber que ya hemos levantado a un vuestro pariente por señor." Y allí le nombró cómo se llamaba, que se decía Coadlavaca, señor de Iztapalapa, que no fue Guatemuz el que luego fue señor. Y más dijeron que la guerra que la habían de acabar, y que tenían prometido a sus ídolos de no dejarla hasta que todos nosotros muriésemos, y que rogaban cada día a su Uichilobos y a Tezcatepuca que le guardase libre y sano de nuestro poder; y como saliese como deseaban, que no le dejarían de tener muy mejor que de antes por señor, y que les perdonase. Y no hubieron bien acabado el razonamiento, cuando en aquella sazón tiran tanta piedra y vara, que los nuestros que le arrodelaban, desde que vieron que entretanto que hablaba con ellos no daban guerra, se descuidaron un momento de rodelarle de presto, y le dieron tres pedradas, una en la cabeza, otra en un brazo y otra en una pierna; y puesto que le rogaban se curase y comiese y le decían sobre ello buenas palabras, no quiso, antes cuando no nos catamos vinieron a decir que era muerto. Y Cortés lloró por él, y todos nuestros capitanes y soldados, y hombres hubo entre nosotros, de los que le conocíamos y tratábamos, de que fue tan llorado como si fuera nuestro padre, y no nos hemos de maravillar de ello viendo qué tan bueno era. Y decían que había diez y siete años que reinaba, y que fue el mejor rey que en México había habido y que por su persona había vencido tres desafíos que tuvo sobre las tierras que sojuzgó.

Y pasemos adelante.

CAPÍTULO CXXVII

DESPUÉS QUE FUE MUERTO EL GRAN MONTEZUMA ACORDÓ CORTÉS DE HACERLO SABER A SUS CAPITANES Y PRINCIPALES QUE NOS DABAN GUERRA, Y LO QUE MÁS SOBRE ELLO PASÓ

Pues como vimos a Montezuma que se había muerto, ya he dicho la tristeza que en todos nosotros hubo por ello, y aun al fraile de la Merced, que siempre estaba con él, se lo tuvimos a mal no atraerle a que se volviese cristiano, y él dio por descargo que no creyó que de aquellas heridas muriese, salvo que él debió mandar que le pusiesen alguna cosa con que se pasmó. En fin de más razones mandó Cortés a un *papa* y a un principal de los que estaban presos, que soltamos para que fuesen a decir al cacique que alzaron por señor, que se decía Coadlavaca, y a sus capitanes cómo el gran Montezuma era muerto, y que ellos le vieron morir, y de la manera que murió y heridas que le dieron los suyos, que dijesen cómo a todos nos pesaba de ello, y que lo enterrasen como a gran rey que era, y que alzasen a su primo de Montezuma, que con nosotros estaba, por rey, pues le pertenecía de heredar, o a otros sus hijos, y que al que habían alzado por señor que no le venía por derecho, y que tratasen paces para salirnos de México, que si no lo hacían, que ahora que era muerto Montezuma, a quien teníamos respeto, y que por su causa no les destruíamos su ciudad, que saldríamos a darles guerra y a quemarles todas las casas, y les haríamos mucho mal. Y porque lo viesen cómo era muerto Montezuma, mandó a seis mexicanos muy principales y los demás *papas* que teníamos presos que lo sacasen a cuestas y lo entregasen a los capitanes mexicanos y les dijesen lo que Montezuma mandó al tiempo que se quería morir, que aquellos que lo llevaron a cuestas se hallaron presentes a su muerte. Y dijeron a Coadlavaca toda la verdad, cómo ellos propios lo mataron de tres pedradas. Y después que así lo vieron muerto, vimos que hicieron muy gran llanto, que bien oímos las gritas y aullidos que por él daban; y aun con todo esto no cesó la gran batería que siempre nos daban y era sobre nosotros de vara y piedra y flecha, y luego la encomenzaron muy mayor y con gran braveza, y nos decían: "Ahora pagaréis muy de verdad la muerte de nuestro rey y señor y el deshonor de nuestros ídolos; y las paces que nos enviáis a pedir, salid acá y concertaremos cómo y de qué manera han de ser."

Y decían tantas palabras sobre ello y de otras cosas, que ya no se me acuerda y las dejaré aquí de decir; y que ya tenían elegido un buen rey, y que no será de corazón tan flaco que le podáis engañar con palabras falsas como fue a su buen Montezuma, y que del enterramiento que no tuviésemos cuidado, sino de nuestras vidas, que en dos días no quedarían ningunos de nosotros para que tales cosas les enviemos a decir. Y con estas pláticas, muy grandes gritas y silbos y rociadas de piedra y vara y flecha, y otros muchos escuadrones todavía procurando de poner fuego a muchas partes de nuestros aposentos. Y desde que aquello vio Cortés y todos nosotros, acordamos que para otro día saliésemos del real todos y diésemos por otra parte adonde había muchas casas en tierra firme, y que hiciésemos todo el mal que pudiésemos y fuésemos hacia la calzada, y que todos los de a caballo rompiesen con los escuadrones y los alanceasen o se echasen en la laguna, y aunque les matasen los caballos.

Y esto se ordenó para si por ventura con el daño y muerte que les hiciésemos cesarían la guerra y se trataría alguna manera de paz para salir libres, sin más muertes y daños. Y puesto que otro día lo hicimos todos muy varonilmente y matamos muchos contrarios, y se quemaron obra de veinte casas, y fuimos hasta cerca de tierra firme, todo fue nonada para el daño que recibimos, así de muertes como heridas que nos dieron, y no pudimos guardar ninguna puente, porque todas estaban medio quebradas; y cargaron muchos mexicanos sobre nosotros, y tenían puestas albarradas y mamparos en parte adonde conocían que podían alcanzar los caballos. Por manera que si muchos trabajos teníamos hasta allí muchos mayores tuvimos adelante. Y dejarlo he aquí, y volvamos a decir cómo acordamos de salir de México. En esta entrada y salida que hicimos los de [a] caballo era un jueves; acuérdome que iba allí Sandoval, y Lares el buen jinete, y Gonzalo Domínguez, Juan Velázquez de León y Francisco de Morla, y otros buenos hombres de a caballo de los nuestros, y de los de Narváez iban otros buenos jinetes, mas estaban espantados y temerosos, como no se habían hallado en guerra de indios.

CAPÍTULO CXXVIII

CÓMO ACORDAMOS DE IRNOS HUYENDO DE MÉXICO, Y LO QUE SOBRE ELLO SE HIZO

Como veíamos que cada día menguaban nuestras fuerzas y las de los mexicanos crecían, y veíamos muchos de los nuestros muertos y todos los más heridos, y que aunque peleábamos muy como varones no podíamos hacer retirar ni que se apartasen los muchos escuadrones que de día y de noche nos daban guerra, y la pólvora apocada, y la comida y agua por el consiguiente, y el gran Montezuma muerto, las paces y treguas que les enviamos a demandar no las querían aceptar; en fin, veíamos nuestras muertes a los ojos, y las puentes que estaban alzadas, y fue acordado por Cortés y por todos nuestros capitanes y soldados que de noche nos fuésemos, cuando viésemos que los escuadrones guerreros estaban más descuidados, y para más descuidarles aquella tarde les enviamos a decir con un *papa* de los que estaban presos, que era muy principal entre ellos, y con otros prisioneros, que nos dejen ir en paz de ahí a ocho días, y que les daríamos todo el oro, y esto por descuidarlos y salirnos aquella noche. Y además de esto estaba con nosotros un soldado que se decía Botello, al parecer muy hombre de bien y latino, y había estado en Roma, y decían que era nigromántico, otros decían que tenía familiar, algunos le llamaban astrólogo; y este Botello había dicho cuatro días había que hallaba por sus suertes o astrologías que si aquella noche que venía no salíamos de México, que si más aguardábamos, que ninguno saldría con la vida, y aun había dicho otras veces que Cortés había de tener muchos trabajos o había de ser desposeído de su ser y honra, y que después había de volver a ser gran señor, e ilustre, de muchas rentas, y decía otras muchas cosas.

Dejemos a Botello, que después tornaré a hablar en él y diré cómo se dio luego orden que se hiciese de maderos y tablas muy recias una puente, que llevásemos para poner en las puentes que tenían quebradas, y para ponerlas y llevarlas y guardar el paso hasta que pasase todo el fardaje y el ejército señalaron cuatrocientos indios tlaxcaltecas y ciento cincuenta soldados; para llevar la artillería señalaron asimismo doscientos indios de Tlaxcala y cincuenta soldados, y para que fuesen en la delantera, peleando, señalaron a Gonzalo de Sandoval y a Diego de Ordaz; y a Francisco de Saucedo y a Francisco de Lugo, y una capitanía de cien soldados mancebos, sueltos, para que fuesen entre medias y acudiesen a la parte que más conviniese pelear; señalaron al mismo Cortés y Alonso de Ávila y Cristóbal de Olid y a otros capitanes que fuesen en medio; en la retaguardia a Pedro de Alvarado y a Juan Velázquez de León, y entremetidos en medio de los capitanes y soldados de Narváez, y para que llevasen a cargo los prisioneros y a doña Marina y doña Luisa, señalaron trescientos tlaxcaltecas y treinta soldados.

Pues hecho este concierto, ya era noche para sacar el oro y llevarlo o repartirlo: mandó Cortés a su camarero, que se decía Cristóbal de Guzmán, y a otros soldados sus criados, que todo el oro y joyas y plata lo sacasen con muchos indios de Tlaxcala que para ello les dio, y lo pusieron en la sala, y dijo a los oficiales del rey que se decían Alonso de Ávila y Gonzalo Mexía que pusiesen cobro en el oro de Su Majestad, y les dio siete caballos heridos y cojos y una yegua y muchos amigos tlaxcaltecas, que fueron más de ochenta, y cargaron de ello a bulto lo que más pudieron llevar, que estaban hechas barras muy anchas, como otras veces he dicho en el capítulo que de ello habla, y quedaba mucho oro en la sala y hecho montones. Entonces Cortés llamó a su secretario y a otros escribanos del rey y dijo: "Dadme por testimonio que no puedo más hacer sobre este oro; aquí teníamos en este aposento y sala sobre setecientos mil pesos de oro, y como habéis visto que no se puede pesar ni poner más en cobro, los soldados que quisiesen sacar de ello, desde aquí se lo doy, como ha de quedar perdido entre estos perros." Y desde que aquello oyeron muchos soldados de los de Narváez y algunos de los nuestros, cargaron de ello. Yo digo que no tuve codicia sino procurar de salvar la vida, mas no dejé de apañar de unas cazuelas que allí estaban unos cuatro *chalchiuis,* que son piedras entre los indios muy preciadas, que de presto me eché en los pechos entre las armas, que me fueron después buenas para curar mis heridas y comer el valor de ellas.

Pues de que supimos el concierto que Cortés había hecho de la manera que habíamos de salir e ir aquella noche a las puentes, y como hacía algo oscuro y había niebla y lloviznaba, antes de medianoche se comenzó a traer la puente y caminar el fardaje y los caballos y la yegua y los tlaxcaltecas cargados con el oro; y de presto se puso la puente y pasó Cortés y los demás que consigo traía primero, y muchos de a caballo. Y estando en esto suenan las voces y cornetas y gritas y silbos de los mexicanos, y decían en su lengua a los del Tatelulco: "Salid presto con vuestras canoas, que se van los *teules* y tajadlos que no quede ninguno a vida." Y cuando no me cato vimos tantos escuadrones de guerreros sobre nosotros, y toda la laguna cuajada de canoas que no nos podíamos valer, y muchos de nuestros soldados ya habían pasado.

Y estando de esta manera cargan tanta multitud de mexicanos a quitar la puente y a herir y matar en los nuestros, que no se daban a manos; y como la desdicha es mala en tales tiempos, ocurre un mal sobre otro; como llovía resbalaron dos caballos y caen en el agua, y como aquello vimos yo y otros de los de Cortés, nos pusimos en salvo de esa parte de la puente, y cargaron tanto guerrero, que por bien que peleábamos no se pudo más aprovechar de la puente. De manera que en aquel paso y abertura del agua de presto se hinchó de caballos muertos y de indios e indias y *naborías*, y fardaje y petacas; y temiendo no nos acabasen de matar, tiramos por nuestra calzada adelante y hallamos muchos escuadrones que estaban aguardándonos con lanzas grandes, y nos decían palabras vituperiosas, y entre ellas decían: "¡Oh, *cuilones,* y aún vivos quedáis!"

Y a estocadas y cuchilladas que les dábamos pasamos, aunque hirieron allí a seis de los que íbamos; pues quizá había algún concierto cómo lo habíamos concertado, maldito aquél; porque Cortés y los capitanes y soldados que pasaron primero a caballo por salvarse y llegar a tierra firme y asegurar sus vidas aguijaron por la calzada adelante, y no la erraron; también salieron en salvo los caballos con el oro y los tlaxcaltecas, y digo que si aguardáramos, así los de a caballo como los soldados, unos a otros en las puentes, todos feneciéramos, que no quedara ninguno a vida; y la causa es ésta: porque yendo por la calzada, ya que arremetíamos a los escuadrones mexicanos, de la una parte es agua y de la otra parte azoteas, y la laguna llena de canoas, no podíamos hacer cosa ninguna, pues escopetas y ballestas todas quedaban en la puente, y siendo de noche, qué podíamos hacer sino lo que hacíamos, que era arremeter y dar algunas cuchilladas a los que nos venían a echar mano, y andar y pasar adelante hasta salir de las calzadas; y si fuera de día muy peor fuera: y aun los que escapamos fue Nuestro Señor servido de ello. Y para quien no vio aquella noche la multitud de guerreros que sobre nosotros estaban y las canoas que de ellos andaban a rebatar nuestros soldados, es cosa de espanto.

Ya que íbamos por nuestra calzada adelante, cabe el pueblo de Tacuba, adonde ya estaba Cortés con todos los capitanes Gonzalo de Sandoval y Cristóbal de Olid y otros de a caballo de los que pasaron delante, decían a voces: "Señor capitán, aguárdenos, que dicen que vamos huyendo y los dejamos morir en las puentes; tornémoslos a amparar, si algunos han quedado y no salen ni vienen ninguno." Y la respuesta de Cortés fue que los que habíamos salido era milagro. Y luego volvió con los de a caballo y soldados que no estaban heridos, y no anduvieron mucho trecho, porque luego vino Pedro de Alvarado bien herido, a pie, con una lanza en la mano, porque la yegua alazana ya se la habían muerto, y traía consigo cuatro soldados tan heridos como él y ocho tlaxcaltecas, todos corriendo sangre de muchas heridas. Y entretanto que fue Cortés por la calzada con los demás capitanes [y], reparamos en los patios de Tacuba, ya habían venido de México muchos escuadrones dando voces a dar mandado a Tacuba y a otro pueblo que se dice Escapuzalco, por manera que encomenzaron a tirar vara y piedra y flecha, y con sus lanzas grandes; y nosotros hacíamos algunas arremetidas, en que nos defendíamos y ofendíamos.

Volvamos a Pedro de Alvarado; que como Cortés y los demás capitanes le encontraron de aquella manera y vieron que no venían más soldados, se le saltaron las lágrimas de los ojos, y dijo Pedro de Alvarado que Juan Velázquez de León quedó muerto con otros muchos caballeros, así de los nuestros como de los de Narváez, que fueron más de ochenta, en la puente, y que él y los cuatro soldados que consigo traía, que después que les mataron los caballos pasaron en la puente con mucho peligro sobre muertos y caballos y petacas, que estaba aquel paso de la puente cuajado de ellos, y dijo más: el que todas las puentes y calzadas estaban llenas de guerreros, y en la triste puente, que dijeron después que fue el salto de Alvarado, digo que aquel tiempo ningún soldado se paraba a verlo si saltaba poco o mucho, porque harto teníamos que salvar nuestras vidas porque estábamos en gran peligro de muerte, según la multitud de mexicanos que sobre nosotros cargaban. Y todo lo que en aquel caso dice Gómara es burla porque ya que quisiera saltar y sustentarse en la lanza, estaba el agua muy honda y no podía llegar al suelo con ella; y además de esto, la puente y abertura muy ancha y alta, que no la podría salvar por muy más suelto que era, ni sobre lanza ni de otra manera, y bien se puede ver ahora qué tan alta iba el agua en aquel tiempo y qué tan altas son las paredes donde estaban las vigas de la puente, y qué tan ancha era la abertura; y nunca oí decir de ese salto de Alvarado hasta después de ganado México, que fue en unos libelos que puso un Gonzalo de Ocampo, que por ser algo feos aquí no declaro. Y entre ellos dice: "Y dacordársete debía del salto que diste de la puente." Y no declaro más en esta tecla.

Pasemos adelante y diré como estando en Tacuba se habían juntado muchos guerreros mexicanos de todos aquellos pueblos y nos mataron allí tres soldados, acordamos lo más presto que pudiésemos salir de aquel pueblo, y con cinco indios tlaxcaltecas, que atinaban el camino de Tlaxcala, sin ir por el camino, nos guiaban con mucho concierto, hasta que llegábamos a unas caserías que en un cerro estaban, y allí junto un *cu,* su adoratorio como fortaleza, adonde reparamos. Quiero tornar a decir que seguidos que íbamos de los mexicanos y de las flechas y varas y pedradas que con sus hondas nos tiraban, y cómo nos cercaban, dando siempre en nosotros, es cosa de espantar. Y como lo he dicho muchas veces, y estoy harto de decirlo, los lectores no lo tengan por cosa de prolijidad, por causa que cada vez o cada rato que nos apretaban y herían y daban recia guerra, por fuerza tengo de tornar a decir de los escuadrones que nos seguían y mataban muchos de nosotros. Dejémoslo ya de traer tanto a la memoria, y digamos cómo nos defendíamos.

En aquel *cu* y fortaleza nos albergamos y se curaron los heridos, y con muchas lumbres que hicimos, pues de comer ni por pensamiento; y en aquel *cu* y adoratorio, después de ganada la gran ciudad de México, hicimos una iglesia que se dice Nuestra Señora de los Remedios, muy devota, y van ahora allí en romería y a tener novenas muchos vecinos y señores de México. Dejemos esto y volvamos a decir qué lástima era de ver curar y apretar con algunos paños de mantas nuestras heridas, y como se habían resfriado y estaban hinchadas, dolían. Pues más de llorar fue los caballeros y esforzados soldados que faltaban, que es de Juan Velázquez de León, Francisco de Saucedo, y Francisco de Morla, y un Lares el buen jinete, y otros muchos de los nuestros de Cortés. Para qué cuento yo estos pocos, porque para escribir los nombres de los muchos que de nosotros faltaron es no acabar tan presto, pues de los de Narváez todos los más en las puentes quedaron cargados de oro. Digamos ahora el astrólogo Botello no le aprovechó su astrología, que también allí murió con su caballo. Pasemos adelante, y diré cómo se hallaron en una petaca de este Botello, después que estuvimos en salvo, unos papeles como libro, con cifras y rayas y apuntamientos y señales, que decía en ellas: "Si me he de morir aquí en esta triste guerra en poder de estos perros indios." Y decía en otras rayas y cifras más adelante: "No morirás." Y tornaba a decir en otras cifras y rayas y apuntamientos: "Sí morirás." Y respondía la otra raya: "No morirás." Y decía en otra parte: "Si me han de matar, también mi caballo." Decía adelante: "Sí matarán." Y de esta manera tenía otras como cifras y a manera de suertes que hablaban unas letras contra otras en aquellos papeles que era como libro chico. Y también se halló en la petaca una natura como de hombre, de obra de un geme, hecha de baldrés, ni más ni menos, al parecer de natura de hombre, y tenía dentro como una borra de lana de tundidor.

Tornemos a decir cómo quedaron en las puentes muertos así los hijos e hijas de Montezuma como los prisioneros que traíamos, y el Cacamatzin, señor de Tezcuco, y otros reyes de provincias.

Dejemos ya de contar tantos trabajos y digamos cómo estábamos pensando en lo que por delante teníamos, y era que todos estábamos heridos, y no escaparon sino veinte y tres caballos; pues los tiros y artillería y pólvora no sacamos ninguna; las ballestas fueron pocas, y ésas se remediaron luego las cuerdas e hicimos saeta. Pues lo peor de todo era que no sabíamos la voluntad que habíamos de hallar en nuestros amigos los de Tlaxcala. Demás de esto, aquella noche, siempre cercados de mexicanos y gritas y varas y flechas, con hondas, sobre nosotros, acordamos de salirnos de allí a medianoche, y con los tlaxcaltecas, nuestros guías, por delante, con muy buen concierto caminar, los heridos en medio y los cojos con bordones, y algunos que no podían andar y estaban muy malos a ancas de caballos de los que iban cojos, que no eran para batallar, y los de a caballo que no estaban heridos, delante y a un lado y a otro repartidos. Y de esta manera todos nosotros los que más sanos estábamos, haciendo rostro y cara a los mexicanos, y los tlaxcaltecas heridos dentro del cuerpo de nuestro escuadrón, y los demás que estaban sanos hacían cara juntamente con nosotros, porque los mexicanos nos iban siempre picando con grandes voces y gritos y silbos, y decían: "Allá iréis donde no quede ninguno de vosotros a vida." Y no entendíamos a qué fin lo decían, según adelante verán.

Pues olvidado me he de escribir el contento que recibimos de ver viva a nuestra doña Marina y a doña Luisa, la hija de Xicotenga, que las escaparon en las puentes unos tlaxcaltecas, y también una mujer que se decía María de Estrada, que no teníamos otra mujer de Castilla en México sino aquélla, y los que las escaparon y salieron primero de las puentes fueron unos hijos de Xicotenga, hermanos de la doña Luisa, y quedaron muertas las más de nuestras *naborías* que nos habían dado en Tlaxcala y en la misma ciudad de México.

Y volvamos a decir cómo llegamos aquel día a unas estancias y caserías de un pueblo grande que se dice Gualtitán,[89] el cual pueblo después de ganado México fue de Alonso de Ávila; y aunque nos daban

[89] Parece que el autor recuerda aquí el nombre de Teocalhuican; sin embargo, el episodio de la cena del caballo lo sitúa Cortés después *(Segunda Carta de Relación)*, y Orozco y Berra en Zacamolco (Ob. cit., t. IV pág. 458). El pueblo de Alonso de Ávila fue Quauhtitlan.

grita y voces y tiraban piedra y vara y flecha, todo lo soportamos, y desde allí fuimos por unas caserías y poblezuelos, y siempre los mexicanos siguiéndonos, y como se juntaban muchos, procuraban de matarnos, y nos comenzaban a cercar y tiraban tanta piedra con hondas y varas y flechas, y con sus montantes, que mataron a dos de nuestros soldados en un paso malo, y también mataron un caballo e hirieron a muchos de los nuestros; y también nosotros a estocadas y cuchilladas matamos algunos de ellos, y los de a caballo lo mismo, y así dormimos en aquellas casas y comimos el caballo que mataron. Y otro día muy de mañana comenzamos a caminar con el concierto que de antes íbamos, y aun mejor, y siempre la mitad de los de a caballo adelante; y poco más de una legua de allí, en un llano, ya que creíamos ir en salvo, vuelven nuestros corredores del campo que iban descubriendo y dicen que están los campos llenos de guerreros mexicanos aguardándonos; y cuando lo oímos, bien que teníamos temor, pero no para desmayar ni dejar de encontrarnos con ellos y pelear hasta morir. Y allí reparamos un poco y se dio orden cómo se había de entrar y salir los de a caballo a media rienda, y que no se parasen a lancear, sino las lanzas por los rostros hasta romper sus escuadrones, y que todos los soldados las estocadas que diésemos que le pasásemos las entrañas, y que hiciésemos de manera que vengásemos muy bien nuestras muertes y heridas, por manera que, si Dios fuese servido, escapásemos con las vidas. Y después de encomendarnos a Dios y a Santa María muy de corazón, e invocando el nombre de Señor Santiago, desde que vimos que nos comenzaban a cercar, de cinco en cinco de [a] caballo rompieron por ellos, y todos nosotros juntamente. ¡Oh qué cosa era de ver esta tan temerosa y rompida batalla; cómo andábamos tan revueltos con ellos, pie con pie, y qué cuchilladas y estocadas les dábamos, y con qué furia los perros peleaban, y qué herir y matar hacían en nosotros con sus lanzas y *macanas* y espadas de dos manos, y los de caballo, como era el campo llano, cómo lanceaban a su placer entrando y saliendo, y aunque estaban heridos ellos y sus caballos, no dejaban de batallar muy como varones esforzados! Pues todos nosotros los que no teníamos caballos, parece ser que a todos se nos ponía doblado esfuerzo, que aunque estábamos heridos, y de refresco teníamos otras heridas, no curábamos de apretarlas, por no nos parar a ello, que no había lugar, sino con grandes ánimos apechugábamos con ellos a darles de estocadas. Pues quiero decir cómo Cortés y Cristóbal de Olid, y Gonzalo de Sandoval, y Gonzalo Domínguez, y un Juan de Salamanca, cuáles andaban a una parte y a otra, y aunque bien heridos, rompiendo escuadrones; y las palabras que Cortés decía a los que andábamos envueltos con ellos, que la estocada o cuchillada que diésemos fuese en señores señalados, porque todos traían grandes penachos de oro y ricas armas y divisas. Pues ver cómo nos esforzaba el valiente y animoso Sandoval, y decía: "¡Ea, señores, que hoy es el día que hemos de vencer; tened esperanza en Dios que saldremos de aquí vivos para algún buen fin!" Y tornaré a decir los muchos de nuestros soldados que nos mataban y herían. Y dejemos esto y volvamos a Cortés y Cristóbal de Olid, y Sandoval y Gonzalo Domínguez y otros de a caballo que aquí no nombro, y Juan de Salamanca. Y todos los soldados poníamos grande ánimo a Cortés para pelear, y esto Nuestro Señor Jesucristo y Nuestra Señora la Virgen Santa María nos lo ponían en corazón, y Señor Santiago, que ciertamente nos ayudaba.

Y quiso Dios que llegó Cortés con los capitanes ya por mí memorados, que andaban en su compañía, en parte donde andaba con su grande escuadrón el capitán general de los mexicanos, con su bandera tendida, con ricas armas de oro y grandes penachos de argentería. Y desde que le vio Cortés, con otros muchos mexicanos que eran principales, que todos traían grandes penachos, dijo a Gonzalo de Sandoval y a Cristóbal de Olid y a Gonzalo Domínguez y a los demás capitanes: "¡Ea, señores! Rompamos por ellos y no quede ninguno de ellos sin heridas." Y encomendándose a Dios arremetió Cortés y Cristóbal de Olid y Sandoval y Alonso de Ávila y otros caballeros; y Cortés dio un encuentro con el caballo al capitán mexicano, que le hizo abatir su bandera, y los demás nuestros capitanes acabaron de romper el escuadrón, que eran muchos indios, y quien siguió al capitán que traía la bandera, que aún no había caído del encuentro que Cortés le dio, fue Juan de Salamanca, ya por mí nombrado, que andaba con Cortés con una buena yegua overa, que le dio una lanzada y le quitó el rico penacho que traía y se lo dio luego a Cortés, diciendo que pues él lo encontró primero y le hizo abatir la bandera y le hizo perder el brío del pelear de sus gentes, que aquel penacho era suyo; mas desde ha obra de tres años Su Majestad se lo dio por armas a Salamanca, y lo tienen sus descendientes en sus reposteros.

Volvamos a nuestra batalla, que Nuestro Señor Dios fue servido que, muerto aquel capitán que traía la bandera mexicana, y otros muchos que allí murieron, aflojó su batallar, y todos los de a caballo siguiéndolos, y ni teníamos hambres ni sed, sino que parecía que no habíamos habido ni pasado ningún mal ni trabajo, seguimos la victoria matando e hiriendo. Pues nuestros amigos los de Tlaxcala estaban hechos unos leones, y con sus espadas y montantes y otras armas que allí apañaron hacíanlo[90] muy bien y esforzadamente. Ya vueltos los de a caballo de seguir la victoria, todos dimos muchas gracias a Dios que escapamos de tan gran multitud de gente, porque no se había visto ni hallado en todas las Indias, en batalla que se haya dado, tan gran número de guerreros juntos, porque allí estaba la flor de México y de Tezcuco y todos los pueblos que están alrededor de la laguna, y otros muchos sus comarcanos, y los de Otumba y Tepetezcuco y Saltocán,[91] ya con pensamiento que de aquella vez no quedara roso ni velloso de nosotros. Pues, ¡qué armas tan ricas que traían, con tanto oro y penachos y divisas, y todos los más capitanes y personas principales! Allí junto donde fue esta reñida y nombrada batalla (para en estas partes así se puede decir, pues Dios nos escapó con las vidas) y en un pueblo que se dice Otumba, tienen muy bien pintada esta batalla y en retratos entallada los mexicanos y tlaxcaltecas, entre otras muchas batallas que con los mexicanos hubimos hasta que ganamos a México.

Y tengan atención los curiosos lectores que esto leyeren, que quiero traer aquí a la memoria que cuando entramos al socorro de Pedro de Alvarado, en México, fuimos por todos sobre más de mil trescientos soldados con los de a caballo, que fueron noventa y siete, y ochenta ballesteros, y otros tantos escopeteros, y más de dos mil tlaxcaltecas, y metimos mucha artillería; y fue nuestra entrada en México día de Señor San Juan de junio de mil quinientos veinte años; fue nuestra salida huyendo a diez del mes de julio del dicho año; y fue esta nombrada batalla de Otumba a catorce del mes de julio. Digamos ahora, ya que escapamos de todos los trances por mí atrás dichos, quiero dar otra cuenta, qué tantos nos mataron así en México como en puentes y calzadas, como en todos los reencuentros y en ésta de Otumba, y los que mataron por los caminos: digo que en obra de cinco días fueron muertos y sacrificados sobre ochocientos sesenta soldados, con setenta y dos que mataron en un pueblo que se

[90] Tachado en el original: *maravillas*.

[91] Acaso se refiere a los pueblos de Tepotzotlan, y Xaltocan.

dice Tustepeque, y a cinco mujeres de Castilla; y estos que mataron en Tustepeque eran de los de Narváez, y mataron sobre mil y doscientos tlaxcaltecas.[92]

También quiero decir cómo en aquella sazón mataron a un Juan de Alcántara el Viejo, con otros tres vecinos de la Villa Rica que venían por las partes del oro que les cabía, de lo cual tengo hecha relación en el capítulo que de ello trata; por manera que también perdieron las vidas y aun el oro; y si miramos en ello, todos comúnmente hubimos mal gozo de las partes del oro que nos dieron, y si de los de Narváez murieron muchos más que de los de Cortés en las puentes, fue por salir cargados de oro, que con el peso de ello no podían salir ni nadar.

Dejemos de hablar en esta materia y digamos cómo íbamos ya muy alegres y comiendo unas calabazas que llaman *ayotes,* y comiendo y caminando hacia Tlaxcala, que por salir de aquellos poblazones, por temor no se tornasen a juntar escuadrones mexicanos, que aun todavía nos daban grita en parte que no podíamos [ser] señores de ellos, y nos tiraban mucha piedra con hondas y vara y flecha hasta que fuimos a otras caserías y pueblo chico, porque todo estaba poblado y allí estaba un buen *cu* y casa fuerte donde reparamos aquella noche y nos curamos nuestras heridas y estuvimos con más reposo; y aunque siempre teníamos escuadrones de mexicanos que nos seguían, mas ya no se osaban llegar, y aquellos que venían era como quien dice: "Allá iréis fuera de nuestra tierra." Y desde aquella poblazón y casa donde dormimos se parecían las serrezuelas que están cabe Tlaxcala, y como las vimos nos alegramos, como si fueran nuestras casas. Pues, ¿quizá sabíamos cierto que nos habían de ser leales, o qué voluntad tendrían, o qué había acontecido a los que estaban poblados en la Villa Rica, si eran muertos o vivos?

Y Cortés nos dijo, que pues éramos pocos, que no quedamos sino cuatrocientos y cuarenta con veinte caballos y doce ballesteros y siete escopeteros, y no teníamos pólvora, y todos heridos y cojos y mancos, que mirásemos muy bien cómo Nuestro Señor Jesucristo fue servido de escaparnos con las vidas, por lo cual siempre le hemos de dar muchas gracias y loores, y que volvimos otra vez a disminuirnos en el número y copia de los soldados que con él pasamos, y que primero entramos en México cuatrocientos cincuenta soldados; y que nos rogaba que en Tlaxcala no les hiciésemos enojo, ni se les tomase ninguna cosa; y esto dio a entender a los de Narváez, porque no estaban acostumbrados a ser sujetos a capitanes en las guerras, como nosotros. Y más dijo: que tenía esperanza en Dios que los hallaríamos buenos y muy leales, y que si otra cosa fuese, la que Dios no permita, que nos han de tornar [a] andar los puños con corazones fuertes y brazos vigorosos, y que para eso fuésemos muy apercibidos y nuestros corredores del campo adelante.

Llegamos a una fuente que estaba en una ladera, y allí estaban unas como cercas y mamparos de tiempos viejos, y dijeron nuestros amigos los tlaxcaltecas que allí partían términos entre los mexicanos y ellos; y de buen reposo nos paramos a lavar y a comer de la miseria que habíamos habido; y luego comenzamos a marchar, y fuimos a un pueblo de tlaxcaltecas que se dice Guaolipar,[93] donde nos recibieron y daban de comer, mas no tanto, que si no se lo pagábamos con algunas pecezuelas de oro y *chalchiuis,* que llevamos algunos de nosotros, no nos lo daban de balde; y allí estuvimos un día reposando curando nuestras heridas, y asimis-

[92] Es embrollada en este punto la relación, pues parece que se refiere el autor también a soldados muertos en la región de Cotaxtla, en Veracruz, ya que cita en seguida a Alcántara el Viejo, de los que allí quedaron.

[93] Hueyotlipan, en el Estado de Tlaxcala.

mo curamos los caballos. Pues desde que lo supieron en la cabecera de Tlaxcala, luego vino Maseescaci y Xicotenga el Viejo y Chichimecatecle y otros muchos caciques y principales, y todos los más sus vecinos de Guaxocingo, y como llegaron [a] aquel pueblo donde estábamos, fueron [a] abrazar a Cortés y a todos nuestros capitanes y soldados, y llorando algunos de ellos, especial el Maseescaci y Xicotenga y Chichimecatecle y Tepaneca, dijeron a Cortés: "¡Oh, Malinche, Malinche, y cómo nos pesa de vuestro mal y de todos vuestros hermanos, y de los muchos de los nuestros que con vosotros han muerto! Ya os lo habíamos dicho muchas veces que no os fiaseis de gente mexicana, porque un día u otro os habían de dar guerra; no me quisisteis creer; ya hecho es, no se puede al presente hacer más de curaros y daros de comer. En vuestras casas estáis; descansa e iremos luego a nuestro pueblo y os aposentaremos. Y no pienses, Malinche, que has hecho poco en escapar con las vidas de aquella tan fuerte ciudad y sus puentes, y yo te digo que si de antes os teníamos por muy esforzados, ahora os tengo en mucho más. Bien sé que llorarán muchas mujeres e indias de estos nuestros pueblos las muertes de sus hijos y maridos y hermanos y parientes; no te congojes de ello. Y mucho debes a tus dioses que te han aportado aquí y salido de entre tanta multitud de guerreros que os aguardaban en lo de Otumba, que cuatro días había que lo supe, que os esperaban para mataros; yo quería ir en vuestra busca con treinta mil guerreros de los nuestros, y no pude salir a causa que no estábamos juntos y los andaban juntando."

Cortés y todos nuestros capitanes y soldados los abrazamos y les dijimos que se lo teníamos en merced. Y Cortés les dio a todos los principales joyas de oro y piedras que todavía se escaparon, cada cual soldado lo que pudo; y asimismo dimos algunos de nosotros a nuestros conocidos de lo que teníamos. Pues qué fiesta y qué alegría mostraron con doña Luisa y doña Marina, desde que las vieron en salvamento, y qué llorar y tristeza tenían por las demás indias que no venían, que quedaron muertas, en especial el Maseescaci por su hija doña Elvira, y lloraba la muerte de Juan Velázquez de León, a quien la dio. Y de esta manera fuimos a la cabecera de Tlaxcala con todos los caciques y a Cortés aposentaron en las casas de Maseescaci, y Xicotenga dio sus aposentos a Pedro de Alvarado, y allí nos curamos y tornamos a convalecer, y aun se murieron cuatro soldados de las heridas y a otros soldados no se les habían sanado. Y dejarlo he aquí, y diré lo que más pasamos.

CAPÍTULO CXXIX

CÓMO FUIMOS A LA CABECERA Y MAYOR PUEBLO DE TLAXCALA, Y LO QUE ALLÍ PASAMOS

PUES COMO HABÍA un día que estábamos en el poblezuelo de Gualipar y los caciques de Tlaxcala por mí memorados nos hicieron aquellos ofrecimientos que son dignos de no olvidar y de ser gratificados, y hechos en tal tiempo y coyuntura, y después que fuimos a la cabecera y pueblo de Tlaxcala, nos aposentaron como dicho tengo. Parece ser Cortés preguntó por el oro que habían traído allí, que eran cuarenta mil pesos, el cual oro fueron las partes de los vecinos que quedaban en la Villa Rica, y dijo Maseescaci y Xicotenga el Viejo, y un soldado de los nuestros que se había allí quedado doliente, que no se halló en lo de México cuando nos desbarataron, que habían venido de la Villa Rica un Juan de Alcántara y otros dos vecinos y que lo llevaron todo porque traían cartas de Cortés para que se lo diesen, la cual carta mostró el soldado, que había dejado en poder de Maseescaci cuando le dieron el oro; y preguntando que cómo y cuándo y en qué tiempo lo llevó, y sabido que fue por la cuenta de los días que nos daban guerra los mexicanos, luego entendimos cómo en el camino los habían muerto y tomado el oro, y Cortés hizo sentimiento por ello,[94] y también estábamos con pena por no saber de los de la Villa Rica, no hubiesen corrido algún desmán; y luego y en posta escribió con tres tlaxcaltecas, en que les hizo saber los grandes peligros en que nos habíamos visto en México, y cómo y de qué manera escapamos con las vidas, y no se les dio relación cuántos faltaban de los nuestros, y que mirasen que siempre estuviesen muy alerta y se velasen, y que si hubiesen algunos soldados sanos, que se los enviasen, y que guardasen muy bien a Narváez y a Salvatierra, o si hubiese pólvora o ballestas, porque quería tornar a correr los rededores de México, y también escribió al que quedó por guarda y capitán de la mar, que se dice Caballero, y que mirasen no se fuesen ningún navío a Cuba, ni Narváez, y que si viese que dos navíos de los de Narváez que quedaban y no estaban para navegar, que diere con ellos al través y le enviasen con ellos a los marineros con todas las armas que tuviesen.

En posta fueron y volvieron los mensajeros y trajeron cartas cómo no habían tenido guerras, y que su Juan de Alcántara, ni los dos vecinos que enviaron por el oro, que los deben haber muerto en el camino, y que bien supieron la guerra que en México nos dieron porque el cacique gordo de Cempoal se lo había dicho. Y asimismo escribió el almirante de la mar que se decía Caballero, y dijeron que haría lo que Cortés le mandaba, y que un navío estaba bueno, y que al otro daría al través y enviaría la gente, y que había pocos marineros, porque habían adolecido y se habían muerto, y que ahora escribirían las respuestas de las cartas y que luego vendría el socorro que envían de la Villa Rica. Y con cuatro hombres de la Villa, vinieron tres de la mar, que todos fueron siete, y venía por capitán de ellos un soldado que se decía Lencero, cuya fue la venta que ahora se dice de Lencero; y cuando llegaron a Tlaxcala, como venían dolientes y flacos, muchas veces por nuestro pasatiempo y burlar de ellos decíamos: "El socorro de Lencero, que venían siete soldados y los cinco llenos de bubas, y los dos hinchados con grandes barrigas."[95]

Dejemos burlas y digamos lo que allí en Tlaxcala nos aconteció con Xicotenga el Mozo, y de su mala voluntad, el que había sido capitán de todo Tlaxcala cuando nos dieron las guerras, por mí otras veces dichas en el capítulo que de ello habla; y el caso es, que como se supo en aquella ciudad que salimos huyendo de México, y que nos habían muerto mucha copia de soldados, así de los nuestros como de los indios tlaxcaltecas que habían ido de Tlaxcala en nuestra compañía, y que veníamos a socorrernos y amparar en aquella provincia, Xicotenga el Mozo andaba convocando a todos sus parientes y amigos y a otros que sentía que eran de su parcialidad, y les decía que en una no-

[94] Tachado en el original: *porque pensaba Cortés de enviar a la isla de Jamaica por caballos y pólvora y ballestas y escopetas.*

[95] La venta de Lencero dio nombre a la Hacienda de Lencero, que a mediados del siglo pasado fue propiedad del general don Antonio López de Santa Anna. Actualmente está dentro de sus tierras el campo de aviación de Xalapa. Por error se dice El Encero.

che o de día, cuando más aparejado tiempo viesen, que nos matasen, y harían amistades con el señor de México, que en aquella sazón habían alzado por rey a uno que se decía Coadlavaca, y que, demás de esto, que las mantas y ropa que habíamos dejado en Tlaxcala a guardar, y el oro que ahora sacábamos de México, tendrían qué robar y quedarían todos ricos con ello. Lo cual alcanzó a saber el viejo Xicotenga su padre, y se lo riñó, y le dijo que no le pasase tal por pensamiento, que era mal hecho, y que si lo alcanzase a saber Maseescaci y Chichimecatecle y otros señores de Tlaxcala, que por ventura le matarían y a los que en tal concierto fuesen, y por más que el padre se lo riñó, no curaba de lo que le decía y todavía entendía en su mal propósito.

Y vino a oídos de Chichimecatecle, que era su enemigo mortal del mozo Xicotenga, y lo dijo a Maseescaci; y acordaron de entrar en acuerdo, y consultado sobre ello llamaron a Xicotenga el Viejo y los caciques de Guaxocingo, y mandaron traer preso ante sí a Xicotenga el Mozo, y Maseescaci propuso un razonamiento delante de todos, y dijo que si se les acordaba o habían oído decir que más de cien años hasta entonces que en todo Tlaxcala habían estado tan prósperos y ricos como después que los *teules* vinieron a sus tierras, ni en todas las provincias habían sido en tanto tenidos, y que tenían mucha ropa de algodón, y oro, y comían sal, y por doquiera que iban sus tlaxcaltecas con los *teules* les hacían honra, puesto que ahora les habían muerto en México muchos; y que tengan en la memoria lo que sus antepasados les habían dicho, muchos años atrás, que de adonde sale el sol habían de venir hombres que les habían de señorear, y que a qué causa ahora andaba Xicotenga en aquellas traiciones y maldades, concertando de darnos guerra y matarnos, que era mal hecho y que no podía dar ninguna disculpa de sus bellaquerías y maldades que siempre tenía encerradas en su pecho; que ahora que nos veía venir de aquella manera desbaratados, que nos había de ayudar, para que en estando sanos volver sobre los pueblos de México sus enemigos, quería hacer aquella traición. Y a estas palabras que Maseescaci y su padre Xicotenga el Ciego le dijeron, Xicotenga el Mozo respondió que era muy bien acordado lo que él decía, por tener paces con mexicanos, y dijo otras cosas que no las pudieron sufrir; y luego se levantó Maseescaci y Chichimecatecle y el viejo de su padre, ciego como estaba, y toman a Xicotenga el Mozo por los cabezones y de las mantas, y se las rompieron, y a empujones, y con palabras injuriosas que le dijeron le echaron de las gradas abajo, y las mantas todas rompidas, y aún, si por el padre no fuera, le querían matar, y a los demás que habían sido en su consejo echaron presos; y como estábamos allí reunidos y no era tiempo de castigarle, no osó Cortés hablar más. He traído esto a la memoria para que vean cuánta lealtad y buenos fueron los de Tlaxcala y cuánto les debemos, y aun al buen viejo Xicotenga, que a su hijo dizque le había mandado matar, desde que supo sus tramas y traición.

Dejemos esto y digamos cómo había veinte y dos días que estábamos en aquel pueblo curándonos nuestras heridas y prevaleciendo, y acordó Cortés que fuésemos a la provincia de Tepeaca, que estaba cerca, porque allí habían muerto muchos de nuestros soldados y de los de Narváez que se venían a México, y en otros pueblos que están junto a Tepeaca, que se dice Cachula,[96] y como Cortés lo dijo a nuestros capitanes y apercibían a los soldados de Narváez para ir a la guerra, y como no eran tan acostumbrados a guerras y habían escapado de la derrota de México, y puentes y lo de Otumba, y no veían la hora de volverse a la isla de Cuba, a sus

[96] Quecholac, y al final del capítulo siguiente insiste en que no se confunda este pueblo con Quauhquechollan.

indios y minas de oro, renegaban de Cortés y de sus conquistas, especial Andrés de Duero, compañero de nuestro Cortés. Porque ya lo habrán entendido los curiosos lectores, en dos veces que los he declarado en los capítulos pasados, cómo y de qué manera fue la compañía, maldecía el oro que le había dado a él y a los demás capitanes, que todo se había perdido en las puentes, y como habían visto las grandes guerras que nos daban y con haber escapado con las vidas estaban muy contentos y acordaron de decir a Cortés que no querían ir a Tepeaca ni a guerra ninguna, sino que se querían volver a sus casas, que bastaba lo que habían perdido en haber venido de Cuba. Y Cortés les habló sobre ello muy mansa y amorosamente, creyendo de atraerlos para que fuesen con nosotros a lo de Tepeaca, y por más plática y reprensiones que les dio no querían, y después que vieron que con Cortés no aprovechaba sus palabras, le hicieron un requerimiento en forma, delante de un escribano del rey, para que luego se fuese a la Villa Rica y dejase la guerra, poniéndole por delante que no teníamos caballos, ni escopetas, ni ballestas, ni pólvora, ni hilo para hacer cuerdas, ni almacén; que estaban todos heridos, y que no habían quedado por todos nuestros soldados y los de Narváez sino cuatrocientos cuarenta soldados; que los mexicanos nos tomarían los puertos y sierras y pasos, y que los navíos si más aguardaban se comerían de broma; y dijeron en el requerimiento otras muchas cosas. Y después que se le hubieron dado y leído a Cortés, si muchas palabras decían en él, muy muchas más contrariedades respondió, y demás de esto, todos los más de los nuestros, de los que habíamos pasado con Cortés, le dijimos que mirase que no diese la licencia a ninguno de los de Narváez ni a otras personas para volver a Cuba, sino que procurásemos todos de servir a Dios y al rey, y que esto era lo bueno, y no volverse a Cuba.

Después que Cortés hubo respondido al requerimiento, y desde que vieron las personas que le estaban requiriendo que muchos de nosotros estorbaríamos sus importunaciones que sobre ello le hablaban y requerían, con no más de decir que no es en servicio de Dios y de Su Majestad que dejen desamparado su capitán en las guerras. En fin de muchas razones que pasaron obedecieron para ir con nosotros a las entradas que se ofreciese, mas fue que les prometió Cortés que en habiendo coyuntura los dejaría volver a su isla de Cuba; y no por ello dejaron de murmurar de él y de su conquista que tan caro les había costado en dejar sus casas y reposo, y haberse venido a meter adonde aún no estaban seguros de las vidas; y más decían que si en otra guerra entrásemos con el poder de México, que no se podría excusar tarde o temprano de tenerla, que creían y tenían por cierto que no nos podríamos sustentar contra ellos en las batallas según habían visto lo de México y puentes, y en la nombrada de Otumba; y más decían, que nuestro Cortés por mandar y siempre ser señor, y nosotros los que con él pasamos [porque] no teníamos que perder sino nuestras personas, asistíamos con él, y decían otros muchos desatinos, y todos se les disimulaban por el tiempo en que lo decían; mas no tardó muchos meses que no les dio licencia para que se volviesen a sus casas e islas de Cuba, lo cual diré en su tiempo y sazón.

Y dejémoslo de repetir y digamos de lo que dice el coronista Gómara, que estoy muy harto de declarar sus borrones que dice que le informaron, las cuales no son así como él lo escribe, y por no me detener en todos los capítulos a tornarles a recitar y traer a la memoria cómo y de qué manera pasó, lo he dejado de escribir, y ahora pareciéndome que en esto de este requerimiento que escribe que hicieron a Cortés no dice quiénes fueron los que lo hicieron, si eran de los nuestros o de los de Narváez, y en esto que escribe es por sublimar a Cortés y abatir a nosotros los que con él pasamos, y sepan que hemos tenido por cierto los conquistadores verdaderos que esto vemos escrito, que le debieran de dar oro a Gómara y otras dádivas porque lo escribiese de esta manera, porque en todas las batallas o reencuentros éramos los que sosteníamos a Cortés, y ahora nos aniquila en lo que dice este coronista. También dice que decía Cortés en las respuestas del mismo requerimiento que para esforzarnos y animarnos, que enviaría a llamar a Juan Velázquez de León y a Diego de Ordaz, que el uno de ellos dijo estaba poblando en Pánuco con trescientos soldados, y el otro en lo de Guazaqualco con otros tantos soldados, y no es así en todo lo que dice, porque luego que fuimos sobre México al socorro de Pedro de Alvarado cesaron los conciertos que estaban hechos que Juan Velázquez de León había de ir a lo de Pánuco y Diego de Ordaz a lo de Guazaqualco según más largamente lo tengo escrito en el capítulo pasado que sobre ello tengo hecho relación, porque estos dos capitanes fueron a México con nosotros al socorro de Pedro de Alvarado, y en aquella derrota Juan Velázquez de León quedó muerto en las puentes y Diego de Ordaz salió muy mal herido de tres heridas que le dieron en México, según ya lo tengo escrito cómo y cuándo y de qué arte pasó. Por manera que el coronista Gómara, si como tiene buena retórica en lo que escribe, acertara a decir lo que pasó muy bien fuera.[97]

También [he] estado mirando cuando dice en lo de la batalla de Otumba, que dice que si no fuera por la persona de Cortés, que todos fuéramos vencidos, y que él solo fue el que la venció en el dar como dio el encuentro al que traía el estandarte y seña de México. Ya he dicho, y lo torno ahora a decir, que a Cortés toda la honra se le debe, como esforzado capitán; mas sobre todo hemos de dar gracias a Dios, que fue servido poner su divina misericordia con que siempre nos ayudaba y sustentaba, y Cortés en tener tan esforzados y valerosos capitanes y esforzados soldados como tenía, y nosotros le dábamos esfuerzo y rompíamos los escuadrones y le sustentábamos para que con nuestra ayuda y de nuestros capitanes guerrease de la manera que guerreamos, como en los capítulos pasados sobre ello dicho tengo; porque siempre andaban juntos con Cortés todos los capitanes por mí nombrados, y aun ahora los torno a nombrar, que fueron Cristóbal de Olid, Gonzalo de Sandoval, Francisco de Morla, Luis Marín, Francisco de Lugo y Gonzalo Domínguez, y otros muy buenos y valientes soldados que no alcanzábamos caballos, porque en aquel tiempo diez y seis caballos y yeguas fueron los que pasaron desde la isla de Cuba con Cortés, y no los había, y aunque costaran mil pesos; y como Gómara dice en su historia que sólo la persona de Cortés fue el que venció la de Otumba, ¿por qué no declaró los heroicos hechos que estos nuestros capitanes y valerosos soldados hicimos en esta batalla? Así que por estas causas tenemos por cierto que por ensalzar a sólo Cortés le debieran de untar las manos porque de nosotros no hace mención. Si no, pregúntenselo [a] aquel muy esforzado soldado que se decía Cristóbal de Olea cuántas veces se halló en ayudar a salvar la vida a Cortés, hasta que en las puentes, cuando volvimos sobre México, perdió la vida él y otros muchos soldados por salvarle. Olvidado se me había de otra vez que le salvó en lo de Suchimilco,[98] que quedó mal herido, y que para que bien se entienda esto que digo, uno

[97] No cita Gómara a ninguno de esos dos capitanes; pone en boca de Cortés que llamaría a los de Coatzacoalcos y Almería, es decir, Veracruz. Su error es sólo el de la cita del primer lugar. *Historia de la Conquista de México*. México, 1943, t. I, pág. 322.

[98] Xochimilco.

fue Cristóbal de Olea y otro Cristóbal de Olid.

También lo que dice el coronista del encuentro con el caballo que dio al capitán mexicano y le hizo abatir la bandera, así es verdad, mas ya he dicho otra vez que un Juan de Salamanca, natural de la Villa de Ontiveros, y que después de ganado México fue alcalde mayor de Guazaqualco, es el que le dio una lanzada y le mató y quitó el rico penacho y estandarte que llevaba, y se lo dio a Cortés, y [a] él se lo dio Su Majestad, el tiempo andando, por armas, a Salamanca. Y esto he traído aquí a la memoria, no por dejar de ensalzar y tenerle mucha estima a nuestro capitán Hernando Cortés, y débesele todo honor y prez y honra de todas las batallas y vencimientos hasta que ganamos esta Nueva España, como se suele dar en Castilla a los muy nombrados capitanes, y como los romanos daban triunfos a Pompeyo y a Julio César y a los Escipiones, más digno es de loor nuestro Cortés que no los romanos.

También dice el mismo Gómara que Cortés mandó matar secretamente a Xicotenga el Mozo, en Tlaxcala por las traiciones que andaba concertando para matarnos como atrás he dicho. No pasó así como dice; que donde le mandó ahorcar fue en un pueblo junto a Tezcuco, como adelante diré, y también dice este coronista que iban tantos mil millares de indios con nosotros a las entradas, que no tiene cuenta ni razón en tantos como pone, y también dice de las ciudades y pueblos y poblazones que eran tantos millares de casas no siendo la quinta parte, que si se suma todo lo que pone en su historia son más millones de hombres que en todo el Universo están poblados, y eso se le da poner ocho mil que ochenta mil, y en esto se jactancia, creyendo que va muy apacible su historia a los oyentes, no diciendo lo que pasa. Miren los curiosos lectores cuánto va de la verdad a la mentira,[99] a esta mi relación en decir letra por letra lo acaecido, y no miren la retórica y ornato, que ya cosa vista es que es más apacible que no ésta tan grosera, mas resiste la verdad a mi mala plática y pulidez de retórica con que ha escrito. Dejemos ya de contar y traer a la memoria los borrones declarados, y como yo soy más obligado a decir la verdad de todo lo que pasa que no a lisonjas, y demás de los cuentos porque ha escrito, ha dado ocasión que el doctor Illescas y Pablo Jovio sigan sus palabras. Volvamos a nuestra historia y digamos cómo acordamos ir sobre Tepeaca, y lo que pasó en la entrada diré adelante.

[99] Testado en el original: *de su historia.*

CAPÍTULO CXXX

CÓMO FUIMOS A LA PROVINCIA DE TEPEACA Y LO QUE EN ELLA HICIMOS, Y OTRAS COSAS QUE PASAMOS

Como Cortés había demandado a los caciques de Tlaxcala, ya por mí otras veces nombrados, cinco mil hombres de guerra para ir a correr y castigar los pueblos adonde habían muerto españoles, que era a Tepeaca y Cachula y Tecamachalco, que estaría de Tlaxcala seis o siete leguas, de muy entera voluntad tenían aparejados hasta cuatro mil indios, porque si mucha voluntad teníamos nosotros de ir [a] aquellos pueblos, mucha más gana tenía el Maseescaci y Xicotenga el

Viejo de los dar guerra, porque le habían venido a robar unas estancias. Tenían voluntad de enviar gente sobre ellos, y la causa es ésta: porque como los mexicanos nos echaron de México, según y de la manera que dicho tengo en los capítulos pasados que sobre ello hablan, y supieron que en Tlaxcala nos habíamos recogido, y tuvieron por cierto que estando sanos que habíamos de venir con el poder de Tlaxcala a correr las tierras de los pueblos que más cercanos confinan con Tlaxcala, y a este efecto enviaron a todas las provincias adonde sentían que habíamos de ir muchos escuadrones mexicanos que estuviesen en guarda y guarniciones, y en Tepeaca estaba la mayor guarnición de ellos, lo cual supo el Maseescaci y el Xicotenga, y aun se temían de ellos.

Pues ya que todos estábamos a punto, comenzamos a caminar y en aquella jornada no llevamos artillería, ni escopetas, porque todo quedó en las puentes, y ya que algunas escaparon, no teníamos pólvora; y fuimos con diez y siete caballos y seis ballestas y cuatrocientos veinte soldados, los más de espada y rodela, y con obra de dos mil [100] amigos de Tlaxcala, y el bastimento para un día, porque las tierras adonde íbamos eran muy pobladas y bien bastecidas de maíz y gallinas y perrillos de la tierra; y, como lo teníamos de costumbre, nuestros corredores del campo adelante, y con muy buen concierto fuimos a dormir obra de tres leguas de Tepeaca; y ya tenían alzado todo el fardaje de las estancias y poblazón por donde pasábamos, porque muy bien tuvieron noticia cómo íbamos a su pueblo, y porque ninguna cosa hiciésemos sino por buena orden y justificadamente, Cortés les envió a decir con seis indios de su pueblo de Tepeaca, que habíamos tomado en aquellas estancias, que para aquel efecto les prendimos, y con cuatro sus mujeres, cómo íbamos a su pueblo a saber e inquirir quién y cuántos se hallaron en la muerte de más de diez y seis españoles, que mataron sin causa ninguna, viniendo de camino para México, y también veníamos a saber a qué causa tenían ahora nuevamente muchos escuadrones mexicanos que con ellos habían ido a robar y saltear unas estancias de Tlaxcala, nuestros amigos; que les ruego que luego vengan de paz adonde estábamos para ser nuestros amigos, y que despidan de su pueblo a los mexicanos; si no, que iremos contra ellos como rebeldes y matadores y salteadores de caminos, y les castigaría a fuego y a sangre, y los daría por esclavos.

Y como fueron aquellos seis indios y cuatro mujeres del mismo pueblo, si muy fieras palabras les enviamos a decir, mucho más bravosas nos dieron la respuesta con los mismos seis indios y dos mexicanos que venían con ellos, porque bien conocido tenían de nosotros que a ningunos mensajeros que nos enviaban hacíamos demasía, sino antes darles algunas cuentas por atraerles; y con estos que enviaron los de Tepeaca fueron las palabras bravosas dichas por los capitanes mexicanos, como estaban victoriosos de lo de las puentes de México, y Cortés les mandó dar a cada mensajero una manta, y con ellos les tornó a requerir que le viniesen a ver y hablar; que no hubiesen miedo, y que pues ya los españoles que habían muerto no los podían dar vivos, que vengan ellos de paz y se les perdonará los muertos que mataron; y sobre ello se les escribió una carta, y aunque sabíamos que no la habían de entender, sino como venían papel de Castilla, tenían por cierto que era cosa de mandamiento; y rogó a los dos mexicanos que venían con los de Tepeaca con los mensajes que volviesen a traer la respuesta, y volvieron, y lo que dijeron era que no pasásemos adelante y que nos volviésemos por donde veníamos; si no, que otro día pensaban tener buenas hartazgas con nuestros cuerpos, mayores que las de México y sus puen-

[100] Tachado en el original: *seis, cuatro.*

tes y la de Otumba. Y desde que aquello vio Cortés, comunicólo con nuestros capitanes y soldados, y fue acordado que se hiciese un auto por escribano que diese fe de todo lo pasado y que se diesen por esclavos a todos los aliados de México que hubiesen muerto españoles, porque habiendo dado la obediencia a Su Majestad se levantaron y mataron sobre de ochocientos y sesenta de los nuestros, y sesenta caballos, y a los demás pueblos por salteadores de caminos y matadores de hombres. Hecho este auto, envióseles a hacer saber, amonestándoles y requiriendo con la paz; y ellos tornaron a decir que si luego no nos volvíamos, que saldrían a matarnos, y se apercibieron para ello, y nosotros lo mismo.

Otro día tuvimos en un llano una buena batalla con los mexicanos y tepeaqueños, y como el campo era labranzas de maíz y magueyales, puesto que peleaban bravosamente los mexicanos, presto fueron desbaratados por los de caballo, y los que no los teníamos no estábamos de espacio; pues ver a nuestros amigos los de Tlaxcala tan animosos cómo peleaban con ellos y les siguieron el alcance. Allí hubo muertos de los mexicanos y de Tepeaca muchos de nuestros amigos de Tlaxcala, tres, e hirieron dos caballos, el uno se murió, y también hirieron doce de nuestros soldados, mas no de arte que peligró ninguno. Pues seguida la victoria allegáronse muchas indias y muchachos que se tomaron por los campos y casas, que hombres no curábamos de ellos, que los tlaxcaltecas los llevaban por esclavos.

Pues como los de Tepeaca vieron que el bravear que hacían los mexicanos que tenían en su pueblo y guarnición eran desbaratados, y ellos juntamente con ellos, acordaron sin decirles cosa ninguna venir adonde estábamos, y los recibimos de paz, y dieron la obediencia a Su Majestad, y echaron los mexicanos de sus casas, y nos fuimos al pueblo de Tepeaca, adonde se fundó una villa que se nombró la villa de Segura de la Frontera, porque estaba en el camino de la Villa Rica y en una buena comarca de buenos pueblos sujetos a México, y había mucho maíz, y teníamos a guardar la raya a nuestros amigos los de Tlaxcala. Y allí se nombraron alcaldes y regidores y se dio orden en cómo se corriese los rededores sujetos a México, en especial los pueblos adonde habían muerto a españoles, y allí se hizo el hierro con que se habían de herrar los que se tomaban por esclavos, que era una *G*, que quiere decir guerra; y desde la villa de Segura de la Frontera corríamos los rededores, que fue Cachula y Tecamachalco, y el pueblo de las Guayabas y otros pueblos que no se me acuerda el nombre; y en lo de Cholula [101] fue adonde habían muerto en los aposentos quince españoles, y en este de Cachula hubimos muchos esclavos. De manera que en obra de cuarenta días tuvimos aquellos pueblos muy pacíficos y castigados.

Ya en aquella sazón habían alzado en México otro señor, porque el señor que nos echó de México era fallecido de viruelas, y el señor que hicieron era un sobrino o pariente muy cercano de Montezuma, que se decía Guatemuz, mancebo de hasta de veinte y cinco años, bien gentilhombre para ser indio, y muy esforzado, y se hizo temer de tal manera, que todos los suyos temblaban de él; y era casado, con una hija de Montezuma, bien hermosa mujer para ser india. Y como este Guatemuz, señor de México, supo cómo habíamos desbaratado los escuadrones mexicanos que estaban en Tepeaca, y que habían dado la obediencia a Su Majestad y nos servían y daban de comer, y estábamos allí poblados y temió que les correríamos lo de Guaxaca y otras provincias y a todos los atraeríamos a nuestra amistad, envió sus men-

[101] En el códice de Guatemala se lee Cachula, y el códice Alegría nos da la variante escrita. Ya en nota anterior se asentó que el nombre del pueblo es Quechólac, y no Cachula.

sajeros por todos los pueblos para que estuviesen muy alerta con todas sus armas, y a los caciques les daba joyas de oro, y a otros perdonaba los tributos, y sobre todo mandaba ir muy grandes capitanías y guarniciones de gente de guerra para que mirasen no les entrásemos en sus tierras, y les enviaba a decir que peleasen muy reciamente con nosotros, no les acaeciese como en lo de Tepeaca y Cachula y Tecamachalco, que todos les habíamos hecho esclavos. Y adonde más gente de guerra envió fue a Guacachula [102] y a Ozucar,[103] que está de Tepeaca, adonde estaba nuestra villa, doce leguas. Para que bien se entiendan los nombres de estos pueblos, un nombre es Cachula, otro nombre es Guacachula. Y dejaré de contar lo que en Guacachula se hizo hasta su tiempo y lugar, y diré cómo en aquel instante vinieron de la Villa Rica mensajeros, cómo había venido un navío de Cuba y ciertos soldados con él.

[102] Véase la nota segunda del capítulo anterior: el nombre de este pueblo es Quauhquechollan, y hoy Huaquechula.

[103] Itzocan, actualmente Izúcar de Matamoros, o Matamoros Izúcar.

CAPÍTULO CXXXI

CÓMO VINO UN NAVÍO DE CUBA QUE ENVIABA DIEGO VELÁZQUEZ, QUE VENÍA EN ÉL POR CAPITÁN PEDRO BARBA, Y LA MANERA QUE EL ALMIRANTE QUE PUSO NUESTRO CORTÉS POR GUARDA DE LA MAR TENÍA PARA PRENDERLOS, Y ES DE ESTA MANERA

PUES COMO ANDÁBAMOS en aquella provincia de Tepeaca castigando a los que fueron en la muerte de nuestros compañeros, que fueron los que mataron en aquellos pueblos, y atrayéndolos de paz, y todos daban la obediencia a Su Majestad, vinieron cartas de la Villa Rica cómo había venido un navío al puerto; y vino en él por capitán un hidalgo que se decía Pedro Barba, muy amigo de Cortés, y este Pedro Barba había estado por teniente de Diego Velázquez en la Habana, y traía trece soldados y un caballo y una yegua, porque el navío que traía era muy chico, y traía cartas para Pánfilo de Narváez, el capitán que Diego Velázquez había enviado contra nosotros, creyendo que estaba por él la Nueva España y nos había desbaratado; en que le enviaba a decir Velázquez que si no había muerto a Cortés, que luego se le enviase a Cuba preso, para enviarle a Castilla, que así lo mandaba don Juan Rodríguez de Fonseca, obispo de Burgos y arzobispo de Rosano, presidente de Indias, que luego fuese preso con otros capitanes, porque Diego Velázquez tenía por cierto que éramos desbaratados, o, al de menos, que Narváez señoreaba la Nueva España.

Pues como Pedro Barba llegó al puerto con su navío y echó anclas, luego le fue a visitar y dar el bienvenido el almirante de la mar que puso Cortés, el cual se decía Pedro Caballero o Juan Caballero, por mí memorado, que estaba por Cortés, con un batel bien esquifado de marineros y armas encubiertas; y fue al navío de Pedro Barba, y después de hablar palabras de buen comedimiento: "¿Qué tal viene vuestra merced?", y quitar las gorras y abrazarse unos a otros como se suele hacer, pregunta Pedro Escudero por el señor Diego Velázquez, gobernador de Cuba, qué tal quedaba, y responde Pedro Barba que bueno; y Pedro Barba y los demás que consigo traía preguntan por el señor capitán Pánfilo de Narváez y cómo le va con Cortés, y responde que muy bien, y que Cortés anda huyendo y alzado con veinte de sus compañeros, y que Narváez está muy próspero y rico, y que la tierra es muy buena; y de plática en plática le dicen a Pedro Barba que allí junto está un pueblo, que desembarque y que se vayan a dormir y estar en él, y que les traerán comida y lo que hubiere menester, que para sólo aquel efecto y servicio está señalado aquel pueblo; y tantas palabras les dicen, que en el batel y en otros que luego allí venían de los otros navíos que estaban surtos, les sacaron en tierra. Y después que lo vieron fuera del navío, ya tenía copia de marineros juntos con el almirante Pedro Caballero, y dijeron a Pedro Barba: "Sed preso por el señor capitán Hernando Cortés, mi señor."

Y así los prendían, y quedaban espantados; y luego les sacaban del navío las velas y timón y agujas y las enviaban adonde estábamos con Cortés en Tepeaca, con los cuales habíamos gran placer con el socorro que venía en el mejor tiempo que podía ser; porque en aquellas entradas que he dicho que hacíamos, no eran tan en salvo que muchos de nuestros soldados no quedábamos heridos, y otros adolecían del trabajo, porque de sangre y polvo que estaba cuajado en las entrañas no echábamos otra cosa del cuerpo por la boca, como traíamos siempre las armas a cuestas, y no parábamos noches ni días; por manera que ya se habían muerto cinco de nuestros soldados de dolor de costado, en obra de quince días. También quiero decir que con este Pedro Barba vino un Francisco López, vecino y regidor que fue de Guatemala.

Y Cortés hacía mucha honra a Pedro Barba, y le hizo capitán de ballesteros; el cual dio nuevas que estaba otro navío chico en Cuba que le quería enviar Diego Velázquez con cazabe y bastimentos, el cual vino de allí a ocho días, y venía en él por capitán un hidalgo natural de Medina del Campo, que se decía Rodrigo Morejón de Lobera, y traía consigo ocho soldados y seis ballestas y mucho hilo para cuerdas, y una yegua. Y ni más ni menos que habían prendido a Pedro Barba así hicieron a este Rodrigo Morejón; y luego fueron a Segura de la Frontera, y con todos ellos nos alegramos. Y Cortés les hacía mucha honra y les daba cargos, y gracias a Dios ya nos íbamos fortaleciendo con soldados y ballestas, y dos o tres caballos más. Y dejarlo he aquí, y volveré a decir lo que en Guacachula hacían los ejércitos mexicanos, que estaban en frontera, y cómo los caciques de aquel pueblo vinieron secretamente a demandar favor a Cortés, para echarlos de allí.

CAPÍTULO CXXXII

CÓMO LOS INDIOS DE GUACACHULA VINIERON A DEMANDAR FAVOR DE CORTÉS SOBRE QUE LOS EJÉRCITOS MEXICANOS LOS TRATABAN MAL Y LOS ROBABAN, Y LO QUE SOBRE ELLO SE HIZO

YA HE DICHO que Guatemuz, señor que nuevamente era alzado por rey de México, enviaba guarniciones a sus fronteras; en especial envió una muy poderosa y de mucha copia de guerreros a Guacachula, y otra a

Ozucar, que estaba dos o tres leguas de Guacachula, porque bien temió que por allí le habíamos de correrle las tierras y pueblos sujetos a México. Y parece ser que como envió tanta multitud de guerreros y como tenían nuevo señor, hacían muchos robos y fuerzas en los naturales de aquellos pueblos adonde estaban aposentados, y tantas que no las podían sufrir los naturales de aquella provincia, porque decían que les robaban las mantas y maíz y gallinas, y joyas de oro, y sobre todo las hijas y mujeres, si eran hermosas, que las forzaban delante de sus maridos y padres y parientes. Y como oyeron decir que los del pueblo de Cholula estaban muy en paz y sosiego después que mexicanos no entraban en él, y ahora asimismo en lo de Tepeaca y Tecamachalco y Cachula, y a esta causa vinieron cuatro principales muy secretamente de aquel pueblo por mí memorado, y dicen a Cortés que envíe *teules* y caballos a quitar aquellos robos y agravios que les hacen los mexicanos, y que todos los de aquel pueblo y otros comarcanos nos ayudarán para que matemos a los escuadrones mexicanos.

Y desde que Cortés lo oyó, luego propuso que fuese por capitán Cristóbal de Olid con todos los más de [a] caballo y ballesteros y con gran copia de tlaxcaltecas, porque con la ganancia que los de Tlaxcala habían llevado de Tepeaca habían venido a nuestro real y villa muchos más tlaxcaltecas, y nombró Cortés para ir con Cristóbal de Olid a ciertos capitanes de los que habían venido con Narváez; por manera que llevaba sobre trescientos soldados, y todos los mejores caballos que teníamos.

Y yendo que iban con todos sus compañeros camino de aquella provincia pareció ser que en el camino dijeron ciertos indios, a los de Narváez, cómo estaban todos los campos y casas llenos de gente de guerra de mexicanos, mucha más que la de Otumba; y que estaba allí con ellos el Guatemuz, señor de México; y tantas cosas dizque les dijeron que atemorizaron a los de Narváez, y como no tenían buena voluntad de ir a entradas ni ver guerras sino volverse a su isla de Cuba y como habían escapado de la de México y calzadas y puentes y la de Otumba, no se querían ver en otra como lo pasado, y sobre ello dijeron los de Narváez tantas cosas a Cristóbal de Olid que no pasase más adelante, sino que se volviese y que mirase no fuese peor esta guerra que las pasadas, donde perdiesen las vidas, y tantos inconvenientes le dijeron y dábanle a entender que si Cristóbal de Olid quería ir, que fuese en buena hora, que muchos de ellos no querían pasar adelante. Por manera que, por muy esforzado que era el capitán que llevaban, aunque les decía que no era cosa volver sino ir adelante, que buenos caballos llevaba y mucha gente, y que si volviesen un paso atrás que los indios los tendrían en poco, y que en tierra llana era, y que no quería volver sino ir adelante, y para ello muchos de nuestros soldados le ayudaban a decir que no se volviesen, y que en otras entradas y guerras peligrosas se habían visto, y que gracias a Dios en todas habían tenido victoria; y no aprovechó cosa ninguna con cuanto les decían, sino por vía de ruegos le trastornaron su seso que volviesen y que desde Cholula escribiesen a Cortés sobre el caso; y así se volvió.

Y desde que Cortés lo supo hubo mucho enojo y envió a Cristóbal de Olid otros dos ballesteros, y le escribió que se maravillaba de su buen esfuerzo y valentía que por palabras de ninguno dejase de ir a una cosa señalada como aquélla. Y después que Cristóbal de Olid vio la carta, hacía bramuras de enojo, y dijo a los que tal le aconsejaron que por su causa había caído en falta; y luego sin más determinación les mandó que fuesen con él y que el que no quisiese ir que se volviese al real para cobarde, que Cortés le castigaría; y como iba hecho un bravo león de enojo, va con su gente camino de

Guacachula, y antes que llegasen con una legua les salen a decir los caciques de aquel pueblo de la manera y arte que estaban los de Culúa, y cómo había de dar en ellos, y de qué manera había de ser ayudado. Y después que lo hubieron entendido apercibió los de caballo, ballesteros y soldados, y según y de la manera que tenían el concierto da en los de Culúa, y puesto que pelearon muy bien por un buen rato y le hirieron ciertos soldados y le mataron dos caballos e hirieron otros ocho en unas fuerzas y albarradas que estaban en aquel pueblo, en obra de una hora estaban ya puestos en huida todos los mexicanos.

Y dizque nuestros tlaxcaltecas lo hicieron muy varonilmente, que mataban y prendían muchos de ellos, y como les ayudaban todos los de aquel pueblo y provincia, hicieron gran estrago en los mexicanos, que presto despacharon en irse retrayendo para hacerse fuertes en otro gran pueblo, que se dice Ozucar, donde estaban otras grandes guarniciones de mexicanos. Y estaban en gran fortaleza, y quebraron una puente porque no pudiesen pasar caballos; y Cristóbal de Olid, porque como he dicho, andaba enojado, hecho un tigre, no tardó mucho en aquel pueblo, que luego fue a Ozucar con todos los que le pudieron seguir, y con los amigos de Guacachula pasó el río y da en los escuadrones mexicanos que de presto los venció. Y allí le mataron dos caballos, y a él le dieron dos heridas, y la una en el muslo, y el caballo bien herido; y estuvo en Ozucar dos días.

Y como los mexicanos fueron desbaratados, luego vinieron los caciques, y señores de aquel pueblo y de otros comarcanos a demandar paz, y se dieron por vasallos de nuestro rey y señor. Y después que todo fue pacífico se fue con todos sus soldados a nuestra Villa de la Frontera, y porque yo no fui en esta entrada, digo en esta relación dizque pasó lo que he dicho. Y Cortés le salió a recibir y todos nosotros, y hubimos mucho placer, y reíamos de cómo le habían convocado a que se volviese, y Cristóbal de Olid reía y decía que más cuidado tenían algunos de sus minas y de Cuba que no de las armas, y que juraba a Dios que no le acaeciese llevar consigo, si otra entrada iba, sino de los pobres soldados de los de Cortés, y no de los ricos que venían de Narváez, que querían mandar más que no él.

Dejemos de platicar más de esto y digamos cómo el coronista Gómara dice en su historia que por no entender bien Cristóbal de Olid a los *nahuatlatos* e intérpretes se volvía del camino de Guacachula, creyendo que era trato doble contra nosotros, y no fue así como dice, sino que los más principales capitanes de los de Narváez, como les decían otros indios que estaban juntos grandes escuadrones de mexicanos, y más que en lo de México y Otumba, y que con ellos estaba el señor de México, que se decía Guatemuz, que entonces le habían alzado por rey, y como habían escapado de lo de mazagatos, como dice el refrán, tuvieron gran temor de entrar en aquellas batallas, y por esta causa convocaron a Cristóbal de Olid que se volviese, y aunque él todavía porfiaba por ir adelante. Y ésta es la verdad, y no mentiras. Y también dice que fue Cortés [a] aquella guerra después que Cristóbal de Olid se volvía; no fue así, que el mismo Cristóbal de Olid, maestre de campo, es el que fue, como dicho tengo. También dice dos veces que los que informaron a los de Narváez cómo estaban los muchos millares de indios juntos, que fueron los de Guaxocingo, cuando pasaban por aquel pueblo. También dice otras cosas que no son así; porque claro está que para ir desde Tepeaca a Guacachula no habían de volver atrás por Guaxocingo, que era ir como si estuviésemos ahora en Medina del Campo y para ir a Salamanca tomar el camino por Valladolid; no es más lo uno en comparación de lo otro, así que muy desatinado anda el coronista. Y si todo lo que escribe de otras corónicas de España es de esta manera, yo las maldigo como cosa de patrañas y mentiras, puesto que por más lindo estilo lo diga. Y dejemos ya esta materia, y digamos lo que más en aquel instante aconteció, y fue que vino un navío al puerto del Peñón del nombre feo que se decía el tal de Bernal, junto a la Villa Rica, que venía de lo de Pánuco, que era de los que enviaba Garay, y venía en él por capitán uno que se decía Camargo; y lo que pasó diré adelante.

CAPÍTULO CXXXIII

CÓMO APORTÓ AL PEÑOL Y PUERTO QUE ESTÁ JUNTO A LA VILLA RICA UN NAVÍO DE LOS DE FRANCISCO DE GARAY, QUE HABÍA ENVIADO A POBLAR EL RÍO PÁNUCO, Y LO QUE SOBRE ELLO PASÓ

Estando que estábamos en Segura de la Frontera, de la manera que en mi relación habrán oído, vinieron cartas a Cortés cómo había aportado un navío de los que Francisco de Garay había enviado a poblar a Pánuco, y que venía por capitán uno que se decía fulano Camargo, y traía sobre sesenta soldados, y todos dolientes y muy amarillos e hinchadas las barrigas, y que habían dicho que otro capitán que Garay había enviado a poblar a Pánuco, que se decía fulano Álvarez Pinedo, que los indios de Pánuco los habían muerto, y a todos los soldados y caballos que había enviado [a] aquella provincia, y que los navíos se los habían quemado, y que este Camargo, viendo el mal suceso, se embarcó con los soldados que dicho tengo y se vino a socorrer [a] aquel puerto; porque bien tenían notica que estábamos poblados allí, y que a causa que por sustentar las guerras con los indios no tenían que comer, y venían tan flacos y amarillos e hinchados; y más dijeron, que el capitán Camargo había sido fraile dominico, y que había hecho profesión.

Los cuales soldados con su capitán se fueron luego poco a poco a la villa de la Frontera, donde estábamos porque no podían andar a pie de flacos. Y cuando Cortés los vio tan hinchados y amarillos, y que no eran para pelear, harto teníamos que curar en ellos, y les hizo mucha honra, y tengo que el Camargo murió luego, que no me acuerdo bien qué se hizo, y también se murieron muchos de ellos. Y entonces por burlar les llamamos y pusimos por nombres los panciverdetes, porque traían las colores de muertos y las barrigas muy hinchadas. Y por no detenerme en cada cosa en qué tiempo y lugar acontecían, pues eran todos los navíos que en aquel tiempo venían a la Villa Rica de Garay, puesto que vinieron los unos de los otros un mes delanteros, hagamos cuenta que todos aportaron [a] aquel puerto, ahora sea un mes antes los unos que los otros. Y esto digo que vino luego un Miguel Díaz de Auz, aragonés, por capitán de Francisco de Garay, el cual le enviaba para socorro al capitán fulano Álvarez Pinedo, que creía que estaba en Pánuco, y como llegó al puerto de Pánuco y no halló rastro, ni hueso, ni pelo de la armada de Garay, luego entendió por lo que vio que le habían muerto; porque a Miguel Díaz le dieron guerra los indios de aquella provincia, luego que llegó con su navío, y a esta causa se vino [a] aquel nuestro puerto y desembarcó sus soldados, que eran más de cincuenta, y trajo siete caballos; y se fue luego para donde estábamos con Cortés, y éste fue el mejor socorro y al mejor tiempo que le habíamos menester.

Y para que bien sepan quién fue este Miguel Díaz de Auz, digo yo que sirvió muy bien a Su Majestad en todo lo que se ofreció en las guerras y conquistas de la Nueva España, y éste fue el que trajo pleito después de ganada la Nueva España con un cuñado de Cortés que se decía Andrés de Barrios, natural de Sevilla, que llamaban el danzador, y púsosele aquel nombre porque bailaba mucho sobre el pleito de la mitad de Mestitan.[104] Y este Miguel Díaz de Auz fue el que en el Real Consejo de Indias, en el año mil quinientos cuarenta y uno, dijo que a unos daba favor e indios por bien bailar y danzar, y a otros les quitaba sus haciendas porque habían servido a Su Majestad peleando. Éste es el que dijo que por ser cuñado de Cortés le dio los indios que no merecía, estando comiendo en Sevilla buñuelos, y los dejaba de dar a quien Su Majestad mandaba. Éste es el que claramente dijo otras cosas acerca de que no hacían justicia ni lo que Su Majestad manda; y más dijo otras cosas: que querían remedar al villano de nombre Abubio,[105] de que se iban enojando los señores que mandaban en el Real Consejo de Indias, que era presidente el reverendísimo fray García de Loaisa, arzobispo que fue de Sevilla, y oidores el obispo de Lugo, y el licenciado Gutierre Velázquez y el doctor don Bernal Díaz de Lugo y el doctor Beltrán. Volvamos a nuestro cuento. Y entonces Miguel Díaz de Auz, desde que hubo hablado lo que quiso, tendió la capa en el suelo y puso la daga sobre el pecho, estando tendido en ella de espaldas, y dijo: "Si no es verdad lo que digo, Vuestra Alteza me mande degollar con esta daga, y si es verdad, haced recta justicia." Entonces el presidente le mandó levantar y dijo que no estaban allí para matar a ninguno, sino para hacer justicia, y que fue mal mirado en lo que dijo, y que se saliese fuera y que no dijese más desacatos; si no, que le castigaría, y lo que proveyeron sobre su pleito de Mestitan, que le den la parte de lo que rentare, que son más de dos mil quinientos pesos de su parte, con tal que no entre en el pueblo dentro de dos años, porque en lo que le acusaban era que había muerto ciertos indios en aquel pueblo y en otros que había tenido.

Dejemos de contar esto, pues claro va fuera de nuestra relación, y digamos que desde allí a pocos días que Miguel Díaz de Auz había venido [a] aquel puerto de la manera que dicho tengo, aportó otro navío que enviaba el mismo Garay en ayuda y socorro de su armada, creyendo que todos estaban buenos y sanos en el río de Pánuco, y venía en él por capitán un viejo que se decía Ramírez, y ya era hombre anciano, y a esta causa le llamábamos Ramírez el Viejo, porque había en nuestro real dos Ramírez; y traía sobre cuarenta soldados y diez caballos y yeguas, y ballesteros y otras armas. Y Francisco de Garay no hacía sino echar un virote tras otro en socorro de su armada, y en todo le socorría la buena fortuna a Cortés, y a nosotros era gran ayuda. Y todos estos de Garay que dicho tengo fueron a Tepeaca, adonde estábamos, y porque los soldados que traía Miguel Díaz de Auz venían muy recios y gordos, les pusimos por nombre los de los lomos recios, y a los que traía el viejo Ramírez, que traían unas armas de algodón de tanto gordor que no las pasaba ninguna flecha, y pesaban mucho, pusímosles por nombre los de las albardillas. Y cuando fueron los capitanes que dicho tengo y soldados delante [de] Cortés, les hizo mucha honra. Dejemos de contar de los socorros que teníamos de Garay, que fueron buenos, y digamos cómo

[104] Meztitlan, en el Estado de Hidalgo.

[105] V. en *Diccionario* de Alemany y Bolufer, artículo *Abubo*, hombre tonto; Ib. *Diccionario Enciclopédico Espasa*. Prov. arag.: hombre tonto, abestiado.

Cortés envió a Gonzalo de Sandoval a una entrada a unos pueblos que se dicen Xalacingo y Zacatami.[106]

[106] Jalacingo pertenece actualmente al Estado de Veracruz. En la obra citada de Orozco y Berra (t. IV, pág. 497) identifica ese Zacatami de Bernal y el Catalmi de Cortés, con Xocotla, pueblo nahua que quedaría en los límites orientales del señorío de Tlaxcala, pero se trata seguramente de Tzaoctlan, hoy Zautla, Estado de Puebla. V. nota 41 de la pág. 103.

CAPÍTULO CXXXIV

CÓMO ENVIÓ CORTÉS A GONZALO DE SANDOVAL A PACIFICAR LOS PUEBLOS DE XALACINGO Y ZACATAMI, Y LLEVÓ DOSCIENTOS SOLDADOS Y VEINTE DE CABALLO Y DOCE BALLESTEROS, Y PARA QUE SUPIESE QUÉ ESPAÑOLES MATARON EN ELLOS Y QUE MIRASE QUÉ ARMAS LES HABÍAN TOMADO, Y QUÉ TIERRA ERA Y LES DEMANDASE EL ORO QUE ROBARON

Como ya Cortés tenía copia de soldados y caballos y ballesteros, y se iban fortaleciendo con los dos naviachuelos que envió Diego Velázquez, en que venían por capitanes Pedro Barba y Rodrigo de Morejón de Lobera, y trajeron en ellos sobre veinticinco soldados y dos caballos, y una yegua, y luego vinieron los tres navíos de Garay, que fue el primero capitán que vino Camargo, y el segundo Miguel Díaz de Auz, y el postrero Ramírez el Viejo; y traían entre todos estos capitanes que he nombrado sobre ciento y veinte soldados y diez y siete caballos y yeguas; y las yeguas eran de juego y de carrera; y Cortés tuvo noticia que en unos pueblos que se dicen Zacatami y Xalacingo y en otros sus comarcanos, que habían muerto muchos soldados de los de Narváez, que venían camino de México, y asimismo que en aquellos pueblos habían muerto y robado el oro a un Juan de Alcántara y a otros dos vecinos de la Villa Rica, que era lo que les había cabido de las partes a todos los vecinos que quedaban en la misma villa, según más largo lo [he] escrito en el capítulo que de ello se trata. Y envió Cortés para hacer aquella entrada por capitán a Gonzalo de Sandoval, que era alguacil mayor, y muy esforzado y de buenos consejos, y llevó consigo doscientos soldados, todos los más de los nuestros de Cortés, y veinte de caballo, y doce ballesteros, y muy buena copia de tlaxcaltecas, y antes que llegase [a] aquellos pueblos supo que estaban todos puestos en armas, y juntamente tenían consigo guarnición de mexicanos, y que se habían muy bien fortalecido con albarradas y pertrechos, porque bien habían entendido que por la muerte de los españoles que habían muerto que luego habíamos de ser contra ellos, para castigarlos, como a los de Tepeaca y Cachula y Tecamachalco.

Y Sandoval ordenó muy bien sus escuadrones y ballesteros, y mandó a los de caballo cómo y de qué manera habían de ir y romper; y primero que entrasen en su tierra les envió mensajeros a decirles que viniesen de paz y que diesen el oro y armas que habían robado, y que la muerte de los españoles se les perdonaría; y esto de enviarles mensajeros sobre la paz fueron tres o cuatro veces; y la respuesta que enviaban era que si allá iba, que como habían muerto y comido los *teules* que les demandaban, que así harían al capitán y a todos los que llevaba; por manera que no aprovechaban mensajes. Y otra vez les tornó a enviar a decir que les haría esclavos por traidores y salteadores de caminos y que se aparejasen a defender.

Y fue Sandoval con sus compañeros y les entra por dos partes, que puesto que peleaban muy bien los mexicanos y los naturales de aquellos pueblos, sin más relatar lo que allí en aquellas batallas pasaron, los desbarató; y fueron huyendo los mexicanos y caciques de aquellos pueblos, y siguió el alcance y prendió mucha gente menuda, que de los indios no se curaban de ellos, por no tener que guardar. Y hallaron en unos *cúes* de aquel pueblo muchos vestidos y armas y frenos de caballos, y dos sillas, y otras cosas de la jineta que habían presentado a sus ídolos.

Acordó Sandoval estar allí tres días, y vinieron los caciques de aquellos pueblos a demandar perdón y a dar la obediencia a Su Majestad, y Sandoval les dijo que diesen el oro que habían robado a los españoles que mataron, y que luego les perdonaría. Y respondieron que el oro que los mexicanos lo hubieron y que lo enviaron al señor de México que entonces habían alzado por rey, y que no tenían ninguno; por manera que les mandó que, en cuanto el perdón, que fuesen adonde estaba Malinche, que es Cortés, y que él les hablaría y perdonaría. Y así se volvió con buena presa de mujeres y muchachos, que les echaron el hierro por esclavos. Y Cortés holgó mucho desde que le vio venir bueno y sano, y aun Sandoval traía un flechazo. Yo no fui en esta entrada, que estaba muy malo de calentura, y echaba sangre por la boca, y gracias a Dios estuve bueno porque me sangraron muchas veces.

Y como Gonzalo de Sandoval había dicho a los caciques de Xalacingo y Zacatami que viniesen a Cortés a demandar paces, no solamente vinieron aquellos pueblos solos, sino también otros muchos de la comarca, y todos dieron la obediencia a Su Majestad; y traían de comer [a] aquella villa donde estábamos. Y fue aquella entrada que hizo de mucho provecho y se pacificó la tierra, y de allí en adelante tenía Cortés tanta fama en todos los pueblos de la Nueva España, lo uno de muy justificado, en lo que hacía, y lo otro de muy esforzado, que a todos ponía temor, y muy mayor a Guatemuz, el señor y rey nuevamente alzado por rey en México. Y tanta era la autoridad y ser y mando que había cobrado Cortés, que venían ante él pleitos de indios de lejanas tierras, en especial sobre cosas de cacicazgos y señoríos. Como en aquel tiempo anduvo la viruela tan común en la Nueva España, fallecían muchos caciques, y sobre a quién le pertenecía el cacicazgo y ser señor y partir tierras o vasallos o bienes, venían a Cortés, como señor absoluto de toda la tierra, para que por su mano y autoridad alzase por señor a quien le pertenecía.

Y en aquel tiempo vinieron del pueblo de Ozucar y Guacachula, otras veces por mí memorados, porque en Ozucar estaba casada una parienta muy cercana de Montezuma con el señor de aquel pueblo, y tenían un hijo que decían era sobrino y cacique de Montezuma, y según parece heredaba el señorío, y otros decían que le pertenecía a otro señor; y sobre ellos tenían diferencias, y vinieron a Cortés, y mandó que heredase el pariente de Montezuma, y luego cumplieron su mandado. Y así vinieron de otros muchos pueblos de la redonda sobre pleitos, y a cada uno mandaba dar sus tierras y vasallos según sentía por derecho que les pertenecía.

Y en aquella sazón también tuvo noticia Cortés que en un pueblo que estaba de allí a seis leguas, que se decía Cozotlán [107] y le pusimos por nombre Castil Blanco, habían muerto nueve españoles; envió al

[107] Hay confusión entre dos pueblos distintos, Zautla, situado al poniente de Jalacingo, y el Castil Blanco, que es Iztacamaxtitlan, situado al SO. de Zautla. V. la nota 41 de la pág. 103.

mismo Gonzalo de Sandoval para que los castigase y los trajese de paz; y fue allá con treinta de caballo y cien soldados y ocho ballesteros y cinco escopeteros y muchos tlaxcaltecas, y después de hechos sus requerimientos y protestaciones, que vengan de paz y se les perdonará la muerte de los españoles que mataron, y les enviaron a decir otras muchas cosas de cumplimiento con cinco indios principales de Tepeaca, y que si no venían que les daría guerra y haría esclavos. Y pareció ser estaban en aquel pueblo otros escuadrones de mexicanos en guarda y amparo; y respondieron que señor tenían, que era Guatemuz, y que no habían menester venir ni ir a llamado de otro señor; que si allá fuesen, que en el campo les hallarían; que no se les habían fallecido las fuerzas ahora menos que las tenían en México y puentes y calzadas, y que ya sabían a qué tanto allegaban nuestras valentías.

Y desde que aquello oyó Sandoval, puesto muy en orden su gente, cómo había de pelear, y los de caballo y escopeteros y ballesteros, y mandó a los tlaxcaltecas que no se metiesen en los enemigos al principio, porque no estorbasen los caballos y porque no corriesen peligro o hiriesen algunos de ellos con las ballestas y escopetas, o los atropellasen con los caballos, hasta haber rompido los escuadrones; y después de desbaratados, que prendiesen a los mexicanos y siguiesen el alcance. Y luego comenzó a caminar hacia el pueblo, y sálenle al camino y encuentro dos buenos escuadrones de guerreros junto a unas fuerzas y barrancas, y allí estuvieron fuertes un rato; y con las ballestas y escopetas les hacían mucho mal, por manera que tuvo Sandoval lugar de pasar aquella fuerza y albarradas con los de caballo, y aunque le hirieron nueve caballos, y uno murió, y también le hirieron cuatro soldados, y como se vio fuera de aquel mal paso, y tuvo lugar por donde corriesen los caballos, y aunque no era buena tierra ni llano, que había muchas piedras, da tras los escuadrones rompiendo por ellos, que los llevó hasta el mismo pueblo, adonde estaba un gran patio; y allí tenían otra fuerza y unos *cúes*, adonde se tornaron a hacer fuertes, y puesto que peleaban muy bravosamente, todavía los venció y mató hasta siete indios, porque estaban en malos pasos. Y los tlaxcaltecas no habían menester mandarles que siguiesen al alcance, que con la ganancia, como eran guerreros, ellos tenían el cargo especialmente, como sus tierras no estaban lejos de aquel pueblo. Allí se hubieron muchas mujeres y gente menuda, y estuvo allí Gonzalo de Sandoval dos días, y envió a llamar los caciques de aquel pueblo con unos principales que iban en su compañía; y vinieron y demandaron perdón de la muerte de los españoles, y Sandoval les dijo que si daban las ropas y hacienda que robaron de los que mataron, que sí perdonaría; y respondieron que todo lo habían quemado, y que no tenían ninguna cosa, y que los que mataron que los más de ellos habían ya comido; y que cinco *teules* enviaron vivos a Guatemuz, su señor, y que ya habían pagado la pena con los que ahora les habían muerto en el campo y en el pueblo, y que les perdonase, y que llevarían muy bien de comer y bastecerían la villa adonde estaba Malinche. Y como Gonzalo de Sandoval vio que no se podía hacer más, les perdonó, y allí se ofrecieron de servir bien en lo que les mandasen. Y con este recaudo se fue a la villa y fue bien recibido de Cortés y de todos los del real. Donde lo dejaré de hablar más en ello, y digamos cómo se herraron todos los esclavos que se habían habido en aquellos pueblos y provincias, y lo que sobre ello se hizo.

CAPÍTULO CXXXV

CÓMO SE RECOGIERON TODAS LAS MUJERES Y ESCLAVAS Y ESCLAVOS DE TODO NUESTRO REAL QUE HABÍAMOS HABIDO EN AQUELLO DE TEPEACA Y CACHULA Y TECAMACHALCO, Y EN CASTIL BLANCO, Y EN SUS TIERRAS, PARA HERRARSE CON EL HIERRO QUE HICIERON EN NOMBRE DE SU MAJESTAD, Y DE LO QUE SOBRE ELLO PASÓ

Como Gonzalo de Sandoval hubo llegado a la villa de Segura de la Frontera, de hacer aquellas entradas que ya he dicho, y en aquella provincia todos los teníamos ya pacíficos y no teníamos por entonces dónde ir a entrar, porque todos los pueblos de los rededores habían dado la obediencia a Su Majestad, acordó Cortés, con los oficiales del rey, que se herrasen las piezas y esclavos que se habían habido para sacar su quinto después que se hubiese primero sacado el de Su Majestad; y para ello mandó dar pregones en el real y villa que todos los soldados llevásemos a una casa que estaba señalada para aquel efecto a herrar todas las piezas que tuviesen recogidas, y dieron de plazo aquel día y otro, que se pregonó, y todos ocurrimos con todas las indias y muchachas y muchachos que habíamos habido, que hombres de edad no curábamos de ellos, que eran malos de guardar y no habíamos menester su servicio teniendo a nuestros amigos los tlaxcaltecas.

Pues ya juntas todas las piezas y echado el hierro, que era una *G* como ésta, que quería decir guerra, cuando no nos catamos apartan el real quinto, luego sacan otro quinto para Cortés, y, además de esto, la noche antes, cuando metimos las piezas, como he dicho, en aquella casa, habían ya escondido y tomado las mejores indias, que no pareció allí ninguna buena, y al tiempo de repartir dábannos las viejas y ruines. Y sobre esto hubo grandes murmuraciones contra Cortés y de los que mandaban hurtar y esconder las buenas indias, y de tal manera se lo dijeron al mismo Cortés soldados de los de Narváez, que juraban a Dios que no había tal acaecido haber dos reyes en la tierra de nuestro rey y señor y sacar dos quintos. Y uno de los soldados que se lo dijeron fue un Juan Bono de Quexo; y más dijo, que no estarían en tierra semejante, y que lo haría saber en Castilla a Su Majestad y a los señores de su Real Consejo de Indias. Y también dijo a Cortés otro soldado muy claramente, que no bastó repartir el oro que se había habido en México de la manera que lo repartió, y que cuando lo estaba repartiendo decía que eran trescientos mil pesos los que se habían allegado, y que cuando salimos huyendo de México, mandó tomar por testimonio que quedaban más de setecientos mil, y que ahora el pobre soldado que había echado los bofes y estaba lleno de heridas por haber una buena india, y les habían dado naguas y camisas, habían tomado y escondido las tales indias; y que cuando dieron el pregón para que se llevasen a herrar, que creyeron que a cada soldado volverían sus piezas, y que apreciarían que tantos pesos valían, y que como las apreciase pagasen el quinto a Su Majestad, y que no habría más quinto para Cortés, y decían otras murmuraciones peores que éstas.

Y después que Cortés aquello vio, con palabras algo blandas dijo que juraba en su conciencia, que esto tenía por costumbre jurar, que de allí adelante que no haría de aquella manera, sino que buenas o malas indias sacarlas a almoneda, y la buena que se vendería por tal, y la que no lo fuese por menos precio, y de aquella manera no tendrían que reñir con él; y puesto que allí en Tepeaca no se hicieron más esclavos, mas después, en lo de Tezcuco, casi que fue de esta manera, como adelante diré.

Y dejaré de hablar en esta materia y digamos otra cosa casi peor que esto de los esclavos, y es que ya he dicho en el capítulo CXXVIII, cuando la triste noche salimos huyendo de México, cómo quedaban en la sala donde posaba Cortés muchas barras de oro perdido que no lo podían sacar más de lo que cargaron en la yegua y caballos, y muchos tlaxcaltecas, y lo que hurtaron los amigos y otros soldados que cargarían de ello; y como lo demás quedaba perdido en poder de los mexicanos, Cortés dijo delante de un escribano del rey que cualquiera que quisiese sacar oro de lo que allí quedaba que se lo llevase mucho en buena hora por suyo, como se había de perder; y muchos soldados de los de Narváez cargaron de ello, y asimismo algunos de los nuestros, y por sacarlo perdieron muchos de ellos las vidas, y los que escaparon con la presa que traían habían estado en gran riesgo de morir, y salieron llenos de heridas. Y como en nuestro real y villa de Segura de la Frontera, que así se llamaba, alcanzó Cortés a saber que había muchas barras de oro y que andaban en el juego, y como dice el refrán que el oro y amores eran malos de encubrir, mandó dar un pregón, so graves penas, que traigan a manifestar el oro que sacaron, y que les daba la tercia parte de ello, y si no lo traen, que se lo tomaba todo. Y muchos soldados de los que lo tenían no lo quisieron dar, y [a] algunos se lo tomó Cortés como prestado y más por fuerza que por grado, y como todos los más capitanes tenían oro y aun los oficiales del rey, muy mejor se calló lo del pregón, y no se habló de ello; mas pareció muy mal esto que mandó Cortés. Dejémoslo ya de más declarar y digamos cómo todos los más capitanes y personas principales de los que pasaron con Narváez demandaron licencia a Cortés para volverse a Cuba, y Cortés se la dio, y lo que más acaeció.

CAPÍTULO CXXXVI

CÓMO DEMANDARON LICENCIA A CORTÉS LOS CAPITANES Y PERSONAS MÁS PRINCIPALES DE LOS QUE NARVÁEZ HABÍA TRAÍDO EN SU COMPAÑÍA PARA VOLVERSE A LA ISLA DE CUBA, Y CORTÉS SE LA DIO, Y SE FUERON, Y CÓMO DESPACHÓ CORTÉS EMBAJADORES PARA CASTILLA Y PARA SANTO DOMINGO Y JAMAICA, Y LO QUE SOBRE CADA COSA ACAECIÓ

COMO VIERON los capitanes de Narváez que ya teníamos socorros, así de los que vinieron de Cuba como los de Jamaica que había enviado Francisco de Garay para su armada, según lo tengo declarado en el capítulo que de ello habla, y vieron que los pueblos de la provincia de Tepeaca estaban pacíficos, después de muchas palabras que a Cortés dijeron con grandes ofertas y ruegos le suplicaron que les diese licencia para volverse a la isla de Cuba, pues se lo había prometido. Y luego Cortés se la dio y aun les prometió que si volvía a ganar la Nueva España y ciudad de México que a Andrés de Duero, su compañero, que le daría mucho más oro que le había de antes dado, y así hizo oferta a los demás capitanes, en especial [a] Agustín Bermúdez, y les mandó dar matalotaje, que en aquella sazón había, que era maíz y perrillos salados y pocas gallinas, y un navío de los mejores. Y escribió Cortés a su mujer, que se decía Catalina Juárez, la Marcaida, y a Juan Juárez, su cuñado, que en aquella sazón vivía en la isla de Cuba, y les envió ciertas barras y joyas de oro y les hizo saber todos los desmanes y trabajos que nos habían acontecido, y cómo nos echaron de México.

Dejemos esto y digamos las personas que demandaron la licencia para volver a Cuba, que todavía iban ricos: fueron Andrés de Duero y Agustín Bermúdez, Juan Bono de Quexo, y Bernaldino de Quesada y Francisco Velázquez, el Corcovado, pariente de Diego Velázquez, gobernador de Cuba, y Gonzalo Carrasco, el que vive en la Puebla, que después se volvió a esta Nueva España; y un Melchor de Velasco, que fue vecino de Guatemala; y un Jiménez de Cervantes, que fue por sus hijos; y el comendador Leonel de Cervantes, que fue por sus hijas, que después de ganado México las casó muy honradamente; y se fue uno que se decía Maldonado, natural de Medellín, que estaba doliente; no digo Maldonado, el que fue marido de doña María del Rincón, ni por Maldonado el Ancho, ni otro Maldonado que se decía Álvaro Maldonado el Fiero, que fue casado con una señora que se decía Marí Arias; y también se fue un Vargas, vecino de la Trinidad, que le llamaban en Cuba Vargas el Galán; no digo Vargas el que fue suegro de Cristóbal Lobo, vecino que fue de Guatemala; y se fue un soldado de los de Cortés que se decía Cárdenas, piloto. Aquel Cárdenas fue el que dijo a un su compañero que cómo podíamos reposar los soldados teniendo dos reyes en esta Nueva España; éste fue a quien Cortés dio trescientos pesos para que se fuese a su mujer e hijos; y por excusar prolijidad de ponerles todos por memoria, se fueron otros muchos que no me acuerdo bien sus nombres.

Y cuando Cortés les dio la licencia, dijimos que para qué se la daba, pues que éramos pocos los que quedábamos, y respondió que por excusar escándalos e importunaciones, y que ya veíamos que para la guerra algunos de los que se volvían no lo eran, y que valía más estar solo que mal acompañado. Y para despacharles del puerto envió Cortés a Pedro de Alvarado, y en habiéndolos embarcado que se volviese luego a la villa.

Y digamos ahora que también envió a Castilla a Diego de Ordaz y Alonso de Mendoza, natural de Medellín o de Cáceres, con ciertos recaudos de Cortés, que yo no sé otros que llevasen nuestros, ni nos dio parte de cosa de los negocios que enviaba a tratar a Su Majestad, ni lo que pasó en Castilla yo no lo alcancé a saber, salvo que la boca llena decía el obispo de Burgos, delante de Diego de Ordaz, que así Cortés como todos los soldados que pasamos con él éramos malos y traidores, puesto que Ordaz respondía muy bien por todos nosotros. Y entonces le dieron a Ordaz una encomienda de Señor Santiago y por armas el volcán que estaba entre Guaxocingo y cerca de Cholula, y lo que negoció adelante lo diré según lo supimos por carta.

Dejemos esto aparte y diré cómo Cortés envió [a] Alonso de Ávila, que era capitán y contador de esta Nueva España, y juntamente con él envió a otro hidalgo que se decía Francisco Álvarez Chico, que era hombre que entendía de negocios, y mandó que fuesen con otro navío para la isla de Santo Domingo a hacer relación de todo lo acaecido a la real Audiencia que en ella residía, y a los frailes jerónimos que estaban por gobernadores de todas las islas, que tuviesen por bueno lo que habíamos hecho en las conquistas y el desbarate de Narváez, y cómo había hecho esclavos en los pueblos que habían muerto españoles, y se habían quitado de la obediencia que habían dado a nuestro rey y señor, y que así entendía hacer en todos los más pueblos que fueron de la liga y nombre de mexicanos, y que les suplicaba que hiciesen relación de ello en Castilla a nuestro gran emperador, y tuviesen en la memoria los grandes servicios que siempre le hacíamos, y que por su intercesión y de la real Audiencia y frailes jerónimos fuésemos favorecidos con justicia contra la mala voluntad y obras que contra nosotros trataba el obispo de Burgos y arzobispo de Rosano.

Y también envió otro navío a la isla de Jamaica por caballos y yeguas, y el capitán que en él fue se decía fulano de Solís, que después de ganado México le llamamos Solís el de la Huerta, yerno de uno que se decía el bachiller Ortega. Bien sé que dirán algunos curiosos lectores que sin dineros que cómo enviaba a Diego de Ordaz a negocios a Castilla, pues está claro que para Castilla y para otras partes son menester dineros, y que asimismo enviaba a Alonso de Ávila y a Francisco Álvarez Chico a Santo Domingo, a negocios, y a la isla de Jamaica por caballos y yeguas. A esto digo que como al salir de México como salimos huyendo la noche por mí muchas veces memorada, que como quedaban en la sala muchas barras de oro perdido en un montón, que todos los más soldados apañaban de ello, en especial los de a caballo, y los de Narváez mucho mejor, y los oficiales de Su Majestad, que lo tenían en poder y cargo, llevaron los fardos hechos; y demás de esto, cuando se cargaron de oro más de ochenta indios tlaxcaltecas por mandado de Cortés y fueron los primeros que salieron en las puentes, vista cosa era que salvarían muchas cargas de ello, que no se perdería todo en la calzada, y como nosotros los pobres soldados que no teníamos mando, sino ser mandados, en aquella sazón procurábamos de salvar nuestras vidas y después de curar nuestras heridas, no mirábamos en el oro si salieron muchas cargas de ello en las puentes o no, ni se nos daba mucho en ello. Y Cortés con algunos de nuestros capitanes lo procuraron de haber de los tlaxcaltecas que lo sacaron, y aun tuvimos sospecha que los cuarenta mil pesos de las partes de los de la Villa Rica, que también lo habían habido, y echado fama que lo habían robado, y con ello envió a Castilla a los negocios de su persona, y a comprar caballos, y a la isla de Santo Domingo a la Audiencia real; porque en aquel tiempo todos se callaban con las barras de oro que tenían, aunque más pregones habían dado.

Dejemos esto, y digamos como ya estaban de paz todos los pueblos comarcanos de Tepeaca, acordó Cortés que quedase en la villa de Segura de la Frontera por capitán Francisco de Orozco con obra de veinte soldados que estaban heridos y dolientes, y con todos los más de nuestro ejército fuimos a Tlaxcala; y se dio orden que se cortase madera para hacer trece bergantines para ir otra vez a México, porque hallábamos por muy cierto que para la laguna sin bergantines no la podíamos señorear, ni podíamos dar guerra, ni entrar otra vez por las calzadas en aquella gran ciudad sino con gran riesgo de nuestras vidas. Y el que fue maestro de cortar la madera y dar el gálibo y cuenta y razón como habían de ser veleros y ligeros para aquel efecto, y los hizo, fue un Martín López, que ciertamente, además de ser un buen soldado en todas las guerras, sirvió muy bien a Su Majestad en esto de los bergantines, y trabajó en ellos como fuerte varón. Y me parece que si por desdicha no viniera en nuestra compañía de los primeros, como vino, que hasta enviar por otro maestro a Castilla se pasara mucho tiempo o no viniera ninguno, según el gran estorbo que en todo nos ponía el obispo de Burgos.

Volveré a nuestra materia, y digamos ahora que cuando llegamos a

Tlaxcala ya era fallecido de viruelas nuestro gran amigo, y muy leal vasallo de Su Majestad, Maseescaci, de la cual muerte nos pesó a todos, y Cortés lo sintió tanto, como él decía, como si fuera su padre, y se puso luto de mantas negras,[108] y asimismo muchos de nuestros capitanes y soldados. Y a sus hijos y parientes del Maseescaci, Cortés y todos nosotros les hacíamos mucha honra, y porque en Tlaxcala había diferencias sobre el mando y cacicazgo, señaló y mandó que lo fuese un su hijo legítimo del mismo Maseescaci, porque así lo había mandado su padre antes que muriese, y aun dijo a sus hijos y parientes que mirasen, que no saliesen del mando de Malinche y de sus hermanos, porque ciertamente éramos los que habíamos de señorear estas tierras; y les dijo otros muchos buenos consejos. Dejemos ya de contar del Maseescaci, pues ya es muerto, y digamos de Xicotenga el Viejo y de Chichimecatecle y de todos los más caciques de Tlaxcala, que se ofrecieron de servir a Cortés, así en cortar madera para los bergantines como para todo lo demás que les quisiesen mandar en la guerra contra los mexicanos.

Cortés les abrazó con mucho amor y les dio gracias por ello, especialmente a Xicotenga el Viejo y a Chichimecatecle, y luego procuró que se volviese cristiano, y el buen viejo de Xicotenga de buena voluntad dijo que lo quería ser, y con la mayor fiesta que en aquella sazón se pudo hacer en Tlaxcala le bautizó el Padre de la Merced y le puso nombre don Lorenzo de Vargas. Volvamos a decir de nuestros bergantines; que Martín López se dio tanta prisa en cortar la madera con la gran ayuda de indios que le ayudaban, que en pocos días la tenían ya toda cortada y señalada su cuenta en cada madero, para qué parte y lugar había de ser, según tienen sus señales los oficiales, maestros y carpinteros de ribera; y también le ayudaba otro buen soldado que se decía Andrés Núñez, y un viejo carpintero que estaba cojo de una herida, que se decía Ramírez el Viejo.

Y luego despachó Cortés a la Villa Rica por mucho hierro y clavazón de los navíos que dimos al través, y por anclas y velas y jarcias y cables y estopa, y por todo aparejo de hacer navíos, y mandó venir todos los herreros que había, y a un Hernando de Aguilar que era medio herrero, que ayudaba a machar; y porque en aquel tiempo había en nuestro real tres hombres que se decían Aguilar, llamamos a éste Hernando de Aguilar Majahierro; y envió por capitán a la Villa Rica por los aparejos que he dicho, para mandarlo traer, a un Santa Cruz, burgalés, regidor que después fue de México, persona muy buen soldado y diligente; hasta las calderas para hacer brea y todo cuanto de antes habían sacado de los navíos trajo, con más de mil indios que todos los pueblos de aquellas provincias, enemigos de mexicanos, luego se los daban para traer las cargas. Pues como no teníamos pez para brear, ni aun los indios lo sabían hacer, mandó Cortés a cuatro hombres de la mar que sabían de aquel oficio que en unos pinares cerca de Guaxalcingo, que los hay buenos, fuesen [a] hacer la pez.[109]

Pasemos adelante, y puesto que no va muy bien a propósito de la materia en que estaba hablando, que me han preguntado ciertos caballeros curiosos que conocían muy bien a Alonso de Ávila que cómo siendo capitán muy esforzado, y era contador de la Nueva España, y siendo

[108] Testado en el original: *de lo que se pudo haber en aquella sazón.*

[109] Tachado en el original: *Acuérdome que fue el que llevó cargo dello e iba por capitán un Juan Rodríguez Cabrillo, que fue un buen soldado en lo de México, que después fue vecino de Guatimala, persona muy honrada, y fue capitán y almirante de trece navíos por Pedro de Alvarado y sirvió muy bien a Su Majestad en todo lo que se le ofreció, y murió en su real servicio.*

belicoso y su inclinación dado más para guerras que no para ir a solicitar negocios con los frailes jerónimos que estaban por gobernadores de todas las islas, que por qué causa le envió Cortés, teniendo otros hombres que fueran más acostumbrados a negocios, como era un Alonso de Grado, o un Juan de Cáceres el Rico, y otros que me nombraron. A esto digo que Cortés le envió a Alonso de Ávila porque sintió de él ser muy varón, y porque osaría responder por nosotros conforme a justicia, y también le envió por causa que como Alonso de Ávila había tenido diferencias con otros capitanes y tenía gran atrevimiento de decir a Cortés cualquiera cosa que veía que convenía decirle, y por excusar ruidos y por dar la capitanía que tenía [a] Andrés de Tapia, y la contaduría [a] Alonso de Grado, como luego se la dio, por estas razones le envió. Volvamos a nuestra relación.

Pues viendo Cortés que ya era cortada la madera para los bergantines y se habían ido a Cuba las personas por mí nombradas, que eran de los de Narváez, que los teníamos por sobrehuesos, especialmente poniendo temores que siempre nos ponían, que no seríamos bastantes para resistir el gran poder de mexicanos, cuando oían que decíamos que habíamos de ir a poner cerco sobre México; y libres de aquellas zozobras, acordó Cortés que fuésemos con todos nuestros soldados para la ciudad de Tezcuco, y sobre ello hubo grandes y muchos acuerdos, porque unos soldados decían que era mejor sitio y acequias y zanjas para hacer los bergantines en Ayocingo,[110] junto a Chalco, que no en la zanja y estero de Tezcuco; y otros porfiábamos que mejor sería en Tezcuco, por estar en parte y sitio cerca de muchos pueblos, y que teniendo aquella ciudad por nosotros, desde allí haríamos entradas en las tierras comarcanas de México, y puestos en aquella ciudad tomaríamos el mejor parecer como sucediesen las cosas.

Pues ya que estaba acordado lo por mí dicho, viene nueva y cartas, que trajeron soldados, de cómo había venido a la Villa Rica un navío de Castilla, y de las islas de Canaria, de buen porte, cargado de muchas mercaderías, escopetas, pólvora y ballestas, e hilo de ballestas, y tres caballos, y otras armas, y venía por señor de la mercadería y navío un Juan de Burgos, y por maestre un Francisco de Medel, y venían trece soldados. Y con aquella nueva nos alegramos en gran manera; y si de antes que supiésemos del navío nos dábamos prisa en la partida para Tezcuco, mucha más nos dimos entonces; porque luego le envió Cortés [a] comprar todas las armas y pólvora y todo lo más que traía, y aun el mismo Juan de Burgos y Medel y todos los pasajeros que traía se vinieron luego para donde estábamos, con los cuales recibimos contento viendo tan buen socorro y en tal tiempo.

Acuérdome que entonces vino un Juan del Espinar, vecino que fue de Guatemala, persona que fue muy rico, y también vino un Sagredo, tío de una mujer que se decía la Sagreda, que estaba en Cuba, naturales de Medellín; y también vino un vizcaíno que se decía Monjaraz, tío que se decía ser de Andrés de Monjaraz y Gregorio de Monjaraz, soldados que estaban con nosotros, y padre de una mujer que después vino a México, que se decía la Monjaraza, muy hermosa mujer. Y traigo esto aquí a la memoria por lo que adelante diré, y es que jamás fue el Monjaraz a guerra ninguna, ni entrada con nosotros, porque estaba doliente en aquel tiempo, y ya que estaba muy bueno y sano y presumía de muy valiente, cuando teníamos puesto cerco a México, dijo Monjaraz que quería ir a ver cómo batallábamos con los mexicanos, porque no tenía a los mexicanos por valientes; y fue y se subió en un alto *cu* como torrecilla, y nunca supimos

[110] Ayotzinco.

cómo ni de qué manera le mataron indios en aquel mismo día. Y muchas personas dijeron, que le habían conocido en la isla de Santo Domingo, que fue permisión divina que muriese aquella muerte, porque había muerto a su mujer, muy honrada y buena y hermosa, sin culpa ninguna, y que buscó testigos falsos que juraron que le hacía maleficio. Quiero ya dejar de contar cosas pasadas, y digamos cómo fuimos a la ciudad de Tezcuco y lo que más pasó.

CAPÍTULO CXXXVII

CÓMO CAMINAMOS CON TODO NUESTRO EJÉRCITO CAMINO DE LA CIUDAD DE TEZCUCO, Y LO QUE EN EL CAMINO NOS AVINO, Y OTRAS COSAS QUE PASARON

Como Cortés vio tan buen aparejo así de escopetas y pólvora y ballestas y caballos y conoció de todos nosotros, así capitanes como soldados, el gran deseo que teníamos de estar ya sobre la gran ciudad de México, acordó de hablar a los caciques de Tlaxcala para que le diesen diez mil indios de guerra que fuesen con nosotros aquella jornada hasta Tezcuco, que es una de las mayores ciudades que hay en toda la Nueva España, después de México. Y como se lo demandó y les hizo un buen parlamento sobre ello, luego Xicotenga el Viejo, que en aquella sazón se había vuelto cristiano y se llamó don Lorenzo de Vargas, como dicho tengo, dijo que le placía de buena voluntad, no solamente diez mil hombres, sino muchos más si los quería llevar, y que iría por capitán de ellos otro cacique muy esforzado y nuestro gran amigo, que se decía Chichimecatecle. Y Cortés le dio las gracias por ello, y después de hecho nuestro alarde que ya no me acuerdo bien qué tanta copia éramos, así de soldados como de lo demás, un día después de pasada la Pascua de Navidad del año de mil quinientos veinte años, comenzamos a caminar con mucho concierto, como lo teníamos de costumbre, y fuimos a dormir a un pueblo que se dice sujeto de Tezcuco, y los del mismo pueblo nos dieron lo que habíamos menester.

De allí adelante era tierra de mexicanos; íbamos más recatados, nuestra artillería puesta en mucho concierto y ballesteros y escopeteros, y siempre cuatro corredores del campo a caballo y otros cuatro soldados de espada y rodela muy sueltos, juntamente con los de a caballo, para ver los pasos si estaban para pasar caballos, porque en el camino tuvimos aviso que estaba embarazado de aquel día un mal paso, y la sierra con árboles cortados, porque bien tuvieron noticia en México y en Tezcuco cómo caminábamos hacia su ciudad. Y aquel día no hallamos estorbo ninguno y fuimos a dormir al pie de la sierra, que serían tres leguas, y aquella noche tuvimos buen frío; y con nuestras rondas y espías y velas y corredores del campo la pasamos, y después que amaneció comenzamos a subir un puertezuelo, y en unos malos pasos como barrancas estaba cortada la sierra, por donde no podíamos pasar, y puesta mucha madera y pinos en el camino, y como llevábamos tantos amigos tlaxcaltecas, de presto se desembarazó. Y con mucho concierto caminamos con una buena capitanía de escopeteros y ballesteros delante, y nuestros amigos cortando y apartando los árboles para poder pasar los caballos, hasta que subimos la sierra, y aun bajamos un poco abajo adonde se descubrió la laguna de México, y sus grandes ciudades pobladas en el agua. Y desde que la vimos dimos muchas gracias a Dios que nos la dejó tornar a ver. Entonces nos acordamos de nuestro desbarate pasado, de cuando nos echaron de México, y prometimos, si Dios fuese servido, de tener otra manera en la guerra desde que la cercásemos.

Y luego bajamos la sierra, donde vimos grandes ahumadas que hacían así los de Tezcuco como los de los pueblos sus sujetos; y yendo más adelante topamos con un buen escuadrón de gente, guerreros de México y de Tezcuco, que nos aguardaban en un mal paso, a un arcabuezo adonde estaba una puente como quebrada, de madera, algo honda, y corría un buen golpe de agua; mas luego desbaratamos los escuadrones y pasamos muy a nuestro salvo. Pues oír la grita que nos daban, desde las estancias y barrancas no hacían otra cosa, y era en parte que no podían correr caballos, y nuestros amigos los tlaxcaltecas les apañaban gallinas, y lo que podían robarles no lo dejaban, puesto que Cortés se lo mandaba que si no diesen guerra que no se la diesen, y los tlaxcaltecas decían que si estuvieran de buenos corazones y de paz, que no salieran al camino a darnos guerra, como estaban al paso de las barrancas y puente para no dejarnos pasar.

Volvamos a nuestra materia y digamos cómo fuimos a dormir a un pueblo sujeto de Tezcuco, y estaba despoblado; y puestas nuestras velas y rondas y escuchas y corredores de campo, estuvimos aquella noche con bastante cuidado no diesen en nosotros muchos escuadrones de guerreros que estaban aguardándonos en unos malos pasos, y de lo cual tuvimos aviso porque se prendieron cinco mexicanos en la puente primera que dicho tengo, y aquéllos dijeron lo que pasaba de los escuadrones, y, según después supimos, no se atrevieron a darnos guerra ni más aguardar, porque, según pareció entre los mexicanos y los de Tezcuco tenían diferencias y bandos, y también como aún no estaban muy sanos de las viruelas, que fue dolencia que en toda la tierra dio y cundió, y como habían sabido cómo en lo de Guacachula y Ozucar y en Tepeaca y Xalacingo y Castil Blanco todas las guarniciones mexicanas habíamos desbaratado, y asimismo teníamos fama, y así lo creían que iban con nosotros en nuestra compañía todo el poder de Tlaxcala y Guaxalcingo, acordaron de no nos aguardar; y todo esto Nuestro Señor Jesucristo lo encaminaba.

Y después que amaneció, puestos todos nosotros en gran concierto, así artillería como escopetas y ballestas, y los corredores del campo adelante descubriendo tierra, comenzamos a caminar hacia Tezcuco, que sería de allí de donde dormimos obra de dos leguas. Y aún no habíamos andado media legua cuando vimos volver nuestros corredores del campo a matacaballo, muy alegres, y dijeron a Cortés que venían hasta diez indios y que traían unas señas y veletas de oro, y que no traían armas ningunas, y que en todas las caserías y estancias por donde pasaban no les daban grita ni voces como habían dado el día antes; al parecer todo estaba de paz. Y Cortés y todos nuestros capitanes y soldados nos alegramos. Y luego mandó Cortés reparar, hasta que llegaron siete indios principales, naturales de Tezcuco, y traían una bandera de oro y una lanza larga, y antes que llegasen abajaron su bandera y se humillaron, que es señal de paz; y desde que llegaron ante Cortés, estando doña Marina y Jerónimo de Aguilar, nuestras lenguas, delante, dijeron: "Malinche: Cocoyoacin,[111] nuestro señor y señor de Tezcuco, te envía a rogar que le quieras recibir a tu amistad y te está esperando de paz en su ciu-

[111] Coanacochtzin. Adviértase que el autor escribe adelante este nombre en diversas formas, Cuacayutzin, Cuacoyotzin.

dad de Tezcuco, y en señal de ello recibe esta bandera de oro, y que te pide por merced que mandes a todos los tlaxcaltecas y a tus hermanos que no les hagan mal en su tierra, y que te vayas [a] aposentar a su ciudad, que él te dará lo que hubieres menester." Y más dijeron, que los escuadrones que allí estaban en las barrancas y pasos malos que no eran de Tezcuco sino mexicanos, que los enviaba Guatemuz.

Y cuando Cortés oyó aquellas paces, holgó mucho de ellas, y asimismo todos nosotros, y abrazó a los mensajeros, en especial a tres de ellos, que eran parientes del buen Montezuma, y los conocíamos todos los más soldados, que habían sido sus capitanes. Y considerada la embajada, luego mandó Cortés llamar [a] los capitanes tlaxcaltecas y les mandó muy afectuosamente que no hiciesen ningún mal ni les tomasen cosa ninguna en toda la tierra, porque estaban de paz; y así lo hicieron como se lo mandó; mas comida no se les defendía, si era solamente maíz y frijoles y aun gallinas y perrillos, que había mucho, todas las casas llenas de ello. Y entonces Cortés tomó consejo y, con nuestros capitanes, y a todos les pareció que aquel pedir de paz y de aquella manera que era fingido, porque si fueran verdaderas no vinieran tan arrebatadamente, y aun trajeron bastimento. Y con todo ello Cortés recibió la bandera, que valía hasta ochenta pesos, y dio muchas gracias a los mensajeros, y les dijo que no tenía por costumbre hacer mal ni daño a ningunos vasallos de Su Majestad, antes les favorecía y miraba por ellos, y que si guardaban las paces que decían, que les favorecería contra mexicanos, y que ya había mandado a los tlaxcaltecas que no hiciesen daño en su tierra, como habían visto, y que así lo cumpliría adelante, y que bien sabía que en aquella ciudad mataron sobre cuarenta españoles, nuestros hermanos, cuando salimos de México, y sobre doscientos tlaxcaltecas, y que robaron muchas cargas de oro y otros despojos que de ellos hubieron; que ruega a su señor Cuacayutzin y a todos los más caciques y capitanes de Tezcuco que le den el oro y ropa, y que la muerte de los españoles, que pues ya no tenían remedio, que no se les pedirá.

Y respondieron aquellos mensajeros que ellos se lo dirían a su señor así como se lo mandaba, mas que el que los mandó matar fue el que en aquel tiempo alzaron en México por señor, después de muerto Montezuma, que se decía Coadlavaca, y hubo todo el despojo, y llevaron a México, todos los más de los *teules*, y que luego los sacrificaron a su Uichilobos. Y después que Cortés vio aquella respuesta, por no los resabiar ni atemorizar, no les replicó en ello, sino que fuesen con Dios; y quedó uno de ellos en nuestra compañía. Y luego nos fuimos a unos arrabales de Tezcuco que se decían Guatinchán o Guaxuntán,[112] que ya se me ha olvidado el nombre, y allí nos dieron bien de comer y todo lo que hubimos menester, y aun derribamos unos ídolos que estaban en unos aposentos donde posábamos. Y otro día de mañana fuimos a la ciudad de Tezcuco, y en todas las calles no veíamos mujeres, ni muchachos, ni niños, sino todos los indios como asombrados y como gente que estaba de guerra; y fuímonos [a] aposentar a unos grandes aposentos y salas. Y luego mandó Cortés llamar a nuestros capitanes y todos los más soldados, y nos dijo que no saliésemos de unos patios grandes que allí había, y que estuviésemos muy apercibidos porque no le parecía que estaba aquella ciudad pacífica, hasta ver cómo y de qué manera estaba.

Y mandó a Pedro de Alvarado y a Cristóbal de Olid y a otros soldados y a mí con ellos que subiésemos a un gran *cu*, que era bien alto, y llevásemos hasta veinte escopeteros para nuestra guarda, y que mirásemos desde el alto *cu* la laguna y la ciudad, porque bien se parecía toda; y vimos que todos los

[112] Coatlichan y Huexotla.

...res de aquellas poblazones se ...n sus haciendas y hatos e hijos y mujeres, unos a los montes y otros a los carrizales que hay en la laguna, y que toda iba cuajada de canoas, de ellas grandes y otras chicas. Y como Cortés lo supo quiso prender al señor de Tezcuco que envió la bandera de oro, y cuando lo fueron a llamar ciertos *papas* que envió Cortés por mensajeros, ya estaba puesto en cobro, que el primero que se fue huyendo a México fue él con otros muchos principales. Y así se pasó aquella noche que tuvimos grande recaudo de velas y rondas y espías; y otro día muy de mañana mandó Cortés llamar a todos los más principales indios que había en Tezcuco, porque como es gran ciudad había otros muchos señores, partes contrarias del cacique que se fue huyendo, con quien tenían debates y diferencias sobre el mando y reino de aquella ciudad; y venidos ante Cortés e informado de ellos cómo y de qué manera y desde qué tiempo acá señoreaba Cuacoyozín, dijeron que por codicia de reinar había muerto malamente a su hermano mayor, que se decía Cuxcuxca,[113] con favor que para ello le dio el señor de México, que ya he dicho otras veces que se decía Coadlavaca, el cual fue el que nos dio guerra cuando salimos huyendo después de muerto Montezuma; y que allí había otros señores a quien venía el reino de Tezcuco más justamente que no al que lo tenía, que era un mancebo que luego en aquella sazón se volvió cristiano con mucha solemnidad, y se llamó don Hernando Cortés, porque fue su padrino nuestro capitán.

Y este mancebo dijeron que era hijo legítimo del señor y rey de Tezcuco, que se decía su padre Nezabalpinzintle; [114] y luego sin más dilaciones, con gran fiesta y regocijo de todo Tezcuco, le alzaron por rey y señor natural, con todas las ceremonias que a los tales reyes solían hacer, y con mucha paz y en amor de todos sus vasallos y otros pueblos comarcanos, y mandaba muy absolutamente y era obedecido. Y para mejor industriarle en las cosas de nuestra santa fe y ponerle en toda policía, y que deprendiese nuestra lengua, mandó Cortés que tuviese por ayos a Antonio de Villa Real, marido que fue de una señora muy hermosa que se dijo Isabel de Ojeda, y a un bachiller que se decía Escobar; y puso por capitán de Tezcuco, para que viese y defendiese que no contratasen con don Hernando ningún mexicano, a un buen soldado que se decía Pero Sánchez Farfán, marido que fue de la buena y honrada mujer María de Estrada.

Dejemos de contar su gran servicio de este cacique, y digamos cuán amado y obedecido fue de los suyos, y digamos cómo Cortés le demandó que diese mucha copia de indios trabajadores para ensanchar y abrir más las acequias y zanjas por donde habíamos de sacar los bergantines a la laguna después que estuviesen acabados y puestos a punto para ir a la vela; y se le dio a entender al mismo don Hernando y a otros sus principales, a qué fin y efecto se habían de hacer, y cómo y de qué manera habíamos de poner cerco a México; y para todo ello se ofreció con todo su poder y vasallos, y que no solamente aquello que le mandaba, sino que enviaría mensajeros a otros pueblos comarcanos para que se diesen por vasallos de Su Majestad y tomasen nuestra amistad y voz contra México. Y todo esto concertado, después de habernos aposentado muy bien, y cada capitanía por sí, y señalados los puestos y lugares donde habíamos de acudir si hubiese rebato de mexicanos, porque estábamos a guarda

[113] Cuicuitzcatzin.

[114] Nezahualpiltzintli; el don Fernando Cortés, hijo de Nezahualpilli, a que se refiere el cronista, se llamó don Fernando Tecocoltzin, pero Bernal claramente se refiere a don Fernando Ahuaxpitzactzin, sucesor del anterior en esta lista de señores de Texcoco, que Orozco y Berra califica de embrollada con razón. *Ob. cit.*, t. IV, página 518.

la raya de su laguna, y porque de cuando en cuando enviaba Guatemuz grandes piraguas y canoas con muchos guerreros, y venían a ver si nos tomaban descuidados. Y en aquella sazón vinieron de paz ciertos pueblos sujetos a Tezcuco, a demandar perdón y paz si en algo habían errado en las guerras pasadas y habían sido en muertes de españoles, los cuales se decían Guatinchan.[115] Y Cortés les habló a todos muy amorosamente y les perdonó.

Quiero decir que no había día ninguno que dejasen de andar en la obra y zanja y acequia de siete u ocho mil indios, y lo abrían y ensanchaban muy bien, que podían nadar por ella navíos de gran porte. Y en aquella sazón, como teníamos en nuestra compañía sobre siete mil tlaxcaltecas, y estaban deseosos de ganar honra y de guerrear contra mexicanos, acordó Cortés que, pues tan fieles compañeros teníamos, que fuésemos a entrar y dar una vista a un buen pueblo que se dice Iztapalapa, el cual pueblo fue por donde habíamos pasado cuando la primera vez venimos a México, y el señor de él fue el que alzaron por rey en México después de la muerte del gran Montezuma, que ya he dicho otras veces que se decía Coadlavaca. Y de este pueblo, según supimos, recibíamos mucho daño, porque eran muy contrarios contra Chalco y Tamanalco y Mecameca y Chimaloacán, cada uno que querían venir a tener nuestra amistad y ellos lo estorbaban. Y como había ya doce días que estábamos en Tezcuco sin hacer cosa que de contar sea, más de lo por mí ya dicho, fuimos aquella entrada de Iztapalapa, y lo que allí pasó diré adelante.

[115] Hay un espacio en blanco en el original.

CAPÍTULO CXXXVIII

CÓMO FUIMOS A IZTAPALAPA CON CORTÉS, Y LLEVÓ EN SU COMPAÑÍA A CRISTÓBAL DE OLID Y A PEDRO DE ALVARADO, Y QUEDÓ GONZALO DE SANDOVAL POR GUARDA DE TEZCUCO, Y LO QUE NOS ACAECIÓ EN LA TOMA DE AQUEL PUEBLO, Y OTRAS COSAS QUE ALLÍ SE HICIERON

PUES COMO HABÍA doce días que estábamos en Tezcuco y no tenían los tlaxcaltecas por mí otras veces memorados con qué sustentarse y para que lo tuviesen tantos como eran, porque no se lo podían dar abastadamente los de Tezcuco, y porque no recibiesen pesadumbre de ellos, y también porque estaban deseosos los tlaxcaltecas de guerrear con mexicanos y vengarse por los muchos tlaxcaltecas que en las derrotas pasadas, por mí memoradas, les habían muerto y sacrificado, acordó Cortés que él por capitán general, y con Andrés de Tapia y Cristóbal de Olid y trece de a caballo y veinte ballesteros y seis escopeteros y doscientos y veinte soldados, y con nuestros amigos los de Tlaxcala y con otros veinte principales de Tezcuco que nos dio don Hernando, y éstos sabíamos que eran sus primos y parientes del mismo cacique y enemigos de Guatemuz, que ya le habían alzado por rey en México, fuimos camino de Iztapalapa, que estará de Tezcuco obra de cuatro leguas.

Ya he dicho otras veces en el capítulo [LXXXVII] que sobre ello habla, que estaban más de la mitad de las casas edificadas en el agua y la otra mitad en tierra firme. Y yendo nuestro camino con mucho concierto, como lo teníamos de costumbre, y como los mexicanos siempre tenían velas y guarniciones y guerreros contra nosotros, cuando sabían que íbamos a dar guerra [a] algunos de sus pueblos para luego socorrerle, así lo hicieron saber a los de Iztapalapa, para que se apercibiesen, y les enviaron sobre ocho mil mexicanos de socorro. Por manera que en tierra firme aguardaron como buenos guerreros, así los mexicanos que fueron en su ayuda como los del pueblo de Iztapalapa, y pelearon un buen rato muy valerosamente con nosotros; mas los de caballo rompieron por ellos, y con las ballestas y escopetas y todos nuestros amigos los tlaxcaltecas que se metían en ellos como perros rabiosos, de presto dejaron el campo y se metieron en su pueblo.

Y esto fue sobre cosa pensada y con un ardid que entre ellos tenían acordado, que fuera harto daño para nosotros si de presto no saliéramos de aquel pueblo y casas que estaban en tierra firme, y fue de esta manera: Que hicieron que huyeron y se metieron en canoas en el agua y en las casas que estaban en la laguna, y otros de ellos en unos carrizales; y como ya era noche oscura nos dejan aposentar en tierra firme sin hacer ruido ni muestras de guerra; y con el despojo que habíamos habido estábamos contentos, y más con la victoria. Y estando de aquella manera, puesto que teníamos velas y espías y rondas, y aun corredores del campo, cuando no nos catamos vino tanta agua por todo el pueblo, que si los principales que llevábamos de Tezcuco no dieran voces y nos avisaran que saliésemos presto de las casas a tierra firme, todos quedáramos ahogados, porque soltaron dos acequias de agua dulce y salada, y abrieron una calzada, con que de presto se hinchó todo de agua. Y los tlaxcaltecas nuestros amigos, como no eran acostumbrados al agua ni saber nadar, quedaron muertos dos de ellos; y nosotros, con gran riesgo de nuestras personas, todos bien mojados y la pólvora perdida, salimos sin hato; y como estábamos de aquella manera y con mucho frío y aun sin cenar, pasamos mala noche, y lo peor de todo era la burla y grita y silbos que los ponían en [el cielo], que nos daban los de Iztapalapa y los mexicanos desde sus casas y canoas.

Pues otra cosa peor nos avino: que como en México sabían el concierto que tenían hecho de anegarnos con haber rompido la calzada y acequias, estaban esperando en tierra y en la laguna muchos batallones de guerreros, y desde que amaneció nos dan tanta guerra, que harto teníamos de sustentarnos contra ellos no nos desbaratasen; y mataron dos soldados y un caballo, e hirieron otros muchos, así de nuestros soldados como tlaxcaltecas, y poco a poco aflojaron en la guerra y nos volvimos a Tezcuco medio afrentados de la burla y ardid de echarnos el agua; y también como no ganamos mucha reputación en la batalla postrera que nos dieron, porque no había pólvora; mas todavía quedaron temerosos y tuvieron bien en qué entender en enterrar o quemar muertos y curar heridos y en reparar sus casas. Donde lo dejaré, y diré cómo vinieron de paz a Tezcuco otros pueblos, y lo que más se hizo.

CAPÍTULO CXXXIX

CÓMO VINIERON TRES PUEBLOS COMARCANOS DE TEZCUCO A DEMANDAR PACES Y PERDÓN DE LAS GUERRAS PASADAS Y MUERTES DE ESPAÑOLES, Y LOS DESCARGOS QUE DABAN SOBRE ELLO; Y DE CÓMO FUE GONZALO DE SANDOVAL A CHALCO Y TAMANALCO EN SU SOCORRO CONTRA MEXICANOS, Y LO QUE MÁS PASÓ

HABIENDO DOS DÍAS que estábamos en Tezcuco de vuelta de la entrada de Iztapalapa, vinieron a Cortés tres pueblos de paz a demandar perdón de las guerras pasadas y de muertes de españoles que mataron, y los descargos que daban era que el señor de México que alzaron después de la muerte del gran Montezuma, que se decía Coadlavaca, que por su mandado salieron a dar guerra con los demás sus vasallos; y que si algunos *teules* mataron y prendieron y robaron, que el mismo señor les mandó que así lo hiciesen, y los *teules* que se los llevaron a México para sacrificar, y también se llevaron el oro y caballos y ropa, y que ahora que piden perdón por ello, y que por esta causa que no tienen culpa ninguna, por ser mandados y apremiados por fuerza para que lo hiciesen. Y los pueblos que digo que en aquella sazón vinieron se decían Tepezcuco y Otumba. El nombre del otro pueblo no me acuerdo; mas sé decir que en este de Otumba fue la nombrada batalla que nos dieron cuando salimos huyendo de México, adonde estuvieron juntos los mayores escuadrones de guerreros que [ha] habido en toda la Nueva España contra nosotros, adonde creyeron que no escapáramos con las vidas, según más largo lo tengo escrito en los capítulos pasados que de ello hablan. Y como aquellos pueblos se hallaban culpados y habían visto que habíamos ido a lo de Iztapalapa y no les fue muy bien con nuestra ida, y aunque nos quisieron anegar con el agua y esperaron dos batallas campales con muchos escuadrones mexicanos, en fin, por no se hallar en otras como las pasadas, vinieron a demandar paces antes que fuésemos a sus pueblos a los castigar. Y Cortés viendo que no estaba en tiempo de hacer otra cosa, les perdonó, puesto que les dio grandes reprehensiones sobre ello, y se obligaron con palabras de muchos ofrecimientos de siempre ser contra mexicanos y de ser vasallos de Su Majestad, y de servirnos, y así lo hicieron.

Dejemos de hablar de estos pueblos, y digamos cómo vinieron luego en aquella sazón a demandar paces y nuestra amistad los de un pueblo que está en la laguna, que se dice Mezquique,[116] que por otro nombre le llamábamos Venezuela; y éstos, según pareció, jamás estuvieron bien con mexicanos y los querían mal de corazón. Y Cortés y todos nosotros tuvimos en mucho la venida de este pueblo, por estar dentro en el agua, por tenerlos por amigos, y con ellos creíamos que habían de convocar a sus comarcanos, que también estaban poblados en el agua. Y Cortés se lo agradeció mucho y con ofrecimientos y palabras blandas les despidió.

Pues estando que estábamos de esta manera, vinieron a decir a Cortés cómo venían grandes escuadrones de mexicanos sobre los cuatro pueblos que primero habían venido a nuestra amistad, que se decían Guatinchán y Guaxuntlán,[117] los otros dos pueblos no se me acuerda

[116] Mizquic.

[117] Huexotla, Estado de México.

el nombre; y dijeron a Cortés que no osarían esperar en sus casas y que se querían ir a los montes o venirse a Tezcuco, adonde estamos; y tantas cosas le dijeron a Cortés para que les fuese a socorrer, que luego apercibió veinte de caballo y doscientos soldados y trece ballesteros y diez escopeteros, y llevó en su compañía a Pedro de Alvarado y Cristóbal de Olid, que era maestre de campo, y yo fui con él. Y fuimos a los pueblos que vinieron a Cortés a dar tantas quejas como dicho tengo, que estarían de Tezcuco obra de dos leguas, y según pareció que era verdad que los mexicanos les enviaban avisar con amenazas que les habían de destruir y darles guerra porque habían tomado nuestra amistad. Mas sobre lo que más les amenazaban y tenían contiendas eran por unas grandes labores de tierra de maizales que estaban ya por coger cerca de la laguna, donde los de Tezcuco y aquellos pueblos abastecían nuestro real, y los mexicanos por tomarles el maíz, porque decían que era suyo, y aquella vega de los maizales tenían por costumbre aquellos pueblos de sembrarlos y beneficiar para los *papas* de los ídolos mexicanos; y sobre esto de estos maizales se habían muerto los unos a los otros muchos indios. Y desde que aquello entendió Cortés, después de decirles que no hubiesen miedo y que se estuviesen en sus casas, les mandó que cuando hubiesen de ir a coger el maíz, así para su mantenimiento como para abastecer nuestro real, que enviaría para ello un capitán con muchos de caballo y soldados para en guarda de los que fueren a traer el maíz.

Y con aquello que Cortés les dijo quedaron muy contentos, y nos volvimos a Tezcuco, y de allí en adelante, cuando había necesidad en nuestro real de maíz apercibíamos a los *tamemes* de todos aquellos pueblos y con nuestros amigos los de Tlaxcala y con diez de caballo y cien soldados con algunos ballesteros y escopeteros íbamos por el maíz. Y esto dígolo porque yo fui dos veces por ello, y la una tuvimos una buena escaramuza con grandes escuadrones de mexicanos que habían venido en más de mil canoas, aguardándonos en los maizales, y como llevábamos amigos, puesto que los mexicanos pelearon muy como varones, los hicimos embarcar en sus canoas. Y allí mataron uno de nuestros soldados e hirieron doce, y asimismo hirieron ciertos tlaxcaltecas, y ellos no se fueron mucho alabando, que allí quedaron tendidos quince o veinte, y otros cinco que llevamos presos.

Dejemos de hablar de esto y digamos cómo otro día tuvimos nueva cómo querían venir de paz los de Chalco y Tamanalco y sus sujetos, y por causa de las guarniciones mexicanas que estaban en sus pueblos no les daban lugar a ello y les hacían mucho daño en su tierra, y les tomaban las mujeres, en demás si eran hermosas, y delante de sus padres o madres o maridos tenían acceso con ellas; y, asimismo, cómo estaba cortada en Tlaxcala y puesta a punto la madera para hacer los bergantines, y se pasaba el tiempo sin traerla a Tezcuco, sentíamos mucha pena de ello todos los más soldados. Y demás de esto, vienen del pueblo de Venezuela, que se decía Mezquique, y de otros pueblos nuestros amigos a decir a Cortés que los mexicanos les iban a dar guerra porque han tomado nuestra amistad, y también nuestros amigos los tlaxcaltecas, como tenían ya apañada cierta ropilla y sal y otras cosas de despojos, y oro, y querían algunos de ellos volver a su tierra, no osaban por no tener camino seguro. Pues viendo Cortés que para socorrer a unos pueblos de los que le demandaban socorro e ir a ayudar los de Chalco para que viniesen a nuestra amistad no podía dar recaudos a unos ni a otros, porque allí en Tezcuco habíamos menester estar siempre la barba sobre el hombro y muy alerta, y lo que acordó que todo se dejase atrás y la primera cosa que se hiciese fuese ir a Chalco y Tamanalco; y para ello envió a Gonzalo de Sandoval y a Francisco de Lugo con quince de a caballo y doscientos soldados, y con escopeteros y ballesteros y nuestros amigos los de Tlaxcala; y que procurase de romper y deshacer en todas maneras a las guarniciones mexicanas, y que se fuesen de Chalco y Tamanalco porque estuviese el camino de Tlaxcala muy desembarazado y pudiesen ir y venir a la Villa Rica sin tener contradicción de los guerreros mexicanos.

Y luego como esto fue concertado, muy secretamente, con indios de Tezcuco se les hizo saber a los de Chalco para que estuviesen muy apercibidos para dar de día o de noche en las guarniciones mexicanas; y los de Chalco, que no esperaban otra cosa, se apercibieron muy bien, y como Gonzalo de Sandoval iba con su ejército, parecióle que era bien dejar en la retaguardia cinco de a caballo y otros tantos ballesteros con todos los más tlaxcaltecas que iban cargados de los despojos que habían habido, y como los mexicanos siempre tenían puestas velas y espías y sabían cómo los nuestros iban camino de Chalco, tenían aparejados nuevamente, sin los que estaban en Chalco en guarnición, muchos escuadrones de guerreros que dieron en la rezaga donde iban los tlaxcaltecas con su hato, y los trataron mal, que no les pudieron resistir los cinco de caballo y ballesteros, porque los dos ballesteros quedaron muertos y los demás heridos, de manera que aunque Gonzalo de Sandoval muy de presto volvió sobre ellos y los desbarató y mató diez mexicanos, y como estaba la laguna cerca, se le acogieron en las canoas en que habían venido, y porque todas aquellas tierras están muy pobladas de los sujetos de México.

Y después que los hubo puesto en huida y vio que los cinco de a caballo que había dejado con los ballesteros y escopeteros en la retaguardia eran dos de los ballesteros muertos y estaban los demás heridos y ellos y sus caballos, y aun con haberlo visto todo esto, no dejó de decirles a los demás que dejó en su defensa que habían sido para poco no haber podido resistir a los enemigos y defender sus personas y de nuestros amigos, y estaba muy enojado de ellos, porque eran de los nuevamente venidos de Castilla; y les dijo que bien le parecía que no sabían qué cosa era guerra. Y luego puso en salvo todos los indios de Tlaxcala con su ropa, y también despachó unas cartas que envió Cortés a la Villa Rica, en que en ellas envió a decir al capitán que en ella quedó todo lo acaecido acerca de nuestras conquistas, y el pensamiento que tenía de poner cerco a México; y que siempre estuviesen con mucho cuidado velándose; y que si había algunos soldados que tuviesen disposición para tomar armas, que se los enviase a Tlaxcala, y que de allí no pasasen hasta estar los caminos más seguros, porque correrían riesgo.

Y despachados los mensajeros y los tlaxcaltecas puestos en su tierra, volvióse Sandoval para Chalco, que era muy cerca de allí, y con gran concierto sus corredores del campo delante, porque bien entendió que de todos aquellos pueblos y caserías por donde iba que había de tener rebato de mexicanos. Y yendo por su camino cerca de Chalco, vio venir muchos escuadrones mexicanos contra él; y en un campo llano, puesto que había grandes labranzas de maizales y magueyes, que es donde sacan el vino que ellos beben, le dieron una buena refriega de vara y flecha y piedras con hondas y con lanzas largas, para matar a los caballos; de manera que Sandoval, desde que vio tanto guerrero contra sí, esforzando a los suyos rompió por ellos dos veces, y con las escopetas y ballesteros y con pocos amigos que le habían quedado los desbarató, y pues que le hirieron cinco soldados y seis caballos y muchos amigos, mas tal prisa les dio y con tanta furia, que le pagaron muy bien el mal que primero habían hecho. Y como lo supieron los de

Chalco que estaba cerca, le salieron a recibir a Sandoval al camino y le hicieron mucha honra y fiesta. Y en aquella derrota se prendieron ocho mexicanos, y los tres personas muy principales.

Pues hecho esto, otro día dijo Sandoval que se quería volver a Tezcuco, y los de Chalco le dijeron que querían ir con él para ver y hablar a Malinche y llevar consigo dos hijos del señor de aquella provincia, que había pocos días que era fallecido de viruelas, y que antes que muriese que había encomendado a todos sus principales y viejos que llevasen sus hijos para verse con el capitán, y que por su mano fuesen señores de Chalco, y que todos procurasen ser sujetos al gran rey de los *teules,* porque ciertamente sus antepasados les habían dicho que habían de señorear aquellas tierras hombres que vendrían, con barbas, de adonde sale el sol, y que por las cosas que han visto, éramos nosotros. Y luego se fue el Sandoval con todo su ejército a Tezcuco, y llevó en su compañía los hijos del señor y los demás principales y los ocho prisioneros mexicanos. Y desde que Cortés supo su venida se alegró en gran manera, y después de haberle dado cuenta Sandoval de su viaje, y cómo venían aquellos señores de Chalco, se fue a su aposento, y los caciques fueron luego ante Cortés, y después de haberle hecho gran acato le dijeron la voluntad que traían de ser vasallos de Su Majestad, según y de la manera que el padre de aquellos dos mancebos se lo había mandado, y para que por su mano les hiciese señores, y después que hubieron dicho su razonamiento, le presentaron en joyas ricas obra de doscientos pesos de oro. Y desde que el capitán Cortés lo hubo muy bien entendido por nuestras lenguas, doña Marina y Jerónimo de Aguilar, les mostró mucho amor y les abrazó y dio por su mano el señorío de Chalco al hermano mayor, con más de la mitad de los pueblos sus sujetos, y lo de Tamanalco y Chimaluacán dio al hermano menor, con Ayozingo y otros pueblos sujetos. Y después de haber pasado otras muchas razones de Cortés a los principales viejos y con los caciques nuevamente elegidos, le dijeron que se querían volver a su tierra, y que en todo servirían a Su Majestad y a nosotros en su real nombre contra mexicanos; y que con aquella voluntad habían estado siempre, y que por causa de las guarniciones mexicanas que habían estado en su provincia no han venido antes de ahora a dar la obediencia.

Y también dieron nuevas a Cortés que dos españoles que había enviado a aquella provincia por maíz antes que nos echasen de México, que porque los culúas no los matasen, que los pusieron en salvo una noche en lo de Guaxozingo nuestros amigos, que allí salvaron las vidas; lo cual ya lo sabíamos días había, porque uno de ellos era el que se fue a Tlaxcala. Y Cortés se lo agradeció mucho y les rogó que esperasen allí dos días, porque habían de enviar un capitán por la madera y tablazón a Tlaxcala, y los llevaría en su compañía y los pondría en su tierra, porque los mexicanos no les saliesen al camino; y ellos fueron muy contentos y se lo agradecieron mucho.

Dejemos de hablar en esto, y diré cómo Cortés acordó de enviar a México aquellos ocho prisioneros que prendió Sandoval en aquella derrota de Chalco a decir al señor que entonces habían alzado por rey, que se decía Guatemuz, que deseaba mucho que no fuesen causa de su perdición ni de aquella tan gran ciudad, y que viniese de paz, y que les perdonaría las muertes y daños que en ella nos hicieron, y que no se les demandaría cosa ninguna, y que mirase que la guerra, que a los principios son buenas de enmendar y en los medios y fin dificultosas, y que al cabo se destruirían; y que bien sabían de las albarradas y pertrechos y almacenes de varas y flechas y lanzas y macanas y piedras rollizas y hondas y todos los géneros de guerra que a la continua están haciendo y aparejando, que para qué es gastar el tiempo en balde en hacerlo, y que para qué quiere que mueran todos los suyos y la ciudad se destruya y que mire el gran poder de Nuestro Señor Dios, que es en el que creemos y adoramos, que él siempre nos ayuda, y que también que mire que todos los pueblos sus comarcanos tenemos de nuestro bando; pues los tlaxcaltecas no desean sino la misma guerra para vengarse de las traiciones y muertes de sus naturales que les han hecho, y que dejen las armas y vengan de paz. Y les prometió de hacerles siempre mucha honra, y les dijo doña Marina y Aguilar otras muchas buenas razones y consejos sobre el caso.

Y fueron ante Guatemuz aquellos ocho indios nuestros mensajeros; mas no quiso enviar respuesta ninguna, sino hacer albarradas y pertrechos y enviar por todas sus provincias a mandar que si algunos de nosotros tomasen desmandados, que se los trajesen a México para sacrificar, y que cuando los enviase a llamar que luego viniesen con sus armas; y les envió a quitar y perdonar muchos tributos, y aun a prometer grandes promesas. Dejemos de hablar en los aderezos de guerra que en México se hacían, y digamos cómo volvieron otra vez muchos indios de los pueblos de Guantinchán y Guazuntlán, descalabrados de los mexicanos, porque habían tomado nuestra amistad y por la contienda de los maizales que solían sembrar para los *papas* mexicanos en el tiempo que les servían, como otras veces he dicho en el capítulo que de ello habla, y como estaban cerca de la laguna de México cada semana les venían a dar guerra, y aun llevaron ciertos indios presos a México. Y desde que aquello vio Cortés, acordó de ir otra vez por su persona y con cien soldados y veinte de [a] caballo y doce escopeteros y ballesteros; y tuvo buenas espías, para cuando sintiesen venir los escuadrones mexicanos que se lo viniesen a decir; y como estaba de Tezcuco a una o dos leguas, un miércoles por la mañana amaneció adonde estaban los escuadrones mexicanos, peleó con ellos de manera que presto los rompió, y se metieron en la laguna en sus canoas; y allí se mataron cuatro mexicanos, y se prendieron otros tres, y se volvió Cortés con su gente a Tezcuco. Y de allí en adelante no vinieron más los culúas sobre aquellos pueblos. Y dejemos de esto y digamos cómo Cortés envió a Gonzalo de Sandoval a Tlaxcala, por la madera y tablazón de los bergantines, y lo que más en el camino hizo.

CAPÍTULO CXL

CÓMO FUE GONZALO DE SANDOVAL A TLAXCALA POR LA MADERA DE LOS BERGANTINES, Y LO QUE MÁS EN EL CAMINO HIZO EN UN PUEBLO QUE LE PUSIMOS POR NOMBRE EL PUEBLO MORISCO

COMO SIEMPRE estábamos con gran deseo de tener a los bergantines acabados y vernos ya en el cerco de México, y no perder ningún tiempo en balde, mandó nuestro capitán Cortés que luego fuese Gonzalo de Sandoval por la madera, y que llevase consigo doscientos soldados y veinte escopeteros y ballesteros y quince de a caballo, y buena copia de tlaxcaltecas, y veinte principales de Tezcuco; y [que] llevase en su compañía a los mancebos de Chalco y a los viejos, y los pusiesen en salvo en sus pueblos, y antes que partiesen hizo amistades entre los tlaxcaltecas y los de Chalco, porque como los de Chalco solían ser del bando y confederados de los mexicanos, y cuando iban a la guerra los mexicanos sobre Tlaxcala llevaban en su compañía la provincia de Chalco para que les ayudasen, por estar en aquella comarca, desde entonces se tenían mala voluntad y se trataban como enemigos. Mas, como he dicho, Cortés los hizo amigos allí en Tezcuco; de manera que siempre entre ellos hubo gran amistad, y se favorecieron de allí adelante los unos a los otros.

Y también mandó Cortés a Gonzalo de Sandoval que después que estuviesen puestos en su tierra los de Chalco que fuese a un pueblo que allí cerca estaba en el camino, que en nuestra lengua le pusimos por nombre el Pueblo Morisco,[118] que era sujeto a Tezcuco; porque en aquel pueblo habían muerto cuarenta y tantos soldados de los de Narváez, y aun de los nuestros, y muchos tlaxcaltecas y robado tres cargas de oro cuando nos echaron de México; y los soldados que mataron eran [los] que venían de la Veracruz a México cuando íbamos en el socorro de Pedro de Alvarado. Y Cortés le encargó a Sandoval que no dejase aquel pueblo sin buen castigo, puesto que más merecían los de Tezcuco, porque ellos fueron los agresores y capitanes de aquel daño, como en aquel tiempo eran muy hermanos en armas con la gran ciudad de México, y porque en aquella sazón no se podía hacer otra cosa, se dejó de castigar en Tezcuco.

Y volvamos a nuestra plática. Y es que Gonzalo de Sandoval hizo lo que el capitán le mandó, así en ir a la provincia de Chalco, que poco se rodeaba, y dejar allí a los mancebos señores de ella; y fue al Pueblo Morisco, y antes que llegasen los nuestros ya sabían por sus espías cómo iban sobre ellos, y desmamparan el pueblo y se van huyendo a los montes. Y Sandoval los siguió y mató tres o cuatro, porque hubo mancilla de ellos, mas hubiéronse mujeres y mozas, y prendió cuatro principales, y Sandoval los halagó a los cuatro que prendió y les dijo que cómo habían muerto tantos españoles. Y dijeron que los de Tezcuco y de México los mataron en una celada que les pusieron en una cuesta por donde no podían pasar sino uno a uno, porque era muy angosto el camino, y que allí cargaron sobre ellos gran copia de mexicanos y de Tezcuco, y que entonces los prendieron y mataron; y que los de Tezcuco los llevaron a su ciudad y los repartieron con los mexicanos. Y esto, que les fue mandado, y que no pudieron hacer otra cosa; y que aquello que hicieron fue en venganza del señor de Tezcuco, que se decía Cacamatzin, que Cortés tuvo preso y se había muerto en las puentes.

Hallóse allí en aquel pueblo mucha sangre de los españoles que mataron, por las paredes, con que habían rociado con ella a sus ídolos, y también se halló dos caras que habían desollado y adobado los cueros, como pellejos de guantes, y las tenían con sus barbas puestas y ofrecidas en uno de sus altares. Y asimismo se halló cuatro cueros de caballos, curtidos, muy bien aderezados, que tenían sus pelos y con sus herraduras, y colgados a sus ídolos en su *cu* mayor. Y hallóse muchos vestidos de los españoles que habían muerto, colgados y ofrecidos a los mismos ídolos. Y también se halló en un mármol de una casa, adonde los tuvieron presos, escrito con carbones: "Aquí estuvo preso el sin ventura de Juan Yuste, con otros muchos que traía en mi compañía." Este Juan Yuste era un hidalgo de los de caballo, que allí mataron, y de las personas de calidad que Narváez había traído. De todo lo cual

[118] Cervantes de Salazar, según noticia que tomó de Motolinía, identifica este pueblo con Calpulalpan. *Crónica de Nueva España.* México, 1936. t. III, pág. 103.

Sandoval y todos sus soldados hubieron mancilla y les pesó; mas, ¿qué remedio había ya que hacer sino usar de piedad con los de aquel pueblo, pues se fueron huyendo, y no aguardaron, y llevaron sus mujeres e hijos; y algunas mujeres que se prendían lloraban por sus maridos y padres? Y viendo esto Sandoval, con cuatro principales que prendió, y con todas las mujeres, a todos les soltó, y envió a llamar a los del pueblo, los cuales vinieron y le demandaron perdón y dieron la obediencia a Su Majestad, y prometieron de siempre ser contra mexicanos y servirnos con el amor y voluntad que les fuese posible y muy bien. Y preguntados por el oro que robaron a los tlaxcaltecas cuando por allí pasaron, dijeron que a tres habían tomado las cargas de ello, y que los mexicanos y los señores de Tezcuco se lo llevaron, porque dijeron que aquel oro había sido de Montezuma, y que lo habían tomado de sus templos, y se lo dio a Malinche cuando le tenía preso.

Dejemos de hablar de esto, y digamos cómo fue Sandoval camino de Tlaxcala junto a la cabecera del pueblo mayor, donde residían los caciques, y topó con toda la madera y tablazón de los bergantines que traían a cuestas sobre ocho mil hombres, y venían otros tantos en resguardo de ellos con sus armas y penachos, y otros dos mil para remudar las cargas que traían el bastimento. Y venían por capitanes de todos los tlaxcaltecas Chichimecatecle, que ya he dicho otras veces, en los capítulos pasados que de ello hablan, que era indio principal y muy esforzado, y también venían otros dos principales, Teuletipile y Tiutical,[119] y otros caciques y principales. Y a todos los traía a cargo Martín López, que era el maestro que cortó la madera, y dio el gálibo y cuenta para las tablazones. Y venían otros españoles que no me acuerdo sus nombres. Y cuando Sandoval los vio venir de aquella manera hubo mucho placer por ver que le habían quitado aquel cuidado, porque creyó que estuviera en Tlaxcala algunos días detenido, esperando a salir con toda la madera y tablazón. Y así como venían, con el mismo concierto fueron dos días caminando hasta que entraron en tierra de mexicanos. Y les daban muchos silbos y gritos desde las estancias y barrancas, y en partes que no les podían hacer mal ninguno los nuestros con caballos ni escopetas.

Entonces dijo Martín López, que lo traía todo a cargo, que sería bien que fuesen con otro recaudo que hasta entonces venían, porque los tlaxcaltecas le habían dicho que temían que en aquellos caminos no saliesen de repente los grandes poderes de México y les desbaratasen, como iban cargados y embarazados con la madera y bastimentos. Y luego mandó Sandoval repartir los de a caballo y ballesteros y escopeteros, que fuesen unos en la delantera, los demás en los lados, y mandó a Chichimecatecle, que iba por capitán delante de todos los tlaxcaltecas, que se quedase detrás para ir en la retaguarda juntamente con Gonzalo de Sandoval, de lo que se afrentó aquel cacique, creyendo que no le tenían por esforzado, y tantas cosas le dijeron sobre aquel caso que lo hubo por bueno, viendo que Sandoval quedaba juntamente con él, y le dieron a entender que siempre los mexicanos daban en el fardaje que quedaba atrás. Y después que lo hubo bien entendido, abrazó a Sandoval y dijo que le hacían honra en aquello.

Dejemos de hablar en esto, y digamos que en otros dos días de camino llegaron a Tezcuco, y antes que entrasen en aquella ciudad se pusieron muy buenas mantas y penachos, y con atambores y cornetas y puestos en ordenanza caminaron y no quebraron el hilo en más de medio día que iban entrando, y dando voces y silbos, y diciendo: "¡Viva, viva el emperador nuestro señor!", y "¡Castilla, Castilla!", y "¡Tlaxcala, Tlaxcala!" Y llegaron a Tezcuco.

[119] Teuctepil y Ayotecatl.

Y Cortés y ciertos capitanes les salieron a recibir con grandes ofrecimientos que Cortés hizo a Chichimecatecle y a todos los capitanes que traía. Y las piezas de maderos y tablazones y todo lo demás perteneciente a los bergantines se puso cerca de las zanjas y esteros, donde se habían de labrar; y desde allí adelante tanta prisa se daba en hacer trece bergantines Martín López, que fue el maestro de hacerlos, con otros españoles que le ayudaban, que se decían Andrés Núñez, y un viejo que se decía Ramírez, que estaba cojo de una herida, y un Diego Hernández, aserrador, y ciertos indios carpinteros y dos herreros con sus fraguas, y un Hernando de Aguilar, que les ayudaba a machar, todos se dieron gran prisa hasta que los bergantines estuvieron armados y no faltaba sino calafatearlos y ponerles los mástiles y jarcias y velas.

Pues ya esto hecho, quiero decir el gran recaudo que teníamos en nuestro real de espías y escuchas, y guarda para los bergantines, porque estaba junto a la laguna, y los mexicanos procuraron tres veces de ponerles fuego, y aun prendimos quince indios de los que venían a poner el fuego, de quien Cortés supo muy largamente todo lo que en México hacía y concertaba Guatemuz, y era que por vía ninguna no habían de hacer paces, sino morir todos peleando o quitarnos a nosotros las vidas. Quiero tornar a decir los llamamientos y mensajeros que en todos los pueblos sujetos a México hacían, y cómo les perdonaba los tributos; y el trabajar que de día y de noche trabajaban de hacer cavas y ahondar los pasos de las puentes, y hacer albarradas muy fuertes, y poner a punto sus varas y tiraderas, y hacer unas lanzas muy largas para matar los caballos, engastadas en ellas de las espadas que nos tomaron la noche del desbarate, y poner a punto sus varas y tiraderas y piedras rollizas, con hondas y espadas de a dos manos, y otras mayores que espadas como macanas, y todo género de guerra. Y dejemos esta materia, y volvamos a decir de nuestra zanja y acequia por donde se habían de salir los bergantines a la gran laguna, y estaba ya muy ancha y hondable, que podían nadar por ella navíos de razonable porte; porque, como otras veces he dicho, siempre andaban en la obra ocho mil indios trabajadores. Dejemos esto, y digamos cómo nuestro Cortés fue a una entrada de Saltocán.[120]

[120] Xaltocan.

CAPÍTULO CXLI

CÓMO NUESTRO CAPITÁN CORTÉS FUE A UNA ENTRADA AL PUEBLO DE SALTOCÁN, QUE ESTÁ DE LA CIUDAD DE MÉXICO OBRA DE SEIS LEGUAS, PUESTO Y POBLADO EN LA LAGUNA, Y DESDE ALLÍ A OTROS PUEBLOS; Y LO QUE EN EL CAMINO PASÓ DIRÉ ADELANTE

COMO HABÍAN venido allí a Tezcuco sobre quince mil tlaxcaltecas con la madera de los bergantines, y había cinco días que estaban en aquella ciudad sin hacer cosa que de contar sea, y no tenían mantenimientos, antes les faltaba, y como el capitán de los tlaxcaltecas era muy esforzado y orgulloso, que ya he dicho otras veces que se decía Chichimecatecle, dijo a Cortés que quería ir a hacer algún servicio a nuestro gran emperador y batallar contra mexicanos, así por mostrar sus fuerzas y buena voluntad para con nosotros, como para vengarse de las muertes y robos que habían hecho a sus hermanos y vasallos, así en México como en sus tierras, y que le pedía por merced a Cortés que ordenase y mandase a qué parte podrían ir que fuesen nuestros enemigos contrarios. Y Cortés le dijo que le tenía en mucho su buen deseo, y que otro día quería ir a un pueblo que se dice Saltocán, que está de aquella ciudad cinco o seis leguas más, que están fundadas las casas en el agua de la laguna, y que había entrada por tierra para ello; el cual pueblo había enviado a llamar de paz días había tres veces, y no quiso venir, y les tornó a enviar mensajeros nuevamente con los de Tepetezcuco y de Otumba, que eran sus vecinos, y que en lugar de venir de paz no quisieron, antes trataron mal a los mensajeros y descalabraron dos de ellos, y la respuesta que dieron fue que si allá íbamos que no tenían menos fuerzas y fortaleza que México, y que fuese cuando quisiese, que en campo les hallaría, y que habían tenido aquella respuesta de sus ídolos que allí nos matarían, y que les aconsejaron los ídolos que esta respuesta diesen.

Y a esta causa, Cortés se apercibió para ir en persona [a] aquella entrada, y mandó a doscientos y cincuenta soldados que fuesen en su compañía, y treinta de caballos, y llevó consigo a Pedro de Alvarado y a Cristóbal de Olid, y muchos ballesteros y escopeteros, y a todos los tlaxcaltecas, y una capitanía de hombres de guerra de Tezcuco, y los más de ellos principales. Y dejó en guarda de Tezcuco a Gonzalo de Sandoval para que mirase mucho por ellos y por los bergantines y real, no diesen una noche en él, porque ya he dicho que siempre habíamos de estar la barba sobre el hombro; lo uno, por estar aguardando a la raya de México; lo otro, por estar en tan gran ciudad como era Tezcuco, y todos los vecinos de aquella ciudad parientes y amigos de mexicanos. Y mandó a Sandoval y a Martín López, maestro de hacer bergantines, que dentro en quince días los tuviesen muy a punto para echar al agua y navegar en ellos, y se partió de Tezcuco para hacer aquella entrada, después de haber oído misa.

Y salió con su ejército, y yendo por su camino, no muy lejos de Saltocán encontró con unos grandes escuadrones de mexicanos que le estaban aguardando en parte que creyeron aprovecharse de nuestros españoles y matar los caballos; mas Cortés mandó a los de caballo, y él juntamente con ellos, después de haber disparado las escopetas y ballesteros, rompieron por ellos y mataron pocos mexicanos, porque luego se acogieron a los montes y a partes que los de a caballo no les pudieron seguir; mas nuestros amigos los tlaxcaltecas prendieron y mataron obra de treinta. Y aquella noche fue Cortés a dormir a unas caserías, y muy sobre aviso estuvo con sus corredores del campo y velas y rondas y espías, porque estaba entre grandes poblazones, y supo que Guatemuz, señor de México, había enviado muchos escuadrones de gente de guerra a Saltocán para ayudarles, los cuales fueron en canoas por unos hondos esteros.

Y otro día de mañana, junto al pueblo, comenzaron los mexicanos, juntamente [con] los de Saltocán, a pelear con los nuestros, y tirábanles mucha vara y flechas y piedras con hondas, desde las acequias adonde estaban, e hirieron a diez de nuestros soldados y muchos de los amigos tlaxcaltecas. Y ningún mal les podían hacer los de a caballo, porque no podían correr ni pasar los esteros, que estaban todos llenos de agua, y el camino y calzada que solían tener, por donde entraban por tierra en el pueblo, de pocos días le habían deshecho y le abrieron a mano y le ahondaron, de manera que estaba hecho acequia y lleno de agua, y por esta causa los nuestros no podían en ninguna manera entrarles en el pueblo ni hacerles daño ninguno. Y puesto que los escopeteros y ballesteros tiraban a los que andaban en las canoas, traíanlas tan bien armadas de talabardones de madera; demás de los talabardones, guardábanse bien.

Y nuestros soldados, viendo que no aprovechaba en cosa ninguna y no podían atinar el camino y calzada que de antes tenían, porque todo lo hallaban lleno de agua, renegaban del pueblo y aun de la venida sin provecho, y aun medio corridos de cómo los mexicanos y los del pueblo les daban grita y les llamaban de mujeres, y que Malinche era otra mujer, y que no era esforzado sino para engañarlos con palabras y mentiras. Y en este instante dos indios de los que allí venían con los nuestros, que eran de Tepetezcuco, que estaban muy mal con los de Saltocán, dijeron a un nuestro soldado que había tres días que vieron cómo abrían la calzada y la cavaron y la hicieron zanja, y echaron de otra acequia el agua por ella, y que no muy lejos adelante está por abrir y va camino al pueblo. Y desde que nuestros soldados lo hubieron bien entendido, y por donde los indios les señalaron, se ponen en gran concierto los ballesteros y escopeteros, unos armando y otros soltando, y esto poco a poco y no todos a la par, y el agua a vuelapié, y a otras partes a más de la cinta pasan todos nuestros soldados y muchos amigos siguiéndolos, y Cortés con los de a caballo aguardando en tierra firme haciéndoles espaldas, porque temió no viniesen otra vez los escuadrones de México y diesen en la rezaga. Y cuando pasaban las acequias los nuestros, como dicho tengo, los contrarios daban en ellos como a terrero, e hirieron muchos; mas como iban deseosos de llegar a la calzada que estaba por abrir todavía, pasan adelante hasta que dieron en ellos por tierra sin agua y vanse al pueblo. Y en fin de más razones, tal mano les dieron, que les mataron muchos y pagaron muy bien la burla que de ellos hacían, donde hubieron mucha ropa de algodón y oro y otros despojos. Y como estaban poblados en la laguna, de presto se meten los mexicanos y los naturales del pueblo en sus canoas con todo el hato que pudieron llevar y se van a México. Y los nuestros, desde que los vieron despoblados, quemaron algunas casas y no osaron dormir en él, por estar en el agua, y se vinieron donde estaba el capitán Cortés aguardándolos.

Y allí en aquel pueblo se hubieron muy buenas indias, y los tlaxcaltecas salieron ricos con mantas y sal y oro y otros despojos, y luego se fueron a dormir a unas caserías donde estaban unas caleras, que sería una legua de Saltocán, y allí se curaron los heridos, y un soldado murió de allí a pocos días, de un flechazo que le dieron por la garganta. Y luego se pusieron velas y corredores del campo; y hubo buen recaudo, porque todas aquellas tierras estaban muy pobladas de culúas. Y otro día fueron camino de un gran pueblo que se dice Gualtitlán,[121] y yendo por aquel camino las poblazones comarcanas y otros muchos mexicanos que con ellos se juntaban les daban gritas, y silbos y voces, diciéndoles vituperios; y era en parte que no podían correr caballos ni se les podía hacer algún daño, porque estaban entre acequias. Y de esta manera llegaron a aquella poblazón, y estaba despoblado de aquel mismo día y alzado el hato. Y en aquella noche durmieron allí con grandes velas y rondas, y otro día fueron camino de un gran pueblo que se dice Tenayuca; a este pueblo le solíamos llamar la primera vez que entramos en México el pueblo de las sierpes, porque en el adoratorio mayor que tenían hallamos dos grandes bultos de sierpes de malas figuras, que eran sus ídolos, en quien adoraban.

Dejemos esto, y volvamos a este propósito del camino. Y es que este pueblo hallaron despoblado como el pasado, que todos los indios naturales de ellos habíanse juntado en

[121] Cuauhtitlán.

otro pueblo que estaba más adelante, que se dice Tacuba, y desde allí fue a otro pueblo que se dice Escapuzalco, que sería de uno al otro media legua, y asimismo estaba despoblado. En este Escapuzalco solía ser donde labraban el oro y plata al gran Montezuma, y solíamosle llamar el pueblo de los plateros. Y desde aquel pueblo fue a otro pueblo que ya he dicho que se dice Tacuba, que es obra de media legua del uno al otro. En este pueblo fue adonde reparamos la triste noche cuando salimos de México desbaratados, y en él nos mataron ciertos soldados, según dicho tengo en el capítulo pasado que sobre ello habla. Y tornemos a nuestra plática. Y antes que nuestro ejército llegase al pueblo ya estaban en campo aguardando a Cortés muchos escuadrones de todos aquellos pueblos por donde había pasado, y los de Tacuba y mexicanos, porque México está muy cerca de él, y todos juntos encomenzaron a dar en los nuestros, de manera que tuvo harto nuestro capitán en romperlos con los de a caballo. Y andaban tan juntos los unos con los otros, que nuestros soldados a buenas cuchilladas los hicieron retraer; y como era noche durmieron en el pueblo con buenas velas y escuchas.

Y otro día de mañana, si muchos mexicanos habían estado juntos el día pasado, muchos más se juntaron aquel día, y con gran concierto venían a dar guerra a los nuestros, y de tal manera, que herían algunos soldados; mas todavía los nuestros los hicieron retraer en sus casas y fortalezas, de manera que tuvieron tiempo de entrarlos en Tacuba y quemar muchas casas y meterles a sacomano. Y después que aquello supieron en México, ordenan de salir muchos más escuadrones de su ciudad a pelear con Cortés, y concertaron que cuando peleasen con él que hiciesen que volvían huyendo hacia México, y que poco a poco les metiesen a nuestro ejército en su calzada, que desde que les tuviesen dentro...[122] y así como lo concertaron lo hicieron. Y Cortés, creyendo que llevaba victoria, los mandó seguir hasta una puente. Y después que los mexicanos sintieron que le tenían ya metido a Cortés en el garlito y pasada la puente, vuelven sobre él tanta multitud de indios, que unos en canoas y otros por tierra y otros en las azoteas le dan tal mano, que le ponen en tan gran aprieto, que estuvo la cosa de arte que creyó ser desbaratado; porque a una puente donde habían llegado cargaron tan de golpe sobre él, que poco ni mucho se podía valer. Y un alférez que llevaba una bandera, por sostener el gran ímpetu de los contrarios, le hirieron muy malamente, y cayó con su bandera desde la puente abajo en el agua, y estuvo en ventura de ahogarse, y aun le tenían ya asido los mexicanos para meter en unas canoas, y él fue tan esforzado que se escapó con su bandera. Y en aquella refriega mataron cuatro o cinco soldados e hirieron muchos de los nuestros.

Y Cortés, viendo el gran atrevimiento y mala consideración que había hecho, haber entrado en la calzada de la manera que he dicho y sintió cómo los mexicanos le habían cebado, mandó que todos se retrajesen, y con el mejor concierto que pudo y no vueltas las espaldas, sino las caras contra los contrarios, pie contra pie, como quien hace represas, y los ballesteros y escopeteros unos armando y otros tirando, y los de a caballo haciendo algunas arremetidas, mas eran tan pocas porque luego les herían los caballos; y de esta manera se escapó Cortés aquella vez del poder de México; y después que se vio en tierra firme dio muchas gracias a Dios. Allí en aquella calzada y puente fue donde un Pedro de Ircio, muchas veces por mí memorado, dijo al alférez que cayó en la laguna con la bandera, que se decía Juan Bolante, por afrentarle, que no estaba bien con él por

[122] Tachado en el original: *e hiciesen que se retraían de miedo.*

amores de una mujer que vino de cuando lo de Narváez: le dijo que había crucificado al hijo y quería ahogar [a] la madre; porque la bandera que traía el Bolante era figurada la imagen de Nuestra Señora la Virgen Santa María. Y no tuvo razón de decir aquella palabra, porque el alférez era un hidalgo y hombre muy esforzado, y como tal se mostró aquella vez y otras muchas; y a Pedro de Ircio no le fue muy bien de su mala voluntad que tenía contra Juan Bolante. Dejemos a Pedro de Ircio, y digamos que en cinco días que allí en lo de Tacuba estuvo Cortés tuvo batallas y reencuentros con los mexicanos y sus aliados, y desde allí dio la vuelta para Tezcuco, y por el camino que había venido se volvió, y le daban grita los mexicanos creyendo que volvía huyendo, y aun sospecharon lo cierto, y le esperaban en partes que querían ganar honra con él, y matarle los caballos, y le echaban celadas. Y después que aquello vio les echó una en que les hirió muchos de los contrarios. Y a Cortés entonces le mataron dos caballos, y con esto no le siguieron más.

A buenas jornadas llegó a un pueblo sujeto a Tezcuco que se dice Aculmán, que estará de Tezcuco dos leguas y media, y como lo supimos cómo había allí llegado salimos con Gonzalo de Sandoval a verle y recibir, acompañado de muchos caballeros y soldados y de los caciques de Tezcuco, especial de don Hernando, principal de aquella ciudad. Y en las vistas nos alegramos mucho, porque había más de quince días que no habíamos sabido de Cortés ni de cosa que le hubiese acaecido. Y después de darle el bienvenido y haberle hablado algunas cosas que convenían sobre lo militar, nos volvimos a Tezcuco aquella tarde, porque no osábamos dejar el real sin buen recaudo. Y nuestro Cortés se quedó en aquel pueblo hasta otro día que llegó a Tezcuco, y los tlaxcaltecas, como ya estaban ricos y venían cargados de despojos, demandaron licencia para irse a su tierra, y Cortés se la dio, y fueron por parte que los mexicanos no tuvieron espías sobre ellos, y salvaron sus haciendas.

Y al cabo de cuatro días que nuestro capitán reposaba y estaba dando prisa en hacer los bergantines, vinieron unos pueblos de la costa norte a demandar paces y darse por vasallos de Su Majestad; y los cuales pueblos se llaman Tuzapán y Mascalzingo y Nautlán,[123] y otros pueblezuelos de aquellas comarcas, y trajeron un presente de oro y ropa de algodón. Y cuando llegaron delante Cortés, con gran acato, después de haber presentado su presente, dijeron que le pedían por merced que les admitiese a su amistad, y que querían ser vasallos del rey de Castilla, y dijeron que cuando los mexicanos mataron seis *teules* en lo de Almería, y era capitán de ellos Quezalpopoca, que ya habíamos quemado por justicia, que todos aquellos pueblos que allí venían fueron en ayudar a los *teules*. Y después que Cortés les hubo oído, puesto que sabía que habían sido con los mexicanos en la muerte de Juan de Escalante y los seis soldados que mataron en lo de Almería, según he dicho en el capítulo que de ello habla, les mostró mucha voluntad y recibió el presente y por vasallos del emperador nuestro señor, y no les demandó cuenta sobre lo acaecido ni se lo trajo a la memoria, porque no estaba en tiempo de hacer otra cosa; y con buenas palabras y ofrecimientos los despachó.

Y en este intante vinieron a Cortés otros pueblos de los que se habían dado por nuestros amigos a demandar favor contra mexicanos, y decían que les fuesen [a] ayudar porque venían contra ellos grandes escuadrones y les habían entrado en su tierra y llevado presos muchos de sus indios y a otros habían descalabrado. Y también en aquella sazón vinieron los de Chalco y Tamanalco y dijeron que si luego no los

[123] Tuxpan, Mexcaltzinco y Nauhtla, en la costa del Golfo de México.

socorrían que serían perdidos, porque estaban sobre ellos muchas guarniciones de sus enemigos, y tantas lástimas decían, y traían en un paño de manta de *henequén* pintado al natural los escuadrones que sobre ellos venían, que Cortés no sabía qué decirse ni qué responderles, ni dar remedios a los unos ni a los otros, porque había visto que estaban muchos de nuestros soldados heridos y dolientes y se habían muerto ocho de dolor de costado y de echar sangre cuajada, revuelta con lodo, por la boca y narices; y era del quebrantamiento de las armas, que siempre traíamos a cuestas y de que a la contina íbamos a las entradas, y del polvo que en ellas tragábamos; y además de esto viendo que se habían muerto tres o cuatro caballos de heridas, que nunca parábamos de ir a entrar unos venidos y otros vueltos. La respuesta que les dio a los primeros pueblos, que les halagó y dijo que iría presto a ayudarles y que entretanto que iba que se ayudasen de otros pueblos sus vecinos, y que esperasen en campo a los mexicanos y que todos juntos les diesen guerra, y que si los mexicanos viesen que les mostraban cara y ponían fuerzas contra ellos, que temerían, y que ya no tenían tantos poderes los mexicanos para darles guerra como solían, porque tenían muchos contrarios; y tantas palabras les dijo con nuestras lenguas y les esforzó, que reposaron algo sus corazones, y no tanto que luego demandaron cartas para dos pueblos sus comarcanos, nuestros amigos, para que les fuesen ayudar. Las cartas en aquel tiempo no las entendían, mas bien sabían que entre nosotros se tenía por cosa cierta que cuando se enviaban eran como mandamientos o señales que les mandábamos algunas cosas de calidad; y con ellas se fueron muy contentos y las mostraron a sus amigos y los llamaron, y como nuestro Cortés se lo mandó, aguardaron en el campo a los mexicanos y tuvieron con ellos una batalla, y con ayuda de nuestros amigos sus vecinos, a quienes dieron la carta, no les fue mal.

Volvamos a los de Chalco, que viendo nuestro Cortés que era cosa muy importante para nosotros que aquella provincia y camino estuviesen desembarazados de gente de Culúa, porque, como he dicho otras veces, por allí habían de ir y venir a la Villa Rica de la Vera Cruz y a Tlaxcala, y habíamos de mantener nuestro real de ella porque es tierra de mucho maíz, luego mandó a Gonzalo de Sandoval, que era alguacil mayor, que se aparejase para otro día de mañana ir a Chalco, y le mandó dar veinte de caballo y doscientos soldados y doce ballesteros y diez escopeteros, y los tlaxcaltecas que había en nuestro real, que eran muy pocos, porque, como dicho habemos en este capítulo, todos los más se habían ido a su tierra cargados de despojos; y también una capitanía de los de Tezcuco llevó en su compañía, y asimismo al capitán Luis Marín, que era su muy íntimo amigo; y quedó en guarda de aquella ciudad y bergantines Cortés y Pedro de Alvarado y Cristóbal de Olid.

Y antes que Gonzalo de Sandoval vaya para Chalco, como está acordado, quiero decir cómo estando escribiendo en esta relación todo lo acaecido a Cortés en esta entrada de Saltocán, acaso estaban presentes dos caballeros muy curiosos que habían leído la historia de Gómara, y me dijeron que tres cosas se me olvidaban de escribir que tenía escrito el coronista Gómara de la misma entrada de Cortés, y la una era que dio Cortés vista a México con trece bergantines, y peleó muy bien con el gran poder de Guatemuz, con sus grandes canoas y piraguas en la laguna; la otra era que cuando Cortés entró en la calzada de México, que tuvo pláticas con los señores y caciques mexicanos, que les dijo que les quitaría el bastimento y se morirían de hambre, y la otra que fue que Cortés no quiso decir a los de Tezcuco que había de ir a

Saltocán porque no les diesen aviso. Yo respondí a los mismos caballeros que me lo dijeron que en aquella sazón los bergantines no estaban acabados de hacer, y que cómo podían llevar por tierra bergantines, ni por la laguna los caballos, ni tanta gente, que es cosa de reír en lo que escribe; y que cuando entró en la calzada, como dicho habemos, que harto tuvo Cortés en escapar él y su ejército, que estuvo medio desbaratado, y en aquella sazón no habíamos puesto cerco a México para vedarles los mantenimientos, ni tenían hambre, y eran señores de todos sus vasallos; y lo que pasó muchos días adelante, cuando los teníamos en gran aprieto, pone ahora Gómara, y en lo que dice que se apartó por otro camino para ir a Saltocán, no lo supiesen los de Tezcuco, digo que por fuerza fueron por sus pueblos y tierras de Tezcuco, porque por allí era el camino y no otro; y en lo que escribe va muy desatinado, y, a lo que yo he sentido, no tiene él la culpa, sino el que le informó, que por sublimar mucho más le dio tal relación de lo que escribe por ensalzar a quien por ventura le dio dineros por ello, y ensalzó sus cosas, y no se declaren nuestros heroicos hechos, le daban aquellas relaciones, y ésta es la verdad. Y desde que lo hubieron bien entendido los mismos dos caballeros que me lo dijeron y vieron claro lo que les dije ser así, juraron que habían de romper el libro e historia de Gómara que tenían en su poder, pues tantas cosas dice fuera de lo que pasó que no son verdad. Y dejemos esta plática y tornemos al capitán Gonzalo de Sandoval, que partió de Tezcuco después de haber oído misa y fue [a] amanecer cerca de Chalco. Y lo que pasó diré adelante.

CAPÍTULO CXLII

CÓMO EL CAPITÁN GONZALO DE SANDOVAL FUE A CHALCO Y A TAMANALCO CON TODO SU EJÉRCITO. Y LO QUE EN AQUELLA JORNADA PASÓ DIRÉ ADELANTE

YA HE DICHO en el capítulo pasado cómo los pueblos de Chalco y Tamanalco vinieron a decir a Cortés que les enviase socorro porque estaban grandes capitanías y escuadrones mexicanos juntos para venirles a dar guerra, y tantas lástimas le dijeron, que mandó a Gonzalo de Sandoval que fuese allá con doscientos soldados y veinte de a caballo, y diez o doce ballesteros y otros tantos escopeteros, y nuestros amigos los de Tlaxcala y otra capitanía de los de Tezcuco, y llevó por compañero al capitán Luis Marín porque era su muy grande amigo. Y después de haber oído misa, en doce días del mes de marzo de mil quinientos veinte y un años, fue a dormir a unas estancias del mismo Chalco, y otro día llegó por la mañana a Tamanalco, y los caciques y capitanes le hicieron buen recibimiento y le dieron de comer y le dijeron que luego fuese hacia un gran pueblo que se dice Guaxtepeque,[124] porque hallarían juntos todos los poderes de México en el mismo Guaxtepeque o en el camino antes de llegar a él, y que todos los de aquella provincia de Chalco irían con él. Y a Sandoval parecióle que sería bien ir muy a punto y puesto en concierto, y fue a dormir a otro pueblo sujeto del mismo Chalco que se dice Chimaluacán, porque las espías que los de Chalco tenían pues-

[124] Huaxtepec, en el Estado de Morelos.

tas sobre los culúas vinieron a avisar cómo estaban en el campo no muy lejos de allí la gente de guerra sus enemigos, y que había algunas quebradas de arcabuesos adonde aguardaban. Y como Sandoval era muy ardid y de buen consejo, puso los escopeteros y ballesteros por delante y los de caballo mandó que de tres en tres se hermanasen, y desde que hubiesen gastado los ballesteros y escopeteros algunos tiros, que todos juntos los de a caballo rompiesen por ellos a media rienda y las lanzas terciadas, y que no curasen a lancear sino a los rostros hasta ponerles en huida, y que no se deshermanasen. Y mandó a los soldados de a pie que siempre estuviesen hecho un cuerpo y no se metiesen entre ellos hasta que se lo mandase, porque como le decían que eran muchos los enemigos, y así fue verdad, y estaban entre aquellos malos pasos y no sabían si tenían hechos hoyos o algunas albarradas, quería tener sus soldados enteros, y no les viniese ningún desmán.

Y yendo por su camino vio venir por tres partes repartidos los escuadrones de mexicanos dando silbos y gritas y tañendo trompetillas y atabales, con todo género de armas, según lo suelen traer, y se vinieron como los leones bravos a encontrar con los nuestros. Y desde que Sandoval así los vio tan denodados, no aguardó a la orden que había dado, y dijo a los de a caballo que antes que se juntasen con los nuestros que luego rompiesen, y Sandoval delante animando los suyos dijo: "¡Santiago, y a ellos!", y de aquel tropel fueron algunos de los escuadrones mexicanos medio desbaratados, mas no del todo, porque se juntaron luego e hicieron rostro, porque se ayudaban con los malos pasos y quebradas, porque los de a caballo por ser los pasos muy agros no podían correr, y se estuvieron sin ir tras ellos, y a esta causa les tornó a mandar Sandoval a todos los soldados que con buen concierto les entrasen los ballesteros y escopeteros delante y los rodeleros que les fuesen a sus lados, y después que viesen que les iban hiriendo y haciendo mala obra y oyesen un tiro en esta parte de la barranca, que sería señal, que todos los de a caballo a una arremetiesen a echarlos de aquel sitio, creyendo que les metería en tierra llana que había allí cerca, y apercibió a los amigos que asimismo ellos acudiesen con los españoles, y así se hizo como lo mandó. Y en aquel tropel recibieron los nuestros muchas heridas, porque eran muchos los contrarios que sobre ellos cargaron.

En fin de más prácticas, les hicieron ir retrayendo, mas fue hacia otros malos pasos, y Sandoval con los de caballo los fue siguiendo y no alcanzó sino tres o cuatro; y uno de los nuestros de a caballo que iba en el alcance, que se decía Gonzalo Domínguez, como era mal camino rodó el caballo y tomóle debajo y de allí a pocos días murió de aquella mala caída. He traído esto aquí a la memoria de este soldado porque este Gonzalo Domínguez era uno de los mejores jinetes y esforzado que Cortés había traído en nuestra compañía, y teníamosle en tanto en las guerras, por su esfuerzo, como a Cristóbal de Olid y Gonzalo de Sandoval, por la cual muerte hubo mucho sentimiento entre todos nosotros. Volvamos a Sandoval y a todo su ejército, que los fue siguiendo hasta cerca del pueblo por mí memorado, que se dice Guaxtepeque, y antes de llegar a él le salen al encuentro sobre quince mil mexicanos, y lo comenzaban a cercar, y le hirieron muchos soldados y cinco caballos; mas como la tierra era en partes llana, con el gran concierto que llevaba, rompe los dos escuadrones con los de a caballo, y los demás escuadrones vuelven las espaldas hacia el pueblo para tornar [a] aguardar a unos mamparos que tenían hechos; mas nuestros soldados y los amigos les siguieron de manera que no tuvieron tiempo de aguardar y los de a caballo siempre fueron en el alcance por otras partes hasta que se encerraron en el mismo pueblo en partes que no se pudieron haber. Creyendo que no volverían más a pelear en aquel día, mandó Sandoval reposar su gente, y se curaron los heridos y comenzaron a comer, porque en aquella poblazón se había habido mucho despojo. Y estando comiendo vinieron dos de a caballo y otros dos soldados que había puesto antes que comenzase a comer, los unos para corredores del campo y los soldados por espías, y vienen diciendo: "¡Al arma, al arma, que vienen muchos escuadrones de mexicanos!" Y como siempre estaban acostumbrados a tener sus armas muy a punto, y de presto cabalgan y salen a una gran plaza, y en aquel instante vinieron los contrarios, y allí hubo otra buena batalla. Y después que estuvieron buen rato haciendo cara en unos mamparos, y desde allí hirieron algunos de los nuestros, tal prisa les dio Sandoval con los de a caballo, y con las escopetas y ballestas y cuchilladas los soldados, que les hicieron salir del pueblo por otras barrancas; y por aquel día no volvieron más. Y desde que el capitán Sandoval se vio libre de aquellas refriegas dio muchas gracias a Dios y se fue a reposar y dormir a una huerta que había en aquel pueblo, la más hermosa y de mayores edificios y cosa mucho de mirar, que se había visto en la Nueva España,[125] y tenía tantas cosas de mirar, que era cosa admirable y ciertamente era huerta para un gran príncipe, y aún no se acabó de andar por entonces toda, porque tenía más de un cuarto de legua de largo. Y dejemos de hablar en la huerta, y digamos que yo no vine en esta entrada ni en este tiempo que digo anduve esta huerta, sino de ahí a obra de veinte días que vine con Cortés, cuando rodeamos los grandes pueblos de la laguna, como adelante diré; y la causa por qué no vine en aquella sazón es porque estaba muy mal herido de un bote de lanza que me dieron en la garganta, junto del gaznate, que estuve de ella a peligro de muerte, de que ahora tengo una señal, y diéronmela en lo de Iztapalapa, cuando nos quisieron anegar; y como yo no fui en esta entrada, por eso digo en esta mi relación fueron, y esto hicieron, y tal les acaeció; y no digo hicimos, ni hice, ni vi, ni en ello me hallé; mas todo lo que escribo acerca de ello pasó al pie de la letra, porque luego se sabe en el real de la manera que en las entradas acaece, y así no se puede quitar ni alargar más de lo que pasó.

Y dejaré de hablar en esto y volveré al capitán Gonzalo de Sandoval, que otro día de mañana, viendo que no había bullicio de más guerreros mexicanos, envió a llamar a los caciques de aquel pueblo con cinco indios naturales de él que habían prendido en las batallas pasadas, y los dos de ellos eran principales, y les envió a decir que no hubiesen miedo y que vengan de paz, y que lo pasado se lo perdona; y le dijo otras buenas razones; y los mensajeros que fueron trataron las paces, mas no osaron venir los caciques por miedo de los mexicanos. Y en aquel mismo día también envió a decir a otro gran pueblo que estaba de Guaxtepeque obra de dos leguas, que se dice Acapistla,[126] que mirasen que son buenas las paces y que no quieran guerra, y que miren y tengan en la memoria en qué han parado los escuadrones de culúas que estaban en aquel pueblo de Guaxtepeque, sino que todos han

[125] Tachado en el original: *Así del gran concierto de la diversidad de árboles de todo género de fruta de la tierra, y otras de muchas rosas y olores; pues los conciertos que en ella había, por donde venía el agua de un río que en ella entraba; pues los ricos aposentos y las labores dellos, y la madera tan olorosa de cedros y otros árboles preciados, salas y cenadores y baños, y muchas casas que en ella había, todas encaladas y hermoseadas de mil pinturas; pues los pescaderes y el entretejer de unas ramas con otras, y a parte las hierbas melicinales, y otras legumbres que entrellos son buenas de comer.*

[126] Actualmente Yecapixtla.

sido desbaratados; que vengan de paz, y que los mexicanos que tienen en guarda y guarnición que les echen fuera de su tierra; y que si no lo hacen que irá allá de guerra y les castigará. Y la respuesta fue que vayan cuando quisieren, que bien piensan tener con sus cuerpos y carnes buenas hartazgas, y sus ídolos sacrificios. Y después que aquella respuesta le dieron, los caciques de Chalco que con Sandoval estaban, que sabían que en aquel pueblo de Acapistla estaban muchos más mexicanos en guarnición para irles a Chalco a dar guerra desde que viesen vuelto a Sandoval, a esta causa le rogaron que fuese allá y los echase de allí. Sandoval estaba para no ir, lo uno porque estaba herido y tenía muchos soldados y caballos heridos, y lo otro como había tenido tres batallas, no se quisiera meter entonces en hacer más de lo que Cortés le mandaba; y también algunos caballeros de los que llevaba en su compañía, que eran de los de Narváez, le dijeron que se volviese a Tezcuco y que no fuese [a] Acapistla, pues que estaba en fortaleza, y no le acaeciese algún desmán. Y el capitán Luis Marín le aconsejó que no dejase de ir a aquella fortaleza y hacer lo que pudiese, porque los caciques de Chalco decían que si desde allí se volvían sin deshacer aquel poder que estaba junto en aquella fortaleza, que así como vean o sepan que Sandoval vuelve a Tezcuco, que luego son sus enemigos en Chalco.

Y como era el camino de un pueblo al otro obra de dos leguas, acordó de ir y apercibió sus soldados, y fue allá; y luego como llegó a vista del pueblo, antes de llegar a él le salen muchos guerreros y le comenzaron a tirar vara y flecha, y piedra con hondas, y fue tanta como granizo, que le hirieron tres caballos y muchos soldados, sin poderles hacer cosa ni daño ninguno. Y hecho esto, luego se suben entre sus riscos y fortalezas, y desde allí les daban voces y gritas y silbos, y tañían sus caracoles y atabales. Y desde que Sandoval así vio la cosa, acordó de mandar a algunos de a caballo que se apeasen y a los demás de caballo que estuviesen en el campo en lo llano muy a punto, mirando no viniesen algunos socorros de mexicanos a los de Acapistla entretanto que combatían aquel pueblo. Y desde que vio que los caciques de Chalco y sus capitanes y muchos de sus indios de guerra que allí estaban arremolinando y no osaban pelear con los contrarios, adrede para probarlos y ver lo que decían, les dijo Sandoval: "¿Qué hacéis ahí? ¿Por qué no les comenzáis a combatir y entrar en este pueblo y fortaleza, que aquí estamos que os defenderemos?" Ellos respondieron que no se atrevían, que estaban en fortaleza, que por esta causa venía Sandoval y sus hermanos los *teules* con ellos, y con su mamparo y esfuerzo venían a echarles de allí. Por manera que se apercibe Sandoval de arte que él y todos sus soldados y escopeteros y ballesteros les comenzaron de entrar y subir, y puesto que recibieron en aquella subida muchas heridas, y al mismo capitán le descalabraron otra vez y le hirieron muchos de los amigos, todavía les entró en el pueblo, donde se les hizo mucho daño, y todo lo más del daño que les hicieron fueron los indios de Chalco y los demás amigos de Tlaxcala; y nuestros soldados hasta romperles y ponerles en huida no curaban de dar cuchillada a ningún indio, porque les parecía crueldad; en lo que más se empleaban era en buscar una buena india o haber algún despojo, y lo que comúnmente hacían era reñir a los amigos porque eran tan crueles y por quitarles algunos indios o indias porque no las matasen.

Dejemos de hablar de esto, y digamos que aquellos guerreros mexicanos que allí estaban, por defenderse se vinieron por unos riscos abajo cerca del pueblo, y como había muchos de ellos heridos de los que se venían a esconder en aquella quebrada y arroyo, y se desangraban, venía el agua algo turbia de sangre, y no duró aquella turbieza media Avemaría. Y aquí dice el coronista Gómara en su historia que, por venir el río tinto en sangre, los nuestros pasaron sed, por causa de la sangre. A esto digo, que allí había tantas fuentes, y agua clara abajo en el mismo pueblo, que no tenía necesidad de otra agua. Volvamos a decir que luego que aquello fue hecho se volvió Sandoval con todo su ejército a Tezcuco y con buen despojo, en especial de muy buenas piezas de indias. Digamos ahora como el señor de México, que se decía Guatemuz, lo supo el desbarate de sus ejércitos, dicen que mostró mucho sentimiento de ello, y más de que los de Chalco tenían tanto atrevimiento, siendo súbditos y vasallos, osar tomar armas tres veces contra ellos. Y estando tan enojado acordó que entretanto Sandoval se volvía al real de Tezcuco, de enviar grandes poderes de guerreros, que de pronto juntó en la ciudad de México, con otros que estaban junto a la laguna, y en más de dos mil canoas grandes con todo género de armas salen sobre veinte mil mexicanos y vienen de repente a la tierra de Chalco para hacerles todo el mal que pudiesen; y fue de tal arte y tan presto, que aún no hubo bien llegado Sandoval a Tezcuco, ni hablado a Cortés, cuando estaban otra vez mensajeros de Chalco en canoas, por la laguna, demandando favor a Cortés, porque le dijeron que habían venido sobre dos mil canoas y en ellas veinte mil mexicanos, y que fuesen presto a socorrerlos. Y cuando Cortés lo oyó y Sandoval, que entonces en aquel instante llegaba a hablarle y a darle cuenta de lo que había hecho en la entrada donde venía, Cortés no le quiso escuchar a Sandoval de enojo, creyendo que por su culpa o descuido recibían mala obra nuestros amigos los de Chalco; y luego, sin más dilación ni oírle le mandó volver, y que dejase allí en el real todos los heridos que traía, y con los sanos luego fue muy en posta. Y de estas palabras que Cortés le dijo recibió mucha pena Sandoval, y porque no le quiso oír ni escuchar, y luego partió para Chalco, y como llegó con todo su ejército bien cansado de las armas y largo camino, pareció ser que los de Chalco luego como que supieron por sus espías que los mexicanos venían tan de repente sobre ellos, y cómo había tenido Guatemuz aquella cosa concertada que diese sobre ellos, según que dicho tengo, sin más aguardar socorro de nosotros enviaron a llamar a los de la provincia de Guaxocingo, que estaba cerca, los cuales vinieron aquella misma noche muy aparejados con sus armas y se juntaron con los de Chalco, que serían por todos más de veinte mil de ellos; ya les habían perdido el temor a los mexicanos, gentilmente los aguardaban en el campo, y pelearon como muy varones, y puesto que los mexicanos mataron y prendieron muchos de ellos, los de Chalco les mataron muchos más y les prendieron hasta quince capitanes y hombres principales, y de otra gente de guerra de no tanta cuenta se prendieron otros muchos, y túvose esta batalla entre los mexicanos por grande deshonra suya, viendo que los chalcas los vencieron, en mucho más que si los desbaratáramos nosotros.

Y como llegó Sandoval a Chalco y vio que no tenía qué hacer ni de qué se temer, que ya no volverían otra vez los mexicanos sobre Chalco, da vuelta a Tezcuco, y llevó los presos mexicanos, con lo cual se obligó mucho Cortés, y Sandoval mostró gran enojo de nuestro capitán por lo pasado, y no le fue a ver ni hablar, puesto que Cortés le envió a decir que lo había entendido de otra manera, y que creyó que por descuido de Sandoval no lo haber remediado, pues que iba con mucha gente de caballo y soldados, y no haber desbaratado los mexicanos, se volvía. Dejemos de hablar de esta materia, porque luego tornaron a ser amigos Cortés y Sandoval, y no veía Cortés placer que hacer a Sandoval por tenerle contento. Dejarlo he aquí, y diré cómo acordamos de herrar todas las piezas, esclavas y esclavos que se habían habido, que fueron muchas, y de cómo vino en aquel instante un navío de Castilla, y lo que más pasó.

CAPÍTULO CXLIII

CÓMO SE HERRARON LOS ESCLAVOS EN TEZCUCO Y CÓMO VINO NUEVA QUE HABÍA VENIDO AL PUERTO DE LA VILLA RICA UN NAVÍO, Y LOS PASAJEROS QUE EN ÉL VINIERON Y OTRAS COSAS QUE PASARON DIRÉ ADELANTE

COMO HUBO LLEGADO Gonzalo de Sandoval con su ejército a Tezcuco, con gran presa de esclavos y otros muchos que se habían habido en las entradas pasadas, fue acordado que luego se herrasen, y después que se hubo pregonado que se llevasen a herrar a una casa señalada, todos los más soldados llevamos las piezas que habíamos habido para echar el hierro de Su Majestad, que era una *G,* que quiere decir "guerra" según y de la manera que lo teníamos de antes concertado con Cortés, según he dicho en el capítulo que de ello habla, y creyendo que se nos habían de volver después de pagado el real quinto y que las apreciarían cuánto podían valer cada una pieza; y no fue así, porque si en lo de Tepeaca se hizo muy malamente, según otra vez dicho tengo, muy peor se hizo en esto de Tezcuco, que después que sacaban el real quinto, era otro quinto para Cortés, y otras partes para los capitanes, y en la noche antes, cuando las tenían juntas, nos desaparecían las mejores indias. Pues como Cortés nos había dicho y prometido que las buenas piezas se habían de vender en la almoneda por lo que valiesen, y las que no fuesen tales por menos precio, tampoco hubo buen concierto en ello, porque los oficiales del rey que tenían cargo de ellas hacían lo que querían, por manera [que] si mal se hizo una vez, esta vez peor. Y desde allí adelante muchos soldados que tomamos algunas buenas indias, porque no nos las tomasen como las pasadas, las escondíamos y no las llevábamos a herrar, y decíamos que se habían huido; y si era privado de Cortés, secretamente las llevaban de noche a herrar, y las apreciaban lo que valían, y les echaban el hierro, y pagaban el quinto; y otras muchas se quedaban en nuestros aposentos, y decíamos que eran *naborías* que habían venido de paz de los pueblos comarcanos y de Tlaxcala.

También quiero decir que como había ya dos o tres meses pasados, que algunas de las esclavas que estaban en nuestra compañía y en todo el real conocían a los soldados, cuál era bueno, cuál malo, y trataban bien a las indias y *naborías* que tenían, o cuál las trataban mal, y tenían fama de caballeros o de otra manera, cuando las vendían en la almoneda, si las sacaban algunos soldados que a las tales indias o indios no les contentaban o las habían tratado mal, de presto se les desaparecían y no las veían más, y preguntar por ellas era como quien dice buscar a Mahoma en Granada, o escribir a mi hijo el bachiller en Salamanca; y, en fin, todo se quedaba por deuda en los libros del rey, así lo de las almonedas y los quintos, y al dar las partes del oro, se consumió, que ninguno o muy pocos soldados llevaron partes, porque ya lo debían, y aun mucho más, que después cobraron los oficales del rey.

Dejemos esto, y digamos cómo en aquella sazón vino un navío de Castilla, en el cual vino por tesorero de Su Majestad un Julián de Alderete, vecino de Tordesillas, y vino un Orduña el Viejo, vecino que fue de la Puebla, que después de ganado México trajo cinco hijas que casó muy honradamente; era natural de Tordesillas. Y vino un fraile de San Francisco que se decía fray Pedro Melgarejo de Urrea, natural de Sevilla, que trajo unas bulas de Señor San Pedro, y con ellas nos componían si algo éramos en cargo en las guerras en que andábamos; por manera que en pocos meses el fraile fue rico y compuesto a Castilla. Trajo entonces por comisario, y quien tenía cargo de las bulas, a Jerónimo López, que después fue secretario en México; y vinieron un Antonio de Carvajal, que ahora vive en México, ya muy viejo, capitán que fue de un bergantín; y vino Jerónimo Ruiz de la Mota, yerno que fue, después de ganado México, de Orduña, que asimismo fue capitán de bergantín, natural de Burgos; y vino un Briones, natural de Salamanca: este Briones ahorcaron en esta provincia de Guatemala por amotinador de ejércitos desde ha cuatro años que se vino de lo de Honduras. Y vinieron otros muchos que ya no me acuerdo; y también vino un Alonso Díaz de la Reguera, vecino que fue de Guatemala, que ahora vive en Valladolid. Y trajeron en este navío muchas armas y pólvora, y, en fin, como navío que viene de Castilla, y vino cargado de muchas cosas, y con él nos alegramos con su venida de las nuevas que de Castilla trajo.

No me acuerdo bien; mas paréceme que dijeron que el obispo de Burgos que ya había perdido y que no estaba Su Majestad bien con él, desde que alcanzó a saber de nuestros muchos y buenos y notables servicios; y como el obispo le solía escribir a Flandes al contrario de lo que pasaba y en favor de Diego Velázquez, y halló muy claramente Su Majestad ser verdad todo lo que nuestros procuradores de nuestra parte le fueron a informar, y a esta causa no le oía cosa que dijese.

Dejemos esto y volvamos a decir que como Cortés vio los bergantines que estaban acabados de hacer y la gran voluntad que todos los soldados teníamos de estar ya puestos en el cerco de México, y en aquella sazón volvieron otra vez los de Chalco a decir que los mexicanos venían sobre ellos, y que les enviase socorro, y Cortés les envió a decir que él quería ir en persona a sus pueblos y tierras, y no volverse hasta que todos los contrarios echase de aquellas comarcas; y mandó apercibir trescientos soldados y treinta de caballo, y todos los más escopeteros y ballesteros que había y gente de Tezcuco, y fue en su compañía Pedro de Alvarado y Andrés de Tapia y Cristóbal de Olid, y asimismo fue el tesorero Julián de Alderete y el fraile fray Pedro Melgarejo, que ya en aquella sazón había llegado a nuestro real; y yo fui entonces con el mismo Cortés, porque me mandó que fuese con él. Y lo que pasamos en aquella entrada diré adelante.

CAPÍTULO CXLIV

CÓMO NUESTRO CAPITÁN CORTÉS FUE [A] UNA ENTRADA Y SE RODEÓ LA LAGUNA Y TODAS LAS CIUDADES Y GRANDES PUEBLOS QUE ALREDEDOR HALLAMOS, Y LO QUE MÁS PASÓ EN AQUELLA ENTRADA

Como Cortés había dicho a los de Chalco que les había de ir a socorrer, porque los mexicanos no les viniesen a dar guerra, porque harto teníamos cada semana de ir y venir a favorecerlos, mandó apercibir a todos los soldados y ejército arriba memorado, que fueron trescientos soldados y treinta de a caballo, y veinte ballesteros y quince escopeteros, y el tesorero Julián Alderete, y Pedro de Alvarado, Andrés de Tapia y Cristóbal de Olid, y fue también el fraile Pedro Melgarejo, y a mí me mandó que fuese con él, y muchos tlaxcaltecas y otros amigos de Tezcuco. Y dejó en guarda de Tezcuco y bergantines a Gonzalo de Sandoval, con buena copia de soldados y de a caballo. Y una mañana, después de haber oído misa, que fue viernes cinco días del mes de abril de mil quinientos veinte y un años, fuimos a dormir a Tamanalco, y allí nos recibieron muy bien; y otro día fuimos a Chalco, que estaba muy cerca un pueblo del otro; allí mandó Cortés llamar a todos los caciques de aquella provincia y se les hizo un parlamento con nuestras lenguas doña Marina y Jerónimo de Aguilar, en que se les dio a entender cómo ahora al presente íbamos a ver si podría traer de paz algunos pueblos que estaban cerca de la laguna, y también para ver la tierra y sitio para poner cerco a México, y que por la laguna habían de echar los bergantines, que eran trece, y que les rogaba que para otro día estuviesen aparejados todas sus gentes de guerra para ir con nosotros.

Y desde que lo hubieron entendido, todos a una de buena voluntad dijeron que así lo harían. Y otro día fuimos a dormir a otro pueblo sujeto del mismo Chalco, que se dice Chimaluacán, y allí vinieron más de veinte mil amigos, así de Chalco y Tezcuco y Guaxocinco, y los tlaxcaltecas y otros pueblos, y vinieron tantos que en todas las entradas que yo había ido después que en la Nueva España entré, nunca tanta gente de guerra de nuestros amigos fueron como ahora en nuestra compañía. Ya he dicho otra vez que iba tanta multitud de ellos a causa de los despojos que habían de haber, y lo más cierto por hartarse de carne humana, si hubiese batallas, porque bien sabían que las había de haber, y son a manera de decir como cuando en Italia salía un ejército de una parte a otra y le siguen cuervos y milanos y otras aves de rapiñas que se mantienen de los cuerpos muertos que quedan en el campo, después que se daba una muy sangrienta batalla; así he juzgado que nos seguían tantos millares de indios.

Dejemos esta plática y volvamos a nuestra relación. Que en aquella sazón se tuvo nueva que estaban en un llano cerca de allí aguardando muchos escuadrones y capitanías de mexicanos y sus aliados, todos de aquellas comarcas, pára pelear con nosotros, y Cortés nos apercibió que fuésemos muy alerta. Y salimos de aquel pueblo donde dormimos, que se dice Chimaluacán, después de haber oído misa, que fue bien de mañana, y con mucho concierto fuimos caminando entre unos peñascos, y por medio de dos serrezuelas, en que en ellas había fortalezas y mamparos donde estaban muchos indios e indias recogidos y hechos fuertes; y desde su fortaleza nos daban gritos y voces y alaridos, y nosotros no curamos de pelear con ellos, sino callar y caminar y pasar adelante hasta un pueblo grande que estaba despoblado, que se dice Yautepeque;[127] y también pasamos de largo y llegamos a un llano adonde había unas fuentes de muy poca agua, y a una parte estaba un gran peñol con una fuerza muy mala de ganar, según luego pareció por la obra. Y como llegamos en el paraje del peñol, porque vimos que estaba lleno de guerreros y desde lo alto de él nos daban gritos y tiraban piedras y varas y flechas, y luego hirieron a tres soldados de los nuestros, entonces mandó Cortés que reparásemos allí, y dijo: "Parece que todos estos mexicanos que se ponen en fortalezas hacen burla de nosotros desde que no les acometemos", y esto dijo por los que quedamos atrás en las serrezuelas. Y luego mandó a unos de caballos y ciertos ballesteros que diesen una vuelta a una parte del peñol y que mirasen si había otra subida más conveniente, de buena entrada, para poderles combatir, y fueron y dijeron que lo mejor de todo era donde estábamos, porque en todo lo demás no había subida ninguna, que era todo peña tajada. Y luego Cortés nos mandó que le fuésemos entrando y subiendo, el alférez Cristóbal del Corral delante, y otras banderas, y todos nosotros siguiéndoles, y Cortés con los de a caballo aguardando en lo llano por guarda de otros escuadrones de mexicanos no viniesen a dar en nuestro fardaje, o en nosotros, entretanto que combatíamos aquella fuerza.

Y como encomenzamos a subir por el peñol arriba, echan los indios guerreros que en él estaban tantas de piedras muy grandes y peñascos, que fue cosa espantosa cómo se venían despeñando y saltando, que fue milagro que no nos matasen a todos; y luego a mis pies murió un soldado que se decía fulano Martínez, valenciano, que había sido maestresala de un señor de Salva, en Castilla, y éste llevaba una celada, y no dijo ni habló palabra. Y todavía subíamos, y como venían las galgas rodando y despeñándose y dando saltos, que así llamamos en estas partes a las grandes piedras que vienen derriscadas, luego mataron a otros dos buenos soldados, que se decían Gaspar Sánchez, sobrino del tesorero de Cuba, y a un fulano Bravo. Y todavía no dejábamos de subir. Y luego mataron a otro soldado harto esforzado, que se decía Alonso Rodríguez, y a otro, y descalabrados en la cabeza [dos], y en las piernas todos los más de nosotros, y todavía porfiar y pasar adelante. Y yo, como en aquel tiempo era suelto, no dejaba de seguir al alférez Corral, e íbamos como debajo de unas como socareñas y concavidades que se hacían en el peñol, que si por ventura me encontraban algunos peñascos entretanto que subía de socaren a socaren fue gran ventura no matarme. Y estaba el alférez Cristóbal del Corral mamparándose detrás de unos árboles gruesos que tenían muchas espinas, que nacen en aquellas concavidades, y estaba descalabrado, y el rostro todo lleno de sangre, y la bandera rota, y me dijo: "¡Oh, señor Bernal Díaz del Castillo, que no es cosa de pasar más adelante, y mirad no os cojan algunas lanchas o galgas; estese al reparo de esa concavidad!", porque ya no nos podíamos tener con las manos, cuanto más poderles subir.

En este tiempo vi que de la misma manera que Corral y yo habíamos subido de socaren en socaren, viene Pedro Barba, que era capitán de ballesteros, con otros dos soldados. Yo le dije desde arriba: "¡Ah, señor capitán, no suba más adelante, que no podrá tener [se] con pies y manos, no vuelva rodando!" Y cuando se lo dije me respondió como muy esforzado, o por dar aquella respuesta como gran señor, dijo: "¿Y eso había de decir, sino ir ade-

[127] Yautepec, en Morelos.

lante?"; y yo recibí de aquella palabra remordimiento de mi persona, y le respondí: "Pues veamos cómo sube donde yo estoy", y todavía pasé bien arriba. En aquel instante vienen tantas piedras muy grandes que echaron rodando de lo alto, que tenían represadas para aquel efecto, que hirieron a Pedro Barba y le mataron un soldado, y no pasaron más un paso de allí donde estaban. Y entonces el alférez Corral dio voces para que dijesen a Cortés, de mano en mano, que no se podía subir más arriba y que el retraer también era peligroso.

Y desde que Cortés lo entendió, porque allá abajo donde estaba, en la tierra llana, le habían muerto tres soldados y herido siete, del gran ímpetu de las galgas que iban despeñándose, y aun tuvo por cierto Cortés que todos los más de los que habíamos subido, arriba estábamos muertos o bien heridos, porque adonde él estaba no podía ver las vueltas que daba aquel peñol; y luego por señas y por voces y por unas escopetas que soltaron tuvimos arriba muestras que nos mandaban retraer. Y con buen concierto, de socaren en socaren, bajamos abajo, y los cuerpos de los muertos, todos descalabrados y corriendo sangre, y las banderas rotas y ocho muertos. Y desde que Cortés así nos vio, dio muchas gracias a Dios.

Y luego le dijeron lo que habíamos pasado yo y Pedro Barba, porque se lo dijo el mismo Pedro Barba y el alférez Corral, estando platicando de la gran fuerza del peñol, y que fue maravilla cómo no nos llevaron las galgas de vuelo, y aun lo supieron luego en todo el real. Dejemos cosas vaciadizas y digamos cómo estaban muchas capitanías de mexicanos aguardando en parte que no les podíamos ver ni saber de ellos, y estaban esperando para socorrer y ayudar a los del peñol, y bien entendieron lo que fue, que no podríamos subirles en la fuerza, y que, entretanto que estábamos peleando, tenían concertado que los del peñol por una parte y ellos por otra, darían en nosotros, y como lo tenían acordado así vinieron a ayudarles a los del peñol. Y cuando Cortés lo supo que venían, mandó a los de a caballo y a todos nosotros que fuésemos a encontrar con ellos, y así se hizo. Y aquella tierra era llana; a partes había unas como vegas que estaban entre otros serrejones; y seguimos a los contrarios hasta que llegamos a otro muy fuerte peñol, y en el alcance se mataron muy pocos indios, porque se acogían a partes que no se podían haber.

Pues vueltos a la fuerza que probamos a subir, y viendo que allí no había agua ni la habíamos bebido en todo el día, ni aun los caballos, porque las fuentes que dicho tengo que allí estaban no la tenían, sino lodo, que como traíamos tantos amigos estaban sobre ellas y no las dejaban manar, y a esta causa mandamos mudar nuestro real y fuimos por una vega abajo a otro peñol, que sería de lo uno a lo otro obra de legua y media, creyendo que halláramos agua, y no la había, sino muy poca. Y cerca de aquel peñol había unos árboles de moreras de la tierra, y allí paramos, y estaban obra de doce o trece casas al pie de la fuerza. Y así como llegamos nos comenzaron a dar gritos y tirar varas y galgas y flecha desde lo alto, y estaba en esta fuerza mucha más gente que en el primer peñol, y aun era muy más fuerte, según después vimos. Nuestros escopeteros y ballesteros les tiraban; mas estaban tan altos y tenían tantos mamparos, que no se les podía hacer mal ninguno, pues entrarles o subirles, no había remedio; y aunque probamos dos veces que por las casas que por allí estaban había unos pasos, hasta dos vueltas podíamos ir, mas desde allí adelante, ya he dicho, peor que el primero. De manera que así en esta fuerza como en la primera no ganamos ninguna reputación, ante los mexicanos y sus confederados tenían victoria.

Y aquella noche dormimos en aquellas moreras bien muertos de sed, y se acordó que para otro día que desde otro peñol que estaba cerca del grande fuesen todos los ballesteros y escopeteros y que subiesen en el que había subida, aunque no buena, para que desde aquél alcanzarían las ballestas y escopetas al otro peñol fuerte, y podríanle combatir. Y mandó Cortés a Francisco Verdugo y al tesorero Julián de Alderete, que se preciaban de buenos ballesteros, y a Pedro Barba, que era capitán, que fuesen por caudillos, y que todos los más soldados hiciésemos acometimiento que por los pasos y subidas de las casas que dicho tengo como que les queríamos subir, y así los comenzamos a entrar; mas echaban tanta piedra grande y menuda, que hirieron a muchos soldados; y además de esto, no les subíamos de hecho, porque era por demás, que aun tenernos con las manos y pies no podíamos. Y entretanto que nosotros estábamos de aquella manera, los ballesteros y escopeteros desde el peñol que he dicho les alcanzaban con las ballestas y escopetas, y, aunque no mucho, mataban algunos y herían a otros; de manera que estuvimos dándoles combate obra de media hora, y quiso Nuestro Señor Dios que acordaron de darse de paz, y fue por causa que no tenían agua ninguna, que estaba mucha gente arriba en el peñol; en un llano que se hacía arriba habíanse acogido a él de todas aquellas comarcas así hombres como mujeres y niños y gente menuda; y para que entendiésemos abajo que querían paces, desde el peñol las mujeres meneaban unas mantas hacia abajo, y con las palmas daban unas contra otras señalando que nos harían pan o tortillas, y los guerreros no tiraban vara, ni piedra, ni flecha.

Y desde que Cortés lo entendió, mandó que no se les hiciese mal ninguno, y por señas se les dio a entender que bajasen cinco principales a entenderse en las paces; los cuales bajaron, y con gran acato dijeron a Cortés que les perdonase, que por favorecerse y defenderse se habían subido en aquella fuerza. Y Cortés les dijo con nuestras lenguas doña Marina y Aguilar, algo enojado, que eran dignos de muerte por haber comenzado la guerra; mas, pues que han venido de paz, que vayan luego al otro peñol y llamen los caciques y hombres principales que en él están, y traigan los muertos, y que de lo pasado se les perdonaba, y que vengan de paz; si no, que habíamos de ir sobre ellos y ponerles cerco hasta que se mueran de sed, porque bien sabíamos que no tenían agua, porque toda aquella tierra no la hay sino muy poca. Y luego fueron a llamarlos así como se lo mandó.

Dejemos de hablar en ello hasta que vuelvan con la respuesta, y digamos cómo estando platicando Cortés con el fraile Melgarejo y el tesorero Alderete, sobre las guerras pasadas que habíamos habido, antes que viniesen, y asimismo que del gran poder de mexicanos, y las grandes ciudades que habíamos visto después que vinimos de Castilla, y decían que si el emperador nuestro señor fuese informado de la verdad (el obispo de Burgos como lo escribía al contrario), que nos enviara a hacer grandes mercedes; y que no se me acuerdan que otros mayores servicios haya recibido ningún rey en el mundo que el que Cortés y nosotros le habíamos hecho en ganar tantas ciudades sin ser sabedor de cosa ninguna. Dejemos otras muchas pláticas que pasaron, y digamos cómo mandó Cortés al alférez Corral y a otros dos capitanes, que fue Juan Jaramillo y a Pedro de Ircio y a mí, que me hallé allí con ellos, que subiésemos al peñol y viésemos la fortaleza qué tal era, y que si estaban muchos indios heridos o muertos de saetas y escopetas, y qué gente estaba recogida; y cuando aquello nos mandó, dijo: "Mirad, señores, que no les tomeis ni un grano de maíz", y, según yo entendí, quisiera que nos aprovecháramos, y para aquel efecto nos envió y me mandó a mí que fuese con los demás.

Y subidos al peñol por unos malos pasos, digo que era más fuerte que el primero, porque era peña tajada. Y ya que estábamos arriba, para entrar en la fuerza era como quien entra por una abertura no más ancha que dos bocas de silo o de hornos. Y ya puesto en lo más alto y llano, estaban grandes anchuras de prados y todo lleno de gente, así de guerra como de muchas mujeres y niños, y hallamos hasta veinte muertos y muchos heridos, y no tenían gota de agua que beber, y tenían todo su hato y hacienda hechos fardos, y otros muchos líos de mantas, que eran del tributo que daban a Guatemuz. Y como yo así vi tantas cargas de ropa y supe que eran del tributo, comencé a cargar cuatro tlaxcaltecas, mis *naborías*, que llevé conmigo, y también eché a cuestas de otros cuatro indios de los que lo guardaban otros cuatro fardos, y a cada uno eché una carga. Y como Pedro de Ircio lo vio, dijo que no lo llevase, y yo porfiaba que sí, y como era capitán hízose lo que mandó, porque me amenazó que se lo diría a Cortés. Y me dijo Pedro de Ircio que bien había visto que dijo Cortés que no les tomásemos un grano de maíz; y yo dije que así es verdad, que por esas palabras mismas quería llevar de aquella ropa. Por manera que no me dejó llevar cosa ninguna, y bajamos a dar cuenta a Cortés de lo que habíamos visto y a lo que nos envió.

Y dijo Pedro de Ircio a Cortés, por revolverme con él, lo pasado, pensando que le contentaba mucho. Después de darle cuenta de lo que había visto, dijo: "No se les tomó cosa ninguna, aunque ya había cargado Bernal Díaz del Castillo de ropa ocho indios; si no se lo estorbara yo, ya los traía cargados." Entonces dijo Cortés, medio enojado: "¿Pues por qué no los trajo, que también os habíais de quedar vos allá con la ropa e indios?" Y dijo: "Mirad cómo me entendieron, que los envié porque se aprovechasen, y a Bernal Díaz, que me entendió, quitaron el despojo que traía de estos perros, que se quedarán riendo con los que nos han muerto y herido." Y desde que aquello oyó Pedro Ircio, dijo que quería tornar a subir a la fuerza. Entonces les dijo que ya no había coyuntura para ello, y que no fuesen allá en ninguna manera. Dejemos de esta plática y digamos cómo vinieron los del otro peñol, y en fin de muchas razones que pasaron sobre que les perdonasen lo pasado, todos dieron la obediencia a Su Majestad.

Y como no había agua en aquel paraje, nos fuimos luego camino de un buen pueblo, otras veces por mí memorado en el capítulo pasado, que se dice Guaxtepeque, adonde está la huerta que he dicho que es la mejor que había visto en toda mi vida, y así lo torno a decir, que el tesorero Alderete y el fraile fray Pedro Melgarejo y a nuestro Cortés, desde que entonces la vieron y pasearon algo de ella, se admiraron y dijeron que mejor cosa de huerta no habían visto en Castilla. Y digamos cómo aquella noche nos aposentamos todos en ella, y los caciques de aquel pueblo vinieron a hablar y servir a Cortés, porque Gonzalo de Sandoval los había recibido ya de paz cuando entró en aquel pueblo, según más largamente lo [he] escrito en el capítulo pasado que de ello habla.

Y aquella noche reposamos allí, y otro día muy de mañana partimos para Cornavaca y hallamos unos escuadrones de guerreros mexicanos que de aquel pueblo habían salido, y los de a caballo los siguieron más de legua y media hasta encerrarlos en otro gran pueblo que se dice Tepuztlán,[128] que estaban tan descuidados los moradores de él, que dimos en ellos antes que sus espías que tenían sobre nosotros llegasen. Aquí se hubieron muy buenas indias y despojos, y no aguardaron

[128] Tepoztlan, en el Estado de Morelos. Véase en la pág. 316 cómo explica el autor la corrupción del nombre Cuauhnahuac, que escribe de distintas maneras, y que hubo de convertirse en Cuernavaca finalmente.

ningunos mexicanos ni los naturales en el pueblo. Y nuestro Cortés les envió a llamar a los caciques por tres o cuatro veces, que viniesen de paz, y que si no venían que les quemaría el pueblo y los iríamos a buscar. Y la respuesta fue que no querían venir. Y porque otros pueblos tuviesen temor de ello, mandó poner fuego a la mitad de las casas que allí cerca estaban. Y en aquel instante vinieron los caciques del pueblo por donde aquel día pasamos, que ya he dicho que se dice Yautepeque, y dieron la obediencia a Su Majestad. Y otro día fuimos camino de otro muy mejor y mayor pueblo, que se dice Coadlavaca, y comúnmente corrompemos ahora aquel vocablo y le llamamos Cuernavaca; y había dentro en él mucha gente de guerra, así de mexicanos como de los naturales, y estaba muy fuerte por unas cavas y riachuelos que están en las barrancas, por donde corre el agua, muy hondas, de más de ocho estados abajo, puesto que no llevan agua, y es fortaleza para ellos; y también no había entrada para caballos, sino por unas dos puentes que teníanlas quebradas; y de esta manera estaban tan fuertes que no les podíamos entrar, puesto que nos llegamos a pelear con ellos de esta parte de sus cavas, y riachuelo en medio; y ellos nos tiraban muchas varas y flechas y piedras con hondas, que eran más espesas que granizo.

Y estando de esta manera, avisaron a Cortés que más adelante, obra de media legua, había entrada para los caballos. Y luego fue allá con todos los de Narváez, y todos los de a caballo y todos nosotros estábamos buscando paso, y vimos que desde unos árboles que estaban junto con la cava se podía pasar a la otra parte de aquella honda cava; y puesto que cayeron tres soldados desde los árboles abajo en el agua y aun el uno se quebró la pierna, todavía pasamos, y aun con harto peligro, porque de mí digo que verdaderamente cuando pasaba que lo vi muy peligroso y malo de pasar, y se me desvaneció la cabeza, y todavía pasé yo y otros de nuestros soldados y muchos tlaxcaltecas y comenzamos a dar por las espaldas de los mexicanos que estaban tirando piedra y vara y flecha a los nuestros. Y cuando nos vieron, que lo tenían por cosa imposible, creyeron que éramos muchos más. Y en este instante llegaron Cristóbal de Olid y Andrés de Tapia con otros de a caballo, que habían pasado con mucho riesgo de sus personas por una puente quebrada, y damos en los contrarios, por manera que volvieron las espaldas y se fueron huyendo a los montes y a otras partes de aquella honda cava, donde no se pudieron haber; y de allí a poco rato también llegó Cortés con todos los demás de a caballo. En este pueblo se hubo gran despojo, así de mantas muy grandes como de buenas indias, y aun allí mandó Cortés que estuviésemos aquel día, y en una huerta del señor de aquel pueblo nos aposentamos todos, la cual era muy buena, y aunque querría decir muchas veces en esta relación el gran recaudo de velas y escuchas y corredores de campo que a doquiera que estábamos, o por los caminos llevábamos, es prolijidad recitarlo tantas veces, y por esta causa pasaré adelante y diré que vinieron nuestros corredores del campo a decir a Cortés que venían hasta veinte indios, y a lo que parecía en sus meneos y semblante, que eran caciques y hombres principales que traían mensajes o a demandar paces; y eran los caciques de aquel pueblo. Y desde que llegaron adonde Cortés estaba, le hicieron mucho acato y le presentaron ciertas joyas de oro, y le dijeron que les perdonase porque no salieron de paz, que el señor de México les envió a mandar que, pues estaban en fortaleza, que desde allí nos diesen guerra y que les envió un buen escuadrón de mexicanos para que les ayudasen, y que a lo que ahora han visto, que no habrá cosa, por fuerte que sea, que no la combatamos y señoreemos, y que le piden por merced que los reciba de paz. Y Cortés les mostró buena cara y dijo que somos vasallos de un gran señor, que es el emperador don Carlos, que a los que le quieren servir que a todos les hace mercedes, y que a ellos en su real nombre los recibe de paz, y allí dieron la obediencia a Su Majestad. Y acuérdome que dijeron aquellos caciques que en pago de no haber venido de paz hasta entonces permitieron nuestros dioses o los suyos que se les hiciese castigo en su persona y hacienda y pueblos. Donde lo dejaré ahora, y digamos cómo otro día muy de mañana caminamos para otra gran poblazón que se dice Xuchimilco. Y lo que pasamos en el camino y en la ciudad y reencuentros de guerra que nos dieron, diré adelante, hasta que volvimos a Tezcuco.

CAPÍTULO CXLV

DE LA GRAN SED QUE TUVIMOS EN ESTE CAMINO, Y DEL PELIGRO EN QUE NOS VIMOS EN XOCHIMILCO CON MUCHAS BATALLAS Y REENCUENTROS QUE CON LOS MEXICANOS Y CON LOS NATURALES DE AQUELLA CIUDAD TUVIMOS, Y DE OTROS MUCHOS REENCUENTROS DE GUERRAS QUE HASTA VOLVER A TEZCUCO PASAMOS

Pues como caminamos para Xochimilco, que es una gran ciudad, y toda la más de ella están fundadas las casas en la laguna de agua dulce, y estará de México obra de dos leguas y media, pues yendo por nuestro camino con gran concierto y ordenanza, como lo teníamos de costumbre, fuimos por unos pinares y no había agua en todo el camino; y como íbamos con nuestras armas a cuestas y era ya tarde y hacía gran sol, aquejábanos mucho la sed y no sabíamos si había agua adelante, y habíamos andado dos o tres leguas, ni tampoco teníamos certinidad qué tanto estaba de allí un pozo que nos decían que había en el camino. Y como Cortés así vio todo nuestro ejército cansado, y los amigos tlaxcaltecas se desmayaron y se murió uno de ellos de sed, y un soldado de los nuestros, que era viejo y estaba doliente, me parece que también se murió de sed, acordó Cortés de parar a la sombra y cava de unos pinares, y mandó a seis de a caballo que fuesen adelante camino de Xochimilco y que viesen qué tanto de allí había poblazón o estancias, o el pozo que tuvimos noticia que estaba cerca, para ir a dormir a él. Y cuando fueron los de [a] caballo, que eran Cristóbal de Olid y un Valdenebro y Pedro González de Trujillo, y otros muy esforzados varones, acordé yo de apartarme en parte que no me viese Cortés ni los de caballo con tres *naborías* míos tlaxcaltecas, bien esforzados y sueltos, y fui en pos de ellos hasta que me vieron ir tras ellos y me aguardaron para hacerme volver, no hubiese algún rebato de guerreros mexicanos donde no me pudiese valer. Yo todavía porfié a ir con ellos, y Cristóbal de Olid como era yo su amigo, dijo que fuese y que aparejase los puños a pelear y los pies a ponerme en salvo si había reencuentros de mexicanos. Y era tanta la sed que tenía, que aventuraba mi vida por hartarme de agua. Y pasando obra de media legua adelante había muchas estancias y caserías de los de Xochimilco en unas laderas de unas serrezuelas. Entonces los de a caballo se apartan para buscar agua en las casas;[129] y la hallaron, y se hartaron de ella, y uno de mis tlaxcaltecas me sacó de una casa un gran cántaro, que así los hay grandes cántaros en aquella tierra, de agua muy fría de que me harté yo y ellos; y entonces acordé desde allí de volverme donde estaba Cortés reposando, porque los moradores de aquellas estancias ya comenzaban a apellidar y nos daban gritos y silbos; y traje el cántaro lleno de agua con los tlaxcaltecas, y hallé a Cortés que comenzaba a caminar con su ejército.

Y desde que le dije que había agua en unas estancias muy cerca de allí y que había bebido y que traía agua en el cántaro, la cual traían los tlaxcaltecas muy escondida porque no me la tomasen, porque a la sed no hay ley, de la cual bebió Cortés y otros caballeros, y se holgó mucho, y todos se alegraron y se dieron prisa a caminar, y llegamos a las estancias antes de ponerse el sol, y por las casas hallaron agua y aunque no mucha, y con la sed y hambre que traían comían algunos unos como cardos, que algunos soldados se les dañaron las lenguas y la boca.

Y en este instante volvieron los de caballo y dijeron que el pozo que estaba lejos y que ya estaba toda la tierra apellidando guerra, y que era bien dormir allí; y luego pusieron velas y espías y corredores del campo, y yo fui uno de ellos que pusieron por vela. Y paréceme que llovió aquella noche un poco o que hizo mucho viento, y otro día muy de mañana comenzamos a caminar, y obra de las ocho llegamos a Xochimilco. Saber ahora yo decir la multitud de guerreros que nos estaban esperando, unos por tierra y otros en un paso de una puente que tenían quebrada, y los muchos mamparos y albarradas que tenían hecho en ellas, y las lanzas traían hechas como dalles de las espadas que hubieron cuando la gran matanza de los nuestros en lo de las puentes de México, y otros muchos indios capitanes, que todos traían espadas de las nuestras puestas todas en otras largas lanzas muy relucientes; pues flecheros y varas de a dos gajos y piedras con hondas, y espadas de a dos manos como montantes hechas de navajas; digo que estaba toda la tierra firme llena de ellos, y al pasar de aquella puente estuvieron peleando con nosotros cerca de media hora que no les podíamos entrar, que ni bastaban ballestas ni escopetas, ni grandes arremetidas que hacíamos, y lo peor de todo era que ya venían otros muchos escuadrones de ellos por las espaldas, dándose guerra. Y desde que aquello vimos rompimos por el agua y puente medio nadando, y otros a vuelapié, y allí hubo algunos de nuestros soldados que no quisieran beber por fuerza tanta agua que, al pasar de aquella puente, bebieron tanta que se hincharon las barrigas de ella.

Y volvamos a nuestra batalla: que al pasar de la puente hirieron a muchos de los nuestros, y luego les llevábamos a buenas cuchilladas por unas calles adonde había tierra firme adelante, y los de a caballo, juntamente con Cortés, salen por otras partes a tierra firme adonde toparon sobre más de diez mil indios, todos mexicanos, que venían de refresco para ayudar a los de aquel pueblo, y pelean de tal manera con los nuestros, que les aguardaban con las lanzas a los de a caballo, e hirieron a cuatro de ellos. Y Cortés, que se halló en aquella gran prisa, y el caballo en que iba que era muy bueno, castaño oscuro, que le llamaban *El Romo,* o de muy gordo o de cansado, como estaba holgado, desmayó el caballo, y los contrarios mexicanos, como eran muchos, echaron mano a Cortés y le derribaron del caballo; otros dijeron que por fuerza lo derrocaron; sea por lo uno o por otro, en aquel instante llegaron muchos más guerreros mexicanos para si pudieran apañarle vivo, y como aquellos vieron unos tlax-

[129] En la versión del códice Alegría: *en los campos, y la hallaron.*

caltecas y un soldado muy esforzado que se decía Cristóbal de Olea, natural de Castilla la Vieja, de tierra de Medina del Campo, de presto llegaron y a buenas cuchilladas y estocadas hicieron lugar, y tornó Cortés a cabalgar, aunque bien herido en la cabeza, y quedó Olea muy mal herido de tres cuchilladas; y en aquel tiempo acudimos allí todos los más soldados que más cerca de él nos hallamos, porque en aquella sazón, como en aquella ciudad había en cada calle muchos escuadrones de guerreros, y por fuerza habíamos de seguir las banderas, no podíamos estar todos juntos, sino pelear unos a unas partes y otros a otras, como nos fue mandado por Cortés, mas bien entendíamos que adonde andaba Cortés y los de a caballo que había mucho que hacer por las muchas gritas y voces y alaridos y silbos que oímos; y en fin de más razones, puesto que había adonde andábamos muchos guerreros, fuimos con gran riesgo de nuestras personas adonde estaba Cortés, que ya se le habían juntado hasta quince de a caballo, y estaban peleando con los enemigos junto a unas acequias adonde se mamparaban y había albarradas, y como llegamos les pusimos en huida, y aunque no del todo volvían las espaldas; y porque el soldado Olea que ayudó a nuestro Cortés estaba muy mal herido de tres cuchilladas y se desangraba, y en las calles de aquella ciudad estaban llenas de guerreros, y dijimos a Cortés que se volviese a unos mamparos y se curase Cortés y Olea y el caballo; y así volvimos, y no muy sin zozobra de vara y piedra y flecha que nos tiraban de muchas partes, donde tenían mamparos y albarradas, y creyendo los mexicanos que volvíamos retrayéndonos nos seguían con gran furia.

Y en este instante viene Andrés de Tapia y Cristóbal de Olid y todos los más de a caballo que fueron con ellos a otras partes, Olid corriendo sangre de la cara y el caballo, y todos los demás cada cual con su herida, y dijeron que habían peleado con tanto mexicano en el campo raso que no se podían valer, y porque cuando pasamos la puente que dicho tengo parece ser Cortés los repartió, que la mitad de caballo fuesen por una parte y la otra mitad por otra, y así fueron siguiendo tras unos escuadrones y la otra mitad tras los otros. Pues ya que estábamos curando los heridos con quemarles con aceite, suenan tantas voces y trompetillas y caracoles y atabales por unas calles en tierra firme, y por ellas vienen tantos mexicanos a un patio donde estábamos curando [los heridos], y tírannos tanta vara y piedra, e hiriendo de repente a muchos de nuestros soldados; mas no les fue muy bien de aquella cabalgada, que presto arremetimos con ellos y a buenas cuchilladas y estocadas quedaron hartos de ellos tendidos; pues los de a caballo no tardaron en salirles al encuentro, que mataron muchos; puesto que entonces hirieron dos caballos, de aquella vez los echamos de aquel sitio y patio.

Y después que Cortés vio que no había más contrarios nos fuimos a reposar a otro gran patio adonde estaban los grandes adoratorios de aquella ciudad, y muchos de nuestros soldados subieron en el *cu* más alto, adonde tenían sus ídolos, y desde allí vieron la gran ciudad de México, y toda la laguna, porque bien se señoreaba todo, y vieron venir sobre dos mil canoas que venían de México, y en ellas llenas de guerreros, y venían derechos adonde estábamos, porque, según otro día supimos, que el señor de México, que se decía Guatemuz, las enviaba para que aquella noche o de día diesen en nosotros, y juntamente envió por tierra sobre otros diez mil guerreros, para que unos por una parte y otros por otra tener manera para que no saliésemos de aquella ciudad con la vida ninguno de nosotros; también había apercibido otros diez mil hombres para enviarles de refresco cuando nos estuviesen dando guerra, y esto se supo otro día de cinco capitanes mexicanos que en las batallas prendimos; y mejor lo ordenó Nuestro Señor, porque así como vino aquella gran flota de canoas, luego se entendió que venían contra nosotros, y acordamos que hubiese muy buena vela en todo nuestro real repartido a los puertos y acequias por donde habían de venir a desembarcar, y los de caballo muy a punto toda la noche ensillados y enfrenados, aguardando en la calzada y tierra firme, y todos los capitanes y Cortés con ellos, haciendo vela y ronda toda la noche, y a mí y a otros dos soldados nos pusieron en guarda en otras acequias.

Pues estando velando yo y mis compañeros, sentimos el remar de muchas canoas que venían a remo callado a desembarcar [a] aquel puesto donde estábamos, y a buenas pedradas y con las lanzas los resistimos, que no osaron desembarcar; y uno de nuestros compañeros enviamos que fuese a dar aviso a Cortés. Y estando en esto volvieron otra vez otras muchas canoas cargadas de guerreros y nos comenzaron a tirar mucha vara y piedra y flecha y los tornamos a resistir; y entonces descalabraron dos de nuestros soldados, y como era de noche y muy oscuro, se fueron a juntar las canoas con sus capitanías de la flota de canoas, y todas juntas fueron a desembarcar a otro portezuelo o acequias hondas, y como no son acostumbrados a pelear de noche, se juntaron todos con los escuadrones que Guatemuz enviaba por tierra, que eran ya más de quince mil indios.

También quiero decir, y esto no por jactanciarme de ello, que como nuestro compañero fue a dar aviso a Cortés cómo habían llegado allí en el puerto donde velábamos muchas canoas de guerreros, según dicho tengo, luego vino a hablar con nosotros el mismo Cortés acompañado de diez de a caballo, y desde que llegó cerca sin hablarnos dimos voces yo y un Gonzalo Sánchez, que era de Algarbe, portugués, y dijimos: "¿Quién viene ahí? ¿No podéis hablar? ¿Quién anda o viene ahí?"; y le tiramos tres o cuatro pedradas. Y desde que me conoció Cortés en la voz a mí y a mi compañero, dijo Cortés al tesorero Julián de Alderete y a fray Pedro Melgarejo y al maestre de campo, que era Cristóbal de Olid, que le acompañaban a rondar: "No ha menester poner aquí más recaudo, que dos hombres están aquí puestos entre los que velan que son de los que pasaron conmigo de los primeros, y bien podemos fiar de ellos esta vela y aunque sea otra cosa de mayor afrenta." Y después que nos hablaron que mirásemos en el peligro en que estábamos, y así se fueron a requerir otros puestos; y cuando no me cato, oímos cómo traían a dos soldados azotando por la vela y eran de los de Narváez.

Pues otra cosa quiero traer a la memoria, y es que ya nuestros escopeteros no tenían pólvora, ni los ballesteros saetas, que el día antes se dieron tal prisa que lo habían gastado, y aquella misma noche mandó Cortés a todos los ballesteros que alistasen todas las saetas que tuviesen y las emplumasen y pusiesen sus casquillos, porque siempre traíamos en las entradas muchas cargas de almacén de saetas y sobre cinco cargas de casquillos hechos de cobre, y todo aparejo, para dondequiera que llegásemos tener saetas; y toda la noche estuvieron emplumando y poniendo casquillos todos los ballesteros, y Pedro Barba, que era su capitán, no se quitaba de encima de la obra, y Cortés, que de cuando en cuando acudía.

Dejemos esto, y digamos ya que fue de día claro cual nos vinieron a cercar todos los escuadrones mexicanos en el patio donde estábamos; y como nunca nos hallaban descuidados, los de a caballo por una parte, como era tierra firme, y nosotros por otra, y nuestros amigos los tlaxcaltecas que nos ayudaban, rompimos por ellos, y se mataron e hirieron tres de sus capitanes, que luego otro día se murieron, y nuestros amigos hicieron buena presa, y se prendieron cinco principales, de los cuales supimos lo que Guatemuz había ordenado, que fue lo por mí memorado. En aquella batalla quedaron de nuestros soldados muchos heridos. Pues no se acabó en esta refriega, que yendo los de a caballo siguiendo el alcance, se encuentran con los diez mil guerreros que el Guatemuz enviaba en ayuda y socorro de refresco de los que de antes había enviado, y los capitanes mexicanos que con ellos venían traían espadas de las nuestras, haciendo muchas muestras con ellas de esforzados, y decían que con nuestras armas nos habían de matar. Y cuando los nuestros de a caballo se hallaron cerca de ellos, como eran pocos, como vieron muchos escuadrones temieron; y a esta causa se ponen en parte para no encontrarse con ellos hasta que Cortés y todos nosotros fuésemos en su ayuda, y como lo supimos, en aquel instante cabalgan todos los de a caballo que quedaban en el real, aunque estaban heridos ellos y sus caballos, y salimos todos los soldados y ballesteros y con nuestros amigos los tlaxcaltecas, y arremetimos de manera que rompimos y tuvimos lugar de juntarnos con ellos pie con pie, y a buenas estocadas y cuchilladas se fueron con la mala ventura y nos dejaron de aquella vez el campo.

Dejemos esto y tornaremos a decir que allí se prendieron otros principales, y se supo de ellos que tenía Guatemuz ordenado de enviar otra gran flota de canoas y muchos más guerreros por tierra, y dijo a sus guerreros que cuando estuviésemos cansados y muchos heridos y muertos de los reencuentros pasados, que estaríamos descuidados con pensar que no enviaría más escuadrones contra nosotros, y que con los muchos que entonces enviaría nos podía desbaratar. Y desde que aquello se supo, si muy apercibidos estábamos de antes, mucho más lo estuvimos entonces, y fue acordado que para otro día saliésemos de aquella ciudad y no aguardásemos más batallas; y aquel día se nos fue en curar heridos y en adobar armas y en hacer saetas.

Y estando de aquella manera pareció ser que, como en aquella ciudad eran ricos y tenían unas casas muy grandes llenas de mantas y ropa y camisas de indios, de algodón, y había en ellas oro y otras muchas cosas y plumaje, alcanzáronlo a saber los tlaxcaltecas y ciertos soldados en qué parte o paraje estaban las casas, y se las fueron a mostrar unos prisioneros de Xochimilco, y estaban en la laguna dulce, y podían pasar a ellas por una calzada, puesto que había dos o tres puentes chicas en la calzada que pasaban a ella de unas acequias hondas a otras. Y como nuestros soldados fueron a las casas y las hallaron llenas de ropa y no había guarda en ellas, cárganse ellos y muchos tlaxcaltecas de ropa y otras cosas de oro y se vienen con ello al real; y como lo vieron otros soldados, van a las mismas casas, y estando dentro sacando ropa de unas cajas muy grandes que tenían de madera vino en aquel instante una gran flota de canoas de guerreros de México y dan sobre ellos y hieren muchos soldados, y apañan cuatro soldados y vivos los llevaron a México, y los demás se escaparon; y llamábanse los que llevaron Juan de Lara y el otro Alonso Hernández y los demás no me acuerdo sus nombres. Pues como le llevaron a Guatemuz estos cuatro soldados, alcanzó a saber cómo éramos muy pocos los que veníamos con Cortés, y que muchos estaban heridos, y todo lo que quiso saber de todo nuestro viaje tanto supo; y desde que fue bien informado manda cortar pies y brazos y las cabezas a los tristes nuestros compañeros, y las enviaron por muchos pueblos de nuestros amigos de los que nos habían venido de paz y les envía a decir que antes que volvamos a Tezcuco piensa no quedará ninguno de nosotros con vida, y con los corazones y sangre ofreció a sus ídolos.

Dejemos esto y digamos cómo luego tornó a enviar muchas flotas de canoas llenas de guerreros, y otras capitanías por tierra, y les mandó que procurasen no saliésemos de Xochimilco con las vidas; y porque ya estoy harto de escribir de los muchos reencuentros y batallas que en estos cuatro días tuvimos con mexicanos, y no puedo dejar otra vez de hablar en ellas, y diré que después que amaneció vinieron esta vez tantos culúas, que son mexicanos, por los esteros y otros por las calzadas y tierra firme, que tuvimos harto que romper en ellos, y luego nos salimos de aquella ciudad a una gran plaza que estaba algo apartada del pueblo, donde solían hacer sus mercados, y allí puestos con todo nuestro fardaje para caminar, Cortés nos comenzó a hacer un parlamento cerca del peligro en que estábamos, porque sabíamos cierto que en los caminos y pasos malos estaban aguardando todo el poder de México, y otros muchos guerreros puestos en esteros y acequias; y nos dijo que sería bien, y así nos lo mandaba de hecho, que fuésemos desembarazados y que dejásemos el fardaje y hato porque no nos estorbase para el tiempo del pelear. Y desde que aquello le oímos, todos a una le respondimos que, mediante Dios, que hombres éramos para defender nuestra hacienda y personas y la suya y que sería gran poquedad si tal hiciésemos. Y desde que vio nuestra voluntad y respuesta dijo que a la mano de Dios lo encomendaba; y luego, viendo la fuerza y pujanza del enemigo, se puso en concierto cómo habíamos de ir, el fardaje y los heridos en medio, y los de caballo repartidos la mitad de ellos adelante, y la otra mitad en la retaguardia, y los ballesteros también con todos nuestros amigos; allí poníamos más recaudo, porque siempre los mexicanos tenían por costumbres que daban en el fardaje; de los escopeteros no nos aprovechamos, porque no tenían pólvora ninguna, y de esta manera comenzamos a caminar.

Y desde que los escuadrones mexicanos que había enviado Guatemuz aquel día vieron que nos íbamos retrayendo de Xochimilco, creyeron que de miedo, o no les osábamos esperar, como ello fue verdad, salen muy de repente tantos de ellos y se vienen derechos a nosotros, que hirieron ocho soldados, y dos murieron de allí a ocho días, y quisieran romper y desbaratar por el fardaje; mas como íbamos con el concierto que he dicho no tuvieron lugar más en todo el camino, hasta que llegamos a un gran pueblo que se dice Coyoacán, que está obra de dos leguas de Xochimilco, nunca nos faltó rebatos de guerreros que nos salían en partes que no nos podíamos aprovechar de ellos, y ellos sí de nosotros, de mucha vara y piedra y flecha, y como tenían cerca los esteros y zanjas, poníanse en salvo; pues llegados a Coyoacán a obra de las diez del día, hallámosla despoblada.

Quiero ahora decir que están muchas ciudades las unas de las otras, cerca de la gran ciudad de México, obra de dos leguas, porque Xochimilco y Coyoacán y Huichilubusco [130] e Iztapalapa y Cuedlavaca [131] y Mezquique [132] y otros tres o cuatro pueblos que están poblados los más de ellos en el agua, que están a legua y media o dos leguas los unos de los otros, y de todos ellos se habían juntado allí en Xochimilco muchos indios guerreros contra nosotros. Pues volvamos a decir que como llegamos [a] aquel gran pueblo y estaba despoblado y está en tierra llana, acordamos de reposar aquel día y otro porque se curasen los heridos y hacer saetas, porque bien entendido teníamos que habíamos de haber más batallas antes de volver a nuestro real, que era en Tezcuco. Y otro día muy de mañana comenzamos a caminar, con el mismo concierto que solíamos llevar, camino de Tacuba, que está de don-

[130] Huitzilopochco, actualmente Churubusco.

[131] Cuitláhuac, hoy Tláhuac.

[132] Mizquic, que conserva su nombre.

de salimos obra de dos leguas; y en el camino salieron en tres partes muchos escuadrones de guerreros, y todas tres las resistimos; y los de a caballo los seguían por tierra llana hasta que se acogían a los esteros y acequias.

Y yendo por nuestro camino de la manera que he dicho, apartóse Cortés con diez de a caballo a echar una celada a los mexicanos que salían de aquellos esteros y salían a dar guerra a los nuestros y llevó consigo cuatro mozos de espuelas, y los mexicanos hacían que iban huyendo, y Cortés con los de a caballo y criados siguiéndoles; y cuando miró por sí, estaba una gran capitanía de contrarios puestos en celada y dan en Cortés y en los de a caballo, que les hirieron los caballos, y si no dieran vuelta de presto, allí quedaran muertos o presos, por manera que apañaron los mexicanos dos de los soldados mozos de espuelas de Cortés, de los cuatro que llevaba, y vivos les llevaron a Guatemuz y los sacrificaron. Dejemos de hablar de este desmán y digamos cómo ya habíamos llegado a Tacuba con nuestras banderas tendidas, con todo nuestro ejército y fardaje, y todos los demás de a caballo habían llegado, y también Pedro de Alvarado y Cristóbal de Olid, y Cortés no venía con los diez de a caballo que llevó en su compañía, tuvimos mala sospecha no le hubiese acaecido algún desmán; y luego fuimos con Pedro de Alvarado y Cristóbal de Olid en su busca, con otros de a caballo, hacia los esteros adonde le vimos apartar, y en aquel instante vinieron los otros dos mozos de espuelas que habían ido con Cortés, que se escaparon, que se decían el uno Monroy y el otro Tomás de Rijoles, y dijeron todo lo por mí memorado, y que ellos por ser ligeros se escaparon; y que Cortés y los demás que se venían poco a poco, porque traen los caballos heridos. Y estando en esto viene Cortés, con lo cual nos alegramos, puesto que él venía muy triste y como lloroso Llamábanse los mozos de espuelas que llevaron a México a sacrificar, el uno Francisco Martín Vendaval, y este nombre de Vendaval se le puso por ser algo loco, y el otro se decía Pedro Gallego.

Pues como allí llegó a Tacuba llovía mucho, y reparamos cerca de dos horas en unos grandes patios, y Cortés con otros capitanes y el tesorero Alderete, que venía malo, y el fraile Melgarejo y otros muchos soldados subimos en [el] alto *cu* de aquel pueblo, que desde él se señoreaba muy bien la ciudad de México, que está muy cerca, y toda la laguna y las más ciudades por mí memoradas, que están pobladas en el agua Y después que el fraile y el tesorero Alderete vieron tantas ciudades y tan grandes, y todas asentadas en el agua, estaban admirados; pues desde que vieron la gran ciudad de México y la laguna y tanta multitud de canoas, que unas iban cargadas con bastimentos y otras andaban a pescar, y otras vacías, mucho más se espantaron y dijeron que nuestra venida en esta Nueva España que no era cosa de hombres humanos, sino que la gran misericordia de Dios es que nos tenía y amparaba, y que otras veces han dicho que no se acuerdan haber leído en ninguna escritura que hayan hecho ningunos vasallos tan grandes servicios a su rey como son los nuestros, y que ahora lo dicen muy mejor, y que de ello harían relación a Su Majestad. Dejemos de otras muchas pláticas que allí pasaron, y cómo consolaba el fraile a Cortés por la pérdida de sus mozos de espuelas, que estaba muy triste por ellos, y digamos cómo Cortés y todos nosotros estábamos mirando desde Tacuba el gran *cu* de Uichilobos y el Tatelulco y los aposentos donde solíamos estar, y mirábamos toda la ciudad y las puentes y calzadas por donde salimos huyendo; y en este instante suspiró Cortés con una muy gran tristeza, muy mayor que la que antes traía, por los hombres que le mataron antes que en el alto *cu* subiese, y desde entonces dijeron un cantar o romance:

En Tacuba está Cortés
con su escuadrón esforzado,
triste estaba y muy penoso,
triste y con gran cuidado,
una mano en la mejilla
y la otra en el costado, etc.

Acuérdome que entonces le dijo un soldado que se decía el bachiller Alonso Pérez, que después de ganada la Nueva España fue fiscal y vecino en México: "Señor capitán: no esté vuesa merced tan triste, que en las guerras estas cosas suelen acaecer, y no se dirá por vuesa merced:

Mira Nerón de Tarpeya
a Roma cómo se ardía..."

Y Cortés le dijo que ya veía cuántas veces había enviado a México a rogarles con la paz; y que la tristeza no la tenía por sólo una cosa sino en pensar en los grandes trabajos en que nos habíamos de ver hasta tornarla a señorear, y que con la ayuda de Dios que presto lo pondríamos por la obra.

Dejemos estas pláticas y romances, pues no estábamos en tiempo de ellos, y digamos cómo se tomó parecer entre nuestros capitanes y soldados si daríamos una vista a la calzada, pues estaba tan cerca de Tacuba, donde estábamos, y como no había pólvora ni muchas saetas y todos los más soldados de nuestro ejército heridos, acordándonos que otra vez, había poco más de un mes, que, pasando Cortés les probó entrar en la ca[illegible]da con muchos [illegible]dados que lle[illegible], est[illegible]vo en gran peligro, [illegible]que t[illegible] desbaratado, como [illegible]ho tengo [illegible] el capítulo pasado [illegible] de ello h[illegible]bla, y fue acordado que luego nos [illegible]ésemos nuestro camino por temor no tuviésemos en ese día o en la noche alguna refriega con los mexicanos, porque Tacuba está muy cerca de la gran ciudad de México y con la llevada que entonces llevaron vivos los soldados, no enviase Guatemuz sus grandes poderes. Y comenzamos a caminar y pasamos por Escapuzalco, y hallámosle despoblado. Y luego fuimos a Tenayuca, que era gran pueblo, que solíamos llamar el pueblo de las sierpes; ya he dicho otra vez en el capítulo que de ello habla que tenía tres sierpes en el adoratorio mayor en que adoraban, y las tenían por sus ídolos, y también estaba despoblado.

Y desde allí fuimos a Cualtitán,[133] y en todo este día no dejó de llover muy grandes aguaceros, y como íbamos con nuestras armas a cuestas, que jamás las quitábamos de día ni de noche, y de la mucha agua y del peso de ellas íbamos quebrantados, y llegamos ya que anochecía [a] aquel gran pueblo, y también estaba despoblado, y en toda la noche no dejó de llover, y había grandes lodos, y los naturales de él y otros escuadrones mexicanos nos daban tanta grita de noche desde unas acequias y partes que no les podíamos hacer mal, y como hacía muy oscuro y llovía, ni se podían poner velas ni rondas, y no hubo concierto ninguno ni acertábamos con los puestos. Y esto digo porque a mí me pusieron para velar la prima, y jamás acudió a mi puesto ni cuadrillero ni rondas, y así se hizo en todo el real. Dejemos de este descuido, y tornemos a decir que otro día fuimos camino de otra gran población, que no me acuerdo el nombre, y había grandes lodos en él, y hallámosla despoblada. Y otro día pasamos por otros pueblos y también estaban despoblados.

Y otro día llegamos a un pueblo que se dice Acolman, sujeto de Tezcuco; y como supieron en Tezcuco cómo íbamos salieron a recibir a Cortés, y hallamos muchos españoles que habían venido entonces de Castilla, y también vino a recibirnos el capitán Gonzalo de Sandoval con muchos soldados, y juntamente el señor de Tezcuco, que ya he dicho que se decía don Fernando, y se hizo a Cortés buen recibimiento, así de los nuestros como de los recién venidos de Castilla, y mucho más de los naturales de los pueblos

133 Cuauhtitlán.

comarcanos, pues trajeron de comer; y luego esa noche se volvió Sandoval a Tezcuco con todos sus soldados a poner en cobro su real. Y otro día por la mañana fue Cortés con todos nosotros camino de Tezcuco y como íbamos cansados y heridos y dejábamos muertos nuestros soldados y compañeros y sacrificados en poder de los mexicanos, en lugar de descansar y curar nuestras heridas, tenían ordenada una conjuración ciertas personas de calidad de la parcialidad de Narváez de matar a Cortés y a Gonzalo de Sandoval y a Pedro de Alvarado y Andrés de Tapia. Y lo que más pasó diré adelante.

CAPÍTULO CXLVI

CÓMO DE QUE LLEGAMOS CON CORTÉS A TEZCUCO CON TODO NUESTRO EJÉRCITO Y SOLDADOS DE LA ENTRADA DE RODEAR LOS PUEBLOS DE LA LAGUNA TENÍAN CONCERTADO ENTRE CIERTAS PERSONAS DE LOS QUE HABÍAN PASADO CON NARVÁEZ DE MATAR A CORTÉS Y TODOS LOS QUE FUÉSEMOS EN SU DEFENSA, Y QUIEN FUE PRIMERO AUTOR DE AQUELLA CHIRINOLA FUE UNO QUE HABÍA SIDO DE DIEGO VELÁZQUEZ, GOBERNADOR DE CUBA, EL CUAL SOLDADO CORTÉS LE MANDÓ AHORCAR POR SENTENCIA, Y CÓMO SE HERRARON LOS ESCLAVOS Y SE APERCIBIÓ TODO EL REAL Y LOS PUEBLOS DE NUESTROS AMIGOS, Y SE HIZO ALARDE Y ORDENANZAS, Y OTRAS COSAS QUE MÁS PASARON

Ya he dicho [que] como veníamos tan destrozados y heridos de la entrada por mí memorada, pareció ser que un gran amigo del gobernador de Cuba, que se decía Antonio de Villafaña, natural de Zamora o de Toro, se concertó con otros soldados de los de Narváez, que aquí no nombro sus nombres por su honor, que así como viniese Cortés de aquella entrada, que le matasen a puñaladas y había de ser de esta manera: Que como en aquella sazón había venido un navío de Castilla, que cuando estuviese sentado a la mesa comiendo con sus capitanes, que entre aquellas personas que tenían hecho el concierto que trajesen una carta muy cerrada y sellada, como que venía de Castilla, y que dijesen que era de su padre, Martín Cortés, y que cuando la estuviese leyendo le diesen de puñaladas, así a Cortés como a todos los capitanes y soldados que cerca de Cortés nos hallásemos en su defensa. Pues ya hecho y consultado todo lo por mí dicho, los que lo tenían concertado quiso Nuestro Señor que dieran parte del negocio a dos personas principales, que aquí tampoco quiero nombrar, que habían ido en la entrada con nosotros, y aun a uno de ellos en el concierto que tenían le habían nombrado por capitán general, después que hubiesen muerto a Cortés, y a otros soldados de los de Narváez hacían alguacil mayor, y alférez, y alcaldes, y regidores, y contador, y tesorero, y veedor, y otras cosas de este arte, y aun repartido entre ellos nuestros bienes y caballos. Y este concierto estuvo encubierto dos días después que llegamos a Tezcuco; y Nuestro Señor Dios fue servido que tal cosa no pasase, porque era perderse la Nueva España y todos nosotros, porque luego se levantarían bandos y chirinolas. Pareció ser que un soldado lo descubrió a Cortés que luego pusiese remedio en ello antes que más fuego sobre aquel caso se encendiese, porque le certificó aquel buen soldado que eran muchas personas de calidad en ello.

Y como Cortés lo supo, después de haber hecho grandes ofrecimientos y dádivas que dio a quien se lo descubrió, muy presto, secretamente, lo hace saber a todos nuestros capitanes, que fueron Pedro de Alvarado, y Francisco de Lugo, y Cristóbal de Olid, y Andrés de Tapia, y a Gonzalo de Sandoval, y a mí y a dos alcaldes ordinarios que eran de aquel año que se decían Luis Marín y Pedro de Ircio, y a todos nosotros los que éramos de la parte de Cortés; y así como lo supimos nos apercibimos y sin más tardar fuimos con Cortés a la posada de Antonio de Villafaña, y estaban con él muchos de los que eran en la conjuración, y de presto le echamos mano a Villafaña con cuatro alguaciles que Cortés llevaba; y los capitanes y soldados que con él estaban comenzaron a huir, y Cortés les mandó detener y prender. Y después que tuvimos preso a Villafaña, Cortés le sacó del seno el memorial que tenía con las firmas de los que fueron en el concierto, y después que lo hubo leído y vio qué eran muchas personas en ello y de calidad, y por no infamarlos, echó fama que comió el memorial Villafaña y que no lo había visto ni leído.

Y luego hizo proceso contra él, y tomada la confesión dijo la verdad, y con muchos testigos que había de fe y de creer, que tomaron sobre el caso, por sentencia que dieron los alcaldes ordinarios, juntamente con Cortés y el maestre de campo Cristóbal de Olid, y después que se confesó con el Padre Juan Díaz, le ahorcaron de una ventana del aposento donde posaba Villafaña; y no quiso Cortés que otro ninguno fuese infamado en aquel mal caso, puesto que en aquella sazón echaron presos a muchos por poner temores y hacer señal que quería hacer justicia de otros, y como el tiempo no daba lugar a ello, se disimuló. Y luego acordó Cortés de tener guarda para su persona, y fue su capitán un hidalgo que se decía Antonio de Quiñones, natural de Zamora, con seis soldados, buenos hombres y esforzados, y le velaban de día y de noche, y a nosotros de los que sentía que éramos de su bando nos rogaba que mirásemos por su persona, y de allí en adelante, aunque mostrara gran voluntad a las personas que eran en la conjuración siempre se recelaba de ellos.

Dejemos esta materia, y digamos cómo luego se mandó pregonar que todos los indios e indias que habíamos habido en aquellas entradas se llevasen a herrar dentro de dos días, a una casa que estaba señalada para ello; y por no gastar más palabras en esta relación sobre la manera que se vendían en la almoneda, más de las que otras veces tengo dichas, en las dos veces que se herraron, si mal lo habían hecho de antes, muy peor se hizo esta vez, que después de sacado el real quinto sacaba Cortés el suyo, y otras treinta trancalinas para capitanes; y si eran hermosas y buenas indias las que metíamos a herrar, las hurtaban de noche del montón, que no parecían hasta de ahí a buenos días, y por esta causa se dejaban muchas piezas que después teníamos por *naborías*. Dejemos de hablar de esto, y digamos lo que después en nuestro real se ordenó.

CAPÍTULO CXLVII

CÓMO CORTÉS MANDÓ A TODOS LOS PUEBLOS NUESTROS AMIGOS QUE ESTABAN CERCANOS DE TEZCUCO QUE HICIESEN ALMACÉN DE SAETAS Y CASQUILLOS DE COBRE PARA ELLAS, Y LO QUE EN NUESTRO REAL MÁS SE ORDENÓ

COMO SE HUBO hecho justicia de Antonio de Villafaña y estaban ya pacíficos los que juntamente con él eran conjurados de matar a Cortés y a Pedro de Alvarado y a Sandoval, y a los que fuésemos en su defensa, según más largamente lo tengo escrito en el capítulo pasado, y viendo Cortés que ya los bergantines estaban hechos, y puestas sus jarcias y velas, y remos muy buenos, y más remos de los que habían menester para cada bergantín, y la zanja por donde habían de salir a la laguna muy ancha y hondable, envió a decir a todos los pueblos nuestros amigos que estaban cerca de Tezcuco que en cada pueblo hiciesen ocho mil casquillos de cobre, que fuesen buenos, según otros que les llevaron por muestra, que eran de Castilla; y asimismo les mandó que en cada pueblo le labrasen y desbastasen otras ocho mil saetas de una madera muy buena, que también les llevaron muestra, y les dio de plazo ocho días para que las trajesen, así las saetas como los casquillos, a nuestro real, lo cual trajeron para el tiempo que se los mandó, que fueron más de cincuenta mil casquillos y otras tantas mil saetas, y los casquillos fueron mejores que los de Castilla.

Y luego mandó Cortés a Pedro Barba, que en aquella sazón era capitán de ballesteros, que los repartiese, así saetas como casquillos, entre todos los ballesteros, y que les mandase que siempre desbastasen almacén y las emplumasen con engrudo, que pega mejor que lo de Castilla, que se hace de unas como raíces que se dice *zacotle;* y asimismo mandó a Pedro Barba que cada ballestero tuviese dos cuerdas bien pulidas y aderezadas para sus ballestas, y otras tantas nueces, para que si se quebrase alguna cuerda o saltase la nuez, que luego se pusiese otra, y que siempre tirasen al terrero y viesen a qué pasos llegaba la fuga de su ballesta, y para ello se les dio mucho hilo de Valencia para las cuerdas; porque en el navío que he dicho que vino pocos días había de Castilla, que era de Juan de Burgos, trajo mucho hilo y gran cantidad de pólvora y ballestas, y otras muchas armas y herrajes y escopetas. Y también mandó Cortés a los de caballo que tuviesen sus caballos herrados y las lanzas puestas a punto, y que cada día cabalgasen y corriesen y les mostrasen muy bien a revolver y escaramuzar.

Y hecho esto envió mensajeros y cartas a nuestro amigo Xicotenga el Viejo, que, como ya he dicho otras veces, ya era vuelto cristiano y se llamaba don Lorenzo de Vargas, y a su hijo Xicotenga el Mozo, y a sus hermanos, y a Chichimecatecle, haciéndoles saber que en pasando el día de Corpus Christi habíamos de partir de aquella ciudad para ir sobre México a ponerle cerco; y que le enviasen veinte mil guerreros de los suyos de Tlaxcala y los de Guaxocingo y Cholula; pues todos eran amigos y hermanos en armas, y sabían el plazo y concierto, que se los hizo saber de sus mismos indios como siempre iban de nuestro real cargados de despojos de las entradas que hacíamos. También apercibió a los de Chalco y Tamanalco y sus sujetos que se apercibiesen para cuando los enviásemos a llamar, y se les hizo saber cómo era para poner cerco a México, y en qué tiempo habíamos de ir; y también se les dijo a don Fernando señor de Tezcuco, y a sus principales y a todos sus sujetos, y a todos los demás pueblos nuestros amigos; y todos a una respondieron que lo harían muy cumplidamente lo que Cortés les enviaba a mandar y que vendrían; y los de Tlaxcala vinieron pasado la Pascua de Espíritu Santo. Esto hecho, se acordó de hacer alarde un día de Pascua, lo cual diré adelante el concierto que se dio.

CAPÍTULO CXLVIII

CÓMO SE HIZO ALARDE EN LA CIUDAD DE TEZCUCO EN LOS PATIOS MAYORES DE AQUELLA CIUDAD, Y LOS DE A CABALLO Y BALLESTEROS Y ESCOPETEROS Y SOLDADOS QUE SE HALLARON, Y LAS ORDENANZAS QUE SE PREGONARON, Y OTRAS COSAS QUE SE HICIERON

DESPUÉS QUE SE DIO la orden, así como atrás he dicho, y se enviaron mensajeros y cartas a nuestros amigos los de Tlaxcala y a los de Chalco, y se dio aviso a los demás pueblos, acordó Cortés con nuestros capitanes y soldados que para el segundo día de Pascua del Espíritu Santo, que fue del año de mil quinientos veintiún años, se hiciese alarde, el cual alarde se hizo en los patios mayores de Tezcuco, y halláronse ochenta y cuatro de a caballo y seiscientos cincuenta soldados de espada y rodela, y muchos de lanzas, y ciento noventa y cuatro ballesteros y escopeteros, y de éstos se sacaron para los trece bergantines los que ahora diré.

Para cada bergantín, doce ballesteros y escopeteros, éstos no habían de remar; y demás de esto también se sacaron otros doce remeros, para cada banda seis, que son los doce que he dicho, y más un capitán para cada bergantín, por manera que sale cada bergantín a veinticinco soldados con el capitán, y trece bergantines que eran, a veinticinco soldados, son doscientos ochenta y ocho, y con los artilleros que les dieron demás de los veinticinco soldados fueron en todos los bergantines trescientos soldados, por la cuenta que he dicho; y también les repartió todos los tiros de fuslera [134] y falconetes que teníamos, y la pólvora que le parecía que habían menester.

Esto hecho, mandó pregonar las ordenanzas que todos habíamos de guardar:

Lo primero, que ninguna persona fuese osada de blasfemar de Nuestro Señor Jesucristo, ni de Nuestra Señora su bendita madre, ni de los Santos Apóstoles, ni otros santos, so graves penas.

Lo segundo, que ningún soldado tratase mal a nuestros amigos, pues iban para ayudarnos, ni les tomasen cosa ninguna, aunque fuesen de las cosas que ellos habían adquirido en la guerra; y aunque fuese india ni indio, ni oro, ni plata, ni *chalchihuis*.

Lo otro, que ningún soldado fuese osado de salir de día ni de noche de nuestro real para ir a ningún pueblo de nuestros amigos, ni a otra parte a traer de comer, ni otra cualquier cosa, so graves penas.

Lo otro, que todos los soldados llevasen muy buenas armas y bien colchadas y gorjal y papahigo y antiparras y rodela; que como sabía-

[134] Fuslera: raeduras de latón cuando se tornea. Se trataba de cañones pequeños de latón.

mos que era tanta la multitud de vara y piedra y flecha y lanza, para todo era menester llevar las armas que decía el pregón.

Lo otro, que ninguna persona jugase caballo ni armas por vía ninguna, con gran pena.

Lo otro, que ningún soldado, ni hombre de caballo, ni ballestero, ni escopetero, duerma sin estar con todas sus armas vestidas y con los alpargates calzados, excepto si no fuese con gran necesidad de heridas o de estar doliente, porque estuviésemos muy aparejados para cualquier tiempo que los mexicanos viniesen a darnos guerra.

Y además de esto se pregonó las leyes que se mandan guardar en lo militar, que es que al que se duerme en vela o se va del puesto que le ponen, pena de muerte, y se pregonaron que ningún soldado vaya de un real a otro sin licencia de su capitán, so pena de muerte.

Lo otro, que el soldado que deja a su capitán en la guerra o batalla y huye, pena de muerte.

Esto pregonado, diré en lo que más se entendió.

CAPÍTULO CXLIX

CÓMO CORTÉS BUSCÓ LOS MARINEROS QUE HABÍAN DE MENESTER PARA REMAR LOS BERGANTINES Y LES SEÑALÓ CAPITANES QUE HABÍAN DE IR EN ELLOS, Y DE OTRAS COSAS QUE SE HICIERON

Después de hecho el alarde por mí ya atrás dicho, como vio Cortés que para remar los bergantines no hallaba tantos hombres de la mar que supiesen remar, puesto que bien se conocían los que habían traído en nuestros navíos que dimos al través cuando vinimos con Cortés, y asimismo se conocían los marineros de los navíos de Narváez y de los de Jamaica y todos estaban puestos por memoria y los habían apercibido porque habían de remar, y aun con todos ellos no había recaudo para todos trece bergantines, y muchos de ellos rehusaban y aun decían que no habían de remar. Y Cortés hizo pesquisa para saber los que eran marineros o habían visto que iban a pescar, y si eran de Palos, o Moguer, o de Triana, o del Puerto, o de otro cualquier puerto o parte adonde hay marineros, los mandaba so graves penas que entrasen en los bergantines, y aunque más hidalgos dijesen que eran, los hizo ir a remar; y de esta manera juntó ciento cincuenta hombres para remar, y ellos fueron los mejor librados que nosotros los que estábamos en las calzadas batallando, y quedaron ricos de despojos, como adelante diré.

Y después que Cortés les hubo mandado que anduviesen en los bergantines y les repartió los ballesteros y escopeteros, y pólvora y tiros y saetas, y todo lo demás que era menester, y les mandó poner en cada bergantín las banderas reales y otras banderas de nombre que se decía ser en cada bergantín, y otras cosas que convenían, nombró por capitanes para cada uno de ellos a los que ahora aquí diré: Garcí Holguín, Pedro Barba, Juan de Limpias Carvajal, el Sordo; Juan Jaramillo, Jerónimo Ruiz de la Mota, Carvajal, su compañero, que ahora es muy viejo y vive en la calle de San Francisco; a un Portillo, que entonces vino de Castilla, buen soldado, que tenía una mujer hermosa; a un Zamora, que fue maestre de navíos, que vivía ahora en Oaxaca; a un Colmenero, que era marinero, buen soldado; a un Lema y a Ginés Nortes; a Briones, natural de Salamanca; el otro capitán no me acuerdo su nombre; [135] y a Miguel Díaz de Ampiés. Y desde que los hubo nombrado y mandado a todos los ballesteros, escopeteros y los demás soldados que habían de remar que les obedeciesen a sus capitanes que les ponía, y no saliesen de su mandado so graves penas, y les dio las instrucciones lo que cada capitán había de hacer, y en qué puesto había de ir de las calzadas, y con qué capitanes de los de tierra.

Acabado de poner en concierto todo lo que he dicho, viniéronle a decir a Cortés que venían los capitanes de Tlaxcala con gran copia de guerreros y venía en ellos por capitán general Xicotenga el Mozo, el que fue capitán cuando las guerras de Tlaxcala, y éste fue el que nos trataba la traición en Tlaxcala cuando salimos huyendo de México, según otras muchas veces lo he memorado, y que traía en su compañía otros dos hermanos, hijos del buen viejo don Lorenzo de Vargas, y que traía en su compañía asimismo gran copia de tlaxcaltecas, y que venía Chichimecatecle por capitán, y de Guaxocingo otra capitanía, de cholultecas otra capitanía, y aunque eran pocos, porque, a lo que siempre vi, después que en Cholula se les hizo el castigo ya otra vez por mí ya dicho en el capítulo que de ello habla, después acá jamás fueron con los mexicanos, ni aun con nosotros, sino que se estaban a la mira, que aun cuando nos echaron de México, no se hallaron ser en nuestro contrario. Dejemos esto, y volvamos a nuestra relación. Que como Cortés supo que venía Xicotenga y sus hermanos y otros capitanes, y vinieron un día primero del plazo que les enviaron a decir que viniesen, salió a recibirles Cortés un cuarto de legua de Tezcuco con Pedro de Alvarado y otros nuestros capitanes, y desde que se encontraron con el Xicotenga y sus hermanos les hizo Cortés mucho acato y les abrazó y a todos los más capitanes. Y venían en gran ordenanza, y todos muy lucidos con grandes divisas, cada capitanía por sí, y sus banderas tendidas; y el ave blanca que tienen por armas que parece águila con sus alas tendidas; traían sus alférez revolando sus banderas y estandartes, todos con sus arcos y flechas y espadas de a dos manos y varas con tiraderas, y otras macanas y lanzas grandes y otras chicas, y sus penachos, puestos en concierto y dando voces y gritos y silbos, diciendo: "¡Viva el emperador nuestro señor!", y "¡Castilla, Castilla!", "¡Tlaxcala, Tlaxcala!"; y tardaron en entrar en Tezcuco más de tres horas. Y Cortés les mandó aposentar en unos buenos aposentos y les mandó proveer de todo lo que en el real había; y después de muchos abrazos y ofrecimientos que les hacía de que les haría ricos, se despidió de ellos, y les dijo que otro día les daría la orden de lo que habían de hacer, y que ahora venían cansados y que reposasen.

En aquel instante que llegaron aquellos caciques de Tlaxcala que dicho tengo, entraron en nuestro real cartas que enviaba un soldado que se decía Hernando de Barrientos, desde un pueblo que se dice Chinanta, que estará de México obra de noventa leguas, y lo que en ella se contenía era que habían muerto los mexicanos, en el tiempo que nos echaron de México, a tres compañeros suyos cuando estaban en la estancia y minas donde los dejó el capitán Pizarro, que así se llamaba, para que buscasen y descubriesen todas aquellas comarcas si había minas ricas de oro, según dicho tengo en el capítulo que de ello habla; y que Barrientos que se acogió [a] aquel pueblo de Chinantla donde estaba, y que son enemigos de mexicanos. Este pueblo fue [de] donde trajeron las picas cuando fuimos sobre Narváez, y porque no hace el caso a nuestra relación otras particularidades que decía en la carta, se dejarán de decir. Y Cortés sobre ella le escribió en respuesta dándole relación de la manera que íbamos de

[135] Francisco Rodríguez Magariño.

camino para poner cerco a México, y que a todos los caciques de aquellas provincias les diese sus encomiendas, y que mirase no se viniese de aquella tierra hasta saber por carta suya lo que debía hacer, porque en el camino no le matasen los mexicanos. Dejemos esto y digamos cómo Cortés ordenó de la manera que habíamos de ir a poner cerco a México, y quién fueron los capitanes.

CAPÍTULO CL

CÓMO CORTÉS MANDÓ QUE FUESEN TRES GUARNICIONES DE SOLDADOS DE CABALLO Y BALLESTEROS Y ESCOPETEROS POR TIERRA A PONER CERCO A LA GRAN CIUDAD DE MÉXICO, Y LOS CAPITANES QUE NOMBRÓ PARA CADA GUARNICIÓN, Y LOS SOLDADOS Y DE A CABALLO Y BALLESTEROS Y ESCOPETEROS QUE LES REPARTIÓ, Y LOS SITIOS Y CIUDADES DONDE HABÍAMOS DE SENTAR NUESTROS REALES

Mandó que Pedro de Alvarado fuese por capitán de ciento y cincuenta soldados de espada y rodela, y muchos llevaban lanzas y dalles, y de treinta de a caballo y diez y ocho escopeteros y ballesteros, y nombró que fuesen juntamente con él a Jorge de Alvarado, su hermano, y a Gutierre de Badajoz y Andrés de Monjaraz, y éstos mandó que fuesen capitanes de a cincuenta soldados, y que repartiesen entre todos tres los escopeteros y ballesteros, tanto una capitanía como otra, y que Pedro de Alvarado fuese capitán de los de a caballo y general de las tres capitanías; y le dio ocho mil tlaxcaltecas con sus capitanes, y a mí me señaló y mandó que fuese con Pedro de Alvarado, y que fuésemos a poner sitio en la ciudad de Tacuba; y mandó que las armas que llevásemos fuesen muy buenas, y papahigos y gorjales y antiparras, porque era mucha la vara y piedra, como granizo, y flecha y lanzas y macanas y otras armas de espadas de dos manos con que los mexicanos peleaban con nosotros, y para tener defensas con ir bien armados; y aun con todo esto cada día que batallábamos había muertos y heridos, según adelante diré. Pasemos a otra capitanía.

Y dio a Cristóbal de Olid, que era maestre de campo, otros treinta de a caballo y ciento setenta y cinco soldados y veinte escopeteros y ballesteros, y todos con sus armas, según y de la manera que los soldados que dio a Pedro de Alvarado, y le nombró otros tres capitanes, que fue Andrés de Tapia, y Francisco Verdugo y Francisco de Lugo, y entre todos tres capitanes repartiesen todos los soldados y ballesteros y escopeteros; y que Cristóbal de Olid fuese capitán general de los tres capitanes y de los de a caballo, y le dio otros ocho mil tlaxcaltecas, y le mandó que fuese a sentar su real en la ciudad de Coyoacán, que estará de Tacuba dos leguas.

De otra guarnición de soldados hizo capitán a Gonzalo de Sandoval, que era alguacil mayor, y le dio veinticuatro de caballo y catorce escopeteros y ballesteros, y ciento cincuenta soldados de espada y rodela y lanza, y más de ocho mil indios de guerra de los de Chalco y Guaxocingo y de otros pueblos por donde Sandoval había de ir, que eran nuestros amigos; y le dio por compañeros y capitanes a Luis Marín y a Pedro de Ircio, que eran amigos de Sandoval, y les mandó que entre los dos capitanes repartiesen los soldados y ballesteros y escopeteros, y que Sandoval tuviese a su cargo los de a caballo y que fuese general, y que se asentase su real junto a Iztapalapa, y que le diese guerra y le hiciese todo el mal que pudiese hasta que otra cosa por Cortés le fuese mandado; y no partió Sandoval de Tezcuco hasta que Cortés, que era capitán de los bergantines, estaba muy a punto para salir con los trece bergantines por la laguna, en los cuales llevaba trescientos soldados con ballesteros y escopeteros, porque así estaba ya ordenado. Por manera que Pedro de Alvarado y Cristóbal de Olid habíamos de ir por una parte, y Sandoval por otra. Digamos ahora que los unos a mano derecha y los otros desviados por otro camino, y esto es así, porque los que no saben aquella ciudad y laguna lo entiendan, porque se tornaban casi a juntar.

Dejemos de hablar más en ello y digamos que a cada capitán se le dio las instrucciones de lo que les era mandado. Y como nos habíamos de partir para otro día por la mañana y porque no tuviésemos más embarazo en el camino, enviamos adelante todas las capitanías de Tlaxcala hasta llegar a tierra de mexicanos; y yendo que iban los tlaxcaltecas descuidados con su capitán Chichimecatecle y otros capitanes con sus gentes, no vieron que iba Xicotenga el Mozo, que era el capitán general de ellos, y preguntando y pesquisando Chichimecatecle qué se había hecho, adónde había quedado, alcanzaron a saber que se había vuelto aquella noche encubiertamente para Tlaxcala, y que iba a tomar por fuerza el cacicazgo y vasallos y tierra del mismo Chichimecatecle, y las causas que para ello decían los tlaxcaltecas tenía era que como Xicotenga el Mozo vio ir los capitanes de Tlaxcala a la guerra, especialmente a Chichimecatecle, que no tendría contradictores, porque no tenía temor de su padre Xicotenga el Ciego, que como padre le ayudaría, y nuestro amigo Maseescaci ya era muerto, y a quien temía era a Chichimecatecle; y también dijeron que siempre conocieron de Xicotenga no tener voluntad de ir a la guerra de México, porque le oían decir muchas veces que todos nosotros y ellos habíamos de morir en ella.

Pues después que aquello oyó y entendió el cacique Chichimecatecle, cuyas eran las tierras y vasallos que iba a tomar, vuelve del camino más que de paso y viene a Tezcuco a hacérselo saber a Cortés; y como Cortés lo supo mandó que con brevedad fuesen cinco principales de Tezcuco y otros dos de Tlaxcala amigos del Xicotenga [a] hacerle volver del camino, y le dijesen que Cortés le rogaba que luego se volviese para ir contra sus enemigos los mexicanos, y que mire que si su padre don Lorenzo de Vargas, si no fuera viejo y ciego como estaba, viniera sobre México y que pues toda Tlaxcala fueron y son muy leales servidores de Su Majestad, que no quiera él infamarlos con lo que ahora hace, y le envió a hacer muchos prometimientos y promesas, que le daría oro y mantas porque volviese. Y la respuesta que envió a decir, que si el viejo de su padre y Maseescaci lo hubieran creído, que no se hubiera señoreado tanto de ellos, que les hace hacer todo lo que quiere, y por no gastar más palabras, dijo que no quería venir. Y como Cortés supo aquella respuesta, de presto dio un mandamiento a un alguacil, y con cuatro de a caballo y cinco indios principales de Tezcuco que fuesen muy en posta y doquiera que lo alcanzasen lo ahorcasen, y dijo: "Ya en este cacique no hay enmienda, sino que siempre nos ha de ser traidor y malo y de malos consejos", y que no era tiempo para más sufrirle disimulo de lo pasado. Y como Pedro de Alvarado lo supo, rogó mucho por él, y Cortés le dio buena respuesta, y secretamente mandó al alguacil y los de caballo que no le quedasen con la vida; y así se hizo, que en un pueblo sujeto a Tezcuco le ahorcaron, y en esto hubo de parar su traición. Algunos tlaxcaltecas hubo que dijeron que don Lorenzo Vargas, padre de Xicotenga, envió a decir a Cortés que aquel su hijo era malo, y que no se confiase de él, y que procurase de matarle.

Dejemos esta plática así, y diré que por esta causa nos detuvimos aquel día sin salir de Tezcuco; y otro día, que fueron trece de mayo de mil quinientos veintiún años, salimos entrambas capitanías juntas, porque así Cristóbal de Olid como Pedro de Alvarado habíamos de llevar un camino, y fuimos a dormir a un pueblo sujeto a Tezcuco otras veces por mí memorado, que se dice Aculma, y pareció ser Cristóbal de Olid envió adelante [a] aquel pueblo a tomar posada, y tenía puesto en cada casa por señal ramos verdes encima de las azoteas, y cuando llegamos con Pedro de Alvarado no hallamos dónde posar, y sobre ello ya habíamos echado mano a las armas los de nuestra capitanía contra la de Cristóbal de Olid, y aun los capitanes desafiados, y no faltaron caballeros de entrambas partes que se metieron entre nosotros y se pacificó algo el ruido, y no tanto que todavía estábamos todos resabiados. Y desde allí lo hicieron saber a Cortés, y luego envió en posta a fray Pedro Melgarejo y al capitán Luis Marín y escribió a los capitanes y a todos nosotros reprendiéndonos por la cuestión, y como llegaron nos hicieron amigos; mas desde allí adelante no se llevaron bien los capitanes, que fueron Pedro de Alvarado y Cristóbal de Olid.

Y otro día fuimos nuestro camino entrambas capitanías juntas, y fuimos a dormir a un pueblo que estaba despoblado, porque ya era tierra de mexicanos; y otro día también fuimos a dormir a otro gran pueblo que se dice Gualtitán, que otras veces ya le he nombrado, y también estaba sin gente; otro día pasamos por otros dos pueblos que se dicen Tenayuca y Escapuzalco, y también estaban despoblados; y llegamos hora de vísperas a Tacuba, y luego nos aposentamos en unas grandes casas y aposentos, porque también estaba despoblado; y asimismo se aposentaron todos nuestros amigos los tlaxcaltecas, y aun aquella tarde fueron por las estancias de aquellas poblaciones y trajeron de comer, y con buenas velas y escuchas y corredores del campo dormimos aquella noche, porque ya he dicho otras veces que México está junto a Tacuba. Y ya que anochecía oímos grandes gritas que nos daban desde la laguna, diciéndonos muchos vituperios y que no éramos hombres para salir a pelear con ellos; y tenían tantas de las canoas llenas de gente de guerra y las calzadas asimismo llenas de guerreros, y aquellas palabras que nos decían era con pensamiento de indignarnos para que saliésemos aquella noche a guerrear; y como estábamos escarmentados de lo de las calzadas y puentes, muchas veces por mí memoradas, no quisimos salir hasta otro día, que fue domingo, después de haber oído misa, que nos dijo el Padre Juan Díaz, y después de encomendarnos a Dios acordamos que entrambas capitanías juntas fuésemos a quebrarles el agua de Chapultepec, de que se proveía la ciudad, que estaba desde allí de Tacuba a una media legua. Y yéndoles a quebrar los caños topamos muchos guerreros que nos esperaban en el camino, porque bien entendido tenían que aquello había de ser lo primero en que les podríamos dañar, y así como nos encontraron, cerca de unos pasos malos, comenzaron a flecharnos y tirar vara y piedra con hondas, e hirieron a tres de nuestros soldados; mas de presto les hicimos volver las espaldas, y nuestros amigos los de Tlaxcala los siguieron de manera que mataron veinte y prendieron siete u ocho de ellos; y desde que aquellos escuadrones estuvieron puestos en huida, les quebramos los caños por donde iba el agua a su ciudad, y desde entonces nunca fue a México entretanto que duró la guerra.

Y como aquellos hubimos hecho,

acordaron nuestros capitanes que luego fuésemos a dar una vista y entrar por la calzada de Tacuba y hacer lo que pudiésemos por ganarles una puente; y llegados que fuimos a la calzada, eran tantas las canoas que en la laguna estaban llenas de guerreros, y en las mismas calzadas, que nos admiramos de ello; y tiran tanta de vara y flecha y piedra con hondas, que a la primera refriega hirieron sobre treinta soldados; y todavía les fuimos entrando por la calzada adelante hasta una puente; y a lo que yo entendí, ellos nos daban lugar a ello por meternos de la otra parte de la puente, y desde que allí nos tuvieron digo que cargaron tanta multitud de guerreros sobre nosotros, que no nos podíamos tener contra ellos, porque por la calzada, que era ocho pasos de ancho, ¿qué podíamos hacer a tan gran poderío que estaba de la una parte y de la otra de la calzada y daban en nosotros como al terrero? Porque ya que nuestros escopeteros y ballesteros no hacían sino armar y tirar a las canoas, no les hacíamos daño sino muy poco, porque las traían muy bien armadas de talabardones de madera; pues cuando arremetíamos a los escuadrones que peleaban en la misma calzada, luego se echaban al agua, y había tantos de ellos, que no nos podíamos valer, pues los de a caballo no aprovechaban cosa ninguna, porque les herían los caballos de una parte y de la otra desde el agua, y ya que arremetían tras los escuadrones, echábanse al agua, y tenían hechos mamparos donde estaban otros guerreros aguardando con unas lanzas largas que habían hecho como dalles de las armas que nos tomaron cuando nos echaron de México y salimos huyendo, y de esta manera estuvimos peleando con ellos obra de una hora; y tanta prisa nos daban, que no nos podíamos sustentar contra ellos; y aun vimos que venían por otras partes una gran flota de canoas [a] atajarnos los pasos para tomarnos las espaldas. Y conociendo esto nuestros capitanes y todos nuestros soldados apercibimos que nuestros amigos los tlaxcaltecas que llevábamos nos embarazaban mucho la calzada, que se saliesen fuera, porque en el agua vista cosa es que no pueden pelear, acordamos que con buen concierto retraernos y no pasar más adelante.

Pues cuando los mexicanos nos vieron retraer y salir fuera los tlaxcaltecas, qué grita y alaridos y silbos nos daban y cómo se venían a juntar con nosotros pie con pie, digo que yo no lo sé escribir; porque toda la calzada hincheron de vara y flecha y piedra de las que nos tiraban, pues las que caían en el agua muchas más serían; y desde que nos vimos en tierra firme dimos gracias a Dios de habernos librado de aquella batalla, y ocho de nuestros soldados quedaron de aquella vez muertos y más de cien heridos; aun con todo esto nos daban grita y decían vituperios desde las canoas, y nuestros amigos los tlaxcaltecas les decían que saliesen a tierra y que fuesen doblados los contrarios, y pelearían con ellos. Ésta fue la primera cosa que hicimos: quitarles el agua y dar vista a la laguna, aunque no ganamos honra con ellos. Y aquella noche nos estuvimos en nuestro real, y se curaron los heridos y aun se murió un caballo, y pusimos buen cobro de velas y escuchas.

Y otro día de mañana dijo el capitán Cristóbal de Olid que se quería ir a su puesto, que era a Coyoacán, que estaba legua y media [de allí], y por más que le rogó Pedro de Alvarado y otros caballeros que no se apartasen aquellas dos capitanías sino que estuviesen juntas, jamás quiso, porque como Cristóbal de Olid era muy esforzado, y en la vista que el día antes dimos a la laguna no nos sucedió bien, decía Cristóbal de Olid que por culpa de Pedro de Alvarado habíamos entrado desconsideradamente; por manera que jamás quiso quedar, y se fue adonde Cortés le mandó, a Coyoacán, y nosotros nos quedamos en nuestro real. Y no fue bien apartarse una capitanía de otra en aquella sazón, porque si los mexicanos tuvieran aviso de que éramos pocos soldados, en cuatro o cinco días que allí estuvimos apartados antes que los bergantines viniesen, y dieran sobre nosotros y en los de Cristóbal de Olid, corriéramos harto trabajo e hicieran gran daño. Y de esta manera estuvimos en Tacuba y Cristóbal de Olid en su real sin osar dar más vista ni entrar por las calzadas, y cada día teníamos en tierra rebates de muchos escuadrones de mexicanos que salían a tierra firme a pelear con nosotros y aun nos desafiaban para meternos en partes donde fuesen señores de nosotros y no les pudiésemos hacer ningún daño.

Y dejarlo [he] aquí y diré cómo Gonzalo de Sandoval salió de Tezcuco cuatro días después de la fiesta de Corpus Christi y se vino a Iztapalapa. Casi todo el camino era de amigos sujetos a Tezcuco y desde que llegó a la población de Iztapalapa, luego les comenzó a dar guerra y a quemar muchas casas de las que estaban en tierra firme, porque las demás casas todas estaban en la laguna; mas no tardó muchas horas que luego vinieron en socorro de aquella ciudad grandes escuadrones de mexicanos, y tuvo Sandoval con ellos una buena batalla y grandes reencuentros, cuando peleaban en tierra, y después de acogidos a las canoas le tiraban mucha vara y flecha y piedra, y le herían a sus soldados; y estando de esta manera peleando vieron que en una serrezuela que estaba allí junto a Iztapalapa en tierra firme hacían grandes ahumadas, que les respondían con otras ahumadas de otros pueblos que estaban poblados en la laguna, y era señal que se apellidaban todas las canoas de México y de todos los pueblos del rededor de la laguna, porque vieron a Cortés que ya había salido de Tezcuco con los trece bergantines, porque luego que se vino Sandoval de Tezcuco no aguardó allí más Cortés; y la primera cosa que hizo en entrando en la laguna fue combatir un peñol que estaba en una isleta junto a México, donde estaban recogidos muchos mexicanos, así de los naturales de aquella ciudad como de los forasteros que se habían ido a hacer fuertes, y salió a la laguna contra Cortés todo el número de canoas que había en todo México y en todos los pueblos que había poblados en el agua y cerca de ella, que son Xochimilco y Coyoacán, Iztapalapa, y Huichilibusco y Mexicalcingo, y otros pueblos que por no detenerme no nombro, y todos juntamente fueron contra Cortés, y a esta causa aflojó algo los que daban guerra en Iztapalapa a Sandoval; y como todas las más de las casas de aquella ciudad en aquel tiempo estaban pobladas en el agua, no les podía hacer mal ninguno, puesto que a los principios mató muchos de los contrarios, y como llevaba gran copia de amigos, con ellos cautivó y prendió mucha gente de aquellas poblazones. Dejemos a Sandoval, que quedó aislado, en Iztapalapa, que no podía venir con su gente a Coyoacán sino era por una calzada que atravesaba por mitad de la laguna, y si por ella viniera no hubiera bien entrado cuando le desbaratasen los contrarios, por causa que de entrambas a dos partes del agua le habían de guerrear, y él no había de ser señor de poderse defender, y a esta causa se estuvo quedo.

Dejemos a Sandoval, y digamos que como Cortés vio que se juntaban tantas flotas de canoas contra sus trece bergantines, las temió en gran manera, y eran de temer, porque eran más de mil canoas; y dejó el combate del peñol y se puso en parte de la laguna para, si se viese en aprieto, poder salir con sus bergantines a lo largo y correr a la parte que quisiese; y mandó a sus capitanes que en ellos venían que no curasen de embestir ni apretar contra las canoas hasta que refrescase más el viento de tierra, porque en aquel instante comenzaba a ventar. Y desde que las canoas vieron que los bergantines reparaban, creían que de temor de ellos lo hacían y entonces les daban mucha prisa los capitanes mexicanos y mandaban a todas sus gentes que luego fuesen a embestir con los nuestros bergantines; y en aquel instante vino un viento muy recio y tan bueno, y con buena prisa que se dieron nuestros remeros y el tiempo aparejado, manda Cortés embestir con la flota de canoas, y trastornaron muchas de ellas, y se mataron y prendieron muchos indios, y las demás canoas se fueron a recoger entre las casas que estaban en la laguna, en parte que no podían llegar a ellas nuestros bergantines; por manera que éste fue el primer combate que se hubo por la laguna, y Cortés tuvo victoria, y gracias a Dios por todo. Amén.

Y después que aquello fue hecho, vino con los bergantines hacia Coyoacán, adonde estaba asentado el real de Cristóbal de Olid, y peleó con muchos escuadrones mexicanos que le esperaban en partes peligrosas, creyendo tomarle los bergantines; como le daban mucha guerra desde las canoas que estaban en la laguna y desde unas torres de ídolos, mandó sacar de los bergantines cuatro tiros, y con ellos daba guerra y mataba y hería a muchos indios, y tanta prisa tenían los artilleros, que por descuido se les quemó la pólvora, y aun se chamuscaron algunos de ellos las caras y manos. Y luego despachó Cortés un bergantín muy ligero a Iztapalapa, al real de Sandoval, para que trajesen toda la pólvora que tenían, y le escribió que de allí donde estaba no se mudase

Dejemos a Cortés, que siempre tenía rebatos con los mexicanos hasta que se juntó en el real de Cristóbal de Olid, y en dos días que allí estuvo siempre le combatían muchos contrarios; y porque yo en aquella sazón estaba en lo de Tacuba con Pedro de Alvarado, diré lo que hicimos en nuestro real, y es: que como sentimos que Cortés andaba por la laguna, entramos por nuestra calzada adelante y con gran concierto y no como la primera vez, y les llegamos a la primera puente, y los ballesteros y escopeteros con mucho concierto tirando unos y armando otros, y los de caballo les mandó Pedro de Alvarado que no entrasen con nosotros, sino que se quedasen en tierra firme haciendo espaldas por temor de los pueblos por mí memorados, por donde veníamos, no nos diesen entre las calzadas; y de esta manera estuvimos unas veces peleando y otras poniendo resistencia no entrasen en tierra de la calzada, porque cada día teníamos refriegas, y en ellas nos mataron tres soldados; y también entendíamos en adobar los malos pasos.

Dejemos esto, y digamos cómo Gonzalo de Sandoval, que estaba en Iztapalapa, viendo que no les podía hacer mal a los de Iztapalapa porque estaban en el agua, y ellos a él le herían sus soldados, acordó de venirse a unas casas y poblazón que estaba en la laguna, que podían entrar en ellas, y le comenzó a combatir; y estándoles dando guerra envió Guatemuz, gran señor de México, a muchos guerreros a ayudarles y a deshacer y abrir la calzada por donde había entrado Sandoval, para tornarles dentro, y no tuviesen por donde salir, y envió por otra parte muchas gentes de guerra. Y como Cortés estaba con Cristóbal de Olid y vieron salir gran copia de canoas hacia Iztapalapa, acordó de ir con los bergantines y con toda la capitanía de Cristóbal de Olid a Iztapalapa en busca de Sandoval; y yendo por la laguna con los bergantines y Cristóbal de Olid por la calzada, vieron que estaban abriendo la calzada muchos mexicanos, y tuvieron por cierto que estaba allí en aquella casa Sandoval, y fueron con los bergantines y le hallaron peleando con el escuadrón de guerreros que envió Guatemuz, y cesó algo la pelea. Y luego mandó Cortés a Gonzalo de Sandoval que dejase aquello de Iztapalapa y fuese por tierra a poner cerco a otra calzada que va desde México a un pueblo que se dice Tepeaquilla, adonde ahora llaman Nuestra Señora de Guadalupe, donde hace y ha hecho muchos y santos milagros. Digamos cómo Cortés repartió los bergantines y lo que más se hizo.

CAPÍTULO CLI

CÓMO CORTÉS MANDÓ REPARTIR LOS DOCE BERGANTINES, Y MANDÓ QUE SE SACASE LA GENTE DEL MÁS PEQUEÑO BERGANTÍN, QUE SE DECÍA "BUSCA RUIDO", Y LO QUE MÁS PASÓ

COMO CORTÉS y todos nuestros capitanes y soldados entendíamos que sin los bergantines no podíamos entrar por las calzadas para combatir a México, envió cuatro de ellos a Pedro de Alvarado, y en su real, que era el de Cristóbal de Olid, dejó seis bergantines, y a Gonzalo de Sandoval, en la calzada de Tepeaquilla, le envió dos bergantines y mandó que el bergantín más pequeño que no anduviese más en la laguna porque no le trastornasen las canoas, que no era de sostén, y la gente y marineros que en él andaban mandó repartir en los otros doce, porque ya estaban muy mal heridos veinte hombres de los que en ellos andaban.

Pues desde que nos vimos en nuestro real de Tacuba con aquella ayuda de los bergantines, mandó Pedro de Alvarado que dos de ellos anduviesen por una parte de la calzada y los otros de la otra parte; comenzamos a pelear muy de hecho, porque las canoas que nos solían dar guerra desde el agua, los bergantines las desbarataban, y así teníamos lugar de ganarles algunas puentes y albarradas. Y cuando con ellos estábamos peleando era tanta la piedra con hondas y varas y flechas que nos tiraban, que por bien que íbamos armados todos los más soldados nos descalabraban, y quedábamos heridos, y hasta que la noche nos despartía no dejábamos la pelea y combate.

Pues quiero decir el mudarse de escuadrones con sus divisas e insignias de las armas que de los mexicanos se remudaban de rato en rato; pues a los bergantines cual los paraban de las azoteas, que les cargaban de vara y flecha y piedra, porque era más que granizo, y no lo sé aquí decir, ni habrá quien lo pueda comprender, sino los que en ello nos hallamos, que venían tanta multitud de ellas más que granizo, que de pronto cubrían la calzada. Pues ya que con tantos trabajos les ganábamos alguna puente o albarrada y la dejábamos sin guarda, aquella misma noche la habían de tomar y tornar a hondar, y ponían muy mejores defensas, y aun hacían hoyos encubiertos en el agua para que otro día cuando peleásemos y al tiempo de retraer nos embarazásemos y cayésemos en los hoyos, y pudiesen con sus canoas desbaratarnos, porque asimismo tenían aparejadas muchas canoas para ello, puestas en partes que no las viesen nuestros bergantines, para cuando nos tuviesen en aprieto en los hoyos, los unos por tierra y los otros en agua dar en nosotros, y para que nuestros bergantines no nos pudiesen venir [a] ayudar tenían hechas muchas estacadas en el agua encubiertas en partes, para que en ellas zabordasen; y de esta manera peleábamos cada día. Ya he dicho otras veces que los caballos muy poco aprovechaban en las calzadas, porque si arremetían o daban algún alcance a los escuadrones que con nosotros peleaban, luego se les arrojaban al agua y a unos mamparos que tenían hechos en las calzadas, donde estaban otros escuadrones de guerreros aguardando con lanzas largas de las nuestras o dalles que habían hecho, muy más largas, de las armas que tomaron cuando el gran desbarate que nos dieron en México, y con aquellas lanzas, y de grandes rociadas de flecha y vara que tiraban de la laguna, herían y mataban los caballos antes que se les hiciese a los mexicanos daño; y demás de esto, los caballeros cúyos eran no los querían aventurar, porque costaba en aquella sazón un caballo ochocientos pesos, y aun algunos costaban más de mil, y no los había, especialmente no pudiendo alancear por las calzadas sino muy pocos contrarios.

Dejemos esto [y digamos], que cuando en la noche nos despartía curábamos nuestras heridas con quemárnoslas con aceite, y un soldado que se decía Juan Catalán, que nos las santiguaba y ensalmaba, y verdaderamente digo hallábamos que Nuestro Señor Jesucristo era servido darnos esfuerzo, demás de las muchas mercedes que cada día nos hacía, y de presto sanaban; y heridos y entrapajados habíamos de pelear desde en la mañana hasta la noche; que si los heridos se quedaban en el real sin salir a los combates, no hubiera de cada capitanía veinte hombres sanos para salir; pero nuestros amigos los de Tlaxcala, desde que veían que aquel hombre que dicho tengo nos santiguaba todos los heridos y descalabrados, iban a él, y eran tantos, que en todo el día harto tenía que curar. Pues quiero decir de nuestros capitanes y alférez y compañeros de bandera, cuáles llenos de heridas y las banderas rotas, y digo que cada día había menester un alférez, porque salíamos tales que no podían tornar a entrar a pelear y llevar las banderas; pues con todo esto quizá teníamos que comer, no digo de falta de tortillas de maíz, que hartas teníamos, sino algún refrigerio para los heridos, maldito aquél; lo que nos daba la vida eran unos *quelites*, que son unas yerbas que comen los indios y cerezas de la tierra mientras que duraron, y después tunas, que en aquella sazón vino el tiempo de ellas; y otro tanto como hacíamos en nuestro real lo hacían en el real donde estaba Cortés y en el de Sandoval, que jamás día ninguno faltaban grandes capitanías de mexicanos, que siempre les iban a dar guerra, ya he dicho otras veces que desde que amanecía hasta la noche, porque para ello tenía Guatemuz señalado los capitanes y escuadrones que en cada calzada habían de acudir; y el Tatelulco y los pueblos de la laguna, ya otras veces por mí nombrados, tenían señalados para que en viendo una señal en el *cu* mayor de Tatelulco acudiesen unos en canoas y otros por tierra, para ello tenían los capitanes mexicanos señalados, y con gran concierto, cómo, cuándo y a qué partes habían de acudir

Dejemos esto, y digamos cómo nosotros mudamos otra orden y manera de pelear, y es ésta que diré: que como veíamos que cuantas obras de agua ganábamos de día, y sobre se lo ganar mataban de nuestros soldados y todos los más estábamos heridos, y lo tornaban a cegar los mexicanos, acordamos que todos nos fuésemos a meter en la calzada en una placeta donde estaban unas torres de ídolos que les habíamos ya ganado, y había espacio para hacer nuestros ranchos, y aunque eran muy astrosos que en lloviendo todos nos mojábamos y no eran para más de cubrirnos del sereno; y dejamos en Tacuba las indias que nos hacían pan, y quedaron en su guarda todos los de caballllo y nuestros amigos los tlaxcaltecas para que mirasen y guardasen los pasos, no viniesen de los pueblos comarcanos a darnos en la rezaga en las calzadas mientras que estábamos peleando Y desde que hubimos asentado nuestros ranchos adonde dicho tengo, desde allí procuramos que las casas o barrios o aberturas de agua que les ganásemos que luego lo cegásemos y con las casas diésemos con ellas en tierra y las deshiciésemos, porque ponerles fuego tardaban mucho en quemarse, y desde unas casas a otras no se podían encender, porque, como ya otras veces he dicho, cada casa está en el agua, y sin pasar por puentes o en canoas no pueden ir de una parte a otra; porque si queríamos ir por el agua nadando, desde las azoteas que tenían nos hacían mucho mal, y derrocándoselas estábamos más seguros.

Y cuando les ganábamos alguna albarrada o puente o paso malo donde ponían mucha resistencia procurábamos de guardarla de día y de noche, es de esta manera, que todas nuestras capitanías velamos las noches juntas, y el concierto que para ello se dio, que tomaba la vela desde que anochecía hasta medianoche la primera capitanía, y eran sobre cuarenta soldados, y desde medianoche hasta dos horas antes que amaneciese tomaba la vela otra capitanía de otros cuarenta hombres, y no se iban del puesto los primeros, que allí en el suelo dormíamos, y este cuarto es el de la modorra; y luego venían otros cuarenta soldados y velaban el alba, que eran aquellas dos horas que había hasta el día, y tampoco se habían de ir los que velaban la modorra, que allí habían de estar, por manera que cuando amanecía nos hallábamos velando sobre ciento y veinte soldados todos juntos, y aun algunas noches, cuando sentíamos mucho peligro, que desde que anochecía hasta que amanecía todos estábamos juntos aguardando el gran ímpetu de los mexicanos, con temor no nos rompiesen, porque teníamos aviso de unos capitanes mexicanos que en las batallas prendimos que Guatemuz tenía pensamiento y puesto en plática con sus capitanes que procurasen en una noche o de día romper por nosotros en nuestra calzada, y que venciéndonos por aquella nuestra parte que luego eran vencidas y desbaratadas las dos calzadas donde estaba Cortés y en la donde estaba Gonzalo de Sandoval; y también tenía concertado que los nueve pueblos de la laguna y el mismo Tacuba y Escapuzalco y Tenayuca que se juntasen, y que para el día que ellos quisiesen romper y dar en nosotros que se diesen en las espaldas en la calzada, y que a las indias que nos hacían pan, que teníamos en Tacuba, y fardaje, que las llevasen de vuelo una noche. Y como esto alcanzamos a saber, apercibimos a los de a caballo que estaban en Tacuba que toda la noche velasen y estuviesen alerta, y también nuestros amigos los tlaxcaltecas. Y así como Guatemuz lo tenía concertado lo puso por obra, que vinieron grandes escuadrones, unas noches nos venían a romper y dar guerra a medianoche, y otras a la modorra, y otras al cuarto del alba, y venían algunas veces sin hacer rumor, y otras con grandes alaridos y silbos, y cuando llegaban adonde estábamos velando la noche, la vara y piedra y flecha que tiraban, y otros muchos con lanzas, y puesto que herían alguno de nosotros, como les resistimos volvían muchos heridos, y otros muchos guerreros [que] vinieron a dar en nuestro fardaje, los de a caballo y tlaxcaltecas los desbarataron, porque como era de noche no aguardaban mucho. Y de esta manera que he dicho velábamos, que ni porque lloviese, ni vientos ni fríos, y aunque estábamos metidos en medio de grandes lodos, y heridos, allí habíamos de estar; y aun esa miseria de tortillas y yerbas que habíamos de comer o tunas, sobre la obra del batallar, como dicen los oficiales, había de ser.

Pues con todos estos recaudos que poníamos nos tornaban [a] abrir la puente o calzada que les habíamos ganado, que no se les podía defender de noche que no lo hiciesen; y otro día se la tornábamos a ganar y cegar, y ellos a tornarla [a] abrir y hacer más fuerte con mamparos, hasta que los mexicanos mudaron otra manera de pelear, la cual diré en su coyuntura. Y dejemos de hablar en tantas batallas como cada día teníamos, y otro tanto en el real de Cortés, y en el de Sandoval, y digamos que qué aprovechaba haberles quitado el agua de Chapultepec ni menos aprovechaba haberles vedado que por las tres calzadas no les entrase bastimento, ni agua, ni tampoco aprovechaban nuestros bergantines estándose en nuestros reales, no sirviendo más de cuando peleábamos hacernos espaldas de los guerreros de las canoas y de los que peleaban de las azoteas; porque los mexicanos metían mucha agua y bastimentos de los nueve pueblos que estaban poblados en el agua, porque en canoas les proveían de noche, y de otros pueblos sus amigos de maíz y gallinas y todo lo que querían. Y para evitar que no les entrase esto, fue acordado por todos los tres reales que dos bergantines anduviesen de noche por la laguna, a dar caza a las canoas que venían cargadas con bastimentos y todas las canoas que se les pudiesen quebrar o traer a nuestros reales que se les tomase; y hecho este concierto, fue bueno, puesto que para pelear y guardarnos hacían falta de noche los dichos bergantines, mas hicieron mucho provecho en quitar que no entrasen bastimentos y agua, y aun con todo esto no dejaban de ir muchas canoas cargadas de ello; y como los mexicanos andaban descuidados en sus canoas metiendo bastimento, no había día que no traían los bergantines que andaban en su busca presa de canoas y muchos indios colgados de las entenas.

Dejemos esto, y digamos el ardid que los mexicanos tuvieron para tomar nuestros bergantines y matar los que en ellos andaban; es de esta manera: que como he dicho, cada noche y en las mañanas les iban a buscar por la laguna sus canoas y las trastornaban con los bergantines y prendían muchas de ellas, acordaron de armar treinta piraguas, que son canoas muy grandes, con muy buenos remeros y guerreros y de noche se metieron todas treinta entre unos carrizales en parte que los bergantines no las pudiesen ver, y cubiertas de ramas; echaban de antenoche dos o tres canoas como que llevaban bastimentos o metían agua, y con buenos remeros; y en parte que les parecía a los mexicanos que los bergantines habían de correr cuando con ellos peleasen habían hincado muchos maderos gruesos hechos estacadas para que en ello zabordasen; pues como iban las canoas por la laguna mostrando señal de temerosos, arrimadas a los carrizales, salen dos de nuestros bergantines tras ellas, y las dos canoas hacen que se van retrayendo a tierra a la parte que estaban las treinta piraguas en celada, y los bergantines siguiéndolos, y ya que llegaban a la celada, salen todas las piraguas juntas y dan tras los bergantines, que de presto hirieron a todos los soldados y remeros, y capitanes, y no podían ir a una parte ni a otra, por las estacadas que les tenían puestas, por manera que mataron al un capitán, que se decía fulano de Portilla, gentil soldado que había sido en Italia, e hirieron a Pedro Barba, que fue muy buen capitán, y desde allí a tres días murió de las heridas, y tomaron el bergantín. Estos dos bergantines eran de los del real de Cortés, de lo cual recibió gran pesar, mas desde a pocos días se lo pagaron muy bien con otras celadas que echaron, lo cual diré en su tiempo.

Y dejemos ahora de hablar de ellos, y digamos cómo en el real de Cortés y en el de Gonzalo de Sandoval siempre tenían muy grandes combates, y muy mayores en el de Cortés, porque mandaba derrocar y quemar casas y cegar puentes, y todo lo que ganaba cada día lo cegaba, y envía a mandar a Pedro de Alvarado que mirase que no pasásemos puente ni abertura de la calzada sin que primero lo tuviese cegado; y que no quedase casa que no se derrocase y se pusiese fuego; y con los adobes y maderas de las casas que derrocásemos cegábamos los pasos y aberturas de las puentes, y nuestros amigos de Tlaxcala que nos ayudaban en toda la guerra muy como varones. Dejemos esto, y digamos que como los mexicanos vieron que todas las casas las allanábamos por el suelo, y que las puentes y aberturas los cegábamos, acordaron de pelear de otra manera, y fue que abrieron una puente y zanja muy ancha y honda que nos daba el agua, cuando la pasábamos, a partes [que] no le hallábamos pie, y tenían en ella hechos muchos hoyos, que no los podíamos ver, dentro en el agua, y unos mamparos y albarradas, así la una parte como de la otra de aquella abertura, y tenían hechas muchas estacadas con maderos gruesos en partes que nuestros bergantines zabordasen si nos viniesen a socorrer cuando estuviésemos peleando sobre tomarles aquella fuerza, porque bien entendían que la primera cosa que habíamos de hacer era deshacerles la albarrada, y pasar aquella abertura de agua para entrarles en la ciudad; y asimismo tenían aparejadas en partes escondidas muchas canoas bien armadas de guerreros y buenos remeros. Y un domingo de mañana comenzaron de venir por tres partes grandes escuadrones de guerreros, y nos acometen de tal manera que tuvimos bien que sustentarnos no nos desbaratasen. Ya en aquella sazón había mandado Pedro de Alvarado que la mitad de los de a caballo que solían estar en Tacuba durmiesen en la calzada, porque no tenían tanto riesgo como al principio, como ya no había azoteas y todas las más casas derrocadas, y podían correr por algunas partes de las calzadas sin que las canoas y azoteas les pudiesen herir los caballos. Y volvamos a nuestro propósito: y es que de aquellos tres escuadrones que vinieron muy bravosos, los unos por una parte donde estaba la gran abertura en el agua, y los otros por unas casas de las que habíamos derrocado, y el otro escuadrón nos había tomado las espaldas de la parte de Tacuba, y estábamos como cercados, y los de a caballo con nuestros amigos los de Tlaxcala rompieron por los escuadrones que nos habían tomado las espaldas, y todos nosotros nos estuvimos peleando muy valerosamente con los otros dos escuadrones hasta hacerles retraer; mas era fingida aquella muestra que hacían que huían, y les ganamos la primera albarrada y a la otra albarrada donde se hicieron fuertes también la desampararon, y nosotros, creyendo que llevábamos victoria, pasamos aquella agua a vuelapié, y por donde la pasamos no había ningunos hoyos, y vamos siguiendo el alcance entre unas grandes casas y torres de adoratorios, y los contrarios hacían que todavía se retraían, y no dejaban de tirar vara y piedra con hondas y muchas flechas; y cuando no nos catamos tenían encubiertos en parte que no los podíamos ver tanta multitud de guerreros que nos salen al encuentro, y otros muchos desde las azoteas y de las casas, y los que primero hacían que se iban retrayendo vuelven sobre nosotros todos a una y nos dan tal mano, que no les podíamos sustentar: y acordamos de volvernos retrayendo con gran concierto; y tenían aparejados en el agua y abertura que les habíamos ganado tanta flota de canoas en la parte por donde habíamos primero pasado, donde no había hoyos, porque no pudiésemos pasar por aquel paso, que nos hicieron ir a pasar por otra parte adonde he dicho que estaba muy más honda el agua, y tenían hechos muchos hoyos; y como venían contra nosotros tanta multitud de guerreros y nos veníamos retrayendo, pasábamos el agua a nado y a vuelapié, y caíamos todos los más soldados en los hoyos; entonces acudieron las canoas sobre nosotros, y allí apañaron los mexicanos cinco de nuestros compañeros y vivos los llevaron a Guatemuz, e hirieron a todos los más; pues los bergantines que aguardábamos no podían venir, porque todos estaban zabordados en las estacadas que les tenían puestas, y con las canoas y azoteas les dieron buena mano de vara y flecha, y mataron dos soldados remeros, e hirieron a muchos de los nuestros.

Y volvamos a los hoyos y abertura. Digo que fue maravilla cómo no nos mataron a todos en ellos; de mí digo que ya me habían echado mano muchos indios, y tuve manera para desembarazar el brazo, y nuestro Señor Jesucristo, que me dio esfuerzo para que a buenas estocadas que les di me salvé, y bien herido en un brazo; y desde que me vi fuera de aquella agua en parte seguro me quedé sin sentido sin poderme sostener en mis pies y sin huelgo ninguno, y esto le causó la gran fuerza que puse para escabullirme de aquella gentecilla y de la mucha sangre que me salió, y digo que cuando me tenían engarrafado, que en el pensamiento yo me encomendaba a Nuestro Señor Dios y a Nuestra Señora su bendita madre, y ponía la fuerza que he dicho, por donde me salvé. Gracias a Dios por las mercedes que me hace.

Otra cosa quiero decir, que Pedro de Alvarado y los de a caballo, como tuvieran harto en romper los escuadrones que nos venían por las espaldas de la parte de Tacuba, no pasó ninguno de ellos aquella agua ni albarradas, si no fue un solo de a caballo que había venido poco había de Castilla, y allí le mataron a él y al caballo; y como vieron que nos veníamos retrayendo, nos iban ya a socorrer con otros de a caballo, y si allá pasaran, por fuerza habíamos de volver sobre los indios, y si volvieran, no quedara ninguno de ellos ni de los caballos ni de nosotros a vida, porque la cosa estaba de arte que cayeran en los hoyos, y había tantos guerreros, que les mataran los caballos con lanzas largas que para ello tenían, y desde las muchas azoteas que había, porque esto que pasó era en el cuerpo de la ciudad. Y con aquella victoria que tenían los mexicanos, todo aquel día, que era domingo, como dicho tengo, tornaron a venir a nuestro real otra tanta multitud de guerreros, que no nos podíamos valer, que ciertamente creyeron de desbaratarnos; y nosotros con unos tiros de bronce y buen pelear nos sostuvimos contra ellos, y con velar todas las capitanías juntas cada noche.

Dejemos esto, y digamos, como Cortés lo supo, el gran enojo que tenía; escribió luego en un bergantín a Pedro de Alvarado que mirase que en bueno ni en malo dejase un paso por cegar, y que todos los de a caballo durmiesen en las calzadas, y toda la noche estuviesen ensillados y enfrenados, y que no curásemos de pasar un paso más adelante hasta haber cegado con adobes y madera aquella gran abertura, y que tuviese buen recaudo en el real. Pues desde que vimos que por nosotros había acaecido aquel desmán, desde allí adelante procuramos de tapar y cegar aquella abertura, y aunque fue con harto trabajo y heridas que sobre ello nos daban los contrarios, y muerte de seis soldados, y en cuatro días la tuvimos cegada, y en las noches sobre ella misma velábamos todas tres capitanías, según la orden que dicho tengo.

Y quiero decir que entonces, como los mexicanos estaban junto a nosotros cuando velábamos, que también ellos tenían sus velas, y por cuartos se mudaban, y era de esta manera: que hacían grande lumbre, que ardía toda la noche, y los que velaban estaban apartados de la lumbre, y desde lejos no les podíamos ver, porque con la claridad de la leña que siempre ardía no podíamos ver los indios que velaban; mas bien sentíamos cuándo se remudaban y cuándo venían [a] atizar su leña, y muchas noches había que como llovía en aquella sazón mucho les apagaba la lumbre y la tornaban a encender, y sin hacer rumor ni hablar entre ellos palabras se entendían con unos silbidos que daban. También quiero decir que nuestros escopeteros y ballesteros tiraban al bulto piedra y saetas perdidas, y no les hacíamos mal, porque estaban en parte que aunque de noche quisiéramos ir a ellos no podíamos, con otra gran abertura de zanja bien honda que habían abierto a mano, y albarradas y mamparos que tenían; y también ellos nos tiraban a bulto mucha piedra y vara, y flecha.

Dejemos de hablar de estas velas, y digamos cómo cada día íbamos por nuestra calzada adelante peleando con muy buen concierto, y les ganamos la abertura que he dicho, donde velaban; y era tanta la multitud de los contrarios que contra nosotros cada día venían, y la vara y flecha y piedra que nos tiraban, que nos herían a todos, y aunque íbamos con gran concierto y bien armados; pues ya que se había pasado todo el día batallando y se venía tarde, y no era coyuntura para pasar más adelante, sino volvernos retrayendo, en aquel tiempo tenían ellos muchos escuadrones aparejados, creyendo que con la gran prisa que nos diesen, al tiempo del retraer nos pudiesen desbaratar, porque venían tan bravos como tigres, y pie con pie se juntaban con nosotros; y como aquello conocíamos de ellos, la manera que teníamos para retraernos era ésta: que la primera cosa que nos hacíamos [era] echar de la calzada a nuestros amigos los tlaxcaltecas, porque, como eran muchos, y como eran mañosos, no deseaban otra cosa sino vernos embarazados con los amigos, con grandes arremetidas que hacían por dos o tres partes para podernos tomar en medio o atajar algunos de nosotros, y con los muchos tlaxcaltecas que embarazaban no podíamos pelear a todas partes, y a esta causa les echábamos fuera de la calzada en parte que los poníamos en salvo; y desde que nos veíamos que no teníamos embarazo de ellos, nos retraíamos al real, no vueltas las espaldas, sino siempre haciéndoles rostro, unos ballesteros y escopeteros soltando y otros armando, y nuestros cuatro bergantines cada dos de los lados de las calzadas, por la laguna, defendiéndonos por las flotas de canoas y de las muchas piedras de las azoteas y casas que estaban por derrocar. Y aun con todo este concierto teníamos harto riesgo cada uno con su persona y hasta volver a los ranchos; y luego nos curábamos con aceite nuestras heridas, y apretarlas con mantas de la tierra, y cenar de las tortillas que nos traían de Tacuba, y yerbas y tunas quien lo tenía, y luego íbamos a velar a la abertura del agua, como dicho tengo, y luego otro día por la mañana a pelear, porque no podíamos hacer otra cosa, porque por muy de mañana que fuese ya estaban sobre nosotros los batallones contrarios contra nosotros, y aun llegaban a nuestro real y nos decían vituperios; y de esta manera pasábamos nuestros trabajos.

Dejemos por ahora de contar de nuestro real, que es el de Pedro de Alvarado, y volvamos al de Cortés, que siempre de noche y de día le daban combates y le mataban y herían muchos soldados, y es de la manera que a nosotros los del real de Tacuba; y siempre traía dos bergantines a dar caza de noche a las canoas que entraban en México con los bastimentos y agua. Parece ser que un bergantín prendió a dos principales que venían en una de las muchas canoas que metían bastimento, y de ellos supo Cortés que tenían en celada entre unos matorrales cuarenta piraguas y otras canoas para tomar alguno de nuestros bergantines, como hicieron la otra vez; y a aquellos dos principales que se prendieron Cortés les halagó y les dio mantas, y con muchos prometimientos que en ganando a México les daría tierras, y con nuestras lenguas doña Marina y Aguilar les preguntó que a qué parte estaban las piraguas, porque no se pusieron adonde la otra vez; y ellos señalaron en el puesto y paraje que estaban, y aun avisaron que habían hincado muchas estacadas de maderos gruesos en partes para que si los bergantines fuesen huyendo de sus piraguas zabordasen, y allí los apañasen y matasen a los que iban en ellos. Y como Cortés tuvo aquel avi-

so, apercibió seis bergantines que aquella noche se fuesen a meter en unos carrizales apartados, obra de un cuarto de legua donde estaban las piraguas en celada, y que se cubriesen con mucha rama; y fueron a remo callado; y estuvieron toda la noche guardando; y otro día muy de mañana mandó Cortés que fuese un bergantín como que iba a dar caza a las canoas que entraban con bastimento, y mandó que fuesen los dos indios principales que se prendieron dentro en el bergantín para que mostrasen en qué parte estaban las piraguas, porque el bergantín fuese hacia allá; y asimismo los mexicanos nuestros contrarios concertaron de echar dos canoas echadizas, como la otra vez, a donde estaba su celada, como que traían bastimento para que cebase el bergantín en ir tras ellas, por manera que ellos tenían un pensamiento y los nuestros otro como el suyo de la misma manera. Y como el bergantín que echó Cortés disimulando vio a las canoas que echaron los indios para cebar el bergantín, iba tras ellas, y las dos canoas hacían que se iban huyendo a tierra donde estaba su celada y sus piraguas; y luego nuestro bergantín hizo semblante que no osaba llegar a tierra y que se volvía retrayendo; y desde que las piraguas y otras muchas canoas le vieron que se volvía, salen tras él con gran furia y reman todo lo que podían y le iban siguiendo, y el bergantín se iba como huyendo donde estaban los otros seis bergantines en celada, y todavía las piraguas siguiéndole; y en aquel instante soltaron una escopeta, que era la señal cuándo habían de salir nuestros bergantines; y desde que oyeron la señal, salen con gran ímpetu y dieron sobre las piraguas y canoas, que trastornaron, y mataron y prendieron muchos guerreros; y también el bergantín que echásemos en celada que iba ya algo a lo largo, vuelve a ayudar a sus compañeros, por manera que se llevó buena presa de prisioneros y canoas, y desde allí adelante no osaban los mexicanos echar más celadas, ni se atrevían a meter bastimentos ni agua tan a ojos vistas como solían. Y de esta manera pasaba la guerra de los bergantines en la laguna y nuestras batallas en las calzadas.

Y digamos ahora cómo vieron los pueblos que estaban en la laguna poblados, que ya los he nombrado otras veces, que cada día teníamos victoria, así por el agua como por tierra, y vieron venían a nuestra amistad así los de Chalco y Tezcuco y Tlaxcala y otras poblazones, y con todo los hacíamos mucha guerra y mal daño en sus pueblos, y les cautivábamos muchos indios e indias, parece ser se juntaron todos y acordaron de venir de paz ante Cortés, y con mucha humildad le demandaron perdón si en algo nos habían enojado, y dijeron que eran mandados y que no podían hacer otra cosa; y Cortés holgó mucho de verlos venir de aquella manera, y aun desde que lo supimos en nuestro real de Pedro de Alvarado y en el de Sandoval nos alegramos todos los soldados. Y volviendo a nuestra plática, Cortés, con buen semblante y con muchos halagos, les perdonó y les dijo que eran dignos de gran castigo por haber ayudado a los mexicanos. Y los pueblos que vinieron fueron: Iztapalapa, Vichilobusco, Culuacán [136] y Mezquique, y todos los de la laguna y agua dulce; y les dijo Cortés que no habíamos de alzar real hasta que los mexicanos viniesen de paz o por guerra los acabase, y les mandó que en todo nos ayudasen con todas las canoas que tuviesen para combatir a México, y que viniesen a hacer sus ranchos de Cortés y que trajesen comida; lo cual dijeron que así lo harían, e hicieron los ranchos de Cortés, y no traían comida, sino muy poca y de mala gana. Nuestros ranchos donde estaba Pedro de Alvarado nunca se hicieron, que así nos estábamos al agua, porque ya saben los que en esta tierra han estado que por ju-

[136] Culhuacan conserva su nombre. A los otros, Huitzilopochco y Mixquic, nos hemos referido en nota anterior.

nio, julio y agosto son en estas partes cotidianamente las aguas.

Dejemos esto, y volvamos a nuestra calzada y a los combates que cada día dábamos a los mexicanos, y cómo les íbamos ganando muchas torres de ídolos y casas, y otras aberturas y zanjas y puentes que de casa a casa tenían hechos, y todo lo cegábamos con adobes y la madera de las casas que deshacíamos y derrocábamos y aun sobre ellas velábamos, y aun con toda esta diligencia que poníamos lo tornaron a hondar y ensanchar y ponían más albarradas; y porque entre todas nuestras tres capitanías teníamos por deshonra que unos batallásemos e hiciésemos rostro a los escuadrones mexicanos y otros estuviesen cegando los pasos y aberturas y puentes, y por excusar diferencias sobre los que habíamos de batallar o cegar aberturas, mandó Pedro de Alvarado que una capitanía tuviese cargo de cegar y entender en la obra un día y las dos capitanías batallasen e hiciesen rostro contra los enemigos, y esto había de ser por rueda, un día unos y luego otro día otra capitanía, hasta que por todas tres capitanías volviese la andana y rueda; y con esta orden no quedaba cosa que les ganábamos que no dábamos con ella en el suelo, y nuestros amigos los tlaxcaltecas que nos ayudaban, y así les íbamos entrando en su ciudad; mas al tiempo de retraer todas tres capitanías habíamos de pelear juntos, porque entonces era donde corríamos mucho peligro, y como otra vez he dicho, primero hacíamos salir de las calzadas todos los tlaxcaltecas, porque cierto era demasiado embarazo para cuando peleábamos.

Dejemos de hablar de nuestro real y volvamos al de Cortés y al de Sandoval, que a la contina, así de día como de noche tenían sobre sí muchos contrarios por tierra y flotas de canoas por la laguna, y siempre les daban guerra, y no les podían apartar de sí; pues en lo de Cortés, por ganarles una puente y abra muy honda, y era mala de ganar, y en ella tenían los mexicanos muchos mamparos y albarradas que no se podían pasar sino a nado, y ya que se pudiesen a pasarla, estábanle aguardando muchos guerreros con flechas y piedra con hondas, y varas y macanas y espadas de a dos manos, y lanzas hechas como dalles y engastadas de las espadas que nos tomaron, y la laguna llena de canoas de guerra; y había junto a las albarradas muchas azoteas, y de ellas le daban muchas pedradas, y los bergantines no les podían ayudar por las estacadas que tenían puestas, y sobre ganarles esta fuerza y puente y abertura pasaron los de Cortés mucho trabajo, y le mataron cuatro soldados en el combate, porque le hirieron sobre treinta soldados, y como era ya tarde cuando lo acabaron de ganar, no tuvieron tiempo de cegarla, y se volvieron retrayendo con gran trabajo y peligro y con más de treinta soldados heridos y muchos más tlaxcaltecas descalabrados.

Dejemos esto, y digamos otra manera que Guatemuz mandó pelear a sus capitanías, y mandó apercibir todos sus poderes; y es que como para otro día era la fiesta del Señor San Juan de junio, que entonces se cumplía un año puntualmente que habíamos entrado en México, cuando el socorro de Pedro de Alvarado y nos desbarataron, según dicho tengo en el capítulo que de ello habla, parece ser tenían cuenta de ello, Guatemuz mandó que en todos tres reales nos diesen toda la guerra con la mayor fuerza que pudiesen, con todos sus poderes, así por tierra como con las canoas por el agua, y manda que fuese de noche al cuarto de la modorra, y porque los bergantines no nos pudiesen ayudar, en todas las más partes del agua de la laguna tenían hechas estacadas para que en ellas zabordasen; y vinieron con tanta furia e ímpetu, que si no fuera por los que velábamos juntos, que éramos sobre ciento veinte soldados, y acostumbrados a pelear, nos entraran en el real, y corríamos harto riesgo; y con gran concierto les resistimos; y allí hirieron a quince de los nuestros, y dos murieron de ahí a ocho días de las heridas. Pues en el real de Cortés también les pusieron en gran aprieto y trabajo, y hubo muchos muertos y heridos, y en lo de Sandoval por el consiguiente. Y de esta manera vinieron dos noches arreo, y también en aquellos reencuentros quedaron muchos mexicanos muertos y muchos más heridos.

Y como Guatemuz y sus capitanes y *papas* vieron que no aprovecha nada la guerra que dieron aquellas dos noches, acordaron que con todos sus poderes juntos viniesen al cuarto del alba y diesen en nuestro real, que se dice el de Tacuba; y vinieron tan bravosos, que nos cercaron por dos partes, y aun nos tenían medio desbaratados y atajados, y quiso Nuestro Señor Jesucristo darnos esfuerzo que nos tornamos a hacer un cuerpo y nos mamparamos algo con los bergantines, y a buenas estocadas y cuchilladas, que andábamos pie con pie, les apartamos algo de nosotros, y los de caballo no estaban de balde, pues los ballesteros y escopeteros hacían lo que podían, que harto tuvieron que romper en otros escuadrones, que ya nos tenían tomadas las espaldas. Y en aquella batalla mataron a ocho e hirieron muchos de nuestros soldados, y aun a Pedro de Alvarado le descalabraron; y si nuestros amigos los tlaxcaltecas durmieran aquella noche en la calzada, corríamos gran riesgo con el embarazo que ellos nos pusieran, como eran muchos; mas la experiencia de lo pasado nos hacía que luego los echásemos fuera de la calzada, y se fuesen a Tacuba, y quedábamos sin cuidado. Tornemos a nuestra batalla, que matamos muchos mexicanos y se prendieron cuatro personas principales. Bien tengo entendido que los curiosos lectores se hartarán de ver cada día tantos combates, y no se puede menos hacer, porque noventa y tres días que estuvimos sobre esta tan fuerte y gran ciudad, cada día y de noche teníamos guerra y combates; por esta causa los hemos de recitar muchas veces cómo y cuándo y de qué manera pasaban, y no los pongo por capítulos de lo que cada día hacíamos porque me pareció que era gran prolijidad, y era cosa para nunca acabar, y parecería a los libros de Amadís o Caballerías; y porque de aquí adelante no me quiero detener en contar tantas batallas y reencuentros que cada día pasábamos, lo diré lo más breve que pueda. Y porque nos pareció que llevamos victoria y tuvimos grandes desmanes, vuelven sobre nosotros, que estuvimos en gran peligro de perdernos en todos tres reales, como adelante verán.

CAPÍTULO CLII

DE LAS BATALLAS Y REENCUENTROS QUE PASAMOS, Y DEL DESBARATE QUE CORTÉS TUVO EN SU REAL, Y DE OTRAS MUCHAS COSAS QUE PASARON EN EL ENCUENTRO DE TACUBA, Y LE LLEVARON SESENTA Y SEIS SOLDADOS, QUE SACRIFICARON

Como Cortés vio que no se podían cegar todas las aberturas y puentes y zanjas de agua que ganábamos cada día, y de noche las tornaban [a] abrir los mexicanos, y hacían más fuertes albarradas que de antes tenían hechas, y que era gran trabajo pelear y cegar puentes y velar todos juntos, además como estábamos todos los más heridos y se habían muerto veinte soldados, acordó de poner en pláticas con los capitanes y soldados que tenía en su real, que eran Cristóbal de Olid y Francisco Verdugo, y Andrés de Tapia y el alférez Corral, y Francisco de Lugo, y también nos escribió al real de Pedro de Alvarado y al de Sandoval para tomar parecer de todos nuestros capitanes y soldados, y el caso que propuso era que si nos parecía que fuésemos entrando en la ciudad muy de golpe, hasta llegar a Tatelulco, que es la plaza mayor de México, que es muy más ancha y grande que no la de Salamanca, y que llegados que llegásemos a ella, que sería bien asentar en él todos tres reales, y que desde allí podríamos batallar por las calles de México sin tener tantos trabajos al retraer, ni tener tanto que cegar ni velar las puentes; y como [en] las tales pláticas y consejos suele acaecer, hubo muchos pareceres, porque unos decíamos que no era buen acuerdo ni consideración meternos tan de hecho en el cuerpo de la ciudad, sino que nos estuviésemos, como nos estábamos, batallando y derrocando y abrasando casas, y las causas más evidentes que dimos los que éramos en este parecer fue que si nos metíamos en el Tatelulco, y dejábamos las calzadas y puentes sin guarda y desmamparadas, que como los mexicanos son muchos y guerreros y con las muchas canoas que tienen, nos tornarían a quebrar las puentes y calzadas y no seríamos señores de ellas; y que con sus grandes poderes nos darían guerra de noche y de día, y como siempre tienen hechas muchas estacadas, nuestros bergantines no nos podrían ayudar, y de aquella manera que Cortés decía seríamos nosotros los cercados y ellos tendrían por sí la tierra y campo y laguna; y le escribimos sobre el caso para que no nos aconteciese como la pasada, que dice el refrán, de mazagatos, cuando salimos huyendo de México.

Y después que Cortés hubo visto el parecer de todos y vio las buenas razones que sobre ello dábamos, en lo que se resumió en todo lo platicado fue que para otro día saliésemos de todos tres reales con toda la mayor pujanza, así los de caballo como ballesteros y escopeteros y soldados, y que les fuésemos ganando hasta la plaza mayor, que es el Tatelulco, muchas veces por mí nombrado. Y apercibidos en todos tres reales y a nuestros amigos los tlaxcaltecas, y los de Tezcuco y a los de los pueblos de la laguna, que nuevamente habían dado la obediencia a Su Majestad, para que con sus canoas viniesen [a] ayudar [a] los bergantines, un domingo de mañana, después de haber oído misa, salimos de nuestro real con Pedro de Alvarado, y también salió Cortés del suyo, y Sandoval con sus capitanías, y con gran pujanza iba cada capitanía ganando puentes y albarradas, y los contrarios peleaban como fuertes guerreros, y Cortés por su parte llevaba mucha victoria, y asimismo Gonzalo de Sandoval por la suya; pues por nuestro puesto ya les habíamos ganado otra albarrada y una puente, y esto fue con mucho trabajo, porque había grandes poderes de Guatemuz que las estaban guardando, y salimos de ella muchos de nuestros soldados heridos, y uno murió luego de las heridas, y nuestros amigos los tlaxcaltecas salieron más de mil de ellos malamente descalabrados, y todavía íbamos siguiendo la victoria muy ufanos.

Volvamos a decir de Cortés y de todo su ejército, que ganaron una abertura de agua algo honda, y estaba en ella una calzadilla muy angosta que los mexicanos con maña y ardid la habían hecho de aquella manera, porque tenían pensado entre sí lo que ahora a Cortés le aconteció, y es que como llevaba victoria él y sus capitanes y soldados y la calzada llena de amigos, e iban siguiendo a los contrarios, y aunque hacían que huían no dejaban de tirar vara y flecha y piedra, y hacían unas paradillas como que resistían a Cortés, hasta que le fueron cebando para que fuese tras ellos y desde que vieron que de hecho iba siguiendo la victoria, hacían que iban huyendo de él, por manera que la adversa fortuna vuelve la rueda y a mayores prosperidades acuden muchas tristezas; y como Cortés iba victorioso en el alcance de los contrarios, o por su gran descuido, y Nuestro Señor Jesucristo que lo permitió, él y sus capitanes y soldados dejaron de cegar la abertura de agua que habían ganado, y como la calzadilla por donde iban con maña la habían hecho muy angosta, y aun entraba en ella agua por algunas partes, y había mucho lodo y cieno, y como los mexicanos le vieron pasar aquel paso sin cegar, que no deseaban otra cosa, y aun para aquel efecto tenían apercibidos muchos escuadrones de guerreros con esforzados capitanes y muchas canoas en la laguna en parte que nuestros bergantines no les podían hacer daño ninguno, con las grandes estacadas que le tenían puestas en que zabordasen, vuelven sobre Cortés y contra todos sus soldados tan gran furia de escuadrones mexicanos y con tales alaridos y gritos y silbos, que los nuestros no les pudieron defender su gran ímpetu y fortaleza con que vinieron a pelear contra Cortés, y acordaron todos los soldados con sus capitanes y banderas de volverse retrayendo con gran concierto; mas como venían contra ellos tan rabiosos contrarios hasta que los metieron en aquel mal paso y con los amigos que traían, que eran muchos, se desconcertaron de arte que vuelven huyendo sin hacer resistencia, vueltas las espaldas; y Cortés desde que así los vio que volvían y vio desbaratados les esforzaba y decía: "¡Tened, tened, señores; tened recio! ¿Qué es esto que así habeis de volver las espaldas?", no los pudo detener. Y en aquel paso que dejaron de cegar en la calzadilla, que era angosta y mala, y con las canoas le desbarataron e hirieron en una pierna, y le llevaron vivos sobre sesenta y seis soldados, y le mataron ocho caballos y a Cortés ya le tenían engarrafado seis o siete capitanes mexicanos; quiso Nuestro Señor Dios ayudarle y poner esfuerzo para defenderse, puesto que estaba herido de una pierna, porque en aquel instante luego llegó a él un muy esforzado soldado que se decía Cristóbal de Olea, natural de Castilla la Vieja; y desde que así le vio asido de tanto indio, peleó tan bravosamente el soldado que mató luego de estocadas cuatro de los capitanes que tenían engarrafado a Cortés, y también le ayudó otro muy valiente soldado que se decía Lerma; e hicieron tanto por sus personas, que lo dejan y por defenderle, allí perdió la vida Olea y aun Lerma estuvo a punto de muerte; luego acudieron muchos soldados, y aunque bien heridos echan mano a Cortés y le ayudan a salir de aquel peligro y lodo en que estaba. Y entonces también vino con mucha presteza el maestre de campo Cristóbal de Olid, y le tomaron por los brazos y le ayudaron a salir del agua y lodo, y le trajeron un caballo en que se escapó de la muerte; y en aquel instante también venía un su mayordomo que se decía Cristóbal de Guzmán, y le traía otro caballo, y desde las azoteas los mexicanos guerreros, que andaban muy bravosos y victoriosos y muy malamente de manera que prendieron a Cristóbal de Guzmán, y vivo le llevaron a Guatemuz; y todavía los mexicanos iban siguiendo a Cortés y a todos sus soldados hasta que llegaron a su real.

Pues ya aquel desastre acaecido y se hallaron en salvo, los escuadrones mexicanos no dejaban de seguirles dándoles caza y grita, y diciéndoles muchos vituperios, y llamándoles de cobardes. Dejemos de hablar de Cortés y de su desbarate y volvamos a nuestro ejército, que es el de Pedro de Alvarado, en la calzada de Tacuba. Como íbamos muy victoriosos, y cuando no nos catamos, vimos venir contra nosotros tantos escuadrones mexicanos, y con grandes gritas y muy hermosas divisas y penachos, y nos echaron delante de nosotros cinco cabezas que entonces habían cortado de los que habían tomado a Cortés, y venían corriendo sangre, y decían: "Así os mataremos como hemos muerto a Malinche y

Sandoval y a todos los que consigo traían, y éstas son sus cabezas, por eso conocedlas bien." Y diciéndonos estas palabras se venían a cerrar con nosotros hasta echarnos mano, que no aprovechaban cuchilladas ni estocadas ni ballestas ni escopetas, y no hacían sino dar en nosotros como a terrero; y con todo esto no perdíamos punto de nuestra ordenanza al retraer, porque luego mandamos a nuestros amigos los tlaxcaltecas que prestamente nos desembarazasen las calles y calzadas y pasos malos; y en este tiempo ellos se lo tuvieron bien en cargo, que como vieron las cinco cabezas de nuestros compañeros corriendo sangre, que decían que ya habían muerto a Malinche y Sandoval y a todos los *teules* que consigo traían, que así habían de hacer con nosotros y los tlaxcaltecas, temieron en gran manera, porque creyeron que era verdad, y por esta causa digo que desembarazaron la calzada muy de veras.

Volvamos a decir como nos íbamos retrayendo oímos tañer del *cu* mayor, que es donde estaban sus ídolos Uichilobos y Tezcatepuca, que señorea el altor de él a toda la gran ciudad, y tañían un atambor, el más triste sonido, en fin, como instrumento de demonios, y retumbaba tanto que se oyera [a] dos leguas, y juntamente con él muchos atabalejos y caracoles y bocinas y silbos; entonces, según después supimos, estaban ofreciendo diez corazones y mucha sangre a los ídolos que dicho tengo, de nuestros compañeros. Dejemos el sacrificio, volvamos a nuestro retraer y la gran guerra que nos daban así por la calzada como de las azoteas y de la laguna con las canoas. Y en aquel instante vienen contra nosotros más escuadrones que de nuevo enviaba Guatemuz, y manda tocar su corneta, que era una señal que cuando aquélla tocasen habían de combatir sus capitanías y guerreros de manera que habían de hacer presa o morir sobre ello, y retumbaba el sonido que los metían en los oídos, y desde que lo oyeron aquellos sus escuadrones y capitanías, saber ahora yo decir con qué rabia y esfuerzo se metían en nosotros a echarnos mano es cosa de espanto, porque yo no lo sé aquí escribir que ahora que me paro en pensar en ello es como si ahora lo viese y estuviese en aquella guerra y batalla; mas torno [a] afirmar que si Nuestro Señor Jesucristo no nos diera esfuerzo, según estábamos todos heridos, Él nos salvó, que no podíamos llegar de otra manera a nuestros ranchos, y le doy muchas gracias y loores por ello, que me escapó aquella vez y otras muchas de poder de los mexicanos.

Volviendo a nuestra plática, allí los de a caballo hacían arremetidas, y con dos tiros gruesos que pusimos junto a nuestros ranchos, unos tirando y otros cebando, nos sosteníamos, porque la calzada estaba llena de bote en bote de contrarios, y nos venían hasta las casas, como cosa vencida, a echarnos vara y piedra, y, como he dicho, con aquellos tiros matábamos muchos de ellos; y quien ayudó mucho aquel día fue un hidalgo que se dice Pedro Moreno Medrano, que vive ahora en la Puebla, porque él fue el artillero, porque nuestros artilleros que solíamos tener les habían de ellos muerto y otros estaban heridos, y Pedro Moreno, demás de siempre haber sido un muy esforzado soldado, aquel día nos fue grande ayuda.

Y estando que estábamos de aquella manera, bien angustiados y heridos, no sabíamos de Cortés, ni de Sandoval, ni de sus ejércitos, si les habían muerto o desbaratado, como los mexicanos nos decían cuando nos arrojaron las cinco cabezas que traían asidas por los cabellos y de las barbas, y decían que ya habían muerto a Malinche y a todos los *teules,* y que así nos habían de matar a nosotros aquel mismo día, y no podíamos saber de ellos porque batallábamos los unos de los otros cerca de media legua, y adonde desbarataron a Cortés era más lejos, y a esta causa estábamos muy penosos, y todos juntos, así heridos como sanos, hechos un cuerpo, estuvimos sosteniendo el ímpetu de la furia de los mexicanos que sobre nosotros estaban, que creyeron que en aquel día no quedara roso ni velloso de nosotros, según la guerra [que] nos daban, pues a nuestros bergantines ya habían tomado a el uno y muerto tres soldados y herido el capitán y todos los más soldados que en él venían, y fue socorrido de otro bergantín donde andaba por capitán Juan Jaramillo; y también tenían zabordado otro bergantín en parte que no podía salir, de que era capitán Juan de Limpias Carvajal, que en aquella sazón ensordeció, que ahora vive en la Puebla, y peleó por su persona tan valerosamente y esforzó a los soldados que en el bergantín remaban, que rompieron las estacadas y salieron todos bien heridos, y salvaron su bergantín. Este bergantín fue el primero que rompió las estacadas, que fue bien para adelante.

Volvamos a Cortés, que como estaba él y toda su gente los más muertos y heridos, le iban los escuadrones mexicanos hasta su real a dar guerra y aun le echaron delante sus soldados que resistían a los mexicanos cuando peleaban, otras cuatro cabezas, corriendo sangre, de los soldados que habían llevado al mismo Cortés, y les decían que eran del Tonatio, que es Pedro de Alvarado, y Sandoval y la de Bernal Díaz y de otros *teules*, y que ya nos habían muerto a todos los de Tacuba. Entonces dizque desmayó mucho más Cortés de lo que antes estaba y se le saltaron las lágrimas por los ojos, y todos los que consigo tenía, mas no de manera que sintiesen en él demasiada flaqueza; y luego mandó a Cristóbal de Olid, que era maestre de campo, y a sus capitanes que mirasen no les rompiesen el real los muchos mexicanos que estaban sobre ellos y que todos juntos hiciesen cuerpo, así heridos como sanos, y mandó [a] Andrés de Tapia que con tres de a caballo muy en posta viniesen por tierra y aventurasen la vida a Tacuba, que es nuestro real, y que supiese si éramos vivos, y que si no éramos desbaratados que mirásemos que en el real hubiese buen recaudo, y que todos juntos hiciésemos cuerpo así de día como en la noche en la vela; y esto que enviaba a mandar ya lo teníamos por costumbre; y el capitán Andrés de Tapia y los tres de a caballo que con él venían se dieron buena prisa [137] y aun venía ya herido Tapia y dos de los que traía en su compañía, que se decían Guillén de la Loa y el otro Valdenebro, y un Juan de Cuéllar, hombres esforzados, y desde que llegaron a nuestro real y nos hallaron batallando con el poder de México, que todo estaba junto contra nosotros, se holgaron en el alma y nos contaron lo acaecido del desbarate de Cortés y lo que nos enviaba a decir, y no nos quisieron declarar qué tantos eran muertos, y nos decían que hasta veinticinco, y que todos los demás estaban buenos.

Dejemos de hablar en esto, y volvamos a Sandoval y a sus capitanes y soldados, que andaban muy victoriosos en la parte y calles de su conquista. Y desde que los mexicanos hubieron desbaratado a Cortés cargan sobre Sandoval y su ejército y capitanes de arte que no se pudo valer, y le mataron seis soldados y le hirieron todos los que traía, y a él le dieron tres heridas: la una en el muslo y la otra en la cabeza y la otra en el brazo izquierdo, y estando batallando con los contrarios le ponen delante seis cabezas de los que mataron de Cortés, y dicen que aquellas cabezas eran de Malinche y del Tonatio y de otros capitanes, y que así habían de hacer a Sandoval y a los que con él estaban, y le dieron muy fuertes combates. Y Sandoval desde que aquello vio mandó a sus capitanes y solda-

[137] Tachado en el original: *y aunque tuvieron en el camino una refriega de vara y flecha que les dieron en un mal paso los mexicanos, que ya había puesto el Guatemuz en los caminos guarniciones de guerreros; porque no supiésemos los desmanes pasados del un real al otro.*

dos que todos mostrasen mucho ánimo y no desmayasen, y que mirasen al retraer no hubiese algún desconcierto en la calzada, que es angosta, y lo primero que hizo mandó salir fuera de la misma calzada a sus amigos, que tenía muchos, porque no les estorbasen, y con sus dos bergantines y con sus escopeteros y ballesteros, con mucho trabajo se retrajo a su estancia, y toda su gente bien herida y aun desmayada y seis muertos; y como se vio fuera de la calzada, puesto que estaban cercados de mexicanos, esforzó sus gentes y capitanes y les encomendó mucho que todos juntos hiciesen cuerpo así de día como de noche, y que guardasen el real no les desbaratasen, y como conocía del capitán Luis Marín que lo haría muy bien, así herido y entrapajado como estaba tomó consigo otros dos de a caballo, y por tierra fue muy en posta al real de Cortés, y desde que Sandoval vio a Cortés le dijo: "¡Oh, señor capitán! ¿Y qué es esto, éstos son los consejos y ardides de guerra que siempre nos daba? ¿Cómo ha sido este desmán?" Y Cortés le respondió saltándosele las lágrimas de los ojos: "¡Oh, hijo Sandoval, que mis pecados lo ha permitido, y no soy tan culpante en ello como me ponen todos nuestros capitanes y soldados, sino es el tesorero Julián de Alderete, a quien encomendé que cegase aquel paso donde nos desbarataron, y no lo hizo, como no es acostumbrado a guerrear, ni aun ser mandado de capitanes!" Y entonces respondió el mismo tesorero, que se halló junto a Cortés, que vino a ver y hablar a Sandoval y a saber de su ejército si era muerto o desbaratado, y dijo que el mismo Cortés tenía la culpa, y no él, y la causa que dio fue que como Cortés iba con victoria, por seguirla muy mejor, decía: "Adelante, caballeros", y que no les mandó cegar puente ni paso malo, y que si se lo mandara, que con su capitanía y los amigos lo hiciera, y también culpaba a Cortés en no mandar salir con tiempo de las calzadas los muchos amigos que llevaba; y porque hubo otras muchas pláticas de Cortés al tesorero, que iban dichas con enojo, se dejarán de decir, y diré cómo en aquel instante llegaron dos bergantines de los que Cortés tenía en su compañía y calzada, que no habían venido ni sabían de ellos después del desbarate, y, según pareció, habían estado detenidos y zabordados en unas estacadas, y, según dijeron los capitanes, habían estado detenidos y cercados de canoas que les daban guerra, y venían todos heridos; y dijeron que Dios primeramente que les ayudó, y con un viento y con grandes fuerzas que pusieron al remar, rompieron las estacadas, se salvaron, de lo cual hubo mucho placer Cortés, porque hasta entonces, y aunque no lo publicaba por no desmayar los soldados, como no sabía de ellos, los tenía por perdidos.

Dejemos esto y volvamos a Cortés, que luego encomendó mucho a Sandoval que luego fuese en posta a nuestro real de Pedro de Alvarado, que se dice el de Tacuba, y mirase si éramos desbaratados o de qué manera estábamos, y que si éramos vivos, que nos ayudase a poner resistencia en el real no nos rompiesen, y dijo a Francisco de Lugo que fuese en su compañía, porque bien entendido tenía que había escuadrones mexicanos en el camino, y le dijo que ya había enviado a saber de nosotros a Andrés Tapia, con tres de a caballo, y temía no le hubiesen muerto en el camino, y cuando se lo dijo y se despidió, fue a abrazar a Sandoval y le dijo: "Mira, hijo; pues yo no puedo ir a todas partes, ya veis que estoy herido, a vos encomiendo estos trabajos para que pongáis cobro en todos tres reales; bien sé que Pedro de Alvarado, y todos sus capitanes y hermanos y soldados que le di, esforzados habrán batallado y hecho como caballeros; mas temo el gran poder de estos perros no le hayan desbaratado, pues a mí y [mi] ejército veis de la manera que estoy."

Y en posta vino Sandoval y Francisco de Lugo donde estábamos, y cuando llegó era a hora poco más de vísperas, y porque, según pareció y vimos, el desbarate de Cortés fue antes de misa mayor, y cuando llegó Sandoval nos halló batallando con los mexicanos, que nos querían entrar en el real por unas casas que habíamos derrocado, y otros por la calzada, y muchas canoas por la laguna, y tenían ya un bergantín zabordado en tierra, y los soldados que en ellos iban, los dos habían muerto y todos los más heridos; y como Sandoval nos vio a mí y a otros seis soldados en el agua metidos a más de la cinta ayudando al bergantín a echarle en lo hondo, y estaban sobre nosotros muchos indios con espadas de las nuestras que tomaron en el desbarate de Cortés, y otros con montantes de navajas dándonos cuchilladas, y a mí me dieron un flechazo y una cuchillada en la pierna, porque no ayudásemos al bergantín, que ya le querían llevar con sus canoas, según las fuerzas que ponían, y le tenían atado muchas sogas para llevársele y meterle dentro a la ciudad, y como Sandoval nos vio de aquella manera, nos dijo: "¡Oh, hermanos, poned fuerzas en que no lleven el bergantín!", y tomamos tanto esfuerzo, que luego le sacamos en salvo, puesto que, como he dicho, todos los marineros salieron heridos y dos soldados muertos.

En aquella sazón vinieron a la calzada muchas capitanías de mexicanos, y nos herían así a los de a caballo y a todos nosotros, y aun a Sandoval le dieron una buena pedrada en la cara, y entonces Pedro de Alvarado lo socorrió con otros de a caballo, y como venían tantos escuadrones y yo y otros veinte soldados les hacíamos cara, Sandoval nos mandó que poco a poco nos retrajésemos, porque no les matasen los caballos, y porque no nos retraíamos de presto como quisiera, nos dijo con furia: "¿Queréis que por mor de vosotros me maten a mí y a todos estos caballeros? Por mor de mí, hermano Bernal Díaz, que os retraigáis"; y entonces le tornaron a herir a él y a su caballo. En aquella sazón echamos los amigos fuera de la calzada, y poco a poco, haciendo cara y no vueltas las espaldas, como quien hace represas, unos ballesteros y escopeteros tirando y otros cebando sus escopetas, y no soltaban todos a la par, y los caballos que hacían algunas arremetidas, y Pedro Moreno Medrano, ya por mí memorado, con sus tiros de armar y tirar, y por más mexicanos que llevaban las pelotas, no los podían apartar, sino que siempre nos iban siguiendo con pensamiento que aquella noche nos habían de llevar a sacrificar. Pues ya que estábamos retraídos cerca de nuestros aposentos, pasado ya una grande abra donde había mucha agua y no nos podían alcanzar las flechas y vara y piedra, y estando Sandoval y Francisco de Lugo y Andrés de Tapia con Pedro de Alvarado, contando a cada uno lo que le había acaecido y lo que Cortés mandaba, tornó a sonar el atambor muy doloroso del Uichilobos, y otros muchos caracoles y cornetas, y otras como trompetas, y todo el sonido de ellos espantable, y mirábamos al alto *cu* en donde los tañían, vimos que llevaban por fuerza las gradas arriba a nuestros compañeros que habían tomado en la derrota que dieron a Cortés, que los llevaban a sacrificar; y desde que ya los tuvieron arriba en una placeta que se hacía en el adoratorio donde estaban sus malditos ídolos, vimos que a muchos de ellos les ponían plumajes en las cabezas y con unos como aventadores les hacían bailar delante del Uichilobos, y después que habían bailado, luego les ponían de espaldas encima de unas piedras, algo delgadas, que tenían hechas para sacrificar, y con unos navajones de pedernal les aserraban por los pechos y les sacaban los corazones bullendo y se los ofrecían a los ídolos que allí presentes tenían, y los cuerpos dábanles con los pies por las gradas abajo; y estaban aguardando abajo otros indios carniceros, que les cortaban brazos y pies, y las caras desollaban, y las adobaron después como cuero de guantes, y con sus barbas las guardaban para hacer fiestas con ellas cuando hacían borracheras, y se comían las carnes con *chilmole,* y de esta manera sacrificaron a todos los demás, y les comieron las piernas y brazos, y los corazones y sangre ofrecían a sus ídolos, como dicho tengo, y los cuerpos, que eran las barrigas y tripas echaban a los tigres y leones y sierpes y culebras que tenían en la casa de las alimañas, como dicho tengo en el capítulo que atrás de ello he platicado.

Pues después que aquellas crueldades vimos todos los de nuestro real y Pedro de Alvarado y Gonzalo de Sandoval y todos los demás capitanes, miren los curiosos lectores que esto leyeren qué lástima teníamos de ellos, y decían entre nosotros: "¡Oh, gracias a Dios que no me llevaron a mí hoy a sacrificar!", y también tengan atención que no estábamos lejos de ellos, y no les podíamos remediar, y antes rogábamos a Dios que nos guardase de tan crudelísima muerte. Pues en aquel instante que hacían aquellos sacrificios, vinieron de repente sobre nosotros grandes escuadrones de guerreros, y nos daban por todas partes bien qué hacer, que ni nos podíamos valer de una manera ni de otra contra ellos, y nos decían: "Mira que de esta manera habéis de morir todos, que nuestros dioses nos lo han prometido muchas veces." Pues las palabras de amenazas que decían a nuestros amigos los tlaxcaltecas eran tan lastimosas y tan malas, que les hicieron desmayar, y les echaban piernas de indios asadas y otros brazos de nuestros soldados, y les decían: "Comed de las carnes de esos *teules* y de vuestros hermanos, que ya bien hartos estamos de ellos, y eso que nos sobra podéis hartaros de ello, y mirad que las casas que habéis derrocado que os hemos de traer para que las tornéis a hacer muy mejores y con piedra blanca y calicanto labradas; por eso ayudad muy bien a esos *teules,* que todos los veréis sacrificados."

Pues otra cosa mandó hacer Guatemuz: que como aquella victoria tuvo, envió por todos los pueblos nuestros confederados y amigos y a sus parientes pies y manos de nuestros soldados, y caras desolladas con sus barbas, y las cabezas de los caballos que mataron, y les enviaron a decir que ya éramos muertos más de la mitad de nosotros, y que presto nos acabarían, y dejasen nuestra amistad y se viniesen a México, que si luego no la dejaban, que les iría a destruir, y les envió a decir otras muchas cosas para que se fuesen de nuestro real y nos dejasen, pues habíamos de ser presto muertos por sus manos. Y a la contina dándonos guerra así de día como de noche; y como velábamos todos los del real juntos, y Gonzalo de Sandoval y Pedro de Alvarado y los demás capitanes haciéndonos compañía en la vela, y aunque venían de noche grandes capitanías de guerreros, los resistíamos, pues los de a caballo todo el día y la noche estaban la mitad de ellos en lo de Tacuba y la otra mitad en las calzadas; pues otro mayor mal nos hicieron, que cuanto habíamos cegado desde que en la calzada entramos, todo lo tornaron [a] abrir, e hicieron albarradas muy más fuertes que de antes; pues a los amigos de las ciudades de la laguna que nuevamente habían tomado nuestra amistad y nos vinieron [a] ayudar con las canoas, creyeron llevar lana y volvieron trasquilados, porque perdieron muchos las vidas y más de la mitad de las canoas que traían, y otros muchos volvieron heridos, y aun con todo esto, desde allí adelante no ayudaron a los mexicanos, porque estaban mal con ellos, salvo estarse a la mira.

Dejemos de hablar más en contar lástimas y volvamos a decir el recaudo y manera que de allí en adelante teníamos, y cómo allí Gonzalo de Sandoval, y Francisco de Lugo, y Andrés de Tapia, y Juan de Cuéllar, y Valdenebro, y los demás soldados que habían venido a nuestro real les pareció que era bien volverse a sus puestos y dar relación a Cortés cómo y de qué manera estábamos; y se fueron en posta y dijeron a Cortés cómo Pedro de Alvarado y todos sus soldados teníamos muy buen recaudo, así en el batallar como en el velar, y aun Sandoval, como me tenía por amigo, dijo a Cortés que me halló a mí y a otros soldados batallando el agua más de la cinta, defendiendo un bergantín que estaba zabordado en tierra, que si por nuestras personas no fuera que mataran a todos los soldados y capitán que dentro venía, y porque dijo de mi persona otras loas de cuando me mandaba a retraer, que yo aquí no lo he de decir, porque otras personas lo dijeron y se supo en todo el real de Cortés y el nuestro, no quiero aquí recitarlo.

Y desde que Cortés lo hubo bien entendido del buen recaudo que teníamos en nuestro real, con ello descansó su corazón, y desde allí adelante mandó a todos tres reales que no batallásemos poco ni mucho con los mexicanos; entiéndese que no curásemos de tomar ningún puente ni albarrada, salvo de defender nuestros reales, no nos los rompiesen, que de batallar con ellos, aún no había bien esclarecido el día cuando estaban sobre nuestro real tirando muchas piedras con hondas y vara y flecha, y diciéndonos vituperios feos; y como teníamos junto a nuestro real una abertura de agua muy ancha y honda, estuvimos con ellos cuatro días arreo, que no la pasamos, y otro tanto se estuvo Cortés en su real y Sandoval en el suyo; y esto de no salir a batallar y procurar de ganar las albarradas que habían tornado [a] abrir y hacer fuertes, era por causa que todos estábamos muy heridos y trabajados, así de velas como de las armas, y sin comer cosa de sustancia. Y como faltaban del día antes sobre setenta y tantos soldados de todos tres reales, y ocho caballos, porque recibiésemos algún alivio, y para tomar maduro consejo de lo que habíamos de hacer desde allí adelante, mandó Cortés que estuviésemos quedos, como dicho tengo. Y dejarlo he aquí, y diré cómo y de qué manera peleábamos, y todo lo más que en nuestro real pasó.

CAPÍTULO CLIII

DE LA MANERA QUE PELEAMOS, Y DE MUCHAS BATALLAS QUE LOS MEXICANOS NOS DABAN, Y LAS PLÁTICAS QUE CON ELLOS TUVIMOS, Y DE CÓMO NUESTROS AMIGOS SE NOS FUERON A SUS PUEBLOS, Y DE OTRAS MUCHAS COSAS QUE PASARON

La manera que teníamos en todos tres reales de pelear, es ésta: que velábamos cada noche todos los soldados juntos en las calzadas, y nuestros bergantines a los lados, y los de a caballo rondando la mitad de ellos en lo de Tacuba, adonde nos hacían pan y teníamos nuestro fardaje, y la otra mitad en las puentes y calzada, y muy de mañana aparejábamos los puños para batallar con los contrarios, que nos venían a entrar en nuestro real y procuraban de desbaratarnos. Y otro tanto hacían en el real de Cortés y en el de Sandoval, y esto no fue sino cinco días, porque luego tomamos otra orden, lo cual diré adelante.

Y digamos ahora cómo los mexicanos cada noche hacían grandes sacrificios y fiestas en el *cu* mayor del Tatelulco, y tañían su maldito tambor y otras trompas y atabales y caracoles, y daban muchos gritos y alaridos, y tenían toda la noche grandes luminarias de mucha leña encendida; y entonces sacrificaban de nuestros compañeros a su maldito Uichilobos, y [a] Tezcatepuca y hablaban con ellos, y, según ellos decían, que en la mañana o aquella misma noche parece ser, como los ídolos son malos, por engañarlos que no viniesen de paz les hacían en creyente que a todos nos habían de matar, y a los tlaxcaltecas y a todos los más que fuesen en nuestra ayuda; y como nuestros amigos lo oían teníanlo por muy cierto, y porque nos vieron desbaratados y no batallábamos como solía[mos]. Dejemos estas pláticas, que eran de sus malditos ídolos, y digamos cómo en la mañana venían muchas capitanías juntas a cercarnos y dar guerra, y se remudaban de rato en rato, unos de unas divisas y penachos y señales, y venían otros de otras libreas, y entonces cuando estábamos peleando con ellos nos decían muchas palabras, llamándonos de apocados y que no éramos buenos para cosa ninguna, ni para hacer casas ni maizales, y que no éramos sino para venirles a robar su ciudad, como gente mala que habíamos venido huyendo de nuestra tierra y de nuestro rey y señor, y esto decían por lo que Narváez les había enviado a decir, que veníamos sin licencia de nuestro rey, como dicho tengo en el capítulo que de ello habla.

Y nos decían que de ahí a ocho días no había de quedar ninguno de nosotros, porque así se lo prometieron la noche pasada sus dioses, y nos decían otras muchas palabras malas, y a la postre decían: "Mirad cuán malos y bellacos sois, que aun vuestras carnes son tan malas para comer que amargan como las hieles, que no las podemos tragar de amargor." Y parece ser como aquellos días se habían hartado de nuestros soldados y compañeros, quiso Nuestro Señor que les amargasen las carnes. Pues a nuestros amigos los tlaxcaltecas, si muchos vituperios nos decían a nosotros, más les decían a ellos; y que los tendrían por esclavos para sacrificar y hacer sus sementeras, y tornar a edificar sus casas que les habíamos derrocado, y que las habían de hacer de cal y canto labradas, y que su Uichilobos se lo había prometido.

Y diciendo esto, luego el bravoso pelear, y se venían por unas casas derrocadas, y por las muchas canoas que tenían nos tomaban las espaldas, y aun nos tenían algunas veces ya atajados en la calzada, y Nuestro Señor Dios nos sustentaba cada día, que nuestras fuerzas no bastaban; mas todavía les hacíamos volver muchos de ellos heridos, y otros quedaban muertos. Dejemos de hablar de los grandes combates que nos daban y digamos cómo nuestros amigos los de Tlaxcala y de Cholula y Guaxocingo, y aun los de Tezcuco y Chalco y Tamanalco, acordaron de irse a sus tierras, y sin saberlo Cortés ni Pedro de Alvarado ni Sandoval se fueron todos los más, que no quedó en el real de Cortés salvo Estesuchel,[138] que después que se bautizó se llamó don Carlos, y era hermano de don Fernando, señor de Tezcuco, y era muy esforzado hombre, y quedaron con él otros sus parientes y amigos hasta cuarenta, y en el real de Sandoval quedó otro cacique de Guaxocingo con obra de cincuenta hombres, y en nuestro real quedaron dos hijos de don Lorenzo de Vargas y el esforzado de Chichimecatecle con obra de ochenta tlaxcaltecas, sus parientes y vasallos, *por manera que de más de veinticuatro mil amigos que traíamos, no quedaron en todos tres reales sino obra de doscientos amigos, que todos se nos fueron a sus pueblos.*[139]

Y desde que nos hallamos solos

[138] Bernal escribió: *Este suchel.* Seguramente se refiere a Ixtlilxóchitl, por más que en el bautizo se llamó Fernando, y de sus hermanos el que tomó el nombre de Carlos fue don Carlos Ahuaxpitzatzin, según el cronista don Fernando de Alva Ixtlilxóchitl. Esta confusión es de Gómara.

[139] Lo que va en letra cursiva lo tomamos del texto del códice Alegría.

con tan pocos amigos, recibimos pena, y Cortés y Sandoval, cada uno en su real, preguntaban a los amigos que les quedaban que por qué se habían ido de aquella manera los demás; y decían que como veían que los mexicanos hablaban de noche con sus ídolos y les prometían que nos habían de matar a nosotros y a ellos, que creían que era verdad, y de miedo se iban, y lo que le daba más crédito era que nos veían a todos heridos, y nos habían muerto muchos de los nuestros, y que de ellos mismos faltaban más de mil y doscientos, y que temieron no nos matasen [a] todos, y también porque Xicotenga el Mozo, el que mandó ahorcar Cortés en los términos de Tezcuco, siempre que les decía que sabía por sus adivinanzas que a todos nos habían de matar y que no quedaría ningún tlaxcalteca de ellos a vida, y por estas causas se fueron.

Y puesto que Cortés en lo secreto mostró pesar de ello, mas con rostro alegre les dijo que no tuviesen miedo, y que aquello que los mexicanos les decían que era mentira y por desmayarlos, y tantas cosas de prometimientos les dijo, con palabras amorosas, que les esforzó a estar con él, y otro tanto dijimos a Chichimecatecle y a los dos mancebos Xicotengas; y en aquellas pláticas que Cortés decía a Estesuchel, que ya he dicho que se dijo don Carlos, como era de suyo señor, y esforzado, dijo a Cortés: "Señor Malinche, no recibas pena por no batallar cada día con los mexicanos; sana de tu pierna, toma mi consejo, y es que te estés algunos días en tu real, y otro tanto manda al Tonatio (que era Pedro de Alvarado, que así le llamaban), que se esté en el suyo, y a Sandoval en Tepeaquilla, y con los bergantines anden cada noche, y de día, a quitar y defender que no les entren bastimentos ni agua, porque están dentro en esta gran ciudad tantos mil *xiquipiles* de guerreros que por fuerza comerán el bastimento que tienen, y el agua que ahora beben es media salobre, de unas fuentes que tienen hechas, y como llueve cada día, y algunas noches recogen el agua, de ello se sustentan; mas qué pueden hacer si les quitas la comida y el agua, sino que es más que guerra la que tendrían con la hambre y sed."

Y como Cortés aquello entendió, le echó los brazos encima y le dio gracias por ello, y con prometimiento que le daría pueblos, y este consejo ya lo habíamos puesto en pláticas muchos soldados, mas somos de tal calidad, que no queríamos aguardar tanto tiempo, sino entrarles en la ciudad. Y desde que Cortés lo hubo muy bien considerado, lo que el cacique dijo, puesto que ya se lo habíamos enviado a decir por nuestra parte, y sus capitanes y soldados se lo decían por otra, mandó a dos bergantines que fuesen a nuestro real y al de Sandoval a decirnos que nos manda que estuviésemos otros tres días sin irles entrando en la ciudad. Y como en aquella sazón los mexicanos estaban victoriosos, no osábamos enviar un bergantín sólo, y por esta causa envió dos.

Y una cosa nos ayudó mucho, y es que ya osaban todos nuestros bergantines romper las estacadas que los mexicanos les habían hecho en la laguna para que zabordasen, y es de esta manera: que remaban con gran fuerza, y para que mejor furia trajere el remar, tomaban desde algo atrás y si hacía viento con las velas y remos muy mejor, y así eran señores de la laguna, y aun de muchas partes de las casas que estaban apartadas de la ciudad; y los mexicanos que aquello vieron, se les quebró algo su braveza. Dejemos esto y volvamos a nuestras batallas, y es que, pues que no teníamos amigos, comenzamos a cegar y tapar la gran abertura que he dicho otras veces que estaba junto a nuestro real, con la primera capitanía, que venía la rueda de acarrear adobes y madera, y cegar, lo poníamos muy por la obra y con grandes trabajos, y las otras dos capitanías batallábamos; ya he dicho otra vez que así lo teníamos concertado y había de andar por rueda; y en cuatro días que todos trabajamos en ella la teníamos cegada y allanada. Y otro tanto hacía Cortés en su real, y tenía el mismo concierto, y aun él en persona estaba trabajando y llevando adobes y madera hasta que quedaban seguras las puentes y calzadas y abertura, por tenerlo seguro al retraer, y Sandoval ni más ni menos en el suyo, y nuestros bergantines, junto a nosotros, sin temer estacadas, y de esta manera les fuimos entrando poco a poco.

Volvamos a los grandes escuadrones que a la contina nos daban guerra, y muy bravosos y victoriosos se venían a juntar pie con pie con nosotros, y de cuando en cuando cómo se mudaban unos escuadrones y venían otros; pues digamos la grita y alaridos que traían, y en aquel instante el resonido de la cornetilla de Guatemuz, y entonces apechugaban de tal arte con nosotros, que no nos aprovechaban cuchilladas ni estocadas que les dábamos, y nos venían a echar mano; y como después de Dios nuestro buen pelear nos había de valer, teníamos muy reciamente contra ellos hasta que con las escopetas y ballestas y arremetidas de los de a caballo, que estaban a la contina con nosotros la mitad de ellos, y con nuestros bergantines, que no temían ya las estacadas, les hacíamos estar a raya, y poco a poco les fuimos entrando, y de esta manera batallábamos hasta cerca de la noche, que era hora de retraer.

Pues ya que nos retraíamos, ya he dicho otras muchas veces que había de ser con gran concierto, porque entonces procuraban de atajarnos en la calzada, y pasos malos, y si de antes lo habían procurado, en estos días con la victoria pasada, lo ponían muy más por la obra. Y digo que por tres partes nos tenían tomados en medio un día, mas quiso Nuestro Señor Dios que puesto que hirieron muchos de nosotros, nos tornamos a juntar y matamos y prendimos muchos contrarios, y como no teníamos amigos que echar fuera de las calzadas, y los de a caballo nos ayudaban valientemente, puesto que en aquella refriega y combate les hirieron dos caballos, volvimos a nuestro real bien heridos, donde nos curamos con aceite y apretar las heridas con mantas, y comer nuestras tortillas con *ají* y hierbas y tunas, y luego puestos todos en la vela.

Digamos ahora lo que los mexicanos hacían de noche en sus grandes y altos *cúes,* y es que tañían el maldito atambor, que digo otra vez que era el más maldito sonido y más triste que se podía inventar, y sonaba [en] lejanas tierras, y tañían otros peores instrumentos y cosas diabólicas y tenían grandes lumbres, y daban grandísimos gritos y silbos; y en aquel instante estaban sacrificando [a] nuestros compañeros, de los que habían tomado a Cortés, que supimos que diez días arreo acabaron de sacrificar a todos nuestros soldados, y al postrero dejaron a Cristóbal de Guzmán, que vivo tuvieron doce o trece días, según dijeron tres capitanes mexicanos que prendimos; y cuando los sacrificaban, entonces hablaba su Uichilobos con ellos y les prometía victoria, y que habíamos de ser muertos a sus manos antes de ocho días, y que nos diesen buenas guerras y aunque en ellas muriesen muchos, y de esta manera los traía engañados. Dejemos de sus sacrificios y volvamos a decir que desde que otro día amanecía ya estaban sobre nosotros todos los mayores poderes que Guatemuz podía juntar, y como teníamos cegada la abertura y calzada y puente y la podían pasar en seco, mi fe, ellos tenían atrevimiento a venirnos a nuestros ranchos a tirar vara y piedra y flechas, que si no fueran por los tiros, que siempre con ellos les hacíamos apartar, por que Pedro Moreno Medrano, que tenía cargo de ellos, les hacía mucho daño. Y quiero decir que nos tiraban saetas de las nuestras, con ballestas, cuando tenían vivos cinco ballesteros, y a Cristóbal de Guzmán con ellos, y les hacían que armasen las ballestas y les mostrasen cómo habían de tirar, y ellos o los mexicanos tiraban aquellos tiros como cosa perdida, y no hacían mal con ellos; y de la misma manera que nosotros, y aún más reciamente, batallaban con Cortés y Sandoval, y les tiraba saetas, puesto que no nos hacían mal, y esto sabíamoslo por saberlo los bergantines que de nuestro real iban al de Cortés y del de Cortés al nuestro y al de Sandoval, y siempre nos escribía de la manera que habíamos de batallar y todo lo que habíamos de hacer, y encomendándonos la vela, y que siempre estuviesen la mitad de los de a caballo en Tacuba guardando el fardaje y las indias que nos hacían pan, y parásemos mientes que no rompiesen por nosotros una noche, porque unos prisioneros que en el real de Cortés se prendieron le dijeron que Guatemuz decía muchas veces que diesen en nuestro real de noche, pues no había tlaxcaltecas que nos ayudasen, porque bien sabían que se nos habían ido ya todos los amigos, y ya he dicho muchas veces que poníamos gran diligencia en velar.

Dejemos esto, y digamos que cada día teníamos muy recios combates y no dejábamos de irles ganando albarradas y puentes y aberturas de agua, que como nuestros bergantines osaban ir por doquiera de la laguna y no temían a las estacadas, ayudábannos muy bien, y digamos cómo siempre andaban dos bergantines de los que tenía Cortés en su real a dar a caza a las canoas que metían agua y bastimentos, y cogían en la laguna uno como medio lama que después de seco tenía un sabor de queso, y traían en los bergantines muchos indios presos.

Tornemos al real de Cortés y de Gonzalo de Sandoval, que cada día iban conquistando y ganando albarradas y calzadas y puentes, y en estos trances y batallas, después del desbarate de Cortés, se habían pasado doce o trece días. Y desde que Estesuchel, hermano de don Fernando, señor de Tezcuco, vio que volvíamos muy de hecho sobre nosotros y no era verdad lo que los mexicanos decían que dentro de diez días nos habían de matar, porque así se lo habían prometido sus Uichilobos y Tezcatepuca, envió a decir a su hermano don Fernando que luego enviase a Cortés todo el poder de guerreros que pudiese sacar de Tezcuco, y vinieron dentro de dos días que se lo envió a decir más de dos mil hombres de guerra. Acuérdome que vino con ellos un Pero Sánchez Farfán y Antonio de Villarroel, marido que fue de Isabel de Ojeda, porque estos dos soldados había dejado Cortés en aquella ciudad; Pero Sánchez Farfán era capitán, y Villarroel era ayo de don Hernando. Y cuando Cortés vio tan buen socorro se holgó mucho y les dijo palabras halagüeñas; y asimismo en aquella sazón volvieron muchos tlaxcaltecas con sus capitanes, y venía por general de ellos un cacique de Topeyanco que se decía Tepaneca, y también vinieron otros muchos indios de Guaxocingo y muy pocos de Cholula.

Y como Cortés supo que habían vuelto, mandó que todos así como venían fuesen a su real para hablarles, y primero que fuesen les mandó poner guardas de guerra de nuestros soldados en el camino para defenderlos porque si saliesen mexicanos a darles guerra; y desde que fueron delante de Cortés les hizo un parlamento con doña Marina y Jerónimo de Aguilar, y les dijo que bien habrán creído y tenido por cierto la buena voluntad que Cortés siempre les ha tenido y tiene, así por haber servido a Su Majestad como por las buenas obras que de ellos hemos recibido, y que si los mandó desde que vinimos a aquella ciudad venir con nosotros a destruir a los mexicanos, que su intento fue porque se aprovechasen y volviesen ricos a sus tierras y se vengasen de sus enemigos, y no para que por su sola mano hubiésemos de ganar aquella gran ciudad, y puesto que siempre les ha hallado buenos y en todo nos han ayudado, que bien habrán visto que cada día les mandábamos salir de las calzadas porque nosotros estuviésemos más desembarazados sin ellos para pelear, y que ya les había dicho y amonestado otras veces que el que nos da victorias y en todo somos ayudados es nuestro Señor Jesucristo, en quien creemos y adoramos, y porque se fueron al mejor tiempo de la guerra eran dignos de muerte [por] dejar sus capitanes peleando y desmampararlos, y porque ellos no saben nuestras leyes y ordenanzas que les perdona, y que porque mejor lo entiendan, que mirasen que estando sin ellos íbamos derrocando casas y ganando albarradas; y que desde allí adelante manda que no maten ningunos mexicanos, porque les quiere tomar de paz.

Y después que les hubo dicho este razonamiento, abrazó a Chichimecatecle y a los dos mancebos Xicotengas y a Estesuchel, hermano de don Hernando, y les prometió que les daría tierra y vasallos más de los que tenían, teniéndoles en mucho a los que quedaron en nuestro real, y asimismo habló muy bien a Tecapaneca, señor de Topeyanco, y a los caciques de Guaxocingo y Cholula, que solían estar en el real de Sandoval; y desde que les hubo platicado lo que dicho tengo, cada uno mandó que se fuese a su real.

Y volvamos a nuestras grandes guerras y combates que siempre herían a muchos de nuestros soldados, y dejaré de contar muy por extenso todo lo que pasaba; y q[...]ro decir cómo en aquellos días l[...]vía en las tardes, que nos holgáb[...]mos que viniese el aguacero temprano, porque como se mojaban los contrarios no peleaban tan bravosamente y nos dejaban retraer en salvo, y de esta manera teníamos algún descanso, y porque yo estoy harto de escribir batallas, y más cansado y herido estaba de hallarme en ellas, y a los lectores les parecerá prolijidad recitarles tantas veces, ya he dicho que no puede ser menos, porque en noventa y tres días siempre batallamos a la contina; mas desde aquí adelante, si lo pudiese excusar, no lo traeré tanto a la memoria en esta relación. Volvamos a nuestro cuento. Y como en todos tres reales les íbamos entrando en su ciudad, Cortés por su parte y Sandoval por la suya y Pedro de Alvarado por la nuestra, llegamos adonde tenían la fuente, que ya he dicho otra vez que bebían el agua salobre, la cual quebramos y deshicimos porque no se aprovechasen de ella, y estaban guardándola muchos mexicanos, y tuvimos buena refriega de vara y piedra y flecha, y muchas lanzas largas con que aguardaban a los caballos, porque ya por todas partes de las calles que habíamos ganado andábamos, porque estaba llano y sin agua y aberturas y podían correr muy gentilmente. Dejemos de hablar en esto, y digamos cómo Cortés envió a Guatemuz mensajeros rogándole por la paz, y fue de la manera que diré adelante.

CAPÍTULO CLIV

CÓMO CORTÉS ENVIÓ TRES PRINCIPALES MEXICANOS QUE SE HABÍAN PRENDIDO EN LAS BATALLAS PASADAS A ROGAR A GUATEMUZ QUE TUVIÉSEMOS PACES, Y LO QUE EL GUATEMUZ RESPONDIÓ, Y LO QUE MÁS PASÓ

Después que Cortés vio que íbamos ganando en la ciudad muchas puentes y calzadas y albarradas, y derrocando casas, como tenía presos tres principales personas, que eran capitanes de México, les mandó que fuesen a hablar a Guatemuz para que tuviese paces con nosotros, y los principales dijeron que no osarían ir con tal mensaje, porque su señor Guatemuz les mandaría matar; en fin de palabras, tanto se lo rogó Cortés, y con promesas que les hizo y mantas que les dio, fueron, y lo que mandó que dijesen a Guatemuz fue que porque le quiere bien, por ser deudo tan cercano del gran Montezuma, su amigo, y casado con su hija, y porque ha mancilla que aquella gran ciudad, porque no se acabe de destruir, y por excusar la gran matanza que cada día se hacía en sus vecinos y forasteros, que le ruega que vengan de paz, y que en nombre de Su Majestad les perdonará todas las muertes y daños que nos han hecho y les hará muchas mercedes, y que tengan consideración a que ya se lo ha enviado a decir cuatro veces, y que él, como mancebo, y por sus consejeros, y la más principal causa por sus malditos ídolos y *papas,* que le aconsejan mal, no ha querido venir sino darnos guerra; y pues que ya ha visto tantas muertes como en las batallas que nos dan les ha venido, y tenemos de nuestra parte todas las ciudades y pueblos de toda aquella comarca, y que cada día nuevamente vienen más contra ellos, que se conduela de tal perdimiento de sus vasallos y ciudad; y también les envió a decir que sabíamos que se les habían acabado los mantenimientos, y que agua no la tenían, y otras muchas palabras bien dichas.

Y los tres principales lo entendieron muy bien por nuestras lenguas y demandaron a Cortés una carta, y ésta no porque la entendían, sino que ya sabían claramente que cuando enviábamos alguna mensajería o cosas que les mandábamos, era un papel de aquellos que llaman *amales,* señal como mandamiento. Y desde que los tres mensajeros parecieron ante su señor Guatemuz, con grandes lágrimas y sollozando le dijeron lo que Cortés les mandó, y Guatemuz después que lo oyó, y sus capitanes que juntamente con él estaban, según supimos, que al principio recibió pasión de que tuviesen atrevimiento de venirles con aquellas pláticas; mas como Guatemuz era mancebo y muy gentil hombre para ser indio, y de buena disposición y rostro alegre, y aun la color tenía algo más que tiraba a blanco que a matiz de indios, que era de obra de veinticinco o veintiséis años, y era casado con una muy hermosa mujer, hija del gran Montezuma, su tío, y, según después alcanzamos a saber, tenía voluntad de hacer paces, y para platicarlo mandó juntar todos sus principales y capitanes y *papas* de los ídolos, y les dijo que él tenía voluntad de no tener guerra con Malinche, y todos nosotros, y la plática que sobre ello les puso fue que ya había probado todo lo que se puede hacer sobre la guerra y mudado muchas maneras de pelear, y que somos de tal manera que cuando pensaba que nos tenía vencidos, que entonces volvíamos muy más reciamente sobre ellos, y que al presente sabía los grandes poderes de amigos que nuevamente nos habían venido, y que todas las ciudades eran contra ellos; y que ya los bergantines les habían roto sus estacadas, y los caballos corrían a rienda suelta por todas las calles de su ciudad, y les puso por delante otras muchas desventuras que tenían sobre los mantenimientos y agua; que les rogaba o mandaba que cada uno de ellos diesen su parecer, y los *papas* también dijesen el suyo y lo que sus dioses Uichilobos y Tezcatepuca les han oído hablar y prometido; que ninguno tuviese temor de decir la verdad de lo que sentían; y, según pareció, le dijeron: "Señor y nuestro gran señor: ya te tenemos por nuestro rey, y es muy bien empleado en ti el reinado, pues en todas tus cosas te has mostrado varón y te viene de derecho el reino; las paces que dices buenas son, mas mira y piensa en ello: desde que estos *teules* entraron en estas tierras y en esta ciudad cuál nos ha ido de mal en peor; mira los servicios y dádivas que les dio nuestro señor, vuestro tío el gran Montezuma, en qué paró; pues vuestro primo Cacamatzin, rey de Tezcuco por el consiguiente; pues vuestros parientes los señores de Iztapalapa y Coyoacán, y de Tacuba y de Talatcingo, qué se hicieron; pues los hijos de nuestro gran Montezuma todos murieron; pues oro y riquezas de esta ciudad, todo se ha consumido; pues ya veis que a todos tus súbditos y vasallos de Tepeaca y Chalco, y aun de Tezcuco, y todas vuestras ciudades y pueblos les han hecho esclavos y señalado las caras; mira primero lo que nuestros dioses te han prometido, toma buen consejo sobre ello y no te fíes de Malinche y de sus palabras halagüeñas, que todo es mentiras y maldades, que más vale que todos muramos en esta ciudad peleando que no vernos en poder de quien nos haría esclavos, y nos atormentarán por oro."

Y los *papas* también en aquel instante le dijeron que sus ídolos les habían prometido victoria tres noches arreo cuando sacrificaban. Y entonces el Guatemuz, medio enojado, dijo: "Pues que así queréis que sea, guardad mucho el maíz y bastimento que tenemos y muramos todos peleando, y desde aquí adelante ninguno sea osado a demandarme paces; sino, yo le mandaré matar." Y allí todos prometieron de pelear noches y días o morir en defensa de su ciudad. Pues ya esto acordado, tuvieron trato con los de Xochimilco y otros pueblos que les metiesen agua en canoas, de noche, y abrieron otras fuentes en partes que tenían agua, aunque salobre. Dejemos ya de hablar en este su concierto, y digamos de Cortés y todos nosotros, que estuvimos dos días sin entrarles en su ciudad esperando la respuesta, y cuando no nos catamos vienen tantos escuadrones de indios guerreros en todos tres reales y nos dan tan recia guerra, que como leones muy bravos se venían a entrar con nosotros, que creyeron de llevarnos de vencida; esto que digo es por nuestra parte de Pedro de Alvarado, que en la de Cortés y en la de Sandoval también dijeron que les llegaron a sus reales, que no los podían defender, aunque más les mataban y herían, y cuando peleaban tocaban la corneta de Guatemuz; y entonces habíamos de tener orden en que no nos desbaratasen, porque ya he dicho otras veces se metían por las puntas de las espadas y lanzas por echarnos mano, y como ya estábamos acostumbrados a los reencuentros, puesto que cada día herían y mataban de nosotros, teníamos con ellos pie con pie, y de esta manera pelearon seis o siete días arreo, y nosotros les matábamos y heríamos muchos de ellos, y con todo esto no se les daba nada por morir peleando.

Acuérdome que nos decían: "¡En qué se anda Malinche cada día que tengamos paces con vosotros! ¡Ya nuestros ídolos nos han prometido victoria, y tenemos mucho bastimento y agua, y ninguno de vosotros hemos de dejar a vida; por eso no tornen a hablar sobre paces, pues las palabras son para las mujeres y las armas para los hombres!"; y diciendo esto viénense a nosotros como perros dañados, todo era uno, y hasta que la noche nos despartía estábamos peleando; y luego, como dicho tengo, al retraer con gran concierto, porque nos venían siguiendo grandes capitanías de ellos y echábamos los amigos fuera de la calzada porque ya habían venido muchos más que de antes, y nos volvíamos a nuestras chozas, y luego ir a velar todos juntos, y en la vela cenábamos nuestra pobreza de *quelites*, que son yerbas como dicho tengo otras veces; y bien de madrugada pelear, porque no nos daban más espacio; y de esta manera estuvimos muchos días. Y estando de esta manera tuvimos otro muy malo contraste, y es que se juntaban de tres provincias, que se decían los de Mataltzingo [140] y Malinalco y otro pueblo que se dice Tulapa, que ya no se me

[140] Matlatzinco. El nombre de Malinalco está escrito correctamente, y en cuanto a Tulapa, acaso se refiera el autor a Toluca.

acuerdan los nombres de los demás, que estaban obra de ocho o diez leguas de México, para venir sobre nosotros y mientras estuviésemos batallando con los mexicanos darnos en las espaldas y en nuestros reales, y que entonces saldrían los poderes mexicanos, y los unos por una parte y los otros por otra tenían pensamiento de desbaratarnos, y porque hubo otras pláticas y lo que sobre ello se hizo diré adelante.

CAPÍTULO CLV

CÓMO GUATEMUZ TENÍA CONCERTADO CON LAS PROVINCIAS DE MATALTZINGO Y TULAPA Y MALINALCO Y OTROS PUEBLOS QUE LE VINIESEN A AYUDAR Y DIESEN EN NUESTRO REAL, QUE ES EL DE TACUBA, Y EN EL DE CORTÉS, Y QUE SALDRÍA TODO EL PODER DE MÉXICO, ENTRETANTO QUE PELEASEN CON NOSOTROS, Y NOS DARÍAN POR LAS ESPALDAS, Y LO QUE SOBRE ELLO SE HIZO

Y PARA QUE esto se entienda bien ha menester volver atrás a decir desde que a Cortés desbarataron y le llevaron a sacrificar los setenta y tantos soldados, y aun bien puedo decir setenta y ocho, porque tantos fueron después que bien se contaron, y también he dicho que Guatemuz envió las cabezas de los caballos y caras que habían desollado, y pies y manos de nuestros soldados que habían sacrificado, a muchos pueblos y a Mataltzingo y Malinalco y Tulapa, y les envió a decir que ya habían muerto más de la mitad de nuestras gentes, y que les rogaba que para que nos acabasen de matar que viniesen a ayudarle, y que darían en nuestros reales de día o de noche, y que por fuerza habíamos de pelear con ellos por defendernos; que cuando estuviésemos peleando saldrían de México y nos darían guerra por otra parte, de manera que nos vencerían y tendrían que sacrificar muchos de nosotros a sus ídolos, y harían hartazgas con los cuerpos; de tal manera se los envió a decir, que lo creyeron y tuvieron por cierto, y además de esto en Mataltzingo y en Tulapa tenía Guatemuz muchos parientes por parte de la madre; y como vieron las caras y cabezas de nuestros soldados, que he dicho, y lo que les envió a decir, luego lo pusieron por la obra de juntarse con todos los poderes que tenían y venir en socorro de México y de su pariente Guatemuz; y venían ya de hecho contra nosotros, y por el camino donde pasaban estaban tres pueblos nuestros amigos, y les comenzaron a dar guerra y robar las estancias y maizales, y mataron niños para sacrificar, los cuales pueblos enviaron en posta a hacérselo saber a Cortés para que les enviase ayuda y socorro.

Y de presto mandó a Andrés de Tapia, que con veinte de caballo y cien soldados y muchos amigos tlaxcaltecas los socorriese muy bien; y así los hizo retirar a sus pueblos y se volvió al real, de que Cortés hubo mucho placer, y asimismo en aquel instante vinieron otros mensajeros de los pueblos de Cornavaca a demandar socorro, que los mismos de Mataltzingo y de Malinalco y Tulapa y otras provincias venían sobre ellos, y que enviase socorro, y para ello envió a Gonzalo de Sandoval con veinte de a caballo y ochenta soldados, los más sanos que habían en todos tres reales, y yo fui con él y muchos amigos; y sabe Dios cuáles quedaban, con gran riesgo de sus personas, todos tres reales, porque todos los más estaban heridos y no tenían refrigerio ninguno; y porque hay mucho que decir en lo que hicimos en compañía de Sandoval, que desbaratamos los contrarios, se dejará de decir, más de que dimos vuelta muy de presto por socorrer a su real de Sandoval; y trajimos dos principales de Mataltzingo con nosotros y los dejamos de paz, y fue provechosa aquella entrada que hicimos: lo uno, por evitar que nuestros amigos no recibiesen más daño del recibido; lo otro, porque no viniesen a nuestros reales a darnos guerra como venían de hecho, y porque viese Guatemuz y sus capitanes que no tenían ya ayuda ni favor de aquellas provincias, y también cuando con los mexicanos estábamos peleando nos decían que nos habían de matar con ayuda de Mataltzingo y de otras provincias, y que sus ídolos se lo habían prometido.

Dejemos ya de decir de la ida y socorro que hicimos con Sandoval y volvamos a decir cómo Cortés envió a Guatemuz a rogarle que viniese de paz, y que le perdonaría todo lo pasado, y le envió a decir que el rey nuestro señor le envió a mandar ahora nuevamente que no le destruyese más aquella ciudad, y que por esta causa los cinco días pasados no les había dado guerra ni entrado batallando, y que miren que ya no tienen bastimento ni agua, y más de las dos partes de su ciudad por el suelo, y que los socorros que esperaba de Mataltzingo, que se informe de aquellos dos principales que entonces le envió, cómo les ha ido en su venida, y le envió a decir otras cosas de muchos ofrecimientos; y fueron con estos dos mensajes los dos indios de Mataltzingo y seis principales mexicanos que se habían preso en las batallas pasadas. Y después que Guatemuz vio los prisioneros de Mataltzingo y le dijeron lo que había pasado, no les quiso responder cosa ninguna más de decirles que se vuelvan a su pueblo, y luego les mandó salir de México.

Dejemos los mensajeros, que luego salieron los mexicanos por tres partes con la mayor furia que hasta allí habíamos visto, y se vienen a nosotros, y en todos tres reales nos dieron muy recia guerra, y puesto que les heríamos y matábamos muchos de ellos, paréceme que deseaban morir peleando, y entonces cuando más recio andaban con nosotros pie con pie y nos mataron diez soldados, a los que les cortaron las cabezas y [corrieron] por ellos los martirios [que a los demás] que habían muerto, y las traían y nos las echaban delante; entonces decían: *"Tlenquitoa, rey Castilla, tlenquitoa"*, que quiere decir en su lengua: "¿Qué es lo que dice ahora el rey de Castilla?"; y con estas palabras tirar vara y piedra y flecha, que cubría el suelo y calzada.

Dejemos esto, que ya les íbamos ganando gran parte de la ciudad, y en ellos sentíamos que puesto que peleaban muy como varones, no se remudaban ya tantos escuadrones como solían, ni abrían zanjas ni calzadas; mas otra cosa tenían más cierta: que al tiempo que nos retraíamos nos venían siguiendo hasta echarnos mano, y también quiero decir que ya se nos había acabado la pólvora en todos tres reales, y en aquel instante había venido un navío a la Villa Rica, que era de una armada de un licenciado Lucas Vázquez de Ayllón, que se perdió o desbarataron en la isla de la Florida; y el navío aportó [a] aquel puerto, y venían en él ciertos soldados y pólvora y ballestas, y el teniente que estaba en la Villa Rica, que se decía Rodrigo Rangel, que tenía en guarda a Narváez, envió luego a Cortés pólvora y ballestas y soldados.

Y volvamos a nuestra conquista, por abreviar: que acordó Cortés, con todos los demás capitanes y soldados, que les entrásemos cuanto más pudiésemos hasta llegarles al Tatelulco, que es la plaza mayor, donde estaban sus altos *cúes* y adoratorios; y Cortés, por su parte, Sandoval por la suya y nosotros por la nuestra les íbamos ganando puentes y albarradas, y Cortés les entró hasta una plazuela donde tenían otros adoratorios y unas torrecillas. En una de aquellas casas estaban unas vigas puestas en lo alto, y en ellas muchas cabezas de nuestros españoles que habían muerto y sacrificado en las batallas pasadas, y tenían los cabellos y barbas muy crecidas, mucho mayor que cuando eran vivos, y no lo habría yo creído si no lo viera; yo conocí a tres soldados, mis compañeros, y desde que las vimos de aquella manera se nos entristecieron los corazones, y en aquella sazón se quedaron allí donde estaban, mas desde a doce días se quitaron y las pusimos aquellas y otras cabezas que tenían ofrecidas a ídolos las enterramos en una iglesia que hicimos, que se dice ahora los Mártires, cerca de la puente que dicen el Salto de Alvarado.

Dejemos de contar esto, y digamos cómo fuimos batallando los de la capitanía de Pedro de Alvarado, y llegamos al Tatelulco, y había tanto mexicano en guarda de sus ídolos y altos *cúes,* y tenían tantas albarradas, que estuvimos bien dos horas que no se lo podíamos tomar ni entrarles, y como podían ya entrarles caballos, y puesto que a todos los más nos herían, nos ayudaron muy bien y alancearon muchos mexicanos; y como había tanto contrario en tres partes, fuimos las dos capitanías a batallar con ellos, y la capitanía de un capitán que se decía Gutierre de Badajoz mandó Pedro de Alvarado que les subiese en lo alto del *cu* del Uichilobos, que son ciento catorce gradas, y peleó muy bien con los contrarios y muchos *papas* que en las casas de los adoratorios estaban. De tal manera le daban guerra los contrarios a Gutierre de Badajoz y a su capitanía, que le hacían venir diez o doce gradas abajo rodando, y luego le fuimos a socorrer y dejamos el combate en que estábamos con muchos contrarios, y yendo que íbamos nos siguieron los escuadrones con que peleábamos, y corrimos harto riesgo de nuestras vidas, y todavía les subimos sus gradas arriba, que son ciento catorce, como otras veces he dicho.

Aquí había bien que decir en qué peligro nos vimos los unos y los otros en ganarles aquellas fortalezas, que ya he dicho otras muchas veces que era muy alta, y en aquellas batallas nos tornaron a herir a todos muy malamente; todavía les pusimos fuego, y se quemaron los ídolos, y levantamos nuestras banderas y estuvimos batallando en lo llano, después de puesto fuego, hasta la noche que no nos podíamos valer con tanto guerrero.

Dejemos de hablar en ello y digamos que como Cortés y sus capitanes vieron otro día, desde donde andaban batallando por sus partes, en otros barrios y calles lejos del alto *cu,* y las llamaradas que el *cu* mayor se ardía, que no se habían apagado, y nuestras banderas que vieron encima, se holgó mucho y se quisiera ya hallar también en él, mas no podía y aun dijeron que tuvo envidia, porque había un cuarto de legua de un cabo a otro y tenía muchas puentes y aberturas de agua por ganar, y por donde andaban le daban recia guerra y no podía entrar tan presto como quisiera en el cuerpo de la ciudad, como hicimos los de Alvarado; mas desde a cuatro días se juntó con nosotros, así Cortés como Sandoval, y podíamos ir desde un real a otro por las calles y casas derrocadas y puentes y albarradas deshechas y aberturas de agua, todo ciego; y en este instante ya se iban retrayendo Guatemuz con todos sus guerreros en una parte de la ciudad dentro en la laguna, porque las casas y palacios en que vivía ya estaban por el suelo y con todo esto no dejaban cada día de salir a darnos guerra, y al tiempo del retraer nos iban sigüiendo muy mejor que de antes.

Y viendo esto Cortés, que se pasaban muchos días y no venían de paz ni tal pensamiento tenían, acordó con todos nuestros capitanes que les echásemos celadas, y fue de esta manera: que de todos tres reales nos juntamos hasta treinta de a caballo y cien soldados, los más sueltos y guerreros que conocía; Cortés envió a llamar de todos tres reales mil tlaxcaltecas, y nos metimos en unas casas grandes que habían sido de un señor de México y esto fue muy de mañana, y Cortés iba entrando con los demás de a caballo que le quedaban y sus soldados y ballesteros y escopeteros por las calles y calzadas, peleando como solía y haciendo que cegaran una abertura y puente de agua; y entonces estaban peleando con él los escuadrones mexicanos que para ello estaban aparejados, y aun muchos más que Guatemuz enviaba para guardar la puente; y luego que Cortés vio que había gran número de contrarios, hizo como que se retraía y mandaba echar los amigos fuera de la calzada porque creyesen que se iban retrayendo; y vanle siguiendo, al principio poco a poco, y después que vieron que de hecho hacían que iban huyendo, van tras él todos los poderes que en aquella calzada le daban guerra, y desde que Cortés vio que habían pasado algo adelante de las casas donde estaba la celada, mandó tirar dos tiros juntos, que era la señal cuando habíamos de salir de la celada, y salen los de a caballo primero y salimos todos los soldados y dimos en ellos a placer; pues luego volvió Cortés con los suyos, y nuestros amigos los tlaxcaltecas hicieron gran daño en los contrarios, por manera que se mataron e hirieron muchos, y desde allí adelante no nos seguían al tiempo de retraer.

Y también en el real de Pedro de Alvarado les echó otra celada, mas no fue nada, y en aquel día no me hallé yo en nuestro real con Pedro de Alvarado por causa que Cortés me envió a mandar que para la celada fuese a su real.

Dejemos esto y digamos cómo ya estábamos todos en el Tatelulco, y Cortés mandó que se pasasen todas las capitanías a estar en él y allí velásemos, por causa que veníamos más de media legua desde el real a batallar, y estuvimos allí tres días sin hacer cosa que de contar sea, porque nos mandó Cortés que no les entrásemos más en la ciudad ni les derrocásemos más casas, porque les quería tornar a demandar paces. Y en aquellos días que allí estuvimos en el Tatelulco envió Cortés a Guatemuz rogándole que se diese y no hubiese miedo, y con grandes ofrecimientos que le prometía que su persona sería muy acatada y honrada de él, y que mandaría a México y todas sus tierras y ciudades como solía, y le envió bastimentos y regalos, que eran tortillas y gallinas, y cerezas, y tunas, y cacao, que no tenía otra cosa; y Guatemuz entró en consejo con sus capitanes, y lo que le aconsejaron que dijese que quería paz y que aguardarían tres días en dar la respuesta, y que al cabo de los tres días se verían Guatemuz y Cortés y se darían el concierto en las paces, y en aquellos tres días tendrían tiempo de saber más por entero la voluntad y respuesta de su Uichilobos, y de aderezar puentes y abrir calzadas, y adobar vara y piedra y flecha, y hacer albarradas; y envió Guatemuz cuatro mexicanos principales con aquella respuesta. Creíamos que eran verdaderas las paces, y Cortés les mandó dar muy bien de comer y beber a los mensajeros, y les tornó a enviar a Guatemuz, y con ellos les envió más refresco, y así como de antes; y Guatemuz tornó a enviar otros mensajeros, y con ellos dos mantas ricas, y dijeron que Guatemuz vendría para cuando estaba acordado; y por no gastar más razones sobre el caso, nunca quiso venir, porque le aconsejaron que no creyese a Cortés, y poniéndole por delante el fin de su tío el gran Montezuma y sus parientes y la destrucción de todo el linaje noble mexicano, y dijese que estaba malo, y que saliesen todos de guerra, y que placería a sus dioses que les daría victoria, pues tantas veces se la habían prometido.

Pues como estábamos aguardando a Guatemuz y no venía, vimos la malicia, y en aquel instante salen tantos batallones de mexicanos con sus divisas y dan a Cortés tanta guerra, que no se podía valer, y otro tanto fue por la parte de nuestro real; pues en el de Sandoval lo mismo, y era de tal manera que parecían que entonces comenzaban de nuevo a batallar; y como estábamos algo descuidados creyendo que estaban ya de paz, hirieron a muchos de nuestros soldados, y tres murieron muy malamente de las heridas, y dos caballos; mas no se fueron mucho alabando que bien lo pagaron. Y cuando esto vio Cortés, mandó que les tornásemos a dar guerra y les entrásemos en su ciudad en la parte adonde se habían recogido; y como vieron que les íbamos ganando toda la ciudad, envió Guatemuz dos principales a decir a Cortés que quería hablar con él desde una abertura de agua, y había de ser que Cortés de la una parte y Guatemuz de la otra, y señalaron el tiempo para otro día de mañana, y fue Cortés para hablar con él, y no quiso venir Guatemuz al puesto, sino envió principales y dijeron que su señor no osaba venir por temor que cuando estuviesen hablando le tirasen escopetas y ballestas y le matarían, y entonces Cortés les prometió con juramento que no le enojaría en cosa ninguna; y no aprovechó, que no le creyeron, y dijeron que ya conocen sus palabras.

En aquella sazón dos principales que hablaban con Cortés sacan unas tortillas de un fardalejo que traían y una pierna de gallina y cerezas, y sentáronse muy despacio a comer, y porque Cortés lo viese y creyese que no tenían hambre; y cuando aquello vio les envió a decir que pues que no querían venir de paz, que presto les entraría en todas sus casas, y verían si tenían maíz, cuando más gallinas; y de esta manera se estuvieron otros cuatro o cinco días que no les dábamos guerra, y en este instante se salían cada noche de México muchos pobres indios que no tenían qué comer y se venían a nuestro real como aburridos de la hambre, y desde que aquello vio Cortés mandó que no les diésemos guerra; quizá se les mudaría la voluntad para venir de paz, y no venían, y aunque les enviaba a requerir con la paz.

Y en el real de Cortés estaba un soldado que decía él mismo que había estado en Italia en compañía del Gran Capitán y se halló en la chirinola de Garellano y en otras grandes batallas, y decía muchas cosas de ingenios de la guerra, y que haría un trabuco en Tatelulco con que en dos días que con él tirasen a las casas y parte de la ciudad adonde Guatemuz se había retraído, que les haría que luego se diesen de paz; y tantas cosas dijo a Cortés sobre ello, porque era muy hablador aquel soldado, que luego puso en obra de hacer el trabuco, y trajeron cal y piedra y madera de la manera que la demandó el soldado, y carpinteros y clavazón y todo lo perteneciente para hacer el trabuco, e hicieron dos hondas de recias sogas y cordeles, y le trajeron grandes piedras, mayores que botijas de arroba; y ya que estaba hecho y armado el trabuco según y de la manera que el soldado dio la orden, y dijo que estaba bueno para tirar, y pusieron en la honda que estaba hecha una piedra hechiza, y lo que con ella se hizo es que fue por alto y no pasó adelante del trabuco, porque allí luego cayó adonde estaba armado, y después que aquello vio Cortés, hubo enojo con el soldado que le dio la orden para que le hiciese, y tenía pesar en sí mismo porque le creyó, y dijo conocido tenía de él que en la guerra no era para cosa de afrenta más de hablar, y que no era para cosa ninguna sino hablar, y que se había hallado de la manera que he dicho. Y llámase el soldado, según él decía, fulano de Sotelo, natural de Sevilla; y luego Cortés mandó deshacer el trabuco. Y dejemos esto y digamos que como vio que el trabuco fue cosa de burla, acordó que con todos doce bergantines fuese en ellos Gonzalo de Sandoval por capitán general, y entrase en la parte de la ciudad adonde estaba Guatemuz retraído, el cual estaba en parte que no podíamos llegar por tierra a sus casas y palacios, sino por el agua; y luego Sandoval apercibió todos los capitanes de los bergantines, y lo que hizo diré adelante.

CAPÍTULO CLVI

CÓMO GONZALO DE SANDOVAL ENTRÓ CON LOS DOCE BERGANTINES A LA PARTE QUE ESTABA GUATEMUZ Y SE PRENDIÓ, Y LO QUE SOBRE ELLO PASÓ

Pues como dicho tengo, Cortés vio que el trabuco no aprovechó cosa ninguna, antes hubo enojo con el soldado que le aconsejó que le hiciese; y, viendo que no quería paces ningunas Guatemuz y sus capitanes, mandó a Gonzalo de Sandoval que entrase con bergantines en el sitio de la ciudad adonde estaba retraído Guatemuz con toda la flor de sus capitanes y personas más nobles que en México había, y le mandó que no matase ni hiriese a ningunos indios, salvo sino le diesen guerra, y, aunque se la diesen, que solamente se defendiese y no les hiciese otro mal; y que le derrocase las casas y muchas barbacoas que habían hecho en la laguna. Y Cortés se subió en el *cu* mayor del Tatelulco para ver cómo Sandoval entraba con los bergantines que le estaban acompañando, y asimismo estaban con Cortés Pedro de Alvarado y Francisco Verdugo, y Luis Marín y otros soldados. Y como Sandoval entró con gran furia con los bergantines en aquel paraje donde estaban las casas de Guatemuz, y desde que se vio cercado Guatemuz tuvo temor no le prendiesen o matasen, y tenía aparejadas cincuenta grandes piraguas con buenos remeros para que, en viéndose en aprieto, salvarse e irse a meter en unos carrizales, y desde allí a tierra, y esconderse en otros pueblos; y asimismo tenía mandado a sus capitanes y a la gente de más cuenta que consigo tenían en aquella parte de la ciudad que hiciesen lo mismo; y como vieron que les entraban entre las casas, se embarcan en las cincuenta canoas, y ya tenían metida su hacienda y oro y joyas y toda su familia y mujeres, y se mete en ellas y tira por la laguna adelante, acompañado de muchos capitanes; y como en aquel instante iban otras muchas canoas, llena la laguna de ellas, y Sandoval luego tuvo noticia que Guatemuz iba huyendo, mandó a todos los bergantines que dejasen de derrocar casas y barbacoa y siguiesen el alcance de las canoas y mirasen que tuviesen tino a qué parte iba Guatemuz, y que no le ofendiesen ni le hiciesen enojo ninguno sino que buenamente le procurasen de prender.

Y como un García Holguín, que era capitán de un bergantín, amigo de Sandoval y era muy suelto y gran velero su bergantín, y traía buenos remeros, le mandó Sandoval que siguiese a la parte que le decían que iba con sus grandes piraguas Guatemuz huyendo; y le mandó que si le alcanzase que no le hiciese enojo ninguno, más de prenderlo; y Sandoval siguió por otra parte con otros bergantines que le acompañaban. Y quiso Nuestro Señor Dios que García Holguín alcanzó las canoas y piraguas en que iba Guatemuz, y en el arte y riqueza de él y sus toldos y asiento en que iba le conoció que era Guatemuz, el gran señor de México, e hizo por señas que aguardasen, y no querían aguardar, e hizo como que le querían tirar con las escopetas y ballestas, y Guatemuz cuando lo vio hubo miedo y dijo: "No me tire, que yo soy el rey de esta ciudad y me llaman Guatemuz; lo que te ruego es que no llegues a cosas mías de cuantas traigo ni a mi mujer ni parientes, sino llévame luego a Malinche." Y como Holguín lo oyó, se gozó en gran manera y con mucho acato le abrazó y le metió en el bergantín a él y a su mujer y a treinta principales, y les hizo asentar en la popa en unos petates y mantas, y les dio de lo que traían para comer, y a las canoas donde llevaba su hacienda no les tocó en cosa ninguna, sino que juntamente las llevó con su bergantín.

En aquella sazón Gonzalo de Sandoval había mandado que todos los bergantines se recogiesen, y supo que Holguín había preso a Guatemuz y que lo llevaba a Cortés; y desde que aquello oyó da mucha prisa en que remasen los que traía en el bergantín en que él iba y alcanzó a Holguín y le demandó al prisionero; y Holguín no se lo quiso dar, porque dijo que él le había preso y no Sandoval; y Sandoval le respondió que así es verdad, mas que él es el capitán general de los bergantines y García Holguín iba debajo de su mano y bandera, y que por ser su amigo le mandó que siguiese tras Guatemuz, porque era más ligero su bergantín, y le prendiese, y que a él como general le había de dar el prisionero; y Holguín todavía porfiaba que no quería; y en aquel instante fue otro bergantín a gran prisa a Cortés a demandarle albricias, que estaba muy cerca en el Tatelulco, mirando desde lo alto del *cu* cómo entraba Sandoval; y entonces le dijeron la diferencia que traía con Holguín sobre tomarle el prisionero.

Y desde que Cortés lo supo, luego despachó al capitán Luis Marín y a Francisco Verdugo que llamasen a Sandoval y a Holguín, así como venían en sus bergantines, sin más debatir y trajesen a Guatemuz y su mujer y familia con mucho acato, porque él determinaría cúyo era el prisionero y a quién se había de dar la honra de ello; y entretanto que lo llamaron mandó aparejar un estrado lo mejor que en aquella sazón se pudo haber con petates y mantas y asentaderos, y mucha comida de lo que Cortés tenía para sí; y luego vino Sandoval y Holguín con Guatemuz, y le llevaron entrambos a dos capitanes ante Cortés y de que se vio delante de él le hizo mucho acato, y Cortés con alegría le abrazó y le mostró mucho amor a él y a sus capitanes; y entonces Guatemuz dijo a Cortés: "Señor Malinche: ya he hecho lo que soy obligado en defensa de mi ciudad y vasallos, y no puedo más, y pues vengo por fuerza y preso ante tu persona y poder, toma ese puñal que tienes en la cinta y mátame luego con él." [140bis] Y esto cuando se lo decía lloraba muchas lágrimas y sollozos, y también lloraban otros grandes señores que consigo traía. Y Cortés le respondió con doña Marina y Aguilar, nuestras lenguas, muy amorosamente, y le dijo que por haber sido tan valiente y volver por su ciudad le tenía en mucho más su persona, y que no era digno de culpa ninguna, y que antes se le ha de tener a bien que a mal, y que lo que él quisiera era que, cuando iban de vencida, antes que más destruyéramos aquella ciudad ni hubiera tantas muertes de sus mexicanos, que viniera de paz y de su voluntad, y pues ya es pasado lo uno y lo otro, que no hay remedio ni enmienda en ello, y que descanse su corazón y de todos sus capitanes, y que él mandará a México y a sus provincias como de antes. Y Guatemuz y sus capitanes dijeron que lo tenían en merced.

Y Cortés preguntó por la mujer y por otras grandes señoras mujeres de otros capitanes que le habían dicho que venían con Guatemuz, y el mismo Guatemuz respondió y dijo que había rogado a Gonzalo de San-

[140 bis] Tachado en el original y *el mismo Guatemuz le iba a echar mano dél.*

doval y a García Holguín que las dejasen estar en las canoas donde venían hasta ver lo que Malinche les mandaba. Y luego Cortés envió por ellas y a todos les mandó dar de comer lo mejor que en aquella sazón había en el real, y porque era tarde y comenzaba a llover, mandó Cortés que luego se fuesen a Coyoacán, y llevó consigo a Guatemuz y a toda su casa y familia y a muchos principales, y asimismo mandó a Pedro de Alvarado y a Gonzalo de Sandoval y a los demás capitanes que cada uno fuese a su estancia, y real, y nosotros nos fuésemos a Tacuba, y Sandoval a Tepeaquilla, y Cortés a Coyoacán. Prendióse [a] Guatemuz y sus capitanes en trece de agosto, a hora de vísperas, en día de Señor San Hipólito, año de mil quinientos veintiún años. Gracias a Nuestro Señor Jesucristo y a Nuestra Señora la Virgen Santa María, su bendita madre. Amén.

Llovió y relampagueó y tronó aquella tarde y hasta medianoche mucho más agua que otras veces. Y después que se hubo preso Guatemuz quedamos tan sordos todos los soldados como si de antes estuviera un hombre encima de un campanario y tañesen muchas campanas, y en aquel instante que las tañían cesasen de tañerlas, y esto digo al propósito porque todos los noventa y tres días que sobre esta ciudad estuvimos, de noche y de día daban tantos gritos y voces unos capitanes mexicanos apercibiendo los escuadrones y guerreros que habían de batallar en las calzadas; otros llamando a los de las canoas que habían de guerrear con los bergantines y con nosotros en las puentes; otros en hincar palizadas y abrir y ahondar las aberturas de agua y puentes y en hacer albarradas; otros en aderezar vara y flecha, y las mujeres en hacer piedras rollizas para tirar con las hondas; pues desde los adoratorios y torres de ídolos los malditos atambores y cornetas y atabales dolorosos nunca paraban de sonar. Y de esta manera de noche y de día teníamos el mayor ruido, que no nos oíamos los unos a los otros, y después de preso Guatemuz cesaron las voces y todo el ruido; y por esta causa he dicho como si de antes estuviéramos en campanario.

Dejemos esto y digamos cómo Guatemuz era de muy gentil disposición, así de cuerpo como de facciones, y la cara algo larga, alegre, y los ojos más parecían que cuando miraba que era con gravedad que halagüeños, y no había falta en ellos, y era de edad de [141] veintiséis años, y la color tiraba su matiz algo más blanco que a la color de indios morenos, y decían que era sobrino de Montezuma, hijo de una su hermana, y era casado con una hija del mismo Montezuma, su tío, muy hermosa mujer y moza.

Y antes que más pasemos adelante digamos en qué paró el pleito de Sandoval y de García Holguín sobre la prisión de Guatemuz, y es que Cortés les contó un cuento y dijo: que los romanos tuvieron otra contienda ni más ni menos que ésta entre Mario Cornelio y Sila, y fue cuando Sila trajo preso a Yugurta, que estaba con su suegro el rey Bocos, y cuando entraban en Roma triunfando de los hechos y hazañas que hacían, pareció ser, Sila metía en su triunfo a Yugurta con una cadena de hierro al pescuezo, y Mario dijo que no le había de meter sino él, y ya que le metiese que había de declarar que él, Mario, le dio aquella facultad y le envió por él para que en su nombre le trajese preso, y se lo dio el rey Bocos en nombre de Mario, pues Mario era capitán general, y que debajo de su mano y bandera militaba, y Sila, como era de los patricios de Roma, tenía mucho favor, y Mario, como era de una villa cercana a Roma que se decía Arpino y [ad]venedizo, puesto que había sido siete veces cónsul, no tuvo el favor que Sila, y sobre ello hubo las guerras civiles entre Mario y Sila, y nunca se determinó a quién había de dar

[141] Tachado en el original: *veinte y tres o veinte y cuatro años.*

la honra de la prisión de Yugurta.

Volvamos a nuestro hilo y propósito, y es que Cortés dijo que él haría relación de ello a Su Majestad, y a quién fuese servido hacer merced de dárselo por armas, que de Castilla traerían sobre ello la determinación, y desde ha dos años vino mandado por Su Majestad que Cortés tuviese por armas en sus reposteros siete reyes, que fueron: Montezuma, gran señor de México; Cacamatzin, señor de Tezcuco, y los señores de Iztapalapa y de Coyoacán y Tacuba, y otro gran señor que era sobrino de Montezuma, a quien decían que le venía el cacicazgo y señorío de México, que era señor de Mataltzingo y de otras provincias, y a este Guatemuz sobre que fue el pleito.

Dejemos esto y digamos de los cuerpos muertos y cabezas que estaban en aquellas casas adonde se había retraído Guatemuz; digo, que juro, amén, que todas las casas y barbacoas de la laguna estaban llenas de cabezas y cuerpos muertos, que yo no sé de qué manera lo escriba, pues en las calles y en los mismos patios del Tatelulco no había otra cosa, y no podíamos andar sino entre cuerpos y cabezas de indios muertos. Yo he leído la destrucción de Jerusalén; mas si fue más mortandad que ésta, no lo sé cierto, porque faltaron en esta ciudad tantas gentes, guerreros que de todas las provincias y pueblos sujetos a México que allí se habían acogido, todos los más murieron, que, como ya he dicho, así el suelo y laguna y barbacoas todo estaba lleno de cuerpos muertos, y hedía tanto que no había hombre que lo pudiese sufrir, y a esta causa luego como se prendió Guatemuz cada uno de nuestros capitanes se fueron a nuestros reales como ya dicho tengo, y aun Cortés estuvo malo del hedor que se le entró en las narices y dolor de cabeza en aquellos días que estuvo en el Tatelulco.

Dejemos de esto y pasemos adelante y digamos cómo los soldados que andaban en los bergantines fueron los mejor librados, y hubieron buen despojo, a causa que podían ir a las casas que estaban en ciertos barrios de la laguna, que sentían habría ropa, oro u otras riquezas; y también lo iban a buscar en los carrizales adonde lo llevaban a esconder los mexicanos cuando les ganábamos algún barrio y casas, y también porque so color que iban a dar caza a las canoas que metían bastimento y agua, si topaban algunas en que iban algunos principales huyendo a tierra firme para irse entre los pueblos otomíes, que estaban comarcanos, les despojaban lo que llevaban; quiero decir que nosotros los soldados que militábamos en las calzadas y por tierra no podíamos haber provecho ninguno, sino muchos flechazos y lanzadas y cuchilladas y vara y piedra, a causa que cuando íbamos ganando algunas casas ya los moradores de ellas habían sacado toda cuanta hacienda tenían, y no podíamos ir por agua sin que primero cegásemos las aberturas y puentes, y a esta causa he dicho, en el capítulo que de ello habla, que cuando Cortés buscaba los marineros que habían de andar en los bergantines que fueron los mejor librados que no los que batallamos por tierra, y así pareció claro, porque los capitanes mexicanos y aun Guatemuz dijeron a Cortés cuando les demandaba el tesoro de Montezuma, que los que andaban en los bergantines habían robado mucha parte de ello.

Dejemos de hablar más en esto hasta más adelante, y digamos que como había tanta hedentina en aquella ciudad, Guatemuz rogó a Cortés que diese licencia para que todo el poder de México que estaban en la ciudad se saliesen fuera por los pueblos comarcanos, y luego les mandó que así le hiciesen; digo que en tres días con sus noches en todas tres calzadas, llenas de hombres y mujeres y criaturas, no dejaron de salir, y tan flacos y amarillos y sucios y hediondos, que era lástima de verlos; y como la hubieron desembarazado, envió Cortés a ver la ciudad, y veíamos las casas llenas de muertos, y aun algunos pobres mexicanos entre ellos que no podían salir, y lo que purgaban de sus cuerpos era una suciedad como echan los puercos muy flacos que no comen sino hierba; y hallóse toda la ciudad como arada y sacadas las raíces de las hierbas buenas, que habían comido cocidas, hasta las cortezas de algunos árboles; de manera que agua dulce no les hallamos ninguna, sino salada. También quiero decir que no comían las carnes de sus mexicanos, sino eran de las nuestras y tlaxcaltecas que apañaban, y no se ha hallado generación en muchos tiempos que tanto sufriese la hambre y sed y continuas guerras como éstas.

Pasemos adelante, que mandó Cortés que todos los bergantines se juntasen en unas atarazanas que después se hicieron. Volvamos a nuestras pláticas. Que después que se ganó esta tan grande y populosa ciudad y tan nombrada en el Universo, después de haber dado muchas gracias a Dios Nuestro Señor y a su bendita madre Nuestra Señora, y haber ofrecido ciertas mandas a Dios Nuestro Señor, Cortés mandó hacer un banquete en Coyoacán por alegrías de haberla ganado, y para ello tenía ya mucho vino de un navío que había venido de Castilla al puerto de la Villa Rica, y tenía puercos que le trajeron de Cuba; y para hacer la fiesta mandó convidar a todos los capitanes y soldados que le pareció tener cuenta con ellos de todos tres reales, y cuando fuimos al banquete no había asientos ni mesas puestas para la tercia parte de los soldados y capitanes que fuimos, y hubo mucho desconcierto, y valiera más que no se hiciera aquel banquete por muchas cosas no muy buenas que en él acaecieron.[141 bis] [pues ya] que habían alzado las mesas, hubo mucho regocijo, y se dieron gracias a Dios por los muchos bienes y mercedes que siempre nos hacía y a la contina ha hecho.

Dejemos de hablar en esto, y quiero decir otras cosas que pasaron, que se me olvidaban, y aunque no vengan ahora dichas, sino algo atrás, y es que nuestros amigos Chichimecatecle y los dos mancebos Xicotengas, hijos de don Lorenzo de Vargas, que se solía llamar Xicotenga el Viejo y Ciego, guerrearon muy valientemente contra el gran poder de México y nos ayudaron muy bien, y asimismo un hermano de don

---

[141 bis] Tachado en el original: *y también porque esta planta de Noé hizo a algunos hacer desatinos, y hombres hubo en él que anduvieron sobre las mesas después de haber comido que no acertaban a salir al patio. Otros decían que habían de comprar caballos con sillas de oro, y ballesteros también hubo que decían que todas las saetas y jugaderas que tuviesen en su aljaba que las habían de hacer de oro de las partes que les habían de dar, y otros iban por las gradas abajo rodando. Pues ya que habían alzado las mesas salieron a danzar las damas que había con los galanes cargados con sus armas de algodón, que me parece era cosa que si se mira en ello es cosa de reír, y fueron las damas que aquí nombraré que no hubo otras en todo el real ni en la Nueva España; primeramente la vieja María de Estrada, que después casó con Pero Sánchez Farfán, y Francisca de Ordaz, que casó con un hidalgo que se decía Juan González de León; la Bermuda, que casó con Olmos de Portillo, el de México; otra señora, mujer del capitán Portillo, que murió en los bergantines, y ésta, por estar viuda, no la sacaron a la fiesta; e una fulana Gómez, mujer que fue de Benito de Vegel; y otra señora que se decía la Bermuda, y otra señora hermosa que casó con un Hernán Marín, que ya no se me acuerda el nombre de pila, que se vino a vivir a Guaxaca; y otra vieja que se decía Isabel Rodríguez, mujer que en aquella razón era de un fulano de Guadalupe, y otra mujer algo anciana que se decía Mari Hernández, mujer que fue de Juan de Cáceres el Rico; y de otras ya no me acuerdo que las hubiese en la Nueva España. Dejemos del banquete y bailes y danzas, que para otro día que habían alzado las mesas, hubo sortija e ansi mesmo valiera más que no la hubiera, sino que en todo se empleara en cosas santas e buenas...*

Fernando, señor de Tezcuco, muchas veces por mí nombrado, que se decía Estesuchel, que después se llamó don Carlos; éste hizo cosas de muy valiente y esforzado varón, y otro indio capitán, que no se me acuerda el nombre, natural de un pueblo de la laguna, hacía maravillas; y otros muchos capitanes de pueblos de los que nos ayudaban, todos guerreaban muy poderosamente, y Cortés les habló y les dio muchas gracias y loores porque nos habían ayudado, y con muchos prometimientos que les haría señores y les daría el tiempo adelante tierras y vasallos, los despidió, y como estaban ricos y cargados de oro que hubieron y despojos, se fueron a sus tierras, y aun llevaron harta carne de cecina de los mexicanos, que repartieron entre sus parientes y amigos [y] como cosas de sus enemigos la comieron por fiestas.

Ahora que estoy fuera de los combates y recias batallas que con los mexicanos teníamos de día y de noche, por lo cual doy muchas gracias a Dios que de ellas me libró, quiero contar una cosa que me aconteció después que vi sacrificar y abrir por los pechos los sesenta y dos soldados que llevaron vivos de los de Cortés, y ofrecerles los corazones a los ídolos, y esto que ahora diré parecerá [a] algunas personas que es por falta de no tener muy gran ánimo para guerrear, y por otra parte, si bien se considera, es por el demasiado atrevimiento y gran ánimo en que aquellos días había de poner mi persona en lo más recio de las batallas, porque en aquella sazón presumía de buen soldado y estaba tenido en aquella reputación, [vista] cosa era que había de hacer como lo que los más osados soldados eran obligados [a] hacer, y como cada día veía llevar a sacrificar mis compañeros y había visto cómo les aserraban por los pechos y sacarles los corazones bullendo, y cortarles pies y brazos, y se los comieron a los sesenta y dos que he dicho, y de antes habían muerto ochocientos cincuenta de los nuestros compañeros, temía yo que un día que otro me habían de hacer lo mismo, porque ya me habían asido dos veces para llevarme a sacrificar, y quiso Dios que me escapé de su poder, y acordándoseme de aquellas feísimas muertes, y como dice el refrán, que cantarillo que muchas veces va a la fuente, etcétera, y a este efecto siempre desde entonces temí la muerte más que nunca; y esto he dicho porque antes de entrar en las batallas se me ponía una como grima y tristeza en el corazón, y orinaba una vez o dos, y encomendándome a Dios y a su bendita madre y entrar en las batallas todo era uno, y luego se me quitaba aquel pavor; y también quiero decir qué cosa tan nueva les parecerá ahora tener yo aquel temor no acostumbrado, habiéndome hallado en muchas batallas y reencuentros muy peligrosos de guerra, y había de estar curtido el corazón y esfuerzo y ánimo en mi persona, ahora a la postre más arraigado que nunca, porque si bien lo sé contar y traer a la memoria, desde que vine a descubrir con Francisco Hernández de Córdova y con Grijalva, y volví con Cortés, me hallé en lo de la punta de Cotoche, y en lo de Lázaro que en otro nombre se dice Campeche, y en Potonchán, y en la Florida, según más largamente lo tengo escrito, cuando vine a descubrir con Francisco Hernández de Córdova.

Dejemos esto, volvamos a hablar en lo de Grijalva y en la misma de Potonchán, y ahora con Cortés en lo de Tabasco, y en la de Cingapacinga, y en todas las batallas y reencuentros de Tlaxcala, y en lo de Cholula, y cuando desbaratamos a Narváez me señalaron y me hallé cuando les fuimos a tomar la artillería, que eran diez y ocho tiros que tenían cebados con sus piedras y pelotas, los cuales le tomamos, y este trance fue de mucho peligro, y me hallé en el desbarate primero, cuando los mexicanos nos echaron de México, cuando mataron en obra de ocho días sobre ochocientos cincuenta de nuestros soldados; y me hallé en las entradas de Tepeaca y Cachula y sus rededores, y en otros encuentros que tuvimos con los mexicanos, cundo estábamos en Tezcuco, sobre coger las milpas de maíz, y me hallé en lo de Iztapalapa cuando nos quisieron anegar, y me hallé cuando subimos en los peñoles que ahora les llaman las fuerzas o fortalezas, que ganó Cortés, y en lo de Xochimilco, cuatro batallas, otros muchos reencuentros; y entré con Pedro de Alvarado de los primeros a poner cerco a México, y les quebramos el agua de Chapultepec, y en la primera entrada que entramos en las calzadas con el mismo Alvarado, y después cuando nos desbarataron por la misma nuestra parte y nos llevaron ocho soldados y a mí me llevaban asido a sacrificar, y en todas las más batallas por mí ya memoradas que cada día teníamos, hasta que vi, como dicho tengo, las crueles muertes que dieron delante de mis ojos a nuestros compañeros. Ya he dicho que ahora que por mí habían pasado todas estas batallas y peligros de muerte que no lo había de temer tanto como lo temía ahora a la postre; digan aquí los caballeros que de esto de lo militar se les entiende, y se han hallado en trances peligrosos de muerte, a qué fin echarán mi temor, si es a flaqueza de ánimo o a mucho esfuerzo, porque, como he dicho, sentía en mi pensamiento que había de poner mi persona batallando en parte tan peligrosa que por fuerza había de temer entonces la muerte más que otras veces, y por esta causa temblaba el corazón, porque temía la muerte, y todas estas batallas que aquí he dicho, donde me he hallado, verán en mi relación en qué tiempo y cómo y cuándo y dónde y de qué manera; otras muchas entradas y reencuentros tuve desde allí adelante, que aquí no declaro hasta su tiempo y lugar, lo cual verán adelante en esta relación; y también digo que siempre no estaba muy sano, porque muchas veces estaba mal herido, y a este efecto no podía ir a todas las entradas; pues aún no son nada los trabajos ni riesgos de muerte que de mi persona he recontado, que después que ganamos esta grande y fuerte ciudad de México pasé otros muchos reencuentros de guerra con capitanes con quien salí de México, como adelante verán, cuando venga a coyuntura. Y dejémoslo ya,. y diré y declararé por qué he dicho en todas estas guerras mexicanas, cuando nos mataron a nuestros compañeros, *lleváronlos* y no digo *matáronlos,* y la causa es ésta: porque los guerreros que con nosotros peleaban aunque pudieran matar a los que llevaban vivos de nuestros soldados, no los mataban luego, sino dábanles heridas peligrosas porque no se defendiesen, y vivos los llevaban a sacrificar a sus ídolos, y aun primero les hacían bailar delante del Uichilobos, que era su ídolo de la guerra, y ésta es la causa por qué he dicho *lleváronlos.* Y dejemos esta materia, y digamos lo que Cortés hizo después de ganado México.

CAPÍTULO CLVII

CÓMO DESPUÉS DE GANADA LA MUY GRAN CIUDAD DE MÉXICO Y PRESO GUATEMUZ Y SUS CAPITANES, LO QUE CORTÉS MANDÓ QUE SE HICIESE, Y CIERTAS COSAS QUE ORDENÓ

LA PRIMERA COSA, mandó Cortés a Guatemuz que adobasen los caños de agua de Chapultepec según y de la manera que solían estar, y que luego fuese el agua por sus caños a entrar en la ciudad de México, y que limpiasen todas las calles de los cuerpos y cabezas de muertos, que los enterrasen, para que quedasen limpias, y sin hedor ninguno la ciudad, y que todas las puentes y calzadas que las tuviesen muy bien aderezadas como de antes estaban; y que los palacios y casas las hiciesen nuevamente, que dentro de dos meses se volviesen a vivir en ellas, y les señaló en qué parte habían de poblar y la parte que habían de dejar desembarazada para que poblásemos nosotros.

Dejemos de estos mandos y de otros que ya no me acuerdo, y digamos cómo Guatemuz y sus capitanes dijeron a Cortés que muchos soldados y capitanes que andaban en los bergantines y de los que andábamos en las calzadas batallando les habíamos tomado muchas hijas y mujeres de principales; que le pedían por merced que se las hiciesen volver, y Cortés les respondió que serían malas de haber de poder de quien las tenían, y que las buscasen y trajasen ante él, y vería si eran cristianas o se querían volver a sus casas con sus padres y maridos, y que luego se las mandaría dar; y dióles licencia para que las buscasen en todos tres reales, y dio un mandamiento para que el soldado que las tuviese luego se las diesen, si las indias se querían volver de buena voluntad. Y andaban muchos principales en busca de ellas de casa en casa, y eran tan solícitos que las hallaron, y había muchas mujeres que no se querían ir con sus padres, ni madres, ni maridos, sino estarse con los soldados con quienes estaban, y otras se escondían, y otras decían que no querían volver a idolatrar; y aun algunas de ellas estaban ya preñadas, y de esta manera no llevaron sino tres, que Cortés expresamente mandó que las diesen.

Dejemos esto y digamos que luego mandó hacer unas atarazanas y fortalezas en que estuviesen los bergantines, y nombró alcaide que estuviese en ella, y paréceme que fue a Pedro de Alvarado, hasta que vino de Castilla un Salazar de Pedrada, nombrado por Su Majestad.

Digamos, de otra materia, que a todos aplacía cómo se recogió todo el oro y plata y joyas que se hubo en México, y fue muy poco, según pareció, porque todo lo demás hubo fama que lo había echado Guatemuz en la laguna cuatro días antes que le prendiésemos, y que, además de esto, que lo habían robado los tlaxcaltecas y los de Tezcuco y Guaxocingo y Cholula, y todos los demás nuestros amigos que estaban en la guerra, y que los *teules* que andaban en los bergantines robaron su parte; por manera que los oficiales de la Hacienda del rey nuestro señor decían y publicaban que Guatemuz lo tenía escondido y que Cortés holgaba de ello porque no lo diese y haberlo todo para sí; y por estas causas acordaron los oficiales de la Real Hacienda de dar tormento a Guatemuz y al señor de Tacuba, que era su primo y gran privado, y ciertamente mucho le pesó a Cortés y aun [a] algunos de nosotros que a un señor como Guatemuz le atormentasen por codicia del oro, porque ya habían hecho muchas pesquisas sobre ello y todos los mayordomos de Guatemuz decían que no había más de lo que los oficiales del rey tenían en su poder, que eran hasta trescientos ochenta mil pesos de oro, que ya lo habían fundido y hecho barras; y de allí se sacó el real quinto y otro quinto para Cortés, y como los conquistadores que no estaban bien con Cortés vieron tan poco oro, y al tesorero Julián de Alderete, que así se decía, y a los de [Narváez] que tenían sospecha que por quedarse con el oro Cortés no quería que prendiesen a Guatemuz, ni le prendiesen sus capitanes, ni diesen tormentos, y porque no le achacasen algo a Cortés sobre ello, y no lo pudo excusar, le atormentaron, en que le quemaron los pies con aceite, y al señor de Tacuba, y lo que confesaron que cuatro días antes que les prendiesen lo echaron en la laguna, así el oro como los tiros y escopetas que nos habían tomado a la postre a Cortés, y fueron adonde señaló Guatemuz a las casas en que solía vivir, y estaba una como alberca grande de agua, y de aquella alberca sacamos un sol de oro como el que nos dio Montezuma, y muchas joyas y piezas de poco valor que eran del mismo Guatemuz, y el señor de Tacuba dijo que él tenía en unas casas suyas, que estaban en Tacuba obra de cuatro leguas, ciertas cosas de oro, y que le llevasen allá y diría adónde estaba enterrado y lo daría; y fue Pedro de Alvarado y seis soldados, y yo fui en su compañía, y cuando llegamos dijo el cacique que por morirse en el camino había dicho aquello y que le matasen, que no tenía oro ni joyas ningunas, y así nos volvimos sin ello.

Y en este estado se quedó, que no hubimos más oro que fundir; verdad es que a la recámara de Montezuma, que después que murió poseyó y hubo Guatemuz, no se había allegado a muchas joyas y preseas de oro, que todo se tomó señaladamente para que con ello sirviéramos a Su Majestad, y porque había muchas joyas de diversas maneras y hechuras, y tan primas que si me parase a escribir cada cosa y hechura de ello por sí, es gran prolijidad, lo dejaré de decir en esta relación; mas digo que valía dos veces más que lo que se sacó del quinto para Su Majestad y para Cortés, todo lo cual enviamos al emperador nuestro señor con Alonso de Ávila, que en aquel tiempo vino de la isla de Santo Domingo, y en su compañía fue a Castilla Antonio de Quiñones, lo cual diré adelante cómo y de qué manera y cuándo.

Y dejemos de hablar de ello, y volvamos a decir que en la laguna, adonde nos decían que había echado el oro Guatemuz, entré yo y otros soldados a zambullidas; siempre sacábamos piecezuelas de poco precio, lo cual luego nos lo demandó Cortés y el tesorero Julián de Alderete por oro de Su Majestad, y ellos mismos fueron con nosotros adonde lo habíamos sacado y llevaron buenos nadadores, y tornaron a sacar obra de ochenta o noventa pesos en sartalejos, y ánades, y perrillos, y pinjantes, y collarejos y otras cosas de nonada, que así se puede decir según la fama que había que en la laguna habían echado de antes. Dejemos de hablar en ello, y digamos cómo todos los capitanes y soldados estábamos algo pensativos después que vimos el poco oro y las partes tan pobres y malas, y el fraile de la Merced y Pedro de Alvarado y Cristóbal de Olid y otros capitanes dijeron a Cortés que pues que había poco oro, que lo que cabía de parte a todos que se lo diesen y repartiesen a los que quedaron mancos y cojos y ciegos y tuertos y sordos, y otros que se habían tullido y estaban con dolor de estómago, y otros que se habían quemado con la pólvora, y a todos los que estaban dolientes de dolor de costado, que [a] aquéllos les diesen todo el oro; y que para estos tales sería bien dárselo, y que todos los demás que estábamos algo sanos lo habríamos por bien; y esto que le dijeron a Cortés fue sobre cosa pensada, creyendo que nos diera más que las partes, porque había muchas sospechas que lo tenía escondido todo [el oro] y que [mandó a] Guat [emuz] que dijese [que] no tenía ninguno. Y lo que Cortés respondió fue que vería a cómo salíamos y que en todo pondría remedio. Y como todos los capitanes y soldados queríamos ver lo que nos cabía de parte, dábamos prisa para que se echase la cuenta y se declarase a qué tantos pesos salíamos. Y después que lo hubieron tanteado dijeron que cabían a los de a caballo a ochenta pesos, y a los ballesteros y escopeteros y rodeleros a sesenta o a cincuenta pesos, que no se me acuerda bien. Y desde que aquellas partes nos señalaron, ningún soldado las quiso tomar.

Entonces murmuramos de Cortés, y decían que lo había tomado y escondido el tesorero; y Alderete, por descargarse de lo que le decíamos, respondía que no podía más, por que Cortés sacaba del montón otro quinto como el de Su Majestad para él, y se pagaban muchas costas de los caballos que se habían muerto, y que también se dejaban de meter en el montón, muchas piezas de oro que habíamos de enviar a Su Majestad; y que riñésemos con Cortés y no con él. Y como en todos tres reales y en los bergantines había soldados que habían sido amigos y paniaguados de Diego Velázquez, gobernador de Cuba, de los que habían pasado con Narváez, que no tenían buena voluntad a Cortés y le querían muy mal, como vieron que en el partir de oro no les daba las partes que quisieran, no lo quisieron recibir lo que les daba, y decían que pareciese todo el oro en poder de quien estaba, y se desvergonzaban mucho en decir que Cortés se alzaba con el oro. Y como Cortés estaba en Coyoacán y posaba en unos palacios que tenía blanqueadas y encaladas las paredes, donde buenamente se podía escribir en ellas con carbones y con otras tintas, amanecía cada mañana escritos muchos motes, algunos en prosa y otros en metros, algo maliciosos, a manera como mase-pasquines; y en unos decían que el sol y la luna y el cielo y estrellas y la mar y la tierra tienen sus cursos, y que si alguna vez sale más de la inclinación para que fueron criados, más de sus medidas, que vuelven a su ser, y que así había de ser la ambición de Cortés en el mandar, y que había de suceder volver a quien primero era; y otros decían que más conquistados nos traía que la conquista que dimos a México, y que no nos nombrásemos conquistadores de la Nueva España, sino conquitados de Hernando Cortés; otros decían que no bastaba tomar buena parte del oro como general, sino parte como rey, sin otros aprovechamientos; otros decían: "¡Oh, qué triste está la ánima mea hasta que todo el oro que tiene tomado Cortés y escondido lo vea!" Y otros decían que Diego Velázquez gastó su hacienda y que descubrió toda la costa del Norte hasta Pánuco, y la vino Cortés a gozar, y se alzó con la tierra y oro; y decían otras cosas de esta manera, y aun decían palabras que no son para poner en esta relación.

Y cuando salía Cortés de su aposento por las mañanas y lo leía, y como estaban en metros y en prosas y por muy gentil estilo y consonantes cada mote y copla [a] lo que inclinaba y a la fin que tiraba su dicho, y no tan simplemente como yo aquí lo digo, y como Cortés era algo poeta y se preciaba de dar respuestas inclinadas para loar sus grandes y notables hechos y deshaciendo los de Diego Velázquez y Grijalva y Francisco Hernández de Córdova, y como prendió a Narváez, respondía también por buenos consonantes y muy a propósito en todo lo que escribía, y de cada día iban más desvergonzados los metros y motes que ponían, hasta que Cortés escribió: "Pared blanca, papel de necios." Y amaneció escrito más adelante: "Aun de sabios y verdades, y Su Majestad lo sabrá muy presto"; y bien supo Cortés quién lo escribía, que fue fulano Tirado, amigo de Diego Velázquez, yerno que fue de Ramírez el Viejo, que vivía en la Puebla; y un Villalobos que fue a Castilla, y otro que se decía Mansilla, y otros que ayudaban de buena para que Cortés sintiese a los puntos que le tiraban. Y Cortés se enojó y dijo públicamente que no pusiesen malicias, que castigaría a los ruines desvergonzados.

Dejemos esto; que como había muchas deudas entre nosotros, que debíamos de ballestas a cincuenta y a sesenta pesos, y de una escopeta ciento y de un caballo ochocientos y novecientos pesos, y otros de una espada cincuenta, y de esta manera eran tan caras todas las cosas que habíamos comprado, pues un cirujano, que se llamaba maestre Juan, que curaba algunas malas heridas y se igualaba por la cura a excesivos precios, y también un medio matasanos, que se decía Murcia, que era boticario y barbero, que también curaba, y otras treinta trampas y tarrabusterías que debíamos, demandaban que las pagásemos de las partes que nos daban; y el remedio que Cortés dio fue que puso dos personas de buena conciencia, que sabían de mercaderías, que [aprecia]sen qué podía valer cada cosa de lo que habíamos tomado fiado lo apreciasen; llamábanse los apreciadores Santa Clara, persona muy noble, y el otro se decía fulano de Llerena, también noble persona, y se mandó que todo lo que aquéllos dijesen que valían las cosas que nos habían vendido y las curas que habían hecho los cirujanos que pasasen por ello, y que si no teníamos dineros, que aguardasen por ellos tiempo de dos años.

Otra cosa también se hizo; que todo el oro que se fundió echaron tres quilates más de lo que tenía de ley; porque ayudasen a las pagas, y también porque en aquel tiempo habían venido mercaderes y navíos a la Villa Rica, y creyendo que en echar los tres quilates más ayudaban a la tierra y a los conquistadores; y no nos ayudó en cosa ninguna, antes fue en nuestro perjuicio, porque los mercaderes, viendo que para los tres quilates saliese a la cabal de sus ganancias, cargaban en las mercaderías y cosas que vendían cinco quilates más, y de esta manera anduvo el oro de tres quilates más cinco o seis años, y a este respecto se nombraba el oro de quilates *tepuzque*, que quiere decir en lengua de indios cobre; y ahora tenemos aquel modo de hablar, que cuando nombramos algunas personas que son preeminentes y de merecimiento decimos el señor don fulano de tal nombre, o Juan o Martín o Alonso; y otras personas que no son de tanta calidad les decimos su nombre, y por haber diferencia de los unos a los otros decimos fulano del tal nombre *Tepuzque*.

Volvamos a nuestra plática; que viendo que no era justo que anduviese el oro de aquella manera, se envió a hacer saber a Su Majestad para que se quitasen los tres quilates de más y no anduviese en la Nueva España, y Su Majestad fue servido mandar que no anduviese más, y que todo lo que se le hubiese de pagar en almojarifazgo y penas de cámara, que se le pagase en aquel mal oro hasta que se acabase y no hubiese memoria de ello, y de esta manera se llevó todo a Castilla, y allá le fundieron y pusieron en su ley perfecta. Y quiero decir que en aquella sazón que esto pasó ahorcaron a dos plateros que falsearon las marcas reales de los quilates y lo echaban a cobre puro. Mucho me he detenido en contar cosas viejas y salir fuera de mi relación; volvamos a ella y digamos que como Cortés vio que muchos soldados se desvergonzaban en demandarle más partes y le decían que se lo tomaba todo para sí y lo robaba, y le pedían prestados dineros, acordó de quitar de sobre sí aquel dominio y de enviar a poblar a todas las provincias que le pareció que convenían que se poblasen. A Gonzalo de Sandoval mandó que fuese a poblar a Tustepeque y que castigase a unas guarniciones mexicanas que mataron, cuando nos echaron de México, setenta y ocho personas y seis mujeres de Castilla que allí habían quedado de los de Narváez; y que poblase una villa que se puso por nombre Medellín;[142] que pasase a Guazacualco y que poblase aquel puerto; y también mandó a un Castañeda y a Vicente López que fuesen a conquistar la provincia de Pánuco; y mandó a Rodrigo Rangel que estuviese en la Villa Rica, como de antes estaba, y en su compañía llevó a Pedro de Ircio; y mandó a Juan Álvarez Chico que fuese a Colima, y a un Villafuerte a Zacatula, y a Cristóbal de Olid que fuese a Mechuacán. Ya en este tiempo se había casado Cristóbal de Olid con una portuguesa que

[142] No se conoce con precisión el sitio donde fundó Sandoval a Medellín, de seguro a no larga distancia de Cotaxtla, hacia la costa, donde estuvo el pueblo de Tuztepeque.

se decía doña Felipa de Arauz o Zarauz, que había entonces llegado de España; y envió a Francisco de Orozco a poblar a Oaxaca, porque en aquellos días que habíamos ganado a México, como lo supieron en todas estas provincias que he nombrado que México estaba destruida, no lo podían creer los caciques y señores de ellas, como estaban lejanas y enviaban principales a dar a Cortés el parabién de las victorias, y a darse por vasallos de Su Majestad, y a ver cosa tan temida, como de ellos fue México, si era verdad que estaba por el suelo, y todos traían grandes presentes de oro que daban a Cortés, y aun traían consigo a sus hijos pequeños y les mostraban a México, y, como solemos decir, aquí fue Troya, se lo declaraban.

Dejemos esto, y digamos una plática que es bien que se declare porque me dicen muchos curiosos lectores que qué es la causa que pues los verdaderos conquistadores que ganamos la Nueva España y la fuerte y gran ciudad de México por qué no nos quedamos en ella a poblar y nos venimos a otras provincias; digo que tienen mucha razón de preguntarlo y fuera justo; quiero decir la causa por qué, y es ésta que diré: En los libros de la renta de Montezuma mirábamos de dónde le traían los tributos del oro y dónde había minas y cacao y ropa de mantas, y de aquellas partes que veíamos en los libros y las cuentas que tenía en ellos Montezuma que se lo traían, queríamos ir, en especialmente viendo que salía de México un capitán tan principal y amigo de Cortés como fue Sandoval, y también como veíamos que en los pueblos de la redonda de México no tenían oro, ni minas, ni algodón, sino mucho maíz y magueyales, de donde sacaban el vino, a esta causa la teníamos por tierra pobre, y nos fuimos a otras provincias a poblar, y todos fuimos muy engañados.

Acuérdome que fui a hablar a Cortés que me diese licencia para ir con Sandoval, y me dijo: "En mi conciencia, señor Bernal Díaz del Castillo, que vivís engañado, que yo quisiera que quedárades aquí conmigo; mas es vuestra voluntad de ir con vuestro amigo Sandoval, id en buena hora; yo siempre tendré cuidado de lo que se os ofreciere; mas bien sé que os arrepentiréis por dejarme."

Volvamos a decir de las partes de oro, que todo se quedó en poder de los oficiales del rey por los esclavos que se habían sacado en las almonedas. No quiero poner aquí por memoria qué tantos de a caballo, ni escopeteros ni ballesteros, ni soldados, ni en cuántos días de tal mes despachó Cortés a los capitanes por mí memorados que fuesen a poblar las provincias por mí arriba dichas, porque sería larga relación; basta que diga que pocos días después de ganado México y preso Guatemuz, y desde ahí a otros dos meses, envió Cortés a otros capitanes a otras provincias. Dejémonos ahora de hablar de Cortés, y diré que en aquel instante vino al puerto de la Villa Rica Cristóbal de Tapia, con dos navíos, el cual era veedor de las fundiciones que se hacían en la isla de Santo Domingo; otros dijeron que era alcaide de la fortaleza de aquella isla; y traía provisiones y cartas misivas de don Juan Rodríguez de Fonseca, obispo de Burgos, arzobispo de Rosano, que enviaba en nombre de Su Majestad para que Cristóbal de Tapia fuese gobernador de la Nueva España. Y lo que sobre ello pasó diré adelante.

CAPÍTULO CLVIII

CÓMO VINIERON CARTAS A CORTÉS, CÓMO EN EL PUERTO DE LA VERACRUZ HABÍA LLEGADO CRISTÓBAL DE TAPIA CON DOS NAVÍOS, Y TRAÍA PROVISIONES DE SU MAJESTAD PARA QUE GOBERNASE LA NUEVA ESPAÑA, Y LO QUE SOBRE ELLO SE ACORDÓ E HIZO

PUESTO QUE CORTÉS hubo despachado los capitanes y soldados por mí ya dichos a pacificar y poblar provincias, en aquella sazón vino Cristóbal de Tapia, veedor de la isla de Santo Domingo, con provisiones guiadas y encaminadas por don Juan Rodríguez de Fonseca, obispo de Burgos y arzobispo de Rosano, porque así se nombraba, para que lo admitiesen a la gobernación de la Nueva España, y además de las provisiones traía muchas cartas del mismo obispo para Cortés y para otros muchos conquistadores y capitanes de los que habían venido con Narváez, para que favoreciesen a Cristóbal de Tapia, y demás de las cartas que venían cerradas y selladas por el obispo traía otras muchas en blanco para que Tapia escribiese en ellas todo lo que quisiese y nombrase a los soldados y capitanes que le pareciese que convenían; y en todas ellas traía muchos prometimientos del obispo que nos haría grandes mercedes si dábamos la gobernación a Tapia, y si no se la entregábamos, muchas amenazas, y decía que Su Majestad nos enviaría a castigar.

Dejemos de esto, que Tapia presentó sus provisiones en la Villa Rica delante de Gonzalo de Alvarado, hermano de don Pedro de Alvarado, que estaba en aquella sazón por teniente de Cortés, porque Rodrigo Rangel, que solía estar por alcalde mayor, no sé qué desatinos e injusticias había hecho cuando allí estaba por teniente de alcalde mayor, y le quitó Cortés el cargo; y presentadas las provisiones delante de Gonzalo de Alvarado, y Gonzalo de Alvarado las puso sobre su cabeza como provisiones y mandado de nuestro rey y señor, y en cuanto al cumplimiento, dijo que se juntarían los alcaldes y regidores de aquella villa y que platicarían y verían cómo y de qué manera eran habidas aquellas provisiones, y que todos juntos las obedecerían, porque sólo era una sola persona, y que también verían si Su Majestad era sabedor que tales provisiones enviasen; y esta respuesta no le cuadró bien a Tapia, y aconsejáronle personas que no estaban bien con Cortés que se fuese luego a México, donde estaba Cortés con todos los más capitanes y soldados, y que allá las obedecerían. Y demás de presentar las provisiones como dicho tengo, escribió Tapia a Cortés de la manera que venía por gobernador; y como Cortés era muy avisado, si muy buenas cartas le escribió Tapia y vio las ofertas y ofrecimientos del obispo de Burgos, y por otra parte las amenazas, si muchas buenas palabras venían en ellas, muy mejores respuestas y más halagüeñas y llenas de cumplimiento le envió Cortés; y luego rogó y mandó Cortés a ciertos de nuestros capitanes que se fuesen a ver con Tapia, los cuales fueron, que fue Pedro de Alvarado, y Gonzalo de Sandoval, y Diego de Soto, el de Toro; y un Valdenebro, y Andrés de Tapia a los cuales envió Cortés luego a llamar en posta que dejasen de poblar entonces las provincias en que estaban y que fuesen a la Villa Rica, donde estaba Tapia, y aun con ellos mandó que fuese un fraile que se decía fray Pedro Melgarejo de Urrea, que tenía buena expresiva.

Ya que Tapia iba camino de México a verse con Cortés [se] encontró con los capitanes y con el fraile ya por mí nombrados, y con palabras y ofrecimientos que le hicieron volvió del camino para un pueblo que se dice Cempoal, y allí le demandaron que mostrase otra vez sus provisiones, y verían cómo y de qué manera lo mandaba Su Majestad, y si venía en ellas su real firma o era sabedor de ello, y que los pechos por tierra las obedecerían todos ellos en nombre de Hernando Cortés y de toda la Nueva España, porque traían poder para ello. Y Tapia les tornó a mostrar las provisiones, y todos aquellos capitanes a una las besaron y pusieron sobre sus cabezas como provisiones de su rey y señor, y que en cuanto al cumplimiento, que suplicaban de ellas para ante el emperador nuestro señor, y dijeron que no era sabedor de ellas ni de cosas ningunas, que Tapia no era suficiente para gobernador y que el obispo de Burgos era contra todos los conquistadores que servíamos a Su Majestad, andaba ordenando aquellas cosas sin dar verdadera relación a Su Majestad y por favorecer a Diego Velázquez y a Tapia, por casarle con una fulana de Fonseca, sobrina o hija del mismo obispo. Y desde que Tapia vio que no aprovechaban palabras ni cartas ni ofertas ni otros cumplimientos, adoleció de enojo y aquellos nuestros capitanes que nombrados tengo le escribían a Cortés todo lo que pasaba y le avisaron que enviase tejuelos y barras de oro, porque Tapia era codicioso, y con aquello le amansarían las furias, lo cual luego envió en posta, y le compraron unos negros y tres caballos y un navío, y se volvió a embarcar y se fue a la isla de Santo Domingo, donde había salido; y cuando allá llegó la Real Audiencia que allá residía, y los frailes jerónimos, que eran gobernadores, notaron bien su vuelta, y como iba rico de aquella manera desconsiderada, se enojaron con él por causa que de antes que de Santo Domingo saliese para venir a la Nueva España le habían mandado expresamente que en aquella sazón no curase de venir, porque sería causa de venir daño y quebrar el hilo y conquistas de México, y no quiso obedecer, sino con favor del obispo Fonseca, que no osaban hacer otra cosa los oidores y frailes sino lo que el obispo mandaba, porque era presidente de Indias, y Su Majestad estaba en aquella sazón en Flandes, que no había venido a Castilla.

Dejemos este negocio de Tapia, y digamos cómo Cortés envió luego a Pedro de Alvarado a poblar de Tututepeque, que era tierra rica de oro; y para que bien lo entiendan los que no saben los nombres de estos pueblos, uno es Tustepeque, adonde fue Sandoval, y otro es Tututepeque, adonde en esta sazón va Pedro de Alvarado; y esto declaro porque no me acusen que digo que fueron dos capitanes a poblar una provincia de un nombre. Y también había enviado a poblar el río de Pánuco, porque Cortés tuvo noticia que don Francisco de Garay hacía gran armada para venirla a poblar, porque, según pareció, se la había dado Su Majestad por gobernación a Garay, según más largamente lo he dicho y declarado en los capítulos pasados, cuando hablan de los navíos que envió adelante, que desbarataron los indios de la misma provincia de Pánuco; e hízolo Cortés porque si viniese Garay la hallase poblada por Cortés. Dejemos esto, y digamos cómo Cortés envió otra vez a Rodrigo Rangel por teniente a la Villa Rica y quitó a Gonzalo de Alvarado, y le mandó que luego le enviase a Coyoacán, donde a la postre estaba Cortés, al capitán Pánfilo de Narváez, que tenía preso; que en aquel tiempo estaba Cortés en Coyoacán, que aún no había entrado a poblar a México, hasta que se edificasen las casas y palacios donde había de vivir, y envió por Narváez porque, según le dijeron a Cortés, que cuando el veedor Cristóbal de Tapia llegó a la Villa Rica con las provisiones que dicho tengo,

Narváez habló con Tapia, y en pocas palabras le dijo: "Señor Cristóbal de Tapia, paréceme que tan buen recaudo debéis de traer y llevaréis como yo; mirad en lo que yo he parado trayendo tan buena armada; mirad por vuestra persona y no curéis de más perder tiempo, que la ventura de Cortés no es acabada. Entended para que os den algún oro, e idos a Castilla ante Su Majestad que allá no os faltará favor y quien os ayude, y diréls lo que acá pasa, en especial teniendo, como tenéis, al señor obispo de Burgos, y esto es lo mejor."

Dejemos esta plática, y diré que como Narváez fue luego camino para México y vio aquellas grandes poblazones y ciudades, y llegó a Tezcuco, se admiró y después que vio a Coyoacán mucho más desde que vio la laguna y ciudades que en ella había pobladas, y después la gran ciudad de México. Y como Cortés supo que venía, le mandó hacer mucha honra y le mandó salir a recibir, y llegado ante él, se hincó de rodillas Narváez y le fue a besar las manos, y Cortés no lo consintió y le hizo levantar, y le abrazó y le mostró mucho amor y le mandó sentar cabe sí. Entonces dijo Narváez: "Señor capitán: ahora le digo de verdad, que la cosa que menos hizo vuestra merced y sus valerosos soldados en esta Nueva España fue desbaratarme y prenderme a mí, aunque trajera mayor poder del que traje, pues he visto tantas ciudades y tierras que ha domado y sujetado al servicio de Dios y de nuestro emperador, y puédese vuestra merced alabar y tener en tanta estima que yo así lo digo, y lo dirán todos los capitanes muy nombrados que el día de hoy son vivos, que en el Universo se puede anteponer a los muy afamados e ilustres varones que [ha] habido, y otra tan fuerte y mayor ciudad como esta de México no la hay, y es digno que [a] vuestra merced y sus soldados Su Majestad les haga muy crecidas mercedes." Y le dijo otras muchas alabanzas, y son verdaderas. Y Cortés le respondió que nosotros no éramos bastantes para hacer lo que estaba hecho, sino la gran misericordia de Dios, que siempre nos ayudaba, y la buena ventura de nuestro césar.

Dejemos esta plática y de las ofertas que hizo Narváez a Cortés, y diré cómo en aquella sazón se pasó Cortés a poblar la gran ciudad de México, y repartió solares para las iglesias y monasterios y casas reales y plazas; y a todos los vecinos les dio solares, y por no gastar tiempo en escribir según y de la manera que ahora está poblada, que, según dicen muchas personas que se han hallado en muchas partes de la cristiandad, otra más populosa y mayor ciudad, de mejores casas y poblada de caballeros, según su calidad y tiempo que se pobló, no se [ha] habido en el mundo, entiéndase con lo poblado de mexicanos.

Pues estando dando la orden que dicho tengo, al mejor tiempo que estaba Cortés algo descansado, viniéronle cartas de Pánuco que toda la provincia estaba levantada y que eran muy belicosos guerreros, porque habían muerto muchos soldados de los que había enviado a poblar, y que con brevedad enviase el mayor socorro que pudiese. Y luego acordó el mismo Cortés de ir en persona, porque aunque quisiera enviar otros capitanes de los nuestros conocidos no los había en México, porque todos habíamos ido a conquistar provincias, como dicho [tengo y] así hubo [de ir] Cortés; y llevó todos los más soldados que pudo, y de caballo y ballesteros y escopeteros, porque ya habían llegado a México muchas personas de las que el veedor Tapia traía consigo y otros que allí estaban de los de Lucas Vázquez de Ayllón, que habían ido con él a la Florida, y otros que habían venido de las islas en aquel tiempo; y dejando en México buen recaudo, y por capitán de él a Diego de Soto, natural de Toro, salió de México. Y en aquella sazón no había herraje sino muy poco, para los muchos caballos que entonces llevaba, porque pasaban de ciento y treinta personas de a caballo y doscientos y cincuenta soldados con todo, entre ellos escopeteros y ballesteros, y con los de a caballo, y también llevó diez mil mexicanos.

Y en aquella sazón ya había vuelto de Michoacán Cristóbal de Olid, porque la dejó de paz, y trajo consigo muchos caciques y al hijo de Cazonzi,[143] que así se llamaba, y era el mayor señor de todas aquellas provincias, y trajo mucho oro bajo, que lo tenía revuelto con plata y cobre.[144] Y gastó Cortés en aquella ida que fue a Pánuco mucha cantidad de pesos de oro, que después demandaba a Su Majestad que le pagase aquella costa, y que los oficiales de la Hacienda de Su Majestad no se los quisieron recibir en cuenta ni pagar cosa de ello, porque dijeron que si hacía aquella entrada y gasto, que era por causa de apoderarse de aquella provincia, porque don Francisco de Garay, que la venía a conquistar, no la hubiese, porque ya tenían noticia que venían desde la isla de Jamaica con grande armada.

Volvamos a nuestra relación, y diré cómo Cortés llegó con todo su ejército a la provincia de Pánuco, y los halló de guerra y los envió a llamar de paz muchas veces, y no quisieron venir; tuvo con ellos muchos reencuentros de guerra, y en dos batallas que le aguardaron le mataron tres soldados y le hirieron más de treinta, y mataron cuatro caballos, y hubo otros muchos heridos, y murieron de los mexicanos sobre doscientos, sin más de otros trescientos heridos, porque fueron los guastecas, que así se llaman los indios de aquellas provincias, sobre cincuenta mil hombres cuando aguardaron a Cortés. Mas quiso Dios que fueron desbaratados, y todo el campo donde se hubo estas batallas quedaron llenos de muertos y otros muchos heridos de los naturales de aquella provincia, por manera que no se tornaron más a juntar por entonces para dar guerra; y Cortés estuvo ocho días en un pueblo adonde fueron aquellas reñidas, que se llamaba...[145] por causa que se curasen los heridos y se enterrasen los muertos, y había muchos bastimentos. Y para tornar a enviarlos a llamar de paz envió diez caciques, personas principales, de los que habían preso en aquellas batallas, y con doña Marina y Jerónimo de Aguilar, que siempre Cortés llevaba consigo, les hizo un parlamento y les dijo que cómo se podían defender todos los de aquellas provincias de no darse por vasallos de Su Majestad, pues que han visto y tenido nueva que el poder de México, siendo tan fuertes guerreros, estaba asolada la ciudad y puesta por el suelo, y que vengan luego de paz, y que no hayan miedo, y que lo pasado de las muertes que se lo perdona. Y tales palabras les dijo con amor y otras con amenazas, y como estaban hostigados y habían muerto muchos de ellos y en la batalla pasada habían abrasado sus pueblos, vinieron de paz, y todos trajeron joyas de oro y aunque no de precio, que presentaron a Cortés, y con amor y halagos los recibió de paz.

Y desde allí se fue Cortés con la mitad de su ejército a un río que se dice Chila, que está de la mar obra de cinco leguas, y volvió a enviar mensajeros a todos los pueblos de la otra parte del río a llamarles de paz, y no quisieron venir, porque como estaban encarnizados en los muchos soldados que habían muerto, obra de dos años había, a los capitanes que Garay había enviado a poblar aquel río, como dicho tengo en el capítulo que de ello habla, así creyeron que hicieran a nuestro ejército; y como estaban en tres grandes lagunas y ríos y ciénagas, que es muy gran fortaleza

[143] Caltzontzin, nombre náhuatl que dieron los aztecas a Zincicha Tangaxoan, señor de los tarascos.

[144] Tachado en el original: *y acordó Cortés que de la plata baja se hiciesen herraduras y clavos.*

[145] Espacio en blanco.

para ellos, la respuesta que dieron fue matar a dos mensajeros de los que Cortés les envió para hablar sobre las paces, y a otros echaron presos, y estuvo aguardando Cortés ciertos días a ver si mudarían su mal propósito, y como no vinieron, mandó buscar todas las canoas que en el río pudo haber, y con ellas y con unas barcas que se hicieron de madera de navíos viejos que fueron del capitán que envió Garay, que mataron, hizo pasar de noche de la otra parte del río ciento cincuenta soldados, y los más de ellos ballesteros y escopeteros, y cincuenta de caballo, en canoas atadas de dos en dos, de manera que pasaron muy bien. Y como los naturales de aquellas provincias velaban sus pasos y ríos, desde que los vieron dejáronlos pasar con intención que los matarían, y estábanlos aguardando de la otra parte; y si muchos indios guastecas, que así se decían, se habían juntado en las primeras batallas que dieron a Cortés, muchos más estaban esta vez juntos, y vienen como leones rabiosos a encontrarse con los nuestros, y a los primeros encuentros mataron dos soldados e hirieron sobre treinta; también mataron tres caballos e hirieron otros quince, y muchos mexicanos; mas tal prisa les dieron los nuestros, que no pararon en el campo, y luego se fueron huyendo, y quedaron de ellos muertos y heridos gran cantidad.

Y después que pasó aquella batalla, los nuestros se fueron a dormir a un pueblo que estaba despoblado, que se habían huido los moradores de él, y con buenas velas y escuchas y rondas y corredores del campo se estuvieron, y de cenar no les faltó y después que amaneció, andando por el pueblo vieron estar en un *cu* y adoratorio de ídolos colgados muchos vestidos y caras desolladas y adobadas como cuero de guantes, y con sus barbas y cabellos, que eran de los soldados que habían muerto a los capitanes que había enviado Garay a poblar el río de Pánuco, y muchas de ellas fueron conocidas de otros soldados, que decían que eran sus amigos, y a todos se les quebró los corazones de lástima de verlas de aquella manera, y las quitaron de donde estaban y las llevaron para enterrar; y desde aquel pueblo se pasaron a otro lugar, y como conocían que la gente de aquella provincia era muy belicosa, iban muy recatados y puestos en ordenanza para pelear, no les tomasen desapercibidos.

Y los descubridores del campo dieron con unos grandes escuadrones de indios que estaban en celada para que después que estuviesen los nuestros en las casas apeados, dar en los caballos y en ellos, y como fueron sentidos no tuvieron lugar de hacer lo que querían; mas todavía salieron muy denodadamente y pelearon con los nuestros como valientes guerreros, y estuvieron más de media hora que los de [a] caballo y escopeteros y ballesteros y los indios mexicanos no les podían hacer retraer ni apartar de sí, y mataron dos caballos e hirieron otros siete; y también hirieron quince soldados, y tres murieron de las heridas. Una cosa tenían estos indios: que ya que les llevaban de vencida, se tornaban a rehacer y aguardaron tres veces en la pelea, lo cual pocas veces se ha visto acaecer entre estas gentes; y viendo que los nuestros les herían y mataban, se acogieron a un río caudaloso y corriente, y los de a caballo y peones sueltos fueron en pos de ellos e hirieron muchos, y otro día acordaron de correrles el campo e ir a otros pueblos que estaban despoblados, y en ellos hallaron muchas tinajas de vino de la tierra puestas en unos soterraños a manera de bodegas, y estuvieron en estas poblazones cinco días corriendo las tierras, y como todo estaba sin gente y despoblados, se volvieron al río de Achile.

Y Cortés tornó a enviar a llamar de paz a todos los mismos pueblos que estaban de guerra de aquella parte del río, y como les habían muerto mucha gente, temieron los indios que volvieran otra vez sobre ellos, y a esta causa enviaron a decir que vendrían de allí a cuatro días, que buscaban joyas de oro para presentarle; y Cortés aguardó los cuatro días que habían dicho que vendrían, y no vinieron por entonces. Y luego mandó que a un pueblo muy grande, que estaba cabe una laguna, que era muy fuerte, así por sus ciénagas y ríos, que de noche, oscuro y medio lloviznaba, que en muchas canoas que luego mandó buscar, atadas de dos en dos, y otras sueltas y en balsas bien hechas, pasasen aquella laguna a una parte del pueblo, en parte y paraje que no fuesen vistos ni sentidos de los de aquella poblazón, y pasaron muchos amigos mexicanos y sin ser vistos dan en el pueblo, el cual pueblo destruyeron, y hubo gran despojo y estrago en él; y allí cargaron los amigos con todas las haciendas que los naturales de él tenían; y después que aquello vieron todos los más pueblos comarcanos, desde a cinco días todos los pueblos vinieron de paz, excepto otras poblazones que estaban muy trasmano, que los nuestros no pudieron ir a ellos en aquella sazón, y por no detenerme en gastar más palabras en esta relación, de muchas cosas que pasaron, las dejaré de decir, sino que entonces pobló Cortés una villa con ciento veinte vecinos, y entre ellos dejó veintisiete de a caballo y treinta y seis escopeteros y ballesteros, por manera que todos fueron los ciento veinte; llámase esta villa Santisteban del Puerto [146] y está obra de una legua de Chila, y a los vecinos que en aquella villa poblaron repartió y dio por encomienda todos los pueblos que habían venido de paz, y dejó por capitán de ellos y por su teniente a un Pedro Vallejo.

Y estando en aquella villa de partida para México, supo por cosa muy cierta que tres pueblos que fueron cabeceras para la rebelión de aquella provincia y fueron en la muerte de muchos españoles, andaban de nuevo, después de haber dado obediencia a Su Majestad y haber venido de paz, convocando y atrayendo a los demás pueblos sus comarcanos, y decían que después que Cortés se fuese a México con los de a caballo y soldados, que a los que quedaban poblados que diesen un día o de noche en ellos, y que tendrían buenas hartazgas con ellos. Y sabido por Cortés la verdad muy de raíz les mandó quemar las casas; mas luego se tornaron a poblar.

Y digamos cómo Cortés había mandado antes que partiese de México para ir aquella entrada, que desde la Veracruz le enviase un barco cargado con vino y vituallas y conservas de bizcocho y herraje, porque en aquella sazón no había trigo en México para hacer pan, y yendo que iba el barco su viaje a la derrota de Pánuco, cargado de lo que le fue mandado, pareció ser hubo recios nortes, y dio con él en parte que se perdió, que no se salvaron sino tres personas que aportaron en unas tablas a una isleta donde había unos grandes arenales, sería tres o cuatro leguas de tierra, donde había muchos lobos marinos, que salían de noche a dormir a los arenales, y mataron de los lobos, y con lumbres que sacaron con unos palillos, como lo sacan en todas las Indias las personas que saben cómo se ha de sacar, tuvieron lugar de asar la carne de los lobos, y cavaron en mitad de la isleta e hicieron unos como pozos, y sacaron agua algo salobre, y también había una fruta que parecían higos, y con la carne de los lobos y la fruta y agua salobre se mantuvieron más de dos meses. Y como aguardaban en la villa de Santisteban el refresco y bastimento y herraduras, escribió Cortés a México a sus mayordomos que cómo no enviaban el refresco; y desde que vieron este aviso, por la carta de Cortés tuvieron por cierto que se había perdido el barco, y enviaron luego los mayordomos de Cortés un navío chico de poco porte en busca del barco que se perdió, y quiso Dios que toparon en la isleta

[146] Pánuco, Edo. de Veracruz.

donde estaban los tres españoles de los que se perdieron, con ahumadas que hacían de noche y de día, y desde que vieron el navío se alegraron y embarcados vinieron a la villa; llamábase el uno de ellos fulano Ciciliano, vecino que fue de México.

Dejemos esto y digamos cómo en aquella sazón [que] Cortés se venía ya para México tuvo noticia que en muchos pueblos que estaban en unas sierras muy agras se habían rebelado y hacían guerra a otros pueblos que estaban de paz, acordó de ir allá antes que entrase en México; y yendo por su camino, los de aquella provincia lo supieron, aguardándole en un paso malo y dieron en la rezaga del fardaje, y le mataron ciertos *tamemes* y robaron lo que llevaban. Y como era el camino malo, por defender el fardaje los de a caballo [que] los iban a socorrer reventaron dos caballos, y llegados a las poblazones muy bien se lo pagaron, que como iban muchos mexicanos nuestros amigos, por vengarse de lo que les robaron en el puerto y camino malo, como dicho tengo, mataron y cautivaron muchos indios, y aun al cacique y a su capitán, que éstos murieron ahorcados después que hubieron vuelto lo que habían robado. Y esto hecho, Cortés mandó a los mexicanos que no hiciesen más daño, y luego envió a llamar de paz a todos los más principales y *papas* de aquella poblazón, los cuales vinieron y dieron la obediencia a Su Majestad, y el cacicazgo mandó que lo tuviese un hermano del cacique que habían ahorcado, y los dejó en sus casas pacíficos y bien castigados, y entonces se volvió a México.

Y antes que más pase adelante quiero decir que en todas las provincias de la Nueva España otra gente más sucia y mala y de peores costumbres no la hubo como ésta de la provincia de Pánuco, porque todos eran someticos y se embudaban por las partes traseras, torpedad nunca en el mundo oída, y sacrificadores y crueles en demasía, y borrachos y sucios y malos, y tenían otras treinta torpedades, y si miramos en ello, fueron castigados a fuego y a sangre dos o tres veces, y otros mayores males les vino en tener por gobernador a Nuño de Guzmán, que desde que le dieron la gobernación les hizo casi a todos esclavos y los envió a vender a las islas, según más largamente lo diré en su tiempo y lugar. Volvamos a nuestra relación, y diré que después que Cortés volvió a México, en lo que entendió e hizo.

CAPÍTULO CLIX

CÓMO CORTÉS Y LOS OFICIALES DEL REY ACORDARON DE ENVIAR A SU MAJESTAD TODO EL ORO QUE LE HABÍA CABIDO DE SU REAL QUINTO DE LOS DESPOJOS DE MÉXICO, Y CÓMO SE ENVIÓ POR SÍ LA RECÁMARA DEL ORO Y JOYAS QUE FUE DE MONTEZUMA Y GUATEMUZ, Y LO QUE SOBRE ELLO ACAECIÓ

Como Cortés volvió a México de la entrada de Pánuco y anduvo entendiendo en la población y edificación de aquella ciudad, y viendo que Alonso de Ávila, ya otras veces por mí nombrado en los capítulos pasados, había vuelto en aquella sazón de la isla de Santo Domingo, y trajo recaudo de lo que le habían enviado a negociar con la Audiencia Real y frailes jerónimos que estaban por gobernadores de todas las islas, y los recaudos que entonces trajo fue que nos daban licencia para poder conquistar toda la Nueva España, y [para] herrar los esclavos según y de la manera que llevaron en una relación, y repartir y encomendar los indios como en las islas Española y Jamaica se tenían por costumbre; y esta licencia que dieron fue hasta en tanto que Su Majestad fuese sabedor de ello o fuese servido mandar otra cosa, de la cual luego le hicieron relación los mismos frailes jerónimos, y enviaron un navío en posta a Castilla; y entonces Su Majestad estaba en Flandes, que era mancebo, y allá supo los recaudos que los frailes jerónimos le enviaban, porque el obispo de Burgos, puesto que estaba por presidente de Indias, como conocían de él que nos era muy contrario, no le daban cuenta de ello, ni trataban con él otras muchas cosas de importancia, porque estaban muy mal con sus cosas.

Dejemos de esto del obispo, y volvamos a decir que como Cortés tenía a Alonso de Ávila por hombre atrevido y no estaba muy bien con él, siempre le quería tener lejos de sí, porque verdaderamente si cuando vino Cristóbal de Tapia con las provisiones, y Alonso de Ávila se hallara en México, porque entonces estaba en la isla de Santo Domingo, y como Alonso de Ávila era servidor del obispo de Burgos y había sido su criado y le traían cartas para él, fuera gran contradictor de Cortés y de sus cosas; y a esta causa siempre procuraba Cortés de tenerle apartado de su persona y, después que vino de este viaje, por contentarle y agradar le encomendó en aquella sazón el pueblo de Gualtitán, y le dio ciertos pesos de oro, y con palabras y ofrecimientos y con el depósito del pueblo por mí nombrado, que es muy bueno y de mucha renta, le hizo tan su amigo y servidor, que le envió a Castilla, y juntamente con él a su capitán de la guarda que se decía Antonio de Quiñones, los cuales fueron por procuradores de la Nueva España, y de Cortés, y llevaron dos navíos y en ellos cincuenta y ocho mil castellanos en barras de oro, y llevaron la recámara que llamábamos del gran Montezuma, que tenía en su poder Guatemuz, y fue un gran presente, en fin, para nuestro gran césar, porque fueron muchas joyas muy ricas y perlas tamañas algunas de ellas como avellanas, y muchos *chalchihuis*, que son piedras finas como esmeraldas, y aun una de ellas era tan ancha como la palma de la mano, y otras muchas joyas que, por ser tantas y no detenerme en describirlas, lo dejaré de decir y traer a la memoria. Y también enviamos unos pedazos de huesos de gigantes que se hallaron en un *cu* y adoratorio en Coyoacán, según y de la manera que eran otros grandes zancarrones que nos dieron en Tlaxcala, los cuales habíamos enviado la primera vez, y eran muy grandes en demasía; y llevaron tres tigres y otras cosas que ya no me acuerdo.

Y con estos procuradores escribió el cabildo de México a Su Majestad, y asimismo todos los más conquistadores escribimos juntamente con Cortés, y fray Pedro Melgarejo y el tesorero Julián de Alderete, y todos a una decíamos de los muchos y buenos y leales servicios que Cortés y todos nosotros los conquistadores le habíamos hecho y a la contina hacíamos, y todo lo por nosotros sucedido desde que entramos a ganar la ciudad de México, y cómo estaba descubierta la Mar del Sur y se tenía por cierto que era cosa muy rica. Y suplicamos a Su Majestad que nos enviase obispos y religiosos de todas órdenes que fuesen de buena vida y doctrina, para que nos ayudasen a plantar más por entero en estas partes nuestra santa fe católica; y le suplicamos todos a una que la gobernación de esta Nueva España que le hiciese merced de ella a Cortés, pues tan bueno y leal servidor le era, y a todos nosotros los conquistadores nos hiciese mercedes para nosotros y para nuestros hijos, y que todos los oficios reales, así de tesorero, contador y factor y escribanías públicas y fieles ejecutores y alcaidías de fortalezas, que no hiciese merced de ellas a otras personas sino que entre nosotros se nos quedase; y le suplicamos que no enviase letrados, porque en entrando en la tierra la pondrían en revuelta con sus libros, y habría pleitos y disensiones. Y se le hizo saber lo de Cristóbal de Tapia cómo venía guiado por don Juan Rodríguez de Fonseca, obispo de Burgos, y que no era suficiente para gobernar y que se perdería esta Nueva España si él quedara por gobernador, y que tuviese por bien de saber claramente qué se han hecho las cartas y relaciones que le habíamos escrito, dando cuenta de todo lo acaecido en esta Nueva España, porque teníamos por muy cierto que el mismo obispo no se las enviaba y antes le escribía al contrario de lo que pasaba, en favor de Diego Velázquez, su amigo, y de Cristóbal de Tapia, por casarlo con una su parienta o hija que se decía doña Petronila de Fonseca, y cómo presentó ciertas provisiones que venían firmadas y guiadas por el mismo obispo; y que todos estábamos los pechos por tierra para obedecerlas como se obedecieron; mas viendo que Tapia no era hombre para guerra, ni tenía aquel ser ni cordura para ser gobernador, que suplicaron de las provisiones hasta informar a su real persona todo lo acaecido, como ahora le informábamos y le hacíamos sabedor, como leales vasallos que somos obligados a nuestro rey y señor, y que ahora, que de lo que más fuere servidor mandar, que aquí estamos, pechos por tierra, para cumplir su real mando.

Y también le suplicamos que fuese servido enviar a mandar al obispo de Burgos que no se entrometiese en cosas ningunas de Cortés ni de nosotros, porque será quebrar el hilo de muchas cosas de conquistas que en esta Nueva España entendíamos, y en pacificar provincias, porque había mandado el mismo obispo a los oficiales que están en la Casa de Contratación, de Sevilla, que se decían Pedro de Isasaga y Juan López de Recalde, que no dejasen pasar ningún recaudo de armas ni soldados ni favor para Cortés ni para los soldados que con él estábamos; y también se le hizo relación cómo Cortés había ido a pacificar la provincia de Pánuco y la dejó de paz, y las muy bravas batallas que con los naturales de ella tuvo, y cómo era gente muy belicosa y guerrera, y cómo habían muerto los de aquella provincia a los capitanes que había enviado Francisco de Garay y a todos sus soldados, por no saberse dar maña en las guerras; y que había gastado Cortés en la entrada sobre sesenta mil pesos, y que lo demandaba a los oficiales de su Real Hacienda, y no se los quisieron pagar.

También se le hizo sabedor cómo ahora hacía Garay una armada en la isla de Jamaica y que venía a poblar el río de Pánuco, y porque no le acaeciese como a sus capitanes, que se los mataron, que suplicábamos a Su Majestad le envíe a mandar que no salga de la isla hasta que esté muy de paz aquella provincia, porque nosotros se la conquistaremos y se la entregaremos; porque si en aquella sazón viniese, viendo los naturales de estas tierras dos capitanes que manden, tendrían diversiones y levantamiento, especial los mexicanos, y escribiósele otras muchas cosas. Pues Cortés, por su parte, no se le quedó nada en el tintero, y aun de manera hizo relación en su carta de todo lo acaecido, que fueron veinte y una plana, y porque yo las leí todas y lo entendí muy bien, lo declaro aquí como dicho tengo; y además de esto enviaba a suplicar Cortés a Su Majestad que le diese licencia para ir a la isla de Cuba a prender al gobernador de ella, que se decía Diego Velázquez, para enviárselo a Castilla para que allá Su Majestad le mandase castigar, porque no le desbaratase más ni revolviese la Nueva España, porque enviaba desde la isla de Cuba a mandar que matasen a Cortés.

Dejemos de las cartas, y digamos de su buen viaje que llevaron nuestros procuradores después que partieron del puerto de la Veracruz, que fue en veinte días del mes de diciembre de mil quinientos veintidós años, y con buen viaje desembocaron por la canal de Bahama, y en el camino se le soltaron dos tigres de los tres que llevaban, e hirieron a unos marineros, y acordaron de matar al que quedaba porque era muy bravo y no se podían valer con él, y fueron su viaje hasta la isla de la Tercera; y como Antonio de Quiñones era capitán y se preciaba de muy valiente y enamorado, parece ser revolvióse en aquella isla con una mujer, y hubo sobre ella cierta cuestión, y diéronle una cuchillada de que murió, y quedó sólo Alonso de Ávila por capitán. Y ya que iba con los dos navíos camino de España, no muy lejos de aquella isla topa con ellos Juan Florín, francés corsario, y toma el oro y navíos, y prende a Alonso de Ávila y llevóle preso a Francia; y también en aquella sazón robó Juan Florín otro navío que venía de la isla de Santo Domingo y le tomó sobre veinte mil pesos de oro y gran cantidad de perlas, y azúcar, y cueros de vaca, y con todo se volvió a Francia muy rico e hizo grandes presentes a su rey y al almirante de Francia de las cosas y piezas de oro que llevaba de la Nueva España, que toda Francia estaba maravillada de las riquezas que enviábamos a nuestro gran emperador; y aun el mismo rey de Francia le tomaba codicia, más que otras veces, de tener parte en las islas y en esta Nueva España. Y entonces es cuando dijo que solamente con el oro que le iba a nuestro césar de estas tierras le podía dar guerra a su Francia, y aun en aquella sazón no era ganado ni había nueva del Perú, sino, como dicho tengo, lo de la Nueva España y las islas de Santo Domingo y San Juan y Cuba y Jamaica; y entonces dizque dijo el rey de Francia, o se lo envió a decir a nuestro emperador, que cómo habían partido entre él y el rey de Portugal el mundo sin darle parte a él; que mostrasen el testamento de nuestro padre Adán si les dejó solamente a ellos por herederos y señores de aquellas tierras, que habían tomado entre ellos dos sin darle a él ninguna de ellas, y que por esta causa era lícito robar y tomar todo lo que pudiese por la mar.

Y luego tornó a mandar a Juan Florín que volviese con otra armada a buscar la vida por la mar, y de aquel viaje que volvió, ya que llevaba gran presa de todas ropas entre Castilla y las islas de Canarias, dio con tres o cuatro navíos recios y de armada, vizcaínos y los unos por una parte y los otros por otra embisten con Juan Florín y le rompen y desbaratan, y prenden a él y a otros muchos franceses, y les tomaron sus navíos y ropa, y a Juan Florín y a otros capitanes llevaron presos a Sevilla a la Casa de Contratación, y los enviaron presos a la corte a Su Majestad, y desde que lo supo mandó que en el camino hiciesen justicia de ellos, y en el puerto del Pico les ahorcaron; y en esto paró nuestro oro y capitanes que lo llevaron, y Juan Florín que lo robó.

Pues volvamos a nuestra relación, y es que llevaron a Francia preso a Alonso de Ávila y le metieron en una fortaleza creyendo haber de él gran rescate, porque como llevaba tanto oro a su cargo guardábanle bien, y Alonso de Ávila tuvo tales maneras y conciertos con el caballero francés que le tenía a cargo o le tenía por prisionero, que para que en Castilla supiesen de la manera que estaba preso y le viniesen a rescatar, dijo que fuesen en posta todas las cartas y poderes que llevaba de la Nueva España, y que se diesen en la Corte de Su Majestad al licenciado Núñez, primo de Cortés, que era relator del Real Consejo, o a Martín Cortés, padre del mismo Cortés, que vivía en Medellín; o a Diego de Ordaz, que estaba en la corte; y fueron a tan buen recaudo, que las hubieron a su poder y luego las despacharon para Flandes a Su Majestad, porque al obispo de Burgos no le dieron cuenta ni relación de ello; y todavía lo alcanzó a saber el obispo, y dijo que se holgó que se hubiese perdido y robado todo el oro, y dijeron que había dicho: "En esto habían de parar las cosas de este traidor de Cortés." Y dijo otras palabras muy feas.

Dejemos al obispo, y vamos a Su Majestad, que desde que lo supo dijeron que lo vio todo, y que hubo algún sentimiento de la pérdida del oro, y por otra parte se alegró viendo que tanta riqueza le enviaban y que sintiese el rey de Francia que con aquellos presentes que le enviábamos que le podría dar guerra; y luego envió a mandar al obispo de Burgos que en lo que tocaba a Cortés y a la Nueva España que en todo le diese favor y ayuda, y que presto vendría a Castilla y entendería en ver la justicia de los pleitos y contiendas de Diego Velázquez y Cortés. Y dejemos esto, y digamos cómo luego supimos en la Nueva España la pérdida del oro y riquezas de la recámara, y prisión de Alonso de Ávila, y de todo lo más aquí por mí memorado, y tuvimos de ello gran sentimiento. Y luego Cortés con brevedad procuró de haber y allegar todo el más oro que pudo recoger, y de hacer un tiro de oro bajo y de plata, de lo que habían traído de Michoacán, para enviar a Su Majestad, y llamóse el tiro *Fénix*.

Y también quiero decir que siempre estuvo el pueblo de Gualtitán que dio Cortés a Alonso de Ávila por el mismo Alonso de Ávila, porque en aquella sazón no la tuvo su hermano Gil González de Benavides, hasta más de tres años adelante que Gil González vino de la isla de Cuba, que ya Alonso de Ávila estaba suelto de la prisión de Francia y había venido a Yucatán por contador, y entonces dio poder al hermano para que se sirviese de él, porque jamás se lo quiso traspasar.

Dejemos de cuentos viejos, que no hacen a nuestra relación, y digamos todo lo que acaeció a Gonzalo de Sandoval y a los demás capitanes que Cortés había enviado a poblar las provincias por mí ya nombradas, y entretanto acaba Cortés de mandar forjar el tiro y allegar el oro para enviar a Su Majestad. Bien sé que dirán algunos curiosos lectores que por qué cuando envió Cortés a Pedro de Alvarado y a Gonzalo de Sandoval y a los demás capitanes a las conquistas y pacificaciones ya por mí nombradas no concluí con ellos en esta mi relación lo que habían hecho en ellas y lo que en las jornadas a cada uno acaeció, y lo vuelvo ahora a recitar, que es volver muy atrás de nuestra relación, y las causas que ahora doy a ello es: que como iban camino de sus provincias a las conquistas y en aquel instante llegó al puerto de la Villa Rica Cristóbal de Tapia, otras veces por mí nombrado, que venía para ser gobernador de la Nueva España, y para consultar Cortés lo que sobre el caso se podría hacer y tener favor y ayuda de ellos, como Pedro de Alvarado y Gonzalo de Sandoval eran tan preeminentes capitanes y de buenos consejos, envió en posta a llamarlos; y dejaron sus conquistas y pacificaciones suspensas y, como he dicho, vinieron al negocio de Tapia, que era más importante para el servicio de Su Majestad, porque se tuvo por cierto que si Tapia quedara para gobernar, que la Nueva España y México se levantara otra vez; y en aquel instante también vino Cristóbal de Olid de Michoacán, como era cerca de México, y la halló de paz, y le dieron mucho oro y plata, y como era recién casado y la mujer moza y hermosa, apresuró su venida. Y luego tras esto de Tapia aconteció el levantamiento de Pánuco, y fue Cortés a pacificarlo, como dicho tengo en el capítulo pasado que de ello habla, y también para escribir a Su Majestad como escribimos, y enviar el oro y dar poder a nuestros procuradores, por mí ya memorados, y por estos estorbos, que fueron los unos tras los otros, lo torno a traer ahora aquí a la memoria, y es de esta manera que diré.

CAPÍTULO CLX

CÓMO GONZALO DE SANDOVAL LLEGÓ CON SU EJÉRCITO A UN PUEBLO QUE SE DICE TUSTEPEQUE, Y LO QUE ALLÍ HIZO, Y DESPUÉS PASÓ A GUAZACUALCO, Y TODO LO MÁS QUE LE AVINO; ENTIÉNDASE QUE UNO ES TUSTEPEQUE Y OTRO ES TUTUTEPEQUE

LLEGADO GONZALO de Sandoval a un pueblo que se dice Tustepeque,[147] que sería de México cien leguas, toda la provincia le vino de paz, excepto unos capitanes mexicanos que fueron en la muerte de sesenta españoles y mujeres de Castilla, que se habían quedado en aquel pueblo cuando vino Narváez, y era en el tiempo que en México nos desbarataron, entonces los mataron, en el mismo pueblo, y de allí a dos meses que hubieron muerto a los por mí dichos, porque entonces fui con Sandoval, y posé en una como torrecilla que era adoratorio de ídolos, adonde se habían hecho fuertes cuando les daban guerra, y allí los cercaron, y de hambre y sed y de heridas los acabaron. Y digo que posé en aquella torrecilla a causa que había en aquel pueblo de Tustepeque muchos mosquitos de día, y como estaba muy alto y con el aire no había tantos [mos]quitos como abajo, y también por estar cerca del aposento donde posaba Sandoval.

Y volviendo a nuestra plática, procuró Sandoval de prender a los capitanes mexicanos, que les dio guerra y les mató, y prendió el más principal de ellos e hizo proceso contra él, y por justicia lo mandó quemar; otros muchos había juntamente con él que merecían pena de muerte, y disimuló con ellos, y aquél pagó por todos; y desde que esto fue hecho envió a llamar de paz a unos pueblos zapotecas, que es otra provincia que estará obra de diez leguas de aquel pueblo de Tustepeque, y no quisieron venir; y envió a ellos por traerlos de paz a un capitán que se decía Briones, que otras muchas veces ya lo he nombrado, que fue capitán de bergantines y había sido buen soldado en Italia, según él decía, y le dio cien soldados, y entre ellos treinta ballesteros y escopeteros, y más de cien amigos de los pueblos que habían venido de paz; y yendo que iba Briones con sus soldados y con buen concierto, pareció ser [que] los zapotecas supieron que iba a sus pueblos y échanle una celada en el camino, que le hicieron volver más que de paso rodando unas cuestas y laderas abajo, y le hirieron más de la tercia parte de sus soldados que llevaba, y murió uno de los heridos; porque aquellas sierras donde están poblados estos zapotecas son tan agras y malas que no pueden ir por ellas caballos, y los soldados habían de ir a pie por unas sendas muy angostas, por contadero uno a uno, y siempre hay neblinas y rocíos, y resbalan los caminos, y tienen por armas unas lanzas muy largas, mayores que las nuestras, con una braza de cuchillas de navajones de pedernal que cortan más que nuestras espadas, y unas pavesinas que se cubren con ellas todo el cuerpo, y mucha flecha y vara y piedra, y los naturales muy sueltos y cenceños a maravilla; y con un silbo o voz que dan entre aquellas sierras, resuena y retumba la voz por un buen rato, digamos ahora, como ecos.

Por manera que se volvió el capitán Briones con su gente herida

[147] Véase la nota número 142.

y un soldado menos, y aun él también trajo un flechazo. Llámase aquel pueblo que le desbarató Tiltepeque, y después que estuvo de paz se dio el mismo pueblo en encomienda a un soldado que se dice Ojeda el Tuerto, que ahora vive en la villa de Santo Alfonso. Pues cuando volvió Briones a dar cuenta a Sandoval de lo que le había acaecido, y se lo contaba cómo eran grandes guerreros, y Sandoval, como era de buena condición y Briones se tenía por muy valiente, y solía decir que en Italia había muerto y herido, y hendido cabezas y cuerpos de hombres, le decía Sandoval: "Paréceme, señor capitán, que son estas tierras otras que las que adonde anduvo militando"; y Briones respondió medio enojado, y dijo que juraba a tal que más quisiera batallar contra tiros y grandes ejércitos de contrarios, así de turcos como de moros, que no con aquellos zapotecas, y daba razones para ello que parecía que cuadraban; y todavía Sandoval le dijo que no quisiera haberle enviado, pues así fue desbaratado; que creyó que pusiera otras fuerzas, como él se alababa que había hecho en Italia, y que qué dirán ahora los zapotecas que no somos tan varones como decían [que éramos].

Dejemos de esta entrada, pues no aprovechó, antes dañó, y digamos cómo el mismo Gonzalo de Sandoval envió a llamar de paz a otra provincia que se dice Xaltepeque, que también eran zapotecas, y confinan con otros pueblos que se decían los minxes, gentes muy sueltas y guerreras, que tenían diferencias con los de Xaltepeque, que ahora, como digo, son los que envía a llamar; y vinieron de paz obra de veinte caciques y principales, y trajeron un presente de oro en joyas de muchas hechuras, y diez canutillos de oro en grano, que entonces habían sacado de las minas, y traían vestido aquellos principales unas ropas de algodón muy largas que les daban hasta los pies, con muchas labores labradas en ellas, y eran, digamos ahora, a la manera de albornoces moriscos; y de que vinieron delante de Sandoval, con mucho acato se lo presentaron, y lo recibió con alegría, y les mandó dar cuentas de Castilla, y les hizo honra y halagos; y demandaron a Sandoval que les diese algunos *teules,* que en su lengua así nos llamaban a los españoles, para ir juntamente con ellos contra los pueblos de los minxes, sus contrarios, que les daban guerra; y Sandoval, como no tenía soldados para en aquella sazón darles ayuda, como la demandaban, porque los que le llevó Briones estaban todos heridos y otros habían adolecido, y cuatro muertos, por ser la tierra muy calurosa y doliente, con buenas palabras les dijo que le enviaría a México a decir a Malinche, que así llamaban a Cortés, que le enviase muchos *teules,* y que se reportasen hasta que viniesen; y que entretanto que irán con ellos diez de sus compañeros para ver los pasos y tierra para ir a dar guerra a sus contrarios los minxes; y esto no lo decía Sandoval sino para que viniesen y viésemos los pueblos y minas donde sacaban el oro que trajeron, y de esta manera los despidió, excepto a tres de ellos que mandó que quedasen para ir con nosotros; y luego despachó para ir a ver los pueblos y minas, como he dicho, a un soldado que se decía Alonso del Castillo "el de lo Pensado", y me mandó Sandoval que yo fuese con él y otros seis soldados, y que mirásemos muy bien las minas y la manera de los pueblos.

Quiero decir por qué se llamaba aquel capitán que iba con nosotros por caudillo Castillo "el de lo Pensado", y es por esta causa que diré: en la capitanía que tenía Sandoval había tres soldados que tenían renombre Castillos: el uno de ellos era muy galán y preciábase de ello en aquella sazón, que era yo, y a esta causa me llamaban Castillo "el Galán"; los otros dos Castillos, el uno de ellos era de tal calidad que siempre estaba pensativo, y cuando hablaban con él se paraba más a pensar lo que había de decir, y cuando respondía o hablaba era una necedad o cosa que teníamos que reír, y por eso le llamábamos "Castillo de los Pensamientos"; y el otro era Alonso del Castillo, que ahora va con nosotros, que de repente decía cualquier cosa y respondía muy a propósito de lo que le preguntaban, se decía Castillo "el de lo Pensado".

Dejemos de contar donaires y volvamos a decir cómo fuimos [a] aquella provincia a ver las minas, y llevamos muchos indios de los de aquellos pueblos, y con unas como hechuras de bateas lavaron en tres ríos delante de nosotros, y en todos tres sacaron oro e hincheron cuatro canutillos de ello, y que era cada uno del tamaño de un dedo de la mano, el de en medio, y eran poco más anchos que cañones de patos de Castilla; y con aquella muestra de oro volvimos donde estaba Gonzalo de Sandoval, y se holgó creyendo que la tierra era rica, y luego entendió en hacer los repartimientos de aquellos pueblos y provincias a los vecinos que habían de quedar allí poblados, y tomó para sí unos pueblos que se dicen Guazpaltepeque,[148] que en aquel tiempo era la mejor cosa que había en aquella provincia muy cerca de las minas; y aún le dieron luego sobre quince mil pesos de oro, creyendo Sandoval que tomaba una buena cosa, y la provincia de Xaltepeque,[149] donde trajimos el oro, que depositó en el capitán Luis Marín: pensaba que le daba un condado, y todos salieron muy malos repartimientos, así lo que tomó Sandoval como lo que dio a Luis Marín. Y aun a mí me mandaba quedar a poblar en aquella provincia y me daba muy buenos indios y de mucha renta, que pluguiera a Dios que los tomara, que se dicen Matlatán y Orizaba, donde está ahora el ingenio del virrey, y otro pueblo que se dice Ozotequipa, y no los quise por parecerme que si no iba en compañía de Sandoval, teniéndole por amigo, que no hacía lo que convenía a la calidad de mi persona; y Sandoval verdaderamente conoció mi voluntad, y por hallarme con él en las guerras, si las hubiese adelante, lo hice.

Dejemos esto, y digamos que nombró a la villa que pobló Medellín, porque así le fue mandado por Cortés, porque Cortés nació en Medellín, de Extremadura; y era en aquella sazón el puerto un río que se dice Chalchocueca,[150] que es el que hubimos puesto por nombre el río de Banderas, donde rescató diez y seis mil pesos, y por aquel río venían las barcas con la mercadería que venía de Castilla hasta que se mudó a la Veracruz. Dejemos de esto, y vamos camino de Guazacualco, que será de la villa de la Veracruz, que dejamos poblada, obra de setenta leguas, y entramos en una provincia que se dice Zitla, la más fresca y llena de bastimentos y bien poblada que habíamos visto; y luego vino de paz, y es aquella provincia que he dicho de doce leguas de largor y otras tantas de ancho, muy poblado todo, y llegamos al gran río de Guazacualco; y enviamos a llamar a los caciques de aquellos pueblos que eran cabeceras de aquellas provincias; y estuvieron tres días que no vinieron ni enviaban respuesta, por lo cual creímos que estaban de guerra, y aun así dizque lo tenían consultado que no nos dejasen pasar el río; y después tomaron acuerdo de venir de ahí a cinco días, y trajeron de comer y unas joyas de oro muy fino, y dijeron que cuando quisiésemos pasar que ellos traerían muchas canoas grandes. Y Sandoval se lo agradeció mucho y tomó consejo con algunos de nosotros si nos atreveríamos a pasar todos juntos de una vez en todas las canoas; y lo que nos pareció y aconsejamos, que primero pasasen cuatro soldados y que viesen la manera que había en un pueblezuelo que estaba

[148] Cuauhcuezpaltepetl, en Oaxaca.
[149] Xaltepetl, en Oaxaca.

[150] Chalchiuhcuecan, comarca de las riberas y desembocadura del río de Jamapa, en Veracruz.

junto al río, y que mirasen y procurasen de inquirir y saber si estaban de guerra, y antes que pasásemos tuviésemos con nosotros el cacique mayor, que se dice Tochel. Y así fueron los cuatro soldados y vieron todo a lo que les enviamos y se volvieron a dar relación a Sandoval cómo todo estaba de paz, y aun vino con ellos el hijo del mismo cacique Tochel, que así se decía, y trajo otro presente de oro, y aunque no de mucha valía.

Entonces le halagó Sandoval y le mandó que trajesen cien canoas atadas de dos en dos, y pasamos los caballos un día después de Pascua del Espíritu Santo; y, por acortar palabras, poblamos en el pueblo que estaba junto al río, y era muy bueno para el trato de la mar, porque está el puerto de allí cuatro leguas el río abajo; y pusimos nombre la Villa de Espíritu Santo, y pusimos aquel sublimado nombre, lo uno, porque en Pascua Santa del Espíritu Santo desbaratamos a Narváez, y lo otro, porque el santo nombre fue nuestro apellido cuando le prendimos y desbaratamos; lo otro, pasar aquel río en este mismo día, y porque todas aquellas tierras vinieron de paz sin dar guerra; y allí poblamos toda la flor de los caballeros y soldados que habíamos salido de México a poblar con Sandoval, y el mismo Sandoval y el mismo Luis Marín, y un Diego de Godoy, y el capitán Francisco de Medina, y Francisco Marmolejo, y Francisco de Lugo, y Juan López de Aguirre, y Hernando de Montes Doca, y Juan de Salamanca, y Diego Azamar, y un Mansilla, y otro soldado que se decía Mejía Rapapelo, y Alonso de Grado, y el licenciado Ledesma, y Luis de Bustamente, y Pedro Castellar, y el capitán Briones, y yo y otros muchos caballeros y personas de calidad, que si los hubiese aquí de nombrar a todos es no acabar tan presto; mas tengan por cierto que solíamos salir a la plaza a un regocijo y alarde, sobre ochenta de caballo, que eran más entonces aquellos ochenta que ahora quinientos, y la causa es ésta: que no había caballos en la Nueva España, sino pocos y caros, y no los alcanzaba a comprar sino cual a cual.

Dejemos esto, y diré cómo repartió Sandoval aquellas provincias y pueblos en nosotros, después de haberlas enviado a visitar y hacer la discreción de la tierra y ver las calidades de todas las poblazones, y fueron las provincias que repartió lo que ahora diré: primeramente Zitla, Guazacualco, Guazpaltepeque, y Tepeaca, y Chinanta y los Zapotecas, y de las provincias que están de la otra parte del río, la provincia de Copilco, y Zimatán, y Tabasco, y las sierras de Cachula,[151] todos los Zoques, hasta Chiapa, y Zinacantán, y todos los Quilenes, y Copanaguasta,[152] y estos pueblos que he dicho teníamos todos los vecinos que en aquella villa quedamos poblados en repartimiento, que valiera más que yo allí no quedara, según después sucedió la tierra pobre, y muchos pleitos que trajimos con tres villas que después se poblaron: la una fue la Villa Rica de la Veracruz, sobre Guazpaltepeque y Chinanta y Tepeaca; la otra, con la villa de Tabasco, sobre Zimatán y Copilco; la otra, con Chiapa, sobre los Quilenes y Zoques; [153] la otra, con Santo Alfonso, sobre los Zapotecas; porque todas estas villas se poblaron después que nosotros poblamos a Guazacualco, y a dejarnos todos los términos que teníamos fuéramos ricos; y la causa que se poblaron estas villas que he dicho es que envió a mandar Su Majestad que todos los pueblos de indios más cercanos y comarca de cada villa le señaló por términos, por manera que de todas partes nos cortaron las haldas y nos quedamos en blanco, y a esta causa

[151] Quechula, en Chiapas.

[152] Copanahuasta.

[153] El licenciado don Vicente Pineda enumera como pueblos de Chiapas a las cinco naciones de: Tzeltales, Querenes, Zoques, Mames y Zoctones. *Historia de las sublevaciones indígenas habidas en el Estado de Chiapas.* Chiapas, 1888, pág. II.

el tiempo andando se fue despoblando Guazacualco; y con haber sido la mejor poblazón y de generosos conquistadores que hubo en la Nueva España, es ahora una villa de pocos vecinos.

Volvamos a nuestra relación, y es que estando Sandoval entendiendo en la poblazón de aquella villa y llamando otras provincias de paz, le vinieron cartas cómo había entrado un navío en el río de Ayagualulco, que es puerto, aunque no bueno, que estaba de allí quince leguas, y en él venían de la isla de Cuba la señora doña Catalina Juárez, la Marcaida, que así tenía el sobrenombre, mujer que fue de Cortés, y la traía un su hermano, Juan Juárez, el vecino que fue el tiempo andando de México; y venía otra señora, su hermana, y Villegas el de México, y su mujer la Zambrana, y sus hijas, y aun la abuela, y otras muchas señoras casadas; y aun me parece que entonces vino Elvira López, la Larga, mujer que entonces era de un Juan de Palma, el cual Palma vino con nosotros, que después fue mujer de un Argueta; y también vino un Antonio Diosdado, el vecino que fue de Guatemala; y vinieron otros muchos que no se me acuerdan sus nombres. Y como Gonzalo de Sandoval lo alcanzó a saber, él en persona con todos los más capitanes y soldados fuimos por aquellas señoras y por todos los demás que traía en su compañía; y acuérdome que en aquella sazón llovió tanto que no podíamos ir por los caminos, ni pasar ríos ni arroyos, porque venían muy crecidos, que salieron de madre, y había hecho grandes nortes, y con mal tiempo y por no dar al través entraron con el navío en aquel puerto de Ayagualulco; y la señora doña Catalina Juárez, la Marcaida, y toda su compañía se holgaron con nosotros; y luego trajimos a todas aquellas señoras y su compaña a nuestra villa de Guazacualco, y lo hizo saber Sandoval muy en posta a Cortés de su venida, y las llevó luego camino de México, y fueron acompañándolas el mismo Sandoval y Briones, y Francisco de Lugo y otros caballeros. Y desde que Cortés lo supo dijeron que le había pesado mucho de su venida, puesto que no lo mostró, y les mandó salir a recibir, y en todos los pueblos les hacían mucha honra hasta que llegaron a México; y en aquella ciudad hubo regocijos y juego de cañas, y de allí a obra de tres meses que había llegado oímos decir que la hallaron muerta de asma una noche, y que habían tenido un banquete el día antes y en la noche, y muy gran fiesta, y porque yo no sé más de esto que he dicho no tocaremos en esta tecla. Otras personas lo dijeron más claro y abiertamente en un pleito que sobre ello hubo el tiempo andando en la Real Audiencia de México.

Dejemos de hablar de esto, pues ya pasó, y digamos de lo que le acaeció a Villafuerte, el que fue a poblar a Zacatula, y a Juan Álvarez Chico, que también fue a Colima. A Villafuerte le dieron mucha guerra y le mataron ciertos soldados, y estaba la tierra levantada que no les querían obedecer ni dar tributos; y a Juan Álvarez Chico, ni más ni menos; y desde que lo supo Cortés le pesó de ello, y como Cristóbal de Olid había venido de lo de Michoacán, y venía rico, y la había dejado de paz, y le pareció a Cortés que tenía buena mano para ir [a] asegurar y a pacificar aquellas dos provincias de Zacatula y Colima, acordó de enviarle por capitán y le dio quince de [a] caballo y treinta escopeteros y ballesteros; y yendo por su camino, ya que llegaba cabe Zacatula, le aguardaron los naturales de aquella provincia muy gentilmente a un mal paso, y le mataron dos soldados e hirieron quince; y todavía les venció y fue a la villa donde estaba Villafuerte con los vecinos que en ella estaban poblados, que no osaban ir a los pueblos que tenían en encomienda porque no los capillasen, como ya le habían muerto cuatro vecinos de sus mismos pueblos; porque comúnmente en todas las provincias y villas que se pueblan, a los principios les dan encomenderos, y de que les piden tributos se alzan y matan los españoles que pueden. Pues después que Cristóbal de Olid vio que ya tenía apaciguada aquella provincia y le habían venido de paz, fue desde Zacatula a Colima, y hallóla de guerra, y tuvo con los naturales de ella ciertos reencuentros, y le hirieron muchos soldados, los desbarató y quedaron de paz. Juan Álvarez Chico, que había ido por capitán, no sé qué se hizo de él; paréceme que murió en aquella villa. Pues como Cristóbal de Olid hubo pacificado a Colima y le pareció que estaba de paz, como era casado con una portuguesa hermosa, que ya he dicho que se decía doña Felipa de Araúz o Zaraúz, dio la vuelta para México; y no se hubo bien vuelto cuando se tornó a levantar los de Colima y Zacatula; y en aquel instante había llegado a México Gonzalo de Sandoval con la señora doña Catalina Juárez Marcaida, y con Juan Juárez y todas sus compañas; como ya otra vez dicho tengo en el capítulo que de ello habla, acordó Cortés de enviarle por capitán para apaciguar aquellas provincias. Y con muy pocos de a caballo que entonces le dio, obra de quince ballesteros y escopeteros, conquistadores viejos, fue a Colima y castigó a dos caciques y tal maña se dio, que toda la tierra dejó muy de paz, y nunca más se levantó, y se volvió por Zacatula e hizo lo mismo y de presto se volvió a México.

Y volvamos a Guazacualco y digamos cómo luego que se partió Gonzalo de Sandoval para México con la señora doña Catalina Juárez, se nos rebelaron todas las más provincias de las que estaban encomendadas a los vecinos, y tuvimos muy gran trabajo en tornarlos a pacificar, y la primera que se levantó fue Xaltepeque, zapotecas, que estaban poblados en altas y malas sierras; y tras esto se levantó lo de Zimatán y Copilco, que estaban entre grandes riscos y ciénegas, y se levantaron otras provincias, y aun hasta doce leguas de la villa hubo pueblos que mataron a su encomendero, y lo andábamos pacificando con grandes trabajos; y estando que estábamos en una entrada con el capitán Luis Marín y un alcalde ordinario y todos los regidores de nuestra villa, viniéronnos cartas que había venido al puerto un navío, y que en él venía un Juan Bono de Quexo, vizcaíno, y que decía que traía cartas y provisiones de Su Majestad para notificarnos y que luego fuésemos a la villa y dejásemos la pacificación de la provincia. Y como aquella nueva supimos y estábamos con el teniente Luis Marín, y así alcalde y regidores fuimos a ver qué quería; y después de abrazarnos y dar el parabienvenido los unos a los otros, porque Juan Bono era muy conocido de cuando vino con Narváez, dijo que nos pedía por merced que nos juntásemos en cabildo, que nos quería notificar ciertas provisiones de Su Majestad y de don Juan Rodríguez de Fonseca, obispo de Burgos, arzobispo de Rosano, que traía muchas cartas para todos, y según pareció traía Juan Bono cartas en blanco con la firma del obispo, y entretanto que nos fueron a llamar en la pacificación donde estábamos, se informó Juan Bono quién éramos los regidores, y las cartas que traía en blanco escribió en ellas palabras de ofrecimientos que el obispo nos enviaba si dábamos la tierra a Cristóbal de Tapia, que Juan Bono nunca creyó que era vuelto para la isla de Santo Domingo, y el obispo tenía por cierto que no le recibiríamos, y [a] aquel efecto envió a Juan Bono con aquellos recaudos; y traía para mí, como regidor, una carta del mismo obispo que escribió Juan Bono. Pues ya que habíamos entrado en cabildo y vimos sus despachos y provisiones que nunca nos había querido decir lo que era hasta entonces, de presto le despachamos en decir que ya Tapia era vuelto a Castilla; que fuese a México, adonde estaba Cortés, y allá le diría lo que le conviniese. Y desde que aquello oyó Juan Bono, que Tapia no estaba en la tierra, se paró muy triste y otro día se embarcó y fue a la Villa Rica, y desde allí a México; y lo que allá pasó yo no lo sé, salvo que oí decir que Cortés le ayudó para la costa y se volvió a Castilla. Y dejemos de contar más cosas, que había bien que decir cómo siempre que en aquella villa estuvimos nunca nos faltaron trabajos y conquistas de las provincias que se habían levantado, y volvamos a decir de Pedro de Alvarado cómo le fue en lo de Tututepeque y en su poblazón.

CAPÍTULO CLXI

CÓMO PEDRO DE ALVARADO FUE A TUTUTEPEQUE A POBLAR UNA VILLA Y LO QUE EN LA PACIFICACIÓN DE AQUELLA PROVINCIA Y POBLAR LA VILLA LE ACAECIÓ

Es MENESTER que volvamos algo atrás para dar relación de esta ida que fue Pedro de Alvarado a poblar a Tututepeque, y es así: Que como se ganó la ciudad de México y se supo en todas las comarcas y provincias que una ciudad tan fuerte estaba por el suelo, enviaban a dar el parabién a Cortés de la victoria y a ofrecerse por vasallos de Su Majestad, y entre muchos grandes pueblos que en aquel tiempo vinieron fue uno que se dice Teguantepeque,[154] zapotecas, y trajeron un presente de oro a Cortés y dijéronle que estaban otros pueblos algo apartados de su provincia, que se decían Tututepeque, muy enemigos suyos, y que les venían a dar guerra porque habían enviado los de Teguantepeque a dar la obediencia a Su Majestad, y que estaban en la costa del sur, y que era gente muy rica, así de oro que tenían en joyas como de minas, y le demandaron a Cortés con mucha importunación les diese hombres de a caballo y escopeteros y ballesteros para ir contra sus enemigos. Y Cortés les habló muy amorosamente y les dijo que quería enviar con ellos al Tonatio, que así llamaban a Pedro de Alvarado, y luego le dio ciento ochenta soldados, y entre ellos treinta y cinco de a caballo, y le mandó que en la provincia de Oaxaca, donde estaba un Francisco de Orozco por capitán, pues estaba de paz aquella provincia, que le demandase otros veinte soldados y los más de ellos ballesteros, y así como le fue mandado ordenó su partida y salió de México en el año de veintidós.

Y mandó Cortés que, de camino, que fuese y viese ciertos peñoles que decían que estaban alzados, que se decían de Ulamo, y entonces todo lo halló de paz y de buena voluntad, y tardó más de cuarenta días en llegar a Tututepeque; y el señor de él y otros principales, de que supieron que ya llegaban cerca de su pueblo, les salieron a recibir de paz y les llevaron [a] aposentar en lo más poblado del pueblo, adonde el cacique tenía sus adoratorios y sus grandes aposentos, y estaban las casas muy juntas unas de otras, y son de paja, porque en aquella provincia no tenían azoteas, que es tierra muy caliente. Aconsejóse Alvarado con sus capitanes y soldados que no era bien aposentarse en aquellas casas tan juntas unas de otras, porque si ponían fuego no se podrían valer, y fue acordado que se fuesen en cabo del pueblo; y de que fue aposentado, el cacique le llevó muy grandes pre-

[154] Tehuantepec.

sentes de oro y bien de comer, y cada día que allí estuvieron le llevó presentes muy ricos de oro; y como Alvarado vio que tanto oro tenían, les mandó hacer unas estriberas de oro fino de la manera de otras que le dio para que por ellas las hiciesen, y se las trajeron hechas, y de allí a pocos días echó preso al cacique porque le dijeron los de Teguantepeque a Pedro de Alvarado que le querían dar guerra toda aquella provincia, y que cuando le aposentaron entre aquellas casas donde estaban los ídolos y aposentos, que era por quemarles y que allí muriesen todos, y a esta causa le echó preso. Otros españoles de fe y de crédito dijeron que por sacarle mucho oro, y sin justicia murió en las prisiones, y esto se tuvo por cierto.

Ahora, sea lo uno o lo otro, aquel cacique dio a Pedro de Alvarado más de treinta mil pesos, y murió de enojo y de la prisión, y quedó a un su hijo el cacicazgo, y le sacó mucho más oro que al padre; y luego envió a visitar los pueblos de [a] la redonda y los repartió entre los vecinos y pobló una villa, que se puso por nombre Segura, porque los más vecinos que allí poblaron habían sido de antes vecinos de Segura de la Frontera, que era Tepeaca; y como esto tuvo hecho y tenía allegada buena suma de pesos de oro y se lo llevaba a México para dar a Cortés, y también dijeron que el mismo Cortés le escribió que todo el oro que pudiese haber que lo trajese consigo para enviar a Su Majestad, por causa que habían robado los franceses lo que había enviado con Alonso de Ávila y Quiñones, y que no diese parte ninguna a ningún soldado de los que tenía en su compañía; y ya que Alvarado se quería partir para México, tenían hecha ciertos soldados una conjuración, y los más de ellos ballesteros y escopeteros, de matar otro día a Pedro de Alvarado y a sus hermanos porque les llevaba el oro sin dar partes, y aun se las pedían y no se las quiso dar, y porque no les daba buenos repartimientos de indios, y esta conjuración, si no se la descubriera un soldado que se decía Trebejo, que era en la misma trama, aquella noche que venía habían de dar en ellos; y como Alvarado lo supo que se lo dijeron a hora de vísperas y yendo a caballo a caza por unas sabanas e iban en su compañía a caballo de los que entraban en la conjuración, y para disimular con ellos, dijo: "Señores, a mí me ha dado dolor de costado; volvamos a los aposentos y llámenme un barbero que me sangre." Y como volvió envió a llamar a sus hermanos Jorge y Gonzalo y Gómez, todos Alvarados, y a los alcaldes y alguaciles, y prenden a los que eran en la conjuración, y por justicia ahorcaron a dos de ellos, que se decía el uno fulano de Salamanca, natural de Condado, que había sido piloto, y a otro que se decía Bernaldo, levantisco, y con estos dos apaciguó los demás; y luego se fue para México con todo el oro, y dejó poblada la villa.

Y desde que los vecinos que en ella quedaban vieron que los repartimientos que les daban no eran buenos y la tierra doliente y muy calurosa, y habían adolecido muchos de ellos, y las *naborías* y esclavos que llevaban se les habían muerto, y había muchos murciélagos y mosquitos y aun chinches, y, sobre todo, que el oro no lo repartió Alvarado entre ellos y se lo llevó, acordaron de quitarse de mal ruido y despoblar la villa, y muchos de ellos se vinieron a México, y otros a Oaxaca, y se derramaron por otras partes. Y después que Cortés lo supo envió hacer pesquisa sobre ello, y hallóse que por los alcaldes y regidores en el cabildo se concertó que se despoblase, y sentenciaron a los que fueron en ello a pena de muerte, y apelaron, y fue en destierro la pena. Y de esta manera sucedió en lo de Tututepeque, que jamás nunca se pobló, y aunque era tierra rica, por ser doliente; y como los naturales de aquella tierra vieron esto y que se habían despoblado y lo que

Pedro de Alvarado había hecho sin causa ni justicia, se tornaron a rebelar, y volvió a ellos Pedro de Alvarado y los llamó de paz, y sin darles guerra volvieron a estar de paz. Dejemos esto, y digamos cómo Cortés tenía ya allegados sobre ochocientos mil pesos de oro para enviar a Su Majestad, y el tiro *Fénix* forjado, vino en aquella sazón nueva cómo había venido a Pánuco Francisco de Garay, con grande armada, y lo que sobre ello se hizo diré adelante.

CAPÍTULO CLXII

CÓMO VINO FRANCISCO DE GARAY DE JAMAICA CON GRANDE ARMADA PARA PÁNUCO, Y LO QUE LE ACONTECIÓ, Y MUCHAS COSAS QUE PASARON

Como he dicho en otro capítulo que habla de Francisco de Garay, como era gobernador en la isla de Jamaica y rico, y tuvo nueva que habíamos descubierto muy ricas tierras cuando lo de Francisco Hernández de Córdova, y Juan de Grijalva, y habíamos llevado a la isla de Cuba veinte mil pesos de oro, y los hubo Diego Velázquez, gobernador que era de aquella isla, y que venía en aquel instante Hernando Cortés con otra armada, tomóle gran codicia de venir Garay a conquistar algunas tierras, pues tenía mejor aparejo que otros ningunos, y tuvo nueva y plática de un Antón de Alaminos, que fue el piloto mayor que habíamos traído cuando lo descubrimos, cómo estaban muy ricas tierras y muy pobladas desde el río de Pánuco adelante, y que aquello podía enviar a suplicar que le hiciese merced; y después de bien informado el mismo Garay del piloto Alaminos, y de otros pilotos que se habían hallado juntamente con Alaminos en el descubrimiento, acordó de enviar a un su mayordomo, que se decía Juan Torralva, a la corte con cartas y dineros a suplicar a los caballeros que en aquella sazón estaban por presidentes y oidores de Su Majestad que le hiciesen merced de la gobernación del río de Pánuco con todo lo demás que descubriese y estuviese por poblar; y como Su Majestad en aquella sazón estaba en Flandes, y estaba por presidente de Indias don Juan Rodríguez de Fonseca, obispo de Burgos y arzobispo de Rosano, que lo mandaba todo, y el licenciado Zapata, y el licenciado Vargas, y el secretario Lope de Conchillos, y le trajeron provisiones que fuese adelantado y gobernador del Río de San Pedro y San Pablo con todo lo que descubriese, y con aquellas provisiones envió luego tres navíos con hasta doscientos cuarenta soldados, con muchos caballos y escopeteros y ballesteros y bastimentos, y por capitán de ellos a un Alonso de Álvarez Pineda o Pinedo, otras veces por mí ya nombrado.

Pues como hubo enviado aquella armada, ya he dicho otras veces que los indios de Pánuco se la desbarataron y mataron al capitán Pineda y a todos los caballos y soldados que tenía, excepto obra de sesenta soldados que vinieron al puerto de la Villa Rica con un navío, y por capitán de ellos un Camargo, que se acogieron a nosotros; y tras aquellos tres navíos, viendo Garay que no tenía nueva de ellos, envió otros dos navíos con muchos soldados y caballos y bastimentos, y por capitán de ellos a un Miguel Díaz de Auz y a un Ramírez, muchas veces por mí memorados, los cuales se vinieron también a nuestro puerto de que vieron que no hallaban en río de Pánuco pelo ni hueso de los que había enviado Garay, salvo los navíos quebrados, todo lo cual tengo ya dicho otras veces en mi relación, mas es necesario que se torne a decir desde el principio para que bien se entienda. Pues volviendo a nuestro propósito y relación, viendo Francisco de Garay que ya había gastado muchos pesos de oro, y oyó decir de la buena ventura de Cortés y de las grandes ciudades que había descubierto, y del mucho oro y joyas que había en la tierra, tuvo más envidia y codicia y levantó más la voluntad de venir él en persona y traer la mayor armada que pudiese; y buscó once navíos y dos bergantines, que fueron trece velas; y allegó ciento treinta y seis caballos y ochocientos cuarenta soldados, todos los más ballesteros y escopeteros, y basteciólos muy bien de todo lo que hubieron menester, y era pan cazabe y tocinos y tasajos de vacas, que ya había harto ganado vacuno, que como era rico y lo tenía todo de su cosecha, no le dolía el gasto; y para ser hecha aquella armada en la isla de Jamaica fue demasiada la gente y caballos que allegó, y en el año de mil quinientos veintitrés años salió de Jamaica con toda su armada por San Juan de junio y vino a la isla de Cuba a un puerto que se dice Xagua, y allí alcanzó a saber que Cortés tenía pacificada toda la provincia de Pánuco y poblada una villa, y que había gastado en la pacificación más de sesenta mil pesos de oro, y que había enviado a Su Majestad a suplicar le hiciese merced de la gobernación de ella juntamente con la Nueva España; y como le decían de las cosas heroicas que Cortés y sus compañeros habíamos hecho, y como tuvo nueva que con doscientos sesenta y seis soldados habíamos desbaratado a Pánfilo de Narváez, habiendo traído sobre mil y trescientos soldados con doscientos de a caballo y otros tantos escopeteros y ballesteros y diez y ocho tiros, temió la fortuna de Cortés. Y en aquella sazón que estaba Garay en aquel puerto de Xagua le vinieron a ver muchos vecinos de la isla de Cuba, y viniéronse en su compañía de Garay ocho o diez personas principales de aquella villa, y le vino a ver el licenciado Zuazo, que había venido [a] aquella isla a tomar residencia a Diego Velázquez por mandado de la Real Audiencia de Santo Domingo; y platicando Garay con el licenciado sobre la ventura de Cortés, y que temía que había de tener diferencias con él sobre la provincia de Pánuco, le rogó que se fuese con él, en aquel viaje, para ser intercesor entre él y Cortés; y el licenciado Zuazo respondió que no podía ir por entonces sin dar residencia, mas que presto sería allá; y luego Garay mandó dar velas y va su derrota para Pánuco, y en el camino tuvo un mal tiempo, y los pilotos que llevaba subieron más arriba hacia el río de Palmas, y surgió en el propio río día de Señor Santiago; y luego envió a ver la tierra; y a los capitanes y soldados que envió no les pareció buena, o no hubieron gana de quedar allí, sino que se viniese al propio Pánuco a la poblazón y villa que Cortés había poblado, por estar más cerca de México; y desde que aquella nueva le trajeron acordó Garay de tomar juramentos a todos sus soldados que no le desampararían sus banderas y que le obedecerían como a tal capitán general; nombró alcaldes y regidores y todo lo perteneciente a una villa; dijo que se había de nombrar la villa Garayana; mandó desembarcar todos los caballos y soldados, y los navíos desembarazados envióles costa a costa con un capitán que se decía Grijalva, y él y todo su ejército se vino por tierra costa a costa cerca de la mar, y anduvo dos días por malos despoblados que eran ciénagas; pasó un río que venía de unas sierras que vieron desde el camino, que estaban de allí obra de cinco leguas, y pasaron aquel gran río en balsas y en unas canoas que hallaron quebradas; luego, en pasando el río, estaba un pueblo despoblado de aquel día, y hallaron muy bien de comer maíz y aun gallinas, y había muchas guayabas muy buenas. Allí en este pueblo Garay prendió ciertos indios que entendían la lengua mexicana y halagóles y dioles camisas, enviólos por mensajeros a otros pueblos que le decían que estaban cerca para que le recibiesen de paz, y rodeó una ciénaga y fue a unos pueblos que eran los mismos, y recibiéronle de paz, diéronle muy bien de comer y muchas gallinas de la tierra y otras aves como a manera de ansarones que tomaban en las lagunas; y como muchos de los soldados que llevaba Garay iban cansados y parece ser no les daban de lo que los indios les traían de comer, se amotinaron algunos y se fueron a robar a los indios de aquellos pueblos por donde venían; estuvieron en este pueblo tres días; otro día fueron su camino con guías; llegaron a un gran río; no le podían pasar sino con canoas que les dieron los del pueblo de paz donde habían estado; procuraron de pasar cada caballo a nado, y remando con cada canoa un caballo que le llevasen del cabestro, y como eran muchos caballos y no se daban maña se les ahogaron cinco; salen de aquel río, dan en unas malas ciénagas y con mucho trabajo llegaron a tierra de Pánuco; y ya que en ella se hallaron creyeron tener de comer, y estaban todos los pueblos sin maíz ni bastimentos y muy alterados, y esto fue a causa de las guerras que Cortés con ellos había tenido poco tiempo había, y también si alguna comida tenían habíanla alzado y puesto en cobro, porque como vieron tantos españoles y caballos, tuvieron miedo de ellos y despoblaban los pueblos, y adonde pensaba Garay reposar tenía más trabajo; y además de esto, como estaban despobladas las casas donde posaban había muchos murciélagos y chinches y mosquitos, y todo les daba guerra; y luego les sucedió otra mala ventura: que los navíos que venían costa a costa no habían llegado al puerto, ni sabían de ellos, porque en ellos traían muchos bastimentos, lo cual supieron de un español que les vino a ver o hallaron en un pueblo, que era de los vecinos que estaban poblados en la villa de Santisteban del Puerto, que estaba huido por temor de la justicia por cierto delito que había hecho, el cual les dijo cómo estaban poblados muy cerca de allí, y cómo México era muy buena tierra, y que estaban los vecinos que en ella vivían ricos; y como oyeron los soldados que traía Garay al español que con ellos habló que la tierra era buena y la de Jamaica no era tan buena, muchos de ellos se desmandaron y se fueron por los pueblos a robar, y se iban a México.

Y en aquella sazón, viendo Garay que se le amotinaban sus soldados y no los podía haber, envió a un su capitán, que se decía Ocampo, a la villa de Santisteban a saber qué voluntad tenía el teniente que estaba por Cortés, que se decía Pedro de Vallejo, y aun le escribió haciéndole saber cómo traía provisiones y recaudos de Su Majestad para gobernar y ser adelantado de aquellas provincias, y cómo había aportado con sus navíos al río de Palmas, y del mal camino y trabajos que había pasado. Y Vallejo hizo mucha honra a Ocampo y a los que con él iban y les dio buena respuesta, y les dijo que Cortés holgara de tener tan buen vecino por gobernador, mas que le había costado muy caro la conquista de aquella tierra y Su Majestad le había hecho merced de la gobernación, y que venga cuando quisiere con sus ejércitos, y que se le hará todo servicio, y que le pide por merced que mande a sus soldados que no hagan injusticias ni robos a los indios, porque se le han venido a quejar dos pueblos, y tras esto, muy en posta escribió Vallejo a Cortés, y aun le envió la carta de Garay, e hizo que escribiese otra el mismo Gonzalo de Ocampo, y le envió a decir que qué mandaba que se hiciese, o que de presto enviase muchos soldados o viniese Cortés en persona.

Y de que Cortés vio la carta, envió a llamar a Pedro de Alvarado y a Gonzalo de Sandoval y a un Diego de Ocampo, hermano del otro Gonzalo de Ocampo que venía con Garay, y envió con ellos los recaudos que tenía cómo Su Majestad le había mandado que todo lo que conquistase tuviese en sí hasta que se averiguase la justicia entre él y Diego Velázquez, y que se los notificasen a Garay.

Dejemos de hablar de esto, y digamos que luego como Gonzalo de Ocampo volvió con la respuesta de Vallejo, a Francisco de Garay le pareció buena respuesta y se vino con todo su ejército a sujetar y estar más cerca de la villa de Santisteban del Puerto; y ya Pedro de Vallejo tenía concertado con los vecinos de la villa, y con aviso que tuvo de cinco soldados que se habían ido a la villa, que eran del mismo Garay, de los amotinados, cómo estaban muy descuidados, y que no se velaban, y cómo quedaban en un pueblo bueno y grande que se dice Nachapalán; y los de Vallejo [que] sabían bien la tierra, dan en la gente de Garay y le prenden sobre cuarenta soldados y se los llevaron a su villa de Santisteban del Puerto, y ellos lo tuvieron por bueno su prisión; y la causa que dijo Vallejo por qué los prendió era porque sin presentar las provisiones y recaudos que traía andaban robando la tierra. Y viendo esto Garay hubo gran pesar y tornó a enviar a decir al mismo Vallejo que le diese sus soldados, amenazándole con la justicia de nuestro rey y señor; y Vallejo respondió que después que vea las reales provisiones que las obedecerá y pondrá sobre su cabeza, y que fuera mejor que cuando vino Ocampo las trajera y presentara para cumplirlas, y que le pide por merced que mande a sus soldados que no roben ni saqueen los pueblos de Su Majestad.

Y en este instante llegaron los capitanes que Cortés enviaba con los recaudos [y vino] por capitán Diego de Ocampo, y como Diego de Ocampo era en aquella sazón alcalde mayor por Cortés en México, comenzó de hacer requerimientos a Garay que no entrase en la tierra, porque Su Majestad mandó que la tuviese Cortés, y en demandas y en respuestas se pasaron ciertos días, y entretanto cada día se le iban a Garay muchos soldados que anochecían y no amanecían en el real; y vio Garay que los capitanes de Cortés traían mucha gente de a caballo y escopeteros y de cada día le venían más, y supo que de sus navíos que había mandado venir costa a costa se le habían perdido dos de ellos con tormenta de nortes que es travesía, y los demás navíos, que estaban en la boca del puerto y que el teniente Vallejo les envió a requerir que luego se entrasen dentro en el río no les viniese algún desmán y tormenta como la pasada; si no, que los tendría por corsarios que andaban a robar; y los capitanes de los navíos respondieron que no tuviese Vallejo que entender y mandar en ello, que ellos entrarían cuando quisiesen.

Y en este instante Francisco de Garay temió la buena fortuna de Cortés, y como andaban en estos trances, el alcalde mayor Diego de Ocampo y Pedro de Alvarado y Gonzalo de Sandoval tuvieron pláticas secretas con los de Garay y con los capitanes que estaban en los navíos en el puerto, y se concertaron con ellos que se entrasen en el puerto y se diesen a Cortés, y luego un Martín de San Juan, lepuzcano, y un Castro Mucho, maestres de navíos, se entregaron con sus naos al teniente Vallejo por Cortés; y como los tuvo por de Cortés, fue en ellos el mismo Vallejo a requerir al capitán Juan de Grijalva, que estaba en la boca del puerto, que se entrase dentro a surgir o se fuese por la mar donde quisiese, y respondióle con tirarle muchos tiros; y luego enviaron en una barca un escribano del rey, que se decía Vicente López, a requerirle que se entrase en el puerto, y aun llevó cartas para Grijalva de Pedro de Alvarado y de Sandoval y de Diego de Ocampo con ofertas y prometimientos que Cortés les haría mercedes; y como vio las cartas y que todas las naos habían entrado en el río, así hizo Juan Grijalva con su nao capitana, y el teniente Vallejo le dijo que fuese preso en nombre del capitán Hernando Cortés; mas luego lo soltó a él y a cuantos estaban detenidos.

Y desde que Garay vio el mal recaudo que tenía y sus soldados huidos y amotinados, y los navíos dados al través y los demás estaban tomados por Cortés, si muy triste estaba antes que se los tomasen, más lo estuvo después que se vio desbaratado, y luego demandó, con grandes protestaciones que hizo a los capitanes de Cortés, que le diesen sus naos y todos sus soldados, que se quería volver a poblar el río de Palmas, y presentó sus provisiones y recaudos que para ello traía, y que por no tener debates ni cuestiones con Cortés se quería volver. Y aquellos caballeros respondieron que fuese mucho en buena hora, y que ellos mandarían a todos los soldados que estaban en aquella provincia y por los pueblos amotinados que luego se vengan a su capitán y vayan en los navíos, y le mandarán proveer de todo lo que hubiere menester, así de bastimento como de armas y tiros y pólvora, y que escribirían a Cortés le proveyese muy cumplidamente de todo lo que hubiese menester; y Garay con esta respuesta y ofrecimientos estaba contento. Y luego se dieron pregones en aquella villa y en todos los pueblos y enviaron alguaciles a prender los soldados amotinados para traerlos a Garay, y por más penas que les ponía era pregonar en balde, que no aprovechaba cosa ninguna, y algunos que traían presos decían que habían llegado a la provincia de Pánuco y que no eran obligados a más seguirle ni cumplir el juramento que les hubo tomado, y ponían otras perentorias; que decían que no era capitán Garay para saber mandar, ni hombre de guerra. Y de que vio Garay que no aprovechaban pregones ni la buena diligencia que le parecía que ponían los capitanes de Cortés en traer sus soldados, estaba desesperado. Pues viéndose desmamparado de todo, aconsejáronle los caballeros que venían por parte de Cortés, que le escribiese luego al mismo Cortés y que ellos serían intercesores con él para que volviese al río de Palmas, y que tenían a Cortés por de tan buena condición que le ayudaría en todo lo que pudiese, y que Pedro de Alvarado y Sandoval serían fiadores de ello y se lo harían cumplir.

Y luego Garay escribió a Cortés dándole muy entera relación de su viaje y desdichas y trabajos, y que si su merced mandaba, que le iría a ver y a comunicar cosas cumplideras al servicio de Dios y de Su Majestad, encomendándole su honra y estado, y que lo efectuase de manera que no fuese disminuida su honra. Y también escribieron Pedro de Alvarado y Diego de Ocampo y Gonzalo de Sandoval suplicando a Cortés por las cosas de Francisco de Garay, en todo fuese ayudado, pues en los tiempos pasados habían sido grandes amigos. Y Cortés, viendo aquellas cartas, hubo mancilla de Garay, y le respondió con mucha mansedumbre, y que le pesaba de todos sus trabajos, y que se venga a México, que le promete que en todo lo que le pudiere ayudar lo hará de muy buena voluntad, y que a la obra se remite; y mandó que por doquiera que viniese le hiciesen mucha honra y le diesen todo lo que hubiese menester, y aun le envió al camino refresco, y cuando llegó a Tezcuco le tenía hecho un banquete, y llegado que fue a México, el mismo Cortés y muchos caballeros le salieron a recibir, y Garay iba espantado de ver tantas ciudades, y más desde que vio la gran ciudad de México. Y luego Cortés le llevó a sus palacios, que entonces nuevamente los hacía, y después que se hubieron comunicado Garay con Cortés, le contó sus desdichas y trabajos, y encomendándole que por su mano fuese remediado; el mismo Cortés se lo ofreció muy de voluntad, y aun Pedro de Alvarado y Gonzalo de Sandoval le fueron buenos medianeros. Y de ahí a tres o cuatro días que hubo llegado se trató que se casase una hija de Cortés, que se decía doña Catalina Cortés o Pizarro, que era niña, con un hijo de Garay, el mayorazgo, que traía consigo en la armada y dejó por su capitán, y le mandó Cortés en dote con doña Catalina gran cantidad de pesos de oro, y que Garay fuese a poblar el río de Palmas, y que Cortés le diese todo lo que hubiese menester para la poblazón y pacificación de aquella provincia, y aun le prometió que le daría capitanes y soldados de los suyos para que con ellos se descuidase en las guerras que hubiese, y con estos prometimientos y con la buena voluntad que Garay halló en Cortés estaba muy alegre. Yo tengo por cierto que así como lo había capitulado y ordenado Cortés lo cumpliría.

Dejemos todo lo del casamiento y de las promesas, y diré cómo en aquella sazón fue Garay a posar en la casa de un Alonso de Villanueva, porque Cortés estaba haciendo sus casas y palacios, y eran tamaños y tan grandes y de tantos patios como suelen decir el laberinto de Creta, y porque Alonso de Villanueva, según pareció, había estado en Jamaica cuando Cortés le envió a comprar caballos, que esto no lo afirmo si era entonces o después, era muy grande amigo de Garay, y por el conocimiento pasado suplicó a Cortés el mismo Garay para pasarse a las casas de Villanueva; y se le hacía toda la honra que podía, y todos los vecinos de México le acompañaban. Quiero decir cómo en aquella sazón estaba en México Pánfilo de Narváez, que es el que hubimos desbaratado, como dicho tengo otras veces; vino a ver y hablar a Francisco de Garay, y abrazáronse el uno al otro y se pusieron a platicar cada uno de sus trabajos y desdichas, y como Narváez era hombre que hablaba muy entonado, de plática en plática, medio riendo, le dijo Narváez: "Señor adelantado don Francisco de Garay: hanme dicho ciertos soldados de los que se le han venido huyendo y amotinados que solía decir vuestra merced a los caballeros que traía en su armada: (Mirad que hagamos como varones y peleemos muy bien con estos soldados de Cortés, no nos tomen descuidados como tomaron a Narváez); pues, señor don Francisco de Garay, a mí peleando me quebraron este ojo y me robaron y quemaron cuanto tenía, y hasta que me mataron el alférez y muchos soldados y prendieron mis capitanes nunca me habían vencido tan descuidado como a vuestra merced le han dicho; hágole saber que otro más venturoso hombre en el mundo no [ha] habido que Cortés, y tiene tales capitanes y soldados que se podían nombrar tan en ventura cada uno, en lo que tuvo entre manos, como Octaviano, y en el vencer, como Julio César, y en el trabajar y ser en las batallas, más que Aníbal." Y Garay respondía que no había necesidad que se lo dijesen, que por las obras se veía lo que decía: que, ¿qué hombre hubo en el mundo que con tan pocos soldados se atreviese a dar con los navíos al través y meterse en tan recios pueblos y grandes ciudades a darles guerra? Y respondía Narváez recitando otros grandes hechos y loas de Cortés, y estuvieron el uno y el otro platicando en las conquistas de esta Nueva España como a manera de coloquio.

Y dejemos estas alabanzas que entre ellos se tuvo, y diré cómo Garay suplicó a Cortés por Narváez para que le diese licencia para volver a la isla de Cuba a su mujer, que se decía María de Valenzuela, que estaba rica de las minas y de los buenos indios que tenía Narváez, y demás de suplicárselo Garay a Cortés con muchos ruegos, la misma mujer de Narváez se lo había enviado a suplicar a Cortés por cartas que le dejase ir a su marido, porque, según parece, se conocían de cuando Cortés estaba en Cuba, y eran compadres, y Cortés le dio licencia y le ayudó con dos mil pesos de oro. Y después que Narváez tuvo la licencia se humilló mucho a Cortés con prometimientos que primero le hizo que en todo le sería servidor; y luego se fue a Cuba.

Dejemos de más platicar de esto, y digamos en qué paró Garay y su armada, y es que yendo una noche de Navidad del año de mil quinientos veintitrés juntamente con Cortés a maitines, después de vueltos de la iglesia almorzaron con mucho regocijo, y desde ahí a una hora, con el aire que le dio a Garay, y él que estaba de antes mal dispuesto, le dio dolor de costado con grandes calenturas; mandáronle los médicos sangrar y purgáronle, y de que veían que arreciaba el mal le dijeron que se confesase e hiciese testamento, lo cual luego hizo; dejó por albacea a Cortés, y después de haber recibido los Santos Sacramentos, de allí a cuatro días que le dio el mal dio el alma a Nuestro Señor Jesucristo que la crió, y esto tiene la calidad de la tierra de México, que en tres o cuatro días mueren de aquel mal de dolor de costado, que esto ya lo he dicho otra vez, y lo tenemos bien experimentado de cuando estábamos en Tezcuco y en Coyoacán, que se murieron muchos de nuestros soldados. Pues ya muerto Garay, ¡perdónele Dios, amén!, le hicieron muchas honras al enterramiento, y Cortés y otros caballeros se pusieron luto, y como algunos maliciosos estaban mal con Cortés, no faltó quien dijo que le había mandado dar rejalgar en el almuerzo, y fue gran maldad de los que tal le levantaron, porque ciertamente de su muerte natural murió, porque así lo juró el doctor Ojeda y el licenciado Pedro López, médicos, que lo curaron; y murió Garay fuera de su tierra en casa ajena y lejos de su mujer e hijos. Dejemos de contar esto y volvamos a decir de la provincia de Pánuco.

Que como Garay se vino a México, sus capitanes y soldados como no tenían cabecera ni quien les mandase, cada uno de los soldados que aquí nombraré, que Garay traía en su compañía, se querían hacer capitanes, los cuales se decían: Juan de Grijalva, Gonzalo de Figueroa, Alonso de Mendoza, Lorenzo de Ulloa, Juan de Medina, el Tuerto; Juan de Ávila, Antonio de la Cerda, y un Taborda: este Taborda fue el más bullicioso de todos los del real de Garay, y sobre todos ellos quedó por capitán un hijo de Garay, que quería casar Cortés con su hija, y no le acataban ni tenían cuenta de él todos los que he nombrado, ni ninguno de los de su compañía, antes se juntaban de quince en quince o de veinte en veinte y se andaban robando los pueblos y tomando las mujeres por fuerza, y mantas y gallinas, como si estuvieran en tierra de moros, robando lo que hallaban. Y desde que aquello vieron los indios de aquella provincia se concertaron todos a una de matarlos, y en pocos días sacrificaron y comieron más de quinientos españoles, y todos eran de los de Garay; y en un pueblo hubo que sacrificaran sobre cien españoles juntos, y por todos los más pueblos no hacían sino a los que andaban desmandados matarlos y comer y sacrificar, y como no había resistencia ni obedecían a los vecinos de la Villa de Santisteban que dejó Cortés poblada, ya que salían a darles guerra era tanta la multitud de guerreros, que no se podían valer con ellos, y a tanto vino la cosa y atrevimiento que tuvieron, que fueron muchos indios sobre la villa y la combatieron de noche y de día, de arte que estuvo en gran riesgo de perderse, y si no fuera por siete u ocho conquistadores viejos de los de Cortés, y por el capitán Vallejo, que ponían velas y andaban rondando y esforzando a los demas, ciertamente les entraran en su villa, y aquellos conquistadores dijeron a los demás soldados de Garay que siempre procurasen estar juntamente con ellos en el campo, y que allí en el campo estaban muy mejor, y que no se volviesen a la villa, y así se hizo y pelearon con ellos tres veces; y puesto que mataron al capitán Vallejo e hirieron otros muchos, todavía los desbarataron y mataron muchos indios de ellos; y estaban tan furiosos todos los indios naturales de aquella provincia, que quemaron y abrasaron una noche cuarenta españoles y mataron quince caballos, y muchos de ellos eran de los de Cortés y todos los demás fueron de Garay.

Y como Cortés alcanzó a saber estos destrozos que hicieron en esta provincia, tomó tanto enojo, que quiso volver en persona contra ellos, y como estaba muy malo de un brazo que se le había quebrado, no pudo venir, y de presto mandó a Gonzalo de Sandoval que viniese con cien soldados y cincuenta de a caballo y dos tiros y quince arcabuceros y escopeteros, y le dio ocho mil tlaxcaltecas y mexicanos, y le mandó que no se viniese sin que les dejase muy bien hostigados, de manera que no se tornasen [a] alzar. Pues como Sandoval era muy ardid y cuando le mandaban cosa de importancia no dormía de noche, no se tardó mucho en el camino, que con gran concierto da orden cómo habían de entrar y salir los de a caballo en los contrarios, porque tuvo aviso que le estaban esperando en dos malos pasos todas las capitanías de los guerreros de aquellas provincias, y acordó de enviar la mitad de todo su ejército a un mal paso, y él se estuvo con la otra mitad de su compañía a la otra parte, y mandó a los ballesteros y escopeteros no hiciesen sino armar unos y soltar otros, y dar en ellos hasta ver si los podía hacer poner en huida; y los contrarios tiraban mucha vara y flecha y piedra, e hirieron a ocho soldados y a muchos de nuestros amigos.

Y viendo Sandoval que no les podía entrar estúvose allí en aquel mal paso hasta la noche, y envió a mandar a los demás que estaban al otro paso que hiciesen lo mismo, y los contrarios nunca desmampararon su puesto, y otro día por la mañana, viendo Sandoval que no aprovechaba cosa estarse allí como había dicho, mandó enviar a llamar a las demás capitanías que había enviado al otro mal paso, e hizo que levantaba su real y se volvía camino de México como amedrentado; y como los naturales de aquellas provincias que estaban juntos les pareció que de miedo se iban retrayendo, salen al camino e iban siguiéndole dándole grita y diciéndole vituperios, y todavía Sandoval, aunque más indios salían tras él, no volvía sobre ellos, y esto fue por descuidarles para que, como habían ya estado aguardando tres días, volver aquella noche y pasar de presto con todo su ejército los malos pasos; y así lo hizo, que a medianoche volvió y tomóles algo descuidados, y pasó con los de a caballo, y no fue tan sin peligro que no le mataron tres caballos e hirieron muchos soldados. Y después que se vio en buena tierra y fuera del mal paso con sus ejércitos, él por una parte y los demás de su compañía por otra, dan en grandes escuadrones que aquella misma noche se habían juntado de que supieron que volvió, y eran tantos que Sandoval tuvo recelo no le rompiesen y desbaratasen, y mandó a sus soldados que se tornasen a juntar con él para que peleasen juntos, porque vio y entendió de aquellos contrarios, que como tigres rabiosos se venían a meter por las puntas de las espadas y habían tomado seis lanzas a los de a caballo, como no eran hombres acostumbrados a la guerra, de lo que Sandoval estaba tan enojado, que decía que valiera más que trajera pocos soldados de los que él conocía y no los que trajo, y allí les mandó de la manera que habían de pelear los de a caballo, que eran nuevamente venidos, y es que las lanzas algo terciadas, y no parasen a dar lanzadas, sino por los rostros y pasar adelante hasta que les hayan puesto en huida, y les dijo que vista cosa es que si se parasen a lancear, que la primera cosa que el indio hace de que está herido es echar mano de la lanza; y desde que les vean volver las espaldas, que entonces a media rienda los han de seguir, y las lanzas todavía terciadas, y si les echaren mano de las lanzas, porque aun con todo esto no dejan de asir de ellas, que para sacársela de presto de sus manos poner piernas al caballo y la lanza bien aprestada con la mano asida y debajo del brazo para mejor ayudarse y sacarla de poder del contrario, y si no la quisiere soltar, traerle arrastrando con la fuerza del caballo. Pues ya que les estuvo dando orden cómo habían de batallar y vio a todos sus soldados y de a caballo juntos, se fue a dormir aquella noche a orilla de un río, y allí puso buenas velas y escuchas y corredores del campo, y mandó que toda la noche tuviesen los caballos ensillados y enfrenados, y asimismo ballesteros y escopeteros y soldados muy apercibidos, y mandó a los amigos tlaxcaltecas y mexicanos que estuviesen sus capitanías algo apartadas de los nuestros, porque ya tenía experiencia de lo de México, porque si de noche viniesen los contrarios a dar en los reales, que no hubiese estorbo ninguno, y esto fue porque Sandoval temió que vendrían, por que vio muchas capitanías de contrarios que se juntaban muy cerca de sus reales, y tuvo por cierto que aquella noche los habían de venir a combatir, y oía muchos gritos y cornetas y atambores muy cerca de allí; según entendían habíanle dicho nuestros amigos a Sandoval que decían los contrarios que para aquel día de que amaneciese que habían de matar a Sandoval y a toda su compañía, y los corredores del campo vinieron dos veces a dar aviso que sentían que se apellidaban de muchas partes y se juntaban.

Y después que fue día claro y Sandoval mandó salir a todas sus capitanías con gran ordenanza, a los de caballo les tornó a traer a la memoria como otras veces les había dicho. Íbanse por el campo adelante hacia unas caserías adonde oían los atambores y cornetas, y no hubo bien andado medio cuarto de legua cuando le salen al encuentro tres escuadrones de guerreros y le comenzaron a cercar; y de que aquello vio, manda arremeter la mitad de los de a caballo por una parte y la mitad por otra, y puesto que le mataron dos soldados de los nuevamente venidos de Castilla y tres caballos, todavía les rompió de tal manera que fue desde allí adelante matando e hiriendo en ellos, que no se juntaban como de antes. Pues nuestros amigos los mexicanos y tlaxcaltecas hacían tanto daño en todos aquellos pueblos y prendieron mucha gente y abrasaron todos los pueblos que por delante hallaban, hasta que Sandoval tuvo lugar de llegar a la villa de Santisteban del Puerto, y halló a los vecinos tales y debilitados, unos muy heridos, otro dolientes, y lo peor que no tenían maíz que comer ellos y veinte y ocho caballos, y esto a causa de que de noche y de día les daban guerra, y no tenían lugar de traer maíz ni otra cosa ninguna, y hasta aquel mismo día que llegó Sandoval no habían dejado de combatirlos, porque entonces se apartaron del combate.

Y después de haber ido todos los vecinos de aquella villa a ver y hablar al capitán Sandoval y darle gracias y loores por haberles venido en tal tiempo a socorrer, le contaron lo de Garay, que si no fuera por siete u ocho conquistadores viejos de los de Cortés, que les ayudaron mucho, que corrieran mucho riesgo de sus vidas, porque aquellos ocho salían cada día al campo y hacían salir los demás soldados, y sostenían que los contrarios no les entrasen en la villa, y también porque como los capitaneaban y por su acuerdo se hacía todo, y habían mandado que los dolientes y heridos se estuviesen dentro en la villa y que todos los demás aguardasen en el campo, y que de aquella manera se sostenían con los contrarios. Y Sandoval los abrazó a todos y mandó a los mismos conquistadores, que bien los conocía, y aun eran sus amigos, especial a un fulano de Navarrete, y Carrascosa, y un fulano de Alamilla y otros cinco, que todos eran de los de Cortés, que repartiesen entre ellos de los de a caballo y ballesteros y escopeteros que Sandoval traía, y que por dos partes fuesen y enviasen maíz y bastimento y a hacer guerra, y prendiesen todas las más gentes que pudiesen, en especial caciques; y esto mandó Sandoval porque él no podía ir, que estaba mal herido en un muslo y en la cara tenía una pedrada, y asimismo los de su compañía traía otros muchos soldados heridos, y porque se curasen estuvo en la villa tres días que no salió a dar guerra, porque como había enviado los capitanes ya nombrados y conoció de ellos que lo harían bien y vio que de presto enviaron maíz y bastimento, con esto se estuvo los tres días, y también le enviaron muchas indias y gente menuda que habían preso, y cinco principales de los que habían sido capitanes en las guerras, y Sandoval les mandó soltar a todas las gentes menudas, excepto a los principales, y les envió a decir que desde allí adelante que no prendiesen sino a los que fueron en la muerte de los españoles, y no mujeres ni muchachos, y que buenamente los enviasen a llamar, y así lo hicieron.

Y ciertos soldados de los que habían venido con Garay, que eran personas principales que Sandoval halló en aquella villa, los cuales eran por quien se había revuelto aquella provincia, que ya los he nombrado a todos los más de ellos en el capítulo pasado, vieron que no les encomendaban cosa ninguna para ir por capitanes con soldados como mandó a los siete conquistadores viejos de los de Cortés, comenzaron a murmurar entre ellos y aun convocaban a otros soldados a decir mal de Sandoval y de sus cosas, y aun ponían en pláticas de levantarse con la tierra so color que estaba allí con ellos el hijo de don Francisco de Garay como adelantado de ella. Y como lo alcanzó a saber Sandoval, les habló muy bien, y les dijo: "Señores, en lugar de tenérmelo a bien, como gracias a Dios os hemos venido a socorrer, me han dicho que decís cosas que para caballeros como sois no son de decir; yo no os quito vuestro ser y honra en enviar a los que aquí hallé por caudillos y capitanes, y si hallara a vuestras mercedes que érades caudillos, harto fuera yo de ruin si les quitara el cargo. Querría saber una cosa: ¿por qué no lo fuisteis cuando estábades cercados? Lo que me dijisteis todos a una es que si no fuera por aquellos siete soldados viejos, que tuviérades más trabajo; y como sabían la tierra mejor que vuestras mercedes, por esta causa les envié; así que, señores, en todas nuestras conquistas de México no miramos en estas cosas y puntos, sino en servir bien y lealmente a Su Majestad, y así os pido por merced que desde aquí adelante lo hagáis; y yo no estaré en esta provincia muchos días si no me matan en ella, que me iré a México; el que quedare por teniente de Cortés os dará muchos cargos, y a mí me perdonad"; y con esto concluyó con ellos, y todavía no dejaron de tenerle mala voluntad.

Y esto pasado, luego otro día sale Sandoval con los que trajo en su compañía de México y con los siete que había enviado, y tiene tales modos, que prendió hasta veinte caciques, que todos habían sido en la muerte de más de seiscientos españoles que mataron de los de Garay y de los que quedaron poblados en la villa de los de Cortés, y a todos los más pueblos envió llamar de paz, y muchos de ellos vinieron y con otros disimulaba, aunque no venían. Y esto hecho escribió muy en posta a Cortés dándole cuenta de todo lo acaecido y que qué manda que hiciese de los presos; y que porque Pedro Vallejo, que dejó Cortés por su teniente, era muerto de un flechazo, a quién mandaba que quedase en su lugar, y también le escribió que lo habían hecho muy como varones los soldados ya por mí nombrados. Y como Cortés vio la carta, se holgó mucho en que aquella provincia estuviese ya de paz, y en la sazón que le dieron la carta a Cortés estaban acompañándole muchos caballeros conquistadores y otros que habían venido de Castilla, y dijo Cortés delante de ellos: "¡Oh, Gonzalo de Sandoval, qué en gran cargo os soy y cómo me quitáis de muchos trabajos!", y allí todos le loaron mucho diciendo que era un muy extremado capitán y que se podía nombrar entre los muy afamados. Dejemos de estas loas. Y luego Cortés le escribió que para que más justificadamente castigase por justicia a los que fueron en la muerte de tanto español y robos de hacienda y muertes de caballos, que enviaba al alcalde mayor Diego de Ocampo para que se hiciese información contra ellos, y lo que se sentenciase por justicia se ejecutase, y le mandó que en todo lo que pudiese les aplaciase a todos los naturales de aquella provincia, y que no consintiese que los de Garay ni otras personas ningunas los robasen ni les hiciesen malos tratamientos. Y como Sandoval vio la carta y que venía Diego de Ocampo, se holgó de ello, y de allí a dos días que llegó el alcalde mayor Ocampo y después que le dio Sandoval relación de lo que había hecho y pasado, hicieron proceso contra los capitanes y caciques que fueron en la muerte de los españoles, y por sus confesiones, por sentencia que contra ellos pronunciaron, quemaron y ahorcaron a ciertos de ellos, y a otros perdonaron, y los cacicazgos dieron a sus hijos y hermanos a quien de derecho le venían.

Y esto hecho, Diego de Ocampo parece ser traía instrucciones y mandamientos de Cortés para que inquiriese quién fueron los que entraban a robar la tierra y andaban en bandos y rencillas y convocando a otros soldados que se alzasen, y mandó que los hiciesen embarcar en un navío y los enviasen a la isla de Cuba, y aun envió dos mil pesos para Juan de Grijalva si se quería volver a Cuba, y si se quisiese quedar, que le ayudase y diese todo recaudo para venir a México. Y en fin de más razones, todos de buena voluntad se quisieron volver a la isla de Cuba, donde tenían indios, y les mandó dar mucho bastimento de maíz y gallinas y de todas las cosas que había en la tierra, y se volvieron a sus casas e isla de Cuba. Y luego esto hecho nombraron por capitán a un fulano de Vallecido, y dieron la vuelta Sandoval y Diego de Ocampo para México y fueron bien recibidos de Cortés y de toda la ciudad, y de allí en adelante no se tornó más a levantar aquella provincia. Y dejemos de hablar más en ello, y digamos lo que aconteció al licenciado Zuazo en el viaje que venía de Cuba a la Nueva España.

CAPÍTULO CLXIII

CÓMO EL LICENCIADO ALONSO DE ZUAZO VENÍA EN UNA CARABELA A LA NUEVA ESPAÑA Y DIO EN UNAS ISLETAS QUE LLAMAN LAS VÍBORAS, Y LO QUE MÁS LE ACONTECIÓ

COMO YA HE DICHO en el capítulo pasado, que habla de cuando el licenciado Zuazo fue a ver a Francisco de Garay al puerto de Jagua, que es en la isla de Cuba, cabe la Villa de la Trinidad, y Garay le importunó que fuese con él en su armada, para ser medianero entre él y Cortés, porque bien entendido tenía que había diferencias sobre la gobernación de Pánuco, y Alonso de Zuazo le prometió que así lo haría en dando cuenta de la residencia del cargo que tuvo de justicia en aquella isla de Cuba donde al presente vivía, y en hallándose desembarcado luego procuró de dar residencia, y hacerse a la vela e ir a la Nueva España adonde había prometido; y se embarcó en un navío chico, y yendo por su viaje y salidos de la punta que llaman de San Antón, y también se dice la tierra de los guanhataveycs, que son unos indios salvajes que no sirven a españoles, y navegando en su navío, que era de poco porte, o porque el piloto erró la derrota y descayó con las corrientes, fue a dar en unas isletas que son entre unos bajos que llaman Las Víboras, y no muy lejos de estos bajos están otros que llaman Los Alacranes, y entre estas islas se suelen perder navíos grandes, y lo que le dio la vida a Zuazo fue ser su navío de poco porte.

Pues volviendo a nuestra relación, y porque pudiesen volver en el navío y llegar a una isleta que vieron que estaba cerca, que no bañaba la mar, y echaron muchos tocinos al agua y otras cosas que traían para matalotaje, para aliviar el navío para poder ir sin tocar en tierra hasta la isleta, y cargan tantos tiburones a los tocinos, que a unos marineros que se echaron al agua a más de la cinta, los tiburones encarnizados en los tocinos apañaron a un marinero de ellos y le despedazaron y tragaron, y si de presto no se volvieran los demás marineros a la carabela, todos perecieran, según andaban los tiburones encarnizados en la sangre del marinero que mataron. Pues lo mejor que pudieron allegan con su carabela a la isleta, y como ya habían echado a la mar el bastimento y cazabe y no tenían qué comer y tampoco tenían agua que beber, ni lumbre, ni otra cosa con que pudiesen sustentarse, salvo unos tasajos de vaca que dejaron de arrojar a la mar, fue ventura que traían en la carabela dos indios de Cuba que saben sacar lumbre con unos palillos secos que hallaron en la isleta adonde aportaron, con ellos sacaron lumbre, y cavaron en un arenal y sacaron agua salobre; y como la isleta era chica y de arenales, venían a ella a desovar muchas tortugas, que son tan anchas y redondas y más que grandes adargas, y así como salían las trastornaban los indios de Cuba las conchas arriba; y suele poner cada una de ellas sobre doscientos huevos tamaños como de patos, y con aquellas tortugas y muchos huevos tuvieron bien con que sustentarse trece personas que escaparon en aquella isleta, y también mataron lobos marinos que salían de noche al arenal, que fueron harto buenos para comer.

Pues estando de esta manera, como en la carabela acertaron a venir dos carpinteros de ribera y tenían sus herramientas, acordaron de hacer una barca para ir con ella a la vela, y con la tablazón y clavos y estopas y jarcias y velas que sacaron del navío que se perdió hacen una buena barca, como batel, en que fueron tres marineros y un soldado con más un indio de Cuba a la Nueva España, y para matalotaje llevaron de las tortugas y de los lobos marinos asados, y con agua salobre, y con la carta y aguja de marear, después de encomendarse a Dios, fueron su viaje, y unas veces con buen tiempo y otras veces con contrario llegaron al puerto de Chalchocueca, que es el río de Banderas, adonde en aquella sazón se descargaban las mercaderías que venían de Castilla, y desde allí a Medellín, adonde estaba por teniente de Cortés un Simón de Cuenca; y como los marineros que venían en la barca le dijeron al teniente el gran peligro en que estaba el licenciado Zuazo, luego sin más dilación Simón de Cuenca buscó marineros y un navío de poco porte y con mucho refresco le despachó a la isleta adonde estaba Zuazo, y Simón de Cuenca escribió al mismo licenciado cómo Cortés se holgará mucho con su venida, y asimismo lo hizo saber a Cortés todo lo acaecido y cómo le envió el navío bastecido, de lo cual se alegró Cortés del buen avivamiento que el teniente hizo, y mandó que aportando allí al puerto que le diesen todo lo que hubiese menester, vestidos y cabalgaduras, y que le enviasen a México.

Y volvamos a decir que el navío fue con buen viaje a la isleta, con el cual se holgó Zuazo y su gente, y se embarcó en él, y de presto con buen tiempo vino a Medellín, y se le hizo mucha honra, y se fue a México, y Cortés le mandó salir a recibir y le llevó a sus palacios y se regocijó con él, y le hizo su alcalde mayor; y en esto paró el viaje del licenciado Alonso de Zuazo. Y dejemos de hablar de ello, y digo que esta relación que doy es por una carta que nos escribió Cortés a la villa de Guazacualco, al cabildo de ella, donde declaraba lo por mí aquí dicho; y porque dentro de dos meses vino al puerto de aquella villa el mismo barco en que vinieron los marineros a dar aviso de Zuazo, y allí hicieron un barco del descargo de la misma barca, y de los mismos marineros nos lo contaban según y de la manera que aquí lo [he] escrito. Dejemos esto, y diré cómo Cortés envió a Pedro de Alvarado a pacificar a las provincias de Guatemala.

CAPÍTULO CLXIV

CÓMO CORTÉS ENVIÓ A PEDRO DE ALVARADO A LA PROVINCIA DE GUATEMALA PARA QUE POBLASE UNA VILLA Y LOS ATRAJESE DE PAZ, Y LO QUE SOBRE ELLO SE HIZO

PUES COMO CORTÉS siempre tuvo los pensamientos muy altos y en la ambición de mandar y señorear quiso en todo remedar a Alejandro Macedonio, y con los muy buenos capitanes y extremados soldados que siempre tuvo, y después que se hubo poblado la gran ciudad de México, y Guaxaca, y a Zacatula, y a Colima, y a la Veracruz, y a Pánuco, y a Guazacualco, y tuvo noticia que en la provincia de Guatemala había recios pueblos y de mucha gente, y que había minas, acordó de enviar a conquistarla y poblar a Pedro de Alvarado, y aun el mismo Cortés había enviado rogar [a] aquella provincia que viniesen de paz [que] no quisieron venir.

Y diole [a] Alvarado para aquel viaje sobre trescientos soldados, y entre ellos ciento y veinte escopeteros y ballesteros, y más le dio ciento treinta y cinco de a caballo y cuatro tiros, y mucha pólvora, y un artillero que se decía fulano de Usagre, y sobre doscientos tlaxcaltecas y cholultecas, y cien mexicanos que iban sobresalientes; y después de dadas las instrucciones en que le demandaba que con toda vigilancia procurase de atraerlos de paz sin darles guerra, y que con ciertas lenguas y clérigos que llevaba les predicase las cosas tocantes a nuestra santa fe, y que no les consintiese sacrificios, ni sodomías, ni robarse unos a otros y que las cárceles y redes que hallase hechas adonde suelen tener presos indios a engordar para comer que las quebrase, y que los saquen de las prisiones, y que con amor y buena voluntad los atraiga a que den la obediencia a Su Majestad, y en todo se les haga buenos tratamientos; pues ya despedido Pedro de Alvarado de Cortés y de todos los caballeros amigos suyos que en México había, se despidieron los unos de los otros, y partió de aquella ciudad en trece días del mes de noviembre de mil quinientos veintitrés años; y mandóle Cortés que fuese por unos peñoles que cerca del camino estaban alzados, en la provincia de Teguantepeque, los cuales peñoles trajo de paz; llámase el peñol de Guelamo, que era entonces de la encomienda de un soldado que se decía Guelamo, y desde allí fue a Teguantepeque, pueblo grande, y son zapotecas y le recibieron muy bien, porque estaban de paz y ya habían ido de aquel pueblo, como dicho tengo en el capítulo pasado que de ello habla, a México y dado la obediencia a Su Majestad, y a ver a Cortés, y aun le llevaron un buen presente de oro.

Y desde Teguantepeque fue a la provincia de Soconusco, que era en aquel tiempo muy poblada de más de quince mil vecinos, y también le recibieron de paz y le dieron un presente de oro y se dieron por vasallos de Su Majestad; y desde Soconusco llegó cerca de otras poblazones que se dicen Zapotitán, y en el camino, en una puente de un río que hay allí un mal paso, y halló muchos escuadrones de guerreros que le estaban esperando para no dejarlo pasar, y tuvo una batalla con ellos en que le mataron un caballo e hirieron un soldado en la cara y otros muchos soldados el cuerpo y dos de ellos murieron de las heridas; y eran tantos indios los que se habían juntado contra Alvarado, no solamente los de Zapotitán, sino de otros pueblos comarcanos, que por muchos de ellos que herían no los podían apartar, y por tres veces tuvieron reencuentros; y quiso Nuestro Señor que los venció y le vinieron de paz, y desde Zapotitán va camino de un recio pueblo que se dice Quetzaltenango, y antes de llegar a él tuvo otros reencuentros con los naturales de aquel pueblo y con otros sus vecinos, que se dice Utlatán, que era cabecera de ciertos pueblos que están en su retorno a la redonda de Quetzaltenango, e hirieron ciertos soldados y mataron tres caballos, puesto que Pedro de Alvarado y su gente mataron e hirieron muchos indios; y luego estaba una mala subida de un puerto que dura legua y media, y con los ballesteros y escopeteros y todos sus soldados puestos en gran concierto lo encomenzó a subir, y en la cumbre del puerto hallaron una india gorda que era hechicera y un perro de los que ellos crían, que son buenos para comer, que no saben ladrar, sacrificados;[155] y más adelante halló tanta multitud de guerreros que le estaban esperando que le encomenzaron a cercar, y como eran los pasos malos y en sierra, los de caballo no podían correr ni revolver, ni aprovecharse de ellos, mas los ballesteros y escopeteros y soldados de espada y rodela tuvieron reciamente con ellos pie con pie, y fueron peleando la cuesta y puerto abajo, hasta llegar a unas barrancas donde tuvo otra muy recia escaramuza con otros escuadrones de guerreros que allí en aquellas barrancas le esperaban, y con un ardid que entre ellos tenían acordado; y fue de esta manera: que como fuese Pedro de Alvarado peleando, hacían que se iban retirando, y como los fuese siguiendo hasta donde le estaban esperando sobre seis mil indios guerreros, y éstos eran de Utlatán y de otros pueblos sus sujetos, que allí los pensaban matar. Y Pedro de Alvarado y todos sus soldados pelearon con ellos con grande ánimo, y los indios le hirieron veintiséis soldados y dos caballos, mas todavía les puso en huida, y no fueron muy lejos que luego se tornaron a rehacer con otros escuadrones y tornaron a pelear creyendo desbaratar a Pedro de Alvarado, y fue cabe una fuente donde les aguardaron de arte que se venían ya pie con pie, y muchos indios hubo de ellos que aguardaron dos o tres juntos a un caballo, y se les ponían a fuerza para derrocarles, y otros los tomaban de las colas; y aquí se vio Pedro de Alvarado en gran aprieto, porque como eran muchos los contrarios, no podían sustentar a tantas partes de

[155] Tachado: *ques señal de guerra o desafío.*

los escuadrones que les daban guerra a él y a todos los suyos desde que vieron o que habían de vencer o morir sobre ellos, y temían no los desbaratasen porque se vio en gran aprieto de esta suerte con ellos, dan una mano con las escopetas y ballestas y a buenas cuchilladas, que les hicieron que se apartaran algo; pues los de a caballo no estaban despacio sino alancear y atropellar y pasar adelante hasta que los hubieron desbaratado, que no se juntaron en aquellos tres días.

Y como vio que ya no tenía contrarios con quien pelear se estuvo en el campo sin ir a poblado dos días, ranchando y buscando de comer; y luego se fue con todo su ejército al pueblo de Quetzaltenango, y allí supo que en las batallas pasadas les habían muerto dos capitanes, señores de Utlatán; y estando reposando y curando los heridos tuvo aviso que venía otra vez contra él todo el poder de aquellos pueblos comarcanos, y se habían juntado muchos,[156] y que venían con determinación de morir todos o vencer; y como Pedro de Alvarado lo supo, se salió con su ejército en un llano, y como venían tan determinados los contrarios, comenzaron a cercar al ejército y tirar vara y flecha y piedra y con lanzas, y como era llano y podían correr muy bien a todas partes los caballos, da en los escuadrones contrarios de manera que de presto los hizo volver las espaldas. Aquí le hirieron muchos soldados, y también un caballo, y según pareció murieron ciertos indios principales, así de aquel pueblo como de toda aquella tierra, por manera que de aquella victoria ya temían aquellos pueblos mucho a Alvarado y concertaron toda aquella comarca de enviarle a demandar paces, y le enviaron un presente de oro de poca valía porque aceptase las paces, y fue con acuerdo de todos los caciques de los pueblos de aquella provincia, porque otra vez se tornaron a juntar muchos más guerreros que de antes, y les mandaron a sus guerreros que secretamente estuviesen entre las barrancas de aquel pueblo de Utlatán, y que si enviaban a demandar paz era porque como Pedro de Alvarado y su ejército estaba en Quetzaltenango haciendo entradas y correrías, y siempre traían presa de indios e indias, y por llevarle a otro pueblo muy fuerte y cercado de barrancas que se dice Utlatán, para que después que le tuviesen dentro y en parte que ellos creían aprovecharse de sus soldados, dar en ellos con sus guerreros, que ya estaban aparejados y escondidos para ello.

Volvamos a decir que como fueron con el presente delante de Pedro de Alvarado muchos principales, y después de hecha su cortesía a su usanza, le demandan perdón por las guerras pasadas, y ofreciéndose por vasallos de Su Majestad, y le ruegan que, porque su pueblo es grande y está en parte más apacible donde le pueden servir y junto a otras poblazones, que se vaya con ellos a él; y Pedro de Alvarado los recibió con mucho amor y no entendió las cautelas que traían; y después de haberles respondido lo mal que habían hecho en salir de guerra, aceptó sus paces, y otro día por la mañana, se fue con su ejército con ellos a Utlatán, que así se dice el pueblo, y después que hubo entrado dentro y vieron una cosa tan fuerte, porque tenía dos puertas y la una de ellas tenía veinticinco escalones antes de entrar en el pueblo, y la otra puerta con una calzada que era muy mala y deshecha por dos partes y las casas muy juntas y las calles angostas y en todo el pueblo no había mujeres ni gente menuda, cercado de barrancas, y de comer no les proveían sino mal y tarde, y los caciques muy demudados en los parlamentos, y avisaron a Pedro de Alvarado unos indios de Quetzaltenango que aquella noche los querían quemar a todos en aquel pueblo si allí se quedaba, y que tenían pues-

[156] Tachado: *más de dos xiquipiles, que son diez y seis mil indios, y cada xiquipil son ocho mil guerreros.*

tos en las barrancas muchos escuadrones de guerreros para en viendo arder las casas juntarse con los de Utlatán y dar en ellos los unos por una parte y los otros por otra, y con el fuego y humo no se podrían valer, y que entonces los quemarían vivos; y de que Pedro de Alvarado entendió el gran peligro en que estaban, de presto mandó a sus capitanes y a todo su real sin más tardar se saliesen al campo, y les dijo el peligro que tenían y como lo entendieron, no tardaron de irse a lo llano cerca de unas barrancas, porque en aquel tiempo no tuvieron más lugar de salirse a tierra llana de en medio de tan recios pasos, y a todo esto Pedro de Alvarado mostraba buena voluntad a los caciques y principales de aquel pueblo y de otros comarcanos, y les dijo que porque los caballos eran acostumbrados de andar paciendo en el campo un rato del día, que por esta causa se salió del pueblo, porque estaban muy juntas las casas y calles, y los caciques estaban muy tristes porque así lo vieron salir; y ya Pedro de Alvarado no pudo más disimular la traición que tenían urdida, y sobre los escuadrones que tenían juntos mandó prender al cacique de aquel pueblo y por justicia lo mandó quemar y dio el señorío a su hijo; y luego se salió a tierra llana fuera de las barrancas y tuvo guerra con los escuadrones que tenían aparejados para el efecto que he dicho, y después que hubieron provocado sus fuerzas y mala voluntad fueron desbaratados.

Y dejemos de hablar de esto, y digamos cómo en aquella sazón, en un gran pueblo que se dice Guatemala, se supo las batallas que Pedro de Alvarado había habido después que entró en la provincia, y en todas había sido vencedor, y que al presente estaban en tierra de Utlatán, y que desde allí hacía entradas y daba guerra a muchos pueblos; [como] los de Utlatán y sus sujetos eran enemigos de los de Guatemala, acordaron de enviarle mensajeros con presente de oro a Pedro de Alvarado y a darse por vasallos de Su Majestad, y enviaron a decir que si había menester algún servicio de sus personas para aquella guerra, que ellos vendrían; y Pedro de Alvarado los recibió de buena voluntad y les envió a dar muchas gracias por ello, y para ver si era como se lo decían, y como no sabía la tierra, para que le encaminasen, les envió a demandar dos mil guerreros, y esto por causa de muchas barrancas y pasos malos que estaban cortados porque no pudiesen pasar, para que si fuesen menester los adobasen y llevar el fardaje, y los de Guatemala se los enviaron con sus capitanes; y Pedro de Alvarado se estuvo en la provincia de Utlatán siete u ocho días haciendo entradas, y eran de los pueblos rebeldes que habían dado la obediencia a Su Majestad y después de dada se tornaban a alzar, y herraron muchos esclavos e indias y pagaron el real quinto, los demás repartieron entre los soldados, y luego se fue a la ciudad de Guatemala, y fue recibido y hospedado.

Y los caciques de aquella ciudad le dijeron que muy cerca de allí había unos pueblos junto a una laguna, y que tenían un peñol muy fuerte y que eran sus enemigos y les daban guerra, y que bien sabían los de aquel pueblo que no estaban lejos, como estaba allí Pedro de Alvarado, y no venían a dar la obediencia, como los demás pueblos, y que eran muy malos y de peores condiciones, el cual pueblo se dice Atitán. Y Pedro de Alvarado les envió a rogar que viniesen de paz y que serían de él muy bien tratados, y otras blandas palabras; y la respuesta que enviaron fue que maltrataron [a] los mensajeros; y viendo que no aprovechaba tornó a enviar otros embajadores para traerles de paz, porque tres veces les envió a demandar paces y todas tres les maltrataron de palabra, fue Pedro de Alvarado en persona a ellos y llevó sobre ciento y cuarenta soldados, y entre ellos veinte escopeteros y ballesteros y cuarenta de a caballo y con dos mil guatemaltecos; y cuando llegó junto al pueblo les tornó a requerir con la paz, y no le respondieron sino con arcos y flechas que comenzaron a flechar; y desde que aquello vio y que no muy lejos de allí estaba dentro en el agua un peñol muy poblado con gente de guerra, fue allá a orilla de la laguna, y sálenle al encuentro dos buenos escuadrones de indios guerreros con grandes lanzas y buenos arcos y flechas y con otras muchas armas y coseletes, y tañendo sus atabales, y con penachos y divisas. Peleó con ellos buen rato, y hubo muchos heridos de los soldados, mas no tardaron mucho en el campo los contrarios, que luego fueron huyendo [a] acogerse al peñol, y Pedro de Alvarado con sus soldados tras ellos, y de presto les ganó el peñol, y hubo muchos muertos y heridos, y más hubiera si no se echaran todos al agua y se pasaran a una isleta; y entonces se saquearon las casas que estaban pobladas junto a la laguna y se salieron a un llano adonde había muchos maizales, y durmió allí aquella noche.

Otro día de gran mañana fueron al pueblo de Atitán, que ya he dicho que así se dice, y estaba despoblado, y entonces mandó que corriese la tierra y las huertas de cacahuatales, que tenían muchos, y trajeron presos dos principales de aquel pueblo, y Pedro de Alvarado les envió luego aquellos principales, con los que estaban presos del día antes, a rogar a los demás caciques que vengan de paz y que les dará todos los prisioneros y serán de él muy bien mirados y honrados; y que si no vienen, que les dará guerra como a los de Quetzaltenango y Utlatán, y les cortará sus árboles de cacahuatales y hará todo el daño que pudiere.

En fin de más razones, con estas palabras y amenazas luego vinieron de paz y trajeron un presente de oro y se dieron por vasallos de Su Majestad, y luego Pedro de Alvarado y su ejército se volvió a Guatemala; y estando algunos días sin hacer cosa que de contar sea, vinieron de paz todos los pueblos de la comarca y otros de la costa del sur que se llaman los pipiles, y muchos de aquellos pueblos que vinieron a darse de paz se quejaron que en el camino por donde venían estaba una poblazón que se dice Izcuintepeque, y que eran malos, y que no los dejaban pasar por su tierra y les iban a saquear sus pueblos, y dieron otras muchas quejas de ellos, y no fueron verdaderas, porque personas dignas de fe de decir dijeron que se le levantaron y que fue a ellos por robarles muy hermosas indias, y que no los llamó de paz. Y Pedro de Alvarado acordó de ir a ellos con todos los más soldados que tenía, y de a caballo y escopeteros y ballesteros y muchos amigos de Guatemala, y sin ser sentidos da una mañana en ellos, en que se hizo mucho daño y presa, y valiera más que así no lo hiciera sino conforme a justicia, que fue muy mal hecho y no conforme a lo que mandó Su Majestad.

Ya que hemos hecho relación de la conquista y pacificación de Guatemala y sus provincias, y más cumplidamente lo dice en una historia que de ello tiene hecha un vecino de Guatemala deudo de los Alvarados, que se dice Gonzalo de Alvarado, lo que verán más por extenso, y si yo en algo aquí faltare, y esto digo porque no me hallé en estas conquistas hasta que pasamos por estas provincias estando todo de guerra en el año de veinticuatro, y fue cuando veníamos de las Hibueras y Honduras con el capitán Luis Marín, y nos encontramos en el mismo tiempo que nos volvíamos para México; y más digo, que tuvimos en aquella sazón con los naturales de Guatemala algunos reencuentros de guerra y tenían hechos muchos hoyos y cortados en pasos malos pedazos de sierra para que no pudiésemos pasar con las grandes barrancas, y aun entre un pueblo que se dice Juanagazapa y Petapa, en unas quebradas hondas, estuvimos allí detenidos guerreando con los naturales de aquella tierra dos días, que no podíamos pasar un mal paso, y entonces me hirieron de un flechazo, mas fue poca cosa, y pasamos con harto trabajo, porque estaban en el paso muchos guerreros guatemaltecos y de otros pueblos. Y porque hay mucho que decir en esto y por fuerza tengo de traer a la memoria algunas cosas de que venga en su tiempo y lugar, y esto fue en el tiempo que hubo fama que Cortés era muerto y todos los que con él fuimos a la Hibueras. Lo dejaré ahora, y digamos de la armada que Cortés envió a Hibueras y Honduras; también digo que en esta provincia de Guatemala no eran guerreros los indios, porque no esperaban sino en las barrancas y con sus flechas no hacían nada.

CAPÍTULO CLXV

CÓMO CORTÉS ENVIÓ UNA ARMADA PARA QUE PACIFICASE Y CONQUISTASE LAS PROVINCIAS DE HIBUERAS Y HONDURAS, Y ENVIÓ POR CAPITÁN A CRISTÓBAL DE OLID. Y LO QUE PASÓ DIRÉ ADELANTE

COMO CORTÉS tuvo nueva que había ricas tierras y buenas minas en lo de Hibueras y Honduras, y aun le hicieron en creyente unos pilotos que habían estado en aquel paraje, o bien cerca de él, que habían hallado unos indios pescando en la mar y que les tomaron las redes, y que las plomadas que en ellas traían para pescar que eran de oro revuelto con cobre, y le dijeron que creían que había por aquel paraje estrecho, y que pasaban por él de la banda norte a la del sur, y también, según entendimos, Su Majestad le encargó y mandó a Cortés por cartas que en todo lo que descubriese mirase y adquiriese con gran diligencia y solicitud de buscar el estrecho o puerto o pasaje para la Especería, ahora sea por lo del oro o por buscar el estrecho, Cortés acordó de enviar por capitán para aquella jornada a un Cristóbal de Olid, que fue maestre de campo en lo de México, lo uno porque le había hecho de su mano y era casado con una portuguesa que se decía doña Felipa de Araúz, ya la he nombrado otras veces, y tenía Cristóbal de Olid buenos indios de repartimiento cerca de México, creyendo que le sería fiel y haría lo que le encomendase; y porque para ir por tierra tan largo viaje era gran inconveniente y gran trabajo y gasto, acordó que fuese por la mar, porque no eran tan gran estorbo y costa, y diole cinco navíos y un bergantín muy bien artillados y con mucha pólvora y bien bastecidos, y diole trescientos y setenta soldados, y en ellos cien ballesteros y escopeteros y veintidós caballos.

Y entre estos soldados fueron cinco conquistadores de los nuestros que pasaron con el mismo Cortés la primera vez, habiendo servido a Su Majestad muy bien en todas las conquistas, y tenían ya sus casas y reposo; y esto digo así porque no aprovechaba cosa decir a Cortés: "Señor, déjame descansar, que harto estoy de servir", que les hacía ir adonde mandaba por fuerza o de grado, y llevó consigo a un Briones, natural de Salamanca, y había sido capitán de bergantines y soldado en Italia, y este Briones era muy bullicioso y enemigo de Cortés, y llevó otros muchos soldados que no estaban bien con Cortés porque no les dio buenos repartimientos de indios ni las partes del oro; y en las instrucciones que Cortés le dio fue que desde el puerto de la Villa Rica fuesen su derrota a la Habana, y que allí en la Habana hallaría a un Alonso de Contreras, soldado viejo de Cortés, natural de la Villa de Orgaz, que llevó seis mil pesos de oro para que comprase caballos y cazabe y puercos y tocinos, y otras cosas pertenecientes para la armada, el cual soldado envió Cortés adelante de Cristóbal de Olid por causa que si veían ir la armada los vecinos de la Habana encarecerían los caballos y todos los demás bastimentos, y mandó a Cristóbal de Olid que llegado a la Habana tomase todos los caballos que estuviesen comprados y desde allí fuese su derrota para Hibueras, que era buena navegación y muy cerca; y le mandó que buenamente, sin haber muertes de indios, ni guerras después que hubiese desembarcado, procurase poblar una villa en algún buen puerto, y que a los naturales de aquellas provincias los atrajese de paz y buscase oro y plata, y que procurase de saber e inquirir si había estrecho o qué puertos había en la banda del Sur si a ella pasase; y le dio dos clérigos, que el uno de ellos sabía la lengua mexicana, y le encargó que con diligencia les predicasen las cosas de nuestra santa fe y que no consintiese sodomías ni sacrificios, sino que buena y mansamente se los desarraigasen; y le mandó que todas las casas de madera adonde tenían indias o indios encarcelados a engordar para comer y sacrificar, que se las quebrase y soltase los tristes encarcelados, y le mandó que en todas partes pusiese cruces, y le dio muchas imágenes de Nuestra Señora la Virgen Santa María para que pusiesen en los pueblos, y le dijo estas palabras: "Mirad, hermano Cristóbal de Olid, de la manera que habéis visto que lo hemos hecho en esta Nueva España, de esa manera lo procurad de hacer."

Y después de abrazados y despedidos con mucho amor y paz, se despidió Cristóbal de Olid de Cortés y de toda su casa y fue a la Villa Rica, donde estaba toda su armada muy a punto, y en ciertos días del mes y año [157] se embarcó con todos sus soldados y con buen tiempo llegó a la Habana y halló los caballos comprados y todo lo demás de bastimentos, y cinco soldados que eran personas de calidad de los que había echado de Pánuco [y] los mandó Diego de Ocampo, porque eran muy bandoleros y bulliciosos, y estos soldados ya los he nombrado algunos de ellos cómo se llamaban en el capítulo pasado, cuando la pacificación de Pánuco, y por esta causa los dejaré ahora de nombrar; y estos soldados aconsejaron a Cristóbal de Olid, pues que había fama de la tierra rica donde iba, y llevaba buena armada y bien bastecida y muchos caballos y soldados, que se alzase desde luego a Cortés y que no le conociese desde allí por superior ni le acudiese con cosa ninguna, y Briones, otras veces por mí nombrado, se lo había dicho muchas veces secretamente; y yendo con él en la nao capitana y hecho este concierto, luego escribió sobre el caso al gobernador de aquella isla, que ya he dicho otras muchas veces que se decía Diego Velázquez, enemigo mortal de Cortés, y Diego Velázquez vino adonde estaba la armada, y lo que se concertó fue que entre él y Cristóbal de Olid, tuviesen aquella tierra de Hibueras y Honduras por Su Majestad y en su real nombre Cristóbal de Olid, y que Diego Velázquez le proveería de lo que hubiese menester y haría sabedor de ello en Castilla a Su Majestad para que le traigan la gobernación, y de esta manera se concertó la compañía de la armada.

Y quiero aquí decir la condición y presencia de Cristóbal de Olid, que si fuera tan sabio y prudente como era de esforzado y valiente por su persona así a pie como a caballo, fuera extremado varón, más no era para mandar, sino para ser mandado, y era de edad de hasta

[157] Partió Olid de San Juan de Ulúa el 11 de enero de 1524, según Cortés "Cuarta Carta de Relación", en *Historia Primitiva de Indias*, t. I, pág. 108.

de treinta y seis años, y natural de cerca de Baeza o Linares, y su presencia y altor era de buen cuerpo, muy membrudo y grande espalda, bien entallado, y era algo rubio, y tenía muy buena presencia en el rostro, y traía en el bezo de abajo siempre como hendido a manera de grieta; en la plática hablaba algo gordo y espantoso, y era de buena conversación, y tenía otras buenas condiciones de ser franco; [158] y era al principio, cuando estaba en México, gran servidor de Cortés, sino que esta ambición de mandar y no ser mandado lo cegó, y con los malos consejeros, y también como fue criado en casa de Diego Velázquez cuando mozo, y fue lengua de la isla de Cuba, reconocióle el pan que en su casa comió; más obligado era a Cortés que no a Diego Velázquez.

Pues ya hecho este concierto con Diego Velázquez, vinieron en compañía con Cristóbal de Olid muchos vecinos de la isla de Cuba, y especialmente los que he dicho que fueron en aconsejar que se alzase; y de que no tenía más en que entender en aquella isla, en los navíos metido todo su matalotaje, mandó alzar velas a toda su armada, y fue a desembarcar y con buen tiempo obra de quince leguas adelante de Puerto de Caballos, en una como bahía, y llegó a tres de mayo, y a esta causa nombró a una villa que luego trazó Triunfo de la Cruz, e hizo nombramiento de alcaldes y regidores a los que Cortés le había mandado cuando estaba en México que honrase y diese cargos, y tomó la posesión de aquellas tierras por Su Majestad y de Hernando Cortés en su real nombre, e hizo otros autos que convenían; y todo esto que hacía era porque los amigos de Cortés no entendiesen que iba alzado, para si pudiese hacer de ellos buenos amigos desde que alcanzasen a saber la cosa, y también no sabía si la tierra acudiría tan rica y buena de minas como le decían y tiró a dos hitos: el uno era, como dicho tengo, que si había buenas minas y la tierra muy poblada, alzarse con ella; y lo otro, que si no acudiese tan buena, volverse a México a su mujer y repartimientos y disculparse con Cortés con decirle que la compañía que hizo con Diego Velázquez que fue porque le diese bastimentos y soldados y no acudirle en cosa ninguna, y que bien lo podía ver, pues tomó posesión por Cortés; y esto tenía el pensamiento, según muchos sus amigos dijeron, con quien lo había comunicado. Y dejémosle ya poblado en el Triunfo de la Cruz, que Cortés nunca supo cosa ninguna hasta más de ocho meses, y porque por fuerza tengo de volver otra vez a hablar en él, lo dejaré ahora, y diré lo que nos acaeció en Guazacualco, y cómo Cortés me envió con el capitán Luis Marín a pacificar la provincia de Chiapa.

[158] Tachado: *que no tenía cosa suya, sino que todo lo daba.*

CAPÍTULO CLXVI

CÓMO LOS QUE QUEDAMOS POBLADOS EN GUAZACUALCO SIEMPRE ANDÁBAMOS PACIFICANDO LAS PROVINCIAS QUE SE NOS ALZABAN, Y CÓMO CORTÉS MANDÓ AL CAPITÁN LUIS MARÍN QUE FUESE A CONQUISTAR Y A PACIFICAR LA PROVINCIA DE CHIAPA, Y MANDÓ QUE FUESE CON ÉL, Y LO QUE EN LA PACIFICACIÓN PASÓ

PUES COMO ESTÁBAMOS poblados en aquella villa de Guazacualco muchos conquistadores viejos y personas de calidad, y teníamos grandes términos repartidos entre nosotros, que era la misma provincia de Guazacualco y Zitla, y lo de Tabasco y Zimatán y Chontalpa, y en las sierras arriba lo de Cachula y Zoques y Quilenes hasta Zinancatán y Chamula, y la ciudad de Chiapa de los Indios, y Papanaguastla y Pinola, y de otra parte, hacia la banda de México, la provincia de Xaltepeque, y Guaspaltepeque, y Chinanta, y Tepeaca y otros muchos pueblos, y como a los principios todas las más provincias que [ha] habido en la Nueva España muchas de ellas se alzaban cuando les pedían tributo y aun mataban a sus encomenderos, y los españoles que podían tomar a su salvo les acapillaban, así nos aconteció en aquella villa, que casi no quedó provincia que todas no se rebelaron, y a esta causa siempre andábamos de pueblo en pueblo con una capitanía atrayéndolos de paz, y como los de Zimatán no querían venir a la villa ni obedecer mandamientos que les enviaban, acordó el capitán Luis Marín que, por no enviar capitanía de muchos soldados contra ellos, que fuésemos cuatro vecinos a traerlos de paz; yo fui uno de ellos, y los demás se decían Rodrigo de Nao, natural de Ávila, y un Francisco Martín, medio vizcaíno, y el otro se decía Francisco Jiménez, natural de Inguijuela, de Extremadura; y lo que nos mandó el capitán fue que buenamente y con amor los llamásemos de paz y que no les dijésemos palabras donde se enojasen.

Y yendo que íbamos a su provincia, que son las poblazones entre grandes ciénagas y caudalosos ríos, y ya que llegábamos a dos leguas de su pueblo, les enviamos mensajeros a decir cómo íbamos, y la respuesta que dieron fue que salen a nosotros tres escuadrones de flecheros y lanceros, que a la primera refriega de flechas mataron a los dos de nuestros compañeros, y a mí me dieron la primera herida de un flechazo en la garganta, que con la mucha sangre que me salía, y en aquel tiempo no podía apretarlo ni tomar la sangre, estuvo mi vida en harto peligro; pues el otro mi compañero que estaba por herir, que era Francisco Martín, vizcaíno, puesto que yo y él siempre hacíamos cara y heríamos algunos contrarios, acordó de tomar las de Villadiego y acogerse en unas canoas que estaban cabe un río grande que se decía Mażapa, y como yo quedaba solo y mal herido, porque no me acabasen de matar y sin sentido y poco acuerdo, me iba a meter entre unos matorrales altos, y volviendo en mí, con fuerte corazón, dije: "¡Oh, válgame Nuestra Señora, si es verdad que tengo de morir hoy aquí en poder de estos perros!" Y tomé tal esfuerzo, que salgo otra vez de las matas y rompo por los indios, que a buenas cuchilladas y estocadas me dieron lugar que salí de entre ellos, aunque me tornaron a herir, y me fui a las canoas, donde estaba ya dentro de la una de ellas mi compañero Francisco Martín, vizcaíno, con cuatro indios amigos nuestros, que eran los que habíamos traído con nosotros, que nos llevaban nuestro hato; que estos indios, cuando estábamos peleando con los zimatecas, dejando las cargas se acogen al río en las canoas, y lo que nos dio la vida a mí y a Francisco Martín fue que los contrarios se embarazaron en robar nuestra ropa y petacas.

Y dejemos de más hablar en esto y digamos que Nuestro Señor Jesucristo fue servido escaparnos de morir allí, y en las canoas pasamos aquel río, que es muy grande y hondo y hay en él muchos lagartos, y porque no nos siguiesen los zimatecas, que así se llaman, estuvimos ocho días por los montes, y de allí a pocos días se supo en Guazacualco esta nueva, y dijeron los indios que habíamos traído, que llevaron la misma nueva, que todos los cuatro indios que quedaron en las canoas, como dicho tengo, que éramos muertos, y estos indios que dicho tengo que llevaron nuevas, de que nos vieron heridos se fueron huyendo y nos dejaron en la pelea, y en pocos días llegaron a la villa, y como no parecíamos ni había nueva de nosotros, creyeron que éramos muertos. Y como es costumbre de Indias, y en aquella sazón se usaba, ya había repartido el capitán Luis Marín en otros conquistadores nuestros indios, y echó mensajeros a Cortés para enviar las cédulas de encomienda, y aun vendido nuestras haciendas, y a cabo de veinte días aportamos a la villa, de lo cual se holgaron algunos de nuestros amigos, mas a quien habían dado los indios les pesó [mal a los de Capicomalco enviarlos que no volvieron].[159]

Y viendo el capitán Luis Marín que no podíamos pacificar aquellas provincias por mí memoradas, antes mataban muchos de nuestros españoles, acordó ir a México a demandar a Cortés más soldados y socorros y pertrechos de guerra; mandó que entretanto que iba no saliésemos de la villa ningunos vecinos a los pueblos lejanos, si no fuese a los que estaban cuatro o cinco leguas de allí, para solamente traer comida. Pues llegado a México dio cuenta a Cortés de todo lo acaecido, y entonces le mandó que volviese a Guazacualco, y envió con él obra de treinta soldados, y entre ellos a un Alonso de Grado, por mí muchas veces nombrado, y le mandó que con todos los vecinos que estábamos en la villa y los soldados que traía consigo fuésemos a la provincia de Chiapa, que estaba de guerra, que la pacificásemos y poblásemos una villa. Y como el capitán hubo venido con aquellos despachos nos apercibimos todos, así los que estábamos allí poblados como los que traía de nuevo, y comenzamos abrir camino por unos montes y ciénagas muy malas, y echábamos en ellas maderos y ramos para poder pasar los caballos, y con gran trabajo fuimos a salir a un pueblo que se dice Tepuzuntlán, que hasta entonces por el río arriba solíamos ir en canoas, que no había otro camino abierto, y desde aquel pueblo fuimos a otro pueblo la sierra arriba, que se dice Cachula, y, para que bien se entienda, este Cachula es en la sierra, provincia de Chiapa, y esto digo porque está otro pueblo del mismo nombre junto a la Puebla de los Angeles, y desde Cachula fuimos a otros poblezuelos sujetos al mismo Cachula.

Y fuimos abriendo caminos nuevos el río arriba, que venía de la poblazón de Chiapa, porque no había camino ninguno, y todos los rededores que estaban poblados habían gran miedo a los chiapanecas, porque ciertamente eran en aquel tiempo los mayores guerreros que yo había visto en toda la Nueva España, aunque entren en ellos tlaxcaltecas y mexicanos, ni zapotecas ni minxes. Y esto digo porque jamás México los pudo señorear, porque en aquella sazón era aquella provincia muy poblada, y los naturales de ella eran en gran manera belicosos y daban guerra a sus comarcanos, que eran los de Zinacatán, y a todos los pueblos de la lengua quilena, y asimismo a los pueblos que se dicen los zoques, y robaban y cautivaban a la contina otros poblezuelos donde podían hacer presa, y con los que de ellos mataban hacían sacrificios y hartazgas. Y demás de esto, en los caminos de Teguantepeque tenían en pasos malos puestos muchos guerreros para saltear a los indios mercaderes que trataban de una provincia a otra, y a esta causa, de miedo de ellos dejaban algunas veces de tratar unas provincias con otras, y aun habían traído por fuerza a otros pueblos y hécholes poblar y estar junto a Chiapa, y los tenían por esclavos y con ellos hacían sus sementeras.

Volvamos a nuestro camino, que fuimos río arriba hacia su ciudad, y era por Cuaresma, en el año de mil quinientos veintitrés años, y esto de los años no se me acuerda muy bien, y antes de llegar a la poblazón de Chiapa se hizo alarde de todos los de a caballo, escopeteros y

[159] Las palabras que separamos con corchetes figuran en la edición de Guatemala, y no en la de don Genaro García; y en realidad no tienen sentido.

ballesteros y soldados que íbamos en aquella entrada, y no se pudo hacer hasta entonces por causa que algunos vecinos de nuestra villa y otros forasteros no se habían recogido, que andaban en los pueblos de la hacienda de Cachula demandando el tributo que les eran obligados a dar, y con el favor de venir capitán con gente de guerra, como veníamos, se atrevían de ir a ellos, que de antes ni daban tributo, ni se daban por nosotros dos castañetas. Volvamos a nuestro alarde, que se hallaron veintisiete de a caballo que podían pelear, y otros cinco que no eran para ello, y quince ballesteros y ocho escopeteros, y un tiro y mucha pólvora, y un soldado por artillero, que decía el mismo soldado que había estado en Italia; y esto digo aquí porque no era para cosa ninguna, y era muy cobarde; y llevábamos sesenta soldados de espada y rodela y obra de ochenta mexicanos, y el cacique de Cachula con unos principales suyos, y estos de Cachula que he dicho iban temblando de miedo, y por halagos los llevábamos porque nos ayudasen [a] abrir caminos y a llevar el fardaje.

Pues yendo nuestro camino en concierto, y que llegábamos cerca de sus poblazones, siempre íbamos adelante por espías y descubridores del campo cuatro soldados de los más sueltos que había, y yo era uno de ellos, y dejaba mi caballo que lo llevasen otros, porque no era tierra por donde podía correr a caballo, e íbamos siempre media legua adelante de nuestro ejército; y como los chiapanecas son grandes cazadores andaban entonces a caza de venados, y de que nos sintieron apellídanse todos con grandes ahumadas, y como llegamos a sus poblazones tenían muy anchos caminos y grandes sementeras de maíz y otras legumbres. Y en el primer pueblo que topamos se dice Eztapa, que está de la cabecera obra de cuatro leguas, y en aquel instante le habían despoblado, y tenían mucho maíz y gallinas y otros bastimentos, que tuvimos bien que comer y cenar; y estando reposando en él, puesto que teníamos puestas nuestras velas y escuchas y corredores del campo, vienen dos de a caballo que estaban por corredores a dar mandado y diciendo: "¡Al arma, al arma, que vienen por todas las sabanas y caminos llenos de guerreros chiapanecos!", y nosotros, que siempre estábamos muy apercibidos, les salimos al encuentro antes que llegasen al pueblo, y tuvimos una gran batalla con ellos, porque traían muchas varas tostadas con sus tiraderas, y arcos y flechas y lanzas muy mayores que las nuestras, con buenas armas de algodón y penachos, y otros traían unas porras como macanas. Y allí donde estuvimos y fue la batalla había mucha piedra; y con hondas nos hacían mucho daño y nos comenzaron a cercar; de arte que de la primera rociada mataron a dos de nuestros soldados y cuatro caballos y se hirieron sobre trece soldados y a muchos de nuestros amigos, y al capitán Luis Marín le dieron dos heridas, y estuvimos en aquella batalla desde la tarde hasta después que anocheció; y como hacía oscuro y habían sentido el cortar de nuestras espadas, y escopetas y ballestas y las lanzadas, se retiraron, de lo cual nos holgamos, y hallamos quince de ellos muertos y otros muchos heridos que no se pudieron ir; y de dos de ellos que nos parecían principales, que allí prendimos, se tomó aviso y plática, y dijeron que estaba toda la tierra apercibida para dar otro día en nosotros, y aquella noche enterramos los muertos y curamos los heridos, y al capitán que estaba malo de las heridas porque se había desangrado mucho y por causa de no apartarse de la batalla para curárselas o apretar, y se le había metido frío.

Pues ya esto hecho pusimos buenas velas y escuchas y corredores del campo, y teníamos los caballos ensillados y enfrenados, y todos nuestros soldados muy a punto, porque tuvimos por cierto que vendrían de noche sobre nosotros; y como habíamos visto el tesón que tuvieron en la batalla pasada, que ni por ballestas, ni lanzas, ni escopetas, ni aun estocadas, no les podíamos retraer ni apartar un paso atrás, tuvímoslos por muy buenos guerreros y osados en el pelear, y esa noche se dio orden cómo para otro día los de caballo habíamos de arremeter de cinco en cinco y muy hermanados, y las lanzas terciadas, y no pararnos a dar lanzadas hasta ponerlos en huida, sino las lanzas altas y por las caras y atropellar y pasar adelante. Y este concierto ya otras veces lo había dicho Luis Marín, y aun algunos de nosotros de los conquistadores viejos se lo habíamos dado por aviso a los nuevamente venidos de Castilla, y algunos de ellos no curaron de guardar la orden, sino que pensaban que en dar una lanzada a los contrarios que hacían algo, y salióles a cuatro de ellos al revés, porque les tomaron las lanzas y les hirieron a ellos y los caballos con sus mismas lanzas se los hirieron; quiero decir que se juntaban seis o siete de los contrarios y se abrazaban con los caballos, creyendo de tomarlos a mano, y aun derrocaron a un soldado del caballo, y si no le socorriéramos ya le llevaban a sacrificar, y desde ahí a dos días se murió.

Volvamos a nuestra relación. Y es que otro día de mañana acordamos de ir por nuestro camino para su ciudad de Chiapa, y verdaderamente se podía llamar ciudad, y bien poblada, y las casas y calles muy en concierto, y de más de cuatro mil vecinos, sin otros muchos pueblos sujetos a él que estaban poblados a su rededor; y yendo que íbamos con mucho concierto y el tiro puesto y el artillero bien apercibido de lo que había de hacer, y no habíamos caminado cuatro leguas, cuando nos encontramos con todo el poder de Chiapa, que campos y cuestas venían llenos de ellos con grandes penachos y buenas armas y grandes lanzas, pues flecha y vara con tiraderas, pues piedra y hondas, con grandes voces y grita y silbos era cosa de espantar cómo se juntaron con nosotros pie con pie y comenzaron a pelear como rabiosos leones, y nuestro negro artillero que llevábamos, que bien negro se podía llamar, cortado de miedo y temblando, ni supo tirar ni poner fuego al tiro, y ya que a poder de voces que le dábamos pegó fuego, hirió a tres de nuestros soldados, que no aprovechó cosa ninguna; y de que el capitán vio de la manera que andábamos, rompimos todos los de a caballo puestos en cuadrillas, según lo habíamos concertado, y los escopeteros y ballesteros y de espada y rodela, hechos un cuerpo, nos ayudaron muy bien; mas eran tantos los contrarios que sobre nosotros vinieron, que si no fuéramos de los que en aquellas batallas nos hallamos cursados a otras afrentas, pusiera a otros gran temor, y aun nosotros nos admiramos de ellos, y como el capitán Luis Marín nos dijo: "Ea, señores, ¡Santiago y a ellos!, y tornémosles otra vez a romper con ánimos esforzados", dímosles tal mano, que a poco rato iban vueltas las espaldas, y como había allí donde fue esta batalla muy malos pedregales para correr caballos, no les podíamos seguir.

Y yendo en alcance y no muy lejos donde comenzamos aquella pelea, ya que íbamos algo descuidados creyendo que por aquel día no se tornarían a juntar, estaban tras unos cerros otros mayores escuadrones de guerreros que los pasados, con todas sus armas, y muchos de ellos traían sogas para echar lazos a los caballos y asir de las sogas para derrocarlos, y tenían tendidas en todas partes muchas redes con que suelen tomar venados, para los caballos y para atar a nosotros; y todos los escuadrones que he dicho se vienen a encontrar con nuestro ejército, y con muy fuertes y recios guerreros nos dan tal mano de flecha y vara y piedra, que tornaron a herir casi que a todos los nuestros, y tomaron cuatro lanzas a los de a caballo, y mataron dos soldados y cinco caballos, y entonces traían en medio de sus escuadrones una india algo vieja y muy gorda, y, según decían, aquella india la tenían por su diosa y adivina, y les había dicho que así como ella llegase donde estábamos peleando, que luego habíamos de ser vencidos, y traía en un brasero unos sahumerios y unos ídolos de piedra, y venía pintada todo el cuerpo y pegado algodón a las pinturas, y sin miedo ninguno se metió entre los indios nuestros amigos, que venían hechos un cuerpo con sus capitanías, y luego fue despedazada la maldita diosa. Volvamos a nuestra batalla: que desde que el capitán Luis Marín y todos nosotros vimos tanta multitud de guerreros contra nosotros, y que tan osadamente peleaban, encomendándonos a Dios y arremetiendo a ellos con el concierto pasado, les fuimos rompiendo poco a poco y les pusimos en huida, y se escondían entre unos grandes pedregales, y todos los más se echaron al río, que estaba cerca y hondo, y se fueron nadando, que son en gran manera buenos nadadores. Y después que les hubimos desbaratado, dimos muchas gracias a Dios, y hallamos muertos donde hubimos esta batalla muchos de ellos, y otros heridos; y acordamos de irnos a un pueblo que estaba junto al río, cerca del pasaje de la ciudad, donde había muy buenas ciruelas, porque como era Cuaresma y en este tiempo las hay maduras y en aquella poblazón son las muy buenas, allí nos estuvimos todo lo más del día enterrando los muertos en partes que no los pudieran haber ni hallar los naturales de aquel pueblo, y curamos los heridos y diez caballos, y allí acordamos de dormir con gran recaudo de velas y escuchas.

Y a poco más de medianoche pasaron de dos poblezuelos que estaban poblados junto a la cabecera y ciudad de Chiapa, en cinco canoas del mismo río, que es muy grande y hondo, y venían a remo callado, y los que remaban eran diez indios, personas principales, naturales de los poblezuelos que estaban junto al río de los pueblos, y como desembarcaron hacia la parte de nuestro real, en saltando en tierra luego fueron presos por nuestras velas, y ellos lo tuvieron por bien que los prendiesen; y llevados ante el capitán, dijeron: "Señor, nosotros no somos chiapanecas, sino de otras provincias que se dicen Xaltepeque, y estos malos de chiapanecas, con grandes guerras que nos dieron, nos mataron mucha gente, y todos los más de nuestros pueblos nos trajeron aquí a poblar con nuestras mujeres e hijos, y nos han tomado cuanta hacienda teníamos, y ha más de doce años que nos tienen por esclavos, y les labramos sus sementeras y maizales, y nos hacen ir a pescar y hacer otros oficios, y nos toman nuestras hijas y mujeres; y venimos a daros aviso porque nosotros os traeremos esta noche muchas canoas en que paséis este río, y también os mostraremos un vado, aunque no va muy bajo, y lo que, señor capitán, os pedimos de merced, que pues os hacemos esta buena obra, que después que hayáis vencido y desbaratado [a] estos chiapanecas, que nos deis licencia para que salgamos de su poder e irnos a nuestras tierras, y para que mejor creáis lo que os decimos que es verdad, en las canoas que ahora pasamos, que dejamos escondidas en el río con otros nuestros compañeros y hermanos, os traemos presentadas tres joyas de oro (que eran unas como diademas), y también traemos gallinas y cirgüelas." Y demandaron licencia para ir por ello, y dijeron que había de ser muy callando, no los sintiesen los chiapanecas, que están velando y guardando los pasos del río. Y de que el capitán entendió lo que los indios le dijeron y la gran ayuda que era para pasar aquel recio y corriente río, dio gracias a Dios, y mostró buena voluntad a los mensajeros, y les prometió de hacerlo como lo pedían, y aun de darles ropa y despojo de lo que hubiésemos de aquella ciudad, y se informó de ellos cómo en las dos batallas pasadas les habíamos muerto y herido más de ciento y veinte chiapanecas; que tenían aparejados para otro día otros muchos guerreros, y que a los de estos poblezuelos donde eran estos mensajeros les hacían salir a pelear contra nosotros, y que no temiésemos de ellos, que antes nos ayudarían, y que al pasar del río nos habían de aguardar porque tenían por imposible que tendríamos atrevimiento de pasarle; y que cuando lo estuviésemos pasando que allí nos desbaratarían: y dado este aviso se quedaron dos de aquellos indios con nosotros y los demás fueron a su pueblo a dar orden para que muy de mañana trajesen veinte canoas, lo cual cumplieron muy bien su palabra; y después que se fueron reposamos algo de lo que quedó de la noche, y no sin mucho recaudo y ronda y velas y escuchas, porque oíamos el gran rumor de los guerreros que se juntaban ribera del río, y el tañer de sus trompetillas y atambores y cornetas. Y después que amaneció y vimos las canoas, que ya descubiertamente las traían a pesar de los de Chiapa, porque, según pareció, ya habían sentido cómo los naturales de aquellos poblezuelos se les habían levantado y hecho fuertes y eran de nuestra parte, y habían prendido algunos de ellos, y los demás se habían hecho fuertes en un gran *cu*, y a esta causa había revueltas y guerra entre los chiapanecas y los poblezuelos que dicho tengo, y luego nos fueron a mostrar el vado, y entonces nos daban mucho prisa aquellos amigos que pasásemos presto el río por temor no sacrificasen a sus compañeros que habían prendido aquella noche. Pues desde que llegamos al vado que nos mostraron, venía muy hondo, y puestos todos en gran concierto, así los ballesteros como escopeteros, y los de a caballo y los indios de los dos poblezuelos nuestros amigos con sus canoas, y aunque nos daba el agua cerca de los pechos, todos hechos un tropel, para soportar el ímpetu y fuerza del agua, quiso Nuestro Señor que pasamos cerca de la otra parte de tierra; y antes de acabar de pasar vienen contra nosotros muchos guerreros y nos dan una buena rociada de vara con tiraderas y flechas y piedra, y otros con grandes lanzas, que nos hirieron casi que a todos los más y algunos a dos y a tres heridas, y mataron dos caballos, y un soldado de a caballo, que se decía fulano Guerrero o Guerra, se ahogó al pasar del río, que se metió con el caballo a un recio raudal, y era natural de Toledo, y el caballo salió a tierra sin el amo.

Volvamos a nuestra pelea, que nos estuvieron un buen rato dando guerra al pasar el río, que no les podíamos retraer, ni nosotros podíamos llegar a tierra, y en aquel instante los de los poblezuelos que se habían hecho fuertes contra los chiapanecas nos vinieron [a] ayudar y dan en las espaldas a los que estaban al río batallando con nosotros, e hirieron y mataron muchos de ellos, porque les tenían gran enemistad, como les habían tenido presos muchos años. Y de que aquello vimos, de presto salimos a tierra los de caballo, y luego ballesteros y escopeteros, y los de espada y rodela, y los amigos mexicanos, y dámosles una buena mano, que se van huyendo por su pueblo adelante, que no paró indio con indio, y luego sin más tardar, puestos en buen concierto, con nuestras banderas tendidas y muchos indios de los dos poblezuelos con nosotros, entramos en su ciudad, y como llegamos en lo más poblado, donde estaban sus grandes *cúes* y adoratorios, tenían las casas tan juntas que no osábamos asentar real, sino en el campo y en parte que aunque pusiesen fuego no nos pudiesen hacer daño; y luego nuestro capitán envió a llamar de paz a los caciques y capitanes de aquel pueblo, y fueron los mensajeros tres indios de los poblezuelos nuestros amigos, que el uno de ellos se decía Xaltepeque, y asimismo envió con ellos seis capitanes chiapanecos que habíamos preso en las batallas pasadas, y les envió a decir que vengan luego de paz y que se les perdonará lo pasado, y que si no vienen, que les iremos a buscar y les daremos mayor guerra que la pasada, y les quemaremos su ciudad. Y con aquellas bravosas palabras luego a la hora vinieron, y aun trajeron un presente de oro, y se disculparon por haber salido de guerra, y dieron la obediencia a Su Majestad, y rogaron a Luis Marín que no consintiese a nuestros amigos que quemasen alguna casa, porque habían quemado antes de entrar en Chiapa, en un poblezuelo que estaba poblado antes de llegar al río, muchas casas; y Luis Marín se lo prometió que así lo haría, y mandó a los mexicanos amigos que traíamos y a los de Cachula que no hiciesen mal ni daño. Quiero tornar a decir que este Cachula que aquí nombro no es la que está cerca de México, sino un pueblo que se dice como él, que está en las sierras de Chiapa, por donde pasamos.

Y dejemos esto, y digamos cómo en aquella ciudad hallamos tres cárceles de redes de madera llenas de prisioneros atados con collares a los pescuezos, y éstos eran de los que prendían por los caminos, y algunos de ellos eran de Teguantepeque, y otros zapotecas, y otros quilenes, otros de Soconusco, los cuales prisioneros sacamos de las cárceles y se fue cada uno a su tierra y quebramos las redes; también hallamos en los *cúes* muy malas figuras de los ídolos que adoraban, y muchos indios y muchachos de dos días sacrificados, y hallamos muchas cosas malas de sodomías que usaban. Mandóles el capitán que luego fuesen a llamar a todos los pueblos comarcanos que vengan de paz a dar la obediencia a Su Majestad; los primeros que vinieron fueron los de una poblazón que se dice Zinancantán, y Copanahuastla, y Pinola, y Gueguistlán [160] y Chamula, y otros pueblos, y que ya no se me acuerdan los nombres de ellos, quelenes, y otros pueblos que eran de la lengua zoque y todos dieron la obediencia a Su Majestad, y aún estaban espantados cómo tan pocos como éramos pudimos vencer a los chiapanecas, y ciertamente mostraron todos gran contento, porque estaban mal con ellos.

Y estuvimos en aquella ciudad cinco días, y en aquel instante un soldado de los que traíamos en nuestro ejército desmandóse del real y vase sin licencia del capitán a un pueblo que había venido de paz, que ya he dicho que se dice Chamula, y llevó consigo ocho indios mexicanos de los nuestros y demandó a los de Chamula que le diesen oro, y decía que lo decía el capitán; y los de aquel pueblo le dieron unas joyas de oro, y porque no le daban más echó preso el cacique; y de que vieron los del pueblo hacer aquella demasía quisieron matar al atrevido y desconsiderado soldado, y luego se alzaron, y no solamente ellos, que también hicieron alzar a los de otro pueblo que se dice Güeyguiztlán, sus vecinos. Y de que aquello alcanzó a saber el capitán Luis Marín, prende al soldado y luego le mandó en posta le llevasen a México para que Cortés le castigase; y esto hizo Luis Marín porque era un hombre el soldado que se tenía por principal, que por su honor no nombro su nombre, hasta que venga a coyuntura en parte que hizo otra cosa peor, y como era malo y cruel con los indios, de allí a obra de un año murió en lo de Xicalango en poder de indios, como adelante diré. Y después de esto hecho, el capitán envió a llamar al pueblo de Chamula que vengan de paz, y les envió a decir que ya había castigado y enviado a México al español que les iba a demandar oro y les hacía aquellas demasías, la respuesta que dieron fue mala, y la tuvimos por muy peor por causa de los pueblos comarcanos que habían venido de paz no se alzasen, y fue acordado que luego fuésemos sobre ellos y hasta traerles de paz no dejarles. Y

[160] Actualmente existe en Chiapas una Huistan; posiblemente fueron dos pueblos de igual nombre, diferenciados en grande y chico, pues *huey* en náhuatl es grande, y sería la gran Huistan.

después de que se habló muy blandamente a los caciques chiapanecas y se les dijo con buenas lenguas las cosas tocantes a nuestra santa fe, y que dejasen ídolos y sacrificios y sodomías y robos, y se les puso cruces y una imagen de Nuestra Señora en un altar que les mandamos hacer, y se les dio a entender cómo éramos vasallos de Su Majestad y otras muchas cosas que convenían, y aun les dejamos poblado más de la mitad de su ciudad; y los dos pueblos nuestros amigos, que nos trajeron las canoas para pasar el río y nos ayudaron en la guerra, salieron del poder de ellos con todas sus haciendas y mujeres e hijos y se fueron a poblar el río abajo obra de diez leguas de Chiapa, donde ahora está poblado lo de Xaltepeque, y el otro poblezuelo, que se dice Istatán, se fue a su tierra, que era de Teguantepeque.

Volvamos a nuestra partida para Chamula, y es que luego enviamos a llamar a los de Zinacantlán, que era gente de razón y muchos de ellos mercaderes, y les dijo que nos trajesen doscientos indios para llevar nuestro fardaje, y que íbamos a su pueblo porque por allí era el camino de Chamula, y asimismo demandó a los de Chiapa otros doscientos indios guerreros con sus armas para ir en su compañía, y luego los dieron, y salimos de Chiapa una mañana y fuimos a dormir a unas salinas donde nos tenían hecho de antes buenos ranchos, y otro día, a mediodía llegamos a Zinacantlán, y allí tuvimos la Santa Pascua de Resurrección, y tornamos a enviar a llamar de paz los de Chamula, y no quisieron venir, y hubimos de ir a ellos, que sería entonces donde estaban poblados [los] de Zinacantlán obra de tres leguas, y tenían entonces las casas y pueblos de Chamula en una fortaleza muy mala de ganar, y muy honda cava por la parte que les habíamos de combatir, y por otras partes muy peor y más fuerte; y así como llegamos con nuestro ejército nos tiran desde lo alto tanta piedra y vara y flecha que cubría el suelo; pues lanzas muy largas, con más de dos brazas, de cuchilla de pedernales, que ya he dicho otras veces que cortan más que nuestras espadas y unas rodelas hechas a manera de pavesinas, que se cubren todo el cuerpo cuando pelean, y cuando no las han menester las arrollan y doblan de manera que no les hacen estorbo ninguno, y con hondas, piedra, y tal prisa se dan a tirar flecha y piedra, que hirieron a cinco de nuestros soldados y a dos caballos, y con muchas voces y gran grita y silbos y alaridos y trompetillas y atabales y caracoles, que era cosa de poner espanto a quien no los conociera. Y desde que aquello vio Luis Marín, y entendió que los caballos allí no se podían aprovechar de ellos, que era sierra, mandó que se tornasen a bajar a lo llano, porque adonde estábamos era gran cuesta y fortaleza, y aquello que les mandó fue porque temíamos que vendrían allí a dar en nosotros los guerreros de otros pueblos que se dicen Quiaguiztlán, que estaba alzado, y porque hubiese resistencia en los de a caballo.

Y luego comenzamos a tirar a los de la fortaleza muchas saetas y escopetas, y no les podíamos hacer daño ninguno con los grandes mamparos que tenían, y ellos a nosotros sí, que siempre herían muchos de los nuestros; y estuvimos aquel día de esta manera peleando, y no daban cosa ninguna por nosotros, y si les procurábamos de entrarles donde tenían hechos unos mamparos y almenas estaban sobre mil lanceros en los puestos para la defensa de lo que les probamos entrar, y ya que quisiéramos aventurar las personas en arrojarnos dentro de la fortaleza, habíamos de caer de tan alto que nos habíamos de hacer pedazos y no era cosa para ponernos en aquella ventura; y después de bien acordado cómo y de qué manera habíamos de pelear, se concertó que trajésemos madera y tablas de un poblezuelo que allí junto estaba despoblado e hiciésemos burros o mantas, que así se decían, y en cada uno de ellos cabían veinte personas, y con azadones y picos de hierro que traíamos, y con otros azadones de la tierra, de palo, que allí había, les cavábamos y deshacíamos su fortaleza e hicimos un portillo para poderles entrar, porque de otra manera era excusado, porque por otras dos partes tenían la misma defensa, que todo lo miramos, más de una legua de allí alrededor estaba otra muy mala entrada y peor de ganar que adonde estábamos, por causa que era una bajada tan agra y tan mala, que a manera de decir era entrar en los abismos.

Volvamos a nuestros mamparos y mantas, que con ellas les estábamos deshaciendo sus fortalezas, y nos echaban de arriba mucha pez y resina ardiendo, y agua y sangre toda revuelta, muy caliente, y otras veces lumbre y rescoldo, y nos hacían mala obra; y luego tras ello, mucha multitud de piedras muy grandes, que desbarataron nuestros ingenios, que nos hubimos de retirar y tornarles [a] adobar, y luego volvimos sobre ello; y después que y cuando vieron que les hacíamos mayores portillos, se ponen cuatro *papas* y personas principales sobre una de sus almenas, y bien cubiertos con sus pavesinas y otros talabardones de madera y dicen: "Pues que deseáis o queréis oro, entrar adentro, que aquí tenemos mucho", y nos echaron desde las almenas siete diademas de oro fino y muchas cuentas vaciadizas y otras joyas como caracoles y ánades, todo de oro, y tras ello mucha flecha y vara y piedra. Y ya les teníamos hecho dos muy grandes entradas, y como era ya noche y comenzó a llover, en aquel instante dejamos el combate para otro día, y allí dormimos aquella noche con buen recaudo; y mandó el capitán a ciertos de a caballo que estaban en tierra llana que no se quitasen de sus puestos y tuviesen los caballos ensillados y enfrenados. Volvamos a los chamultecas, que toda la noche estuvieron tañendo atabales y trompetillas y dando voces y gritos, y decían que otro día nos habían de matar, y que así se lo habían prometido a su ídolo.

Y después que amaneció volvimos con nuestros ingenios y mantas a hacer mayores entradas, y los contrarios con grande ánimo defendiendo su fortaleza, y aun hirieron aquel día a cinco de los nuestros, y aun a mí me dieron un buen bote de lanza que me pasaron las armas, y si no fuera por el mucho algodón y bien colchadas que eran, me mataran, porque con ser buenas las pasaron y echaron buen pelote de algodón fuera, y me dieron una chica herida, y en aquella sazón era más de mediodía, y vino muy grande agua y luego una muy oscura neblina, porque como eran sierras altas siempre hay neblinas y aguaceros; y nuestro capitán, como llovía mucho, se apartó del combate, y como yo era acostumbrado a las guerras pasadas de México, bien entendí que en aquella sazón que vino la neblina no daban los contrarios tantas voces ni gritos como de antes, y veía que estaban arrimados a los adarmes y fortalezas y barbacanas muchas lanzas, y que no las veía menear sino hasta doscientas de ellas, sospeché lo que fue, que se querían ir o se iban. Entonces de presto les entramos por un portillo yo y otro mi compañero, y estaban obra de doscientos guerreros, los cuales arremetieron a nosotros y nos dan muchos botes de lanzas, y si de presto no fuéramos socorridos de unos indios de Zinacantlán, que dieron voces a nuestros soldados, que entraron luego tras de nosotros en su fortaleza, allí perdiéramos las vidas; y como estaban aquellos chamultecas con sus lanzas haciendo cara y vieron el socorro, se van huyendo, porque los demás guerreros ya se habían huido con la neblina, y nuestro capitán con todos los soldados y amigos entraron dentro, y estaba ya alzado el hato, y aun la gente menuda y mujeres ya se habían ido por el paso muy malo, que he dicho que era muy hondo y de mala subida y de peor bajada, y fuimos en el alcance y se prendieron muchas mujeres y muchachos y niños y sobre treinta hombres, y no se halló despojo en el pueblo, salvo bastimento. Y esto hecho, nos volvimos con la presa camino de Zinacantlán, y fue acordado que asentásemos nuestro real junto a un río, adonde está ahora poblada la Ciudad Real, que por otro nombre llaman Chiapa de los Españoles, y desde allí soltó el capitán Luis Marín seis indios con sus mujeres, de los presos de Chamula, para que fuesen a llamar [a] los de Chamula, y se les dijo que no hubiesen miedo y se les darían todos los prisioneros; y fueron los mensajeros, y otro día vinieron de paz y llevaron toda su gente, que no quedó ninguna, y después de haber dado la obediencia a Su Majestad, me depositó aquel pueblo el capitán Luis Marín, porque desde México se lo había escrito Cortés que me diese una buena cosa de lo que se conquistase, y también porque era yo mucho su amigo de Luis Marín y porque fui el primer soldado que les entró dentro, y Cortés me envió cédula de encomienda de ellos, y hasta hoy en día tengo la cédula de encomienda guardada, y me tributaron más de ocho años. En aquella sazón no estaba poblada Ciudad Real, que después se pobló y se dio mi pueblo para la población.

Dejemos esto y volvamos a nuestra relación. Que como ya Chamula estaba de paz y Güeyguiztlán, que estaba alzado, no quiso venir de paz, y aunque le enviamos a llamar, acordó nuestro capitán que fuésemos a buscarlos a sus pueblos, y digo aquí pueblos porque entonces eran tres poblezuelos, y todos puestos en fortalezas, y dejamos allí, adonde estaban nuestros ranchos, los heridos y fardaje, y fuimos con el capitán los más sueltos y sanos soldados, y los de Zinacantlán nos dieron sobre trescientos indios de guerra, que fueron con nosotros, y sería desde allí a los pueblos de Güeyguiztlán obra de cuatro leguas; y como íbamos a sus pueblos, hallamos los caminos cerrados, llenos de maderos y árboles cortados y muy embarazados, que no podían pasar caballos, y con los amigos que llevábamos los desembarazamos, y quitaron los maderos, y fuimos a un pueblo de los tres, que ya he dicho que era fortaleza, y hallámosle lleno de guerreros, y comenzaron a darnos grita y voces y a tirar vara y flecha, y tenían grandes lanzas y pavesinas, y espadas de a dos manos, de pedernales que cortan como navajas, según y de la manera de los de Chamula; y nuestro capitán con todos nosotros les íbamos subiendo en la fortaleza, que era muy más recia y mala de tomar que no la de Chamula; acordaron de ir huyendo y dejar el pueblo despoblado y sin cosa ninguna de bastimentos, y los zinacantlecas prendieron dos indios de ellos, que luego trajeron al capitán, los cuales mandó soltar para que llamasen de paz a todos los más sus vecinos, y aguardamos allí un día que volviesen con la respuesta, y todos vinieron de paz y trajeron un presente de oro de poca valía y plumaje de quetzales, que son unas plumas que se tienen entre ellos en mucho, y nos volvimos a nuestros ranchos.

Y porque pasaron otras cosas que no hacen a nuestra relación, se dejarán de decir, y diremos cómo después que hubimos vuelto a los ranchos pusimos en plática que sería bien poblar allí donde estábamos una villa, según que Cortés nos mandó que poblásemos, y muchos soldados de los que allí estábamos que decíamos que era bien, y otros que tenían buenos indios en lo de Guazacualco eran contrarios, y pusieron por achaque que no teníamos herraje para los caballos, y decían por ahí otras cosas; y lo peor de todo, que la tierra muy poblada, y los más pueblos estaban en fortalezas y en grandes sierras, y que no nos podíamos valer ni aprovechar de los caballos, y decían por ahí otras cosas; y lo peor de todo que el capitán Luis Marín y un Diego de Godoy, que era escribano del rey, persona muy entrometida, no habían voluntad de poblar, sino volverse a nuestra villa, y un Alonso de Grado, que ya le he nombrado otras veces en el capítulo pasado, el cual era más bullicioso que hombre de guerra, parece ser traía secretamente una cédula de encomienda firmada por Cortés, en que le daba la mitad del pueblo de Chiapa después que estuviese pacificado, y por virtud de aquella cédula demandó al capitán Luis Marín que le diese el oro que se hubo en Chiapa, que dieron los indios, y otro que se tomó en los templos de los ídolos del mismo Chiapa, que serían mil quinientos pesos, y Luis Marín decía que aquello era para ayudar a pagar los caballos que habían muerto en la guerra en aquella jornada, y sobre ello y sobre otras diferencias estaban muy mal el uno con el otro, y tuvieron tantas palabras, que Alonso de Grado, como era mal acondicionado, se desconcertó en el hablar, y quien se metía en medio y lo revolvía todo era el escribano Diego de Godoy; por manera que Luis Marín los echó presos al uno y al otro, y con grillos y cadenas los tuvo seis o siete días, y acordó de enviar a Alonso de Grado a México preso, y Godoy, con ofertas y prometimientos y buenos intercesores le soltó, y fue peor, que se concertaron luego Grado y Godoy de escribir desde allí a Cortés muy en posta diciendo muchos males de Luis Marín, y aun Alonso de Grado me rogó a mí que de mi parte escribiese a Cortés y en la carta le disculpase a Grado, porque le decía Godoy a Grado que Cortés en viendo mi carta le daría créditos, y que no dijese bien de Marín, y yo escribí lo que me pareció que era verdad, y no culpando al capitán Marín. Y luego le envió preso a México a Alonso de Grado, con juramento que le tomó que se presentaría ante Cortés dentro de ochenta días, porque había desde Zinacantlán por la vía y camino que venimos sobre ciento noventa leguas hasta México.

Dejemos de hablar de todas estas revueltas y embarazos. Y ya partido Alonso de Grado acordamos de ir a castigar a los de Zimatán que fueron en matar los dos soldados ya por mí otra vez nombrados, cuando me escapé yo y Francisco Martín, vizcaíno, de sus manos; y yendo caminando para unos pueblos que se dicen Tapelola,[161] y antes de llegar a ellos, había unas sierras y pasos tan malos, así de subir como de bajar, que tuvimos por muy dificultosa cosa pasar por aquel puerto, y Luis Marín envió a rogar a los caciques de aquellos pueblos que lo adobasen de manera que pudiésemos ir por ellos, y así lo hicieron, y con mucho trabajo pasaron los caballos; y luego fuimos por otros pueblos que se dicen Silo, Suchiapa y Coyumelapa, y desde allí fuimos a este Panguaxoya, y llegados que fuimos a otros pueblos que se dicen Tecomayate y a Teapán, que en aquella sazón todo era un pueblo y estaban juntas casas con casas, y era una poblazón de las grandes que había en aquella provincia, y estaba en mí encomendada, dada por Cortés, y aún hoy en día tengo las cédulas de encomienda firmadas de Cortés, y como entonces eran muchas poblazones y con otros pueblos que con ellos se juntaron salieron de guerra al pasar de un río muy hondo que pasa por el pueblo, e hirieron a seis soldados y mataron a tres caballos, y estuvimos buen rato peleando con ellos, y al fin pasamos el río y se huyeron, y ellos mismos pusieron fuego a las casas y se fueron al monte. Estuvimos cinco días curando los heridos y haciendo entradas, adonde se tomaron muy buenas indias, y se les envió llamar de paz, y que se les daría la gente que habíamos preso, y que se les perdonaba lo de la guerra pasada, y

[161] Papilula, Estado de Chiapas.

vinieron todos los más indios y poblaron su pueblo, y demandaban sus mujeres e hijos, como les habían prometido, y el escribano Diego de Godoy aconsejaba al capitán Luis Marín que no las diese, sino que se herrase con el hierro del rey que se echaba a los que una vez habían dado la obediencia a Su Majestad y se tornaban a levantar sin causa ninguna, y porque aquellos pueblos salieron de guerra y nos flecharon y mataron los tres caballos que se pagasen los caballos con aquellas piezas de indias que estaban presas; yo repliqué que no se herrasen, y que no era justo, porque vinieron de paz, y sobre ello yo y Godoy tuvimos grandes debates y palabras y aun cuchilladas, que entrambos salimos heridos, hasta que nos despartieron y nos hicieron amigos. Y el capitán Luis Marín, como era muy bueno y no era malicioso y vio que no era justo hacer más de lo que le pedí por merced, mandó que diesen todas las mujeres y toda la más gente que estaba presa a los caciques de aquellos pueblos, y los dejamos en sus casas y muy de paz y desde allí atravesamos al pueblo de Zimatán y a otros pueblos que se dicen Talatupán, y antes de entrar en el pueblo tenían hechas unas saeteras y andamios junto a un monte y luego estaban unas ciénegas, y así como llegamos nos dan de repente una tan buena rociada de flecha con muy gran concierto y gran ánimo, que hirieron sobre veinte soldados y mataron dos caballos, y si de presto no les desbaratáramos y deshiciéramos sus cercados y saeteras, mataran e hirieran muchos más, y luego se acogieron a las ciénegas, y estos indios de estas provincias son grandes flecheros, que pasan con sus flechas y arcos dos dobleces de armas de algodón bien colchadas, que es mucha cosa.

Y estuvimos en su pueblo dos días y los enviamos a llamar y no quisieron venir de paz; y como estábamos cansados y había allí muchas ciénegas, que tiemblan que no pueden entrar en ellas los caballos, ni aun entrar ninguna persona sin que se atolle en ellas, y han de salir arrastrando y a gatas y aun si salen es maravilla, tanto son de malas, por no decir más palabras sobre este caso, por todos nosotros fue acordado que nos volviésemos a nuestra villa de Guazacualco, y volvimos por unos pueblos de la Chontalpa, que se dicen Guimango y Acaxuyxuyca, y Teotitán Copilco y pasamos otros pueblos, y a Ulapa, y al río del Agualulco, y al de Tonala, y luego a la villa de Guazacualco. Y del oro que se hubo en Chiapa y en Chamula, sueldo por libra, se pagaron los caballos que mataron en las guerras. Dejemos esto, y digamos que como Alonso de Grado llegó a México delante de Cortés, y después que supo de la manera que iba, le dijo muy enojado: "¡Cómo, Señor Alonso de Grado, que no podéis caber en una parte ni en otra! Pésame de ello; lo que os ruego es que mudéis esa mala condición; si no, en verdad que os envíe a la isla de Cuba, aunque sepa daros tres mil pesos con que allá viváis; porque ya no os puedo sufrir." Y Alonso de Grado se humilló de manera que tornó a estar bien con Cortés, y Luis Marín escribió a Cortés todo lo acaecido. Y dejarlo he aquí, y diré lo que pasó en la corte sobre el obispo de Burgos, arzobispo de Rosano.

CAPÍTULO CLXVII

DE CÓMO ESTANDO EN CASTILLA NUESTROS PROCURADORES RECUSARON AL OBISPO DE BURGOS, Y LO QUE MÁS PASÓ

YA HE DICHO en los capítulos pasados que don Juan Rodríguez de Fonseca, obispo de Burgos y arzobispo de Rosano, que así se nombraba, hacía muy mucho por las cosas de Diego Velázquez y era contrario a las de Cortés y a todas las nuestras, y quiso Nuestro Señor Jesucristo que en el año de mil quinientos veintiuno fue elegido en Roma por Sumo Pontífice nuestro muy Santo Padre el Papa Adriano de Lovaina, y en aquella sazón estaba en Castilla por gobernador de ella y residía en la ciudad de Vitoria, y nuestros procuradores fueron a besar sus santos pies, y un gran señor alemán, que era de la cámara de Su Majestad, que se decía mosior de Lasao, le vino a dar el parabién del pontificado por parte del emperador nuestro señor; ya Su Santidad y el mosior de Lasao tenía noticia de los heroicos hechos y grandes hazañas que Cortés y todos nosotros habíamos hecho en la conquista de esta Nueva España y los grandes y muchos y notables servicios que siempre hacíamos a Su Majestad, y de la conversión de tantos millares de indios que se convertían a nuestra santa fe; y parece ser que aquel caballero alemán suplicó al Santo Padre Adriano que fuese servido en entender muy de hecho entre las cosas de Cortés y el obispo de Burgos, y Su Santidad lo tomó también muy a pechos, porque allende de las quejas que nuestros procuradores propusieron ante nuestro muy Santo Padre, le habían ido otras muchas personas de calidad a quejarse del propio obispo de muchos agravios e injusticias que decían que hacía, porque Su Majestad estaba en Flandes y el obispo era presidente de Indias, todo se lo mandaba y era mal quisto, y, según entendimos, nuestros procuradores hallaron calor para osar recusarle por manera que se juntaron en la corte Diego de Ordaz, y el licenciado Francisco Núñez, primo de Cortés, y Martín Cortés, padre del mismo Cortés, y con favor de otros caballeros y grandes señores que les favorecieron, y uno de ellos, el que más metió la mano, fue el duque de Béjar y con estos favores le recusaron con gran osadía y atrevimiento al obispo ya por mí otras veces dicho, y la causa que dieron muy bien probada.

Lo primero fue que Diego Velázquez dio al obispo un muy buen pueblo en la isla de Cuba, y que con los indios del dicho pueblo le sacaban oro de las minas y se lo enviaban a Castilla, y que a Su Majestad no le dio ningún pueblo, siendo más obligado a ello que al obispo; y lo otro, que en el año de mil quinientos diecisiete que nos juntamos ciento diez soldados con un capitán que se decía Francisco Hernández de Córdova, y que a nuestra costa compramos navíos y matalotaje y todo lo demás, y salimos a descubrir la Nueva España, y que el obispo de Burgos hizo relación a Su Majestad que Diego Velázquez la descubrió, y no fue así; y lo otro, que envió Diego Velázquez a lo que habíamos descubierto a un sobrino suyo que se decía Juan de Grijalva, y que descubrieron más adelante, y que hubo en aquella jornada sobre veinte mil pesos de oro de rescate, y que todo lo más envió Diego Velázquez al mismo obispo, y que no dio parte de ello a Su

Majestad; y que cuando vino Cortés a conquistar la Nueva España, que le envió un presente a Su Majestad, que fue la luna de oro y el sol de plata, y mucho oro en granos sacado de las minas, y gran cantidad de joyas y tejuelos y cosas de oro de diversas maneras, y escribió a Su Majestad Cortés y todos nosotros sus soldados dándole cuenta y razón de lo que pasaba, y envió con ello a Francisco de Montejo y a otro caballero que se decía Alonso Hernández Puerto Carrero, primo del conde de Medellín, que no los quiso oír y les tomó todo el presente de oro que iba para Su Majestad, y les trató mal de palabra, llamándoles de traidores y que venían a procurar por otro traidor, y que las cartas que venían para Su Majestad las encubrió y escribió otras muy al contrario de ellas diciendo que su amigo Diego Velázquez enviaba aquel presente, y que no envió todo lo que traían, y que el obispo se quedó con la mitad y mayor parte de ello; y porque Alonso Hernández Puerto Carrero, que era uno de los dos procuradores que enviaba Cortés, le suplicó al obispo que le diese licencia para ir a Flandes adonde estaba Su Majestad, le mandó echar preso, y que murió en las cárceles, y que envió a mandar a la Casa de la Contratación de Sevilla al contador Pedro de Isasaga y a Juan López de Recalde, que estaban en ella por oficiales de Su Majestad, que no diesen ayuda ninguna para Cortés, así de soldados como de armas ni otra cosa; y que proveía los oficios y cargos, sin consultarlo con Su Majestad, a hombres soeces que no lo merecían, ni tenían habilidad ni saber para mandar, como fue a Cristóbal de Tapia, y que por casar a su sobrina doña Petronila de Fonseca con Tapia o con Diego Velázquez le prometió la gobernación de la Nueva España; que aprobaba por buenas las falsas relaciones y procesos que hacían los procuradores de Diego Velázquez, las cuales eran de Andrés de Duero, y Manuel Rojas, y el Padre Benito Martín, y aquéllas enviaba a Su Majestad por buenas, y las de Cortés y de todos los que estábamos sirviendo a Su Majestad, siendo muy verdaderas, encubría y torcía y las condenaba por malas; y le pusieron otros muchos cargos y todos muy bien probados, que no se pudo encubrir cosa ninguna por más que alegaban por su parte.

Y luego que esto fue hecho y sacado en limpio, fue enviado a Zaragoza, adonde Su Santidad estaba en aquella sazón que se recusó; y después que vio los despachos y causas que se dieron en la recusación, y que las partes de Diego Velázquez, por más que alegaban que había gastado navíos y costas, fueron rechazados sus dichos, que pues no acudió a nuestro rey y señor, sino solamente al obispo de Burgos, su amigo, y Cortés hizo lo que era obligado como leal servidor, mandó Su Santidad, como gobernador que era de Castilla, demás de ser Papa, al obispo de Burgos que luego dejase el cargo de entender en las cosas y pleitos de Cortés, ni entendiese en cosa ninguna de Indias, y declaró por gobernador de esta Nueva España a Hernando Cortés; y que si algo había gastado Diego Velázquez, que se lo pagásemos, y aun envió a la Nueva España bulas con muchas indulgencias para los hospitales e iglesias, y escribió una carta encomendando a Cortés y a todos nosotros los conquistadores que estábamos en su compañía que siempre tuviésemos mucha diligencia en la santa conversión de los naturales, y que fuese de manera que no hubiese muertes, ni robos sino con paz, y cuanto mejor se pudiese hacer, y que les vedásemos y quitásemos sacrificios y sodomías y otras torpedades.

Y decía en la carta que además del gran servicio que hacíamos a Dios Nuestro Señor y a Su Majestad, que Su Santidad, como nuestro padre y pastor, tendría cargo de rogar a Dios por nuestras ánimas, pues tanto bien por nuestra mano ha venido a toda la cristiandad, y aun nos envió otras santas bulas para nuestras absoluciones. Viendo nuestros procuradores lo que mandaba el Santo Padre, así como pontífice y gobernador de Castilla, enviaron luego correos muy en posta adonde Su Majestad estaba, que ya había venido de Flandes y estaba en Castilla, y aun llevaron cartas de Su Santidad para nuestro monarca, y después de muy bien informado de lo atrás por mí dicho, confirmó lo que el Sumo Pontífice mandó, y declaró por gobernador de la Nueva España a Cortés, y a lo que Diego Velázquez gastó de su hacienda en la armada, que se le pagase, y aun le mandaba quitar la gobernación de la isla de Cuba, por cuanto había enviado la armada con Pánfilo de Narváez sin licencia de Su Majestad, no embargante que la Real Audiencia y los frailes jerónimos que residían en la isla de Santo Domingo por gobernadores se lo habían defendido, y aun sobre quitársela enviaron un oidor de la misma Real Audiencia, que se decía Lucas Vázquez de Ayllón, para que no consintiese ir la tal armada, y en lugar de obedecerlo le echaron preso y le enviaron con prisiones en un navío.

Dejemos de hablar de esto, y digamos que como el obispo de Burgos supo todo lo por mí atrás dicho, y lo que Su Santidad y Su Majestad mandaban se lo fueron a notificar, fue muy grande el enojo que tomó, de que cayó muy malo, y se salió de la corte y se fue a Toro, adonde tenía su asiento y casas, y por mucho que metió la mano en favorecerle su hermano don Antonio de Fonseca, señor de Coca y Alaejos, no le pudo volver en el mando que de antes tenía. Y dejemos de hablar de esto, y digamos que a gran bonanza que en favor de Cortés hubo le siguió contrariedad, como luego le vino a Cortés otros contrastes de grandes acusaciones que le ponían por Pánfilo de Narváez y Cristóbal de Tapia y por el piloto Cárdenas que hubo dicho en el capítulo que de ello habla que cayó malo de pensamiento como no le dieron la parte del oro de lo primero que se envió a Castilla, y también le acusó Gonzalo de Umbría, piloto, a quien Cortés mandó cortar los pies porque se alzaba con el navío con Cermeño y Pedro de Escudero, que mandó ahorcar.

CAPÍTULO CLXVIII

CÓMO FUERON ANTE SU MAJESTAD PÁNFILO DE NARVÁEZ Y CRISTÓBAL DE TAPIA Y UN PILOTO QUE SE DECÍA GONZALO DE UMBRÍA Y OTRO SOLDADO QUE SE LLAMABA CÁRDENAS, Y CON FAVOR DEL OBISPO DE BURGOS, Y AUNQUE NO TENÍA CARGO DE ENTENDER EN COSAS DE INDIAS, QUE YA LE HABÍAN QUITADO EL CARGO Y SE ESTABA EN TORO, TODOS LOS POR MÍ MEMORADOS DIERON ANTE SU MAJESTAD MUCHAS QUEJAS DE CORTÉS, Y LO QUE SOBRE ELLO SE HIZO

YA HE DICHO en el capítulo pasado cómo Su Santidad vio y entendió los servicios que Cortés y todos nosotros los conquistadores que en su compañía militábamos habíamos hecho a Dios Nuestro Señor y a Su Majestad y a toda la cristiandad, y de cómo se le hizo merced a Cortés de hacerle gobernador de la Nueva España, y las bulas e indulgencias que envió para las iglesias y hospitales, y las santas absoluciones para todos nosotros; y visto por Su Majestad lo que el Santo Padre mandaba, después de bien informado de toda la verdad, lo confirmó con otros reales mandos, y en aquella sazón se quitó el cargo de presidente de Indias al obispo de Burgos, y se fue a vivir a la ciudad de Toro, y en este instante llegó a Castilla Pánfilo de Narváez, el cual había sido capitán de la armada que envió Diego Velázquez contra nosotros, y también en aquel tiempo llegó a Castilla Cristóbal de Tapia, el que había enviado el mismo obispo a tomar la gobernación de la Nueva España, y trajeron en su compañía a Gonzalo de Umbría y otro soldado que se decía Cárdenas, y todos juntos se fueron a Toro a demandar favor al obispo de Burgos para irse a quejar de Cortés delante de Su Majestad, porque ya Su Majestad había venido de Flandes.

Y el obispo no deseaba otra cosa sino que hubiese quejas de Cortés y de nosotros, y tales favores y promesas les dio para ello, que se juntaron los procuradores de Diego Velázquez que estaban en la corte, que se decían Bernardino Velázquez, que ya le había enviado desde Cuba para que procurase por él, y Benito Martín y Manuel de Rojas, y fueron todos juntos delante del emperador nuestro señor y se quejan reciamente de Cortés. Y los capítulos que contra él pusieron fue que Diego Velázquez envió a descubrir y poblar la Nueva España tres veces, y que gastó gran suma de pesos de oro en navíos y armas y matalotaje y en cosas que dio a soldados, y que envió en la armada a Hernando Cortés por capitán de ella y se le alzó con ella, que no le acudió con ninguna cosa; también le acusaron que, no embargante todo esto, que tornó a enviar Velázquez a Pánfilo de Narváez por capitán de más de mil cuatrocientos soldados con dieciocho navíos y muchos caballos y escopeteros y ballesteros, y con cartas y provisiones de Su Majestad firmadas de su presidente de Indias, que era el obispo de Burgos, arzobispo de Rosano, para que le diesen la gobernación de la Nueva España, y no lo quiso obedecer, antes le dio guerra y desbarató, y mató su alférez y otros capitanes y le quebró un ojo, y que le quemó cuanta hacienda tenía, y le prendió al mismo Narváez y a otros capitanes que tenía en su compañía, y que, no embargante este desbarate, que proveyó el mismo obispo de Burgos para que fuese Cristóbal de Tapia, como fue, a tomar la gobernación de aquellas tierras en nombre de Su Majestad, y que no lo quiso obedecer, y que por fuerza le hizo volver a embarcar; y acusábanle que había demandado a los indios de todas las ciudades de la Nueva España mucho oro en nombre de Su Majestad, y se lo tomaba y encubría y lo tenía en su poder; acusábanle que a pesar de todos sus soldados llevó quinto como rey de todas las partes que se habían habido; acusábanle que mandó quemar los pies a Guatemuz y a otros caciques porque diesen oro, y también le pusieron por delante la muerte de Catalina Juárez, la Marcaida, su mujer de Cortés; acusáronle que no dio ni acudió con las partes del oro a sus soldados, y que todo lo resumió en sí; acusábanle que hizo palacios y casas muy fuertes y que eran tan grandes como una gran aldea, y que hacía servir en ella a todas las ciudades de la redonda de México, y que les hacían traer grandes cipreses y piedra desde lejanas tierras; acusáronle que dio ponzoña a Francisco de Garay por tomarle su gente y armada, y pusiéronle otras muchas quejas y acusaciones, y tantas, que Su Majestad estaba enojado de oír tantas injusticias como de él decían, creyendo que era verdad.

Y demás de esto, como Narváez hablaba muy entonado, dijo estas palabras que oirán: "Y porque Vuestra Majestad sepa cuál andaba la cosa la noche que me prendieron y desbarataron, que teniendo vuestras reales provisiones en el seno, que las saqué de prisa, y mi ojo quebrado, porque no se me quemasen, que ardía en aquella sazón el aposento en que estaba, me las tomó por fuerza del seno un capitán de Cortés que se dice Alonso de Ávila, y es el que ahora está preso en Francia, y no me las quiso dar, y publicó que no eran provisiones sino obligaciones que venía a cobrar." Entonces dizque se rió el emperador, y la respuesta que dio fue que en todo mandaría hacer y haría justicia sobre ello, y luego mandó juntar ciertos caballeros de sus reales consejos y de su real cámara, personas de quien Su Majestad tuvo confianza que harían recta justicia, que se decían Mercurino Catirinario, gran canciller italiano; y mosior de Lasao, y el doctor de la Rocha, flamencos; y Hernando de Vega, señor de Grajales y comendador mayor de Castilla; y el doctor Lorenzo Galíndez de Carvajal, y el licenciado Vargas, tesorero general de Castilla; y de que [a] Su Majestad le dijeron que estaban juntos les mandó que mirasen muy justificadamente los pleitos y debates que había entre Cortés y Diego Velázquez y aquellos querellosos, y que en todo hiciesen justicia, no teniendo afición a las personas ni favoreciesen a ninguno de ellos excepto a la Justicia; y luego visto por aquellos caballeros el real mando, acordaron de juntarse en unas casas y palacios donde posaba el gran canciller, y mandaron parecer a Narváez, y a Cristóbal de Tapia, y al piloto Umbría, y a Cárdenas, y a Manuel de Rojas, y Benito Martín, y aun Velázquez, que éstos eran procuradores de Diego Velázquez; y asimismo parecieron por la parte de Cortés su padre, Martín Cortés; y el licenciado Francisco Núñez, y Diego de Ordaz; y mandaron a los procuradores de Diego Velázquez que propusiesen todas sus quejas y demandas y capítulos contra Cortés, y dan las mismas quejas que dieron ante Su Majestad.

A esto respondieron por Cortés sus procuradores: a lo que decía que había enviado Diego Velázquez a descubrir la Nueva España, de los primeros, y gastó muchos pesos de oro, que no fue así como dicen, que los que la descubrieron fue un Francisco Hernández de Córdova, con ciento diez soldados, a su costa, que antes Diego Velázquez es digno de gran pena porque mandaba a Francisco Hernández y a los compañeros que lo descubrieron que fuese a la isla de los Guanajes a cautivar indios por fuerza para servirse de ellos como esclavos, y de esto mostraron probanzas, y no hubo contradicción en ello; y también dijeron que si Diego Velázquez volvió a enviar a su pariente Grijalva con otra armada, que no le mandó Diego Velázquez a poblar sino a rescatar, y que todo lo más que gastó en la armada pusieron los capitanes que traían cargo en los navíos y no Diego Velázquez; que rescataron veinte mil pesos y que se quedó con todo lo más Diego Velázquez, y que le envió al obispo de Burgos para que le favoreciese, y que no dio parte de ello a Su Majestad sino lo que quiso; y demás de aquello le dio indios al mismo obispo en la isla de Cuba, que le sacaban oro, y que a Su Majestad no le dio ningún pueblo, siendo más obligado a ello que no al obispo, lo cual hubo buena probanza y no hubo contradicción en ello; también dijeron que si envió a Hernando Cortés con otra armada, que fue primeramente por gracia de Dios y en ventura del mismo emperador, y que tienen por cierto que si otro capitán enviara que le desbarataran, según la multitud de guerreros que contra él se juntaban, y que cuando le envió Diego Velázquez no le enviaba a poblar, sino a rescatar, lo cual hubo probanza de ello, y que si quedó a poblar fue por los requerimientos que los compañeros le hicieron, y que viendo que era servicio de Dios y de Su Majestad, pobló; y fue cosa muy acertada y que de ello se hizo relación a Su Majestad y se le envió todo el oro que se pudo haber, y que se le escribió sobre ello dos cartas haciéndole saber lo sobredicho, y que para obedecer sus reales mandos estaba Cortés con todos sus compañeros los pechos por tierra, y se le hizo relación de todas las cosas que el obispo de Burgos hacía por Diego Velázquez, y que enviamos nuestros procuradores con el oro y cartas; y que el obispo encubría nuestros muchos servicios y que no enviaba a Su Majestad nuestras cartas, sino otras, de la manera que él quería, y que el oro que enviamos que se quedaba con todo lo más de ello, y que torcía todas las más cosas que convenía que Su Majestad fuese sabedor, y que en cosa ninguna le decía verdaderamente lo que era obligado a nuestro rey y señor; y que porque nuestros procuradores querían ir a Flandes delante de su real persona echó preso a uno de ellos, que se decía Alonso Hernández Puerto Carrero, primo del conde de Medellín, y que murió; y que mandaba el mismo obispo a los oficiales de la Casa de Contratación de Sevilla que no diesen ayuda ninguna a Cortés, así de armas como de soldados, sino que en todo lo contradijesen, y que a boca llena nos llamaba de traidores, y que todo esto hacía el obispo porque tenía tratado casamiento con Diego Velázquez o con Tapia de casar una sobrina o hija, que se decía doña Petronila de Fonseca, y le había prometido que le haría gobernador de México, y para todo esto que he dicho mostraron traslados de la carta que hubimos escrito a Su Majestad y otras grandes probanzas. Y la parte de Diego Velázquez no contradijo en cosa ninguna, porque no había en qué.

A lo que decían de Pánfilo de Narváez que envió Diego Velázquez con dieciocho navíos y mil cuatrocientos soldados y cien caballos y ochenta escopeteros y otros tantos ballesteros, y había hecho mucha costa, a esto respondieron que Diego Velázquez es digno de pena de muerte por haber enviado aquella armada sin licencia de Su Majestad, y porque cuando enviaba sus procuradores a Castilla en cosa ninguna ocurría a nuestro rey y señor como era obligado, sino solamente al obispo de Burgos; y que la Real Audiencia de Santo Domingo y frailes jerónimos que estaban por gobernadores le enviaron mandar a Diego Velázquez a la isla de Cuba que so graves penas que no enviase aquella armada hasta que Su Majestad fuese sabedor de ello, y que con su real licencia la enviase, porque hacer otra cosa era gran deservicio de Dios y de su Majestad, poner cizaña en la Nueva España en el tiempo que Cortés y sus compañeros estábamos en las conquistas y conversión de tantos cuentos de los naturales que se convertían a nuestra santa fe católica, y que para detener la armada le enviaron a un oidor de la misma Audiencia Real, que se decía el licenciado Lucas Vázquez de Ayllón, y en lugar de obedecerlo y los reales mandos que llevaba, le echaron preso y sin ningún acato le enviaron en un navío; y que pues que Narváez estaba delante, que fue el que hizo aquel tan desacatado delito, por tocar en crimen *legis magestatis,* es digno de muerte, y que suplicaban [a] aquellos caballeros por mí memorados, que estaban por jueces, que le mandasen castigar, y respondieron que harían justicia sobre ello.

Volvamos a decir en los descargos que daban nuestros procuradores; y es que a lo que dicen que no quiso Cortés obedecer las reales provisiones que llevaba Narváez, y le dio guerra y le desbarató y quebró un ojo, y le prendió a él y a todos sus capitanes, y le puso fuego a los aposentos, a esto respondieron que así como llegó Narváez a la Nueva España y desembarcó, que la primera cosa que hizo Narváez fue enviar a decir al gran cacique Montezuma, que Cortés tenía preso, que le venían a soltar y a matar todos los que estábamos con Cortés, y que alborotó la tierra de manera que lo que estaba pacífico se volvió en guerra. Y que como Cortés supo que había venido Narváez al puerto de la Veracruz, le escribió muy cortésmente, y que si traía provisiones de

Su Majestad, que las quería ver y las obedecería con aquel acato que se debe a su rey y señor, y que no le quiso responder a sus cartas sino siempre en su real llamándole de traidor, no lo siendo sino muy leal servidor de Su Majestad; y que mandó pregonar Narváez en su real [guerra] a fuego y sangre y ropa franca contra Cortés y sus compañeros; y que le rogó muchas veces con la paz, y que mirase no revolviese la Nueva España de manera que diese causa que todos se perdiesen, y que se apartaría a una parte cual él quisiese a conquistar, y Narváez fuese por otra parte que más le agradase y que a entrambos sirviesen a Dios y a Su Majestad y pacificasen aquellas tierras, y tampoco le quiso responder a ello; y desde que Cortés vio que no aprovechaban todos aquellos cumplimientos, ni le mostraba las reales provisiones y supo el gran desacato que había hecho Narváez en prender al oidor de Su Majestad, que para castigarlo por aquel delito acordó de ir a hablar con él para ver las reales provisiones y a saber por qué causa prendió al oidor, y que Narváez tenía concertado de prender a Cortés sobre seguro, y para esto presentaron probanza y testimonios bastantes, y aun por testigo a Andrés de Duero, que se halló por la parte de Narváez cuando aquello pasó, y el mismo Duero fue el que dio aviso a Cortés de ello; y a todo esto la parte de Diego Velázquez no había en qué contradecir cosa ninguna sobre ello.

Y a lo que le acusaban, que vino a Pánuco Francisco de Garay con grande armada y provisiones de Su Majestad, en que le hacían gobernador de aquella provincia, y que Cortés tuvo astucias y gran diligencia para que se le amotinasen a Garay sus soldados, y los indios de la misma provincia mataron a muchos de ellos, y les tomó ciertos navíos e hizo otras demasías hasta que Garay se vio perdido y desmamparado y sin capitanías ni soldados, y se fue a meter por las puertas de Cortés, y le aposentó en sus casas; y que de allí en ocho días que le dio un almuerzo de que murió de ponzoña que le dieron en él; a esto respondieron que no era así, porque no tenía Cortés necesidad de los soldados de Garay para hacerles amotinar, sino que como Garay no era hombre para la guerra no se daba maña con los soldados, y como no toparon buena tierra cuando desembarcó, sino grandes ríos y malas ciénegas y mosquitos y murciélagos, y los que traía en su compañía tuvieron noticia de la gran prosperidad de México, y la riqueza y la buena fama de la liberalidad de Cortés, que por esta causa se le iban a México; y que por los pueblos de aquellas provincias andaban a robar sus soldados a los naturales, y les tomaban sus hijas y mujeres, y que se levantaron contra ellos y le mataron los soldados que dicen, y que los navíos que no los tomó, sino que dieron al través, y si envió sus capitanes Cortés, fue porque hablasen a Garay ofreciéndoselos por Cortés y para ver las reales provisiones si eran contrarias de las que de antes tenía Cortés; y que viéndose Garay desbaratado de sus soldados y navíos dados al través, que se vino a socorrer a México, y Cortés le mandó hacer mucha honra por los caminos, y banquetes en Tezcuco, y cuando entró en México, y salirle a recibir, y le aposentó en sus casas, y habían tratado casamiento de los hijos, y que le quería dar favor y ayuda para poder poblar el río de Palmas. Y que si cayó malo, que Dios fue servido de llevarle de este mundo, que qué culpa tiene Cortés en ello; y que se le hizo muchas honras al enterramiento, y se pusieron lutos, y que los médicos que lo curaban juraron que era dolor de costado, y que ésta es la verdad y no hubo otra contradicción.

A lo que decían, que llevaba quinto como rey, respondieron que cuando le hicieron capitán general y justicia mayor hasta que Su Majestad mandase en ello otra cosa, le prometieron los soldados que le darían quinto de las partes, después de sacado el real quinto, y que lo tomó por causa que después gastaba cuanto tenía en servicio de Su Majestad, como fue en lo de la provincia de Pánuco, que pagó de su hacienda sobre sesenta mil pesos de oro, y envió en presentes a Su Majestad mucho oro de lo que le había cabido del quinto; y mostraron probanzas de todo lo que decían y no hubo contradicción por los procuradores de Diego Velázquez. Y a lo que decían que a los soldados les había tomado Cortés sus partes del oro que les cabía, dijeron, que les dieron conforme a la cuenta del oro que se halló en la toma de México, porque se halló muy poco, que todo lo habían robado los indios de Tlaxcala y Tezcuco, y los demás guerreros que se hallaron en las batallas y guerras, y no hubo contradicción sobre ello. Y a lo que dicen de la muerte de Catalina Juárez, la Marcaida, mujer de Cortés, negáronlo, sino que como era doliente de asma amaneció muerta. Y a lo que dijeron que Cortés había mandado quemar los pies con aceite a Guatemuz y a otros caciques porque diesen oro, a esto respondieron que los oficiales de Su Majestad se los quemaron, contra la voluntad de Cortés, porque descubriese el tesoro de Montezuma, y para esto dieron informaciones bastantes; y a lo que le acusaban que había labrado muy grandes casas y cabía en ellas una villa, y que hacía traer los árboles y cipreses y piedras de lejanas tierras, a esto respondieron que las casas es verdad que son muy suntuosas, y que para servir con ellas y cuanto tiene Cortés a Su Majestad las hizo fabricar en su real nombre, y que los árboles y cipreses, que están junto a la ciudad, y que los traía por agua, y que piedra, que había tantas de los adoratorios que deshicieron de los ídolos, que no había menester traerla de fuera, y que para labrarlas que no hubo menester más de mandar al gran cacique Guatemuz que las labrasen con los indios oficiales, que hay muchos, de hacer casas y carpinteros, y el cual Guatemuz llamó de todos sus pueblos para ello, y que así se usaba entre los indios hacer las casas y palacios de los señores.

Y a lo que se quejaba Narváez que le sacó Alonso de Ávila las provisiones reales del seno, por fuerza, y no se las quiso dar, y publicó que eran obligaciones que venía a cobrar, y que fue por mandado de Cortés, a esto respondieron que no vieron provisiones, sino solamente tres obligaciones que le debían a Narváez de ciertos caballos y yeguas que había vendido fiadas, y que Cortés nunca tales provisiones vio, ni le [ni se las] mandó tomar; y a lo que se quejaba el piloto Umbría que Cortés le mandó cortar y deszocar los pies sin causa ninguna, a esto respondieron que por justicia y sentencia que sobre ello hubo se los cortaron, porque se quería alzar con un navío, y dejarle en la guerra a su capitán, y venirse a Cuba él y otros dos hombres, que Cortés mandó ahorcar por justicia; y a lo que Cárdenas demandaba que no le habían dado parte del primer oro que se envió a Su Majestad, dijeron que él firmó con otros muchos que no quería parte de ello, sino que se enviase a Su Majestad, y que allende de esto le dio Cortés trescientos pesos para que trajese a su mujer e hijos, y que Cárdenas no era hombre para la guerra, y que era mentecato y de poca calidad, y que con los trescientos pesos estaba muy bien pagado.

Y a la postre respondieron que, si fue Cortés contra Narváez y le desbarató y quebró el ojo, y le prendió a él y a sus capitanes, y se le quemó su aposento, que Narváez fue causa de ello por lo que dicho y alegado tienen, y por castigarle el gran desacato que tuvo de prender a un oidor de Su Majestad; y como la justicia era por la parte de Cortés y sus compañeros, que en aquella batalla que hubo con Narváez fue Nuestro Señor Dios servido dar victoria a Cortés, que con doscientos sesenta y seis soldados, sin caballos y sin arcabuces ni ballestas, desbarató con buena maña y con dádivas de oro a Narváez y le quebró el ojo y prendió a él y a sus capitanes, siendo contra Cortés mil trescientos soldados, y entre ellos ciento de a caballo y otros tantos escopeteros y ballesteros; y que si Narváez quedara por capitán de la Nueva España, se perdiera. Y a lo que decían de Cristóbal de Tapia que venía para tomar la gobernación de la Nueva España con provisiones de Su Majestad, y que no le quisieron obedecer, a esto responden que Cristóbal de Tapia, que delante estaba fue contento de vender unos caballos y negros, y que si él fuera a México adonde Cortés estaba y les mostrara sus recaudos, que las obedeciera, mas que viendo los caballeros y cabildos de todas las ciudades y villas que convenía que Cortés gobernase en aquella sazón, porque vieron que Tapia, no era capaz para ello, que suplicaron de las reales provisiones para ante Su Majestad, según parecerá de los autos que sobre ello pasaron.

Y después que hubieron acabado de poner por la parte de Diego Velázquez y de Narváez sus demandas, y aquellos caballeros por mí memorados, que estaban por jueces, vieron las respuestas y lo que por parte de Cortés fue alegado y todo probado, y sobre ello habían estado embarazados cinco días en oír a los unos y a los otros, acordaron de ponerlo todo en la consulta con Su Majestad, y después de muy acordado por todos en ella, lo que fue sentenciado es esto: Lo primero, dieron por muy bueno y leal servidor de Su Majestad a Cortés y a todos nosotros, los verdaderos conquistadores que con él pasamos, y tuvieron en mucho nuestra gran fidelidad, y loaron y ensalzaron en gran manera las grandes batallas y osadía que contra los indios tuvimos, y no se olvidó de decir cómo siendo nosotros tan pocos desbaratamos a Narváez; y luego mandaron poner silencio a Diego Velázquez del pleito de la gobernación de la Nueva España, y que si algo había gastado en las armadas, que por justicia lo pidiese a Cortés; y luego declararon por sentencia que Cortés fuese gobernador de la Nueva España, según lo mandó el Sumo Pontífice, y que daban en nombre de Su Majestad por buenos los repartimientos que Cortés había hecho, y le dieron poder para repartir la tierra desde allí adelante, y por bueno todo lo que había hecho, porque claramente era servicio de Dios y de Su Majestad.

En lo de Garay, ni en otras cosas de las acusaciones que le ponían, la muerte de su mujer doña Catalina Juárez, la Marcaida, que pues no daban informaciones acerca de ello, que lo reservaban para el tiempo andando, y le enviaron a tomar residencia; y en lo que Narváez pedía que le tomaron sus provisiones del seno y que fue Alonso de Ávila, que estaba en aquella sazón preso en Francia, que le prendió Juan Florín, francés, gran corsario, cuando robó la recámara que llamábamos de Montezuma, dijeron aquellos caballeros que lo fuese a pedir a Francia, o que le citasen y pareciese en la corte de Su Majestad, para ver lo que sobre ello respondía; y a los dos pilotos, Umbría y Cárdenas, les mandaron dar cédulas reales para que en la Nueva España les den indios que renten a cada uno mil pesos de oro. Y mandaron que todos los conquistadores fuésemos antepuestos y nos diesen buenas encomiendas de indios, y que nos pudiésemos asentar en los más preeminentes lugares, así en las santas iglesias como en otras partes.

Pues ya dada y pronunciada esta sentencia por aquellos caballeros que Su Majestad puso por jueces, lleváronlo a firmar a Valladolid, donde Su Majestad estaba, porque en aquel tiempo pasó de Flandes, en aquella sazón mandó pasar allí toda su real corte y consejo; y firmóla Su Majestad, y dio otras sus reales provisiones para echar los tornadizos de la Nueva España, porque no hubiese contradicción en la conversión de los naturales, y asimismo mandó que no hubiese letrados por ciertos años, porque doquiera que estaban revolvían pleitos y debates y cizañas; y diéronse todos estos recaudos firmados de Su Majestad y señalados de aquellos caballeros que fueron jueces, y de don García de Padilla, en la misma villa de Valladolid, a diez y siete de mayo de mil quinientos veinte y tantos años, y venían refrendadas del secretario don Francisco de los Cobos, que después fue comendador mayor de León; [162] y entonces escribió Su Majestad a Cortés y a todos los que con él pasamos agradeciéndonos los muchos y buenos y notables servicios que le hacíamos, y también en aquella sazón el rey don Hernando de Hungría y rey de romanos, padre del emperador que ahora es, escribió otra carta en respuesta de lo que Cortés le había escrito y enviado presentando muchas joyas de oro; y lo que decía el rey de Hungría en la carta que escribió, que ya tenía noticia de los muchos y grandes servicios que había hecho a Dios primeramente y a su señor y hermano el emperador y a toda la cristiandad, y que en todo lo que se le ofreciere que se lo haga saber para que sea intercesor en ello con su señor y hermano el emperador, porque de mucho más era merecedora su generosa persona, y que diese sus encomiendas a sus fuertes soldados que le ayudaron; y decía otras palabras de ofrecimientos, y acuérdaseme que en la firma decía: "Yo, el rey e infante de Castilla", y refrendada de su secretario, que se decía fulano de Castillejo; y esta carta yo la leí dos o tres veces en México, porque Cortés me la mostró para que viese en cuán gran estima éramos tenidos los verdaderos conquistadores.

[162] Consignó Gómara (t. II, pág. 111) que la cédula de nombramiento de gobernador a favor de Cortés, fue firmada a 22 de octubre de 522 y notificada a Velázquez, en Santiago, Cuba, en mayo de 523.

Pues como estos despachos tuvieron nuestros procuradores, luego envían con ellos en posta a un Rodrigo de Paz, primo de Cortés, deudo del licenciado Francisco Núñez, y también vino con ellos un hidalgo de Extremadura, pariente del mismo Cortés, que se decía Francisco de las Casas, y trajeron un navío buen velero, y vinieron camino de la isla de Cuba. Y en Santiago de Cuba, donde Diego Velázquez estaba por gobernador, le notificaron las provisiones y sentencia para que se dejase del pleito de Cortés y le demandase los gastos que había hecho, la cual notificación se hizo con trompetas; y Diego Velázquez de pesar cayó malo, y de allí a pocos meses murió muy pobre y descontento.

Y para no volver yo otra vez a recitar lo que en Castilla negoció Francisco de Montejo y Diego de Ordaz, dirélo ahora: A Francisco de Montejo Su Majestad le hizo merced de la gobernación y adelantado de Yucatán y Cozumel, y trajo don y señoría; y a Diego de Ordaz Su Majestad confirmó los indios que tenía en la Nueva España y le dio una encomienda de Señor Santiago y el volcán que está cabe Guaxocingo por armas; y con ello se vinieron a la Nueva España; y de allí a dos o tres años el mismo Ordaz volvió a Castilla y demandó la conquista del Marañón, donde se perdió él y toda su hacienda. Dejemos esto y digamos cómo el obispo de Burgos, que en aquella sazón supo los grandes favores que Su Majestad hizo a Cortés y a todos nosotros los conquistadores, y cómo muy claramente aquellos caballeros por mí ya memorados que fueron jueces, habían alcanzado a saber los tratos que entre él y Diego Velázquez había, y cómo tomaba el oro que enviábamos a Su Majestad, y encubría y torcía nuestros muchos servicios y aprobaba por buenos los de su amigo Diego Velázquez, si muy triste y pensativo estaba de antes, ahora de esta vez cayó malo de ello y de otros enojos que tuvo con un caballero su sobrino, que se decía don Alonso de Acebedo Fonseca, arzobispo que fue de Santiago, porque pretendía aquel arzobispo[ado] don Juan Rodríguez de Fonseca.

Dejemos de hablar de esto y digamos cómo Francisco de las Casas y Rodrigo de Paz llegaron a la Nueva España y entraron en México, con las reales provisiones que de Su Majestad traían para Cortés. ¡Qué alegría y regocijos se hicieron y qué de correos fueron por todas las provincias de la Nueva España a demandar albricias a las villas que estaban pobladas, y qué mercedes hizo Cortés al de las Casas y a Rodrigo de Paz y a otros que venían en su compañía, que eran de su tierra de Medellín! Y es que a Francisco de las Casas le hizo capitán y le dio luego un pueblo que se dice Aguitlán, y a Rodrigo de Paz le dio otros muy buenos pueblos y le hizo su mayordomo mayor y su secretario, y mandaba absolutamente al mismo Cortés, y también a los que vinieron de su tierra de Medellín a todos les dio indios, y al maestre del navío en que trajeron la nueva de cómo era Cortés gobernador le dio oro con que volvió rico a Castilla.

Dejemos ahora esto de recitar las alegrías y albricias que se dieron por las nuevas por mí memoradas, y quiero decir lo que me han preguntado algunos curiosos lectores, y tienen razón de poner plática sobre ello; que cómo pude yo alcanzar a saber lo que pasó en España, así de lo que mandó Su Santidad como de las quejas que dieron de Cortés y las respuestas que sobre ello propusieron nuestros procuradores, y la sentencia que sobre ello se dio, y otras muchas particularidades que aquí digo, y declaro, estando yo en aquella sazón conquistando la Nueva España y sus provincias, no lo pudiendo ver ni oír; yo les respondí que no solamente yo lo alcancé a saber, sino todos los conquistadores que lo quisieron ver y leer en cuatro o cinco cartas y relaciones, por sus capítulos declarado cómo y cuándo y en qué tiempo acaecieron lo por mí dicho, las cuales cartas y memoriales escribieron de Castilla nuestros procuradores porque conociésemos que entendían con mucho calor en nuestros negocios; yo dije en aquel tiempo muchas veces que solamente lo que procuraban, según pareció, era por las cosas de Cortés y las suyas de ellos, y que a nosotros los que lo ganamos y conquistamos, y le pusimos en el estado que Cortés estaba, quedamos siempre con un trabajo sobre otro; y porque hay mucho que decir sobre esta materia, se queda en el tintero, salvo rogar a Nuestro Señor Dios lo remedie y ponga en corazón a nuestro gran césar mande que su recta justicia se cumpla, pues que en todo es muy católico. Pasemos adelante y digamos en lo que Cortés entendió después que le vino la gobernación.

CAPÍTULO CLXIX

EN LO QUE CORTÉS ENTENDIÓ DESPUÉS QUE LE VINO LA GOBERNACIÓN DE LA NUEVA ESPAÑA, CÓMO Y DE QUÉ MANERA REPARTIÓ LOS PUEBLOS DE INDIOS, Y OTRAS COSAS QUE PASARON, Y UNA MANERA DE PLATICAR QUE SOBRE ELLO SE HA DECLARADO ENTRE PERSONAS DOCTAS

YA QUE LE VINO la gobernación de la Nueva España a Cortés, paréceme a mí y a otros conquistadores de los antiguos, de los de más maduro y prudente consejo, que lo que había de mirar Cortés [era] acordarse desde el día que salió de la isla de Cuba y tener atención en todos los trabajos que se vio cuando en lo de los arenales desembarcamos, qué personas fueron en favorecerle para que fuese capitán general y justicia mayor de la Nueva España, y lo otro, quiénes fueron los que se hallaron siempre a su lado en todas las guerras, así de Tabasco y Zingapacinga, y en tres batallas de Tlaxcala, y en la de Cholula, cuando tenían puestas las ollas con *ají* para comernos cocidos; y también quiénes fueron en favorecer su partido cuando por seis o siete soldados que no estaban con él le hacían requerimientos que se volviese a la Villa Rica y no fuese a México, poniéndole por delante la gran pujanza de guerreros y gran fortaleza de la ciudad; y quiénes fueron los que entraron con él en México y se hallaron en prender al gran Montezuma; y luego que vino Pánfilo de Narváez con su armada, qué soldados fueron los que llevó en su compañía y le ayudaron a prender y desbaratar a Narváez; y luego quiénes fueron los que volvieron con él a México al socorro de Pedro de Alvarado, y se hallaron en aquellas puentes y grandes batallas que nos dieron hasta que salimos huyendo de México, que de mil trescientos soldados quedaron muertos sobre ochocientos cincuenta con los que mataron en Tustepeque y por los caminos, y no escapamos sino cuatrocientos cuarenta muy heridos, y a Dios misericordia; y también se le había de acordar de aquella muy temerosa batalla de Otumba, quién, después de Dios, se la ayudó a vencer y salir de aquel tan gran peligro, y después quién y cuántos le ayudaron a conquistar lo de Tepeaca y Cachula y sus comarcas, como fue Ozucar y Guacachula, y otros pueblos, y la vuelta que dimos por Tezcuco para México, y de otras muchas entradas que desde Tezcuco hicimos, así como las de Iztapalapa, cuando nos quisieron anegar con echar el agua de la laguna, como echaron, creyendo de ahogarnos, y asimismo las batallas que hubimos con los naturales de aquel pueblo y mexicanos que les ayudaron, y luego la entrada de Saltocán y los peñoles que se llaman hoy día del Marqués, y otras muchas entradas; y el rodear de los grandes pueblos de la laguna, y de los muchos reencuentros y batallas que en aquel viaje tuvimos, así de los de Xochimilco como los de Tacuba; y vueltos a Tezcuco, quién le ayudó contra la conjuración que tenían concertada y ordenado de matarle cuando sobre ello ahorcó a un Villafaña, y pasado esto, quiénes fueron los que le ayudaron a conquistar a México, y en noventa y tres días a la contina, de día y de noche, tener batallas y muchas heridas y trabajos hasta que se prendió Guatemuz, que era el que mandaba en aquella sazón a México; y quiénes fueron en ayudarle a favorecer cuando vino a la Nueva España un Cristóbal de Tapia para que le diese la gobernación, y demás de todo esto, quiénes fueron los soldados que escribimos tres veces a Su Majestad en loor de los grandes y muchos y buenos y notables servicios que Cortés le había hecho, y que era digno de grandes mercedes y le hiciese gobernador de la Nueva España; no quiero aquí traer a la memoria otros servicios que siempre a Cortés hacíamos.

Pues los varones y fuertes soldados que en todo esto nos hallamos, y ahora que le vino la gobernación, que, después de Dios, con nuestra ayuda se la dieron, bien fuera que tuviera cuenta con Pero y Sancho y Martín, y otros que lo merecían, y el soldado y compañero, que estaba por su ventura en Colima o Zacatula, o en Pánuco o Guazacualco; y los que andaban huyendo cuando despoblaron a Tututepeque, y estaban pobres, y no les cupo suerte de buenos indios, pues había bien que darles y sacarles de mala tierra, pues que Su Majestad muchas veces se lo mandaba y encargaba por sus reales cartas misivas, y no daba Cortés nada de su hacienda, y habíales de dar con que se remediasen, y en todo anteponerles; y siempre cuando escribiese a los procuradores que estaban en Castilla en nuestro nombre, que procurasen por nosotros, y el mismo Cortés había de escribir a Su Majestad muy afectuosamente para que nos diese para nosotros y nuestros hijos cargos y oficios reales, todos los que en la Nueva España se hubiese; mas digo que mal ajeno de pelo cuelga, y que no procuraba sino para él la gobernación que le trajeron antes que fuese marqués, y después que fue a Castilla y vino marqués.

Dejemos esto y pongamos aquí otra manera que fuera harto buena y justa para repartir todos los pueblos de la Nueva España, según dicen muy doctos conquistadores que la ganamos, de prudente y maduro juicio, que lo había de hacer en esto: hacer cinco partes la Nueva España, y la quinta parte de las mejores ciudades y cabeceras de todo lo poblado darla a Su Majestad, de su real quinto, y otra parte dejarla para repartir para que fuese la renta de ellas para iglesias y hospitales y monasterios, y para que si Su Majestad quisiese hacer algunas mercedes a caballeros que le hayan servido de allí pudiera haber para todos; y las tres partes que quedaban repartirlas en su persona de Cortés y en todos nosotros, los verdaderos conquistadores, según y de la calidad que sentía que era cada uno, y darles perpetuos, porque en aquella sazón Su Majestad lo tuviera por bien, porque como no había gastado cosa ninguna en estas conquistas, ni sabía ni tenía noticia de estas tierras, estando como estaba en aquella sazón en Flandes, y viendo una buena parte de las del Nuevo Mundo que le entregábamos como muy leales vasallos, lo tuviera por bien y nos hiciera merced de ellas, y con ello quedáramos, y no anduviéramos como andamos ahora de mula coja y abatidos y de mal en peor, debajo de gobernadores que hacen lo que quieren, y muchos de los conquistadores no tenemos con qué sustentarnos, ¿qué harán los hijos que dejamos?

Quiero decir lo que hizo Cortés y a quién dio los pueblos. Primeramente a Francisco de las Casas, a Rodrigo de Paz, al factor y veedor y contador que en aquella sazón vinieron de Castilla, a un Ávalos y Sayavedra, sus deudos; y a un Barrios, con quien casó su cuñada, hermana de su mujer la Marcaida, porque no le acusasen la muerte de su mujer; y Alonso Lucas, a un Juan de la Torre y Luis de la Torre, a un Villegas, y a un Alonso Valiente, a un Rivera, el Tuerto; y ¿para qué cuento yo estos pocos?, que a todos cuantos vinieron de Medellín y otros criados de grandes señores, que le contaban cuentos de cosas que le agradaban, les dio lo mejor de la Nueva España; no digo yo que era mejor dejar de dar a todos, pues que había de qué, mas que había de anteponer primero los que Su Majestad le mandaba, y a los soldados, quien le ayudó a tener el ser y valor que tenía, y ayudarles, y pues que ya es hecho, no quiero recitar más.

Acuérdome que se traía una plática entre nosotros que cuando había alguna cosa de mucha calidad que repartir, que se traía por refrán, cuando había debates sobre ella, que solían decir: "No se lo repartir como Cortés", que se tomó todo el oro, lo más y mejor de la Nueva España para sí, y nosotros quedamos pobres en las villas que poblamos con la miseria que nos cayó en parte, y para ir a entradas que le convenían bien se acordaba adónde estábamos y nos enviaba a llamar para las batallas y guerras, como adelante diré, y dejaré de contar más lástimas, y de cual avasallados nos traía, pues no se puede ya remediar, y no dejaré de decir lo que Cortés decía después que le quitaron la gobernación, que fue cuando vino Luis Ponce de León, y después que murió

Luis Ponce dejó por su teniente a Marcos de Aguilar, como adelante diré; y es que íbamos a Cortés a decirle algunos caballeros y capitanes de los antiguos que le ayudaron en las conquistas que le diese de los indios de los muchos que en aquel instante Cortés tenía, pues que Su Majestad mandaba que le quitasen algunos de ellos, como se los habían de quitar y luego se los quitaron, y la respuesta que daba era que se sufriesen como él se sufría, que si le volvía Su Majestad [a] hacer merced de la gobernación, que en su conciencia que así juraba que no lo errase como en lo pasado, y que daría buenos repartimientos a quien Su Majestad le mandó, y que enmendaría el gran yerro pasado que hizo; y con aquellos prometimientos y palabras blandas creía que quedaban contentos, e iban renegando de él y aun maldiciéndole a él y a toda su generación y a cuanto poseía, y hubiese mal gozo de ello él y sus hijas.

Dejémoslo ya, y digamos que en aquella sazón o pocos días antes vinieron de Castilla los oficiales de la Hacienda de Su Majestad, que fue Alonso de Estrada, tesorero, y era natural de Ciudad Real, y vino el factor Gonzalo de Salazar, decía él mismo que fue el primer hijo de cristiano que nació en Granada, y decían que sus abuelos eran de Burgos; y vino Rodrigo de Albornoz por contador, porque ya había fallecido Julián de Alderete, y este Albornoz era natural de Paldinas o de Ragama; y vino el veedor Pedro Almíndez Chirino, natural de Úbeda o Baeza; y vinieron otras muchas personas con cargos.

Dejemos esto, y quiero decir que en este instante rogó un tal Rangel a Cortés, el cual Rangel muchas veces le he nombrado, que pues no se había hallado en la toma de México ni en ningunas batallas que hubo en la Nueva España, que porque hubiese alguna fama de él que le hiciese merced de darle una capitanía para ir a conquistar a los pueblos de los zapotecas que estaban de guerra y llevar en su compañía a Pedro de Ircio para ser su consejero en lo que había de hacer, y como Cortés conocía a Rodrigo Rangel que no era para darle ningún cargo, a causa que estaba siempre doliente y con grandes dolores de bubas y muy flaco, y las zancas y piernas muy delgadas y todas llenas de llagas, cuerpo y cabeza abierta, denegaba aquella entrada, diciendo que los indios zapotecas eran gentes malas de domar por las grandes y altas sierras adonde estaban poblados, y que no podían llevar caballos, y que siempre hay neblinas y rocíos, y los caminos eran angostos y resbalosos, y que no pueden andar por ellos sino, a manera de decir, los pies de que por ellos caminan adelante juntos a las cabezas de los que vienen atrás, entiéndalo de la manera que aquí digo que así es verdad, porque los que van arriba con los que vienen detrás vienen cabezas con pies, y no era cosa de ir a ellos, y que ya que fuesen que habían de llevar soldados bien sueltos y robustos y experimentados en las guerras; y como Rangel era muy porfiado y de la tierra de Cortés, que es Medellín, húbole de conceder lo que pedía, y, según después supimos, Cortés lo hubo por bien enviarle do se muriese, porque era de mala lengua, y decía malas palabras, y escribió a Guazacualco el mismo Cortés a diez o doce que nombró en la carta que nos rogaba que fuésemos con Rangel a ayudarle, y entre los soldados que mandó ir me nombró a mí, y fuimos todos los vecinos que Cortés nos escribió. Ya he dicho que hay grandes sierras en lo poblado de los zapotecas, y que los naturales de ellos son gente muy ligeros y cenceños y con unas voces y silbos que dan retumban todos los valles como a manera de ecos, y como habíamos de llevar a Rangel, no podíamos andar ni hacer cosa que buena fuese; ya que íbamos [a] algún pueblo, hallábamosle despoblado, y como no estaban juntas las casas, sino unas en un cerro y otras en un valle, y en aquel tiempo llovía, y el pobre de Rangel dando voces de dolor de las bubas, y la mala gana que todos teníamos de andar en su compañía, y viendo que era tiempo perdido, y que si por ventura los zapotecas, como son ligeros y tienen grandes lanzas muy mayores que las nuestras, y son grandes flecheros y tiran piedras con hondas, que si nos aguardaban e hiciesen cara, como no podíamos ir por los caminos sino uno a uno, temíamos viniese algún desmán, y Rangel estaba más malo que cuando vino, acordó de dejar la negra conquista, que negra se podía llamar, y volverse cada uno a su casa, y Pedro de Ircio, que traía por consejero, fue el primero que se lo aconsejó y le dejó y se fue a la Villa Rica, donde vivía, y Rangel dijo que se quería ir a Guazacualco con nosotros, por ser la tierra caliente, para prevalecer de su mal, y los que éramos vecinos de Guazacualco que allí estábamos, por peor tuvimos llevar con nosotros aquel mal pelmazo que la venida que venimos con él a la guerra; y llegados a Guazacualco, luego dijo que quería ir a pacificar las provincias de Zimatán y Talatupán, que ya he dicho muchas veces en el capítulo que de ello habla cómo no habían querido venir de paz a causa de los grandes ríos y ciénegas tembladoras entre quien estaban pobladas, y demás de la fortaleza de las ciénegas, ellos de su naturaleza son grandes flecheros y tenían muy grandes arcos y tiran muy certero.

Volvamos a nuestro cuento: que mostró Rangel provisiones en aquella villa de Hernando Cortés cómo le enviaba por capitán para que conquistase las provincias que estuviesen de guerra, y señaladamente la de Zimatán y Talatupán, y apercibió todos los más vecinos de aquella villa que fuésemos con él, y era tan temido Cortés, que aunque nos pesó no osamos hacer otra cosa después que vimos sus provisiones, y fuimos con Rangel sobre cien soldados de los de a caballo y a pie, con obra de veintiséis ballesteros y escopeteros, y fuimos por Tonalá y Ayagualulco y Copilco y Zacualco, y pasamos muchos ríos en canoas y balsas, y pasamos por Teuitán, Copilco y por todos los pueblos que llamábamos la Chontalpa, que estaban de paz, y llegamos obra de cinco leguas de Zimatán, y en unas ciénegas y malos pasos estaban juntos todos los más guerreros de aquella provincia y tenían hechos unos cercados y grandes albarradas y palos y maderos gruesos, y ellos de dentro, y con unos pretiles y saeteras por donde podían flechar, de presto nos dan una tan buena refriega de flecha y vara tostada con tiraderas, que mataron a siete caballos e hirieron sobre ocho soldados, y al mismo Rangel, que iba a caballo, le dieron un flechazo en el brazo izquierdo, y no le entró sino muy poco, y como los conquistadores viejos habíamos dicho a Rangel que siempre fuesen hombres sueltos a pie descubriendo caminos y celadas, y le habíamos dicho ya otras veces cómo aquellos indios solían pelear muy bien y con maña, y como él era hombre que hablaba mucho, dijo que votaba a tal que si nos creyera que no le aconteciera aquello, y que de allí en adelante que nosotros fuésemos los capitanes y le mandásemos en aquella guerra, y luego de que fueron curados los soldados y ciertos caballos que también hirieron, demás de los siete que mataron, mandóme a mí que fuese adelante descubriendo, y llevaba un lebrel muy bravo que era de Rangel y otros dos soldados muy sueltos y ballesteros, y le dije que se quedase bien atrás con los de a caballo y los soldados y ballesteros fuesen junto conmigo; y yendo por nuestro camino para el pueblo de Zimatán, que era en aquel tiempo bien poblado, hallamos otras albarradas y fuerzas ni más ni menos que las pasadas, y tírannos a los que íbamos adelante tanta flecha y vara, que de presto mataron el lebrel, y si yo no fuera muy armado, allí quedara, porque me empendolaron siete flechas, que con el mucho algodón de las armas se detuvieron, y todavía salí herido en una pierna, y a mis compañeros a todos hirieron. Y entonces yo di voces a unos indios nuestros amigos que venían poco atrás, de socorro, para que viniesen de presto los ballesteros y escopeteros y peones y que los de a caballo se quedaran atrás, porque allí no podían correr ni aprovecharse de los caballos y se los flecharían, y luego acudieron así como lo envié a decir, porque de antes cuando yo me adelanté así lo tenía concertado, que los de a caballo quedasen muy atrás y que todos los demás estuviesen muy prestos, en teniendo señal o mandado; y como vinieron los ballesteros y escopeteros, los hicimos desembarazar las albarradas y se acogieron a unas grandes ciénegas que temblaban, y no había hombre que en ellas entrase que pudiese salir sino a gatas o con gran ayuda.

En esto llegó Rangel con los de a caballo, y allí cerca estaban muchas casas que entonces despoblaron los moradores de ellas, y reposamos aquel día y se curaron los heridos; otro día caminamos para ir al pueblo de Zimatán, y hay grandes sabanas llanas, y en medio de las sabanas muy malísimas ciénegas, y en una de ellas nos aguardaron, y fue con un ardid que entre ellos concertaron para aguardar en el campo raso de las sabanas, y propusieron que los caballos, por codicia de alcanzarlos y alancearlos, irían corriendo tras ellos y a rienda suelta altollarían en las ciénegas, y así fue como lo concertaron y lo hicieron, que por más que habíamos dicho y aconsejado a Rangel que mirase que había muchas ciénegas, y que no corriese por aquellas sabanas a rienda suelta, que atollarían los caballos, y que suelen tener aquellos indios estas astucias y hechas saeterías y fuerzas junto a las ciénegas, no lo quiso creer, y el primero que atolló en ellas fue el mismo Rangel, y allí le mataron el caballo, y si de presto no fuera socorrido, ya se habían echado en aquellas malas ciénegas muchos indios para apañarle y llevar vivo y sacrificar; y todavía salió descalabrado en las llagas que tenía en la cabeza. Y como toda aquella provincia era muy poblada y estaba allí junto otro poblezuelo, fuimos a él y entonces huyeron los moradores, y se curó Rangel y tres soldados que habían herido, y desde allí fuimos a otras casas que también estaban sin gente, que entonces lo despoblaron sus dueños, y hallamos otra fuerza con grandes maderos y bien cercada y sus saeteras; y estando reposando, aún no habría un cuarto de hora, vienen tantos guerreros zimatecas, y nos cercan en el poblezuelo, que mataron a un soldado y a dos caballos, y tuvimos harto en hacerlos apartar, y entonces nuestro Rangel estaba muy doliente de la cabeza y había muchos mosquitos, que no dormía de noche ni de día, y murciélagos muy grandes que le mordían y le desangraban, y como siempre llovía y algunos soldados que Rangel había traído consigo de los que nuevamente habían venido de Castilla vieron que en tres partes nos habían aguardado los indios de aquella provincia y habían muerto once caballos [163] y herido a otros muchos, aconsejaron a Rangel que se volviese desde allí, pues la tierra era mala de ciénegas y estaba muy malo, y Rangel, que lo tenía en gana, y porque pareciese que no era de su albedrío y voluntad aquella vuelta, sino por consejo de muchos, acordó de llamar a consejo sobre ello a personas que eran de su parecer para que se volviesen, y en aquel instante habíamos ido a ver si podíamos tomar alguna gente de unas huertas de cacahuatales que allí junto estaban, y trajimos dos indios y tres indias; y entonces Rangel me llamó a mí aparte y a consejo porque éramos muy amigos del dicho, y él de nosotros, y dijo de su mal de cabeza, y que le aconsejaban los demás soldados que se vol-

[163] Tachado: *y un soldado.*

viese, y me declaró todo lo que había pasado; entonces le reprehendí su vuelta, y como nos conocíamos de más de cuatro años atrás de la isla de Cuba, le dije: "¡Cómo, señor! ¿Qué dirán de vuestra merced, estando junto al pueblo de Zimatán y quererse volver? Pues Cortés no lo tendrá a bien, y maliciosos que os quieren mal os lo darán en cara, que en la entrada de los zapotecas ni aquí no habéis hecho cosa ninguna que buena sea, trayendo como traéis tan buenos conquistadores, que son los de nuestra villa de Guazacualco; pues por lo que toca a nuestra honra y a la de vuestra merced, yo y otros soldados somos en parecer que pasemos adelante, y yo iré con mis compañeros descubriendo ciénegas y montes, y con los ballesteros y escopeteros pasaremos hasta la cabecera de Zimatán, y mi caballo dele vuestra merced a otro caballero que sepa bien menear la lanza y tener ánimo para mandarle, que yo no me puedo servir de él en esto en que voy, y se vengan con los de a caballo algo atrás." Y desde que Rodrigo Rangel aquello me oyó, como era hombre vocinglero y hablaba mucho, salió de la casilla en que estaba en el consejo y a grandes voces llamó a todos los soldados y dijo: "Ya es echada la suerte, que ya hemos de ir adelante, que voto a tal o descreo de tal (que siempre éste era su jurar y su hablar), si Bernal Díaz del Castillo no me ha dicho la verdad y lo que a todos conviene."

Y puesto que algunos soldados les pesó, otros lo hubieron por bueno, y luego comenzamos a caminar puestos en gran concierto, los ballesteros y escopeteros junto conmigo y los de a caballo detrás, por mor de los montes y ciénegas, donde no podían correr caballos, hasta que llegamos a otro pueblo, que entonces le despoblaron los naturales de él, y desde allí fuimos a la cabecera de Zimatán, y tuvimos otra buena refriega de flecha y vara, y de presto les hicimos ir huyendo, y quemaron los mismos vecinos naturales de aquel pueblo muchas de sus casas, y allí prendimos hasta quince hombres y mujeres, y les enviamos a llamar con ellos a los zimatecas que vinieran de paz, y les dijimos que en lo de las guerras se les perdonará; y vinieron los parientes y maridos de las mujeres y gente menuda que teníamos presos, y dímosles toda la presa, y dijeron que traerían de paz a todo el pueblo, y jamás volvieron con respuesta, y entonces me dijo a mí Rangel: "Voto a tal que me habéis engañado, que habéis de ir a entrar con otros compañeros y que me habéis de buscar tantos indios e indias como los que me hiciste soltar por vuestro consejo." Y luego fuimos cincuenta soldados, y yo por capitán, y dimos en unos ranchos que tenían entre unas ciénegas que temblaban, que no osamos entrar en ellas, y desde allí se fueron huyendo, por unos grandes breñadales y espinos que se llaman entre ellos *xihuaquetlán,* muy malos, que pasan los pies, y en unas huertas de cacahuatales prendimos seis hombres y mujeres con sus hijos chicos, y nos volvimos adonde quedaba el capitán y con aquello le apaciguamos, y los tornó luego a soltar para que llamasen de paz a los zimatecas, y en fin de razones no quisieron venir, y acordamos de volvernos a nuestra villa de Guazacualco; y en esto paró la entrada de Zapotecas y la de Zimatán, y ésta es la fama que quería que hubiese de Rangel cuando pidió a Cortés aquella conquista.

Quiero decir algunas cosas que Rodrigo Rangel hizo en aquel camino, que son donaires de reír. Cuando estaban en las sierras de los zapotecas, parece ser que un soldado de los nuevamente venidos de Castilla le hizo un enojo, y Rangel dijo y juró y votó a tal que le había de atar en un pie de amigo, y dijo: "¿No hay un bellaco que le eche mano y me le ayude atar?" Entonces estaba allí un soldado que vive ahora en Oaxaca que se dice Hernando de Aguilar, y como era hom bre sin malicia, dijo: "Quiérome apartar de aquí, no me lo manden a mí que le eche mano." Y Rangel tuvo tal risa de aquello, que luego perdonó al soldado que le había enojado por lo que Aguilar dijo. Otra vez, soltóse un caballo a un soldado, que se decía Salazar, y no le podía tomar, y dijo Rangel: "Ayúdenselo a tomar uno de los más bellacos y ruines que ahí vienen"; y vino un caballero, persona de calidad, que no entendió lo que Rangel dijo y le tomó el caballo; dale a Rangel tal risa, que a todos nos hizo reír de cosas que decía. Entre soldados tenían diferencias sobre un tributo de cacao que le dio un poblezuelo que tenían entrambos en compañía depositados por Cortés, y aunque no quisieron los compañeros les hizo echar suertes quién se lleva el pueblo; y hacía y decía otras cosas que eran más para reír que no de escribir. Por este Rodrigo Rangel dijo Gonzalo de Ocampo, por los juramentos y sacramentos que juraba y cosas que decía que tocaban a Castilla y en el Santo Oficio. No quise hacer capítulo por sí sobre esta capitanía que dieron a este Rodrigo Rangel, porque no hicimos cosa buena por falta de tiempo, y el toque de todo, el capitán ser tan doliente, y no poderse tener en los pies de malo y tullido, y no de la lengua. Y de allí a dos años y poco tiempo más volvimos de hecho a los zapotecas y a las demás provincias, y las conquistamos y trajimos de paz, lo cual diré adelante. Y dejemos esto, y digamos cómo Cortés envió a Castilla a Su Majestad sobre ochenta mil pesos de oro, con un Diego de Soto, natural de Toro, y paréceme que con un Ribera, el Tuerto, que fue su secretario, y entonces envió el tiro muy rico, que era de oro bajo y plata, que le llamaban el *Ave Fénix;* y también envió a su padre, Martín Cortés, muchos millares de pesos de oro; y lo que sobre ello pasó diré adelante.

CAPÍTULO CLXX

CÓMO EL CAPITÁN HERNANDO CORTÉS ENVIÓ A CASTILLA A SU MAJESTAD OCHENTA MIL PESOS EN ORO Y PLATA, Y ENVIÓ UN TIRO QUE ERA UNA CULEBRINA MUY RICAMENTE LABRADA DE MUCHAS FIGURAS, Y EN TODA ELLA, Y EN LA MAYOR PARTE, ERA DE ORO BAJO REVUELTO CON PLATA DE MICHOACÁN, QUE POR NOMBRE SE DECÍA "EL FÉNIX", Y TAMBIÉN ENVIÓ A SU PADRE, MARTÍN CORTÉS, SOBRE CINCO MIL PESOS DE ORO. Y LO QUE SOBRE ELLO AVINO DIRÉ ADELANTE

PUES COMO CORTÉS había recogido y allegado obra de ochenta mil pesos de oro, y la culebrina que se decía *El Fénix* ya era acabada de forjar, y salió muy extremada pieza para presentar a un tan alto emperador como era nuestro césar, y decía en un letrero que tenía escrito en la misma culebrina: "Aquesta ave nació sin par; yo en serviros, sin segundo, y vos, sin igual en el mundo", todo lo envió a Su Majestad con un hidalgo natural de Toro, que se decía Diego de Soto, y no me acuerdo bien si fue en aquella sazón un Juan de Ribera, que era tuerto de un ojo, que tenía una nube, que había sido secretario de Cortés; a lo que yo sentí de Ribera, era una mala herbeta, porque cuando jugaba a naipes y a dados no me parecía que jugaba bien, y además de esto tenía muchos malos reveses, y esto digo porque llegado a Castilla se alzó con los pesos de oro que le dio Cortés para su padre, Martín Cortés, y porque se lo pidió Martín Cortés, y por ser Ribera de suyo mal inclinado, no mirando a los bienes que Cortés le había hecho siendo un pobre hombre, en lugar de decir verdad y bien de su amo, dijo tantos males, y por tal manera los razonaba, que como tenía gran retórica y había sido su secretario del mismo Cortés, le daban crédito, especial el obispo de Burgos; y como Narváez, por mí muchas veces memorado, y Cristóbal de Tapia, y los procuradores de Diego Velázquez, y otros que les ayudaban, y había acaecido en aquella sazón la muerte de Francisco de Garay, todos juntos tornaron a dar muchas quejas de Cortés ante Su Majestad, y tantas y de tal manera, y que fueron parciales los jueces que puso Su Majestad, por dádivas que Cortés les envió para aquel efecto, que otra vez estaba revuelta la cosa, y Cortés tan desfavorecido, que si no fuera por el duque de Béjar, que le favoreció y quedó por su fiador, que le mandase Su Majestad tomar residencia y que no le hallarían culpado; y esto hizo el duque porque ya tenía tratado casamiento a Cortés con una señora sobrina suya, que se decía doña Juana de Zúñiga, hija del conde de Aguilar, don Carlos de Arellano, y hermana de unos caballeros y privados del emperador; y como en aquella sazón llegaron los [164] ochenta mil pesos de oro y las cartas de Cortés dando en ellas muchas gracias y ofrecimientos a Su Majestad por las grandes mercedes que le había hecho en darle la gobernación de México, y haber sido servido mandarle favorecer con justicia en la sentencia que dio a su favor, cuando la junta que mandó hacer de los caballeros de su Real Consejo y Cámara, ya otras veces por mí memorados; y en fin de más razones, todo lo que estaba dicho contra Cortés se tornó a sosegar con que le fuese a tomar residencia, y por entonces no se habló más de ello.

Y dejemos ya de decir de estos nublados que sobre Cortés estaban ya para descargar, y digamos del tiro y de su letrero, tan sublimado servidor como Cortés se nombró. Que como se supo en la corte y ciertos duques, marqueses y condes y hombres de gran valía se tenían por tan grandes servidores de Su Majestad, y tenían en sus pensamientos que otros caballeros tanto como ellos hubiesen servido a la corona real, tuvieron que murmurar del tiro y aun de Cortés, porque tal blasón escribió. También sé que otros grandes señores, como fue el almirante de Castilla, el duque de Béjar, el conde de Aguilar, dijeron a los mismos caballeros que habían puesto en pláticas que era muy bravoso el blasón de la culebrina. "No se maravillen que Cortés ponga aquel escrito en el tiro; veamos ahora, en nuestros tiempos, ¿[ha] habido capitán que tales hazañas y que tantas tierras haya ganado, sin gasto y sin poner en ello Su Majestad cosa ninguna, y tantos cuentos de gentes se hayan convertido a nuestra santa fe? Y además de esto, no solamente él, sino los soldados y compañeros que tiene, que le ayudaron a ganar una tan fuerte ciudad y de tantos vecinos, y de tantas tierras, son dignos de que Su Majestad les haga muchas mercedes; porque si miramos en ello, nosotros de nuestros antepasados que hicieron heroicos hechos y sirvieron a la corona real y a los reyes que en aquel tiempo reinaron, como Cortés y sus compañeros han hecho, lo heredamos, y nuestros blasones y tierras y rentas." Y con estas palabras se olvidó lo del blasón; y porque no pasase de Sevilla la culebrina tuvimos nueva que a don Francisco de los Cobos, comendador mayor de León, le hizo Su Majestad merced de ella, y que la deshicieron y afinaron el oro y lo fundieron en Sevilla, y dijeron que valió sobre veinte mil ducados. Y en aquel tiempo como Cortés en-

[164] Tachado en el original: *cincuenta, sesenta, setenta.*

vió aquel oro y el tiro, y las riquezas que había enviado la primera vez, que fueron la luna de oro y el sol de plata, y otras muchas joyas de oro con Francisco de Montejo y Alonso Hernández Puerto Carrero; y lo que hubo enviado la segunda vez con Alonso de Ávila y Quiñones, que esto fue la cosa más rica que hubo en la Nueva España, que era la recámara de Montezuma y de Guatemuz y de los grandes señores de México; y lo robó Juan Florín, francés, y como esto se supo en Castilla, tuvo Cortés gran fama, y así en Castilla y en otras partes de la cristiandad, y en todas partes fue muy loado.

Dejemos esto y digamos en qué paró el pleito de Martín Cortés con Ribera sobre los tantos mil pesos que enviaba Cortés a su padre, y es que andando en el pleito pasando Ribera por la villa del Cadahalso, comió o almorzó unos torreznos, y así como los comió, murió súbitamente y sin confesión. Perdónele Dios, amén.

Dejemos lo acaecido en Castilla y volvamos a decir de la Nueva España cómo Cortés estaba siempre entendiendo en la ciudad de México que fuese muy poblada de los naturales mexicanos como de antes estaban, y les dio franqueza y libertades que no pagasen tributo a Su Majestad hasta que tuviesen hechas sus casas y aderezadas las calzadas y puentes, y todos los edificios y caños por donde solía venir el agua de Chapultepec para entrar en México, y en la poblazón de los españoles tuviese hechas iglesias y hospitales y atarazanas, y otras cosas que convenían.

Y en aquel tiempo vinieron de Castilla al puerto de la Veracruz doce frailes franciscos, y por vicario general de ellos un muy buen religioso, que se decía fray Martín de Valencia, y era natural de una villa de tierra de Campos que se dice Valencia de Don Juan, y este muy reverendo religioso venía nombrado por el Santo Padre para ser vicario. Y lo que en su venida y recibimiento se hizo diré adelante.

CAPÍTULO CLXXI

CÓMO VINIERON AL PUERTO DE LA VERACRUZ DOCE FRAILES FRANCISCANOS DE MUY SANTA VIDA, Y VENÍA POR SU VICARIO Y GUARDIÁN FRAY MARTÍN DE VALENCIA, Y ERA TAN BUEN RELIGIOSO QUE HABÍA FAMA QUE HACÍA MILAGROS; ERA NATURAL DE UNA VILLA DE TIERRA DE CAMPOS QUE SE DICE VALENCIA DE DON JUAN, Y SOBRE LO QUE EN SU VENIDA CORTÉS HIZO

YA HE DICHO en los capítulos pasados que sobre ello hablan cómo habíamos escrito a Su Majestad suplicándole nos enviase religiosos franciscos, de buena y santa vida, para que nos ayudasen a la conversión y santa doctrina de los naturales de esta tierra para que se volviesen cristianos y les predicasen nuestra santa fe, como se la dábamos a entender desde que entramos a la Nueva España, y sobre ello había escrito Cortés juntamente con todos nosotros los conquistadores que ganamos la Nueva España a don fray Francisco de los Ángeles, que era general de los franciscos, que después fue cardenal, para que nos hiciese mercedes que los religiosos que enviase fueran de santa vida, para que nuestra santa fe siempre fuese ensalzada, y los naturales de estas tierras conociesen lo que les decíamos cuando estábamos batallando con ellos, que les decíamos que Su Majestad enviaría religiosos de mucho mejor vida que nosotros éramos, para que les diesen a entender los razonamientos y predicaciones que les decíamos que eran verdaderos; y el general don fray Francisco de los Ángeles nos hizo mercedes que luego envió los doce religiosos que dicho tengo, y entonces vino con ellos fray Toribio Motolinia, y pusiéronle este nombre de Motolinia los caciques y señores de México, que quiere decir en su lengua el fraile pobre, porque cuanto le daban por Dios lo daba a los indios y se quedaba algunas veces sin comer, y traía unos hábitos muy rotos y andaba descalzo, y siempre les predicaba, y los indios lo querían mucho porque era una santa persona.

Volvamos a nuestra relación. Como Cortés supo que estaban en el puerto de la Veracruz, mandó en todos los pueblos, así de indios como donde vivían españoles, que por donde viniesen les barriesen los caminos, y donde posasen les hiciesen ranchos, si fuese en el campo; y en poblado, cuando llegasen a las villas o pueblos de indios, que les saliesen a recibir y les repicasen las campanas, que en aquella sazón había en cada pueblo, y que todos comúnmente después de haberles recibido les hiciesen mucho acato, y que los naturales llevasen candelas de cera encendidas, y con las cruces que hubiese y con más humildad, y porque los indios lo viesen, para que tomasen ejemplo, mandó a los españoles se hincasen de rodillas a besarles las manos y hábitos, y aun les envió Cortés al camino mucho refresco y les escribió muy amorosamente. Y viniendo por su camino, ya que llegaban cerca de México, el mismo Cortés, acompañado de nuestros valerosos y esforzados soldados, los salimos a recibir; juntamente fueron con nosotros Guatemuz, el señor de México, con todos los más principales mexicanos que había y otros muchos caciques de otras ciudades; y cuando Cortés supo que llegaban, se apeó del caballo, y todos nosotros juntamente con él; y ya que nos encontramos con los reverendos religiosos, el primero que se arrodilló delante de fray Martín de Valencia y le fue a besar las manos fue Cortés, y no lo consintió, y le besó los hábitos y a todos los más religiosos, y así hicimos todos los más capitanes y soldados que allí íbamos, y Guatemuz y los señores de México. Y de que Guatemuz y los demás caciques vieron ir a Cortés de rodillas a besarle las manos, espantáronse en gran manera, y como vieron a los frailes descalzos y flacos, y los hábitos rotos, y no llevaron caballos, sino a pie y muy amarillos, y ver a Cortés, que le tenían por ídolo o cosa como sus dioses, así arrodillado delante de ellos, desde entonces tomaron ejemplo todos los indios, que cuando ahora vienen religiosos les hacen aquellos recibimientos y acatos según de la manera que dicho tengo; y más digo, que cuando Cortés con aquellos religiosos hablaba que siempre tenía la gorra en la mano quitada y en todo les tenía gran acato; y ciertamente estos buenos religiosos franciscos hicieron mucho fruto en toda la Nueva España.

Dejémoslos en buena cosa y digamos de otra materia, y es que de allí a tres años y medio, o poco tiempo más adelante, vinieron doce frailes dominicos, y venía por provincial o prior de ellos un religioso que se decía fray Tomás Ortiz; era vizcaíno, y decían que había estado por prior o provincial en unas tierras que se dicen Las Puntas; y quiso Dios que cuando vinieron les dio dolencia de mal de modorra, de que todos los más murieron, lo cual diré adelante, y cómo y cuándo y con quién vinieron, y la condición que decían tenía el prior, y otras cosas que pasaron; y de cómo han venido otros muchos y buenos religiosos y de santa vida de la misma Orden de Santo Domingo, y han sentido su gran ejemplo, y muy santos, y han industriado a los naturales de esta provincia de Guatemala en nuestra santa fe muy bien, y han sido muy provechosos para todos.

Quiero dejar esta santa materia de los religiosos; y diré que como Cortés siempre temía que en Castilla por parte del obispo de Burgos se juntarían otra vez los partidarios de Diego de Velázquez, gobernador de Cuba, y dirían mal de él delante del emperador nuestro señor, y como tuvo nueva cierta, por cartas que le enviaron su padre Martín Cortés y Diego de Ordaz, que le trataban casamiento con la señora doña Juana de Zúñiga, sobrina del duque de Béjar, don Álvaro de Zúñiga, procuró de enviar todos los más pesos de oro que podía allegar, así de su gobernación como de lo que le ofrendaban los caciques de toda la tierra, lo uno para que conociese el duque de Béjar sus grandes riquezas, juntamente con sus heroicos hechos y buenas hazañas, y lo más principal que Su Majestad le favoreciese e hiciese mercedes. Y entonces le envió treinta mil pesos, y con ellos escribió a Su Majestad, lo cual diré adelante.

CAPÍTULO CLXXII

CÓMO CORTÉS ESCRIBIÓ A SU MAJESTAD Y LE ENVIÓ TREINTA MIL PESOS DE ORO, Y CÓMO ESTABA ENTENDIENDO EN LA CONVERSIÓN DE LOS NATURALES Y REEDIFICACIÓN DE MÉXICO, Y DE CÓMO HABÍA ENVIADO UN CAPITÁN QUE SE DECÍA CRISTÓBAL DE OLID A PACIFICAR LAS PROVINCIAS DE HONDURAS CON UNA BUENA ARMADA, Y SE ALZÓ CON ELLA, Y DIO RELACIÓN DE OTRAS COSAS QUE HABÍAN PASADO EN MÉXICO, Y EN EL NAVÍO QUE IBAN CON LAS CARTAS DE CORTÉS ENVIÓ OTRAS CARTAS MUY SECRETAS EL CONTADOR, QUE SE DECÍA RODRIGO DE ALBORNOZ, Y EN ELLAS DECÍA MUCHO MAL DE CORTÉS Y DE TODOS LOS QUE CON ÉL PASAMOS, Y LO QUE SU MAJESTAD SOBRE ELLO MANDÓ PROVEER

TENIENDO YA CORTÉS en sí la gobernación de la Nueva España por mandado de Su Majestad, parecióle sería bien hacerle sabedor cómo estaba entendiendo en la santa conversión de los naturales y la reedificación de la gran ciudad de Tenochtitlán (México), y también le dio relación cómo había enviado un capitán que se decía Cristóbal de Olid a poblar unas provincias que se nombran Honduras, y que le dio cinco navíos bien bastecidos y gran copia de soldados y bastimentos, y muchos caballos y tiros, y escopeteros y ballesteros, y todo el género de armas, y que gastó muchos millares de pesos de oro en hacer la armada, y que Cristóbal de Olid se alzó con todo ello, y quien le aconsejó que se alzase fue un Diego Velázquez, gobernador de Cuba, que hizo compañía con él en la armada; y que, si Su Majestad era servido, que tenía determinado de enviar con brevedad otro capitán para que le tome la misma armada y le traiga preso, o ir él en persona, porque si se quedaba sin castigo se atreverían otros capitanes a levantarse con otras armadas que por fuerza había de enviar a conquistar y poblar otras tierras que están de guerra, y a esta causa suplicaba a Su Majestad le diese licencia para ello. Y también se envió a quejar de Diego Velázquez, no tan solamente por lo del capitán Cristóbal de Olid, sino por las conjuraciones y escándalos que por sus cartas que enviaba desde la isla de Cuba para que matasen a Cortés, causa, porque en saliendo de aquella ciudad de México para ir a conquistar algunos pueblos recios que se levantaban, hacían conjuraciones los de la parte de Diego Velázquez para matarle y levantarse con la gobernación, y que había hecho justicia de uno de los más culpados, y que este favor le daba el obispo de Burgos, que está por presidente de Indias, en ser amigo de Diego Velázquez. Y escribió cómo le enviaba y servía con treinta mil pesos de oro, y que si no fuera por los bullicios y conjuraciones pasadas, que recogiera mucho más oro, y que con la ayuda de Dios y en la buenaventura de Su Real Majestad, que en todos los navíos que de México fuesen enviaría lo que pudiese.

Y asimismo escribió a su padre, Martín Cortés, y a un su deudo que se decía el licenciado Francisco Núñez, que era relator del Real Consejo de Su Majestad, y también escribió a Diego de Ordaz, en que les hacía saber todo lo por mí atrás dicho; y también dio noticia cómo un Rodrigo de Albornoz, que estaba por contador, que secretamente andaba murmurando en México de Cortés, porque no le dio indios como él quisiera, y también porque le demandó una cacica, hija del señor de Tezcuco, y no se la quiso dar porque en aquella sazón la casó con una persona de calidad; y les dio aviso que había sabido que fue secretario del Estado de Flandes y que era muy servidor de don Juan Rodríguez de Fonseca, obispo de Burgos, y que era hombre que tenía por costumbre de escribir cosas nuevas, y aun por cifras, que por ventura escribiría al obispo, como era presidente de Indias, cosas contrarias de la verdad, porque en aquel tiempo no sabíamos que le habían quitado el cargo al obispo; que tuviesen aviso de todo. Y estas cartas envió duplicadas, porque siempre se temió que el obispo de Burgos, como era presidente, había mandado a Pedro de Isasaga y a Juan López de Recalde, oficiales de la Casa de la Contratación de Sevilla, que todas las cartas y despachos de Cortés se las enviasen en posta para saber lo que en ellas iba, porque en aquella sazón Su Majestad había venido de Flandes y estaba en Castilla, para hacer relación el obispo a Su Majestad y ganar por la mano antes que nuestros procuradores le diesen las cartas de Cortés, y aún en aquella sazón no sabíamos en la Nueva España que habían quitado el cargo al obispo de ser presidente.

Dejemos de las cartas de Cortés, y diré que en este navío donde iba el pliego de Cortés envió el contador Albornoz, por mí memorado, otras cartas a Su Majestad y al obispo de Burgos y al Real Consejo de Indias; y lo que en ellas decía, por capítulos, hizo saber todas las causas y cosas que de antes había sido acusado Cortés, cuando Su Majestad le mandó poner jueces a los caballeros de su Real Consejo, ya otra vez por mí nombrados en el capítulo que de ello habla, cuando por sentencia que sobre ello [hubo] *nos dieron por muy leales servidores de Su Majestad;* y además de aquellos capítulos, ahora de nuevo escribió que Cortés demandaba a todos los caciques de la Nueva España muchos tejuelos de oro, y les mandaba sacar oro de las minas, que todo esto decía Cortés que era para enviar a Su Majestad y se quedaba con ello y no lo enviaba a Su Majestad; y que hizo unas casas muy fortalecidas, y que ha juntado muchas hijas de grandes señores para casarlas con españoles, y se las piden hombres honrados por mujeres, y que no se las da por tenerlas por amigas; y dijo que todos los caciques y principales le tenían en tanta estima como si fuera rey, y que en esta tierra no conocen a otro rey ni señor sino a Cortés, y como rey llevaba quinto, y que tiene gran cantidad de barras de oro atesorado, y que no ha sentido bien de su persona si está alzado o será leal, y que había necesidad que Su Majestad, con brevedad, mandase venir a estas partes un caballero con gran copia de soldados, muy apercibidos, para quitar el mando y señorío; y escribió otras cosas sobre esta materia.

Y quiero dejar de más particularizar lo que iba en las cartas, y diré que fueron a manos del obispo de Burgos, que residía en Toro; y como en aquella sazón estaban en la corte Pánfilo de Narváez y Cristóbal de Tapia, ya otras veces por mí memorados, y todos los procuradores de Diego Velázquez, les avisó el obispo para que nuevamente se quejasen ante Su Majestad de Cortés, de todo lo que antes le hubieron dado relación, y dijesen que los jueces que puso Su Majestad que se mostraron por la parte de Cortés por dádivas que les dio, y que Su Majestad fuese servido viese ahora nuevamente lo que escribe el contador, su oficial, y para testigo de ello hicieron presentación de las cartas. Pues viendo Su Majestad las cartas y las palabras y quejas que Narváez decía muy entonado, porque así hablaba, demandando justicia, creyó que eran verdaderas, y el obispo que les ayudó con otras cartas de favor, dijo Su Majestad: "Yo quiero enviar a castigar a Cortés, que tanto mal dicen de él que hace, y aunque más oro envíe, porque más riqueza es hacer justicia que no todos los tesoros que pueda enviar." Y mandó proveer que luego despachasen al almirante de Santo Domingo que viniese a costa de Cortés con doscientos soldados, y si le hallase culpado le cortase la cabeza y castigase a todos los que fuimos en desbaratar a Narváez, y porque viniese el almirante le habían prometido el almirantazgo de la Nueva España, que en aquella sazón traía pleito en la corte sobre él. Pues ya dadas las provisiones, pareció ser el almirante se detuvo ciertos días que no se atrevió a venir porque no tenía dineros, y asimismo porque le aconsejaron que mirase la buenaventura de Cortés, que con haber traído Narváez toda la armada que trajo, le desbarató, y que era aventurar su vida y Estado y no saldría con la demanda, especialmente, que no hallarían en Cortés ni en sus compañeros culpa ninguna, sino mucha lealtad; y además de esto, según pareció, dijeron a su Majestad que era gran cosa dar el almirantazgo de la Nueva España por poco servicio que le podría hacer en aquella jornada que le enviaba. Y ya que se andaba apercibiendo el almirante para venir, alcanzáronlo a saber los procuradores de Cortés y su padre, Martín Cortés, y un fraile que se decía fray Pedro Melgarejo de Urrea, y como tenían las cartas que les envió Cortés duplicadas y entendieron por ellas que había trato doble en el contador Albornoz, todos juntos se fueron luego al duque de Béjar y le dan relación de todo lo arriba por mí memorado, y le mostraron las cartas de Cortés. Y como supo que enviaban al almirante tan de repente y con muchos soldados, hubo gran sentimiento de ello el duque, porque ya estaba concertado de casar a Cortés con la señora doña Juana de Zúñiga, sobrina del mismo duque, y luego sin más dilación fue delante de Su Majestad, acompañado con ciertos condes deudos suyos, y con ellos iba el viejo Martín Cortés, padre del mismo Cortés, y fray Pedro Melgarejo de Urrea. Y cuando llegaron delante del emperador nuestro señor, se le humillaron e hicieron todo el acato debido que eran obligados a nuestro rey y señor, y dijo el mismo duque que suplicaba a Su Majestad que no diese oídos a una carta de un hombre como era Albornoz, que era muy contrario a Cortés, hasta que hubiese otras informaciones de fe y de creer, y que no se enviase armada; y más dijo: que cómo siendo tan cristianísimo Su Majestad, y recto en hacer justicia, tan deliberadamente enviaba a mandar prender a Cortés y a sús soldados, habiéndole hecho tan buenos y leales servicios que otros en el mundo no se han hecho, ni aun hallado en ningunas escrituras hayan hecho otros vasallos a los reyes pasados, y que ya una vez ha puesto la cabeza por fiadora por Cortés y sus soldados, que son muy leales y lo será de aquí adelante, y que ahora la torna a poner de nuevo por fiadora, con todos sus estados, y que siempre nos hallaría leales, lo cual Su Majestad vería adelante.

Y además de esto, le mostraron las cartas que Cortés enviaba a su padre, que en ellas da relación por qué causas escribía el contador mal contra Cortés, que fue, como dicho tengo, porque no le dio buenos indios como él los demandaba, y una hija de un cacique; y más le dijo el duque, y que mirase Su Majestad cuántas veces le han enviado y servido con mucha cantidad de oro, y dio otros muchos descargos por Cortés. Y viendo Su Majestad la justicia clara que Cortés y todos nosotros teníamos, mandó proveer que le viniese a tomar residencia persona que fuese caballero, y de calidad y ciencia, y temeroso de Dios. En aquella sazón estaba la corte en Toledo, y por teniente de corregidor del conde de Alcaudete un caballero que se decía el licenciado Luis Ponce de León, primo del mismo conde don Martín de Córdoba, que así se llamaba, que en aquella sazón era corregidor de aquella ciudad; Su Majestad mandó llamar a este licenciado Luis Ponce, le mandó que fuese luego a la Nueva España y le tomase residencia a Cortés, y que si en algo fuese culpante de lo que le acusaban, que con rigor de justicia le castigase. Y el licenciado dijo que él cumpliría el real mando, y se comenzó apercibir para el camino; y no vino con tanta prisa porque tardó en llegar a la Nueva España más de dos años.

Y dejarlo he aquí, así a los del bando de Diego Velázquez, que acusaban a Cortés, como al licenciado Luis Ponce de León, que se aderezaba para el viaje; y, aunque vaya muy fuera de mi relación, y pase adelante, es por lo que ahora diré. Que al cabo de dos años alcanzamos a saber todo lo por mí aquí dicho de las cartas de Albornoz, y para que sepan los curiosos lectores cómo siempre tenía por costumbre el mismo Albornoz de escribir a Su Majestad lo que no pasó. Bien tendrán noticia las personas que han estado en la Nueva España y ciudad de México cómo en el tiempo que era visorrey de México don Antonio de Mendoza, que fue un muy ilustrísimo varón, digno de buena memoria, que haya santa gloria, y gobernaba tan justificadamente, y con tan recta justicia, Rodrigo de Albornoz escribió a Su Majestad diciendo males de su gobernación, y las mismas cartas que envió a la corte volvieron a la Nueva España a manos del mismo virrey; y de que las hubo entendido, envió a llamar a Rodrigo de Albornoz, y con palabras muy despacio, que así hablaba el virrey, le muestra las cartas y le dijo: "Pues que tiene por costumbre de escribir a Su Majestad, escribid la verdad, y andad con Dios"; y quedó muy avergonzado y afrentado el contador.[165] Dejemos de hablar de esta materia, y diré cómo Cortés, sin saber en aquella sazón cosa de todo lo pasado que en la corte se había tratado contra él, envió una armada contra Cristóbal de Olid, a Honduras. Y lo que pasó diré adelante.

[165] Tachado en el original: *como un Gonzalo de Campo, ya otras muchas veces por mí nombrado, que fue el que hizo los libelos infamatorios que otras veces he dicho, como conoció la condición de Albornoz, dijo en su libelo* Fray Sarsapelete.

Fray Rodrigo de Albornoz,
guardaos dél, mas no de feroz,
que jamás tuvo secreto.
Un buen predicador
me hubo bien avisado
que era mal frecuentador
y raposo muy doblado.

CAPÍTULO CLXXIII

CÓMO SABIENDO CORTÉS QUE CRISTÓBAL DE OLID SE HABÍA ALZADO CON LA ARMADA Y HABÍA HECHO COMPAÑÍA CON DIEGO VELÁZQUEZ, GOBERNADOR DE CUBA, ENVIÓ CONTRA ÉL A UN CAPITÁN QUE SE DECÍA FRANCISCO DE LAS CASAS. Y LO QUE LE SUCEDIÓ DIRÉ ADELANTE

He menester volver muy atrás de nuestra relación para que bien se entienda. Ya he dicho en el capítulo que de ello habla cómo Cortés envió a Cristóbal de Olid con una armada a lo de Honduras y se alzó. Como Cortés supo que Cristóbal de Olid se había alzado con la armada con favor de Velázquez, gobernador de Cuba, estaba muy pensativo; y como era animoso y no se dejaba mucho burlar en tales casos, y como ya había hecho relación de ella a Su Majestad, como dicho tengo, en la carta que le escribió, y que entendía de ir o enviar contra Cristóbal de Olid a otros capitanes, y en aquella sazón había venido de Castilla a México un caballero que se decía Francisco de las Casas, persona de quien se podía fiar, y su deudo, acordó de enviarle contra Cristóbal de Olid con cinco navíos bien artillados y bastecidos y cien soldados, y entre ellos iban conquistadores de México, de los que Cortés había traído de la isla de Cuba en su compañía, que eran un Pedro Moreno Medrano, y un Juan Núñez de Mercado, y un Juan Bello, y otros que aquí no nombro, que se murieron en el camino, por excusar prolijidad.

Pues ya despachado Francisco de las Casas con poderes muy bastantes y mandamientos para prender a Cristóbal de Olid, salió del puerto de la Veracruz con sus navíos bien bastecidos, muy veleros y con sus pendones con las armas reales, y con buen tiempo llegó a una bahía que llamaron el Triunfo de la Cruz, donde Cristóbal de Olid tenía su armada, y allí junto poblada una villa que se llamó Triunfo de la Cruz, según ya otras veces he dicho en el capítulo que de ello habla. Y de que Cristóbal de Olid vio aquellos navíos surtos en su puerto, puesto que Francisco de las Casas así como llegó mandó poner banderas de paz, no lo tuvo por cierto Cristóbal de Olid, antes mandó apercibir dos carabelas muy artilladas con muchos soldados y le defendió el puerto para no dejarles saltar en tierra. Y desde que aquello vio el de las Casas, que era hombre animoso, mandó sacar y echar a la mar sus bateles con muchos hombres bien apercibidos, y con unos tiros, alconetes y escopetas y ballestas. Y él con ellos con pensamiento que de una manera o de otra tomar tierra, y Cristóbal de Olid por defenderla, tuvieron en la mar buena pelea; y de las Casas echó una de las dos carabelas del contrario a fondo y mató cuatro soldados e hirieron otros. Y después que Cristóbal de Olid vio que no tenía allí todos sus soldados, porque los había enviado pocos días había en dos capitanías a entrar en un río que llaman de Pechín a prender otro capitán que estaba conquistando en aquella provincia, que se decía Gil González de Ávila, porque el río de Pechín caía en la gobernación del Golfo Dulce, y los estaba aguardando por horas a sus gentes, acordó Cristóbal de Olid de demandar partido de paz a Francisco de las Casas, porque bien creído tenía Cristóbal de Olid que si tomaba tierra que había de venir a las manos; y por [no] tener sus soldados juntos, demandó las paces;

y el de las Casas acordó de estarse aquella noche con sus navíos en la mar, apartado de tierra, al reparo o pairando, con intención de irse a otra bahía a desembarcar, y también porque cuando andaban las diferencias y pelea de la mar le dieron al de las Casas una carta secretamente que serían en su ayuda ciertos soldados de la parte de Cortés que estaban con Cristóbal de Olid; y que no dejase de venir por tierra para prender a Cristóbal de Olid.

Pues estando con este acuerdo, fue la ventura tal de Cristóbal de Olid, y desdicha del de las Casas, que hubo aquella noche un viento norte muy recio, y como es travesía en aquella costa, dio con los navíos de Francisco de las Casas al través en tierra, de manera que se perdió cuanto traía y se ahogaron treinta soldados, y todos los demás fueron presos; y estuvieron sin comer dos días, y muy mojados del agua salada, porque en aquel tiempo llovía mucho, y tuvieron trabajo y frío. Y Cristóbal de Olid, muy gozoso y triunfante por tener preso a Francisco de las Casas y los demás soldados que prendió, les hizo luego jurar que siempre serían en su ayuda y serían contra Cortés si viniese [a] aquella tierra en persona. Y después que hubieron jurado, los soltó de las prisiones; solamente tuvo preso a Francisco de las Casas. Y de allí a pocos días vinieron sus capitanes, que había enviado a prender a Gil González de Ávila, que, según pareció, Gil González había venido por gobernador y capitán del Golfo Dulce y había poblado una villa que le nombraron San Gil de Buena Vista, que estaba obra de una legua del puerto que ahora llaman Golfo Dulce, porque el río de Pechín en aquel tiempo era poblado de buenos pueblos, y Gil González no tenía consigo sino muy pocos soldados, porque habían adolecido todos los demás, y dejaba poblado con otros soldados la misma villa de Buena Vista. Y como Cristóbal de Olid tuvo noticia de ello, les envió a prender; y sobre no dejarse prender le mataron ocho españoles de los de Gil González de Ávila, y a un sobrino, que se decía Gil de Ávila.

Y como Cristóbal de Olid se vio con dos prisioneros que eran capitanes, estaba muy alegre y contento, y como tenía fama de esforzado, y ciertamente lo era por su persona, para que se supiese en todas las islas, lo escribió a la isla de Cuba a su amigo Diego Velázquez, y luego se fue desde el Triunfo de la Cruz, la tierra adentro, a un buen pueblo que en aquel tiempo estaba muy poblado, y había otros muchos pueblos en aquella comarca; el cual pueblo se dice Naco, que ahora está destruido él y todos los demás. Y esto digo porque yo lo vi y me hallé en ello, y en San Gil de Buena Vista, y en el río de Pechín, y en río de Bahama, y lo he andado en el tiempo que fui con Cortés, según más largamente lo diré cuando venga a su tiempo y lugar.

Volvamos a nuestra relación. Que ya que Cristóbal de Olid estaba de asiento en Naco con sus prisioneros y gran copia de soldados, desde allí enviaba [a] hacer entradas a otras partes, y envió por capitán a un Briones, otras veces por mí memorado, el cual Briones fue uno de los primeros consejeros para que se alzase Cristóbal de Olid, y de suyo era bullicioso, y aun tenía cortadas las asillas bajas de las orejas. Y decía el mismo Briones que estando en una fortaleza, siendo soldado, se las habían cortado porque no se quería dar él ni otros capitanes; el cual Briones ahorcaron después en Guatemala por revolvedor y amotinador de ejércitos. Volvamos a nuestra relación. Pues yendo por capitán aquel Briones, con gran copia de soldados, túvose fama en el real de Cristóbal de Olid que se había alzado Briones con todos los soldados que llevaba en su compañía y se iba a la Nueva España, y salió verdad. Y viendo esto Francisco de las Casas y Gil González de Ávila, que estaban presos, y hallaron tiempo oportuno para matar a Cristóbal de Olid, y como andaban sueltos, sin prisiones, por no tenerles en nada, porque se tenía por muy valiente Cristóbal de Olid, muy secretamente se concertaron con los soldados y amigos de Cortés que en diciendo: "¡Aquí del Rey, y Cortés en su real nombre, contra este tirano!", le diesen de cuchilladas. Pues hecho este concierto, Francisco de las Casas, burlando y riendo, le decía a Cristóbal de Olid: "Señor capitán: soltadme; iré a la Nueva España a hablar con Cortés y darle razón de mi desbarate, y yo seré tercero para que vuestra merced quede con esta gobernación, por su capitán; y mire que es su hechura, y pues mi prisión no hace a su caso, antes le estorbo en las conquistas." Y Cristóbal de Olid respondió que él estaba bien así, y que se holgaba tener a un tan varón en su compañía. Y de que aquello vio Francisco de las Casas, le dijo: "Pues mire bien por su persona, que un día u otro tengo de procurar de matarle"; y esto se lo decía medio burlando y riendo. Y Cristóbal de Olid no se le dio nada por lo que decía, y teníalo como cosa de burla.

Y como el concierto que he dicho estaba hecho con los amigos de Cortés, estando cenando a una mesa, y habiendo alzado los manteles, y se habían ido a cenar los maestresalas y pajes, y estaban delante Juan Núñez de Mercado y otros soldados de la parte de Cortés, que sabían el concierto, y Francisco de las Casas y Gil González de Ávila cada uno tenían escondido un cuchillo de escribanía, muy agudo, como navajas, porque ningunas armas se las dejaban traer; y estando platicando con Cristóbal de Olid de las conquistas de México y ventura de Cortés, y muy descuidado Cristóbal de Olid de lo que le avino, Francisco de las Casas le echó mano de las barbas y le dio por la garganta con el cuchillo, que le traía hecho como una navaja para el efecto. Y juntamente con Gil González de Ávila y los soldados de Cortés, de presto le dieron tantas heridas, que no se pudo valer. Y como era muy recio y membrudo y de muchas fuerzas, se escabulló, dando voces: "¡Aquí los míos!"; mas como todos estaban cenando, o su ventura fue tal que no acudieron tan presto, se fue huyendo a esconder entre unos matorrales, creyendo que los suyos le ayudarían. Y puesto que vinieron de presto muchos de ellos a ayudarle, Francisco de las Casas daba voces, y apellidando: "¡Aquí del Rey y de Cortés, contra este tirano, que ya no es tiempo de más sufrir sus tiranías!" Pues como oyeron el nombre de Su Majestad y de Cortés, todos los que venían a favorecer la parte de Cristóbal de Olid no osaron defenderle, antes luego los mandó prender el de las Casas: y después de hecho esto se pregonó que cualquiera persona que supiese de Cristóbal de Olid y no descubriese, muriese por ello. Y luego se supo dónde estaba, y le prendieron, y se hizo proceso contra él, y por sentencia que entrambos dos capitanes dieron le degollaron en la plaza de Naco. Y así murió por haberse alzado por malos consejeros, y con ser hombre muy esforzado y sin mirar que Cortés le había hecho su maestre de campo y dado muy buenos indios. Y era casado con una portuguesa que se decía Felipa de Araúz, y tenía una hija. Y porque en el capítulo pasado tengo dicho la estatura de Cristóbal de Olid y facciones, y de qué tierra era, y qué condición tenía, en esto no diré más sino que desde que Francisco de las Casas y Gil González de Ávila se vieron libres y su enemigo muerto, juntaron sus soldados y entrambos dos fueron capitanes muy conformes; y el de las Casas pobló a Trujillo, y púsole aquel nombre porque era natural de Trujillo, de Extremadura; y Gil González envió mensajeros a San Gil de Buena Vista, que dejaba poblada, a hacer saber lo que había pasado y a mandar a un su teniente, que se decía Armenta, que se estuviesen poblados como los había dejado y no hiciese alguna novedad, porque iba a la Nueva España a demandar socorro y ayuda de soldados a Cortés, y que presto volvería. Pues ya todo esto que he dicho concertado, acordaron entrambos capitanes de venirse a México a hacer saber a Cortés todo lo acaecido. Y dejarlo he aquí hasta su tiempo y lugar, y diré lo que Cortés concertó sin saber cosa ninguna de lo pasado que se hizo en Naco, que arriba está referido.

CAPÍTULO CLXXIV

CÓMO HERNANDO CORTÉS SALIÓ DE MÉXICO PARA IR CAMINO DE LAS HIBUERAS EN BUSCA DE CRISTÓBAL DE OLID Y DE FRANCISCO DE LAS CASAS Y DE LOS DEMÁS CAPITANES Y SOLDADOS QUE ENVIÓ; Y DE LOS CABALLEROS Y QUÉ CAPITANES SACÓ DE MÉXICO PARA IR EN SU COMPAÑÍA, Y DEL APARATO Y SERVICIO QUE LLEVÓ HASTA LLEGAR A LA VILLA DE GUAZACUALCO, Y DE OTRAS COSAS QUE PASARON

Como el capitán Hernando Cortés había pocos meses que había enviado a Francisco de las Casas contra Cristóbal de Olid, como dicho tengo en el capítulo pasado, parecióle que por ventura no habría buen suceso la armada que había enviado, y también porque le decían que aquella tierra era rica de minas de oro; y a esta causa estaba muy codicioso, así por las minas como pensativo en los contrastes que podían acaecer en la armada, poniéndosele por delante las desdichas que en tales jornadas la mala fortuna suele acarrear. Y como de su condición era de gran corazón, habíase arrepentido por haber enviado a Francisco de las Casas, sino haber ido él en persona; y no porque no conocía muy bien que el que envió era varón para cualquier cosa de afrenta.

Y estando en estos pensamientos, acordó de ir, y dejó en México buen recaudo de artillería, así en la fortaleza como en las atarazanas, y dejó por gobernadores en su lugar tenientes al tesorero Alonso de Estrada y al contador Albornoz. Y si supiera de las cartas que Albornoz hubo escrito a Castilla a Su Majestad diciendo mal de él, no le dejara tal poder, y aún no sé yo cómo le aviniera por ello. Y dejó por su alcalde mayor al licenciado Zuazo, ya otra vez por mí nombrado; y por teniente del alguacil mayor y su mayordomo de todas sus haciendas a un Rodrigo de Paz, su deudo; y dejó el mayor recaudo que pudo en México; y encomendó a todos aquellos oficiales de la hacienda del rey, a quien dejaba el cargo de la gobernación y asimismo lo encomendó a un fray Toribio Motolinia, de la Orden del Señor San Francisco, y a otros buenos religiosos; y que mirasen no se alzase México ni otras provincias.

Y porque quedase más pacífico y sin cabeceras de los mayores caciques, trajo consigo al mayor señor de México, que se decía Guatemuz, otras muchas veces por mí nombrado, que fue el que nos dio guerra cuando ganamos a México, y también al señor de Tacuba, y a un Juan Velázquez, capitán del mismo Guatemuz, y a otros muchos principales, y entre ellos a Tapiezuela, que era muy principal; y aun de la provincia de Michoacán trajo otros caciques, y a doña Marina, la lengua, porque Jerónimo de Aguilar ya era fallecido; y trajo en su compañía muchos caballeros y capitanes, vecinos de México, que fueron Gonzalo de Sandoval, que era alguacil mayor; y Luis Marín, y Francisco Marmolejo, Gonzalo Rodríguez de

Ocampo, Pedro de Ircio, Ávalos y Sayavedra, que eran hermanos; y un Palacios Rubios, y Pedro de Saucedo el Romo, y Jerónimo Ruiz de la Mota, Alonso de Grado, Santa Cruz, burgalés; Pedro Solís Casquete, Juan Jaramillo, Alonso Valiente y un Navarrete, y un Serna, y Diego de Mazariegos, primo del tesorero; y Gil González de Benavides, y Hernán López de Ávila, y Gaspar de Garnica, y otros muchos que no se me acuerdan sus nombres; y trajo un clérigo y dos frailes franciscos, flamencos, grandes teólogos, que predicaban en el camino; y trajo por mayordomo a un Carranza, y por maestresalas a Juan de Jaso y a un Rodrigo Mañueco, y por botiller a Serván Bejarano, y por repostero a un fulano de San Miguel, que vivía en Oaxaca; y trajo grandes vajillas de oro y de plata, y quien tenía cargo de la plata, un Tello de Medina; y por camarero, un Salazar, natural de Madrid; y por médico a un licenciado Pedro López, vecino que fue de México; y cirujano a maese Diego de Pedraza; y muchos pajes, y uno de ellos era don Francisco de Montejo, el que fue capitán en Yucatán el tiempo andando; no digo al adelantado su padre; y dos pajes de lanza, que el uno se decía Puebla; y ocho mozos de espuelas; y dos cazadores halconeros, que se decían Perales y Garcí Caro y Álvaro Montáñez y llevó cinco chirimías y sacabuches y dulzainas, y un volteador, y otro que jugaba de manos y hacía títeres; y caballerizo, Gonzalo Rodríguez de Ocampo; y acémilas, con tres acemileros españoles; y una gran manada de puercos, que venía comiendo por el camino; y venían con los caciques que dicho tengo sobre tres mil indios mexicanos, con sus armas de guerra, sin otros muchos que eran de su servicio de aquellos caciques.

Ya que estaba de partida para venir su viaje, viendo el factor Salazar y el veedor Chirinos, que quedaban en México, que no les dejaba Cortés cargo ninguno ni se hacía tanta cuenta de ellos, como quisieran, acordaron de hacerse muy amigos del licenciado Zuazo y de Rodrigo de Paz y de todos los conquistadores viejos amigos de Cortés que quedaban en México, y todos juntos le hicieron un requerimiento a Cortés que no salga de México, sino que gobierne la tierra, le ponen por delante que se alzará toda la Nueva España; y sobre ello pasaron grandes pláticas y respuestas de Cortés a los que le hacían el requerimiento. Y después que no le pudieron convencer a que se quedase, dijo el factor y veedor que le querían venir a servir y acompañarle hasta Guazacualco, que por allí era su viaje. Pues ya partidos de México de la manera que he dicho, saber yo decir los grandes recibimientos y fiestas que en todos los pueblos por donde pasaba se le hacían fue cosa maravillosa, y más se le juntaron en el camino otros cincuenta soldados y gente extravagante, nuevamente venidos de Castilla, y Cortés les mandó ir por dos caminos hasta Guazacualco, porque para todos juntos no habría tantos bastimentos. Pues yendo por sus jornadas, el factor Gonzalo de Salazar y el veedor íbanle haciendo mil servicios a Cortés, en especial el factor, que cuando con Cortés hablaba, la gorra quitaba hasta el suelo y con muy grandes reverencias y palabras delicadas y de gran amistad, con retórica muy subida le iba diciendo que se volviese a México y no se pusiese en tan largo y trabajoso camino, y poniéndole por delante muchos inconvenientes; y aun algunas veces, por complacerle iba cantando por el camino junto a Cortés, y decía en los cantos: "¡Ay, tío, y volvámonos! ¡Ay, tío, volvámonos, que esta mañana he visto una señal muy mala! ¡Ay, tío, volvámonos!" Y respondíale Cortés, cantando: "¡Adelante, mi sobrino! ¡Adelante, mi sobrino, y no creáis en agüeros, que será lo que Dios quisiere! ¡Adelante, mi sobrino!"

Y dejemos de hablar en el factor

y de sus blandas y delicadas palabras, y diré cómo en el camino, en un poblezuelo de un Ojeda, el Tuerto, que es cerca de otro pueblo que se dice Orizaba, se casó Juan Jaramillo con doña Marina, la lengua, delante de testigos. Pasemos adelante, y diré cómo van camino de Guazacualco y llegan a un pueblo grande que se dice Guaspaltepeque, que era de la encomienda de Sandoval. Y como lo supimos en Guazacualco que venía Cortés con tanto caballero, así el alcalde mayor, como capitanes y todo el cabildo y regidores fuimos treinta y tres leguas a recibir a Cortés y a darle el parabienvenido, como quien va a ganar beneficio. Y esto digo aquí porque vean los curiosos lectores y otras personas qué tan tenido y aun temido estaba Cortés, porque no se hacía más de lo que él quería, ahora fuese bueno o malo. Y desde Guaspaltepeque fue caminando a nuestra villa; y en un río grande que había en el camino comenzó a tener contrastes, porque al pasar se le trastornaron dos canoas y se le perdió cierta plata y ropa, y aun a Juan Jaramillo se le perdió la mitad de su fardaje, y no se pudo sacar cosa ninguna a causa que estaba el río lleno de lagartos muy grandes. Y desde allí fuimos a un pueblo que se dice Uluta, y hasta llegar a Guazacualco le fuimos acompañando, y todo por poblado.

Pues quiero decir el gran recaudo de canoas que teníamos ya mandado que estuviesen aparejadas y atadas de dos en dos en el gran río, junto a la villa, que pasaban de trescientas. Pues el gran recibimiento que le hicimos con arcos triunfales y con ciertas emboscadas de cristianos y moros, y otros grandes regocijos, e invenciones de juegos; y le aposentamos lo mejor que pudimos, así a Cortés como a todos los que traía en su compañía, y estuvo allí seis días. Y siempre el factor le iba diciendo que se volviese del camino que traía; que mirase a quién dejaba en su poder; que tenía al contador por muy revoltoso y doblado amigo de novedades, y que el tesorero se jactanciaba que era hijo del rey católico, y que no sentía bien de algunas cosas y pláticas que en ellos vio que hablaban en secreto después que les dio el poder, y aun de antes; y además de esto, ya en el camino tenía Cortés cartas que enviaban desde México diciendo mal de su gobernación de aquellos que dejaba. Y de ello avisaban al factor sus amigos, y sobre ello decía el factor a Cortés que también sabría él gobernar, y el veedor, que allí estaba delante, como los que dejaba en México, y se le ofrecieron por muy servidores. Y decía tantas cosas melosas y con tan amorosas palabras, que le convenció para que le diesen poder al factor y a Chirinos, veedor, para que fuesen gobernadores, y fue con esta condición: que si viesen que Estrada y Albornoz no hacían lo que debían al servicio de Nuestro Señor y de Su Majestad, gobernasen ellos solos.

Estos poderes fueron causa de muchos males y revueltas que hubo en México, como adelante diré después que haya pasado cuatro capítulos y hayamos hecho un muy trabajoso camino; y hasta haberlo acabado y estar en una villa que se llamaba Trujillo no contaré en esta relación cosa de lo acaecido en México. Y quiero decir que a esta causa dijo Gonzalo de Ocampo en sus libelos infamatorios:

¡Oh, fray Gordo de Salazar
factor de las diferencias!
Con tus falsas reverencias
engañaste al provincial.
Un fraile de santa vida
me dijo que me guardase
de hombre que así hablase
retórica tan polida.

Dejemos de hablar de libelos, y diré que cuando se despidieron el factor y el veedor de Cortés para volverse a México, con cuántos cumplimientos y abrazos. Y tenía el factor una manera como de sollozos, que parecía que quería llorar al despedirse, y con sus provisiones en el seno, de manera que él las quiso notar y el secretario, que se decía Alonso Valiente, que era su amigo, las hizo. Vuelven para México, y con ellos Hernán López de Ávila, que estaba malo de dolores y tullido de bubas. Y dejémoslos ir a su camino, que no tocaré en esta relación en cosa ninguna de los grandes alborotos y cizañas que en México hubo hasta su tiempo y lugar, después que hubiéremos allegado con Cortés todos los caballeros por mí nombrados, con otros muchos que salimos de Guazacualco, hasta que hayamos hecho esta tan trabajosa jornada, que estuvimos en punto de perdernos, según adelante diré, y porque en una sazón acaecen dos cosas y por no quebrar el hilo de lo uno por decir de lo otro, acordé de seguir nuestro trabajosísimo camino.

CAPÍTULO CLXXV

DE LO QUE CORTÉS ORDENÓ DESPUÉS QUE SE VOLVIÓ EL FACTOR Y VEEDOR A MÉXICO, Y DEL TRABAJO QUE LLEVAMOS EN EL LARGO CAMINO, Y DE LAS GRANDES PUENTES QUE HICIMOS, Y HAMBRE QUE PASAMOS EN DOS AÑOS Y TRES MESES QUE TARDAMOS EN EL VIAJE

Después de despedidos el factor y veedor a México, lo primero que mandó Cortés fue escribir a la Villa Rica a un su mayordomo, que se decía Simón de Cuenca, que cargasen dos navíos que fuesen de poco porte de bizcocho de maíz, que en aquella sazón no se cogía pan de trigo en México, y seis pipas de vino y aceite, y vinagre, y tocinos, y herraje, y otras cosas de bastimento. Y mandó que se fuese costa a costa del norte, y que él le escribiría y le haría saber dónde había de aportar, y que el mismo Simón de Cuenca viniese por capitán. Y luego mandó que todos los vecinos de Guazacualco fuésemos con él, que no quedaron sino los dolientes. Ya he dicho otras veces que estaba poblada aquella villa de los conquistadores más antiguos de México, y todos los más hijosdalgo que se habían hallado en las conquistas pasadas de México, y en el tiempo que habíamos de reposar de los grandes trabajos y procurar de haber algunos bienes y granjerías nos manda ir jornada de más de quinientas leguas, y todas las más tierras por donde íbamos de guerra y dejamos perdido cuanto teníamos, y estuvimos en el viaje más de dos años y tres meses.

Pues volviendo a nuestra plática, ya estábamos todos percibidos con nuestras armas y caballos, porque no le osábamos decir de no, y ya que alguno se lo decía, por fuerza le hacía ir; y éramos por todos, así los de Guazacualco como los de México, sobre doscientos y cincuenta soldados, los ciento y treinta de a caballo, y los demás escopeteros y ballesteros, sin otros muchos soldados nuevamente venidos de Castilla. Y luego me mandó a mí que fuese por capitán de treinta españoles con tres mil indios mexicanos a unos pueblos que estaban de guerra, que se decían Zimatán, y que en aquéllos mantuviese los tres mil indios mexicanos, y si los naturales de aquella provincia estuviesen de paz o se viniesen a someter al servicio de Su Majestad, que no les hiciese enojo ni fuerza ninguna, salvo mandar dar de comer [a] aquellas gentes; y si no quisiesen venir, que los enviase a llamar tres veces de paz, de manera que lo entendiesen muy bien, y por ante un escribano que iba conmigo y testigos; y si no quisiesen venir, que les diese guerra. Y para ello me dio poder y sus instrucciones, las cuales tengo hoy día firmadas de su nombre y de su secretario Alonso Valiente.

Y así hice aquel viaje como lo mandó, quedando de paz aquellos pueblos; mas de allí a pocos meses, como vieron que quedaban pocos españoles en Guazacualco e íbamos los conquistadores con Cortés, se tornaron [a] alzar. Y luego salí con mis soldados españoles e indios mexicanos al pueblo donde Cortés me mandó que saliese, que se decía Iquinuapa. Volvamos a Cortés y a su viaje, que salió de Guazacualco y fue a Tonalá, que hay ocho leguas; y luego pasó un río en canoas, y fue a otro pueblo que se dice El Ayagualulco, y pasó otro río en canoas, y desde El Ayagualulco, siete leguas de allí, pasó un estero que entra en la mar, y le hicieron una puente que había de largo cerca de medio cuarto de legua, cosa espantosa como lo hicieron en el estero, porque siempre Cortés enviaba adelante dos capitanes de los vecinos de Guazacualco, y uno de ellos se decía Francisco de Medina, hombre diligente que sabía muy bien mandar a los naturales de esta tierra. Pasada aquella gran puente, fue por unos poblezuelos hasta llegar a otro gran río que se dice Mazapa, que es el que viene de Chiapa, que los marineros llaman Río de Dos Bocas. Allí tenía muchas canoas atadas de dos en dos. Y pasado aquel gran río, fue por otros pueblos adonde yo salía con mi compañía de soldados, que se dice Iquinuapa como dicho tengo. Y desde allí pasó otro río en puentes que hicimos de maderos; y luego un estero, y llegó a otro gran pueblo que se dice Copilco, y desde allí comienza la provincia que llaman la Chontalpa, y estaba toda muy poblada y llena de huertas de cacao, y muy de paz. Y desde Copilco pasamos por Nacajujuyca y llegamos a Zaguatán, y en el camino pasamos otro río por canoas Aquí se le perdió a Cortés cierto herraje.

Y este pueblo, cuando a él llegamos, estaba de paz; y luego de noche se fueron huyendo los moradores de él y se pasaron de la otra parte de un gran río, entre unas ciénegas, y mandó Cortés que les fuésemos a buscar por los montes, que fue cosa bien desconsiderada y sin provecho aquello que mandó. Y los soldados que los fuimos a buscar pasamos aquel gran río con harto trabajo, y trajimos siete principales con gente menuda; mas poco aprovecharon, que luego se volvieron a huir, y quedamos solos y sin guías. En aquella sazón vinieron allí los caciques de Tabasco con cincuenta canoas cargadas de maíz y bastimento. También vinieron unos indios de los pueblos de mi encomienda, que en aquella sazón yo tenía, y trajeron cargadas ciertas canoas de bastimentos, los cuales pueblos se dicen Teapa y Tecomajiaca. Y luego fuimos camino de otros pueblos que se dicen Tepetitán e Iztapa, y en el camino había un río muy caudaloso que se dice Chipilapa, y estuvimos cuatro días en hacer balsas. Yo dije a Cortés que el río arriba sabía por la relación había un pueblo que se dice Chi[pi]llapa, que es el nombre del mismo río, y que sería bien enviar cinco indios de los que traíamos por guías en una canoa quebrada que allí hallamos, y les enviase a decir trajesen canoas, y con los cinco indios fue un soldado, y como lo dije así lo mandó. Iban el río arriba, toparon dos caciques que traían seis grandes canoas y bastimento, y con aquellas canoas y balsas pasamos, y estuvimos cuatro días en el pasaje.

Y desde que allí fuimos a Tepetitán, y hallámosle despoblado y quemadas las casas, y, según supimos, habíanles dado guerra otros pueblos y llevado mucha gente cautiva, y quemado el pueblo de pocos días pasados, y en todos los caminos que en tres días anduvimos después de pasado el río de Chi[pi]lapa era muy cenegoso y atollaban los caballos hasta las cinchas, y había muy grandes sapos. Y desde allí fuimos a otro pueblo que se dice Iztapa, y de miedo se fueron los indios y se pasaron de la otra parte de otro río muy caudaloso. Y fuímoslos a buscar, y trajimos los caciques y muchos indios con sus mujeres e hijos; y Cortés les habló con halago y les mandó que les volviésemos cuatro indias y tres indios que les habíamos tomado en los montes. Y en pago de ello, y de buena voluntad, trajeron presentado a Cortés ciertas piezas de oro de poca valía. Y estuvimos en este pueblo tres días, porque había buena yerba para los caballos y mucho maíz, y decía Cortés que era buena tierra para poblar allí una villa, porque tenía nuevas que en los alrededores había buenas poblazones para servicio de la tal villa. Y en este pueblo de Iztapa se informó Cortés de los caciques y mercaderes de los naturales del mismo pueblo el camino que habíamos de llevar, y aun les mostró un paño de *henequén* que traía de Guazacualco, donde venían señalados todos los pueblos del camino por donde habíamos de ir hasta Gueyacala, que en su lengua se dice la Gran Acala, porque había otro pueblo que se dice Acala la Chica; y allí dijeron que todo lo demás de nuestro camino había muchos ríos y esteros, y para llegar a otro pueblo que se dice Tamaztepeque había otros tres ríos y un gran estero, y que habíamos de estar en el camino tres jornadas. Y desde que aquello entendió Cortés después que supo de los ríos, le rogó que fuesen todos los caciques [a] hacer puentes y llevasen canoas, y no lo hicieron. Y con maíz tostado y otras legumbres hicimos mochila para los tres días, creyendo que era como lo decían. Y por echarnos de sus casas dijeron que no había más jornada, y había siete jornadas, y hallamos los ríos sin puentes ni canoas, y hubimos de hacer una puente de muy gordos maderos por donde pasaran los caballos. Y todos nuestros soldados y capitanes fuimos en cortar la madera y acarrearla, y los mexicanos ayudaban lo que podían. Y estuvimos en hacerla tres días, que no teníamos qué comer sino yerbas y unas raíces de unas que llaman en esta tierra *quequexque* montesinas, con las cuales se nos abrasaron las lenguas y bocas.

Pues ya pasado aquel estero, no hallábamos camino ninguno y hubimos de abrirle con las espadas a manos, y anduvimos dos días por el camino que abríamos, creyendo que iba derecho al pueblo, y una mañana tornamos al mismo camino que abríamos. Y cuando Cortés lo vio, quería reventar de enojo; y desde que oyó murmurar del mal que decían de él, y aun de su viaje, con la gran hambre que había, y que no miraba más de su apetito, sin pensar bien lo que hacía, y que era mejor que nos volviésemos que no morir todos de hambre. Pues otra cosa había, que eran los montes muy altos en demasía y espesos, y a mala vez podíamos ver el cielo. Pues ya que quisiesen subir en algunos de los árboles para atalayar la tierra, no veían cosa ninguna, según eran muy cerradas todas las montañas, y las guías que traíamos las dos se huyeron, y otra que quedaba estaba malo que no sabía dar razón de camino ni de otra cosa. Y como Cortés en todo era diligente, y por falta de solicitud no se descuidaba, traíamos una aguja de marear, y a un piloto que se decía Pedro López, y con el dibujo del paño que traía de Guazacualco, donde venían señalados los pueblos, mandó que fuésemos con la aguja por los montes, y con las espadas abríamos camino hacia el Este, que era la señal del paño donde estaba el pueblo. Y aun dijo Cortés, que si otro día estábamos sin dar en poblado, que no sabía qué hiciésemos; y muchos de nuestros soldados, y aun todos los demás, deseábamos volvernos a la Nueva España. Y todavía seguimos nuestra derrota por los montes, y quiso Dios que vimos unos árboles antiguamente cortados, y luego una vereda chica. Y yo y Pedro López, piloto, que íbamos delante abriendo camino con otros soldados, volvimos a decir a Cortés que se alegrase, que había estancias, con lo cual todo nuestro ejército tomó mucho contento. Y antes de llegar a las estancias estaba un río y ciénega; mas con harto trabajo le pasamos de presto y dimos en el pueblo, que aquel día se había despoblado, y hallamos muy bien de comer, maíz y frijoles y otras legumbres. Y como íbamos muertos de hambre, dímonos buena hartazga, y aun los caballos se reformaron; y por todo dimos muchas gracias a Dios.

Ya en el camino se había muerto el volteador que llevábamos, ya por mí nombrado, y otros tres españoles de los recién venidos de Castilla; pues indios de los de Michoacán y mexicanos morían, otros muchos caían malos y se quedaban en el camino como desesperados. Pues como estaba despoblado aquel pueblo y no teníamos lengua ni quien nos guiase, mandó Cortés que fuésemos dos capitanías por los montes y estancias a buscarlos. Y en unas canoas que en un gran río que junto al pueblo estaba fueron otros soldados y dieron con muchos vecinos de aquel pueblo, y con buenas palabras y halagos vinieron sobre treinta de ellos, y todos los más caciques y *papas*. Y Cortés les habló amorosamente con doña Marina, y trajeron mucho maíz y gallinas y señalaron el camino que habíamos de llevar hasta otro pueblo que se dice Ziguatepecad, el cual estaba tres jornadas, que serían hasta diez y seis leguas; y antes de llegar a él estaba otro poblezuelo sujeto de este Tamastepeque donde salimos.

Antes que más pase adelante quiero decir que con la gran hambre que traíamos, así españoles como mexicanos, pareció ser que ciertos caciques de México apañaron dos o tres indios de los pueblos que dejábamos atrás y traíanlos escondidos con sus cargas a manera y traje como ellos, y con la hambre, en el camino los mataron y los asaron en hornos que para ello hicieron debajo de tierra, y con piedras, como en su tiempo lo solían hacer en México, y se los comieron; y asimismo habían apañado las dos guías que traíamos, que se fueron huyendo, y se los comieron. Y alcanzáronlo a saber y dijéronselo a Cortés, el cual mandó llamar los caciques mexicanos y riñó malamente con ellos: que si otra tal hacían, que los castigaría; y predicó un fraile francisco de los que traíamos, ya por mí otra vez memorado, cosas muy santas y buenas. Y después que hubo acabado el sermón, mandó Cortés por justicia quemar a un indio mexicano por la muerte de los indios que comieron, puesto que supo que todos eran culpantes en ello, porque pareciese que hacía justicia y que él no sabía de otros culpantes sino el que quemó.

Dejemos de contar muy por extenso otros muchos trabajos que pasábamos y cómo las chirimías y sacabuches y dulzainas que Cortés traía, que otra vez he hecho memoria de ello, como en Castilla eran acostumbrados a regalos y no sabían de trabajos, y con la hambre habían adolecido, y no le daban música, excepto uno, y renegábamos todos los soldados de oírlo, y decíamos que parecían zorros y adives que aullaban, que valiera más tener maíz que comer, que música.

Volvamos a nuestra relación, y diré cómo algunas personas me han preguntado que cómo habiendo tanta hambre como dicho tengo por qué no comíamos la manada de los puercos que traían para Cortés, pues a la necesidad de hambre no hay ley, aunque fueran para el rey, y viendo la hambre que Cortés lo mandara repartir por todos en tales tiempos. A esto digo que ya había echado fama uno que venía por despensero y mayordomo de Cortés, que se decía Guinea, y era hombre doblado, y hacía en creyente que en los ríos, al pasar de ellos, los habían comido los tiburones y lagartos, y porque no les viésemos venían siempre cuatro jornadas atrás rezagados; y más de esto, para tantos soldados como éramos, para un día no había con todos ellos; y a esta causa no comieron de ellos, y además de esto por no enojar a Cortés.

Dejemos esta plática, y diré que siempre por los pueblos y caminos por donde pasábamos dejábamos puestas cruces donde había buenos árboles para labrarse, en especial ceibas, y quedaban señaladas las cruces, y son más fijas hechas en aquellos árboles que no de maderos, porque crece la corteza y quedan más perfectas; y quedaban cartas en partes que las pudiesen leer, y decía en ellas: "Por aquí pasó Cortés en tal tiempo"; y esto se hacía porque, si viniesen otras personas en nuestra busca, supiesen cómo íbamos adelante. Volvamos a nuestro camino, para ir a Ziguatepecad: que fueron con nosotros sobre veinte indios de aquel pueblo de Tamastepeque, y nos ayudaron a pasar los ríos en balsas y en canoas, y aun fueron por mensajeros a decir a los caciques del pueblo donde íbamos que no hubiesen miedo, que no les haríamos ningún enojo; y así aguardaron en sus casas muchos de ellos. Y lo que allí pasó diré adelante.

CAPÍTULO CLXXVI

CÓMO HUBIMOS LLEGADO AL PUEBLO DE ZIGUATEPECAD, Y CÓMO ENVIÓ [CORTÉS] POR CAPITÁN A FRANCISCO DE MEDINA PARA QUE TOPANDO A SIMÓN DE CUENCA, VINIESE CON LOS DOS NAVÍOS, YA OTRA VEZ POR MÍ MEMORADOS, AL TRIUNFO DE LA CRUZ O AL GOLFO DULCE, Y LO QUE MÁS PASÓ

PUES COMO HUBIMOS llegado a este pueblo que dicho tengo, Cortés halagó mucho a los caciques y principales y les dio buenos *chalchiuis* de México, y se informó a qué parte salía un río muy caudaloso y recio que junto aquel pueblo pasaba; y le dijeron que iba a dar en unos esteros donde había una poblazón que se dice Gueyatasta, y que junto a él estaba otro gran pueblo que se dice Xicalango. Parecióle a Cortés que sería bien enviar luego dos españoles en canoas para que saliesen a la costa del norte y supiesen del capitán Simón de Cuenca y sus navíos que hubo mandado cargar de vituallas para el camino, que dicho tengo en el capítulo que de ello habla, y escribióle, haciéndole saber de nuestros trabajos y que saliese por la costa adelante. Y después de bien informado cómo podría ir por aquel río hasta las poblazones por mí dichas, envió dos españoles, y al más principal de ellos, que ya le he nombrado otras veces, se decía Francisco de Medina, y diole poder para ser capitán, juntamente con Simón de Cuenca, a causa que este Medina era muy diligente y tenía lengua de toda la tierra, y éste fue el soldado que hizo levantar el pueblo de Chamula cuando fuimos con el capitán Luis Marín a la conquista de Chiapa, como dicho tengo en el capítulo que de ello habla; y valiera más que tal poder nunca le diera Cortés, por lo que adelante acaeció, y es que fue por el río abajo hasta que legó adonde Simón de Cuenca estaba con sus dos navíos, en lo de Xicalango, esperando nuevas de Cortés, y después de dadas las cartas de Cortés, presentó sus provisiones para ser capitán, y sobre el mandar tuvieron palabras entrambos capitanes, de manera que vinieron a las armas y de la parte del uno y del otro murieron todos los españoles que iban en el navío, que no quedaron sino seis o siete. Y desde que vieron los indios de Xicalango y Gueyatasta aquella revuelta, dan en ellos y acabáronlos de matar a todos y queman los navíos, que nunca supimos cosa ninguna de ellos hasta de ahí a dos años y medio.

Dejemos más de hablar en esto, y volvamos al pueblo donde estábamos, que se dice Ziguatepecad, y diré cómo los indios principales dijeron a Cortés que había desde allí a Gueyacala tres jornadas, y que en el camino había dos ríos que pasar, y el uno de ellos era muy hondo y ancho, y luego había unos malos tremedales y grandes ciénegas, y que si no tenía canoas que no podría pasar caballos ni aun ninguno de su ejército. Y luego Cortés envió a dos soldados con tres indios principales de aquel pueblo para que se lo mostrase, y tanteasen el río y ciénegas y viesen de qué manera podríamos pasar, y que trajesen buena relación de ello. Y llamábanse los soldados que envió Martín García, y era valenciano, y alguacil de nuestro ejército, y el otro se decía Pedro de Ribera. Y Martín García, que era a quien más se lo encomendó Cortés, vio los ríos y con unas canoas chicas que tenían en el mismo río lo vio y miró que con hacer puentes podrían pasar, y no curó de ver las malas ciénegas que estaban una legua adelante; y volvió a Cortés y le dijo que con hacer puentes podrían pasar, creyendo que las ciénegas no eran trabajosas, como después las hallamos. Y luego Cortés me mandó a mí y a un Gonzalo Mejía, que por sobrenombre le llamábamos Rapapelo,[166] y mandó que fuésemos con ciertos principales de Ziguatepecad a los pueblos de Acala y que halagásemos los caciques y con buenas palabras los atrajésemos para que no huyesen, porque aquella poblazón de Acala eran sobre veinte poblezuelos, de ellos en tierra firme y otros en unas como isletas, y todo se andaba en canoas por ríos y esteros. Y llevábamos con nosotros los tres indios de los de Ziguatepecad por guías, y la primera noche que dormimos en el camino se nos huyeron, que no osaron ir con nosotros, porque, según después supimos, eran sus enemigos y tenían guerra los unos con los otros, y sin guía hubimos de ir, y con trabajo pasamos las ciénegas. Y llegados al primer pueblo de Acala, puesto que estaban alborotados y parecían estar de guerra, con palabras amorosas y con darles unas cuentas les halagamos y les rogamos que fuesen a Ziguatepecad a ver a Malinche y le llevasen de comer, pareció ser que el día que llegamos aquel pueblo no sabían nuevas ningunas de cómo era venido Cortés y traía mucha gente, así de caballo como mexicanos. Y otro día tuvieron nuevas de indios mercaderes del gran poder que traía, y los caciques mostraron más voluntad de enviar comida que cuando allegamos, y dijeron que después que hubiese llegado aquellos pueblos le servirían y harían lo que pudiesen en darle de comer, y en cuanto de ir adonde estaban, que no querían ir porque eran sus enemigos. Pues estando que estábamos en estas pláticas con los caciques, vinieron dos españoles con cartas de Cortés, en que mandaba que con todo el bastimento que pudiese haber saliese desde allí a tres días al camino con ello, por causa que ya habían despoblado, y huido toda la gente de aquel pueblo donde le había dejado, y me hizo saber que venía ya camino de Acala y que no había traído maíz ninguno, ni lo hallaba, y que pusiese mucha diligencia en que los caciques no se ausentasen. Y también los españoles que me trajeron las cartas me dijeron cómo Cortés había enviado el río arriba de Ziguatepecad

[166] Tachado en el original: *porque era nieto de un capitán que andaba a robar, juntamente con un Centeno, en el tiempo del rey don Juan.*

cuatro españoles y los tres de ellos de los nuevamente venidos de Castilla, a demandar bastimentos a otros pueblos que decían que estaban allí cerca, y que no habían vuelto, y que creían que los habían muerto, y salió así verdad.

Volvamos a Cortés, que comenzó a caminar y en dos días llegó al gran río que ya otra vez he dicho, y luego puso diligencia en hacer una puente; y fue con tanto trabajo y con maderos gruesos y grandes, que, después de hecha, se admiraron los indios de Acala de verla de tal manera puestos los maderos, y estuvo en hacerla cuatro días. Y como salió Cortés del pueblo, ya por mí otras muchas veces nombrado, con todos sus soldados, no traían maíz ni bastimento, y con cuatro días que estuvimos en aquel pueblo y Cortés en hacer la puente, morían de hambre, y aunque algunos soldados de los viejos se remediaban con cortar unos árboles muy altos, que parecen palmas, que tienen por fruta unas al parecer nueces muy encarceladas, y aquéllas asaban y quebraban y comían.

Dejemos de hablar en esta hambre, y diré cómo la misma noche que acabaron de hacer la puente llegué yo con mis tres compañeros y con ciento y treinta cargas de maíz y ochenta gallinas, y miel y frijoles, y sal, y huevos, y otras frutas. Y como llegué de noche, ya que oscurecía, estaban todos los más soldados aguardando el bastimento, porque ya sabían que yo había ido a traerlo, y Cortés decía a los capitanes y soldados que tenía esperanza en Dios que presto tendrían todos de comer, pues que yo había ido [a] Acala para traerlo, si no me habían muerto los indios como los cuatro españoles que envió. Y así como llegué con el maíz y bastimentos a la puente, y como era de noche, cargan todos los soldados de ello y lo tomaron todo, que no dejaron a Cortés ni a ningún capitán cosa ninguna, con dar voces: "Dejarlo, que es para el capitán Cortés." Y asimismo su mayordomo Carranza, que así se llamaba, y el despensero Guinea daban voces y se abrazaban con el maíz, y decían que les dejasen siquiera una carga. Y como era de noche, decían los soldados: "Buenos puercos habéis comido vos y Cortés", y no curaban de cosa que les decían, sino que todo se lo apañaban. Pues de que Cortés supo cómo se lo habían tomado y que no le dejaron cosa ninguna, renegaba de impaciencia y pateaba; y estaba tan enojado, que decía que quería hacer pesquisa quien se lo tomó y dijeron lo de los puercos, y después que vio y consideró que el enojo era por demás y dar voces en desierto, me mandó llamar a mí y muy enojado me dijo que cómo puse tal cobro en el bastimento. Yo le dije que procurara su merced de enviar adelante guardas para ello, y aunque él en persona estuviera guardándolo, se lo tomaran, porque le guarde Dios de la hambre, que no tiene ley. Y desde que vio que no había remedio ninguno y que tenía mucha necesidad, me halagó con palabras melosas, estando delante el capitán Gonzalo de Sandoval, y me dijo: "¡Oh, señor y hermano Bernal Díaz del Castillo, por amor de mí que si dejaste algo escondido en el camino, que partáis conmigo, que bien creído tengo de vuestra buena diligencia que traeríades para vos y para vuestro amigo Sandoval!" Y de que vi sus palabras, y de la manera que lo dijo, hube mancilla de él. Y también Sandoval me dijo: "Pues, ¡yo juro a tal!, que tampoco yo tengo un puño de maíz de qué hacer cazalote." Entonces concerté y dije que conviene que esta noche, al cuarto de la modorra, después que esté reposado el real, vamos por doce cargas de maíz y veinte gallinas, y tres jarros de miel, y frijoles, y sal, y dos indias para hacer pan, que me dieron en aquellos pueblos; y hemos de venir de noche, que nos lo arrebatarán en el camino, y esto hemos de partir entre vuestra merced y Sandoval y yo y mi gente. Y él se holgó en el alma y Sandoval dijo que quella noche conmigo to, y lo trajimos, con quella hambre; y tam- le di una de las dos indias a Sandoval. He traído aquí esto a la memoria para que vean en cuánto trabajo se ponen los capitanes en tierras nuevas que a Cortés, que era muy temido, no le dejaron maíz que comer, y que el capitán Sandoval no quiso fiar de otro la parte que le había de caber, que él mismo fue conmigo por ello, teniendo muchos soldados que pudiera enviar.

Dejemos de contar del gran trabajo del hacer de la puente y de la hambre pasada, y diré cómo obra de una legua adelante dimos en las ciénegas, muy malas, por mí memoradas. Y eran de tal manera, que no se aprovechaban poner maderos, ni armas, ni hacer otra manera de remedios para poder pasar los caballos, que atollaban todo el cuerpo sumido en las grandes ciénegas, que creímos no escapar ninguno de ellos sino que todos quedaran allí muertos. Y todavía porfiamos a ir adelante, porque estaba obra de medio tiro de ballesta tierra firme y buen camino, que como iban los caballos, y se hizo un callejón por la ciénega de lodo y agua, que pasaron sin tanto trabajo, puesto que iban a veces medio a nado entre aquella ciénega y el agua. Ya llegados en tierra firme, dimos gracias a Dios por ello; y luego Cortés me mandó que con brevedad volviese a Acala y que pusiese gran recaudo en los caciques que estuviesen de paz, y que luego enviase al camino bastimento, y así lo hice, que el mismo día que llegué [a] Acala, de noche, envié tres españoles que iban conmigo con más de cien indios cargados de maíz y otras cosas. Y cuando Cortés me envió por ello, le dije que mirase su merced que él en persona lo guardase, no lo tomasen como la otra vez. Y así lo hizo, que se adelantó, juntamente con Sandoval y Luis Marín, y lo hubieron todo en su poder, y lo repartieron; y otro día, a obra de mediodía, llegaron [a] Acala, y los caciques le fueron a dar el bienvenido y le llevaron bastimento. Y dejarlo he aquí, y diré lo que más pasó.

CAPÍTULO CLXXVII

EN LO QUE CORTÉS ENTENDIÓ DESPUÉS DE LLEGADO A ACALA, Y CÓMO EN OTRO PUEBLO MÁS ADELANTE, SUJETO AL MISMO ACALA, MANDÓ AHORCAR A GUATEMUZ, GRAN CACIQUE DE MÉXICO, Y A OTRO CACIQUE, SEÑOR DE TACUBA, Y LA CAUSA PORQUÉ, Y OTRAS COSAS QUE PASARON

Después que Cortés hubo llegado a Gueyacala, que así se llamaba, y los caciques de aquel pueblo le vinieron de paz, y les habló con doña Marina, la lengua, de tal manera que al parecer, se holgaban, y Cortés les daba cosas de Castilla, y trajeron maíz y bastimento, y luego mandó llamar todos los caciques y se informó de ellos del camino que habíamos de llevar, y les preguntó que si sabían de otros hombres como nosotros, con barbas y caballos, y si habían visto navíos ir por la mar, y dijeron que ocho jornadas de allí había muchos hombres con barbas, y mujeres, de Castilla, y caballos, y tres *acales*, que en su lengua *acales* llaman a los navíos, de la cual nueva se holgó Cortés de saber, y preguntando por los pueblos y caminos por donde habíamos de pasar, todo se lo trajeron figurado en unas mantas, y aun los ríos y ciénegas y atolladeros;

y les rogó que en los ríos pusiesen puentes y llevasen canoas, pues tenían mucha gente y eran grandes poblazones. Y los caciques dijeron que, puesto que eran sobre veinte pueblos, que no les querían obedecer todos los más de ellos, en especial unos que estaban entre unos ríos, y que era necesario que luego enviase de sus *teules*, que así nos llamaban a los soldados, a hacerles traer maíz y otras cosas; y que les mandase que los obedeciese, pues que eran sujetos.

Y de que aquello entendió Cortés, luego mandó a un Diego de Mazariegos, primo del tesorero Alonso de Estrada, que quedaba por gobernador en México, que porque viese y conociese que Cortés tenía mucha cuenta de su persona, y le hacía honra de enviarle por capitán [a] aquellos pueblos y a otros comarcanos. Y cuando le envió, secretamente le dijo que porque no entendía bien las cosas de la tierra, por ser nuevamente venido de Castilla, y no tenía tanta experiencia por ser en cosa de indios, que me llevase a mí en su compañía, y lo que le aconsejase, no saliese de ello; y así lo hizo. Y no quisiera escribir esto en esta relación porque no pareciese que me jactanciaba de ello, y no lo escribiera sino porque fue público en todo el real, y aun después lo vi escrito de molde en unas cartas y relaciones que Cortés escribió a Su Majestad haciéndole saber de todo lo que pasaba, y del viaje de Indias, por esta causa lo escribo. Volvamos a nuestra materia. Y fuimos con Mazariegos hasta ochenta soldados, en canoas que nos dieron los caciques. Y después que hubimos llegado a las poblazones, todos de buena voluntad nos dieron de lo que tenían, y trajimos sobre cien canoas de maíz, y bastimento, y gallinas, y miel, y sal, y diez indias que tenían por esclavas, y vinieron los caciques a ver a Cortés; de manera que todo el real tuvo muy bien de comer. Y de allí a cuatro días, se huyeron todos los más caciques, que no quedaron sino tres guías, con los cuales fuimos nuestro camino, y pasamos dos ríos: el uno en puentes, que luego se quebraron al pasar, y el otro en balsas. Y fuimos a otro pueblo sujeto al mismo Acala y estaba ya despoblado; y allí buscamos comida y maíz que tenían escondido por los montes.

Dejemos de contar nuestros trabajos y caminos y digamos cómo Guatemuz, gran cacique de México, y otros principales mexicanos que iban con nosotros habían puesto en pláticas, o lo ordenaban, de matarnos a todos y volverse a México, y que llegados a su ciudad, juntar sus grandes poderes y dar guerra a los que en México quedaban, y tornarse a levantar. Y quien lo descubrió a Cortés fueron dos grandes caciques mexicanos que se decían Tapia y Juan Velázquez. Este Juan Velázquez fue capitán general de Guatemuz cuando nos dieron guerra en México. Y como Cortés lo alcanzó a saber, hizo informaciones sobre ello, no solamente de los dos que lo descubrieron, sino de otros caciques que eran en ello. Y lo que confesaron era que como nos veían ir por los caminos descuidados y descontentos, y que muchos soldados habían adolecido, y que siempre faltaba la comida, y que se habían muerto de hambre cuatro chirimías y el volteador, y otros once o doce soldados, y también se habían vuelto otros tres soldados camino de México, y se iban a su aventura por los caminos de guerra por donde habían venido, y que más querían morir que ir adelante, que sería bien que cuando pasásemos algún río o ciénega, dar en nosotros, porque eran los mexicanos sobre tres mil y traían sus armas y lanzas y algunos con espadas. Guatemuz confesó que así era como lo habían dicho los demás; empero, que no salió de él aquel concierto, y que no sabe si todos fueron en ello o se efectuara, y que nunca tuvo pensamiento de salir con ello, sino solamente la plática que sobre ello hubo.

Y el cacique de Tacuba dijo que entre él y Guatemuz habían dicho que valía más morir de una vez que morir cada día en el camino, viendo la gran hambre que pasaban sus *maceguales* y parientes. Y sin haber más probanzas, Cortés mandó ahorcar a Guatemuz y al señor de Tacuba, que era su primo. Y antes que los ahorcasen, los frailes franciscos les fueron esforzando y encomendando a Dios con la lengua doña Marina. Y cuando le ahorcaban, dijo Guatemuz: "¡Oh, Malinche: días había que yo tenía entendido que esta muerte me habías de dar y había conocido tus falsas palabras, porque me matas sin justicia! Dios te la demande, pues yo no me la di cuando te me entregaba en mi ciudad de México." El señor de Tacuba dijo que daba por bien empleada su muerte por morir junto con su señor Guatemuz. Y antes que los ahorcasen los fueron confesando los frailes franciscos con la lengua doña Marina; y verdaderamente yo tuve gran lástima de Guatemuz y de su primo, por haberles conocido tan grandes señores, y aun ellos me hacían honra en el camino en cosas que se me ofrecían, especial en darme algunos indios para traer yerba para mi caballo. Y fue esta muerte que les dieron muy injustamente, y pareció mal a todos los que íbamos.

Volvamos a ir nuestro camino con gran concierto, por temor que los mexicanos, viendo ahorcar a sus señores, no se alzasen; mas traían tan mala ventura de hambre y dolencia, que no se les acordaba de ello. Y después que los hubieron ahorcado, según dicho tengo, luego fuimos camino de otro poblezuelo, y antes de entrar en él pasamos un río bien hondable, en balsas, y hallamos el pueblo sin gente, que aquel día se habían ido; y buscamos de comer por las estancias, y hallamos ocho indios que eran sacerdotes de ídolos, y de buena voluntad se vinieron a su pueblo con nosotros. Y Cortés les habló, con doña Marina, para que llamasen sus vecinos, y que no hubiesen miedo, y que trajesen de comer. Y ellos dijeron a Cortés que le rogaban que mandase que no les llegasen a unos ídolos que estaban junto a la casa adonde Cortés posaba, y que traerían comida y harían lo que pudiesen. Y Cortés dijo que él haría lo que decían y que no les llegarían a cosa ninguna; mas que para qué querían aquellas cosas de ídolos, que son de barro y maderos viejos, y que eran cosas malas que les engañaban. Y tales cosas les predicó con los frailes y con doña Marina, que respondieron muy bien a lo que les decían, que los dejarían; y trajeron veinte cargas de maíz y unas gallinas. Y Cortés se informó de ellos que si sabían qué tantos soles de allí estaban los hombres con barbas como nosotros. Y dijeron que siete soles, y que se decía el pueblo donde estaban los de [a] caballo Nito, y que ellos irían por guías hasta otro pueblo, y que habíamos de dormir una noche en despoblado antes de llegar a él. Y Cortés les mandó hacer una cruz en un árbol muy grande que se dice ceiba, que estaba junto a las casas adonde tenían los ídolos.

También quiero decir que como Cortés andaba mal dispuesto y aun muy pensativo y descontento del trabajoso camino que llevábamos, y como había mandado ahorcar a Guatemuz y a su primo el señor de Tacuba, y había cada día hambre, y que adolecían españoles y morían muchos mexicanos, pareció ser que de noche no reposaba de pensar en ello y salíase de la cama donde dormía a pasear en una sala adonde había ídolos, que era aposento principal de aquel poblezuelo, adonde tenían otros ídolos, y descuidóse y cayó más de dos estados abajo, y se descalabró en la cabeza; y calló, que no dijo cosa buena ni mala sobre ello, salvo curarse la descalabradura, y todo se lo pasaba y sufría.

Y otro día muy de mañana comenzamos a caminar con nuestras guías, y sin acontecer cosa que de contar sea, y fuimos a dormir cabe un estero y cerca de unos montes muy altos. Y otro día fuimos por nuestro camino, y a hora de misas mayores allegamos a un pueblo, nuevo, y en aquel día se había despoblado y metido en unas ciénegas, y eran nuevamente hechas las casas y de pocos días, y tenían en el pueblo hechas muchas albarradas de maderos gruesos y todo cercado de otros maderos muy recios, y hechas cavas hondas antes de la entrada en él; y dentro dos cercas: la una como barbacana, y con sus cubos y troneras; y tenían a otra parte por cerca unas peñas muy altas llenas de piedras hechizas a mano, con grandes mamparos; y por otra parte, una gran ciénega que era fortaleza. Pues después que hubimos entrado en las casas, hallamos tantos gallos de papada y gallinas cocidas, como los indios las comen con sus *ajíes* y maíz de pan que se dice entre ellos *tamales,* que por una parte nos admirábamos de cosa tan nueva, y por otra nos alegramos con la mucha comida; y también hallamos una gran casa llena de lanzas chicas y arcos y flechas; y buscamos por los alrededores de aquel pueblo si había maizales y gente, y no había ninguna, ni aun grano de maíz. Estando de esta manera vinieron hasta quince indios, que salieron de las ciénegas que tenían mamparos, que eran principales de aquel pueblo, y pusieron las manos en el suelo y besaron la tierra, dicen a Cortés, medio llorando, que le piden por merced que aquel pueblo ni cosa ninguna no se la quemen, porque son nuevamente venidos allí a hacerse fuertes por causa de sus enemigos, que me parece que dijeron que se decían lacandones, porque les han quemado y destruido los dos pueblos en estos llanos de donde venían y les han robado y muerto mucha gente, los cuales pueblos veríamos abrasados adelante por el camino donde habíamos de ir, que están en tierra muy llana; y allí dieron cuenta cómo y de qué manera les daban guerra, y la causa por qué eran sus enemistades. Cortés les preguntó que cómo tenían tanto gallo y gallina a cocer; y dijeron que por horas aguardaban a sus enemigos que les habían de venir a dar guerra, y que si los vencían que les habían de tomar sus haciendas y gallos y llevarles cautivos; que porque no lo hubiesen ni gozasen, se lo querían antes comer, y que si ellos los desbarataban a los enemigos, que irían a sus pueblos, y les tomarían sus haciendas. Y Cortés dijo que le pesaba de ello y de su guerra, y por ir de camino no lo podía remediar. Llamábase aquel pueblo y otras grandes poblazones por donde otro día pasamos los Mazatecas, que quiere decir en su lengua los pueblos o tierras de venados, y tuvieron razón de ponerles aquel nombre, por lo que adelante diré. Y desde allí fueron con nosotros dos indios de ellos, y nos fueron mostrando sus poblazones quemadas, y dieron relación a Cortés cómo estaban los españoles adelante. Y dejarlo he aquí, y diré cómo otro día salimos de aquel pueblo y lo que más avino en el camino.

CAPÍTULO CLXXVIII

CÓMO SEGUIMOS NUESTRO VIAJE, Y LO QUE EN ÉL NOS AVINO

COMO SALIMOS del Pueblo Cercado, que así le llamábamos desde allí adelante, entramos en un bueno y llano camino y todo sabanas y sin árboles; y hacía un sol tan caluroso y recio, que otro mayor resistero no habíamos tenido en todo el camino. Y yendo por aquellos campos rasos, había tantos venados y corrían tan poco, que luego los alcanzábamos a caballo, por poco que corríamos con los caballos tras ellos, y se mataron sobre veinte. Y preguntando a los guías que llevábamos cómo corrían tan poco aquellos venados y no se espantaban de los caballos ni de otra cosa ninguna, dijeron que en aquellos pueblos, que ya he dicho que se decía los Mazatecas, que los tienen por sus dioses, porque les ha parecido en su figura, y que les ha mandado su ídolo que no les maten ni espanten, y que así lo han hecho, y que a esta causa no huyen. Y en aquella caza, a un pariente de Cortés, que se decía Palacios Rubios, se le murió un caballo porque se le derritió la manteca en el cuerpo de haber corrido mucho.

Dejemos la caza, y digamos que luego llegamos a las poblazones por mí ya nombradas, y era mancilla verlo todo destruido y quemado. Y yendo por nuestras jornadas, como Cortés siempre enviaba adelante corredores del campo a caballo y sueltos peones, alcanzaron dos indios naturales de otro pueblo que estaba adelante, por donde habíamos de ir, que venían de caza y cargados un gran león y muchas iguanas, que son hechura de sierpes chicas, que en estas partes así las llaman iguanas, que son muy buenas de comer; y les preguntaron que si estaba cerca su pueblo, y dijeron que sí, y que ellos guiarían hasta el pueblo; y estaba en una isleta cercada de agua dulce, que no podían pasar por la parte que íbamos sino en canoas, y rodeamos poco más de media legua, y tenían paso que daba el agua hasta la cinta; y hallámosle poblado con más de la mitad de los vecinos, porque los demás habíanse dado buena prisa a esconderse con sus haciendas entre unos carrizales que tenían cerca de sus sementeras, donde durmieron muchos de nuestros soldados, que se quedaron en los maizales y tuvieron bien de cenar, y se bastecieron para otros días. Y llevamos guías hasta otro pueblo, que estuvimos en llegar a él dos días, y hallamos en él un gran lago de agua dulce, y tan lleno de pescados grandes que parecían como sábalos, muy desabridos, que tienen muchas espinas; y con unas mantas viejas y con redes rotas que hallamos en aquel pueblo, porque ya estaba despoblado, se pescaron todos los peces que había en el agua, que eran más de mil. Y allí buscamos guías, las cuales se tomaron en unas labranzas. Y después que Cortés les hubo hablado con doña Marina que nos encaminasen a los pueblos adonde había hombres con barbas y caballos; y se alegraron de que no les hacíamos mal ninguno, y dijeron que ellos nos mostrarían el camino de buena voluntad, que de antes creían que los queríamos matar. Y fueron cinco de ellos con nosotros por un camino bien ancho, y mientras más adelante íbamos se iba enangostando a causa de un gran río y estero que allí cerca estaba, que parece ser en él se embarcaban y desembarcaban en canoas e iban por aquel pueblo adonde habíamos de ir, que se dice Tayasal, el cual está en una isleta cercado del agua, y si no es en canoas, no pueden entrar en él por tierra; y blanqueaban las casas y adoratorios de más de dos leguas que se esparcían y era cabecera de otros pueblos chicos que allí cerca están.

Volvamos a nuestra relación. Que como vimos que el camino ancho que antes traíamos se había vuelto en vereda muy angosta, bien entendimos que por el estero se mandaban, y así nos lo dijeron las guías que traíamos. Acordamos de dormir cerca de unos altos montes, y aquella noche fueron cuatro capitanías de soldados por las veredas que salían al estero a tomar guías. Y quiso Dios que se tomaron dos canoas con diez indios y dos mujeres, y traían las canoas cargadas con maíz y sal, y luego los llevaron a Cortés, y les halagó y les habló muy amorosamente con la lengua doña Marina. Y dijeron que eran naturales del pueblo que estaba en la isleta, y que estaría de allí, a lo que señalaban, obra de cuatro leguas. Y luego Cortés mandó que se quedasen con nosotros la mayor canoa y cuatro indios y las dos mujeres, y la otra canoa envió al pueblo con seis indios y dos españoles a rogar al cacique que traiga canoas al pasar del río, y que no se le haría ningún enojo, y le envió unas cuentas de Castilla. Y luego fuimos nuestro camino por tierra hasta el gran río, y la una canoa fue por el estero hasta llegar al río, y ya estaba el cacique con otros muchos principales aguardando al pasaje con cinco canoas; y trajeron cuatro gallinas y maíz. Y Cortés les mostró gran voluntad. Y después de muchos razonamientos que hubo de los caciques a Cortés, acordó de ir con ellos a su pueblo en aquellas canoas, y llevó consigo treinta ballesteros. Y llegado a las casas, le dieron de comer, y aun trajo oro bajo y de poca valía y unas mantas; y le dijeron que había españoles así como nosotros en dos pueblos, que el uno ya he dicho que se decía Nito, que es en San Gil de Buena Vista, junto al Golfo Dulce, y ahora le dan nuevas que hay otros muchos españoles en Naco, y que habrá de un pueblo al otro diez días de andadura, y que el Nito está en la costa del Norte, y el Naco, en la tierra adentro. Y Cortés nos dijo que por ventura Cristóbal de Olid habría repartido su gente en dos villas, que entonces no sabíamos de los de Gil González de Ávila, que pobló a San Gil de Buena Vista. Volvamos a nuestro viaje. Que todos pasamos aquel gran río en canoas y dormimos obra de dos leguas de allí, y no anduvimos más porque aguardamos a Cortés que viniese del pueblo de Tayasal.

Y después que vino, mandó que dejásemos en aquel pueblo un caballo morcillo que estaba malo de la caza de los venados y se le había derretido el unto en el cuerpo y no se podía tener. Y en este pueblo se huyó un negro y dos indios *naborías* y se quedaron tres españoles, que no se echaron de menos hasta de ahí a tres días, que más querían quedar entre enemigos que venir con tanto trabajo con nosotros. Este día estuve yo muy malo de calenturas y del gran sol que se me había entrado en la cabeza y en todo el cuerpo. Ya he dicho otra vez que entonces hacía gran recio sol, y bien se pareció, porque luego comenzó a llover tan recias aguas que en tres días con sus noches no dejó de llover: y no nos paramos en el camino porque, aunque quisiéramos aguardar que hiciera buen tiempo, no teníamos bastimentos de maíz, y por temor no faltase íbamos caminando.

Volvamos a nuestra relación. Que de allí a dos días dimos en una sierra de unas piedras que cortaban como navajas. Y puesto que fueron nuestros soldados a buscar otros caminos, para desechar aquella sierra de los pedernales, más de una legua a una parte y a otra, y no hallaron otro camino sino pasar por el que íbamos, e hicieron tanto daño aquellas piedras a los caballos, y como llovía resbalaban y caían y cortábanse piernas y brazos, y aun en los cuerpos, y mientras más abajábamos, peores pedernales había, porque ya era la bajada de la serrezuela, allí se nos quedaron dos caballos muertos, y los más que escaparon, jarreteados; y se le quebró una pierna a un soldado que se decía Palacios Rubios, deudo de Cortés. Y después que nos vimos fuera de aquella sierra de los Pedernales, que así la llamamos desde allí adelante, dimos muchas gracias y loores a Dios.

Pues ya que llegábamos cerca de un pueblo que se dice Taica, íbamos gozosos creyendo hallar bastimentos, y antes de llegar a él había un río que venía de una sierra entre grandes peñascos y derrumbaderos, y como había llovido tres noches, venía tan furioso y con tanto ruido, que bien se oía a dos leguas, por caer en tan grandes peñas; y además de esto, venía muy hondo, y pasarle era por demás. Y acordamos de hacer una puente desde unas peñas a otras, y tanta prisa nos dimos en tenerla hecha con árboles muy gruesos, que en tres días comenzamos a pasar para ir al pueblo. Y como estuvimos allí en el río en hacer la puente los tres días, los naturales de él tuvieron lugar de esconder el maíz y todo el bastimento, y ponerse en cobro, que no les podíamos hallar en todos los alrededores, y con la hambre que ya nos aquejaba, estábamos todos como atónitos, pensando en la comida y trabajos. Yo digo que verdaderamente nunca había sentido tanto dolor en mi corazón, como todos padecían entonces, viendo que no tenía qué comer ni qué dar a mi gente, y estar con calenturas, puesto que con diligencia lo buscábamos más de dos leguas del pueblo en todos los alrededores. Y esto era víspera de Pascua de la Santa Resurrección de Nuestro Salvador Jesucristo. Miren los lectores qué Pascua podíamos tener sin comer, que con maíz fuéramos muy contentos.

Pues desde que esto vio Cortés, luego envió de sus criados y mozos de espuelas con las guías a buscar por los montes y labranzas maíz el primer día de Pascua, y trajeron obra de una hanega. Y de que vio la gran necesidad, mandó llamar a ciertos soldados, todos los más vecinos de Guazacualco, y entre ellos me nombró a mí, y nos dijo que nos rogaba mucho que trastornáramos toda la tierra y buscásemos de comer, que veíamos en qué estado estaba todo el real. Y en aquella sazón estaba delante de Cortés, cuando nos lo mandaba, un Pedro de Ircio, que hablaba mucho, y dijo que le suplicaba que le enviase por nuestro capitán; y le dijo Cortés: "Id en buena obra." Y desde que aquello yo entendí, que sabía que Pedro de Ircio no podía andar a pie y nos había de estorbar antes que ayudar, secretamente dije a Cortés y al capitán Sandoval que no fuese Pedro de Ircio, que no podía andar por los lodos y ciénegas con nosotros, porque era paticorto y no era para ello, sino para mucho hablar, y que no era para ir a entradas, que se pararía o sentaría en el camino de rato en rato. Y luego mandó Cortés que se quedase y fuimos cinco soldados con dos guías por unos ríos bien hondos, y después de pasados los ríos dimos en unas ciénegas, y luego en unas estancias, donde estaba recogida toda la mayor parte de la gente de aquel pueblo, y hallamos cuatro casas llenas de maíz y muchos frijoles, y sobre treinta gallinas y melones de la tierra, que se dicen en todas tierras *ayotes,* y apañamos cuatro indios y tres mujeres, y tuvimos buena Pascua. Y esa noche llegaron [a] aquellas estancias sobre mil mexicanos que mandó Cortés que fuesen tras nosotros y nos siguiesen, porque tuviesen de comer; y todos muy alegres cargamos a los mexicanos todo el maíz que pudieron llevar, y que Cortés lo repartiese; y también le enviamos veinte gallinas para Cortés y Sandoval, y los indios y las indias y quedamos guardando dos casas de maíz no las quemasen y llevasen de noche los naturales del pueblo. Y luego otro día pasamos más adelante con otros guías, y topamos otras estancias, y había maíz y gallinas, y otras cosas de legumbres. Y luego escribí a Cortés que enviase muchos indios, porque había hallado otras estancias con maíz. Y como le envié las indias y los indios por mí dicho, y lo supieron en todo el real, otro día vinieron sobre treinta soldados y más de quinientos indios, y todos llevaron recaudo. Y de esta manera, gracias a Dios, se proveyó el real; y estuvimos en aquel pueblo cinco días; ya he dicho que se dice Taica.

Dejemos esto, y quiero decir que como hicimos esta puente y en todos los caminos habíamos hecho las grandes puentes ya por mí memoradas, después que aquellas tierras y provincias estuvieron de paz los españoles que por aquellos caminos pasaban, y hasta hoy día, y hallaban algunas de las puentes sin haberse deshecho al cabo de muchos años, y los grandes árboles que en ellas poníamos, se admiraban de ello, y suelen decir ahora que aquí son las puentes de Cortés, como si dijeran las columnas de Hércules. Dejemos estas memorias, pues no hacen a nuestro caso, y digamos cómo fuimos por nuestro camino hasta otro pueblo que se dice Tania. Y estuvimos en llegar a él dos días y hallámosle despoblado, y buscamos de comer, y hallamos maíz y otras legumbres, mas no muy abastado. Y fuimos por los rededores de él a buscar caminos, y no le hallamos, sino todos ríos y arroyos, y las guías que habíamos traído del pueblo que dejamos atrás se huyeron una noche a ciertos soldados que las guardaban, que eran de los recién venidos de Castilla, que pareció ser se durmieron. Y después que Cortés lo supo, quiso castigar a los soldados por ello; y por ruegos lo dejó. Y entonces envió a buscar guías y camino, y era por demás hallarlos por tierra enjuta, porque todo el pueblo estaba cercado de ríos y arroyos, y no se podían tomar ningunos indios ni indias, y, además de esto, llovía a la contina y no nos podíamos valer de tanta agua; y Cortés y todos nosotros estábamos espantados y penosos de no saber ni hallar camino por donde ir. Y entonces, muy enojado, dijo Cortés a Pedro de Ircio y a otros capitanes, que eran de los de México: "Ahora querría yo que hubiese quien dijese que quería ir a buscar guías o camino, y no dejarlo todo a los vecinos de Guazacualco." Y Pedro de Ircio, como oyó aquellas palabras, se apercibió con seis soldados, sus conocidos y amigos, y fue por una parte; y Francisco Marmolejo, que era persona de calidad, con otros seis soldados, por otra parte; y un Santa Cruz, burgalés, regidor que fue de México, fue por otra con otros soldados. Y anduvieron todos tres días, y no hallaron camino, ni guías, sino todo arroyos, y ríos caudalosos.

Y después que hubieron venido sin recaudo ninguno, quería reventar Cortés de enojo, y dijo a Sandoval que me dijese a mí el gran trabajo en que estábamos y me rogase de su parte que fuese a buscar guías y camino. Y esto lo dijo con palabras amorosas y a manera de ruegos, por causa que supo cierto que estaba malo,[167] y aun me habían apercibido antes que Sandoval me hablase para ir con Francisco Marmolejo, que era mi amigo, y dije que no podía ir por estar muy malo y cansado, y que siempre me daban a mí el trabajo, y que enviasen a otro. Y luego vino Sandoval otra vez a mi rancho y me dijo por ruegos que fuese con otros dos compañeros, los que yo escogiese; porque decía Cortés que, después de Dios, en mí tenía confianza que traería recaudo. Y puesto que yo estaba malo, no le pude perder vergüenza, y demandé que fuese conmigo un Hernando de Aguilar y un Hinojosa, hombres que sabía que eran de sufrir trabajos, y todos tres salimos y fuimos por unos arroyos abajo. Y fuera de los arroyos, en el monte, había unas señales de ramas cortadas, y seguimos aquel rastro más de media legua; y luego salimos del arroyo y dimos en unos ranchos pequeños, despoblados de aquel día, y seguimos el rastro, y desde lejos, en una cuesta, vimos unos maizales y una casa, y sentimos gente en ellas; y como era ya puesta del sol, estuvimos en el monte hasta buen rato de la noche, que nos pareció que deberían de dormir los moradores de aquellas milpas; y muy callando dimos muy de presto en la casa y prendimos tres indios y dos mujeres mozas y hermosas para ser indias, y una vieja; y tenían dos gallinas y un poco de maíz. Y trajimos el maíz y gallinas con los indios e indias, y muy ale-

[167] Tachado en el original: *como dicho tengo que aun tenía calenturas y estaba mal dispuesto.*

gres volvimos al real. Y desde que Sandoval lo supo, que fue el primero que estaba aguardando en el camino sobre tarde, de gozo no podía caber, y fuimos delante Cortés, que lo tuvo en más que si le dieran otra buena cosa, entonces dijo Sandoval a Pedro de Ircio, que vino con Sandoval, delante muchos caballeros: "¿Paréceos, señor Pedro de Ircio, si tuvo Bernal Díaz del Castillo razón el otro día, cuando fue a buscar maíz, en decir que no quería ir sino con hombres sueltos y no quien vaya todo el camino muy despacio, contando lo que les acaeció al conde de Durueña y don Pedro Girón, su hijo? (porque estos cuentos decía Pedro de Ircio muchas veces). No tenéis razón de quejaros en decir que él os revolvía con el señor capitán y conmigo." Y todos se rieron de ello. Y esto dijo Sandoval porque Pedro de Ircio estaba mal conmigo. Y luego Cortés me dio las gracias por ello, y dijo: "Siempre tuve que había de traer recaudo, y yo os empeño éstas (y fueron sus barbas) que yo tengo cuenta con vuestra señoría." Quiero dejar estas alabanzas, pues son vaciadizas, que no traen provecho ninguno, que otros las dijeron en México cuando contaban de este trabajoso viaje.

Volvamos a decir que Cortés se informó de las guías y de las dos mujeres, y todos confirmaron que por un río abajo habíamos de ir a un pueblo que estaba de allí dos días de andadura. El nombre del pueblo se decía Ocolizte, que era de más de doscientas casas, y estaba despoblado de pocos días pasados. Y yendo por nuestro camino río abajo, topamos unos grandes ranchos, que eran de indios mercaderes, donde hacían jornada, y allí dormimos. Y otro día entramos en el mismo río y arroyo, y fuimos obra de media legua por él, y dimos en buen camino; y aquel día allegamos al pueblo de Ocolizte, y había mucho maíz y legumbres. Y en una casa de adoratorios de ídolos se halló un bonete viejo colorado y un alpargate ofrecido a los ídolos, y ciertos soldados que fueron por las labranzas trajeron a Cortés dos indios viejos y cuatro indias, que se tomaron en los maizales de aquel pueblo. Y Cortés les preguntó con nuestra lengua doña Marina por el camino y qué tanto estaban de allí los españoles; y dijeron que dos días, y que no había poblado ninguno hasta allá, y que tenían las casas junto a la costa de la mar. Y luego incontinenti mandó Cortés a Sandoval que fuese a pie con otros seis soldados y que saliese [a] la mar, y que de una manera o de otra procurase saber e inquirir si eran muchos españoles los que allí estaban poblados con Cristóbal de Olid, porque en aquella sazón no creíamos que hubiese otro capitán en aquella tierra. Y esto quería saber Cortés para que diésemos sobre Cristóbal de Olid de noche, si allí estuviese, y prenderle a él y sus soldados.

Y Gonzalo de Sandoval fue con los seis soldados y tres indios por guías que para ello llevaba de aquel pueblo de Ocolizte. Y yendo por la costa norte, vio que venía por la mar una canoa a remo y a vela, y se estuvo escondido de día en un monte, porque vieron venir por la mar la canoa, la cual era de indios mercaderes, y venía costa a costa, y traían mercaderías de sal y maíz, e iban a entrar en el río grande del Golfo Dulce. Y de noche la tomaron en un ancón que era puerto de canoas, y en la misma canoa se metió Sandoval con dos compañeros y con los indios remeros que traía la misma canoa, y con las tres guías, y se fue costa a costa; y los demás soldados se fueron por tierra, porque supo que estaba cerca el Río Grande. Y llegados que hubieron cerca del Río Grande, quiso la ventura que habían venido aquella mañana cuatro vecinos de la villa que estaba poblada y un indio de Cuba de los de Gil González de Ávila en una canoa; y pasaron de la parte del río a buscar una fruta que se llaman zapotes, para comer asados, porque en la villa donde salieron pasaban mucha hambre, a causa que estaban todos los más dolientes y no osaban salir a buscar bastimentos a los pueblos, porque les habían dado guerra los indios cercanos y muerto diez soldados después que los dejó allí Gil González de Ávila. Pues estando los de Gil González de Ávila derrocando los zapotes del árbol, y estaban encima del árbol los dos hombres, y de que vieron venir la canoa por la mar, en que venía Gonzalo de Sandoval y sus compañeros, de lo cual se espantaron, y admiraron de cosa tan nueva, y no sabían si huir o esperar. Y como llegó Sandoval a ellos, les dijo que no hubiesen miedo, que era gente de paz; y así estuvieron quedos y muy espantados. Y después de muy bien informados Sandoval y sus compañeros de los dos españoles cómo y de qué manera estaban allí poblados los de Gil González de Ávila, y del mal suceso de la armada del de las Casas, que se perdió, y cómo Cristóbal de Olid les tuvo presos al de las Casas y a Gil González de Ávila, y cómo le degollaron en Naco a Cristóbal de Olid por sentencia que dieron contra él, y cómo eran ya partidos para México, y supieron quién y cuántos estaban en la villa, y la gran hambre que pasaban, y cómo había pocos días que habían ahorcado en aquella villa al teniente y capitán que les dejó allí Gil González de Ávila, que se decía Armenta, y por qué causa le ahorcaron, que fue porque no les dejaba ir a Cuba, acordó Sandoval de llevar luego aquellos hombres a Cortés y no hacer novedad ni ir a la villa sin él, para que de sus personas fuese informado.

Y entonces un soldado que se decía Alonso Ortiz, vecino que después fue de una villa que se dice San Pedro, suplicó a Sandoval que le hiciese merced de darle licencia para adelantarse una hora para llevarle las nuevas a Cortés y a todos nosotros que con él estábamos, por que le diésemos albricias. Y así lo hizo, de las cuales nuevas se holgó Cortés y todo nuestro real, creyendo que allí acabáramos de pasar tantos trabajos como pasábamos; y se nos doblaron muchos más, según adelante diré. Y a Alonso Ortiz, que llevó estas nuevas, Cortés le dio luego un caballo muy bueno, rosillo, que llamaban *Cabeza de Moro*, y todos le dimos de lo que entonces teníamos. Y luego llegó el capitán Sandoval con los soldados y el indio de Cuba, y dieron relación a Cortés de todo lo por mí dicho y de otras muchas cosas que les preguntaba; y como tenían en aquella villa un navío que estaban calafateando en un puerto obra de media legua de allí, el cual tenían en él para embarcarse todos e irse a Cuba; y que porque no les había dejado embarcar el teniente Armenta, le ahorcaron, y también porque mandaba dar garrote a un clérigo que revolvía su villa; y alzaron por teniente a un Antonio Nieto, en lugar de Armenta que ahorcaron.

Dejemos de hablar de las nuevas de los dos españoles, y digamos los lloros que en su villa se hizo viendo que no volvían aquella noche los dos vecinos y el indio de Cuba que habían ido a buscar la fruta de zapotes, que así se llamaban, que creyeron que indios los habían muerto, o tigres o leones; y el uno de ellos era casado, y su mujer lloraba por él; y todos los vecinos, y también el clérigo, que se decía el bachiller fulano Velázquez, se juntaron en la iglesia y rogaban a Dios que les ayudase y que no viniesen más males sobre ellos; y no hacía la mujer sino rogar a Dios por el ánima de su marido.

Volvamos a nuestra relación. Que luego Cortés nos mandó a todo nuestro ejército ir camino de la mar, que sería seis leguas, y aun en el camino había un estero muy crecido y hondo que crecía y menguaba; y estuvimos aguardando que menguase medio día, y le pasamos a vuelapié y a nado. Y llegados al gran río del Golfo Dulce, el primero que quiso ir a la Villa, que estaba de allí dos leguas, fue el mismo Cortés con seis soldados, sus mozos de espuelas.

Y fue en las dos canoas atadas, que la una era en que habían venido los soldados de Gil González a buscar zapotes, y la otra que Sandoval había tomado en la costa a los indios, que para aquel menester de pasar se las habían varado en tierra y escondido en el monte, y las tornaron a echar en el agua, y se ataron una con otra de manera que estaban bien fijas, y en ellas pasó Cortés y sus criados. Y luego en las mismas canoas mandó que le pasasen dos caballos, y es de esta manera: en las canoas, remando, y los caballos, de cabestro, nadando junto a las canoas, y con maña y no dar mucho largor al caballo porque no trastorne la canoa. Y mandó que hasta que no viésemos su carta o mandado que no pasásemos ningunos en las mismas canoas, por el gran riesgo que había en el pasaje, que Cortés se hubo arrepentido de haber ido en ellas, porque venía el río con gran furia. Y dejarlo he aquí, y diré lo que más nos avino.

CAPÍTULO CLXXIX

CÓMO CORTÉS ENTRÓ EN LA VILLA ADONDE ESTABAN POBLADOS LOS DE GIL GONZÁLEZ DE ÁVILA, Y DE LA GRAN ALEGRÍA QUE TODOS LOS VECINOS HUBIERON, Y LO QUE CORTÉS ORDENÓ

DESPUÉS QUE HUBO pasado Cortés el gran río del Golfo Dulce de la manera que dicho tengo, fue a la villa adonde estaban poblados los españoles de Gil González de Ávila, que sería de allí dos leguas, que estaban junto a la mar, y no adonde solían estar primero poblados, que llamaron San Gil de Buena Vista. Y cuando vieron entre sus casas a un hombre a caballo y otros seis a pie, se espantaron en gran manera. Y después que supieron que era Cortés, que tan mentado era en todas las partes de las Indias y de Castilla, no sabían qué hacerse de placer, y después de venir todos los caciques a besarle las manos y darle el parabienvenido, Cortés les habló muy amorosamente y mandó al teniente, que se decía Nieto, fuese donde daban carena al navío y trajesen dos bateles que tenían, y que si había canoas, que asimismo las trajesen atadas de dos en dos. Y mandó que se buscase todo el pan cazabe que allí tenían y lo llevasen al capitán Sandoval, que otro pan de maíz no había, para que comiese y repartiese entre todos nosotros los de su ejército. Y el teniente lo buscó luego, y no se halló cincuenta libras de ello, porque no comían sino zapotes asados y legumbres y algún marisco que pescaban; y aun aquel cazabe que dieron guardaban para el matalotaje y para irse a Cuba cuando estuviese calafateado el navío. Y con dos bateles y ocho marineros que luego vinieron escribió Cortés luego a Sandoval que él mismo en persona y el capitán Luis Marín fuesen los postreros que pasasen aquel gran río, y que mirasen que no se embarcasen más de los que él mandase, y los bateles pasasen sin mucha carga, por causa de la gran corriente del río, que venía muy crecido y recio; y con cada batel, dos caballos; y en las canoas no pasase caballo ninguno, que se perderían y trastornarían, según la gran furia de la corriente.

Y sobre el pasar adelante, uno que se decía Sayavedra, hermano de otro Ávalos, parientes de Cortés, querían pasar primero, puesto que Sandoval decía que en la primera barcada pasarían, porque pasaban en aquella sazón los religiosos franciscos, y que era justo tener primero cumplimiento con ellos. Y como el Sayavedra era pariente de Cortés y esta envidia de mandar vino desde Lucifer, no quisiera que Sandoval le pusiera impedimento, sino que callara, y respondióle no tan bien mirado como convenía. Y Sandoval, que no se las sufría, tuvieron palabras, de manera que Sayavedra echó mano a un puñal, y puesto que Sandoval, como estaba dentro en el río, a más de la rodilla el agua, deteniendo que en los bateles no se cargase demasiado, así como estaba arremetió a Sayavedra y le tenía tomada la mano donde tenía el puñal y le derrocó en el agua. Y si de presto no nos metiéramos entre ellos y los despartimos, ciertamente Sayavedra librara mal, porque todos los más soldados [nos] mostramos de la parte de Sandoval. Dejemos esta cuestión, y diré cómo cuatro días estuvimos en pasar aquel río; y de comer, ni por pensamiento, si no era de unas *pacayas* que nacen de unas palmillas chicas, y otras como nueces, que asábamos y las partíamos, y los meollos de ellos comíamos.

Y en aquel río se ahogó un soldado con su caballo, el cual soldado se decía Tarifa, que pasaba en una canoa, y no pareció más él ni el caballo. También se ahogaron dos caballos, y el uno era de un soldado que se decía Solís Casquete, que hacía bramuras por él y maldecía a Cortés y a su viaje. Quiero decir de la gran hambre que allí en el pasar del río hubo, y aun del murmurar de Cortés y de su venida, y aun de todos nosotros que le seguíamos. Pues cuando hubimos llegado al pueblo, no había bocado de cazabe que comer, ni aun los vecinos lo tenían, ni sabían caminos, si no era de dos pueblos que allí cerca solían estar, que se habían ya despoblado. Y luego Cortés mandó al capitán Luis Marín que con los vecinos de Guazacualco fuésemos a buscar maíz, lo cual adelante diré.

CAPÍTULO CLXXX

CÓMO OTRO DÍA DESPUÉS DE HABER LLEGADO A AQUELLA VILLA, QUE YO NO LE SÉ OTRO NOMBRE SINO SAN GIL DE BUENA VISTA, FUIMOS CON EL CAPITÁN LUIS MARÍN HASTA OCHENTA SOLDADOS, TODOS A PIE, A BUSCAR MAÍZ Y DESCUBRIR LA TIERRA. Y LO QUE PASÓ DIRÉ ADELANTE

YA HE DICHO QUE como llegamos [a] aquella villa que Gil González de Ávila tenía poblada no tenían qué comer, y eran hasta cuarenta hombres y cuatro mujeres de Castilla y dos mulatas, y todos dolientes y las colores muy amarillas. Y como no teníamos qué comer nosotros ni ellos, no veíamos la hora que irlo a buscar. Y Cortés mandó que saliese el capitán Luis Marín y buscásemos maíz. Y fuimos con él sobre ochenta soldados, a pie, hasta ver si había caminos para caballos. Y llevábamos con nosotros un indio de Cuba que nos fuese guiando a unas estancias y pueblos que estaban de allí a ocho leguas, donde hallamos mucho maíz e infinitos cacahuatales, y frijoles, y otras legumbres, donde tuvimos bien que comer, y aun enviamos a decir a Cortés que enviase todos los indios mexicanos, y llevarían maíz. Y le socorrimos entonces con otros indios con diez hanegas de ello, y enviamos por nuestros caballos.

Y después que Cortés supo que

estábamos en buena tierra y se informó de indios mercaderes, que entonces habían prendido en el río del Golfo Dulce, que para ir a Naco, adonde degollaron a Cristóbal de Olid, era camino derecho donde estábamos, envió a Gonzalo Sandoval, con toda la mayor parte de su ejército, que nos siguiese y que nos estuviésemos en aquella estancia hasta ver su mandado. Y como llegó Sandoval adonde estábamos y vio que había abastadamente de comer, se holgó mucho, y luego envió a Cortés sobre treinta hanegas de maíz con indios mexicanos, lo cual repartió a los vecinos que en aquella villa quedaban. Y como estaban hambrientos y no eran acostumbrados sino a comer zapotes asados y cazabe, y como se hartaron de tortillas con el maíz que les enviamos, se les hincharon las barrigas, y como estaban dolientes, se murieron siete de ellos. Y estando de esta manera con tanta hambre, quiso Dios que aportó allí un navío que venía cargado de las islas de Cuba con siete caballos y cuarenta puercos y ocho pipas de tasajos salados y pan cazabe. Y venían hasta quince pasajeros y ocho marineros, y cúya era toda la más cargazón de aquel navío se decía Antón de Carmona, el Borcejero. Y Cortés compró fiado todo cuanto bastimento en él venía y repartió ello a los vecinos. Y como estaban en tanta necesidad y debilitados, se hartaron de la carne salada y dio a muchos de ellos cámaras, de que murieron catorce.

Pues como vino aquel navío con la gente y marineros, parecióle a Cortés que era bien ir a ver y calar y bojar aquel tan poderoso río, si había poblazones arriba y qué tierra era. Y luego mandó calafatear un buen bergantín que estaba al través, que era de los de Gil González de Ávila, y adobar un batel y hacerle como barco del descargo. Y con cuatro canoas, atadas unas con otras, y con treinta soldados, y los ocho hombres de la mar de los nuevamente venidos en el navío, y Cortés por su capitán, y con veinte indios mexicanos, se fue el río arriba. Y obra de diez leguas que hubo ido el río arriba halló una laguna muy ancha que tenía de bojo el agua y anchor seis leguas, y no había poblazón ninguna alrededor de ella, porque todo era anegadizo. Y siguiendo el río arriba venía ya muy corriente, más que de antes, y había unos saltaderos que no podían ir con el bergantín y bateles y canoas. Y acordó de dejarlas allí, en un río manso, con seis españoles en guarda de ellos. Y fue por tierra, por un camino angosto, y llegó a unos poblezuelos despoblados. Y luego dio en unos maizales, y de allí tomó tres indios por guías y le llevaron a unos pueblos chicos, donde tenían mucho maíz y gallinas, y aun tenían faisanes, que en estas tierras llaman *sacachules*, y perdices de la tierra, y palomas. Y esto de tener perdices de esta manera yo le he visto y hallado en pueblos que están en comarca de estos del Golfo Dulce, cuando fui en busca de Cortés, como adelante diré.

Volvamos a nuestra relación. Que allí tomó Cortés guías y pasó adelante, y fue a otros poblezuelos que se dicen Zinacantenzintle, donde tenían grandes cacahuatales y maizales y algodón. Y antes que a ellos llegase oyeron tañer atabalejos y trompetillas haciendo fiestas y borracheras. Y por no ser sentido, Cortés estuvo escondido con sus soldados en un monte, y de que vio que era tiempo de ir a ellos, arremeten todos a una y prendieron hasta diez indios y quince mujeres. Y todos los más indios de aquel pueblo de presto se fueron a tomar sus armas, y vuelven con arcos y flechas y lanzas, y comenzaron a flechar a los nuestros. Y Cortés con los suyos fue contra ellos y acuchillaron a ocho indios que eran principales. Y desde que veían el pleito malparado y las mujeres tomadas, enviaron cuatro hombres viejos, y los dos eran sacerdotes de ídolos y vinieron muy mansos a rogar a Cortés que les diese los presos, y trajeron ciertas joyezuelas de oro y de poca valía. Y Cortés les habló con doña Marina, que allí iba con Juan Jaramillo, su marido, porque Cortés, sin ella, no podía entender [a] los indios; y les dijo que llevasen el maíz y gallinas y sal y todo el bastimento que allí les señaló, y dio a entender adónde habían ido en canoas y bergantines, las que envió presto, y luego les daría los presos. Y ellos dijeron que así harían, y que cerca de allí está uno como estero que salía al río. Y luego hicieron balsas y medio nadando lo llevaron hasta que dieron en fondo que pudieron nadar muy bien.

Pues como Cortés había quedado de darles todos los presos, pareció ser mandó Cortés que se quedasen tres mujeres con sus maridos para hacer pan y servirse de los indios, y no se las dieron, y sobre ello se apellidan todos los indios de aquel pueblo y sobre las barrancas del río dan una buena mano de vara y piedra y flecha a Cortés y a sus soldados, de manera que hirieron al mismo Cortés en la cara y a otros doce de sus soldados. Allí se le desbarató la una balsa, y aun se perdió la mitad de lo que traía, y se ahogó un mexicano. Y en aquel río hay tanto de los mosquitos, que no se podía valer. Y Cortés todo lo sufría, y da vuelta para su villa, que no sé cómo se la nombró, y bastécela mucho más de lo que estaba. Ya he dicho que el pueblo donde llegó Cortés se decía Zinacantenzintle, y me han dicho ahora que está de Guatemala hasta setenta leguas, y tardó Cortés en este viaje y volver a la villa veinte y seis días. Y después que vio que no era bien poblar allí por no haber pueblos de indios, y como tenía mucho bastimento, así de lo que antes estaba como de lo que al presente traía, acordó de escribir a Gonzalo de Sandoval que luego se fuese a Naco, y le hizo saber todo lo por mí dicho de su viaje del Golfo Dulce, según lo tengo aquí relatado, y cómo iba a poblar a Puerto de Caballos, y que le enviase diez soldados de los de Guazacualco, que sin ellos no se hallaba en las entradas.

CAPÍTULO CLXXXI

CÓMO CORTÉS SE EMBARCÓ CON TODOS LOS SOLDADOS, CUANTOS HABÍA TRAÍDO EN SU COMPAÑÍA Y LOS QUE HABÍAN QUEDADO EN SAN GIL DE BUENA VISTA, Y FUE A POBLAR ADONDE AHORA LLAMAN PUERTO DE CABALLOS, Y LE PUSO NOMBRE LA NATIVIDAD, Y LO QUE ALLÍ HIZO

PUES COMO CORTÉS vio que en aquel asiento que halló poblados a los de Gil González de Ávila no era bueno, acordó de embarcarse en los dos navíos y bergantín con todos cuantos en aquella villa estaban, que no quedó ninguno, y en ocho días de navegación fue a desembarcar adonde ahora llaman Puerto de Caballos. Y como vio aquella bahía buena para puerto y supo de indios que había cerca poblazones, acordó de poblar una villa, que la nombró Natividad, y puso por su teniente a un Diego de Godoy Y desde allí hizo dos entradas en la tierra adentro, a unos pueblos cercanos que ahora están despoblados, y tomó lengua de ellos cómo había cerca otros pueblos, y abasteció la villa de maíz, y supo que estaba el pueblo de Naco, donde degollaron a Cristóbal de Olid, cerca de aquel pueblo, y escribió a Gonzalo de Sandoval, creyendo que ya había llegado y estaba de asiento en Naco, que le enviase diez soldados de los de Guazacualco, y decía en la carta que sin ellos no se hallaba en hacer entradas; y escribió cómo quería irse desde allí al puerto de Honduras, adonde estaba poblada la villa de Trujillo, y que Sandoval con sus soldados pacificasen aquellas tierras y poblasen una villa; la cual carta vino a poder de Sandoval estando que estábamos en las estancias por mí ya dichas, que no habíamos llegado a Naco.

Y dejemos de decir de Cortés y de sus entradas que hacía desde Puerto de Caballos, y de los muchos mosquitos que en ellas les picaban, así de día como de noche, que, a lo que después le oía decir, tenía con ellos tan malas noches, que estaba la cabeza sin sentido de no dormir. Pues como Gonzalo de Sandoval vio las cartas, luego se fue desde aquellas estancias que dicho tengo a unos pueblezuelos que se dicen Cuyuacán, que estaban de allí siete leguas, y no se pudo ir luego a Naco, como Cortés le había mandado, por no dejar atrás en los caminos muchos soldados que se habían apartado a otras estancias, por tener que comer ellos y sus caballos, y por causa que al pasar un río muy hondo, de dos que había, que no se podía vadear, y era camino de las estancias, y por dejar recaudo de una canoa con que pasaban los españoles que quedaban rezagados y muchos indios mexicanos que venían dolientes. Y esto fue también por temor que de unos pueblos cercanos de las estancias, que confinaban en el río y Golfo Dulce, venían cada día de allí de guerra muchos indios de los pueblos, porque no hubiese algún mal recaudo y muerte de españoles y de indios mexicanos, mandó Sandoval que quedásemos a aquel paso ocho soldados, y a mí me dejó por caudillo de ellos, y que tuviésemos una canoa del pasaje siempre varada en tierra, y que estuviésemos alerta si daban voces pasajeros de los que estaban en las estancias, para luego pasarles. Y una noche vinieron muchos indios guerreros de los pueblos cercanos y de las estancias, creyendo que no nos velábamos, y por tomarnos la canoa dan de repente en los ranchos en que estábamos y les pusieron fuego. Y no vinieron tan secreto que ya les habíamos sentido, y nos recogimos todos ocho soldados y cuatro mexicanos de los que estaban sanos, y arremetimos a los guerreros y a cuchilladas los hicimos volver por donde habían venido, puesto que flecharon a dos soldados y a un indio; mas no fueron mucho las heridas. Y después que aquello vimos, fuimos tres compañeros a las estancias adonde sentíamos que habían quedado indios y españoles dolientes, que sería una legua de allí, y trajimos a un Diego de Mazariegos, ya otras veces por mí nombrado, y a otros españoles que estaban en su compañía, y a indios mexicanos que estaban dolientes, y luego los pasamos el río, y fuimos adonde Sandoval estaba.

Y yendo que íbamos nuestro camino, como un español de los que habíamos recogido en las estancias iba muy malo, y era de los nuevamente venidos de Castilla, y medio isleño, hijo de genovés, y como iba malo y sin tener qué darle de comer, sino tortillas y *pinol*, y ya que llegábamos a obra de media legua donde estaba Sandoval, se murió en el camino, y no tuve gente para llevar el cuerpo muerto hasta el real. Y llegado adonde Sandoval estaba, le dije de nuestro viaje y del hombre que se quedó muerto; y hubo enojo conmigo porque entre todos nosotros no le trajimos a cuestas o en un caballo. Y le dije que traíamos dos dolientes en cada caballo, y nos venimos a pie, y que por esta causa no se pudo traer. Y un soldado que se decía Bartolomé de Villanueva, que era mi compañero, respondió a Sandoval muy soberbio que harto teníamos que traer nuestras personas sin traer muertos a cuestas, y que renegaba de tanto trabajo y pérdida como Cortés nos había causado. Y luego mandó Sandoval a mí y a Villanueva que sin más parar le fuésemos a enterrar. Y llevamos dos indios y un azadón, e hicimos su sepultura, y lo enterramos, y le pusimos una cruz, y hallamos en la cabecera del muerto una taleguilla con muchos dados y un papel escrito, una memoria donde era natural y cuyo hijo era, y que bienes tenía en Tenerife. Pues, el tiempo andando, se envió aquella memoria a Tenerife. Y perdónele Dios, amén.

Dejemos de contar cuentos, y quiero decir que luego Sandoval acordó que fuésemos a otros pueblos que ahora están cerca de unas minas que se descubrieron desde ha tres años; y desde allí fuimos a otro pueblo que se dice Quimistán; y otro día, a hora de misa, fuimos a Naco, y en aquella sazón era buen pueblo, y hallámosle despoblado de aquel mismo día; y después de aposentarnos en unos patios grandes, donde habían degollado a Cristóbal de Olid, que estaba el pueblo bien bastecido de maíz y de frijoles, y *ají*, y también hallamos un poco de sal, que era la cosa que más deseábamos, y allí asentamos con nuestro fardaje, como si hubiéramos de estar en él para siempre. Hay en este pueblo la mejor agua que habíamos visto en la Nueva España, y un árbol que en mitad de la siesta, por recio sol que hiciese, parecía que la sombra del árbol refrescaba el corazón, y caía de él uno como rocío muy delgado que confortaba las cabezas. Y este pueblo en aquella sazón fue muy poblado y en buen asiento, y había fruta de zapotes colorados y de los chicos, y estaban en comarca de otros pueblos. Y dejarlo he aquí, y diré lo que allí nos avino.

CAPÍTULO CLXXXII

CÓMO EL CAPITÁN GONZALO DE SANDOVAL COMENZÓ A PACIFICAR AQUELLA PROVINCIA DE NACO, Y LO QUE MÁS HIZO

DESPUÉS QUE HUBIMOS allegado al pueblo de Naco y recogido maíz, frijoles y *ají*, y con tres principales de aquel pueblo que allí en los maizales prendimos, los cuales Sandoval halagó y dio cuentas de Castilla y les rogó que fuesen a llamar a los demás caciques que no se les haría enojo ninguno, y fueron así como se lo mandó y vinieron dos caciques; mas no pudo con ellos que se poblase el pueblo, salvo traer de cuando en cuando poca comida, ni nos hacían bien ni mal, ni nosotros a ellos. Y así estuvimos los primeros días. Y Cortés había escrito a Sandoval, como dicho tengo, que luego le enviase a Puerto de Caballos diez soldados de los de Guazacualco, y todos nombrados por sus nombres, y entre ellos era yo uno, y en aquella sazón estaba algo malo, dije a Sandoval que me excusase pues estaba mal dispuesto, y él que lo había a gana, así quedé. Y envió ocho soldados muy buenos varones para cualquiera afrenta, y aun fueron de tan mala voluntad, que renegaban de Cortés y aun de su viaje, y tenían mucha razón.

Y porque no sabían si la tierra por donde habían de ir estaba de paz, acordó Sandoval de demandar a los caciques de Naco cinco principales indios que fuesen con ellos hasta Puerto de Caballos, y les puso temores que si algún enojo recibían algunos de los soldados, que les quemaría el pueblo y que les iría a buscar y dar guerra; y mandó que en todos los pueblos por donde pasasen les diesen muy bien de comer. Y fueron su viaje hasta Puerto de Caballos, adonde hallaron a Cortés, que se quería embarcar para ir a Trujillo, y se holgó con ello, y supo cómo quedábamos buenos, y les llevó consigo en los navíos, y luego se embarcó y dejó en aquella villa del Puerto de Caballos a un Diego de Godoy por su capitán, con hasta cuarenta vecinos, que eran todos los más de los que solían ser de Gil González de Ávila y de los nuevamente venidos de las islas. Y después que Cortés se hubo embarcado y su teniente Godoy se quedó en la villa, con los soldados que más sanos tenían hacían entradas en los pueblos comarcanos. Trajo dos de ellos de paz; mas como los indios vieron que los soldados que allí quedaban estaban todos los más de ellos dolientes y se morían cada día, no hacían cuenta de ellos, y a esta causa no le acudían con comida, ni ellos eran para irlo a buscar, y pasaban gran necesidad de hambre, y aun en pocos días se murieron la mitad de ellos y se despoblaron otros tres soldados, que se vinieron huyendo adonde estábamos con Sandoval.

Y dejarlo he aquí en este estado y volveré a Naco. Que como Sandoval había visto que no querían venir a poblar el pueblo los indios vecinos y naturales de Naco, y aunque los enviaba a llamar muchas veces, y que los demás pueblos comarcanos no venían ni hacían cuentas de nosotros, acordó de ir en persona [a] hacer de manera que viniesen. Y fuimos luego a unos pueblos que se decían Girimonga y Azula, y a otros tres pueblos que estaban cerca de Naco, y todos vinieron a dar la obediencia a Su Majestad. Y luego fuimos a Quimistán y a otros pueblos de la sierra, y asimismo vinieron. Por manera que todos los indios de aquella comarca venían, y como no se les demandaba cosa ninguna más de lo que ellos querían dar, no tenían pesadumbre de venir; y de esta manera estaba todo de paz hasta donde pobló Cortés la villa que ahora se dice Puerto de Caballos. Y dejemos esta materia, porque por fuerza tengo de volver a decir de Cortés, que fue a desembarcar al puerto de Trujillo, y porque en una sazón acaecen dos y aun tres cosas, como otras veces he dicho en los capítulos pasados, y tengo de meter la pluma por los pasos contados, dónde y de qué manera conquistábamos y poblamos, y aunque se deje por ahora de decir de Sandoval y lo que en Naco le avino, quiero decir lo que Cortés hizo en Trujillo.

CAPÍTULO CLXXXIII

CÓMO CORTÉS DESEMBARCÓ EN EL PUERTO DE TRUJILLO, Y CÓMO TODOS LOS VECINOS DE AQUELLA VILLA LO SALIERON A RECIBIR Y SE HOLGARON MUCHO CON ÉL, Y LO QUE ALLÍ HIZO

Como Cortés hubo embarcado en el Puerto de Caballos y llevó en su compañía muchos soldados de los que trajo de México y los que le envió Gonzalo de Sandoval, y con buen tiempo, en seis días llegó al puerto de Trujillo. Y desde que los vecinos que allí vivían, que dejó poblados Francisco de las Casas, supieron que era Cortés, todos fueron a la mar, que estaba cerca, a recibirle y besarle las manos, porque muchos de aquellos vecinos eran bandoleros de los que echaron de Pánuco y fueron en dar consejo a Cristóbal de Olid para que se alzase y los habían desterrado de Pánuco, según dicho tengo en el capítulo que de ello habla, y como se hallaban culpantes suplicaron a Cortés que les perdonase. Y Cortés con muchas caricias y ofrecimientos les abrazó a todos y les perdonó, y luego se fue a la iglesia, y después de hecha oración le aposentaron lo mejor que pudieron y le dieron cuenta de todo lo acaecido de Francisco de las Casas y de Gil González de Ávila, y por qué causa degollaron a Cristóbal de Olid y cómo se habían ido camino de México, y cómo habían pacificado algunos pueblos de aquella provincia.

Y después que Cortés bien lo hubo entendido a todos les honró de palabra y con dejarles los cargos según y de la manera que los tenían, excepto que hizo capitán general de aquellas provincias a su primo Sayavedra, que así se llamaba, de lo cual lo tuvieron por bien, y luego envió a llamar a todos los pueblos comarcanos. Y como tuvieron nueva que era el capitán Malinche, que así le llamaban, y sabían que había conquistado a México, luego vinieron a su llamado y le trajeron presentes de bastimento. Y después que se hubieron juntado los caciques de cuatro pueblos más principales, Cortés les habló, con doña Marina, y les dijo las cosas tocantes a nuestra santa fe, y que todos éramos vasallos del gran emperador que se dice don Carlos de Austria, y que tiene muchos grandes señores por vasallos, y que nos envió a estas partes para quitar sodomías y robos e idolatrías, y para que no consienta comer carne humana ni hubiese sacrificio, ni se robasen ni se diesen guerras unos a otros, sino que fuesen hermanos y como tales se tratasen; y también venía para que diesen la obediencia a tan alto rey y señor como les ha dicho que tenemos, y le contribuyan con servicios y de lo que tuvieren, como hacemos todos sus vasallos; y les dijo otras muchas cosas doña Marina, que lo sabía bien decir, y los que no quisiesen venir a someterse al dominio de Su Majestad, que les castigaría, y aun los dos religiosos franciscos que Cortés traía les predicó cosas muy santas y buenas, lo cual se lo declaraban dos indios mexicanos que sabían la lengua española, con otros intérpretes de aquella lengua; y más les dijo, que en todo les guardaría justicia porque así lo mandaba nuestro rey y señor. Y porque hubo otros muchos razonamientos y los entendieron muy bien los caciques, dijeron que se daban por vasallos de Su Majestad, y que harían lo que Cortés les mandaba; y luego les dijo que trajesen bastimento [a] aquella villa, y también les mandó que viniesen muchos indios y trajesen hachas y que talasen un monte que estaba dentro en la villa para que desde ella se pudiese ver la mar y puerto.

Y también les mandó que fuesen en canoas a llamar tres o cuatro pueblos que están en unas isletas, que se llaman los Guanajes, que en aquella sazón estaban pobladas, y que trajesen pescado, pues tenían mucho. Y así lo hicieron, que dentro de cinco días vinieron los pueblos de las isletas, y todos traían presentes de pescado y gallinas. Y Cortés les mandó dar unas puercas y un berraco que halló en Trujillo y de los que traía de México, para que hiciesen casta, porque le dijo un español que era buena tierra para multiplicar con soltarles en la isleta sin ponerles guarda. Y así fue como dijo, que dentro en dos años hubo muchos puercos, y los iban a montear. Dejemos esto, pues no hace a nuestra relación y no me lo tengan por prolijidad en contar cosas viejas, y diré que vinieron tantos indios a talar los montes de la villa que Cortés les mandó, que en dos días se vio claramente muy bien la mar, e hicieron quince casas, y una para Cortés, muy buena.

Y esto hecho, se informó Cortés qué pueblos y tierras estaban rebeldes y no querían venir de paz, y unos caciques de un pueblo que se dice Papayeca, que era cabecera de otros pueblos, que en aquella sazón era grande pueblo, que ahora está con muy poca gente o casi ninguna, le dio a Cortés una memoria de muchos pueblos que no querían venir de paz, que estaban en grandes sierras y tenían fuerzas hechas. Y luego Cortés envió al capitán Sayavedra con los soldados que le pareció que convenían ir con él, y con los de Guazacualco, fue por su camino hasta que llegó a las poblazones que solían estar de guerra; y les salieron de paz los más de ellos, excepto tres pueblos que no quisieron venir. Y tan temido era Cortés de los naturales y tan nombrado, que hasta los pueblos de Olancho, donde fueron las minas ricas que después se descubrieron, era temido y acatado, y llamábanle en todas aquellas provincias el capitán Huehue de Marina, y lo que quiere decir es: el capitán viejo que trae a doña Marina.

Dejemos a Sayavedra, que estaba con su gente sobre los pueblos que no se querían dar, que me parece que se decían los acaltecas, y volvamos a Cortés, que estaba en Trujillo y ya le habían adolecido los frailes franciscos y un su primo que se decía Ávalos, y el licenciado Pedro López, y Carranza el mayordomo, y Guinea el despensero, y un Juan Flamenco, y otros muchos soldados, así de los que Cortés traía como de los que halló en Trujillo, y aun el Antón de Carmona, que trajo el navío con el bastimento, y acordó de enviarlos a la isla de Cuba, a la Habana, o a Santo Domingo, si viesen que el tiempo sería bueno en la mar, y para ello les dio un navío bien aderezado y calafateado, con el mejor matalotaje que se pudo haber, y escribió a la Audiencia Real de Santo Domingo y a los frailes jerónimos y a la Habana dando cuenta cómo había salido de México en busca de Cristóbal de Olid, y cómo dejó sus poderes a los oficiales de Su Majestad, y del trabajoso camino que había traído; y cómo Cristóbal de Olid hubo preso a un capitán que se decía Francisco de las Casas, que Cortés había enviado para tomarle la armada al mismo Cristóbal de Olid, y que también había preso a un Gil González de Ávila, siendo gobernador del Golfo Dulce; y que teniéndolos presos, los dos capitanes le dieron de cuchilladas, y por sentencia, después que tuvieron preso a Cristóbal de Olid le degollaron, y que al presente estaba poblando la tierra y pueblos sujetos [a] aquella villa de Trujillo, y que era tierra rica de minas, y que enviasen soldados, que en aquella isla de Santo Domingo no tenían con qué sustentarse, y para dar crédito que había oro envió muchas joyas y piezas de las que traía en su recámara y vajilla, de lo que trajo de México, y aun de la vajilla de su aparador. Y envió por capitán de aquel navío a un su primo que se decía Ávalos, y le mandó que de camino tomase veinticinco soldados que había dejado un capitán que tuvo nueva que andaba a saltear indios, en las isletas, en lo de Cozumel y partido del puerto de Honduras, que así se llama.

Y unas veces con buen tiempo, otras con contrario, pasaron adelante de la punta de San Antón, que está junto a las sierras que llaman de Guaniguanico, que será de la Habana sesenta o setenta leguas, y con temporal dieron con el navío en tierra, de manera que se ahogaron los frailes y el capitán Ávalos y muchos soldados, y de ellos se salvaron en el batel y en tablas, y con mucho trabajo aportaron en la Habana, y desde allí fue la fama volando en toda la isla de Cuba cómo Cortés y todos nosotros éramos vivos; y en pocos días fue la nueva a Santo Domingo, porque el licenciado Pedro López, médico, que iba allí, que escapó en una tabla, y escribió a la Real Audiencia de Santo Domingo, en nombre de Cortés, y todo lo acaecido, y cómo estaba poblado en Trujillo, y que había menester bastimento y vino y caballos, y que para comprarlo traía mucho oro, y que se perdió en la mar de la manera que ya dicho tengo. Y desde que aquella nueva se supo todos se alegraron, porque ya había gran fama y lo tenían por cierto que Cortés y todos nosotros sus compañeros éramos muertos, las cuales nuevas supieron en la Española de un navío que fue de la Nueva España. Y como en Santo Domingo se supo que estaba de asiento, poblando las provincias que dicho tengo, luego los oidores y mercaderes comenzaron de cargar dos navíos viejos con caballos, y potros, y camisas y bonetes, y cosas de bujerías, y no trajeron cosa de comer sino una pipa de vino, ni fruta, salvo los caballos y lo demás de tarrabusterías.

Entretanto que se arman los navíos para venir, que aún no han llegado al puerto, quiero decir que como Cortés estaba en Trujillo se le vienen a quejar ciertos indios de las islas de los Guanajes, que serían de allí ocho leguas, y dijeron que estaba anclado un navío junto a su pueblo, y con el batel del navío lleno de españoles con escopetas y ballestas, y que les querían tomar por fuerza sus *maceguales,* que se dice entre ellos vasallos, y que a lo que han entendido son robadores, y que así les tomaron los años pasados muchos indios y los llevaron presos en otro navío como aquel navío que estaba surto, y que enviase a poner cobro en ello.

Y desde que Cortés lo supo luego mandó armar un bergantín con la mejor artillería que había y con veinte soldados y con buen capitán, y les mandó que en todo caso tomasen el navío que los indios decían y se le trajesen preso con todos los españoles que dentro andaban, pues que eran robadores de los vasallos de Su Majestad; y mandó a los indios que armasen sus canoas y con varas y flechas fuesen junto al bergantín, y que ayudasen a prender [a] aquellos hombres, y para ello dio poder al capitán. Pues yendo con su bergantín armado y muchas canoas de los naturales de aquellas isletas, y desde que los del navío que estaba surto los vieron ir a la vela, no aguardaron mucho, que alzaron velas y se fueron huyendo, porque bien entendieron que iban contra ellos, y no los pudo alcanzar el bergantín. Y después se alcanzó a saber que era un bachiller Moreno, que había enviado la Audiencia Real de Santo Domingo a cierto negocio a Nombre de Dios, y parece ser descayeron del viaje o vino de hecho sobre cosa pensada a robar los indios de los Guanajes.[168] Y volvamos a Cortés, que se quedó en aquella provincia pacificándola, y volveré a decir lo que a Sandoval le acaeció en Naco.

[168] Tachado en el original: *y porque yo no lo sé muy bien lo dejaré de decir.*

CAPÍTULO CLXXXIV

CÓMO EL CAPITÁN GONZALO DE SANDOVAL, QUE ESTABA EN NACO, PRENDIÓ A CUARENTA SOLDADOS ESPAÑOLES Y A SU CAPITÁN, QUE VENÍAN DE LA PROVINCIA DE NICARAGUA Y HACÍAN MUCHO DAÑO Y ROBOS A LOS INDIOS DE LOS PUEBLOS POR DONDE PASABAN

ESTANDO SANDOVAL en el pueblo de Naco atrayendo de paz todos los más pueblos de aquella comarca, vinieron ante él cuatro caciques de dos pueblos que se dicen Quequespán y Talchinalchapa, y dijeron que estaban en aquellos sus pueblos muchos españoles, de la manera de los que con él estábamos, con armas y caballos, y que les tomaban sus haciendas e hijas y mujeres, y que las echaban en cadenas de hierro, de lo cual hubo gran enojo Sandoval; y preguntado que qué tanto sería de allí donde estaban, dijeron que un día temprano llegaríamos. Y luego nos mandó apercibir a los que habíamos de ir con él, lo mejor que podíamos con nuestras armas y caballos y ballestas y escopetas, y fuimos con él setenta hombres. Y llegados a los pueblos donde estaban [los] hallamos muy de reposo, sin pensamiento que les habíamos de prender, y de que nos vieron ir de aquella manera se alborotaron y echaron mano a las armas, y de presto prendimos al capitán y a otros muchos de ellos sin que hubiese sangre de una parte ni de otra. Y Sandoval les dijo con palabras algo desabridas si les parecía bien andar robando a los vasallos de Su Majestad, y que si era buena conquista y pacificación aquella. Y unos indios e indias traían en cadenas con colleras, se las hizo sacar de ellas y se las dio al cacique de aquel pueblo, y los demás mandó que se fuesen a su tierra, que era cerca de allí. Pues como aquello fue hecho, mandó al capitán que allí venía, que se decía Pedro de Garro, que él y sus soldados fuesen presos y se fuesen luego con nosotros al pueblo de Naco; lo cual caminamos con ellos; y traían muchas indias de Nicaragua, y algunas de ellas hermosas, e indios *naborías*, que tenían para su servicio, y todos los más de ellos traían caballos. Y como nosotros estábamos tan trillados y deshechos de los caminos pasados y no teníamos indias que nos hiciesen pan, sino muy pocas, eran ellos unos condes en el servirse para según nuestra pobreza.

Pues como llegamos con ellos a Naco, Sandoval les dio posadas en parte convenible, porque venían entre ellos ciertos hidalgos y personas de calidad, pues después que hubieron reposado un día, su capitán Garro vio que éramos de los de Cortés, que tan mentado era, hízose muy amigo de Sandoval y de todos nosotros, y se holgaban con nuestra compañía. Y quiero decir cómo y de qué manera y por qué causa venía aquel capitán con aquellos soldados, y es de esta manera que diré. Pareció ser que Pedrarias de Ávila, gobernador que fue en aquella sazón de Tierra Firme, envió un capitán que se decía Francisco Hernández, persona muy principal entre ellos, a conquistar y pacificar las tierras de Nicaragua y que descubriese otras, y diole copia de soldados así de caballo como de ballesteros; y llegó a las provincias de Nicaragua y León, que así las llamaban, las cuales pacificó y pobló; y como se vio con muchos soldados y próspero y apartado de Pedrarias de Ávila, y por consejeros que tuvo para ello, y también, según entendí, un bachiller Moreno, por mí ya memorado, que la Audiencia Real de Santo Domingo y los frailes jerónimos que gobernaban en las islas le habían enviado a Tierra Firme a cierto pleito, que tengo en mi pensamiento que era sobre la muerte de Balboa, yerno de Pedro Arias, el cual degolló después de que le hubo casado con su hija doña Isabel Arias de Peñalosa, que así se llamaba, y el bachiller Moreno dijo al capitán Francisco Hernández que como conquistase cualquiera tierra y acudiese a nuestro rey y señor para que le hiciese gobernador de ella, que no hacía traición, y que el Balboa, que degolló Pedrarias, siendo su yerno, que fue contra justicia, pues que Balboa primero envió su procurador a Su Majestad para ser adelantado; y so color de estas palabras que tomó el bachiller Moreno envió Francisco Hernández a su capitán Pedro de Garro para que por la banda del Norte le buscase puerto para hacer sabedor a Su Majestad de las provincias que había pacificado y poblado, para que le hiciese merced fuese él gobernador de ellas, pues estaban tan apartadas de la gobernación de Pedrarias; y viniendo que venía Pedro de Garro para aquel efecto, le prendimos, como dicho tengo.

Y después que Sandoval entendió el intento a lo que venían, platicó con Garro muy secretamente y diose orden que lo hiciésemos saber a

Cortés, que estaba en Trujillo, y que Sandoval tenía por cierto que Cortés le ayudaría que quedase Francisco Hernández por gobernador de Nicaragua. Pues ya esto concertado, envían Sandoval y Garro diez hombres, los cinco de los nuestros y otros cinco soldados de los de Garro, para que costa a costa fuesen a Trujillo con las cartas, porque allí residía Cortés entonces, como dicho tengo en el capítulo que de ello habla, y llevaron sobre veinte indios de Nicaragua de los que trajo Garro para ayudarse a pasar los ríos. Y yendo por sus jornadas no pudieron pasar el río de Pichín ni otro que se dice de Balahama, porque venían muy crecidos, y al cabo de quince días vuelven los soldados a Naco sin hacer cosa ninguna de lo que les fue mandado; de lo cual hubo tanto enojo Sandoval, que de palabras trató mal al que iba por caudillo, y luego sin más tardar ordena que vaya por la tierra adentro el capitán Luis Marín con diez soldados, y los cinco de Garro y los demás de los nuestros, y yo fui uno de ellos. Y fuimos todos a pie, y atravesamos muchos pueblos que estaban de guerra. Y si hubiese de escribir por extenso los grandes trabajos y reencuentros que con indios de guerra tuvimos, y los ríos y ancones que pasamos en balsas y a nado, y la hambre que en algunos días tuvimos, era para no acabar tan presto, y cosas muy de notar; mas digo que había día que pasábamos tres ríos caudales en balsas y a nado. Y después que llegamos a la costa hubo muchos esteros donde había lagartos, y en un río que se dice Jagua, que está del Triunfo de la Cruz diez leguas, estuvimos dos días en pasarle en balsas, según venía de recio; y allí hallamos calaveras y huesos de siete caballos que se habían muerto de mala yerba que habían pacido, y fueron de los de Cristóbal de Olid.

Y desde allí fuimos al Triunfo de la Cruz, y hallamos naos quebradas, dadas al través. Y desde allí fuimos en cuatro días a un pueblo que se dice Quemara, y salieron muchos indios de guerra contra nosotros, y traían unas lanzas grandes y gordas y con sus rodelas, y las mandaban con la mano derecha y sobre el brazo izquierdo, y jugaban de la manera que nosotros peleamos con las picas, y se nos venían a juntar pie con pie; y con las ballestas que llevábamos y a cuchilladas nos dieron lugar que pasásemos adelante, y allí hirieron a dos de nuestros soldados; y estos indios que he dicho que salieron de guerra no creyeron que éramos de los de Cortés, sino de otros capitanes que les van a robar sus indios. Dejemos de contar trabajos pasados, y digo que en otros dos días de camino llegamos a Trujillo; y antes de entrar en él, que sería hora de vísperas, vimos a unos cinco de a caballo, y era Cortés y otros caballeros a caballo que se habían ido a pasear por la costa; y cuando nos vieron desde lejos no sabían qué cosa nueva podía ser; y desde que nos conoció Cortés se apeó del caballo y con las lágrimas en los ojos nos vino [a] abrazar, y nosotros a él, y nos dijo: "¡Oh, hermanos y compañeros míos, qué deseos tenía de veros y saber qué tal estabais!" Y estaba flaco que hubimos mancilla de verle, porque según supimos había estado a punto de muerte de calenturas y tristeza que en sí tenía, y aun en aquella sazón no sabía cosa buena ni mala de México, y dijeron otras personas que estaba ya tan a punto de muerte, que le tenían ya hechos unos hábitos de Señor San Francisco para enterrarle con ellos. Y luego a pie se fue con todos nosotros a la villa y nos aposentó y cenamos con él; y tenía tanta pobreza, que aun de cazabe no nos hartamos.

Y después que le hubimos dado relación a lo que veníamos y leído las cartas sobre lo de Francisco Hernández para que le ayudase, dijo que haría cuanto pudiese por él. Y en aquella sazón que allegamos a Trujillo había tres días que habían venido los dos navíos chicos con las mercaderías que otras veces he dicho y memorado que enviaban de Santo Domingo, que eran caballos y potros y mulas y armas viejas, y unas camisas y bonetes colorados y cosas de poca valía, y no trajeron sino una pipa de vino, ni fruta ni cosa de provecho, que valiera más que aquellos navíos no vinieran, según todos nos adeudamos en comprar de aquellas bujerías y potros. Pues estando que estábamos con Cortés dando cuenta de nuestro camino trabajoso, vieron venir en la alta mar un navío a la vela, y llegado a puerto venía de la Habana, que le enviaba el licenciado Zuazo, el cual licenciado había dejado Cortés en México, con una carta, la cual es esta que se sigue, y si no diré las palabras formales que en ella venía, al de menos diré las sustancia de ella.

CAPÍTULO CLXXXV

CÓMO EL LICENCIADO ZUAZO ENVIÓ UNA CARTA DESDE LA HABANA A CORTÉS, Y LO QUE EN ELLA SE CONTENÍA ES LO QUE AHORA DIRÉ

Pues como hubo tomado puerto el navío que dicho tengo, y un hidalgo que venía por capitán de él después que saltó en tierra fue a besar las manos a Cortés y le dio una carta del licenciado Zuazo, que hubo dejado en México por alcalde mayor. Y de que Cortés la hubo leído tomó tanta tristeza que luego se metió en su aposento y comenzó a sollozar, y no salió de donde estaba hasta otro día por la mañana, que era sábado, y mandó que se dijesen misas de Nuestra Señora muy de mañana. Y después que hubieron dicho misa nos rogó que le escuchásemos y sabríamos nuevas de la Nueva España, cómo echaron fama que todos éramos muertos, y cómo nos habían tomado nuestras haciendas y las habían vendido en almoneda y quitado nuestros indios y repartido en otros españoles sin tener méritos, y comenzó a leer la carta, y decía lo primero que leyó en ella: las nuevas que vinieron de Castilla de su padre, Martín Cortés, y Ordaz, cómo el contador Albornoz le había sido contrario en las cartas que escribió a Su Majestad y al obispo de Burgos, y lo que Su Majestad sobre ello había mandado proveer de enviar al almirante con doscientos hombres, según ya lo tengo dicho en el capítulo que de ello habla; y cómo el duque de Béjar quedó por fiador y puso su Estado y cabeza por Cortés y por nosotros que éramos muy leales servidores de Su Majestad, y otras cosas que ya las he memorado en el capítulo que de ello habla; y cómo al capitán Narváez le dieron una conquista del río de Palmas, y que a un Nuño de Guzmán le dieron la gobernación de Pánuco, y que el obispo de Burgos era fallecido; y las cosas de la Nueva España dijo que como Cortés hubo dado en Guazacualco los poderes y provisiones al factor Gonzalo de Salazar y a Pedro Almíndez Chirinos para ser gobernadores de México si viesen que el tesorero Alonso de Estrada y el contador Albornoz no gobernaban bien, así como llegaron a México el factor y veedor con sus poderes fueron a hacerse muy amigos del mismo licenciado Zuazo, que era alcalde mayor, y de Rodrigo de Paz, que era alguacil mayor, y de Andrés de Tapia y Jorge de Alvarado y de todos los más conquistadores de México; y desde que se vio el factor con tantos amigos de su banda, dijo que el factor y veedor habían de gobernar y no el tesorero ni el contador, y sobre ello hubo muchos ruidos y muertes de hombres, los unos por favorecer al factor y veedor, y otros por ser amigos del tesorero y contador; de manera que quedaron con el cargo de gobernadores el factor y veedor y echaron presos a los contrarios tesorero y contador y a otros muchos que eran de su favor, y cada día había cuchilladas y revueltas; y que los indios que vacaban que los daban a sus amigos, y aunque no tenían méritos; y que al mismo licenciado Zuazo que no le dejaban hacer justicia; y que a Rodrigo de Paz que le habían echado preso porque les iba a la mano, y que el mismo licenciado Zuazo los volvió a concertar y hacer amigos así al factor y al tesorero y contador y a Rodrigo de Paz, y que estuvieron ocho días en concordia; y que en esta sazón se levantaron ciertas provincias que se decían los zapotecas y minxes y un pueblo y fortaleza donde había un gran peñol, que se dice Coatlán; y que enviaron a él muchos soldados de los que habían venido nuevamente de Castilla y de otros que no eran conquistadores, y envió por capitán de ellos al veedor Chirinos; y que gastaban muchos pesos de oro de las haciendas de Su Majestad y de lo que estaba en su real caja; y que llevaban tantos bastimentos al real donde estaban que todo era behetrías y juegos de naipes; y que los indios no se le daban por ellos cosa ninguna, y que de repente de noche se salían los indios del peñol y daban en el real del veedor, y le mataron ciertos soldados y le hirieron otros muchos; y a esta causa envió el factor con el mismo cargo a un capitán que fue de los de Cortés, que se decía Andrés de Monjaraz, para que estuviese en compañía del veedor, porque este Monjaraz se había hecho muy amigo del factor, y en aquella sazón estaba tullido de bubas Monjaraz, que no era para hacer cosa que buena fuese, y los indios estaban muy victoriosos; y que México estaba cada día para alzarse; y que el factor procuró por todas vías enviar oro a Castilla a Su Majestad y al comendador mayor de León, don Francisco de los Cobos, porque en aquella sazón echó fama que Cortés y todos nosotros éramos muertos en poder de indios en un pueblo que se dice Xicalango.

Y en aquel tiempo había venido de Castilla un Diego de Ordaz, muchas veces por mí nombrado, que es el que Cortés hubo enviado por procurador de la Nueva España, y lo que procuró fue para él una encomienda de Señor Santiago, y trajo por cédula de Su Majestad, y indios y unas armas del volcán que está cabe Guajocingo; y que como llegó a México Diego de Ordaz quería ir a buscar a Cortés, y esto fue porque vio las revueltas y cizañas; y que se hizo muy amigo del factor, y fue por la mar, para saber si era vivo o muerto Cortés, con un navío grande y un bergantín, y costa a costa hasta que llegó a un pueblo que se dice Xicalango, adonde habían muerto a Simón de Cuenca y al capitán Francisco de Medina y a los españoles que consigo estaban, según que más largo lo tengo escrito en el capítulo que de ello habla; y después que aquellas nuevas supo Ordaz, se volvió a la Nueva España y sin desembarcarse en tierra escribió al factor, con unos pasajeros, que tiene por cierto que Cortés es muerto; y después que echó esta nueva Ordaz, en el mismo navío que fue en busca de Cortés luego atravesó la isla de Cuba a comprar becerras y yeguas, y de que el factor vio la carta de Ordaz la anduvo mostrando en México a unos, y otro día se puso luto e hizo hacer un túmulo y monumento en la iglesia mayor de México en que hizo las honras por Cortés; y luego se hizo pregonar con trompetas y atabales por gobernador y capitán general de la Nueva España, y mandó que todas las mujeres que se habían muerto sus maridos en compañía de Cortés que hiciesen bien por sus ánimas y se casasen, y aun lo envió a decir a Guazacualco y a otras villas; y porque una mujer de un

Alonso Valiente, que se decía Juana de Mansilla, no se quiso casar y dijo que su marido y Cortés y todos nosotros éramos vivos, y que no éramos los conquistadores viejos de tan poco ánimo como los que estaban en el peñol de Coatlán con el veedor Chirinos, y que los indios les daban guerra y no ellos a los indios, y que tenía esperanza en Dios que presto vería a su marido Alonso Valiente y a Cortés y a todos los demás conquistadores de vuelta para México, y que no se quería casar [y], porque dijo estas palabras la mandó azotar el factor por las calles públicas de México por hechicera.

Y como también hay en este mundo traidores y aduladores, y era uno de ellos uno que le tenía por hombre honrado, que por su honor aquí no le nombro, dijo al factor delante de otras muchas personas que estaba malo de espanto porque yendo una noche pasada cerca del Tatelulco, que es adonde solía estar el ídolo mayor que se decía Uichilobos, do está ahora la iglesia de Señor Santiago, que vio en el patio que se ardían en vivas llamas el ánima de Cortés y doña Marina, y la del capitán Sandoval, y que de espanto de ello estaba muy malo; también vino otro hombre que no nombro, que también le tenían en buena reputación, y dijo al factor que andaban en los patios de Tezcuco unas cosas malas, y que decían los indios que era el ánima de doña Marina y la de Cortés, y todas eran mentiras y traiciones, sino por congraciarse con el factor dijeron aquello, o el factor se lo mandó decir.

Y en aquel tiempo había llegado a México Francisco de las Casas y Gil González de Ávila, que son los capitanes, por mí muchas veces memorados, que degollaron a Cristóbal de Olid; y de que el de las Casas vio aquellas revueltas y que el factor se había hecho pregonar por gobernador, dijo públicamente que era mal hecho y que no se había de consentir tal cosa, porque Cortés era vivo, y que él así lo creía, y que ya que eso fuese, lo cual Dios no permitiese, que para gobernador que más persona y caballero y más méritos tenía Pedro de Alvarado que no el factor, y que enviasen a llamar a Pedro de Alvarado; y que secretamente su hermano Jorge de Alvarado, y aun el tesorero y otros vecinos mexicanos, le escribieron para que se viniese en todo caso a México, con todos los soldados que tenía, y que procurarían de darle la gobernación hasta saber si Cortés era vivo, y enviar a hacer saber a Su Majestad si fuese servido mandar otra cosa; y que ya que Pedro de Alvarado con aquellas cartas se venía para México, tuvo temor del factor, según las amenazas [que] le envió a decir al camino que le mataría, y como supo que habían ahorcado a Rodrigo de Paz y preso al licenciado Zuazo, se volvió a su conquista y en aquel tiempo que había recogido el factor cuanto oro pudo haber en México y enviar a España para hacer con ello mensajero a Su Majestad y enviar con ello a un su amigo que se decía Peña con sus cartas secretas, y Francisco de las Casas y el licenciado Zuazo y Rodrigo de Paz se lo contradijeron, y aun también el tesorero y contador, hasta saber nuevas ciertas si Cortés era vivo que no hiciese relación que era muerto, pues no lo tenían por cierto; y que si oro quería enviar a Su Majestad de sus reales quintos, que era muy bien, mas que fuese juntamente con parecer y acuerdo del tesorero y contador, y no sólo en su nombre; y porque lo tenía ya en los navíos y para hacerse a la vela con ello, fue el de las Casas con mandamientos del alcalde mayor Zuazo, y con favor de Rodrigo de Paz y de los demás oficiales de la Hacienda de Su Majestad y conquistadores, que detuviesen el navío hasta que otros escribiesen a nuestro rey y señor de la manera que estaba la Nueva España, porque, según pareció, el factor no consentía que otras personas escribiesen, sino solamente sus cartas.

Y después que el factor vio que

en el de las Casas ni el licenciado Zuazo no tenía buenos amigos y le iban a la mano, luego les mandó prender e hizo proceso contra Francisco de las Casas y contra Gil González de Ávila sobre la muerte de Cristóbal de Olid, y los sentenció a degollar, y de hecho quería la sentencia ejecutar por más que apelaban para ante Su Majestad, y con gran importunidad les otorgó la apelación y los envió a Castilla presos con los procesos que contra ellos hizo; y esto hecho, luego da tras el mismo Zuazo, y que en justo y en creyente le arrebataron y le llevaron en una acémila al puerto de la Veracruz y le embarcaron para la isla de Cuba, diciendo que porque fuese a dar residencia del tiempo que fue en ella juez, y que a Rodrigo de Paz que le echó preso y le demandó el oro y plata que era de Cortés, porque como su mayordomo sabía de ello, diciendo que lo tenía escondido, porque lo quería enviar a Su Majestad, pues era de los bienes que tenía Cortés usurpados a Su Majestad, y porque no lo dio, pues era claro que no lo tenía, sobre ello le dio tormentos, y con aceite y fuego le quemó los pies y aun parte de las piernas, y estaba tan flaco y malo de las prisiones para morir; y no contento con los tormentos, viendo el factor que si le dejaba a vida que se iría a quejar de él a Su Majestad, le mandó ahorcar por revoltoso y bandolero.

Y que a todo los más soldados y vecinos de México que eran de la banda de Cortés los mandaba prender, y se retrajeron en el monasterio del Señor San Francisco, Jorge de Alvarado y Andrés de Tapia y todos los más que eran por Cortés, puesto que otros muchos conquistadores se allegaron al factor porque les daba buenos indios, y andaban a viva quien vence; y que en la casa de munición de las armas todas las sacó el factor y las mandó poner en sus palacios, y que la artillería que estaba en la fortaleza y atarazanas, las mandó asestar delante de sus casas e hizo capitán de ella a un don Luis Guzmán, deudo del duque de Medina Sidonia; y que puso por capitán de su guarda a un Archiaga o Artiaga, que ya no se me acuerda el nombre, y que eran para guardar de su persona Ginés Nortes y un Pero González Sabiote, y otros soldados; y más decía en la carta que le escribió Zuazo, que mirase Cortés que fuese luego a poner recaudo en México, porque demás de todos estos males y escándalos había otros mayores: que había escrito el factor a Su Majestad que le habían hallado en su recámara de Cortés un cuño falso con que marcaba el oro que los indios le traían [a] escondidas, y que no pagaba quinto de ello.

Y también dijo que porque viese cuál andaba la cosa en México, que porque un vecino de Guazacualco que vino [a] aquella ciudad a demandar unos indios que en aquel tiempo vacaron, por muerte de otro vecino de los que estaban poblados en aquella villa, y por muy secretamente que dijo el vecino de Guazacualco a una mujer donde posaba que por qué se había casado, que ciertamente era vivo su marido y todos los que fueron con Cortés, y dio causas y razones para ello, y como lo supo el factor, que luego le fueron con la parlería, envió por el que lo había dicho a cuatro alguaciles y le llevaron engarrafado a la cárcel, y que le quería mandar ahorcar por revolvedor, hasta que el pobre vecino, que se decía Gonzalo Hernández, tornó a decir que como vido llorar a la mujer por su marido, que por consolarla le había dicho que era vivo, mas que ciertamente todos éramos muertos, y luego le dio los indios que demandaba y le mandó que no estuviese más en México, y que no dijese otra cosa, porque le mandaría ahorcar. Y más decía en cabo de su carta: "Esto que aquí escribo a vuestra merced pasa así, y dejélos allá, y enviáronme preso a Cuba cubierto con grillos aquí donde estoy."

Y, pues, después que Cortés la hubo leído, tristes y enojados así de Cortés que nos trajo con tantos trabajos, como del factor, y echábamos dos mil maldiciones, así al uno como al otro; y se nos saltaban los corazones de coraje. Pues Cortés no pudo tener las lágrimas, que con la misma carta se fue luego a encerrar a su aposento, y no quiso que le viésemos hasta más de mediodía. Y todos nosotros a una le dijimos y rogamos que luego se embarcase en tres navíos que allí estaban y que nos fuésemos a la Nueva España. Y él nos respondió muy amorosa y mansamente y nos dijo: "Oh, hijos, y compañeros míos, que veo por una parte aquel mal hombre del factor que está muy poderoso, y temo de que sepa de que estamos en el puerto nos haga otras desvergüenzas y atrevimientos más de los que ha hecho, o me mate, o me ahogue, o eche preso, a mí como a vuestras personas. Yo me embarcaré luego con la ayuda de Dios, y ha de ser solamente con cuatro o cinco de vuestras mercedes, y tengo de ir muy secretamente a desembarcar a puerto que no sepan en México de nosotros hasta que desconocidos entremos en la ciudad. Y además de esto, Sandoval está en Naco con pocos soldados y ha de ir por tierra de guerra, en especial por Guatemala, que no está de paz. Conviene que vos, señor Luis Marín, con todos los compañeros que aquí venisteis en mi busca, os volváis y os juntéis con Sandoval y se vayan camino de México."

Dejemos esto, y quiero volver a decir que luego Cortés escribió al capitán Francisco Hernández, que estaba en Nicaragua, que fue el que enviaba a buscar puerto con Pedro de Garro, ya por mí memorado, y se le ofreció Cortés que haría por él todo lo que pudiese, y le envió dos acémilas cargadas de herraje, porque sabía que tenía falta de ello, y también le envió herramientas de minas y ropas ricas para su vestir, y cuatro tazas y jarros de plata de su vajilla, y otras joyas de oro, lo cual entregó todo a un hidalgo que se decía fulano de Cabrera, que fue uno de los cinco soldados que fueron con nosotros en busca de Cortés; y este Cabrera fue después capitán de Benalcázar, y fue muy esforzado capitán y extremado hombre por su persona, natural de Castilla la Vieja, el cual fue maestre de campo de Vasco Núñez de Vela, y murió en la misma batalla que murió el virrey.

Quiero dejar cuentos viejos y quiero decir que como yo vi que Cortés se había de ir a la Nueva España por la mar, le fui a pedir por merced que en todo caso me llevase en su compañía, y que mirase que en todos sus trabajos y guerras me había hallado siempre a su lado y le había ayudado, y que ahora era tiempo que yo conociese de él si tenía respeto a los servicios que le he hecho y amistad y ruegos de ahora. Entonces me abrazó, y dijo: "Pues si os llevo conmigo, ¿quién irá con Sandoval? Ruégoos, hijo, que vayáis con vuestro amigo Sandoval, que yo os empeño estas barbas que os haga muchas mercedes, que bien os lo debo antes de ahora." En fin, no aprovechó cosa ninguna, que no me dejó ir consigo. También quiero decir cómo estando que estábamos en aquella villa de Trujillo, un hidalgo que se decía Rodrigo Mañueco, maestresala de Cortés, hombre del Palacio, por dar contento y alegrar a Cortés, que estaba muy triste y tenía razón, apostó con otros caballeros que se subiría armado de todas armas a unas casas que nuevamente habían hecho los indios de aquella provincia para Cortés, según lo he declarado en el capítulo que de ello habla, las cuales casas estaban en un cerro algo alto, y subiendo armado reventó al subir de la cuesta y murió de ello; y asimismo como vieron ciertos hidalgos de los que halló Cortés en aquella villa que no les dejaba cargos como ellos quisieran, estaban revolviendo bandos, y Cortés los apaciguó con decir que los llevaría en su compañía a México, y que allá les daría cargos honrosos.

Y dejémoslo aquí, y diré lo que

Cortés más hizo. Y es que mandó que un Diego de Godoy, que había puesto por capitán en el Puerto de Caballos, con ciertos vecinos que estaban malos y no se podían valer de pulgas y mosquitos, y no tenían con qué mantenerse, que todas estas materias de miseria tenían, que se pasasen a Naco, pues era buena tierra, y que nosotros nos fuésemos con el capitán Luis Marín camino de México, y si hubiese lugar, que fuésemos a ver la provincia de Nicaragua para demandarla a Su Majestad para tomarla en gobernación; y aun de aquello tenía codicia Cortés para tomarla por gobernación el tiempo andando si aportase a México. Y después que Cortés nos abrazó y nosotros a él, y le dejamos embarcado y se fue a la vela para México, nos partimos para Naco y muy alegres en saber que habíamos de caminar la vía de México, y con muy gran trabajo de falta de comida llegamos a Naco, y Sandoval se holgó con nosotros, y cuando llegamos, ya Pedro de Garro con todos sus soldados se había despedido de Sandoval y se fue muy gozoso a Nicaragua a dar cuenta a su capitán Francisco Hernández de lo que había concertado con Sandoval. Y luego otro día que llegamos a Naco nos partimos y fuimos camino de México, y los soldados de la compañía de Garro que habían ido con nosotros a Trujillo sé que fueron camino de Nicaragua con el presente y cartas que Cortés enviaba a Francisco Hernández. Dejaré de decir de nuestro camino y diré lo que sobre aquel presente sucedió a Francisco Hernández con el gobernador Pedrarias de Ávila.

CAPÍTULO CLXXXVI

CÓMO FUERON EN POSTA DESDE NICARAGUA CIERTOS AMIGOS DE PEDRARIAS DE ÁVILA A HACERLE SABER CÓMO FRANCISCO HERNÁNDEZ, QUE ENVIÓ POR CAPITÁN A NICARAGUA, SE CARTEABA CON CORTÉS Y SE LE HABÍA ALZADO CON LAS PROVINCIAS, Y LO QUE SOBRE ELLO PEDRARIAS HIZO

Como un soldado que se decía fulano Garabito, y un Campañón, y otro que se decía Zamorano [que] eran íntimos amigos de Pedrarias de Ávila, gobernador de Tierra Firme, vieron que Cortés había enviado presentes a Francisco Hernández y habían entendido que Pedro de Garro y otros soldados hablaban secretamente con Francisco Hernández, tuvieron sospecha que quería dar aquellas provincias y tierras a Cortés, y además de esto el Garabito era enemigo de Cortés, porque siendo mancebos en la isla de Santo Domingo, Cortés le había acuchillado sobre amores de una mujer. Y como Pedrarias de Ávila lo alcanzó a saber por cartas y mensajeros, viene más que de paso con gran copia de soldados a pie y a caballo y prende a Francisco Hernández, y Pedro de Garro como alcanzó a saber que Pedrarias venía muy enojado contra él, de presto se huyó y se vino con nosotros, y si Francisco Hernández quisiera venir, tiempo tuvo para hacer lo mismo, y no quiso, creyendo que Pedrarias lo hiciera de otra manera con él, porque habían sido muy grandes amigos. Y después que Pedrarias hubo hecho proceso contra Francisco Hernández y halló que se le alzaba, y por sentencia le degolló en la misma villa donde estaba poblado. Y en esto paró la venida de Garro y los presentes de Cortés. Y dejarlo he aquí, y diré cómo Cortés volvió al puerto de Trujillo con tormenta.

CAPÍTULO CLXXXVII

CÓMO YENDO CORTÉS POR LA MAR LA DERROTA DE MÉXICO TUVO TORMENTA Y DOS VECES TORNÓ [A] ARRIBAR AL PUERTO DE TRUJILLO, Y LO QUE ALLÍ LE AVINO

PUES, COMO DICHO TENGO en el capítulo pasado, que Cortés se embarcó en Trujillo para ir a México, pareció ser tuvo tormenta en la mar, unas veces con tiempo contrario, otras veces se le quebró el mástil del trinquete y mandó arribar a Trujillo. Y como estaba flaco y mal dispuesto y quebrantado de la mar y muy temeroso de ir a la Nueva España, por temor no le prendiese el factor, parecióle que no era bien ir en aquella sazón a México; y desembarcado en Trujillo, mandó decir misas al Espíritu Santo y procesión y rogativas a Nuestro Señor Dios y a Nuestra Señora la Virgen Santa María, que le encaminase lo que más fuese para su santo servicio. Y pareció ser el Espíritu Santo le alumbró de no ir por entonces aquel viaje, sino que conquistase y poblase aquellas tierras. Y luego, sin más dilación, envía en posta a matacaballo tres mensajeros tras nosotros, que íbamos camino, con sus cartas, rogándonos que no pasásemos más adelante, y que conquistásemos y poblásemos la tierra, porque el buen ángel de la guarda se lo ha metido y alumbrado en el pensamiento, y que él así lo piensa hacer. Y después que vimos la carta y que tan de hecho lo mandaba, no lo pudimos sufrir y le echábamos mil maldiciones, y que no hubiese ventura en todo cuanto pusiese mano, y se le perdiese como nos había echado a perder. Y además de esto, dijimos todos a una al capitán Sandoval que si Cortés quería poblar, que se quedase con los que quisiese, que hartos conquistados y perdidos nos traía, y que jurábamos de no aguardarle más, sino irnos a las tierras de México que ganamos, y asimismo Sandoval era de nuestro parecer, y lo que con nosotros pudo acabar fue que le escribiésemos en posta con los mismos que nos trajeron las cartas, dándole a entender nuestra voluntad, y en pocos días recibió nuestras cartas con firmas de todos.

Y la respuesta que a ella nos dio fue ofrecerse en gran manera a los que quisiésemos quedar a poblar aquella tierra, y en cabo de la carta traía una cortapisa, que si no le querían obedecer como lo mandaba, que en Castilla y en todas partes había soldados. Y después que aquella respuesta vimos, todos nos queríamos ir camino de México y perderle la vergüenza. Y de que aquello vio Sandoval, muy afectuosamente y con grandes ruegos nos importunó que aguardásemos algunos días, que él en persona iría a hacer embarcar a Cortés. Y le escribimos en respuesta de la carta, que ya había de tener compasión y otro miramiento que el que tiene, habernos traído de aquella manera, y por su causa nos han robado y vendido nuestras haciendas y tomado los indios, y los que allí con nosotros estaban que eran casados dijeron que ni saben de sus mujeres e hijos, y le suplicamos que luego se volviese a embarcar y se fuese camino de México; porque así como dice que hay soldados en Castilla y en todas partes, que también sabe que hay gobernador y capitanes puestos en México, y que doquiera que lleguemos nos darán indios. Y luego Sandoval fue, y llevó en su compañía a un Pedro de Saucedo, el Romo, y a un herrador que se decía Francisco Donaire, y llevó consigo su buen caballo, que se decía *Motilla,* y juró que había de hacer embarcar a Cortés y que se fuese a México.

Y porque he traído aquí a la memoria del çaballo *Motilla,* fue el de mejor carrera y revuelto, y en todo de buen parecer, y castaño algo oscuro, que hubo en la Nueva España, y tanto fue de bueno, que Su Majestad tuvo noticia de él, y aun Sandoval se lo quiso enviar presentado. Dejemos de hablar del caballo *Motilla* y volvamos a decir que Sandoval se lo quiso enviar a Su Majestad, y me demandó a mí mi caballo, que era muy bueno, así de juego como de carrera y de camino; y este caballo hube en seiscientos pesos, que solía ser de un Ávalos, hermano de Sayavedra, porque otro que traje me le mataron en una entrada de un pueblo que se dice Zulaco, que me había costado en aquella sazón sobre otros seiscientos pesos, y Sandoval me dio otro de los suyos a trueco del que le di, que no me duró el que me dio dos meses, que también me lo mataron en otra guerra, que no me quedó sino un potro muy ruin comprado de los mercaderes que vinieron a Trujillo, como otras veces he dicho en el capítulo que de ello habla. Volvamos a nuestra relación y dejemos de contar de las averías de caballos y de mi trabajo.

Y antes que Sandoval de nosotros partiese nos habló a todos con mucho amor, y dejó a Luis Marín por capitán, y nos fuimos luego a unos pueblos que se dice Maniani, y desde allí a otro pueblo, que en aquella sazón era de muchas casas, que se decía Acalteca, y que allí esperábamos la respuesta de Cortés. Y en pocos días llegó Sandoval a Trujillo, y se holgó mucho Cortés de ver a Sandoval, y después que vio lo que le escribimos, no sabía qué consejo tomar, porque ya había mandado a su primo Sayavedra, que era capitán, que fuese con todos los soldados a pacificar los pueblos que estaban en guerra; y por más palabras e importunaciones que Sandoval dijo a Cortés y Pedro Saucedo, el Romo, para que se fuese a la Nueva España, nunca se quiso embarcar. Y lo que pasó diré adelante.

CAPÍTULO CLXXXVIII

CÓMO CORTÉS ENVIÓ UN NAVÍO A LA NUEVA ESPAÑA Y POR CAPITÁN DE ÉL A UN CRIADO SUYO QUE SE DECÍA MARTÍN DORANTES, Y CON CARTAS Y PODERES PARA QUE GOBERNASEN FRANCISCO DE LAS CASAS Y PEDRO DE ALVARADO, SI ALLÍ ESTUVIESEN, Y SI NO ALONSO DE ESTRADA Y ALBORNOZ

Pues como Gonzalo de Sandoval no pudo acabar que Cortés se embarcase, sino que todavía quería conquistar y poblar aquella tierra, que en aquella sazón era bien poblada y había fama de minas de oro, fue acordado que luego sin más dilación enviase con un navío a México a un criado suyo, que se decía Martín Dorantes, hombre diligente, que se podía fiar de él cualquier negocio de importancia, y fue por capitán del navío, y llevó poderes para Pedro de Alvarado y Francisco de las Casas, si hubiese vuelto a México, para que fuesen gobernadores de la Nueva España hasta que Cortés fuese, y si no estaban en México, que gobernase el tesorero Alonso de Estrada y el contador Albornoz, según y de la manera que les había de antes dado el poder, y revocó los poderes del factor y veedor, y escribió muy amorosamente así al tesorero como a Albornoz, puesto que supo de las cartas contrarias que hubo escrito a Su Majestad contra de Cortés, y también escribió a todos sus amigos los conquistadores, a los monasterios de San Francisco, y frailes, y mandó a Martín Dorantes que fuese a desembarcar a una bahía entre Pánuco y la Veracruz, y así se lo encomendó al piloto y marineros, y aun se lo pagó muy bien, y que no echasen en tierra a otra persona salvo a Martín Dorantes, y que luego en echado en tierra alzasen anclas y diesen velas y se fuesen a Pánuco.

Pues ya dado uno de los mejores navíos de los tres que allí estaban y metido matalotaje, y después de haber oído misa, dan vela, y quiere Nuestro Señor darles tan buen tiempo, que en pocos días llegaron a la Nueva España; y vanse derechamente a la bahía cerca de Pánuco, la cual sabía muy bien Martín Dorantes. Y como saltó en tierra, dando muchas gracias a Dios por ello, luego se disfrazó Martín Dorantes porque no le conociesen, y quitó sus vestidos y tomó otros como de labrador, porque así le fue mandado por Cortés, y aun llevó hechos los vestidos de Trujillo. Y con todas sus cartas y poderes bien amparados y liados en el cuerpo de manera que no hiciesen bulto, iba a más andar por su camino a pie, que era suelto peón; y cuando llegaba a los pueblos de indios que había españoles metíase entre los indios por no tener pláticas ni le confesasen, y ya que no podía menos de tratar con españoles, no le podían conocer, porque ya había dos años y tres meses que salimos de México y le habían crecido las barbas; y cuando le preguntaban algunos cómo se llamaba o dónde iba o venía, que acaso no podía menos de responderles, decía que se decía Juan de Flechilla. Por manera que en cuatro días que salió del navío entró a México de noche, y se fue al monasterio de Señor San Francisco, donde halló a muchos retraídos, y entre ellos a Jorge de Alvarado, y Andrés de Tapia, y a Juan Núñez de Mercado, y a Pedro Moreno Medrano, y otros muchos conquistadores y amigos de Cortés. Y después que vieron a Dorantes y supieron que Cortés era vivo y vieron sus cartas no podían estar de placer los unos y los otros, y saltaban y bailaban. Pues los frailes franciscanos, y entre ellos fray Toribio Motolinia y un fray Diego de Altamirano, daban todos saltos de placer y muchas gracias a Dios por ello.

Y luego, sin más dilación, cierran todas sus puertas del monasterio porque ninguno de los traidores, que había muchos, fuesen a dar mandado ni hubiesen pláticas sobre ello, y a medianoche lo hacen saber al tesorero y al contador y a otros amigos de Cortés, y así como lo supieron, sin hacer ruido vinieron a San Francisco y vieron los poderes que Cortés les enviaba, y acordaron sobre todas cosas de ir a prender al factor; y toda la noche se les fue en apercibir amigos y armas para otro día por la mañana prenderle, porque el veedor en aquel tiempo estaba sobre el peñol de Coatlán. Y después que amaneció fue el tesorero con todos los del bando de Cortés, y Martín Dorantes con ellos, porque le conociesen iba con ellos, y fueron a las casas del factor diciendo por las calles: "¡Viva el rey nuestro señor, y Hernando Cortés en su real nombre, que es vivo y viene ahora a esta ciudad, y soy su criado Dorantes!" Y de que oían aquel ruido los vecinos y tan de mañana y oían tomar armas, creyendo que había alguna otra cosa para favorecer las cosas de Su Majestad, y desde que oyeron decir que Cortés era vivo y vieron a Dorantes, se holgaban. Y luego se juntaron con el tesorero para ayudarle muchos vecinos de México porque según pareció el contador no ponía en ello mucha calor, que andaba doblado, hasta que Alonso de Estrada se lo reprehendió, y aun sobre ello tuvieron palabras muy sentidas, y porque no le contentaron al contador.

Y yendo que iban a las casas del factor, ya estaba muy apercibido, porque luego lo supo, que le avisó de ello el mismo contador cómo le iban a prender. Y mandó asestar su artillería delante de sus casas, y era capitán de ella don Luis de Guzmán, primo del duque de Medina Sidonia, y tenía sus capitanes apercibidos con muchos soldados; decíanse los capitanes Archilaga, y Ginés Nortes, y Pedro González Sabiote. Y así como llegó el tesorero y Jorge de Alvarado y Andrés de Tapia con todos los demás conquistadores y el contador, y aunque flojamente y de mala gana, con todas sus gentes apellidando: "¡Aquí del rey, y Hernando Cortés en su real nombre!", les comenzaron a entrar unos por las azoteas y otros por las puertas de los aposentos y por otras dos partes, todos los que eran de la parte del factor desmayaron, porque el capitán de la artillería, que fue don Luis de Guzmán, tiró por su parte, los artilleros por la suya, y desmamparan los tiros; pues el capitán Archilaga dio prisa en esconderse, y Ginés Nortes se descolgó y echó por unos corredores abajo, que no quedó con el factor sino Pedro González Sabiote y otros cuatro criados del factor. Y de que se vio desmamparado, el mismo factor tomó un tizón para poner fuego a los tiros, más diéronle tanta prisa que no pudo más, y allí le prendieron y le pusieron guardas hasta que hicieron una red de maderos gruesos y le metieron dentro, y allí le daban de comer; y en esto paró la cosa de su gobernación. Y luego hicieron mensajeros a todas las villas de la Nueva España dando relación de todo lo acaecido. Y estando de esta manera, a unas personas les placía y a los que el factor había dado indios y cargos les pesaba.

Y fue la nueva al peñol de Coatlán y a Oaxaca, donde estaba el veedor, y como el veedor y sus amigos lo supieron fue tan grande la tristeza y pesar que tomó, que luego cayó malo y dejó el cargo de capitán a Andrés de Monjaraz, que estaba malo de bubas, ya otras veces por mí nombrado, y se vino en posta a la ciudad de Tezcuco y se metió en el monasterio de Señor San Francisco. Y como el tesorero y el contador, que eran gobernadores, lo supieron, le enviaron a prender al monasterio, porque de antes habían enviado alguaciles con mandamientos y soldados a prenderle doquiera que le hallasen, y aun a quitarle el cargo de capitán; y como supieron que estaba en Tezcuco, le sacaron del monasterio y le trajeron a México y le echaron en otra jaula con el factor, y luego en posta envían mensajeros a Guatemala a Pedro de Alvarado y le hacen saber de la prisión del factor y veedor, y cómo Cortés estaba en Trujillo, que no es muy lejos de su conquista, y que fuese luego en su busca y le hiciese venir a México; y le dieron cartas y relaciones de todo lo por mí arriba dicho y memorado, según y de la manera que pasó. Y además de esto, la primera cosa que el tesorero hizo [fue] mandar honrar a Juana de Mansilla, que había mandado azotar el factor por hechicera, mujer de Alonso Valiente, y fue de esta manera. Que mandó cabalgar a caballo a todos los caballeros de México, y el mismo tesorero la llevó a las ancas de su caballo por las calles de México; y decían que como matrona romana hizo lo que hizo, y la volvió en su honra de la afrenta que el factor le había hecho, y con mucho regocijo le llamaron desde allí adelante la señora doña Juana de Mansilla; y dijeron que era digna de mucho loor, pues no la pudo hacer el factor que se casase, ni dijese menos que lo primero había dicho que su marido y Cortés y todos éramos vivos; y por aquella honra y don que le pusieron, dijo Gonzalo de Ocampo, el de los libelos infamatorios, que sacó don de las espaldas como narices de brazo. Dejarlo he aquí, y diré lo que más pasó.

CAPÍTULO CLXXXIX

CÓMO EL TESORERO CON OTROS MUCHOS CABALLEROS ROGARON A LOS FRAILES FRANCISCOS QUE ENVIASEN A UN FRAY DIEGO ALTAMIRANO, QUE ERA DEUDO DE CORTÉS, QUE FUESE EN UN NAVÍO A TRUJILLO Y LO HICIESE VENIR, Y LO QUE EN ELLO SUCEDIÓ

COMO EL TESORERO y otros caballeros de la parte de Cortés vieron que convenía que luego viniese Cortés a la Nueva España, porque ya se encomenzaban bandos y chirinolas, y el contador no estaba de buena voluntad para que el factor ni el veedor estuviesen presos, y sobre todo temía el contador a Cortés en gran manera después que supiese lo que había escrito de él a Su Majestad, según lo tengo dicho en dos partes en los capítulos pasados que de ello hablan, acordaron de ir a rogar a los frailes franciscos que diesen licencia a fray Diego Altamirano que en un navío que le tenían presto y bien bastecido y con buena compañía fuese a Trujillo y que hiciese venir a Cortés, porque este religioso era su pariente y hombre que antes que se metiese a fraile había sido soldado, hombre de guerra, y sabía de negocios, y los frailes lo hubieron por bien, y fray Diego Altamirano, que lo tenía en voluntad.

Dejemos de hablar en el viaje del fraile, que se estaba apercibiendo y diré cómo el factor y veedor estaban presos, y pareció ser, como dicho tengo otras veces, el contador andaba muy doblado y de la mala voluntad que tenía, y viendo por las cosas de Cortés se hacían prósperamente, y como el factor solía tener por amigos a muchos hombres bandoleros que siempre quisieran cuestiones y revueltas, y porque les daban pesos de oro e indios, acordaron de juntarse muchos de ellos y aun algunas personas de calidad y de todos jaeces, y tenían concertado de soltar al factor y veedor y de matar al tesorero y a los carceleros, y dicen que lo sabía el contador y se holgaba mucho de ello; y para ponerlo en efecto hablaron muy secretamente a un cerrajero que hacía ballestas, que se decía Guzmán, hombre soez que decía gracias y chocarrerías, y le dijeron muy secreto que les hiciese unas llaves para abrir las puertas de la cárcel y de las redes donde estaba el factor, y que se lo pagarían muy bien, y le dieron un pedazo de oro en señal de la hechura de las llaves, y le previnieron y encargaron que lo tuviese muy secreto. Y el cerrajero dijo con palabras muy halagüeñas y alegres que le placía y que tuviesen ellos más secreto de lo que mostraban, pues aquel caso en que tanto iba se lo descubrieron a él, sabiendo quién era; que no lo descubriesen a otros, y se holgaba que el factor y veedor saliesen de la prisión; y preguntóles que quién y cuántos eran en el negocio y adónde se habían de allegar cuando fuesen hacer aquella buena obra, y qué día y a qué hora, y todo se lo decían claramente, según lo tenían acordado. Y comenzó a forjar unas llaves según la forma de los moldes que le traían para hacer las llaves, y no para que las hiciese perfectas ni podrían abrir con ellas, y esto hacía adrede, y por travesura hacía las llaves de aquella manera que no podrían abrir, por que fuesen y viniesen a su tienda a la obra de las llaves para que las hiciese buenas, y entretanto saber más de raíz el concierto que estaba hecho. Y mientras más se dilató la hechura de las llaves más por entero lo alcanzó a saber.

Y venido el día que habían de ir con sus llaves que había hecho buenas, y todos puestos a punto con sus armas, fue el cerrajero de presto en casa del tesorero Alonso de Estrada y le da relación de ello, y sin más dilación desde que lo supo el tesorero envía secretamente apercibir todos los del bando de Cortés, sin hacerlo saber al contador, y van a la casa adonde estaban recogidos los que habían de soltar al factor, y de presto prenden hasta veinte hombres de ellos que estaban armados, y otros se huyeron que no se pudieron haber, y hecha la pesquisa a qué se habían juntado, hallóse que para soltar a los por mí nombrados y matar al tesorero. Allí también supo que el contador lo había por bien, y como había entre ellos tres o cuatro hombres muy revoltosos y bandoleros, y en todas las revueltas y cizañas que en México en aquella sazón habían pasado se habían hallado, y aun el uno de ellos había hecho fuerza a una mujer de Castilla, después que se hizo proceso contra ellos, el cual hizo un bachiller que se decía Ortega, que estaba por alcalde mayor y era de su tierra de Cortés, sentenció los tres de ellos a ahorcar, y a otros [a] azotar; y decíanse los que ahorcaron el uno Pastrana y el otro Valverde y el otro Escobar, y los que azotaron no me acuerdo sus nombres, etcétera. Y el cerrajero se escondió por muchos días, que hubo miedo no le matasen la parcialidad del factor por haber descubierto aquello que con tanto secreto se lo dijeron.

Dejemos de hablar de esto, pues que ya son muertos, y aunque vaya tan gran salto, como diré, fuera de nuestra relación, también lo que ahora diré viene a coyuntura, y es que como el factor hubo enviado la nao con todo el oro que pudo haber para Su Majestad, según dicho tengo en los capítulos pasados, y escribió a Su Majestad que Cortés era muerto, y cómo se le hicieron las honras, e hizo saber otras cosas que le convenían, y enviaba a suplicar a Su Majestad que le hiciese merced de la gobernación, pareció ser que en la misma nao que le envió sus despachos iban otras cartas muy encubiertas, que el factor no pudo saber de ellas, las cuales cartas eran para Su Majestad, y supiese de todo lo que pasaba en la Nueva España y de las injusticias y atrocidades que el factor y veedor habían hecho; y además de esto, ya tenía Su Majestad relación de ello por parte de la Audiencia Real de Santo Domingo y de los frailes jerónimos que estaban por gobernadores de las Indias cómo Cortés era vivo y que estaba sirviendo a su real corona en conquistar y poblar la provincia de Honduras. Y desde que el Real Consejo de Indias y el comendador mayor de León supieron, lo hicieron saber a Su Majestad, y entonces dicen que dijo el emperador nuestro señor: "Mal hecho ha sido todo lo que han hecho en la Nueva España en haberse levantado contra Cortés, y mucho me han deservido, pues es vivo; téngole por tal, que serán castigados por justicia los males hechos en llegando que llegue a México."

Volvamos a nuestra relación. Y es que el fraile Altamirano se embarcó en el puerto de la Veracruz, según estaba acordado, y con buen tiempo en pocos días llegó al puerto de Trujillo, donde estaba Cortés. Y de que los de la villa y Cortés vieron un navío poderoso venir a la vela hacia su puerto, luego pensaron lo que fue: que venía de la Nueva España para llevarle a México. Y después que hubo tomado puerto y salió el fraile a tierra, muy acompañado de los que traía en su compañía, y Cortés conoció [a] algunos de ellos que había visto en México, y todos le fueron a besar las manos, y el fraile le abrazó, y con palabras muy santas y buenas se fueron a la iglesia [a] hacer oración, y desde allí a los aposentos, adonde fray Diego Altamirano le dijo que era su primo y le contó lo acaecido en México, según más largamente lo tengo escrito, y lo que Francisco de las Casas había hecho por Cortés y cómo era ido a Castilla. Todo lo cual que le dijo el fraile lo sabía Cortés por la carta del licenciado Zuazo, como dicho tengo en el capítulo que de ello habla; y mostró gran sentimiento de ello y dijo que Nuestro Señor fue servido que aquello pasase así, que le daba muchas gracias por ello y por estar México ya en paz; y que él se quería ir luego por tierra, porque por mar no se atrevía, porque como se supo luego por la carta de Zuazo, que se había embarcado la otra vez dos veces, no pudo navegar porque las aguas vienen muy corrientes y contrarias, y habían de ir siempre con trabajo, y también como estaba flaco.

Y luego le dijeron los pilotos que en aquel tiempo era en el mes de abril, y que no hay corrientes y es la mar bonanza; por manera que se acordó de embarcar; y no se pudo hacer luego a la vela hasta que viniese el capitán Gonzalo de Sandoval, que le había enviado a unos pueblos que se dicen Olancho, que estaban de allí hasta cincuenta y cinco leguas, porque había ido pocos días hacía a echar de aquella tierra a un capitán de Pedrarias que se decía Rojas, el cual había enviado Pedrarias a descubrir tierras y buscar minas desde Nicaragua, después que hubo degollado a Francisco Hernández, como dicho tengo; porque, según pareció, los indios de aquella provincia de Olancho se vinieron a quejar a Cortés cómo ciertos soldados de los de Nicaragua les tomaban sus hijas y mujeres y les robaban sus gallinas y todo lo que tenían. Y Sandoval fue con brevedad y llevó sesenta hombres, y quiso prender a Rojas, y por ciertos caballeros que se metieron en medio de la una parte y de la otra los hicieron amigos, y aun le dio Rojas a Sandoval un indio paje para que le sirviese. Y luego en aquella sazón llegó la carta de Cortés para que luego sin más dilación se viniese con todos sus soldados, y le dio relación cómo vino el fraile y todo lo aacecido en México. Y de que lo entendió hubo mucho placer y no veía la hora de dar vuelta, y vino en posta después de haber echado de allí a Rojas.

Y luego Cortés desde que vio a Sandoval hubo mucho placer y da sus instrucciones al capitán Sayavedra, que quedaba por su teniente en aquella provincia, y lo que tenía de hacer; y escribió al capitán Luis Marín y a todos nosotros que luego nos fuésemos camino de Guatemala, y nos hizo saber de todo lo acaecido en México, según y de la manera que aquí se hace mención, y de la venida del fraile y de la prisión del factor y veedor; y también mandó que el capitán Godoy, que quedaba en Puerto de Caballos poblado, que se pasase a Naco con toda su gente, las cuales cartas dio a Sayavedra para que con gran diligencia nos las enviase; y él no quiso y se descuidó, y supimos que de hecho no quiso darlas. Cortés se embarcó con todos sus amigos y con buen tiempo llegó en la derrota para ir a la Habana, porque le hizo mejor tiempo que para la Nueva España y fue al puerto y desembarcado, con él se holgaron todos los vecinos de la Habana, sus conocidos, y tomaron refresco, y supo nuevas de un navío que allí a la Habana había pocos días que había aportado, venido de Nueva España, que estaba sosegado México, y que el peñol de Coatlán, desde que supieron los indios que en él estaban hechos fuertes y daban guerra a los españoles, que Cortés y los conquistadores éramos vivos, vinieron de paz al tesorero debajo de ciertas condiciones. Y pasaré adelante.

CAPÍTULO CXC

CÓMO CORTÉS SE EMBARCÓ EN LA HABANA PARA IR A LA NUEVA ESPAÑA Y CON BUEN TIEMPO LLEGÓ A LA VERACRUZ, Y DE LAS ALEGRÍAS QUE TODOS HICIERON CON SU VENIDA

COMO CORTÉS HUBO descansado en la Habana cinco días, no veía la hora que estaría en México, y luego manda embarcar toda su gente y se hace a la vela, y en dos días con buen tiempo llegó cerca del puerto de Medellín, enfrente de la isla de Sacrificios, y allí mandó anclar los navíos porque para pasar adelante no hacía buen viento; y por no dormir en la mar aquella noche, Cortés con veinte soldados sus amigos saltaron en tierra y vanse a pie obra de media legua, y quiso su ventura que toparon una arria de caballos que venía [a] aquel puerto con ciertos pasajeros para embarcarse a Castilla, y vase a la Veracruz en los caballos y mulas de la arria, que serían cinco leguas de andadura; y mandó que no fuesen [a] avisar cómo venía por tierra, y antes que amaneciese, como dos horas, llegó a la villa y fuese derecho a la iglesia, que estaba abierta la puerta, y se mete dentro en ella con toda su compañía; y como era muy de mañana, vino el sacristán, que era nuevamente venido de Castilla, y desde que vio la iglesia toda llena de gente y no conocía a Cortés ni a los que con él estaban, salió dando voces a la calle, llamando a la justicia, que estaban en la iglesia muchos hombres forasteros, para que les mandasen salir de ella. Y a las voces que dio el sacristán vino el alcalde mayor y otros alcaldes ordinarios, con tres alguaciles y otros muchos vecinos con armas, pensando que era otra cosa, y entraron de repente y comenzaron a decir con palabras airadas que se saliesen de la iglesia, y como Cortés estaba flaco del camino, no le conocieron hasta que le oyeron hablar. Y de que vieron que era Cortés, vanle todos a besar las manos y darle la buena venida; pues a los conquistadores que vivían en aquella villa Cortés los abrazaba y los nombraba por sus nombres, qué tales estaban, y les decía palabras amorosas, y luego se dijo misa y lo llevaron [a] aposentar en las mejores casas que había, de Pedro Moreno Medrano; y él estuvo allí ocho días, y le hicieron muchas fiestas y regocijos, y luego por posta enviaron mensajeros a México a decir cómo había llegado.

Y Cortés escribió al tesorero y al contador, puesto que no era su amigo, y a todos sus amigos, y al monasterio de San Francisco, de las cuales nuevas todos se alegraron. Y después que lo supieron todos los indios de la redonda tráenle presentes de oro y mantas y cacao y gallinas y frutas. Y luego se partió de Medellín, y yendo por sus jornadas en el camino le tenían limpio y hechos aposentos con grandes ramadas, con mucho bastimento para Cortés y todos los que iban en su compañía. Pues saber yo decir lo que los mexicanos hicieron de alegría, que se juntaron con todos los pueblos de la redonda de la laguna y le enviaron al camino gran presente de joyas de oro y ropa, y gallinas y todo género de frutas de la tierra que en aquella sazón había; y le enviaron a decir que les perdone, por ser de repente su llegada, que no le envían más, que de que vaya a su ciudad harán lo que son obligados, y le servirán como a su capitán que los conquistó y que les tiene en justicia. Y de aquella misma manera vinieron otros pueblos. Pues la provincia de Tlaxcala no se olvidó mucho, que todos los principales le salieron a recibir con danzas y bailes y regocijos y mucho bastimento.

Y desde que llegó obra de tres leguas de la ciudad de Tezcuco, que es casi aquella ciudad tamaña poblazón con sus sujetos como México, de allí salió el contador Albornoz, que [a] aquel efecto había venido para recibir a Cortés, por estar bien con él, y que le temía en gran manera, y junto muchos españoles de todos los pueblos de la redonda, y con los que estaban en su compañía y los caciques de aquella ciudad con grandes invenciones de juegos y danzas fueron a recibir a Cortés más de dos leguas, con lo cual se holgó.[169] Y cuando llegó a Tezcuco le hicieron otro gran recibimiento, y durmió allí aquella noche, y otro día de mañana fue camino de México. Y escribióle el cabildo y el tesorero y todos los caballeros y conquistadores de Tenuxtitán México, que bien pudiera entrar aquel día, y que lo dejase hasta otro día por la mañana porque gozasen todos del gran recibimiento que le hicieron. Y salido el tesorero con todos los caballeros y conquistadores y cabildo de aquella ciudad, y todos los oficiales en ordenanza, y llevaron los más ricos vestidos y calzas y jubones que pudieron, con todo género de instrumentos, y con los caciques mexicanos por su parte con muchas maneras de invenciones y divisas y libreas que pudieron haber, y la laguna llena de canoas e indios guerreros en ellas, según y de la manera que solían pelear con nosotros en el tiempo de Guatemuz, y los que salieron por las calzadas. Fueron tantos juegos y regocijos que se quedarán por decir, pues en todo el día por las calles de México todo era bailes y danzas; y después que anocheció, muchas lumbres a las puertas; pues aún lo mejor quedaba por decir: que los frailes franciscos, otro día después que Cortés hubo llegado, hicieron procesiones dando muchos loores a Dios por las mercedes que les había hecho en haber venido Cortés.

Pues volviendo a su entrada en México, se fue luego al monasterio de Señor San Francisco, adonde hizo decir misas, y daba loores a Dios que le sacó de los trabajos pasados de Honduras y le trajo [a] aquella ciudad; y luego se pasó a sus casas, que están muy bien labradas con ricos palacios, y allí era servido y tenido de todos como un príncipe, y los indios de todas las provincias le venían a ver y le traían presentes de oro, y aun los caciques del peñol de Coatlán, que se habían alzado, le vinieron a dar el bienvenido y le trajeron presentes. Y fue su entrada de Cortés en México por el mes de junio del año de mil quinientos veinticuatro o veinticinco. Y después que Cortés hubo descansado, luego mandó prender a los bandoleros y comenzó a hacer pesquisas sobre los tratos del factor y veedor, y también prendió a Gonzalo de Campo o Domingo de Campo, que no sé bien el nombre de pila, que fue al que hallaron los papeles de los libelos infamatorios;[170] y también se prendió a un Ocaña, escribano, que era muy viejo, que le llamaban cuerpo y alma del factor, y presos, tenía pensamiento Cortés, viendo la justicia que para ello había, de hacer proceso contra el factor y veedor y por sentencia despacharlos, y si de presto lo hiciera no hubiera en Castilla quien dijera "mal hizo", y Su Majestad lo tuviera por bien hecho. Y esto lo oí decir a los del Real Consejo de Indias, estando presente el obispo fray Bartolomé de las Casas, en el año de mil quinientos cuarenta, cuando allí fui sobre mis pleitos, que se descuidó mucho Cortés en ellos, y se lo tuvieron a flojedad y descuido.

[169] Tachado en el original: *y mostrando mucho amor al Albornoz, puesto que sabía que tenía en él un amigo.*

[170] Tachado en el original: *hechos, que fue que hacia un monasterio con ciertos frailes y a cada uno poniéndoles tantas cosas sin ser verdad.*

MOUNTAINEERS

46-48 / 58-62 / 144 -157

178-179

182-183 -184-185

~~188-189-190-191-192-193~~

~~194~~

188-198

359-373

468-471

CAPÍTULO CXCI

CÓMO EN ESTE INSTANTE LLEGÓ AL PUERTO DE SAN JUAN DE ULÚA, CON TRES NAVÍOS, EL LICENCIADO LUIS PONCE DE LEÓN, QUE VINO A TOMAR RESIDENCIA A CORTÉS, Y LO QUE SOBRE ELLO PASÓ

Hay necesidad de volver algo atrás para que bien se entienda lo que ahora diré. Ya he dicho en los capítulos pasados las grandes quejas que de Cortés dieron ante Su Majestad estando la corte en Toledo; y los que dieron las quejas fueron los de la parte de Diego Velázquez, con todos los por mí otras muchas veces memorados, y también ayudaron a ellas las cartas de Albornoz; y como Su Majestad creyó que era verdad, había mandado al almirante de Santo Domingo que viniese con gran copia de soldados a prender a Cortés y a todos los que con él fuimos a desbaratar a Narváez; y también he dicho que como supo el duque de Béjar, don Álvaro de Zúñiga, que fue a suplicar a Su Majestad que hasta saber la verdad que no se creyese de carta de hombre que estaba muy mal con Cortés, y cómo no vino el almirante y las causas por qué Su Majestad proveyó que viniese un hidalgo que en aquella sazón estaba en Toledo, que se decía el licenciado Luis Ponce de León, primo del conde de Alcaudete, y le mandó que le viniese a tomar residencia, y si le hallase culpado en las acusaciones que le pusieron, que le castigase de manera que en todas partes fuese sonando la justicia que sobre ello hiciese, y para que tuviese noticia de todas las acusaciones que le acusaban a Cortés trajo consigo las memorias de las cosas que decían que había dicho e instrucciones por donde había de tomar residencia. Y luego se puso en la jornada y viaje con tres navíos, que esto no se me acuerda bien si eran tres o cuatro, y con buen tiempo que le hizo llegó al puerto de San Juan de Ulúa, y luego se desembarcó y se vino a la villa de Medellín; y como supieron quién era y que venía por juez a tomar residencia a Cortés, luego un mayordomo de Cortés que allí residía, que se decía Gregorio de Villalobos, en posta se lo hizo saber a Cortés, y en cuatro días lo supo en México, de que se admiró Cortés porque de tan de repente le tomaba su venida, porque quisiera saberlo más temprano para irle [a] hacer la mayor honra y recibimiento que pudiera; y en el tiempo que le vinieron las cartas estaba en el monasterio de San Francisco, que quería recibir el cuerpo de Nuestro Señor Jesucristo, y con mucha humildad rogaba a Dios que en todo le ayudase.

Y después que tuvo las nuevas por muy ciertas, de presto despachó mensajeros para saber quiénes eran los que venían y si traían cartas de Su Majestad; y después que vino la primera nueva, de allí a dos días llegaron tres mensajeros que enviaba el licenciado Luis Ponce, con cartas para Cortés, y una era de Su Majestad, por las cuales supo que Su Majestad le mandaba que le tomasen residencia; y vistas las reales cartas, con mucho acato y humildad las besó y puso sobre su cabeza, y dijo que recibía gran merced que Su Majestad enviase quien le oyese de justicia, y luego despachó mensajeros con respuesta para el mismo Luis Ponce con palabras sabrosas y ofrecimientos muy mejor dichos que yo las sabré decir, y que le diesen aviso por cuál de los dos caminos quería venir, porque para México había un camino por una parte y otro por un atajo para que tuviese aparejado lo que convenía a criado de tan alto rey y señor; y después que el licenciado vio tal respuesta, respondió que venía muy cansado de la mar y que quería reposar algunos días, y dándole gracias y mercedes por la gran voluntad que mostraba. Pues como algunos vecinos de aquella villa que eran enemigos de Cortés, y otros de los que trajo Cortés consigo de lo de Honduras, que no estaban bien con él, que fueron de los que hubo desterrado de Pánuco, y por cartas que a Luis Ponce escribieron de México y otros contrarios de Cortés, le dijeron que Cortés quería hacer justicia del factor y veedor antes que fuese a México el licenciado; y más le dijeron, que mirase bien por su persona, que si Cortés le escribió con tantos ofrecimientos y para saber por cuál de los dos caminos quería venir, que era para despacharle, y que no se fiase de sus palabras y ofertas; y le dijeron otras muchas cosas de males que decían había hecho Cortés así a Narváez como a Garay, y de los soldados que dejaba perdidos en Honduras, y sobre tres mil mexicanos que murieron en el camino, y un capitán que se decía Diego de Godoy, que dejó allá poblado con treinta soldados todos dolientes, que cree que serán muertos, y salió verdad y así como se lo dijeron lo de Godoy; y que le suplicaban que luego en posta que fuese a México y que no curase de hacer otra cosa, y que tomase ejemplo en lo del capitán Narváez y en lo del adelantado Garay y en lo de Cristóbal de Tapia, que no le quiso obedecer y le hizo embarcar, o se volvió por donde vino; y le dijeron otros muchos daños y desatinos que había hecho Cortés por ponerle mal con él, y aun le hicieron en creyente que no le obedecería.

Y de que aquello vio el licenciado Luis Ponce, y traía en su compañía otros hidalgos, que fueron el alguacil mayor Proaño, natural de Córdoba, y a un su hermano, y a Salazar de la Pedrada, que venía por alcaide de la fortaleza, que murió luego de dolor de costado; y un licenciado o bachiller que se decía Marcos de Aguilar, y a un Bocanegra, de Córdoba, y ciertos frailes dominicos, y por provincial de ellos un fray Tomás de Ortiz, que decían que había estado ciertos años por prior en una tierra que no se me acuerda el nombre; y de este religioso que venía por prior decían todos los que venían en su compañía que era más desenvuelto para entender negocios que no para el santo cargo que traía.

Pues volviendo a nuestra relación, Luis Ponce tomó consejo con estos caballeros si iría luego a México o no, y todos le aconsejaron que no parase de día ni de noche, creyendo que era verdad lo que decían de los males de Cortés; por manera que cuando los mensajeros de Cortés llegaron con otras cartas en respuesta de las que escribió el licenciado, y mucho refresco que le traían, ya estaba el licenciado cerca de Iztapalapa, donde se le hizo un gran recibimiento, con mucha alegría y gran contento que Cortés tenía con su venida, y le mandó hacer un banquete muy cumplido, y después de bien servido en la comida de muchos y buenos manjares, dijo Andrés de Tapia, que así se decía, que sirvió en aquella fiesta de maestresala, que por ser cosa de apetito y nueva para en aquel tiempo en estas tierras, porque era cosa nueva que si quería su merced que le sirviesen de natas y requesones, y todos los caballeros que allí comían con el licenciado se holgaron que los trajesen, y comieron de ellos, y estaban muy buenos las natas y requesones, y comieron algunos tanto de ellos, que se les revolvió la voluntad y rebosó, y esto digo por verdad, que cuando los como se me revuelve la voluntad, porque son fríos y pesados; y otros no tuvieron sentimiento de haberles hecho ningún daño en el estómago; y entonces dijo aquel religioso que venía por prior provincial, que se decía fray Tomás Ortiz, que las natas y requesones venían revueltas con rejalgar, y que él no las quiso comer por aquel temor, y otros que allí comieron dijeron que le vieron comer al fraile hasta hartarse de ellas, y había dicho que estaban muy buenas, y por haber servido de maestresala Andrés de Tapia sospecharon lo que nunca por el pensamiento le pasó.

Y volvamos a nuestra relación. Que en este recibimiento de Iztapalapa no se halló Cortés, que en México se quedó.[171] Pues como Iztapalapa está dos leguas de México, y tenían puestos hombres para que le avisasen a qué hora venían a México para salirle a recibir, fue Cortés con toda la caballería que en México había, en que iba el mismo Cortés, y Gonzalo de Sandoval, y el tesorero Alonso de Estrada, y el contador, y todo el cabildo y los conquistadores, y Jorge de Alvarado y Gómez de Alvarado (porque Pedro de Alvarado en aquella sazón no estaba en México, sino en Guatemala, que había ido en busca de Cortés); y salieron otros muchos caballeros que nuevamente habían venido de Castilla; y cuando se encontraron en la calzada se hicieron grandes acatos entre él y Cortés, y el licenciado en todo pareció muy bien mirado, que se hizo muy de rogar sobre que Cortés le dio la mano derecha y él no la quería tomar, estuvieron en cortesía hasta que la tomó. Y como entraron en la ciudad, el licenciado iba admirado de la gran fortaleza que en ella había y de las muchas ciudades y poblazones que había visto en la laguna, y decía que tenía por cierto no haber habido capitán en el Universo que con tan pocos soldados haber ganado tantas tierras, ni haber tomado tan fuerte ciudad; y yendo hablando de esto se fueron derechos al monasterio de Señor San Francisco, adonde luego les dijeron misa, y después de acabada de decir, Cortés dijo al licenciado Luis Ponce que presentase las reales provisiones y entendiese en hacer lo que Su Majestad le mandaba, porque él tenía que pedir justicia contra el factor y veedor; y respondió que se quedase para otro día; y desde allí le llevó Cortés, acompañado de toda la caballería que le había salido a recibir, a aposentar a sus palacios, donde le tenían todo entapizado y una muy solemne comida, y servida con tantas vajillas de oro y plata, y por tal concierto, que el mismo Luis Ponce dijo secretamente al alguacil mayor, Proaño, y a un Bocanegra, que ciertamente que parecía que Cortés en todos los cumplimientos y en sus palabras y obras que era de muchos años atrás gran señor.

Y dejaré de hablar de estas loas, y diré que otro día fueron a la iglesia mayor, y después de dicha misa mandó que el cabildo de aquella ciudad estuviesen presentes, y los oficiales de la Real Hacienda, y los capitanes y conquistadores de México; y después que [a] todos los vio juntos delante de los escribanos, y el uno era de los del cabildo y el otro que Luis Ponce consigo traía, presentó sus reales provisiones, y Cortés con mucho acato las besó y puso sobre su cabeza, y dijo que las obedecía como mandamiento y cartas de su rey y señor, y las cumpliría los pechos por tierra, y así hicieron todos los caballeros y conquistadores y cabildo y oficiales de Su Majestad. Y después que esto fue hecho, tomó el licenciado las varas de la justicia al alcalde mayor y alcaldes ordinarios y de la hermandad y alguaciles, y después que las tuvo en su poder se las volvió a dar a todos, y dijo a Cortés: "Señor capitán: esta gobernación de vuestra merced me manda Su Majestad que tome para mí, no porque deja de ser merecedor de otros muchos y mayores cargos; mas hemos de hacer lo que nuestro rey y señor nos manda." Y Cortés, con mucho acato, le dio gracias por ello; dijo

[171] Tachado en el original: *más fama hubo que por su parte muy secretamente enviaba a Luis Ponce un buen presente de tejuelos y barras de oro, y dijeron que no lo quiso rescebir.*

que él está presto para lo que en servicio de Su Majestad le fuere mandado, lo cual vería su merced muy presto y conocería cuán lealmente ha servido a nuestro rey y señor por las informaciones y residencia que de él tomaría, y conocería las malicias de algunas personas que ya le habían ido al oído con consejos y cartas llenas de malicia; y el licenciado respondió que adonde hay hombres buenos también hay otros que no son tales, que así es el mundo, que a los que ha hecho buenas obras dirán bien de él y a los que malas al contrario; y en esto se pasó aquel día; y otro día, después de haber oído misa, que se le dijo en los mismos palacios, donde posaba el licenciado, con mucho acato envió con un caballero a que llamasen a Cortés, estando delante fray Tomás Ortiz, que venía por prior, sin haber otras personas delante, sino todos tres en secreto, con mucho acato le dijo el licenciado Luis Ponce de León: "Señor capitán: sabrá vuestra merced que Su Majestad me mandó y encargó que a todos los conquistadores que pasaron desde la isla de Cuba que se hallaron en ganar estas tierras y ciudades, y a todos los más conquistadores que después vinieron, que les dé buenos indios en encomienda, y anteponga y favorezca algo más a los primeros; y esto digo porque soy informado que muchos de los conquistadores que con vuestra merced pasaron están con pobres repartimientos, y los ha dado a personas que ahora nuevamente han venido de Castilla que no tienen méritos. Si así es, no le dio Su Majestad la gobernación para este efecto, sino para cumplir sus reales mandados." Y Cortés dijo que a todos había dado indios, y que la ventura de cada uno era que a unos cupieron buenos indios y a otros no tales, y que lo podrá enmendar, pues para ello es venido, y los conquistadores son merecedores de ello.

Y también le preguntó que qué eran de todos los conquistadores que había llevado a Honduras en su compañía, que cómo los dejaba por allá perdidos y muertos de hambre, en especial que le informaron que un Diego de Godoy, que dejó por caudillo de treinta o cuarenta hombres en Puerto de Caballos, que le habrán muerto indios, porque todos estaban muy malos; y así como se lo dijeron salió verdad, como adelante diré; y que fuera bueno que pues habían ganado aquella gran ciudad y la Nueva España, que quedaran a gozar el provecho y a descansar, y a los que habían nuevamente venido, que aquéllos llevara a trabajar y poblar por allá; y preguntó por el capitán Luis Marín y por muchos soldados y por mí. Y respondió que para cosas de afrenta y guerras no se atreviera ir a tierras largas si no llevara soldados conocidos, y que presto vendrían [a] aquella ciudad, porque ya deben de venir de camino, y que en todo su merced les ayudase y les diese buenas encomiendas de indios. Y también le dijo el licenciado Luis Ponce, algo con palabras alegres, que cómo había ido contra Cristóbal de Olid tan lejos y largos caminos sin tener licencia de Su Majestad, y dejar México en condiciones de perderse. A esto respondió que como gobernador y capitán general de Su Majestad, que le pareció que convenía aquello a su real servicio porque otros capitanes no se alzasen, y que de ello hizo relación primero a Su Majestad.

Y demás de esto le preguntó sobre la prisión y desbarate de Narváez, y de cómo se perdió la armada y soldados de Francisco de Garay, y de qué murió, y de cómo hizo embarcar a Cristóbal de Tapia; y le preguntó de otras muchas cosas que aquí no relato, y aun delante de fray Tomás Ortiz, a todo lo que respondimos. Y Cortés a todo le respondió dándole razones muy buenas, que Luis Ponce en algo pareció que quedaba contento.

Y todo esto que le preguntaba traía por memoria desde Castilla, y de otras muchas cosas que ya le habían dicho en el camino y en México le habían informado. Y como a estas preguntas que he dicho estaba presente fray Tomás Ortiz, desde que las hubieron acabado de decir y se fue Cortés a su posada, el fraile secretamente apartó a tres conquistadores amigos de Cortés y dijo que Luis Ponce quería cortar la cabeza a Cortés, porque así lo traía mandado por Su Majestad, y [a] aquel efecto le había preguntado lo por mí memorado, y aun el mismo fraile otro día muy de mañana, muy secreto, se lo dijo a Cortés por estas palabras: "Señor capitán, por lo mucho que os quiero y de mi oficio y religión es avisar en tales casos, hágolo, señor, saber que Luis Ponce trae provisiones de Su Majestad para os degollar." Y cuando Cortés esto oyó y habían pasado los razonamientos por mí dichos, estaba muy penoso y pensativo, y por otra parte le habían dicho que aquel fraile era de mala condición y bullicioso y que no le creyese muchas cosas de lo que le decía. Y según pareció dijo aquellas palabras a Cortés, a efecto que le echase por intercesor y rogador que no le ejecutase el tal mandato, y porque le diese por ello algunas barras de oro; otras personas dijeron que Luis Ponce lo dijo por meterle temor a Cortés y le echase rogadores que no le degollase. Y como aquello sintió Cortés, respondió al fraile con mucha cortesía y con grandes ofrecimientos que le daría con que se volviese a Castilla; y le dijo Cortés que tenía creído que Su Majestad, como cristianísimo rey, que le enviaría hacer mercedes por sus muchos y buenos servicios que siempre le ha hecho, y no se hallaría deservicio ninguno que haya hecho, y que con esta confianza estaba, y que le tenía al señor Luis Ponce por persona que no saldría de lo que Su Majestad le mandaba, y que se fuese para Castilla; y después que aquello oyó el fraile y no le rogó que fuese su intercesor para con Luis Ponce, quedó confuso. Y diré lo que más pasó, porque Cortés jamás le dio ningunos dineros de lo que le había prometido.

CAPÍTULO CXCII

CÓMO EL LICENCIADO LUIS PONCE, DESPUÉS QUE HUBO PRESENTADO LAS REALES PROVISIONES Y FUE OBEDECIDO, MANDÓ PREGONAR RESIDENCIA CONTRA CORTÉS Y LOS QUE HABÍAN TENIDO CARGOS DE JUSTICIA, Y CÓMO CAYÓ MALO DE MODORRA Y DE ELLO FALLECIÓ, Y LO QUE MÁS AVINO

Después que hubo presentado las reales provisiones y con mucho acato Cortés y el cabildo y los demás conquistadores obedecido, mandó pregonar residencia general contra Cortés y contra los que habían tenido cargo de justicia y habían sido capitanes. Y de que muchas personas que no estaban bien con Cortés, y otros que tenían justicia sobre lo que pedían, ¡qué priesa se daban de dar quejas de Cortés y de presentar testigos!, que en toda la ciudad andaban pleitos, y las demandas que le ponían. Unos decían que no les dio partes de oro como era obligado; otros que le demandaban que no les dio indios conforme lo que Su Majestad mandaba, y que los dio a criados de su padre, Martín Cortés, y a otras personas sin méritos, criados de señores de Castilla; otros le demandaban caballos que les mataron en las guerras, que puesto que habían habido mucho oro de que se les pudiera pagar, que no se los satisfizo por quedarse con el oro; otros demandaban afrentas de sus personas que por miedo de Cortés les habían hecho, y un Juan Juárez, cuñado suyo, le puso una mala demanda de su mujer de Cortés, doña Catalina Juárez, la Marcaida, hermana de Juárez, que la había traído y que él mismo dio, y [como] en aquella sazón había venido de Castilla un fulano de Barrios, con quien casó Cortés una hermana de Juárez y cuñada suya, se apaciguó por entonces aquella demanda que le había puesto Juan Juárez. Este Barrios es con quien tuvo pleitos un Miguel Díaz sobre la mitad del pueblo de Mestitán, como dicho tengo en el capítulo que de ello habla.

Volvamos a nuestra residencia. Que luego que se comenzó a tomar la residencia quiso Nuestro Señor Jesucristo que por nuestros pecados y desdicha cayó malo de modorra el licenciado Luis Ponce, y fue de esta manera: que viniendo del monasterio del Señor San Francisco de oír misa, le dio una muy recia calentura y echóse en la cama, y estuvo cuatro días amodorrido sin tener el sentido que convenía, y todo lo más del día y de la noche era dormir; y después que aquello vieron los médicos que le curaban, que se decían el licenciado Pedro López y el doctor Ojeda y otro médico que él traía de Castilla, todos a una les pareció que era bien que se confesase y recibiese los Santos Sacramentos, y el mismo licenciado lo tuvo en gran voluntad; y después de recibidos con humildad y con gran contrición, hizo testamento y dejó por su teniente de gobernador al licenciado Marcos de Aguilar, que había traído consigo desde la isla Española. A este Marcos de Aguilar otros dijeron que era bachiller y no licenciado, y que no tenía autoridad para mandar, y dejóle el poder de esta manera: Que todas las cosas de pleitos, y debates, y residencias, y la provisión del factor y veedor se estuviese en el estado que lo dejaba hasta que Su Majestad fuese sabedor de lo que pasaba, y que luego hiciesen mensajeros en un navío a Su Majestad; y ya hecho su testamento y ordenado su ánima, el noveno día después que cayó malo dio el ánima a Nuestro Señor Jesucristo. Y de que hubo fallecido fueron grandes los lutos y tristezas que todos los conquistadores a una sintieron; como si fuera padre de todos así lo lloraban, porque ciertamente él venía para remediar a los que hallase que derechamente habían servido a Su Majestad, y antes que muriese así lo publicaba y lo hallaron en los capítulos e instrucciones que de Su Majestad traía, que les diese de los mejores repartimientos de indios a los conquistadores, de manera que conociesen en todo mejoría. Y Cortés con todos los más caballeros de aquella ciudad se pusieron luto y le llevaron a enterrar con gran pompa a Señor San Francisco, y con toda la cera que entonces se pudo haber; fue su enterramiento muy solemne para en aquel tiempo.

Oí decir a ciertos caballeros que se hallaron presentes cuando cayó malo, que como Luis Ponce era músico y de inclinación de suyo regocijado, que por alegrarle que le iban a tañer con una vigüela y a dar música, y que mandó que le tañesen una baja, y con los pies estando en la cama hacía sentido con los dedos y pies y los meneaba hasta acabar la baja, y acabada y perdida la habla, que fue todo uno. Pues como fue muerto y enterrado de la manera que dicho tengo, oí el murmurar que en México había de las personas que estaban mal con Cortés y con Sandoval, que dijeron y afirmaron que le dieron ponzoña con que murió; que así había hecho a Francisco de Garay, y quien más lo afirmaba era fray Tomás Ortiz, ya otras veces por mí memorado, que venía por prior de ciertos frailes que traía en su compañía, que también murió de modorra de ahí a dos meses, y otros frailes. Y también quiero decir que parece ser que en los navíos en que vino Luis Ponce que dio pestilencia en ellos, porque de más de cien personas que en ellos venían, les dio modorra y dolencia, de que murieron en la mar, y después que desembarcaron en la villa de Medellín, y murieron muchos de ellos, y aun de los frailes quedaron muy pocos, y con ellos murió su provincial o prior de ahí a pocos meses; y fue fama que aquella modorra se cundió en México.

CAPÍTULO CXCIII

CÓMO DESPUÉS QUE MURIÓ EL LICENCIADO LUIS PONCE DE LEÓN COMENZÓ A GOBERNAR EL LICENCIADO MARCOS DE AGUILAR, Y LAS CONTIENDAS QUE SOBRE ELLO HUBO, Y CÓMO EL CAPITÁN LUIS MARÍN, CON TODOS LOS QUE VENIMOS EN SU COMPAÑÍA, TOPAMOS CON PEDRO DE ALVARADO, QUE ANDABA EN BUSCA DE CORTÉS, Y NOS ALEGRAMOS LOS UNOS CON LOS OTROS PORQUE ESTABA LA TIERRA DE GUERRA Y LA PODER PASAR SIN TANTO PELIGRO COMO HABÍA

Pues como Marcos de Aguilar tomó la gobernación de la Nueva España, según que lo había dejado en el testamento Luis Ponce, muchas personas de las que estaban mal con Cortés y con todos sus amigos y los más conquistadores, quisieron que la residencia fuera adelante como la había comenzado a tomar el licenciado Luis Ponce de León; y Cortés dijo que no se podía entender en ella, conforme al testamento de Luis Ponce, mas que si quería tomársela Marcos de Aguilar, que fuese mucho en buena hora. Y había otra contradicción por parte del cabildo de México, en que decían que no podía mandar Luis Ponce en su testamento que gobernase el licenciado Aguilar solo, lo uno, porque era muy viejo y caducaba y estaba tullido de bubas, y era de poca autoridad, y así lo mostraba en su persona, y no sabía las cosas de la tierra, ni tenía noticia de ellas, ni de las personas que tenían méritos, y que demás de esto, que no le tendrían respeto, ni le acatarían, y que sería bien que para que todos temiesen y la justicia de Su Majestad fuese de todos muy acatada, que tomase por acompañado en la gobernación a Cortés hasta que Su Majestad mandase otra cosa.

Y Marcos de Aguilar dijo que no saldría poco ni mucho de lo que Luis Ponce mandó en el testamento, y que sólo había de gobernar, y que si querían poner otro gobernador por fuerza, que no hacían lo que Su Majestad mandaba; y además de esto que dijo Marcos de Aguilar, Cortés temió. si otra cosa se hiciese, por más palabras que le decían los procuradores de las ciudades y villas de la Nueva España que procurase de gobernar y que ellos atraerían con buenas palabras a Marcos de Aguilar para ello, pues que estaba claro que estaba muy doliente y era servicio de Dios y de Su Majestad; y por más que le decían a Cortés nunca quiso tocar más en aquella tecla, sino que el viejo Aguilar sólo gobernase, y aunque estaba tan doliente y hético que le daba de mamar una mujer de Castilla, y tenía unas cabras que también bebía la leche de ellas, y en aquella sazón se le murió un hijo que traía consigo, de modorra, según y de la manera que murió Luis Ponce. Dejaré esto hasta su tiempo.

Quiero volver muy atrás de lo de mi relación, y diré lo que el capitán Luis Marín hizo, que quedaba con toda su gente en Naco esperando respuesta de Sandoval para saber si Cortés era embarcado o no, y nunca habíamos tenido respuesta ninguna; ya he dicho cómo Sandoval se partió de nosotros para ir [a] hacer embarcar a Cortés que fuese a la Nueva España, y que nos escribiría de lo que sucediese para que nos fuésemos con Luis Marín camino de México. Y puesto que escribió Sandoval y Cortés por dos partes, nunca tuvimos respuesta, porque Sayavedra nunca nos quiso escribir, y fue acordado por Luis Marín y por todos los que con él veníamos que con brevedad fuésemos diez soldados a caballo hasta Trujillo a saber de Cortés, y fue Francisco Marmolejo por nuestro capitán, y yo fui uno de los diez. Fuimos por la tierra adentro, de guerra, hasta llegar a Olancho, que ahora llaman Guayape, donde fueron las minas ricas de oro, y allí tuvimos nuevas, de dos españoles que estaban dolientes y de un negro, cómo Cortés era embarcado pocos días había con todos los caballeros y conquistadores que consigo tenía, y que le envió a llamar [a] la ciudad de México, que todos los vecinos mexicanos estaban con voluntad de servirle, y que vino un fraile francisco por él, y que su primo de Cortés, Sayavedra, quedaba por capitán cerca de allí en unos pueblos de guerra, de las cuales nuevas nos alegramos y luego escribimos al capitán Sayavedra con indios de aquel pueblo de Olancho que estaba de paz, y en cuatro días vino respuesta y nos hizo relación de algunas cosas de lo que aquí va memorado, y dimos muchas gracias a Dios por ello, y a buenas jornadas volvimos adonde Luis Marín estaba. Y acuérdome que tiramos piedras a la tierra que dejamos atrás, y decíamos: "Allí quedarás, tierra mala, y con la ayuda de Dios iremos a México."

Y yendo por nuestras jornadas hallamos a Luis Marín en un pueblo que se dice Acalteca; y así como llegamos con aquellas nuevas tomó mucha alegría; y luego tiramos camino de un pueblo que se dice de Maniani, y hallamos en él a seis soldados que eran de la compañía de Pedro de Alvarado, que andaban en nuestra busca, y uno de ellos fue un Diego López de Villanueva, vecino que ahora es de Guatemala, y de que nos conocimos nos abrazamos los unos a los otros; y preguntando por su capitán Pedro de Alvarado, dijeron que allí cerca venía con muchos caballeros que venían en busca de Cortés y demás conquistadores, y nos contaron todo lo acaecido en México, por mí ya atrás dicho, y cómo habían enviado a llamar a Pedro de Alvarado para que fuese gobernador, y la causa por qué no fue, según memorado tengo en el capítulo que de ello habla. Y yendo por nuestro camino luego de ahí a dos días nos encontramos con Pedro de Alvarado y sus soldados, que fue junto a un pueblo que se dice Choluteca Malalaca. Pues saber decir cómo se holgó desde que supo que Cortés era ido a México, porque excusaba el trabajoso camino que había de llevar en su busca, fue harto descanso para todos. Y estando allí en el pueblo de la Choluteca habían llegado en aquella sazón ciertos capitanes de Pedrarias de Ávila, que se decían Garabito y Campañón, y de otros que no se me acuerdan los nombres, que según ellos decían venían a descubrir tierra y a partir términos con Pedro de Alvarado, y desde que llegamos [a] aquel pueblo con el capitán Luis Marín, todos estuvimos juntos tres días, los de Pedrarias de Ávila y Pedro de Alvarado y nosotros, y desde allí envió Pedro de Alvarado a un Gaspar Arias de Ávila, vecino que fue de Guatemala, a tratar ciertos negocios con el gobernador Pedro Arias de Ávila, y oí decir que era sobre casamientos, porque Gaspar Arias era gran servidor de Pedro de Alvarado.

Y volviendo a nuestro viaje, en aquel pueblo se quedaron los de Pedrarias y nosotros fuimos camino de Guatemala, y antes de llegar a la provincia de Cuzcatán en aquella sazón llovía mucho y venía un río muy crecido, que se decía Lempa, y no le podíamos pasar en ninguna manera, y acordamos de cortar un árbol que se llamaba ceiba, y era de tal gordor que se hizo una canoa que otra mayor en estas partes no había visto, y con gran trabajo estuvimos cinco días en pasar el río, y aun hubo mucha falta de maíz. Y pasado el río dimos en unos pueblos que pusimos por nombre los Chaparrastiques, que era así su nombre, adonde mataron los indios naturales de aquellos pueblos un soldado que se decía Nicuesa e hirieron otros tres de los nuestros que habían ido a buscar de comer, y les fuimos a socorrer y venían ya desbaratados, y por no detenernos se quedaron sin castigo, y esto es la provincia donde ahora está poblada la villa de San Miguel. Y desde allí entramos en la provincia de Cuzcatán, que estaba de guerra, y hallamos bien de comer. Y desde allí veníamos a unos pueblos cerca de Petapa, y en el camino tenían los guatemaltecas unas sierras cortadas y unas barrancas muy hondas, donde nos aguardaron, y estuvimos en tomárselas y pasar tres días; allí me hirieron de un flechazo, mas no fue nada la herida. Y luego venimos a Petapa, y otro día dimos en este valle que llamaban del Tuerto, donde ahora está poblada esta ciudad de Guatemala, que entonces todo estaba de guerra, y hallamos muchas albarradas y hoyos, y teníamos guerra con los naturales sobre pasarlos. Acuérdome que viniendo que veníamos por un repecho abajo comenzó a temblar la tierra de manera que muchos soldados cayeron en el suelo, porque duró gran rato el temblor.

Y luego vamos camino del asiento de la ciudad de Guatemala, la vieja, donde solían estar los caciques que se decían Zinacán y Sacachul, y antes de entrar en la ciudad estaba una barranca muy honda, y aguardándonos los escuadrones de guatemaltecas para no dejarnos pasar, y les hicimos ir con la mala ventura, y pasamos a dormir en la ciudad; y estaban los aposentos y casas tan buenas y de tan ricos edificios, en fin, como de caciques que mandaban todas las provincias comarcanas. Desde allí nos salimos a lo llano e hicimos ranchos y chozas y estuvimos en ellos diez días, porque Pedro de Alvarado envió dos veces a llamar de paz a los de Guatemala y a otros pueblos que estaban en aquella comarca, y hasta ver su respuesta aguardamos los días que he dicho; y de que no quisieron venir ningunos de ellos, fuimos por nuestras jornadas largas sin parar hasta donde Pedro de Alvarado había dejado poblado su ejército, porque estaba la tierra de guerra, y estaba en él por capitán un su hermano que se decía Gonzalo de Alvarado; llamábase aquella poblazón Olintipeque, y estuvimos descansando ciertos días, y luego fuimos a Soconusco, y desde allí a Teguantepeque; y entonces fallecieron en el camino dos vecinos españoles de los de México que venían de aquella trabajosa jornada con nosotros, y un cacique mexicano que se decía Juan Velázquez, capitán que fue de Guatemuz, ya por mí memorado. Y en posta fuimos a Oaxaca, porque entonces alcanzamos a saber la muerte de Luis Ponce y otras cosas por mí ya dichas, y decían mucho bien de su persona y que venía para cumplir lo que Su Majestad le mandaba, y no veíamos la hora de haber llegado a México.

Pues como veníamos sobre ochenta soldados, y entre ellos Pedro de Alvarado, y llegamos a un pueblo que se dice Chalco, desde ahí enviamos mensajeros a hacer saber a Cortés cómo habíamos de entrar en México otro día, que nos tuviese aparejadas posadas, porque veníamos muy destrozados, porque había más de dos años y tres meses que salimos de aquella ciudad. Y desde que se supo en México que llegábamos a Iztapalapa, a las calzadas salió Cortés con muchos caballeros y el cabildo a recibirnos; y antes de ir a parte ninguna, así como veníamos, fuimos a la iglesia mayor a dar gracias a Nuestro Señor Jesucristo que nos volvió [a] aquella ciudad; y desde la iglesia Cortés nos llevó a sus palacios, donde nos tenían aparejada una solemne comida, y muy bien servida, y ya tenían aderezada la posada de Pedro de Alvarado, que entonces era su casa la fortaleza, porque en aquella sazón estaba nombrado por alcaide de ella y de las atarazanas, y al capitán Luis Marín llevó Sandoval a posar a sus casas, y a mí y a otro amigo que se decía el capitán Miguel Sánchez nos llevó Andrés de Tapia a las suyas, y nos hizo mucha honra, y Sandoval me envió ropas para ataviarme y oro y cacao para gastar, y así hizo Cortés y otros vecinos de aquella ciudad a soldados y amigos conocidos de los que allí veníamos.

Y otro día, después de encomendarnos a Dios, salimos por la ciudad yo y mi compañero el capitán Luis Sánchez, y llevamos por intercesores al capitán Sandoval y Andrés de Tapia, y fuimos a ver y hablar al licenciado Marcos de Aguilar, que como he dicho, estaba por gobernador por el poder que para ello le dejó Luis Ponce, y los intercesores que fueron con nosotros, que ya he dicho que era el capitán Sandoval y Andrés de Tapia, hicieron relación a Marcos de Aguilar de nuestras personas y servicios para suplicarle que nos diese indios en México, porque los de Guazacualco no eran de provecho. Y después de muchas palabras y ofertas que sobre ello nos dio Marcos de Aguilar, con prometimiento, dijo que no tenía poder para dar ni quitar indios ningunos, porque así lo dejó en el testamento Luis Ponce de León al tiempo que falleció, que todas las cosas y pleitos y vacaciones de indios de la Nueva España se estuviesen en el estado en que estaban hasta que Su Majestad envíe a mandar otra cosa; que si le envían poder para [dar] indios, que nos daría de lo mejor que hubiese en la tierra, y luego nos despedimos de él. En este tiempo vino de la isla de Cuba un Diego de Ordaz, muchas veces por mí memorado,[172] y como fue el que hubo escrito las cartas al factor diciendo que todos éramos muertos cuando habíamos salido de México con Cortés, Sandoval y otros caballeros, con palabras muy desabridas, le dijeron que por qué había escrito lo que no sabía, no teniendo noticia de ello, y que fueron aquellas cartas que envió al factor tan malas, que se hubiera de perder la Nueva España por ellas. Y Diego de Ordaz respondió con grandes juramentos que nunca tal escribió, sino solamente que tuvo nueva de un pueblo que se dice Xicalango que habían reñido los pilotos y capitanes y marineros de dos navíos, y se habían muerto los de un bando con el otro, y que los indios acabaron de matar a ciertos marineros que quedaban en los navíos; y que pareciesen las mismas cartas, y verían que sí era así; que si el factor las glosó e hizo otras, que no tenía culpa, pues para saber Cortés la verdad el factor y veedor estaban presos en las jaulas, no se atrevía a hacer justicia de ellos, según lo dejó mandado Luis Ponce de León. Y como Cortés tenía otros muchos debates, acordó de callar en lo del factor hasta que viniese mandado de Su Majestad, y temió no le viniesen más males sobre ello. Y Porque entonces puso demanda que volviesen mucha cantidad de sus haciendas que le vendieron y tomaron para decir misas y honras por su ánima, y pues que fueron hechas aquellas honras y misas con malicia y por dar crédito a toda la ciudad, que era muy mejor, que pues hacían bienes y honras por Cortés y por nosotros para que creyesen que era verdad que todos éramos muertos; y andando en estos pleitos, un vecino de México, que se decía Juan de Cáceres, el Rico, compró los bienes y misas que habían hecho por el ánima de Cortés [que] fuesen por la de Cáceres.

Y dejaré de contar cosas viejas y

[172] Tachado en el original: *que había ido a comprar yeguas y becerras, según lo tengo ya dicho.*

diré cómo Diego de Ordaz, como era hombre de buenos consejos, y viendo que a Cortés ya no le tenían acato ni se daban nada por él después que vino Luis Ponce de León, y le habían quitado la gobernación y que muchas personas se le desvergonzaban y no le tenían en nada, le aconsejó que se sirviese como señor y se llamase señoría y pusiese dosel, y que no solamente se nombrase Cortés, sino que don Hernando Cortés. También le dijo Ordaz que mirase que el factor fue criado del comendador mayor don Francisco de los Cobos, y que es el que mandaba a toda Castilla, y que algún día le habría menester a don Francisco de los Cobos, y que el mismo Cortés no estaba bien acreditado con Su Majestad ni con los de su Real Consejo de Indias, y que no curase de matar al factor hasta que por justicia fuese sentenciado, porque había grandes sospechas en México que le querían despachar y matar en la misma jaula. Y pues viene ahora a coyuntura, quiero decir, antes que más pase adelante en esta mi relación, por qué tan secamente en todo lo que escribo, cuando viene a pláticas decir de Cortés, no le he nombrado ni nombro don Hernando Cortés, ni otros títulos de marqués, ni capitán, salvo Cortés a boca llena. La causa de ello es porque él mismo se preciaba de que le llamasen solamente Cortés, y en aquel tiempo no era marqués, porque era tan tenido y estimado este nombre de Cortés en toda Castilla [173] como en tiempo de los romanos solían tener a Julio César o a Pompeyo, y en nuestros tiempos teníamos a Gonzalo Hernández, por sobrenombre Gran Capitán, y entre los cartagineses Aníbal, o de aquel valiente nunca vencido caballero Diego García de Paredes.

Dejemos de hablar en los blasones pasados, y diré cómo el tesorero Alonso de Estrada en aquella sazón casó dos hijas, la una con Jorge de Alvarado, hermano de don Pedro de Alvarado, y la otra con un caballero que se decía don Luis de Guzmán, hijo de don Juan de Sayavedra, conde de Castellar; y entonces se concertó que Pedro de Alvarado fuese a Castilla a suplicar a Su Majestad le hiciese merced de la gobernación de Guatemala, y entretanto que iba envió a Jorge de Alvarado por su capitán a las pacificaciones de Guatemala, y cuando Jorge de Alvarado vino trajo de camino consigo sobre doscientos indios de Tlaxcala, y de Cholula, y mexicanos, y de Guacachula, y de otras provincias, y le ayudaron en las guerras; y también en aquella sazón envió Marcos de Aguilar a poblar la provincia de Chiapa, y fue un caballero que se decía don Juan Enríquez de Guzmán, deudo muy cercano del duque de Medina Sidonia, y también envió a poblar a la provincia de Tabasco, que es el río que llaman de Grijalva, y fue por capitán un hidalgo que se decía Baltasar Osorio, natural de Sevilla; y asimismo envió a pacificar los pueblos de los zapotecas, que están en muy altas sierras, y fue por capitán un Alonso de Herrera, natural de Jerez, y este capitán fue de los soldados de Cortés. Y por no contar al presente lo que cada uno de estos capitanes hizo en sus conquistas, lo dejaré de decir hasta que venga a tiempo y sazón, y quiero hacer relación cómo en este tiempo falleció Marcos de Aguilar, y lo que pasó sobre el testamento que hizo para que gobernase el tesorero.

[173] Tachado en el original: *y en muchas partes de la cristiandad.*

CAPÍTULO CXCIV

CÓMO MARCOS DE AGUILAR FALLECIÓ Y DEJÓ EN EL TESTAMENTO QUE GOBERNASE EL TESORERO ALONSO DE ESTRADA, Y QUE NO ENTENDIESE EN PLEITOS DEL FACTOR NI VEEDOR NI DAR NI QUITAR INDIOS HASTA QUE SU MAJESTAD MANDASE LO QUE MÁS EN ELLO FUESE ÉL SERVIDO, SEGÚN DE LA MANERA QUE LE DEJÓ EL PODER LUIS PONCE DE LEÓN

TENIENDO EN sí la gobernación Marcos de Aguilar, como dicho tengo, y estaba muy hético y doliente de bubas, los médicos mandaron que mamase a una mujer de Castilla, y con leche de cabras se sostuvo cerca de ocho meses, y de aquellas dolencias y calenturas que le dio falleció, y en el testamento que hizo mandó que sólo gobernase el tesorero Alonso de Estrada, ni más ni menos que tuvo el poder de Luis Ponce de León. Y viendo el cabildo de México y otros procuradores de ciertas ciudades que en aquella sazón se hallaron en México que Alonso de Estrada no podía gobernar tan bien como convenía, por causa que Nuño de Guzmán, que había dos años que vino de Castilla por gobernador de la provincia de Pánuco, y se metía en los términos de México, y decían que eran sujetos de su provincia, y como venía furioso y no mirando a lo que Su Majestad le mandaba en las provisiones que de ello traía, porque un vecino de México, que se decía Pero Gonzalez de Trujillo, persona muy noble, dijo que no quería estar debajo de su gobernación, sino de la de México, pues los indios de su encomienda no eran de los de Pánuco, y por otras palabras que pasaron, sin ser más oído le mandó ahorcar, y además de esto hizo otros desatinos, que ahorcó a otro español, y por hacerse temer, y no tenía acato ni se le daba nada de Alonso de Estrada, el tesorero, aunque era gobernador, ni lo tenía en tanta estima como era obligado. Y viendo aquellos desatinos de Nuño de Guzmán, el cabildo de México, y otros caballeros vecinos, y porque temiese Nuño de Guzmán e hiciese lo que Su Majestad mandaba, suplicaron al tesorero que juntamente con él gobernase Cortés, pues convenía al servicio de Dios Nuestro Señor y de Su Majestad, y el tesorero no quiso, y otras personas dijeron que Cortés no lo quiso aceptar, porque no dijesen maliciosos que por fuerza quería señorear, y también porque hubo murmuraciones que tenían sospecha que la muerte de Marcos de Aguilar que Cortés fuese causa de ella y le dio con qué murió. Y lo que se concertó fue que juntamente con el tesorero gobernase Gonzalo de Sandoval, que era alguacil mayor y persona que se hacía mucha cuenta de él, y húbolo por bien el tesorero; mas otras personas dijeron que si lo aceptó fue por casar una hija con Sandoval, y si se casara con ella fuera más estimado Sandoval y por ventura hubiera la gobernación, porque en aquella sazón no se tenía en tanta estima esta Nueva España como ahora.

Pues estando gobernando el tesorero y Gonzalo de Sandoval pareció ser, como en este mundo hay hombres muy desatinados, que un fulano Proaño, que dicen que se fue en aquella sazón a lo de Jalisco huyendo de México, y después fue hombre muy rico, púsose a palabras con el gobernador Alonso de Estrada, y tuvo tal desacato que por ser de tal calidad aquí no lo digo, y Sandoval como gobernador que era, que había de hacer justicia sobre ello y prender a Proaño, no lo hizo, antes, según fama, le favoreció para hacer aquel atroz delito e ir huyendo adonde no pudo ser habido por mucha diligencia que sobre ello puso el tesorero para prenderle, y además de esto, de ahí a pocos días después de este desacato que pasó, hubo otro malísimo delito, que pusieron en las puertas de las casas del tesorero unos libelos infamatorios muy malos, y puesto que claramente se supo quién los puso, viendo que no podía alcanzar justicia, lo disimuló, y desde allí adelante estuvo muy mal el tesorero con Cortés y con Sandoval y renegaba de ellos como de cosas muy malas.

Dejemos esto, y quiero decir que en aquellos días que anduvieron los conciertos, ya por mí memorados, para que Cortés gobernase con el tesorero, y pusieron a Sandoval por compañero, según dicho tengo, aconsejaron a Alonso de Estrada que luego en posta fuese en un navío a Castilla e hiciese relación de ello a Su Majestad, y aun le indujeron que dijese por fuerza le pusieron a Sandoval por compañero, según ya dicho tengo, desde que no quiso ni consintió que Cortés gobernase juntamente con él; y demás de esto, ciertas personas que no estaban bien con Cortés escribieron otras cartas por sí, y en ellas decían que Cortés había mandado dar ponzoña a Luis Ponce de León y a Marcos de Aguilar, y que asimismo al adelantado Garay,[174] que en unos requesones que les dieron en un pueblo que se dice Estapalapa creían que estaba en ellos rejalgar, y que por aquella causa no quiso comer un fraile de la Orden de Santo Domingo de ellos;[175] y todo lo que escribían eran maldades y traiciones que le levantaron; y también escribieron que Cortés quería matar al factor y veedor; y en aquella sazón también fue a Castilla el contador Albornoz, que jamás estuvo bien con Cortés.

Y como Su Majestad y los de su Real Consejo de Indias vieron las cartas que he dicho que enviaron diciendo mal de Cortés, y se informaron del contador Albornoz de lo de Luis Ponce, y lo de Marcos de Aguilar, y ayudó muy mal contra Cortés, y habían oído lo del desbarate de Narváez y de Garay, y lo de Tapia, y lo de Catalina Juárez, la Marcaida, su primera mujer, y estaban mal informados de otras cosas, y creyeron ser verdad lo que ahora escribían, luego mandó Su Majestad proveer que sólo Alonso de Estrada gobernase, y dio por bueno cuanto había hecho y en los indios que encomendó, y también mandó que se sacasen de las prisiones y jaulas al factor y veedor y les volviesen sus bienes, y en posta vino un navío con las provisiones; y para castigar a Cortés de lo que le acusaban mandó que luego viniese un caballero que se decía don Pedro de la Cueva, comendador mayor de Alcántara, y que a costa de Cortés trajese trescientos soldados, y que si le hallase culpado le cortase la cabeza y a los que juntamente con él habían hecho algún deservicio de Su Majestad, y que a los verdaderos conquistadores que nos diesen de los pueblos que le quitasen a Cortés, y asimismo mandó proveer que viniese Audiencia Real, creyendo con ella habría recta justicia. Y ya que se estaba apercibien-

[174] Tachado en el original: *y aun hicieron escribir al religioso que venía por provincial de Santo Domingo, que había venido de Castilla con el Luis de Ponce de León, que se decía fray Tomás Ortiz.*

[175] Tachado en el original: *y demás desto enviaron con las cartas unos renglones de libelos infamatorios que hallaron a un Gonzalo de Campo contra Cortés, en que decía en ellos:*

¡Oh, Fray Hernando, provincial;
más quejas van de tu persona
delante su general!
que fueron del duque de Arjona
delante su general!

y dejo yo de escribir otros cinco renglones que le pusieron, porque no son de poner de un capitán valeroso como fue Cortés.

do el comendador don Pedro de la Cueva para venir a la Nueva España, por ciertas pláticas que después hubo en la corte, o porque no le dieron tantos mil ducados como pedía para el viaje, y porque con la Audiencia Real creyeron que lo pusieran en justicia, se estorbó su jornada, y porque el duque de Béjar quedó por nuestro fiador como otras veces.

Y quiero volver al tesorero. Que como se vio tan favorecido de Su Majestad, y haber sido tantas veces gobernador, y ahora de nuevo le manda Su Majestad gobernar solo, y aun le hicieron creer al tesorero que habían informado al emperador nuestro señor que era hijo del rey católico, y estaba muy ufano y tenía razón, y lo primero que hizo fue enviar a Chiapa por capitán a un su primo que se decía Diego de Mazariegos, y mandó tomar residencia a don Juan Enríquez de Guzmán, el que había enviado por capitán Marcos de Aguilar, y más robos y quejas se halló que había hecho en aquella provincia que bienes; y también envió a conquistar y pacificar los pueblos de los zapotecas y minxes, y que fuesen por dos partes para que mejor los pudiesen atraer de paz, que fue por la parte de la banda del norte envió a un fulano de Barrios, que decían que había sido capitán en Italia y que era muy esforzado, que nuevamente había venido de Castilla a México (no digo por Barrios el de Sevilla, el cuñado que fue de Cortés), y le dio sobre cien soldados, y entre ellos muchos escopeteros y ballesteros; y llegado este capitán con sus soldados a los pueblos de los zapotecas, que se decían los *tiltepeques,* una noche salen los indios naturales de aquellos pueblos y dan sobre el capitán y sus soldados, y tan de repente dieron en ellos, que matan al capitán Barrios y a otros siete soldados, y a todos los más hirieron, y si de presto no tomaran calzas de Villadiego y se vinieran [a] acoger a unos pueblos de paz, todos murieran aquí. Verán cuánto va de los conquistadores viejos a los nuevamente venidos de Castilla, que no saben qué cosa es guerra de indios ni sus astucias. En esto paró aquella conquista.

Digamos ahora del otro capitán que fue por la parte de Oaxaca, que se decía Figueroa, natural de Cáceres, que también dijeron que había sido muy esforzado capitán en Castilla y era muy amigo del tesorero Alonso de Estrada, y llevó otros cien soldados de los nuevamente venidos de Castilla a México, y muchos escopeteros y ballesteros, y aun diez de a caballo; y cómo allegaron a las provincias de los zapotecas y envió a llamar a un Alonso de Herrera que estaba en aquellos pueblos por capitán de treinta soldados, por mandado de Marcos de Aguilar, en el tiempo que gobernaba, según lo tengo dicho en el capítulo que de ello hace mención, y venido Alonso de Herrera a su llamado, porque según pareció traía poder Figueroa para que estuviese debajo de su mano sobre ciertas pláticas que tuvieron o porque no quiso quedar en su compañía, vinieron a echar mano a las espadas, y Herrera acuchilló a Figueroa, y a otros tres de los soldados que traía que le ayudaban.

Pues viendo Figueroa que estaba herido y manco de un brazo, y no se atrevía a entrar en las sierras de los minxes, que eran muy altas y malas de conquistar, y los soldados que traía no sabían conquistar aquellas tierras, acordó de andarse a desenterrar sepulturas de los enterramientos de los caciques de aquellas provincias, porque en ellas halló cantidad de joyas de oro con que antiguamente tenían por costumbre de enterrar los principales de aquellos pueblos, y diose tal maña, que sacó sobre cinco mil pesos de oro, y con otras joyas que hubo de dos pueblos acordó de dejar la conquista y pueblos en que estaba, y dejóles muy más de guerra algunos de ellos que los halló, y fue a México, y desde allí se iba a Castilla, y los soldados cada uno se fue por su parte; y ya que se iba a Castilla

Figueroa con su oro y embarcado en la Veracruz, fue su ventura tal que el navío en que iba dio con recio temporal al través junto a la Veracruz, de manera que se perdió él y su oro, y se ahogaron quince pasajeros, y todo se perdió. Y en aquello paró las capitanías que envió el tesorero a conquistar, y nunca aquellos pueblos vinieron de paz hasta que los vecinos de Guazacualco los conquistamos, y como tienen tan altas sierras y no pueden ir caballos, me quebranté el cuerpo de tres veces que me hallé en aquellas conquistas, porque puesto que en los veranos los atraíamos de paz, en entrando las aguas se tornaban a levantar y mataban a los españoles que podían haber desmandados; y como siempre les seguíamos, vinieron de paz, y está poblada una villa que se dice San Alfonso.

Pasemos adelante y dejaré de traer más a la memoria desastres de capitanes que no han sabido conquistar; y digo que como el tesorero supo que habían acuchillado a su amigo el capitán Figueroa, envió luego a prender a Alonso de Herrera, y no se pudo haber, porque se fue huyendo a unas sierras, y los alguaciles que envió trajeron preso a un soldado de los que solía tener Herrera consigo, y así como llegó a México, sin más ser oído, le mandó el tesorero cortar la mano derecha; llamábase el soldado Cortejo, y era hijodalgo. Y además de esto, en aquel tiempo un mozo de espuela de Gonzalo de Sandoval tuvo otra cuestión con otro criado del mismo tesorero, y le acuchilló, de que hubo muy gran enojo el tesorero, y le mandó cortar la mano, y esto fue en tiempo que Cortés ni Sandoval no estaban en México, que se habían ido a un gran pueblo que se dice Cornavaca, y se fueron por quitarse de México, de bullicios y parlerías, y también por apaciguar ciertos debates que había entre los caciques de aquel pueblo. Pues después que supieron Cortés y Sandoval, por cartas, que el Cortejo y el mozo de espuelas estaban presos y que les querían cortar las manos, de presto vinieron a México, y de que hablaron y no había remedio en ello, sintieron mucho aquella afrenta que el tesorero hizo a Cortés y contra Sandoval, y dicen que le dijo Cortés tales palabras al tesorero en su presencia, que no las quisiera oír, y aun tuvo temor que le quería mandar matar, y con este temor allegó el tesorero soldados y amigos para tener en su guarda, y sacó de las jaulas al factor y veedor para que, como oficiales de Su Majestad, se favoreciesen los unos a los otros contra Cortés.

Y después que los hubo sacado, de ahí a ocho días, por consejo del factor y otras personas que no estaban bien con Cortés, le dijeron al tesorero que en todo caso que luego desterrase a Cortés de México, porque entretanto que estuviese en aquella ciudad jamás podría gobernar bien, ni habría paz, y siempre habría chirinolas y bandos. Pues ya este destierro firmado del tesorero, se lo fueron a notificar a Cortés, y dijo que le cumpliría muy bien y que daba gracias a Dios, que de ello era servido, que de las tierras y ciudades que él con sus compañeros había descubierto y ganado, derramando de día y de noche mucha sangre y muerte de tantos soldados, que le viniesen a desterrar personas que no eran dignos de bien ninguno, ni de tener los oficios que tienen de Su Majestad y que él iría a Castilla a dar relación de ello a Su Majestad y demandar justicia contra ellos y que fue gran ingratitud la del tesorero, desconocido del bien que le había hecho Cortés. Y luego se salió de México y se fue a una villa suya que se dice Coyoacán, y desde allí a Tezcuco, y desde ahí a pocos días a Tlaxcala. Y en aquel instante la mujer del tesorero, que se decía doña Marina Gutiérrez de la Caballería, cierto digna de buena memoria por sus muchas virtudes, como supo lo que su marido había hecho en sacar de las jaulas al factor y veedor y haber desterrado a Cortés, con gran pesar que tenía le dijo al tesorero, su marido: "Plega a Dios que estas cosas que habéis hecho no nos venga mal de ello", y le trajo a la memoria los bienes y mercedes que Cortés con ellos había hecho y los pueblos de indios que les dio, y que procurase de tornar hacer amistades con él para que vuelva a la ciudad de México, o que se guardase muy bien no le matasen, y tantas cosas le dijo, que, según muchas personas platicaban, se había arrepentido el tesorero de haberlo desterrado y aun de haber sacado de las jaulas a los por mí memorados, porque en todo le iban a la mano y eran muy contrarios a Cortés.

Y en aquella sazón vino de Castilla don fray Julián Garcés, primer obispo que fue de Tlaxcala, y era natural de Aragón, y por honra del cristianísimo emperador nuestro señor se llamó Carolense, y fue gran predicador, y se vino por su obispo de Tlaxcala; y desde que supo lo que el tesorero había hecho en el destierro de Cortés, le pareció muy mal, y por poner concordancia entre ellos se vino a una ciudad, ya otras veces por mí nombrada, que se dice Tezcuco, y como está junto a la laguna se embarcó en dos canoas grandes y con dos clérigos y un fraile y su fardaje se vino a la ciudad de México, y antes de entrar en ella supieron su venida en México y le salieron a recibir con toda la pompa y cruces, y clerecía y religiosos, y cabildo y conquistadores, y caballeros y soldados que en México se hallaron. Y después que hubo el obispo descansado dos días, el tesorero le echó por intercesor para que fuese adonde Cortés en aquella sazón estaba y los hiciese amigos, y le alzaba el destierro, y que volviese a México. Y fue el obispo y trató las amistades, y nunca pudo acabar cosa ninguna con Cortés, antes, como dicho tengo, se fue a Tezcuco y Tlaxcala muy acompañado de caballeros y de otras personas, y en lo que entendía Cortés era en allegar todo el oro y plata que podía para ir a Castilla; y además de lo que le daban de los tributos de sus pueblos empeñaba otras rentas, y de amigos e indios que le prestaban, y asimismo se aparejaba el capitán Gonzalo de Sandoval y Andrés Tapia, y allegaban y recogían todo el oro y plata que podían de sus pueblos, porque estos dos capitanes fueron en compañía de Cortés a Castilla.

Pues como estaba Cortés en Tlaxcala, íbanle a ver muchos vecinos de México y de otras villas, y soldados que no tenían encomiendas de indios, y los caciques de México, y le iban a servir, y aun como hay hombres bulliciosos y amigos de escándalos y novedades, le iban con consejas para que si se quería alzar por rey en la Nueva España, que en aquel tiempo tenía lugar, y que ellos serían en ayudarle. Y Cortés echó presos a dos hombres de los que vinieron con aquellas pláticas y les trató mal, llamándoles de traidores y estuvo por les ahorcar. Y también le trajeron una carta de otros bandoleros que le enviaron de México que le decían lo mismo, y esto era, según dijeron, para tentar a Cortés y tomarle en algunas palabras que de su boca dijese sobre aquel mal caso. Y como Cortés en todo era servidor de Su Majestad, con amenazas que dijo a los que le venían con aquellos tratos que no le viniesen más adelante de él con aquellas parlerías de traiciones, que les mandaría ahorcar, y luego lo escribió al obispo para que le dijese al tesorero que, como gobernador, mandase castigar a los traidores que le venían con aquellas consejas; si no, que él los mandaría ahorcar.

Dejemos a Cortés en Tlaxcala aderezando para irse a Castilla, y volvamos al tesorero y factor y veedor. Que así como venían a Cortés hombres bandoleros que deseaban ruidos y andar en bullicios, también iban y decían al tesorero y al factor que ciertamente que Cortés estaba allegando gente para venirles a matar, aunque echaba fama que para ir a Castilla, y [a] aquel efecto estaban todos los más caciques mexicanos y de Tezcuco y de todos los más pueblos de alrededor de la laguna en su compañía para ver cuándo les mandaba dar guerra. Entonces temió el factor y veedor, creyendo que les quería matar, y para saber e inquirir si era verdad volvieron a importunar al mismo obispo que fuese a ver qué cosa era, y escribieron con grandes ofertas a Cortés y demandando perdón; y el obispo lo hubo por bueno el ir a hacer amistades por visitar a Tlaxcala, y de que llegó adonde Cortés estaba, después de salirle a recibir toda aquella provincia y vio la gran lealtad y lo que había hecho Cortés en prender los bandoleros y las palabras que sobre aquel caso le escribió, luego hizo mensajero al tesorero y dijo que Cortés era muy leal caballero y gran servidor de Su Majestad, y que en nuestros tiempos se podía poner en la cuenta de los muy afamados servidores de la corona real, y que en lo que estaba entendiendo era para aviarse e ir ante Su Majestad, y que podían estar sin sospecha de lo que pensaba, y también le escribió que tuvo mala consideración en haberle desterrado y que no lo acertó; entonces dizque le dijo en la carta que le escribió: "¡Oh, señor tesorero Alonso de Estrada, y cómo ha dañado y estragado este negocio!"

Dejemos esto de la carta, que no me acuerdo bien si volvió Cortés a México para dejar recaudo a las personas a quien había de dar los poderes para entender en su Estado y casa y demandar los tributos de los pueblos de su encomienda, salvo que dejó el poder mayor al licenciado Juan Altamirano, que era persona de mucha calidad, y a Diego de Campo, y Alonso Valiente, y a Santa Cruz, burgalés, y sobre todo a Altamirano; y ya tenía allegado muchas aves de las diferenciadas de otras que hay en Castilla, que era cosa muy de ver; y dos tigres, y muchos barriles de liquidámbar, y bálsamo cuajado, y otro como aceite, y cuatro indios maestros de jugar el palo con los pies, que en Castilla y en todas partes es cosa de ver; y otros indios grandes bailadores, que suelen hacer una manera de ingenio que al parecer como que vuelan por alto bailando; y llevó tres indios corcovados de tal manera que era cosa monstruosa, porque estaban quebrados por el cuerpo, y eran muy enanos; y también llevó indios e indias muy blancos, que con el gran blancor no veían bien; y entonces los caciques de Tlaxcala le rogaron que llevase en su compañía tres hijos de los más principales de aquella provincia, y entre ellos fue un hijo de Xicotenga, el ciego viejo, que después se llamó don Lorenzo de Vargas; y llevó otros caciques mexicanos. Y estando aderezando su partida le llegaron nuevas de la Veracruz que habían venido dos navíos muy buenos y veleros y en ellos le trajeron cartas de Castilla; lo que se contenía en ellas diré adelante.

CAPÍTULO CXCV

CÓMO VINIERON CARTAS A CORTÉS DE ESPAÑA DEL CARDENAL DE SIGÜENZA, DON GARCÍA DE LOAISA, QUE ERA PRESIDENTE DE INDIAS, QUE LUEGO FUE ARZOBISPO DE SEVILLA, Y DE OTROS CABALLEROS, PARA QUE EN TODO CASO SE FUESE LUEGO A CASTILLA, Y LE TRAJERON NUEVAS QUE ERA MUERTO SU PADRE, MARTÍN CORTÉS, Y LO QUE SOBRE ELLO SE HIZO

YA HE DICHO en el capítulo pasado lo acaecido entre Cortés y el tesorero y el factor y veedor, y por qué causa lo desterró de México, y cómo vino dos veces el obispo de Tlaxcala a entender en amistades, y Cortés nunca quiso responder a cartas ni a cosa ninguna, y se apercibió para ir a Castilla. Y en aquel instante le vinieron cartas del presidente de Indias, don García de Loaisa, y del duque de Béjar, y de otros caballeros, en que le decían que, como estaba ausente, daban quejas de él ante Su Majestad, y decían en las quejas muchos males y muertes que habían hecho dar a los que Su Majestad enviaba, y que fuese en todo caso a volver por su honra, y le trajeron nuevas que su padre, Martín Cortés, era fallecido. Y de que vio las cartas, le pesó mucho, así de la muerte de su padre como de las cosas que de él decían que había hecho, no siendo así, y se puso luto, puesto que lo traía en aquel tiempo por la muerte de su mujer, doña Catalina Juárez, la Marcaida; e hizo gran sentimiento por su padre y las honras lo mejor que pudo; y si mucho deseo tenía antes de ir a Castilla, desde allí adelante se dio mayor prisa, porque luego mandó a un su mayordomo, que se decía Pedro Ruiz de Esquivel, natural de Sevilla, que fuese a la Veracruz y de dos navíos que habían llegado, que tenían fama que eran nuevos veleros, que los comprase, y estaba apercibiendo bizcocho y cecina y tocinos y lo perteneciente para el matalotaje muy cumplidamente, como para un gran señor rico que Cortés era, y cuantas cosas se pudieron haber en la Nueva España que eran buenas para la mar y conservas que de Castilla vinieron, y fueron tantas y de tanto género, que para dos años se pudieran mantener otros dos navíos, y aunque tuvieran mucha más gente, con lo que en Castilla les sobró.

Pues yendo el mayordomo por la laguna de México en una canoa grande para ir hasta un pueblo que se dice Ayozingo, que es donde desembarcan las canoas, que por ir más de presto [a] hacer lo que Cortés mandaba fue por allí, y llevó seis indios mexicanos remeros, y un negro y ciertas barras de oro, y quienquiera que fue le aguardó en la misma laguna y le mató, que nunca se supo quién, ni pareció canoa ni indios que la remaban, ni aun el negro salvó, que desde ahí a cuatro días hallaron a Esquivel en una isleta de la laguna, el medio cuerpo comido de aves carniceras. Sobre la muerte de este mayordomo hubo grandes sospechas, porque unos decían que era hombre que se alababa de cosas que decía él mismo que pasaba con damas y con otras señoras, y como era y decían otras cosas malas que dizque hacía, y a esta causa estaba malquisto, y ponían sospechas de otras muchas cosas que aquí no declaro, por manera que no se supo de su muerte, ni aun se pesquisó ni extrañó muy de raíz quién le mató; perdónele Dios.

Y luego Cortés volvió a enviar de presto a otros mayordomos para que le tuviesen aparejados los navíos y metido todo el bastimento y pipas de vino; y mandó dar pregones que cualesquier personas que quisieren ir a Castilla les dará pasaje y comida de balde, yendo con licencia del gobernador. Y luego Cortés, acompañado de Gonzalo de Sandoval y de Andrés de Tapia y otros caballeros, se fue a la Veracruz, y después que se hubo confesado y comulgado se embarcó; y quiso Nuestro Señor Dios darle tal viaje, que en cuarenta y dos días llegó a Castilla, sin parar en la Habana ni en isla ninguna, y fue a desembarcar cerca de la villa de Palos, junto a Nuestra Señora de la Rábida. Y de que se vieron en salvamento en aquella tierra hincan las rodillas en el suelo y alzan las manos al cielo dando muchas gracias a Dios por las mercedes que siempre le hacía; y llegaron a Castilla en el mes de diciembre de mil quinientos veintisiete años.

Pareció ser que Gonzalo de Sandoval iba muy doliente, y a grandes alegrías hubo tristezas, que fue Dios servido de ahí a pocos días de llevarle de esta vida en la villa de Palos, y en la posada que estaba era de un cordonero de hacer jarcias y cables y maromas, y antes que falleciese le hurtó trece barras de oro, lo cual vio Sandoval por sus ojos que se las sacaron de una caja, porque aguardó el cordonero que no estuviese allí persona ninguna en compañía de Sandoval, o tuvo tales astucias el cordonero que envió a sus criados de Sandoval que fuesen por la posta a la Rábida a llamar a Cortés, y Sandoval, puesto que lo vio, no osó dar voces, porque como estaba muy debilitado y flaco y malo, temió [a] aquel cordonero, que le pareció mal hombre, no le echase el colchón o almohada sobre la boca y le ahogase; y luego se fue el huésped a Portugal huyendo con las barras de oro, y no se pudo cobrar cosa ninguna. Volvamos a Cortés, que después que supo que estaba muy malo Sandoval vino luego en posta adonde estaba, y Sandoval le dijo la maldad que el huésped le había hecho, y cómo le hurtó las barras de oro y se fue huyendo; de lo cual, puesto que pusieron gran diligencia para que se cobrasen, como se acogió a Portugal se quedó con ello, y Sandoval cada día iba empeorando de su mal, y los médicos que le curaban le dijeron que luego se confesase y recibiese los Santos Sacramentos e hiciese testamento; y él lo hizo con gran devoción, y mandó muchas mandas, así a pobres como a monasterios, y nombró por su albacea a Cortés, y heredera a una su hermana o hermanas, la cual se casó, la María, el tiempo andando, con un hijo bastardo del conde de Medellín. Y de que hubo ordenado su ánima y hecho testamento, dio el ánima a Nuestro Señor Dios que la crió; y por su muerte se hizo gran sentimiento, y con toda la pompa que pudieron le enterraron en el monasterio de Nuestra Señora de la Rábida, y Cortés con todos los caballeros que iban en su compañía se pusieron luto. Perdónele Dios. Amén.

Y luego Cortés envió correo a Su Majestad, y al cardenal de Sigüenza, y al duque de Béjar, y al conde de Aguilar, y a otros caballeros, e hizo saber había llegado [a] aquel puerto y de cómo Gonzalo de Sandoval había fallecido, e hizo relación de la calidad de su persona y de los grandes servicios que había hecho a Su Majestad, y que fue capitán de mucha estima, así para mandar ejércitos como para pelear por su persona. Y después que aquellas cartas llegaron ante Su Majestad, recibió alegría de la venida de Cortés, puesto que le pesó de la muerte de Sandoval, porque ya tenía gran noticia de su generosa persona, y asimismo el cardenal don García de Loaisa y el Real Consejo de Indias; pues el duque de Béjar y el conde de Aguilar y otros caballeros se holgaron en gran manera, puesto que a todos les pesó de la muerte de Sandoval; y luego fue el duque de Béjar, juntamente con el conde de Aguilar, a dar más relación a Su Majestad, puesto que ya tenía la carta de Cortés, y dijo que bien sabía la gran lealtad de quien había fiado, y que caballero que tan grandes servicios le había hecho, que en todo lo demás lo había de mostrar en lealtad y como era obligado a su rey y señor, lo cual se ha parecido ahora muy bien por la obra. Y esto dijo el duque porque en el tiempo que ponían las acusaciones y decían muchos males contra Cortés delante de Su Majestad, puso tres veces su cabeza y estado por fiador de Cortés y de todos los soldados que estábamos en su compañía, que éramos muy leales y grandes servidores de Su Majestad y dignos de grandes mercedes, porque en aquel tiempo no estaba descubierto el Perú, ni había la fama de él que después hubo. Y luego Su Majestad envió a mandar por todas las ciudades y villas por donde Cortés pasase le hiciesen muchas honras, y el duque de Medina Sidonia le hizo gran recibimiento en Sevilla y le presentó caballos muy buenos; y después que reposó allí dos días fue a jornadas largas a Nuestra Señora de Guadalupe para tener novena, y fue su ventura tal que en aquella sazón había allí llegado la señora doña María de Mendoza, mujer del comendador mayor de León, don Francisco de los Cobos, y había traído en su compañía muchas señoras de grande estado, y entre ellas una señora doncella, hermana suya, y de que Cortés lo supo, hubo gran placer, y luego como llegó, después de haber hecho oración delante de Nuestra Señora y dar limosna a pobres y mandar decir misa, puesto que llevaba luto por su padre y su mujer y por Gonzalo de Sandoval, fue muy acompañado de los caballeros que llevó de la Nueva España y con otros que se le habían allegado para su servicio, y fue [a] hacer gran acato a la señora doña María de Mendoza y a la señora doncella su hermana, que era muy hermosa, y de todas las más señoras que con ellas venían.

Y como Cortés en todo era muy cumplido y regocijado y la fama de sus grandes hechos volaba por toda Castilla, pues •plática y agraciada expresiva no le faltaba, y sobre todo mostrarse muy franco, y tener riquezas de qué dar, comenzó [a] hacer grandes presentes de muchas joyas de oro, de diversidad de hechuras, a todas aquellas señoras, y después de las joyas, dio penachos de plumas verdes llenos de argentería y de oro y de perlas y en todo lo que dio fue muy aventajado a la señora doña María de Mendoza y a la señora su hermana; y después que hubo hecho aquellos ricos presentes, dio para sí sola a la señora doncella ciertos tejuelos de oro muy fino para que hiciese joyas; y tras esto mandó dar mucho liquidámbar y bálsamo para que se sahumasen, y mandó a los indios maestros de jugar el palo con los pies que delante de aquellas señoras les hiciesen fiesta y trajesen el palo de un pie a otro, que fue cosa de que se contentaron y aun se admiraron de verlo; y además de todo esto, supo Cortés que de la litera en que había venido la señora doncella se le mancó una acémila, y secretamente mandó comprar dos muy buenas y que las entregasen a los mayordomos que traían cargo de su servicio, y aguardó en aquella villa de Guadalupe hasta que partiesen para la corte, que en aquella sazón estaba en Toledo, y fueles acompañando y sirviendo y haciendo banquetes y fiestas, y tan gran servidor se mostró, que lo sabía muy bien hacer y representar, que la señora doña María de Mendoza le movió casamiento con la señora su hermana; y si Cortés no fuera desposado con la señora doña Juana de Zúñiga, sobrina del duque de Béjar, ciertamente tuviera grandísimos favores del comendador mayor de León y de la señora doña María de Mendoza, su mujer, y Su Majestad le diera la gobernación de la Nueva España. Dejemos de hablar en este casamiento, pues todas las cosas son guiadas y encaminadas por la mano de Dios, y diré cómo escribió luego en posta la señora doña María de Mendoza al comendador mayor de León, su marido, sublimando en gran manera las cosas de Cortés y que no era nada la fama que tiene de sus heroicos hechos para lo que ha visto y conocido de su persona y conversación y franqueza, y le representó otras gracias que en él había conocido y los servicios que le había hecho, y que le tenga por su muy gran servidor, y que a Su Majestad le haga sabedor de todo y le suplique que le haga mercedes. Y después que el comendador vio la carta de su mujer, se holgó con ella y como era el más privado que hubo ni [ha] habido en nuestros tiempos del emperador nuestro señor, llevóle la misma carta a Su Majestad, de gloriosa memoria, y de su parte le suplicó que en todo le favoreciese, y así Su Majestad lo hizo, como adelante diré.

Dijo el duque de Béjar y el almirante al mismo Cortés, como por pasatiempo, desde que hubo llegado a la corte, que habían oído decir a su Majestad, de que supo que era venido a Castilla, que tenía deseo de ver y conocer su persona de que tantos buenos servicios le ha hecho y de quien tantos males le han informado que hacía con mañas y astucias. Pues llegado Cortés a la corte, Su Majestad le mandó señalar posada. Pues por parte del duque de Béjar y del conde de Aguilar y otros grandes señores sus deudos le salieron a recibir y se le hizo mucha honra, y otro día, con licencia de Su Majestad, fue a besarle sus reales pies, llevando en su compañía por intercesores, por más honrarle, al almirante de Castilla y al duque de Béjar y al comendador mayor de León; y Cortés, después de demandar licencia para hablar, se arrodilló en el suelo, y Su Majestad le mandó levantar, y luego representó sus muchos servicios y todo lo acaecido en las conquistas e ida de Honduras, y las tramas que hubo en México del factor y veedor; y recontó todo lo que llevaba en la memoria, y porque era muy larga relación y por no embarazar más a Su Majestad en otras pláticas, dijo: "Ya Vuestra Majestad está cansado de oírme, y para un tan gran emperador y monarca de todo el mundo como Vuestra Majestad es, no es justo que un vasallo como yo tenga tanto atrevimiento, y mi lengua no está acostumbrada hablar con Vuestra Majestad, podría ser que mi sentido no diga con aquel tan debido acato que debo todas las cosas acaecidas; aquí tengo este memorial, por donde Vuestra Majestad podrá ver, si fuere servido, todas las cosas muy por extenso como pasaron." Y entonces se hincó de rodillas para besarle los pies por las mercedes que fue servido hacerle en haberle oído. Y el emperador nuestro señor le mandó levantar, y el almirante y el duque de Béjar dijeron a Su Majestad que era digno de grandes mercedes; y luego le hizo marqués del Valle y le mandó dar ciertos pueblos, y aun le mandaba dar el hábito de Santiago; y como no se lo señalaron con renta, se calló por entonces, que esto yo no lo sé bien de qué manera fue, y le hizo capitán general de la Nueva España y Mar del Sur. Y Cortés se tornó a humillar para besarle sus reales pies, y Su Majestad le tornó a mandar levantar.

Y después de hechas estas grandes mercedes, desde ahí a pocos días que había llegado a Toledo adoleció Cortés, que llegó a estar tan al cabo que creyeron que se muriera, y el duque de Béjar y el comendador mayor, don Francisco de los Cobos, suplicaron a Su Majestad, que pues que Cortés tan grandes servicios le ha hecho, que le fuese a visitar antes de su muerte a su posada; y Su Majestad fue acompañado de duques, marqueses y condes y de don Francisco de los Cobos, y le visitó, que fue muy gran favor, y por tal se tuvo en la corte. Y después que estuvo Cortés bueno, como se tenía por tan privado de Su Majestad, y el conde de Nasao le favorecía, y el duque de Béjar y el almirante, un domingo, yendo a misa, ya Su Majestad estaba en la iglesia mayor, acompañado de duques, marqueses y condes, y estaban asentados en sus asientos, conforme al estilo y calidad que entre ellos se tenía por costumbre de sentarse, vino Cortés algo tarde a misa, sobre cosa pensada, y pasó delante de algunos de aquellos ilustrísimos señores, con su falda de luto alzada, y se fue a sentar cerca del conde de Nasao, que estaba su asiento más cercano al emperador; y de que así lo vieron pasar delante de aquellos grandes señores de salva, murmuraron de su gran presunción y osadía y tuviéronle por desacato y que no se había de atribuir a la policía de lo que de él decían; y entre aquellos duques y marqueses estaba el duque de Béjar y el almirante de Castilla y el conde de Aguilar, y respondieron que aquello no se le había de tener a Cortés a mal miramiento, porque Su Majestad, por honrarle, le había mandado que se fuese a sentar cerca del conde Nasao, porque, además de aquello que Su Majestad mandó, que mirasen y tuviesen noticia que Cortés, con sus compañeros, había ganado tantas tierras que toda la cristiandad le era en cargo, y que ellos los estados que tenían que los habían heredado de sus antepasados por servicios que habían hecho, y que por estar desposado Cortés con su sobrina, Su Majestad le mandaba honrar.

Volvamos a Cortés, y diré que viéndose tan sublimado en privanza con el emperador nuestro señor y con el duque de Béjar y conde Nasao, y aun del almirante, y ya con título de marqués, comenzó a tenerse en tanta estima, que no tenía cuenta como era razón con quien le había favorecido y ayudado para que Su Majestad le diese el marquesado, que ni al cardenal fray García de Loaisa, ni a Cobos, ni a la señora doña María de Mendoza, ni a los del Real Consejo de Indias, que todo se le pasaba por alto, y todos sus cumplimientos eran con el duque de Béjar y conde de Nasao y el almirante, creyendo que tenía muy entablado su juego con tener privanza con tan grandes señores, y comenzó a suplicar con mucha instancia a Su Majestad que le hiciese merced de la gobernación de la Nueva España, y para ello representó otra vez sus servicios, y que siendo gobernador entendía en descubrir por la Mar del Sur islas y tierras muy ricas, y se ofreció con otros muchos cumplimientos, y aun les echó otra vez por intercesores al conde Nasao y al duque de Béjar y al almirante; y su Majestad le respondió que se contentase, que le había dado el marquesado de más renta, y que también había de dar a los que le ayudaron a ganar la tierra, que eran merecedores de ello, que pues que lo conquistaron que lo gocen. Y de allí adelante comenzó a decaer de la gran privanza que tenía, porque, según dijeron muchas personas, el cardenal, que era presidente del Real Consejo de Indias, y los más señores de él habían entrado en consulta con Su Majestad sobre las cosas y mercedes de Cortés, y les pareció que no fuese gobernador. Otros dijeron que el comendador mayor y la señora doña María de Mendoza le fueron algo contrarios, pues que no hacía cuenta de ellos. Ora sea por uno o lo otro, el emperador nuestro señor no le quiso más oír, por más que le importunaba sobre la gobernación. Y en este instante se fue Su Majestad a embarcar en Barcelona para pasar a Flandes, y fueron acompañándole muchos duques y marqueses y condes y grandes señores, y asimismo fue Cortés hasta Barcelona, ya con título de marqués, y siempre echaba por intercesores [a] aquellos duques y marqueses para suplicar a Su Majestad que le diese la gobernación; y Su Majestad respondió al conde Nasao que no le hablasen más en aquel caso, porque ya le había dado un marquesado que tenía más renta de él que el conde Nasao tenía con todo su estado.

Dejemos a Su Majestad embarcado con buen viaje y vamos a Cortés y algunas de las grandes fiestas que se hicieron a sus velaciones, y de las ricas joyas que dio a la señora doña Juana de Zúñiga, su mujer, y tales que, según dijeron quien las vio y las riquezas de ellas, que en Castilla no se habían dado más estimadas, y de algunas de ellas la serenísima emperatriz doña Isabel nuestra señora tuvo voluntad de haberlas según lo que de ellas le contaban los lapidarios, y aun dijeron que ciertas piedras que Cortés le hubo presentado, que se descuidó o no quiso darle de las más ricas, como las que dio a la señora doña Juana de Zúñiga, su mujer. Quiero dejar de traer a la memoria otras cosas que a Cortés acaecieron en Castilla en el tiempo que estuvo en la corte, y fue que triunfaba con mucha alegría, y según dijeron personas que vinieron de allá, que estaban en su compañía, que hubo fama que la serenísima emperatriz doña Isabel nuestra señora no estaba tan bien en los negocios de Cortés como al principio que llegó a la corte, que alcanzó a saber que había sido ingrato al cardenal y Real Consejo de Indias, y aun con el comendador mayor de León, y con la señora doña María de Mendoza, y alcanzó a saber que tenía otras muy ricas piedras mejores que las que le hubo dado, y con todo esto que le informaron mandó a los del Real Consejo de Indias que en todo fuese ayudado. Y entonces capituló Cortés que enviaría por ciertos años, que no sé qué tiempo, por la Mar del Sur dos navíos de armada bien bastecidos y con sesenta soldados y capitanes, con todo género de armas, a su costa, a descubrir islas y otras tierras, y que de lo que descubriese le haría ciertas mercedes, a las cuales capitulaciones me remito, porque ya no se me acuerdan.

Y también en aquel instante estaba en la corte don Pedro de la Cueva, comendador mayor de Alcántara, hermano del duque de Alburquerque, porque este caballero fue el que Su Majestad había mandado que fuese a la Nueva España con gran copia de soldados a cortar la cabeza a Cortés si le hallase culpado y a otras cualesquiera personas que hubiesen hecho alguna cosa en deservicio de Su Majestad; y de que vio a Cortés y supo que Su Majestad le había hecho marqués y sería casado con la señora doña Juana de Zúñiga, se holgó mucho de ello, y se comunicaba cada día don Pedro de la Cueva con el marqués don Hernando Cortés, y dijo a Cortés que si por ventura fuera a la Nueva España y llevara los soldados que Su Majestad le mandaba, que por más leal y justificado que le hallase, que por fuerza había de pagar la costa de los soldados, y aun su ida, que serían más de trescientos mil pesos, y que lo hizo mejor de venir ante Su Majestad; y porque tuvieron otras muchas pláticas que aquí no relato, las cuales de Castilla nos escribieron personas que se hallaron presentes a ellas, y de todo lo más por mí memorado en el capítulo que de ello habla, además de esto, nuestros procuradores lo escribieron por capítulos, y aun el mismo marqués escribió de los grandes favores que de Su Majestad alcanzó, y no declaró la causa por qué no le dieron la gobernación.

Dejemos esto y digo que de ahí a pocos días, después que fue marqués, envió a Roma a besar los santos pies de nuestro Santo Padre el Papa Clemente, porque Adriano, que hacía por nosotros, ya había fallecido tres o cuatro años había, y envió por su embajador a un hidalgo que se decía Juan de Herrada, y con él envió un rico presente de piedras ricas y joyas de oro, y dos indios maestros de jugar el palo con los pies, y le hizo relación de su llegada a Castilla, y de las tierras que había ganado y de los servicios que hizo a Dios primeramente y a nuestro gran emperador, y le dio toda relación por un memorial de las tierras cómo son muy grandes y la manera que en ellas hay, y todos los indios eran idólatras y que se han vuelto cristianos, y otras muchas cosas que se convenían decir a nuestro Santo Padre; y porque yo no lo alcancé a saber tan por extenso como en la carta iba, lo dejaré aquí de escribir, y aun esto que aquí digo después lo alcanzamos a saber del mismo Juan de Herrada, después que vino de Roma a la Nueva España, y supimos que enviaba a suplicar a nuestro muy Santo Padre que se quitasen parte de los diezmos. Y para que bien entiendan los curiosos lectores, este Juan de Herrada fue un buen soldado que hubo ido en nuestra compañía a lo de Honduras cuando fue Cortés, y después que vino de Roma fue al Perú y le dejó don Diego de Almagro por ayo de su hijo don Diego el Mozo, y éste fue tan privado de don Diego de Almagro, el capitán de los que mataron a don Francisco Pizarro el Viejo, y después maestre de campo de Almagro el Mozo, y se halló en dar la batalla a Vaca de Castro, cuando desbarataron a don Diego de Almagro el Mozo.

Volvamos a decir lo que le aconteció en Roma a Juan de Herrada. Que después que fue a besar los santos pies de Su Santidad y presentó los dones que Cortés le envió y los indios que traían el palo con los pies, Su Santidad lo tuvo en mucho y dijo que daba gracias a Dios que en su tiempo tan grandes tierras se hubiesen descubierto y tantos números de gentes se hubiesen vuelto a nuestra santa fe, y mandó hacer procesiones y que todos diesen loores y gracias por ello a Dios, y dijo que Cortés y todos sus soldados habíamos hecho grandes servicios a Dios primeramente y al emperador don Carlos nuestro señor y a toda la cristiandad, y que éramos dignos de grandes mercedes, y entonces nos envió bula para salvarnos a culpa y a pena de todos nuestros pecados, y otras indulgencias para los hospitales e iglesias, con grandes perdones, y dio por muy bueno todo lo que Cortés había hecho en la Nueva España, según y conforme a lo que había hecho su antecesor el Papa Adriano, y escribió a Cortés en respuesta de su carta, y lo que en ella se contenía yo no lo sé, porque como dicho tengo, de este Juan de Herrada y de un soldado que se decía Campo, que volvieron desde Roma, alcancé a saber lo que aquí escribo, porque, según dijeron, después que hubo estado en Roma diez días y habían los indios maestros de jugar con el palo con los pies delante de Su Santidad, y los sacros cardenales, de que se holgaron mucho de verlo, Su Santidad le hizo merced a Juan de Herrada de hacerle conde palatino, y le mandó dar cierta cantidad de ducados para que se volviese y una carta de favor para el emperador nuestro señor que le hiciese su capitán y le diese buenos indios de encomienda. Y como Cortés ya no tenía mando en la Nueva España y no le dio cosa ninguna de lo que el Santo Padre mandaba, se pasó al Perú, donde fue capitán.

CAPÍTULO CXCVI

CÓMO ENTRETANTO QUE CORTÉS ESTABA EN CASTILLA CON TÍTULO DE MARQUÉS VINO LA REAL AUDIENCIA A MÉXICO Y EN LO QUE ENTENDIÓ

Pues estando Cortés en Castilla con título de marqués, en aquel instante llegó la Real Audiencia a México, según Su Majestad lo había mandado, como dicho tengo en el capítulo que de ello atrás habla, y vino por presidente Nuño de Guzmán, que solía estar por gobernador en Pánuco, y cuatro licenciados por oidores; los nombres de ellos se decían: Matienzo, decían que era natural de Vizcaya o cerca de Navarra; y Delgadillo, de Granada; y un Maldonado, de Salamanca (no es éste el licenciado Alonso Maldonado, el Bueno, que fue gobernador de Guatemala); y vino el licenciado Parada, que solía estar en la isla de Cuba, y así como llegaron estos cuatro oidores a México, después que les hicieron gran recibimiento en la entrada de la ciudad, en obra de quince o veinte días que habían llegado se mostraron muy justificados en hacer justicia, y traían los mayores poderes que nunca a la Nueva España después trajeron visorreyes ni presidentes, y era para hacer el repartimiento perpetuo y anteponer a los conquistadores y hacerles muchas mercedes, porque así se lo mandó Su Majestad. Y luego hacen saber de su venida a todas las ciudades y villas que en aquella sazón estaban pobladas en la Nueva España, para que envíen procuradores con las memorias y copias de los pueblos de indios que han en cada provincia, para hacer el repartimiento perpetuo, y en pocos días se juntaron en México los procuradores de todas las ciudades y villas, y aun de Guatemala, y otros muchos conquistadores.

Y en aquella sazón estaba yo en la ciudad de México por procurador y síndico de la villa de Guazacualco, donde en aquel tiempo era vecino, y como vi lo que el presidente y oidores mandaron, fui en posta a nuestra villa para elegir quiénes habían de venir por procuradores para hacer el repartimiento perpetuo, y desde que llegué hubo muchas contrariedades en elegir los que habían de venir, porque unos vecinos querían que viniesen sus amigos y otros no lo consentían, y por votos hubimos de salir elegidos el capitán Luis Marín y yo. Pues llegados a México demandamos todos los procuradores de las más villas y ciudades que se habían juntado el repartimiento perpetuo, según Su Majestad mandaba, ya en aquella sazón estaba trastocado Nuño de Guzmán, y Matienzo, y Delgadillo, porque los otros dos oidores, que fueron Maldonado y Parada, y luego que [a] aquella ciudad llegaron fallecieron de dolor de costado. Y si allí estuviera Cortés, según hay maliciosos, también le infamaran y dijeran que él los había muerto.

Y volviendo a nuestra relación, quien fue causa de mudarles el propósito que no hiciesen el repartimiento según Su Majestad mandaba, dijeron muchas personas, que lo entendieron muy bien, fue el factor Salazar, porque se hizo tan íntimo amigo de Nuño de Guzmán y de Delgadillo, que no se hacía otra cosa sino lo que mandaba, y tal como el consejo dieron, en tal paró todo; y lo que aconsejaron fue que no hiciese el repartimiento perpetuo por vía ninguna, porque si lo hacía que no serían tan señores ni los tendrían en tanto acato los conquistadores y pobladores, con decir que no les podía dar ni quitar más indios de los que entonces les diese, y de otra manera que los tendría siempre debajo de su mano y podía dar y quitar a quien quisiera, y serían muy ricos y poderosos; también trataron entre el factor y Nuño de Guzmán y Delgadillo que fuese el mismo factor a Castilla por la gobernación de la Nueva España para Nuño de Guzmán, porque ya sabían que Cortés no tenía tanto favor con Su Majestad como al principio que fue a Castilla, y no se la habían dado por más intercesores que echó ante Su Majestad para que se la diesen. Pues ya embarcado el factor en una nao que llamaban *La Sornosa,* dio al través con gran tormenta en la costa de Guazacualco y se salvó en un batel, y volvió a México, y no hubo efecto su ida a Castilla.

Dejemos esto y diré en lo que entendieron luego que a México llegaron, así Nuño de Guzmán, y Matienzo, y Delgadillo, fue en tomar residencia al tesorero Alonso de Estrada, la cual dio muy buena, y si se mostrara tan varón como creímos que lo fuera, él se quedara por gobernador, porque Su Majestad no le mandaba quitar la gobernación; antes, como dicho tengo en el capítulo pasado, había venido mandado, pocos meses había, de Su Majestad que gobernase sólo el tesorero, y no juntamente con Gonzalo de Sandoval, ya otras veces por mí memorado, y dio por muy buenas las encomiendas que había de antes dado, y a Nuño de Guzmán no le nombraban en las provisiones más de por presidente y repartidor juntamente con los oidores. Y además de esto, si se pusiera de hecho en tener la gobernación en sí, todos los vecinos de México y los conquistadores que en aquella sazón estábamos en la ciudad le favoreciéramos, pues veíamos que Su Majestad no le quitaba del cargo que tenía; y además de esto, vimos en el tiempo que gobernó hacía justicia y tenía mucha voluntad y buen celo de cumplir lo que Su Majestad mandaba; y de ahí a pocos días falleció de enojo de ello.

Dejemos de hablar en esto, y diré en lo que luego entendió la Audiencia Real, y fue en ser muy contrarios a las cosas del marqués, y enviaron a Guatemala a tomar residencia a Jorge de Alvarado, y vino un Orduña, el Viejo, natural de Tordesillas, y lo que pasó en la residencia yo no lo sé. Y luego ponen en México muchas demandas a Cortés por vía de fiscal, y el factor Salazar, en sí mismo, le puso otras demandas, y en los escritos que daban en los estrados eran con muy gran desacato y palabras muy mal dichas; lo que en los escritos decían era que Cortés era tirano y traidor, y que había hecho muchos deservicios a Su Majestad, y otras muchas cosas feas y tan malas, que el licenciado Juan Altamirano, ya por mí otra vez nombrado, que era la persona que Cortés hubo dejado su poder cuando fue a Castilla, se levantó en pie, con su gorra quitada, en los mismos estrados, y dijo al presidente y oidores con mucho acato que suplicaba a Su Alteza que mandasen al factor Salazar que en los escritos que diese que sea bien mirado, y que no le consientan que diga del marqués, pues es buen caballero y tan gran servidor de Vuestra Alteza, tan malas y feas palabras, y que demande su justicia como debe. Y no aprovechó cosa ninguna en lo que el licenciado Altamirano allí en los estrados les suplicó, en ello, después para nombrarle Nuño de Guzmán y Delgadillo lo debían obligar a ello, porque para otro día tuvo el factor otros más feos escritos, y fue la cosa de tal manera, que el licenciado Altamirano y el factor allí delante del presidente y oidores, sobre los escritos, vinieron a palabras muy feas y sentidas que entre ellos dijeron, y Altamirano echó mano a un puñal para el factor, y le iba a dar si no se abrazaran con él Nuño de Guzmán y Matienzo y Delgadillo; y luego toda la ciudad revuelta, y luego llevaron preso a las atarazanas al licenciado Altamirano, y al factor a su posada, y los conquistadores fuimos al presidente a suplicar por Altamirano, y de ahí a tres días le sacaron de la prisión y les hicimos amigos con el factor.

Dejemos este ruido, que ya estaba pacificado y hechos amigos, y pasemos adelante. Que hubo luego otra tormenta mayor, y fue que en aquella sazón había aportado allí, a México, un deudo del capitán Pánfilo de Narváez, el cual se decía Zaballos, que le enviaba desde Cuba su mujer de Narváez, la cual se decía María de Valenzuela, en busca de su marido, Narváez, que había ido por gobernador al río de Palmas, porque ya tenía fama que era perdido o muerto, y trajo su poder para haber sus bienes doquiera que los hallase, y también creyendo que había aportado a la Nueva España; y como llegó a México este Zaballos secretamente, según Zaballos dijo, y así fue fama, Nuño de Guzmán y Matienzo y Delgadillo le hablaron para que ponga demanda y dé queja de todos los conquistadores que fuimos juntamente con Cortés en desbaratar a Narváez, y se le quebró el ojo y se quemó su hacienda, y también demandó la muerte de los que allí murieron; y Zaballos dada su queja como se lo mandaron y grandes informaciones de ello, prendieron a todos los más conquistadores que en aquella ciudad nos hallamos, que en las probanzas vieron que fueron en ello, que pasaron más de trescientos y cincuenta, y a mí también me prendieron, y nos sentenciaron en ciertos pesos de oro de tepuzque, y nos desterraron cinco leguas de México, y luego nos alzaron el destierro; y aun muchos de nosotros no nos demandaron dinero de la sentencia porque era poca cosa.

Y tras esta tormenta ponen a Cortés otra demanda las personas que mal le querían, y fue que se había alzado con mucho oro y joyas y plata de gran valía que se hubo en la toma de México, y aun la recámara de Guatemuz, y que no dio parte de ello a los conquistadores sino a ochenta pesos, y que en su nombre lo envió a Castilla diciendo que servía a Su Majestad con ello, y que se quedó con la mayor parte de ello, que no lo envió todo, y eso que envió que lo robó en la mar un Juan Florín, francés, corsario, que fue el que ahorcaron en el Puerto el Pico, como dicho tengo en los capítulos pasados, y que era obligado Cortés a pagar todo aquello que Juan Florín robó, y más lo que escondió, y le pusieron otras demandas; y en todas le condenaban que lo pagase de sus bienes, y se los vendían, y también tuvieron manera y concertaron para que un Juan Juárez, cuñado de Cortés, ya por mí otras veces memorado, demandase públicamente en los estrados la muerte de su hermana doña Catalina Juárez, la Marcaida, la cual demandó en los estrados como se lo mandaron, y presentó testigos cómo y de qué manera dicen que fue su muerte. Y luego tras esto hubo otro embarazo, y fue que como le pusieron a Cortés la demanda que dicho tengo de la recámara de Guatemuz y del oro y plata que se hubo en México, muchos de los que éramos amigos de Cortés nos juntamos, con licencia de un alcalde ordinario, en casa de un García Holguín, y firmamos que no queríamos parte de aquellas demandas del oro ni de la recámara, ni por nuestra parte fuese compelido Cortés a que pagase ninguna cosa de ello, y decíamos que sabíamos cierto y claramente que lo enviaba a Su Majestad, y lo hubimos por bueno hacer aquel servicio a nuestro rey y señor. Y después que el presidente y los oidores vieron que dimos peticiones sobre ello, nos mandan prender a todos diciendo que sin su licencia no nos habíamos de juntar ni firmar cosa ninguna, y después que vieron la licencia del alcalde, puesto que nos desterraron de México cinco leguas, luego nos le alzaron, y todavía lo recibíamos por grandes molestias y agravios.

Y luego tras esto se pregonó que todos los que venían de linaje de judíos o de moros que hubiesen quemado o ensambenitado por la Santa Inquisición, en el cuarto grado, a sus padres o abuelos, que dentro de seis meses saliesen de la Nueva España, so pena de perdimiento de la mitad de sus bienes, y en aquel tiempo vieron el acusar que acusaban unos a otros, y el infamar que hacían, y no salió de la Nueva España sino solos dos, el uno era mercader de la Veracruz y el otro era un escribano de México. Y desde hace un año trajo licencia el escribano para estar en la Nueva España, y casó una hija que trajo de Castilla, y con todas estas cosas que hacía muy con fundamento porque alegó que había servido a Su Majestad, presidente y oidores, no eran tan ejecutivos que lo llevaban con rigor, ni sentenciaban sino en muy pocos pesos de un oro bajo que se dice *tepuzque,* y aun lo dejaban de cobrar, que no lo pagaban. Y para los conquistadores eran tan buenos y cumplían lo que Su Majestad mandaba en cuanto al dar indios a los verdaderos conquistadores, que a ninguno dejaban de dar indios y de lo que vacaba, y les hacían muchas mercedes; lo que les echó a perder fue la demasiada licencia que daban para herrar esclavos,[176] porque daban licencias a los muertos y las vendían los criados de Nuño de Guzmán y de Delgadillo y Matienzo; pues en lo de Pánuco herráronse tantos que por poco despoblaran aquella provincia. Y además de esto, como no residían en sus oficios ni se sentaban en los estrados todos los días que eran obligados y se andaban en banquetes y tratando en amores y en mandar echar suertes, y que para ello se embarazaban algunos de ellos;[177] y Nuño de Guzmán, que era franco y de noble condición, envió en aguinaldo una cédula de un pueblo que se dice Guazpaltepeque al contador Albornoz, que había pocos días volvió de Castilla y vino casado con una señora que se decía doña Catalina Loaisa, y aun trajo Rodrigo de Albornoz licencia de Su Majestad para hacer un ingenio de azúcar en un pueblo que se dice Cempoal, el cual pueblo en pocos años destruyó.

[176] Tachado en el original: *porque si mucho duraran en el cargo, la Nueva España se destruyera.*

[177] Tachado en el original: *muchos días en ello.*

Volvamos a nuestro cuento. Que como Nuño de Guzmán hacía aquellas franquezas y herraba tantos indios por esclavos, e hizo muchas molestias a Cortés, y del licenciado Delgadillo decían que hacía dar indios a personas que le acudían con cierta renta, y hacía compañías, y también porque puso por alcalde mayor en la villa de Oaxaca a un su hermano, que se decía Berrio, y le hallaron que el hermano llevaba cohechos, y hacía muchos agravios a los vecinos, y también se halló que en la villa de los zapotecas puso otro teniente que se decía Delgadillo como él, que también se halló llevaba cohechos y hacía injusticia, y el licenciado Matienzo era viejo, pusiéronle que era vicioso de beber mucho vino, y que iba muchas veces a las huertas [a] hacer banquetes y llevaba consigo tres o cuatro hombres alegres que bebían bien, y después que todos estaban como convenía, y asidos, que tomaba uno de ellos una bota con vino y que desde lejos hacía con la misma bota huichucho, como cuando llaman al señuelo a los gavilanes, y el viejo iba como desalado a la bota y la empinaba y bebía de ella; y también se le pusieron por cargos que toda la semana y algunos días de fiestas se le iba en mandar echar suertes, y que el mismo Nuño de Guzmán y Delgadillo y Matienzo eran jueces de ello, y que más querían estar en las suertes que en los estrados, y aun sospecharon que salían muchas suertes a quien ellos querían ser aficionados, y fueron tantas quejas que de ellos decían con probanzas, y aun cartas de los prelados y religiosos, que viendo Su Majestad y los señores de su Real Consejo de Indias las informaciones y cartas que contra ellos fueron, mandó que luego sin más vacilaciones se quitase redondamente toda la Audiencia Real y los castigasen, y pusiesen otro presidente y oidores que fuesen de ciencia y buena conciencia y rectos en hacer justicia, y mandó que luego fuesen a la provincia de Pánuco a saber qué tantos mil esclavos habían herrado, y fue el mismo Matienzo, por mandado de Su Majestad, que a este viejo oidor le hallaron con menos cargos y mejor juez que a los demás.

Y además de esto, luego se dieron por ningunas las cédulas que habían dado para herrar esclavos, y se mandó quebrar todos los hierros con que herraban, y que desde allí adelante no hiciesen más esclavos, y aun se mandó hacer memoria de los que había en toda la Nueva España para que no se vendiesen ni se sacasen de una provincia a otra. Y además de esto mandó que todos los repartimientos y encomiendas de indios que habían dado Nuño de Guzmán y los demás oidores a deudos y paniaguados, o a sus amigos o a otras personas que no tenían méritos, que luego, sin haber más oídos, se los quitasen y los diesen a las personas que Su Majestad había mandado que los hubiesen. Quiero traer aquí a la memoria qué de pleitos y debates hubo sobre este tornar a quitar los indios de encomienda que les habían dado Nuño de Guzmán juntamente con los oidores: unos alegaban ser conquistadores, no lo siendo; otros pobladores de tantos años, y que si entraban o salían en casa del presidente y oidores, que era para servirle y honrar y acompañar y hacer lo que por ellos les fuese mandado en cosas que fuesen cumplideras al servicio de Su Majestad, y que no entraban en sus casas por criados ni paniaguados, y cada uno defendía y alegaba lo que más a su provecho convenía y podía, y fue de tal manera la cosa, que a pocos de los que les habían dado los indios se los tornaron a quitar, si no fue a los que aquí diré: el pueblo de Guazpaltepeque, al contador Rodrigo de Albornoz, que lo hubo enviado como aguinaldo Nuño de Guzmán; y también los quitaron a un Villarroel, marido que fue de Isabel de Ojeda, otro pueblo de Cornavaca; y también los quitaron a un mayordomo de Nuño de Guzmán, que se decía Villegas, y a otros deudos y criados de los mismos oidores, y otros se quedaron con ellos.

Pues como se supo esta nueva en México, que vino de Castilla, que les quitaban redondamente toda la Audiencia Real, en lo que entendieron Nuño de Guzmán y Delgadillo y Matienzo fue luego enviar procuradores a Castilla para abonar sus cosas con probanza de testigos que ellos quisieron tomar como quisieron, para que dijesen que eran muy buenos jueces y que hacían lo que Su Majestad les mandaba, y otros abonos que les convenía decir para que en Castilla los diesen por buenos jueces. Pues para elegir a las personas que habían de ir con los poderes, así para que procurasen por ellos como para cosas que convenían [a] aquella ciudad y Nueva España y a la gobernación de ella, mandaron que nos juntásemos en la iglesia mayor todos los procuradores que teníamos poder de las ciudades y villas que en aquella sazón nos hallamos en México, y con nosotros juntamente algunos conquistadores, personas de cuenta, y por nuestros votos creyeron que elegiríamos para que fuese por procurador a Castilla al factor Salazar, porque, como ya he dicho otra vez, puesto que Nuño de Guzmán y Matienzo y Delgadillo hacían algunos desatinos, ya atrás por mí memorados, por otra parte eran tan buenos para todos los conquistadores y pobladores, que nos daban de los indios que vacaban, y con esta confianza creyeron que votáramos por el factor, que era la persona que ellos querían enviar en su nombre. Pues como nos hubimos juntado en la iglesia mayor de aquella ciudad, como nos fue mandado, eran tantas las voces y tabarra y behetría que daban muchas personas de las que no eran llamadas para aquel efecto, que se entraron por fuerza en la iglesia, que aunque les mandábamos salir fuera de ella no querían ni aun callar; en fin, como cosa de comunidad, dan voces. Y de que aquello vimos nos salimos de la iglesia los que estábamos allí que lo habíamos de votar, y fuimos a decir al presidente y oidores que para otro día lo dejábamos y que en casa del mismo presidente, donde hacían la Real Audiencia, elegiríamos a quien viésemos que convenía, y después nos pareció que solamente querían nombrar personas amigas de Nuño de Guzmán y Delgadillo y Matienzo, acordamos que se eligiese una persona por parte de los mismos oidores y otra por la parte de Cortés, y fueron nombrados a Bernaldino Vázquez de Tapia por la parte de Cortés, y por la parte de los oidores a un Antonio Carvajal, que fue capitán de bergantines; mas a lo que entonces a mí me pareció, así Bernaldino Vázquez de Tapia como Carvajal eran aficionados a las cosas de Nuño de Guzmán mucho más que a las de Cortés, y tenían razón, porque ciertamente nos hacían más bien y cumplían algo de lo que Su Majestad mandaba en dar indios que no Cortés, puesto que los pudiera dar muy mejor que todos en el tiempo que tuvo el mando; mas como somos tan leales los españoles que por haber sido Cortés nuestro capitán le teníamos afición más que él tuvo voluntad de hacernos bien, habiéndoselo mandado Su Majestad, pudiendo cuando era gobernador.

Pues ya elegidos los por mí memorados, sobre los capítulos que habían de llevar hubo otras contiendas, porque decían al presidente que era cumplidero al servicio de Dios y de Su Majestad, y con parecer de todos los procuradores, que no volviese Cortés a la Nueva España, porque estando en ella siempre habría bandos y revueltas, y que no habría buena gobernación, y por ventura se alzaría con ella, y todos los más procuradores lo contradecíamos, y que era muy leal y gran servidor de Su Majestad. Y en aquella sazón llegó don Pedro de Alvarado a México, que había venido de Castilla, y traía la gobernación de Guatemala, y adelantado y comendador de Santiago, y casado con una señora que se decía doña Francisca de la Cueva, y falleció aquella señora así como llegó a la Veracruz. Pues, como dicho tengo, llegado a México con mucho luto él y todos sus criados, y después que entendió los capítulos que enviaban por parte del presidente y oidores, túvose orden que el mismo adelantado, con los demás procuradores y algunos conquistadores, escribiésemos a Su Majestad todo lo que la Audiencia Real intentaba.

Y como fueron los procuradores por mí ya nombrados a Castilla con los recaudos y capítulos que habían de pedir, y los del Real Consejo de Indias conocieron que todo iba guiado contra Cortés por pasión, no quisieron hacer cosa que conviniese a Nuño de Guzmán ni a los demás oidores, porque estaba ya mandado por Su Majestad que de hecho le quitasen el cargo, y también en este instante Cortés estaba en Castilla, que en todo les fue muy contrario, y volvía por su honra y estado, y luego se apercibió Cortés para venir a la Nueva España con la señora marquesa su mujer y casa. Y entretanto que viene diré cómo Nuño de Guzmán fue a poblar una provincia que se dice Jalisco, y acertó en ello muy mejor que Cortés en lo que envió a descubrir, como adelante verán.

CAPÍTULO CXCVII

CÓMO NUÑO DE GUZMÁN SUPO, POR CARTAS QUE LE VINIERON DE CASTILLA, QUE HABÍA MANDADO SU MAJESTAD QUE LE QUITASEN DE PRESIDENTE A ÉL Y A LOS OIDORES, Y VINIESEN OTROS EN SU LUGAR, ACORDÓ DE IR A PACIFICAR Y A CONQUISTAR LA PROVINCIA DE JALISCO, QUE AHORA SE DICE DE LA NUEVA GALICIA

Pues como Nuño de Guzmán supo por cartas ciertas que le quitaban el cargo de ser presidente a él y a los oidores, y venían otros oidores, y como en aquella sazón todavía era presidente Nuño de Guzmán, allegó todos los más soldados que pudo, así de a caballo como escopeteros y ballesteros, para que fuesen con él a la provincia que le dicen de Jalisco, y los que no querían ir de grado apremiábalos que fuesen de grado o por fuerza, o habían de dar dineros a otros soldados que fuesen en su lugar, y si tenían caballos se los tomaban, y, cuando mucho, no les pagaban sino la mitad menos de lo que valían, y los vecinos ricos de México ayudaron con lo que podían; y llevó muchos indios mexicanos cargados y otros de guerra para que le ayudasen, y por los pueblos que pasaba con su fardaje haciales grandes molestias, y fue a la provincia de Michoacán, que por allí era su camino, y tenían los naturales de aquella provincia, de los tiempos pasados, mucho oro, que aunque era bajo, porque estaba revuelto con plata, le dieron cantidad de ello, y porque Cazoncín, que era el mayor cacique de aquella provincia, que así se llamaba, no le dio tanto oro como le demandaba, Nuño de Guzmán le atormentó y quemó los pies, y porque le demandaba indios e indias para su servicio, y por otras trancanillas que le levantaron al pobre cacique, le ahorcó, que fue una de las malas y feas cosas que presidente ni otras personas podían hacer, y todos los que iban en su compañía se lo tuvieron a mal y a crueldad. Y llevó de aquella provincia muchos indios cargados hasta donde pobló la ciudad que ahora llaman Santiago de Compostela, con harta costa de la hacienda de Su Majestad y de los vecinos de México que llevó por fuerza. Y porque yo no me hallé en esta jornada,[178] se quedará aquí; mas sé cierto que Cortés ni Nuño de Guzmán jamás se hubieron bien, y también sé que siempre se estuvo en aquella provincia Nuño de Guzmán hasta que Su Majestad mandó que enviasen por él a Jalisco a su costa y le trajesen a México preso, a dar cuenta de las demandas y sentencias que contra él dieron en la Real Audiencia, que nuevamente en aquella sazón vino, le pusiesen a pedimento de Matienzo y Delgadillo. Quiérolo dejar en este estado, y diré cómo llegó la Real Audiencia a México y lo que hizo.

[178] Tachado en el original: *ni sé lo que más pasó.*

CAPÍTULO CXCVIII

CÓMO LLEGÓ LA REAL AUDIENCIA A MÉXICO Y LO QUE SE HIZO MUY JUSTIFICADAMENTE

YA HE DICHO en el capítulo pasado cómo Su Majestad mandó toda la Real Audiencia de México y dio por ningunas las encomiendas de indios que habían dado el presidente y oidores que en ellas residían; porque los daban a sus deudos y paniaguados y otras personas que no tenían méritos, mandó Su Majestad que se los quitasen y los diesen a los conquistadores que estaban con pobres repartimientos, y porque tuvieron noticia que no hacían justicia ni cumplieron sus reales mandos, se mandó venir otros oidores que fuesen personas de ciencia y de conciencia, y les encargó que en todo hiciesen justicia, y por presidente vino don Sebastián Ramírez de Villaescusa, que en aquella sazón era obispo de Santo Domingo, y cuatro licenciados por oidores, que se decían: el licenciado Alonso Maldonado, de Salamanca; y el licenciado Zeinos, de Toro o de Zamora; y el licenciado Vasco de Quiroga, de Madrigal, que después fue obispo de Michoacán; y el licenciado Salmerón, de Madrid.

Y primero llegaron a México los oidores que viniese el obispo de Santo Domingo, y se les hizo dos grandes recibimientos, así a los oidores, que vinieron primero, como al presidente, que vino de ahí a pocos días; y luego mandan pregonar residencia general, y de todas las ciudades y villas vinieron muchos vecinos y procuradores, y aun caciques y principales, y dan tantas quejas del presidente y oidores pasados, de agravios y cohechos y sinjusticias que les habían hecho, que estaban espantados el presidente y oidores que les tomaban residencia. Pues los procuradores de Cortés pónenles tantas demandas de los bienes y hacienda que le hicieron vender en las almonedas, como dicho tengo antes de ahora, que si todo en lo que les condenaba hubieran de pasar, montaba sobre doscientos mil pesos de oro. Y como Nuño de Guzmán estaba en Jalisco y no quería venir a la Nueva España a dar su residencia, respondía Delgadillo y Matienzo, en la residencia que les tomaba, que todas aquellas demandas que les ponían eran a cargo de Nuño de Guzmán, que como presidente lo mandaba de hecho, y no era a su cargo, y que mandasen enviar por él que venga a México a descargarse de los cargos que le ponen. Y puesto que ya había enviado a Jalisco la Real Audiencia provisiones para que pareciese personalmente en México, no quiso venir; y el presidente y oidores, por no alborotar la Nueva España, disimularon la cosa y hacen sabedor de ello a Su Majestad, y luego enviaron sobre ellos el Real Consejo de Indias a un licenciado que se decía fulano de la Torre, natural de Badajoz, para que le tomase residencia en la provincia de Jalisco y para que le traiga preso a México, y que le eche preso en la cárcel pública; y trajo comisión para que nos pagase Nuño de Guzmán todo en lo que nos sentenció a los conquistadores sobre lo de Narváez, y lo de las firmas cuando nos echaron presos, como dicho tengo en el capítulo pasado que de ello habla.

Y dejaré apercibiendo a este licenciado de la Torre para venir a la Nueva España, y diré en qué paró la residencia. Y es que a Delgadillo y a Matienzo les vendieron sus bienes para pagar las sentencias que contra ellos dieron y los echaron presos en la cárcel pública por lo que más debían, que no alcanzó a pagar con sus bienes; y a un hermano de Delgadillo, que se decía Berrio, que estaba por alcalde mayor en Oaxaca, hallaron contra él tantos agravios y cohechos que había llevado, que le vendieron sus bienes para pagar a quien los había tomado, y le echaron preso por lo que no alcanzaba, y murió en la cárcel; y otro tanto hallaron contra otro pariente de Delgadillo que estaba por alcalde mayor en los zapotecas, que también se llamaba Delgadillo como el pariente, y murió en la cárcel.

Y ciertamente eran tan buenos jueces y rectos en hacer justicia los nuevamente venidos, que no entendían sino solamente en hacer lo que Dios y Su Majestad manda, y en que los indios conociesen que les favorecían y que fuesen bien doctrinados en la santa doctrina, y además de esto luego quitaron que no se herrasen esclavos e hicieron otras buenas cosas. Y como el licenciado Salmerón y el licenciado Zeinos eran viejos, acordaron de enviar a demandar licencia a Su Majestad para irse a Castilla, porque ya habían estado cuatro años en México y estaban ricos y habían servido bien en los cargos que trajeron. Su Majestad les envió la licencia después de haber dado residencia, que dieron muy buena. Pues el presidente, don Sebastián Ramírez, obispo que en aquella sazón era de Santo Domingo, también fue a Castilla, porque Su Majestad le envió a llamar para informarse de las cosas de la Nueva España y para ponerle por presidente de la Real Chancillería de Granada, y desde a cierto tiempo le pasaron a Valladolid; y así como llegó le dieron el obispado de Tuy, y de allí a pocos días vacó el de León y se le dieron, y era presidente, como dicho tengo, en la chancillería de Valladolid, y en aquel instante vacó el obispado de Cuenca y se le dieron, por manera que se alcanzaban unas bulas a otras; y por ser buen juez vino a subir en el estado que he dicho. Y en esta sazón vino la muerte a llamarle, y paréceme a mí, según nuestra santa fe, que está en la gloria con los bienaventurados, porque a lo que conocí y comuniqué con él cuando era en México presidente, en todo era muy recto y bueno, y como tal persona había sido, antes que fuese obispo de Santo Domingo, inquisidor en Sevilla.

Volvamos a nuestra relación, y diré del licenciado Alonso Maldonado que Su Majestad le mandó que viniese a las provincias de Guatemala y Honduras y Nicaragua por presidente y gobernador, y en todo fue muy bueno y recto juez y gran servidor de Su Majestad, y aun tuvo título de adelantado de Yucatán por capitulación que tuvo hecha con su suegro, don Francisco de Montejo. Pues el licenciado Quiroga fue tan bueno, que le dieron el obispado de Michoacán. Dejemos de contar de estos prosperados por sus virtudes, y volvamos a decir de Delgadillo y Matienzo, que fueron a Castilla y a sus tierras muy pobres y no con buenas famas, y de allí a dos o tres años dijeron que murieron.

Y ya en esta sazón había Su Majestad mandado que viniese a la Nueva España, por visorrey, el ilustrísimo y buen caballero y digno de loable memoria don Antonio de Mendoza, hermano del marqués de Mondéjar, y vinieron por oidores el doctor Quesada, natural de Ledesma, y el licenciado Tejada, de Logroño, y aún en aquel tiempo estaba por oidor el licenciado Maldonado, que aún no había ido a ser presidente de Guatemala, y también vino por oidor un licenciado anciano que se decía el licenciado Loaisa, natural de Ciudad Real, y como era hombre viejo estuvo tres o cuatro años en México, y allegó pesos de oro para irse a Castilla, y se volvió a su casa; y de ahí a poco tiempo vino un licenciado de Sevilla, que se decía el licenciado Santillana, que después fue doctor, y todos fueron muy buenos jueces, y después que se les hizo grandes recibimientos en la entrada de aquella gran ciudad, se pregonó residencia general contra el presidente y oidores pasados, y todos los hallaron muy rectos y buenos, y hacían conforme a justicia.

Y volviendo a nuestra relación acerca de Nuño de Guzmán, que se estaba en Jalisco, y como el virrey don Antonio de Mendoza alcanzó a saber que Su Majestad mandó venir al licenciado de la Torre a tomarle residencia en Jalisco y a echarle preso en la cárcel pública, y hacer que pagase al marqués del Valle lo que se hallase deberle, y a los conquistadores también nos pagase en lo que nos sentenció sobre lo de Narváez, y por hacerle bien y porque no fuese molestado y afrentado, le envió a llamar que viniese luego a México sobre su palabra, y le señaló por posadas sus palacios, y Nuño de Guzmán así lo hizo, que se vino luego; y el virrey le hacía mucha honra y le favorecía y comía con él. Y en este instante llegó a México el licenciado De la Torre, que ya he nombrado, y como traía mandado de Su Majestad que luego echase preso a Nuño de Guzmán y que en todo hiciese justicia, puesto que primero lo comunicó con el virrey, y parece ser no halló tanta voluntad para ello como quisiera, acordó de sacarle de la posada del virrey, adonde estaba, y decía a voces: "Esto manda Su Majestad; así se ha de hacer, y no otra cosa", y le llevó a la cárcel pública de aquella ciudad y estuvo preso ciertos días, hasta que rogó por él el mismo visorrey, que le sacaron de la cárcel, y como conocieron en el De la Torre que traía recios aceros para no dejar de ejecutar la justicia y tomar residencia muy a las derechas a Nuño de Guzmán, y como la malicia humana muchas veces no deja cosa en que pueda infamar que no infame, parece ser que como el licenciado De la Torre era algo aficionado al juego, especial de naipes, puesto que no jugaba sino al triunfo y a la primera por pasatiempo, quienquiera que fue por parte de Nuño de Guzmán, y como en aquel tiempo que usaban traer unos tabardos con mangas largas, en especial traían los juristas, metieron en una de las mangas del tabardo del licenciado De la Torre una baraja de naipes de los chicos, y ataron la manga de arte que no se pudiesen salir. Y en aquella sazón, yendo el licenciado por la plaza de México acompañado de personas de calidad, y quienquiera que fue en meterle los naipes en la manga, tuvo manera que se le desató, y sálenle los naipes pocos a pocos, y dejó rastro de ellos en el suelo en la plaza por donde iba; y las personas que le iban acompañando, de que le vieron salir de aquella manera los naipes, se lo dijeron que mirase lo que traía en la manga del tabardo; y cuando el licenciado vio tan gran burla, dijo con gran enojo: "Bien parece que no quieren que yo haga justicia a las derechas; mas si no me muero, yo la haré de manera que Su Majestad sepa de este desacato que conmigo se ha hecho." Y de allí a pocos días cayó malo, y de pensamiento de ello o de otras cosas que ocurrieron, de calenturas murió.

Y luego proveyó la Audiencia

Real, juntamente con el virrey, del poder que traía el De la Torre a un hidalgo que se decía Francisco Vázquez Coronado, natural de Salamanca, y era muy íntimo amigo del visorrey, y todo se hizo de la manera que Nuño de Guzmán quiso en la residencia que le tomaron. Este Francisco Vázquez Coronado fue de allí a cierto tiempo por capitán a la conquista de Zibola, que en aquel tiempo llamaban las Siete Ciudades, y dejó en su lugar en la gobernación de Jalisco a un Cristóbal de Oñate, persona de calidad; y Francisco Vázquez era recién casado con una señora hija del tesorero Alonso de Estrada, y además de ser llena de virtudes era muy hermosa, y como fue [a] aquellas ciudades de la Zibola, tuvo gana de volver a la Nueva España y a su mujer, y dijeron algunos soldados de los que fueron en su compañía que quiso remedar a Ulises, capitán greciano, que se hizo loco cuando estaba sobre Troya por venir a gozar de su mujer Penélope; y así hizo Francisco Vazquez Coronado, que dejó la conquista que llevaba y le dio ramo de locura y se volvió a México a su mujer, y como se lo daban en cara de haberse vuelto de aquella manera, falleció de allí a pocos días.

CAPÍTULO CXCIX

CÓMO VINO DON HERNANDO CORTÉS, MARQUÉS DEL VALLE, DE ESPAÑA, CASADO CON LA SEÑORA DOÑA JUANA DE ZÚÑIGA Y CON TÍTULO DE MARQUÉS DEL VALLE Y CAPITÁN GENERAL DE LA NUEVA ESPAÑA Y DE LA MAR DEL SUR, Y DEL RECIBIMIENTO QUE SE LE HIZO

Como había mucho tiempo que Cortés estaba en Castilla y ya casado, como dicho tengo, y con título de marqués y capitán general de la Nueva España y de la Mar del Sur, tuvo gran deseo de volverse a la Nueva España, a su casa y estado y marquesado, y tomar posesión de su marquesado. Y como supo que estaban en el estado que he dicho las cosas en México, se dio prisa y se embarcó con toda su casa en ciertos navíos, y con buen tiempo que le hizo en la mar, llegó al puerto de la Veracruz, y se le hizo gran recibimiento, y luego se fue por villas de su marquesado. Y llegado a México, se le hizo otro recibimiento, mas no tanto como solía. Y en lo que entendió fue presentar sus provisiones de marqués y hacerse pregonar por capitán general de la Nueva España y de la Mar del Sur, y demandar al virrey y Audiencia Real que le contasen sus vasallos. Y esto me parece a mí que vino mandado de Su Majestad para que se los contase, porque, a lo que yo entendí, cuando le dieron el marquesado demandó a Su Majestad que le hiciese merced de ciertas villas y pueblos con tantos mil vecinos tributarios. Y porque esto yo no lo sé bien, remítome a los caballeros y a otras personas que saben mejor los pleitos que sobre ello se ha traído, porque tenía el marqués en el pensamiento, cuando demandó a Su Majestad aquella merced de los vasallos, que se habían de contar cada casa de vecino o cacique o principal de aquellas villas por un tributario, y como si dijésemos ahora que no se habían de contar los hijos varones que eran ya casados, ni yernos, ni otros muchos indios que estaban en cada casa en servicio del dueño de ella, sino solamente que cada vecino un tributario, ora tuviese muchos hijos o yernos, y otros allegados o criados.

Y la Audiencia Real de México

proveyó que lo fuese a contar un oidor de la misma Real Audiencia que se decía [el] doctor Quesada. Y comenzó a contar de esta manera: que el dueño de cada casa, por un tributario; y si tenía hijos de edad, cada hijo un tributario; y si tenía yernos, cada yerno un tributario; y los indios que tenía en su servicio, y aunque fuesen esclavos cada uno contaban por un tributario; por manera que en muchas de las casas contaban diez y doce y quince y más tributarios; y Cortés tenía por sí, y así lo proponía y demandó a la Real Audiencia, que cada casa era un vecino y se había de contar sólo un tributario; y si cuando el marqués suplicó a Su Majestad le hiciese merced del marquesado le declarara y le diera tal villa, y tal villa con los vecinos y moradores que tenía, Su Majestad le hiciera merced de ellas; y el marqués creyó y tenía por cierto que demandando los vasallos, que acertaba en ello, y salióle al contrario. Por manera que nunca le faltaron pleitos, y a esta causa estuvo muy mal con las cosas del doctor Quesada, que se los fue a contar, y aun con el visorrey y Audiencia Real no le faltaron cosquillas. Y se hizo relación de ello a Su Majestad por parte de la Real Audiencia, para saber de la manera que se habían de contar, y estuvo suspenso el contador de los vasallos ciertos años, que siempre el marqués llevó sus tributos de ellos sin haber cuenta.

Volvamos a nuestra materia. Y después que esto pasó, de ahí a pocos días se fue desde México a una villa de su marquesado que se dice Cornavaca, y llevó a la marquesa, e hizo allí su asiento, que nunca más lo trajo a la ciudad de México; y además de esto, como dejó capitulado con la serenísima emperatriz doña Isabel, nuestra señora, de gloriosa memoria, y con los del Real Consejo de Indias que había de enviar armadas por la Mar del Sur a descubrir tierras nuevas adelante, y todo a su costa, comenzó hacer navíos en un puerto de una su villa que era en aquel tiempo del marquesado, que se dice Teguantepeque, y en otros puertos de Zacatula y Acapulco. Y las armadas que envió adelante, y nunca tuvo ventura en cosa que pusiese la mano, sino todo se le tornaba espinas; que muy mejor acertó Nuño de Guzmán, como adelante diré.

CAPÍTULO CC

DE LOS GASTOS QUE EL MARQUÉS DON HERNANDO CORTÉS HIZO EN LAS ARMADAS QUE ENVIÓ A DESCUBRIR Y CÓMO EN TODO LO DEMÁS NO TUVO VENTURA

Y HE MENESTER volver mucho atrás de mi relación para que bien se entienda lo que ahora dijere. En el tiempo que gobernaba la Nueva España Marcos de Aguilar, por virtud del poder que para ello le dejó el licenciado Luis Ponce de León al tiempo que falleció, según ya lo he declarado muchas veces, antes que Cortés fuese a Castilla, envió el mismo marqués del Valle cuatro navíos que había labrado en una provincia que se dice Zacatula, bien bastecidos de bastimento y artillería, con rescate de cosas de mercaderías y tarrabusterías de Castilla, y todo lo que era menester y vituallas, y pan bizcocho para más de un año. Y envió en ellos por capitán general a un hidalgo que se decía

Álvaro de Sayavedra Zerón, y su viaje y derrota fue para las islas de los Malucos y Especería, o la China, y esto fue por mandato de Su Majestad, que se lo hubo escrito a Cortés, desde la ciudad de Granada, en veinte y dos de junio de mil quinientos veintiséis años. Y porque Cortés me mostró la misma carta a mí y a otros conquistadores que le estábamos teniendo compañía, lo digo y declaro aquí. Y aun le mandó Su Majestad a Cortés que a los capitanes que enviase que fuesen a buscar una armada que había salido de Castilla para la China, e iba en ella por capitán un don fray García de Loayza, comendador de San Juan de Rodas. Y en esta sazón que se apercibía Sayavedra para el viaje aportó a la costa de Teguantepeque un patache que era de los que habían salido de Castilla con la armada del mismo comendador que dicho tengo, y venía en el mismo patache por capitán un Ortuño de Lango, natural de Portugalete, del cual capitán y pilotos que en el patache venían se informó Álvaro de Sayavedra Zerón de todo lo que quiso saber, y aun llevó en su compañía a un piloto y a dos marineros, y se lo pagó muy bien por que volviesen otra vez con él, y tomó plática de todo el viaje que habían traído y de las derrotas que habían de llevar.

Y después de haber dado las instrucciones y aviso que los capitanes y pilotos que van a descubrir suelen dar en sus armadas, y de haber oído misa y encomendarse a Dios, se hicieron a la vela en el puerto de Zihuatanejo, que es en la provincia de Colima o Zacatula, que no lo sé bien, y fue en el mes de diciembre, en el año de mil quinientos veintisiete o veintiocho.[179] Y quiso Nuestro Señor Jesucristo encaminarles que fueron a los Malucos y a otras islas, y los trabajos y dolencias que pasaron; y aun muchos que se murieron en aquel viaje, yo no lo sé; mas yo vi de allí a tres años en México a un marinero de los que habían ido con Sayavedra, y contaba cosas de aquellas islas y ciudades donde fueron que yo estaba admirado. Y éstas son las islas [a] que ahora van desde México, con armada, a descubrir y a tratar; y aun oí decir que los portugueses que estaban por capitanes en ellas que prendieron a Sayavedra, o a gente suya, y que los llevaron a Castilla, o que tuvo de ello noticia Su Majestad. Y como ha tantos años que pasó y yo no me hallé en ello más de, como dicho tengo, haber visto la carta que Su Majestad escribió a Cortés, en esto no diré más.

Quiero decir ahora cómo en el mes de mayo de mil quinientos treinta y dos años, después que Cortés vino de Castilla envió desde el puerto de Acapulco otra armada con dos navíos, bien bastecidos con todo género de bastimentos, y marineros, los que eran menester, y artillería y rescate, y con ochenta soldados, escopeteros y ballesteros, y envió por capitán general a un Diego Hurtado de Mendoza, y estos dos navíos envió a descubrir por la costa del sur, a buscar islas y tierras nuevas, y la causa de ello es porque, como dicho tengo en el capítulo que de ello habla, así lo tenía capitulado con los del Real Consejo de Indias cuando Su Majestad se fue a Flandes. Y volviendo a decir del viaje de los dos navíos, fue que yendo el capitán Hurtado, sin ir a buscar islas, ni meterse mucho en la mar, ni hacer cosa que de contar sea, se apartaron de su compañía, amotinados, más de la mitad de los soldados que llevaba de un navío, y dicen ellos mismos que por concierto que entre el capitán y los amotinados se hizo fue darles el navío en que iban para volverse a la Nueva España; mas nunca tal es de creer que el capitán les diera licencia, sino que ellos se la tomaron. Y ya que daban vuelta, les hizo el tiempo contrario y les echó en tierra, y fueron a tomar agua, y con mucho trabajo vinieron a Jalisco y desde allí voló

[179] Tachado en el original: *que no se me acuerda bien qué año fue.*

la nueva a México, de lo cual le pesó mucho a Cortés. Y Diego Hurtado corrió siempre la costa, y nunca se oyó decir más de él, ni del navío, ni jamás pareció.

Quiero dejar de decir de esta armada, pues se perdió y diré cómo Cortés luego despachó otros dos navíos que estaban ya hechos en el puerto de Teguantepeque, los cuales abasteció muy cumplidamente, así de pan como de carne y todo lo necesario que en aquel tiempo se podía haber, y con mucha artillería y buenos marineros y setenta soldados, y cierto rescate, y por capitán general de ellos a un hidalgo que se decía Diego Becerra de Mendoza, de los Becerra de Badajoz o Mérida; y fue en el otro navío por capitán un Hernando de Grijalva, y este Grijalva iba debajo de la mano de Becerra; y fue por piloto mayor un vizcaíno que se decía Ortuño Jiménez, gran cosmógrafo. Y Cortés mandó a Becerra que fuese por la mar en busca de Diego de Hurtado y, que si no le hallase, se metiese todo lo que pudiese en mar alta, y buscasen islas y tierras nuevas, porque había fama de ricas islas y perlas. Y el piloto Ortuño Jiménez, cuando estaba platicando con otros pilotos en las cosas de la mar, antes que partiese para aquella jornada, decía y prometía de llevarles a tierras bien afortunadas de riquezas, que así las llamaban, y decía tantas cosas cómo serían todos ricos, que algunas personas lo creían.

Y después que salieron del puerto de Teguantepeque, la primera noche se levantó un viento contrario, que apartó los dos navíos el uno del otro, que nunca más se vieron, y bien se pudieron tornar a juntar, porque luego hizo buen tiempo, salvo que Hernando de Grijalva, por no ir debajo de la mano de Becerra, se hizo luego a la mar y se apartó con su navío, porque Becerra era muy soberbio y mal acondicionado, y en tal paró, según adelante diré; y también se apartó Hernando de Grijalva porque quiso ganar honra por sí mismo, si descubría alguna buena isla, y metióse dentro en la mar más de doscientas leguas, y descubrió una isla que le puso por nombre San Tomé, y estaba despoblada. Dejemos a Grijalva y a su derrota, y volveré a decir lo que le acaeció a Diego Becerra con el piloto Ortuño Jiménez. Es que riñeron en el viaje, y como Becerra iba malquisto con todos los más soldados que iban en la nao, concertóse Ortuño con otros vizcaínos marineros y con los soldados con quien había tenido palabras Becerra y dar en él una noche y matarle, y así lo hicieron: que estando durmiendo le despacharon a Becerra y a otros soldados, y si no fuera por dos frailes franciscos que iban en aquella armada, que se metieron en despartirlos, más males hubiera. Y el piloto Jiménez con sus compañeros se alzaron con el navío y, por ruego de los frailes, les fueron a echar en tierra de Jalisco, así a los religiosos como a otros heridos; y Ortuño Jiménez dio vela y fue a una isla que la puso por nombre Santa Cruz, donde dijeron que había perlas, y estaba poblada de indios como salvajes. Y como saltó en tierra y los naturales de aquella bahía o isla estaban de guerra, los mataron, que no quedaron, salvo los marineros que quedaban en el navío. Y de que vieron que todos eran muertos, se volvieron al puerto de Jalisco con el navío y dieron nuevas de lo acaecido, y certificaron que la tierra era buena y bien poblada, y rica de perlas; [180] y luego fue esta nueva a México.

[180] Tachado en el original: *de lo cual tomó codicia el Nuño de Guzmán, y para saber si era así, que había perlas, en el mismo navío que vinieron a darle aquella nueva lo armó muy bien así de soldados y capitán y bastimento, y envió a la misma tierra a saber qué cosa era. El capitán y soldados que envió tuvieron voluntad de se volver, porque no hallaron las perlas ni cosa ninguna de lo que los marineros dijeron, y se tornaron a Jalisco por se estar en los pueblos de su encomienda, que nuevas ninguna le habían dado al Nuño de Guzmán, y porque en aquella sazón se descubrieron buenas minas de oro*

Y como Cortés lo supo, hubo gran pesar de lo acaecido,[181] y como era hombre de corazón, que no reposaba con tales sucesos, acordó de no enviar más capitanes, sino ir él en persona. Y en aquel tiempo tenía ya sacados de astillero tres navíos de buen porte en el puerto de Teguantepeque, y como le dieron las nuevas que había perlas adonde mataron a Ortuño Jiménez, y porque siempre tuvo en pensamiento de descubrir por la Mar del Sur grandes poblazones, tuvo voluntad de ir a poblar, porque así lo tenía capitulado con la serenísima emperatriz doña Isabel, de gloriosa memoria, como ya dicho tengo, y los del Real Consejo de Indias, cuando Su Majestad pasó a Flandes. Y como en la Nueva España se supo que el marqués iba en persona, creyeron que era a cosa cierta y rica, y viniéronle a servir tantos soldados, así de a caballo y otros arcabuceros y ballesteros, y entre ellos treinta y cuatro casados, que se le juntaron, por todos dieron sobre trescientas veinte personas, con las mujeres casadas. Y después de bien abastecidos los tres navíos de mucho bizcocho, y carne, y aceite, y aun vino y vinagre, y otras cosas pertenecientes para bastimentos, llevó mucho rescate, y tres herreros con sus fraguas, y dos carpinteros de ribera con sus herramientas, y otras muchas cosas que aquí no relato por no detenerme, y con buenos y expertos pilotos y marineros, mandó que los que se quisiesen ir a embarcar al puerto de Teguantepeque, donde estaban los tres navíos, que se fuesen, y esto por no llevar tanto embarazo por tierra, y él se fue desde México con el capitán Andrés de Tapia y otros capitanes y soldados, y llevó clérigos y religiosos que le decían misa, y llevó médicos y cirujanos y botica.

Y llegados al puerto donde se habían de hacer a la vela, ya estaban allí los tres navíos, que vinieron de Teguantepeque. Y después que todos los soldados se vieron juntos con sus caballeros y a pique, Cortés se embarcó con los que le pareció que podrían ir de la primera barcada hasta la isla o bahía que nombraron Santa Cruz, adonde decían que había las perlas. Y como Cortés llegó con buen viaje a la isla, y fue en el mes de mayo de mil quinientos treinta y seis o treinta y siete años, y luego despachó los navíos para que volviesen por los demás soldados y mujeres casadas, y caballos, que quedaban aguardando con el capitán Andrés de Tapia, y luego se embarcaron y, alzadas velas, yendo por su derrota, dioles un temporal que les echó cabe un gran río que le pusieron nombre San Pedro y San Pablo. Y, asegurado el tiempo, volvieron a seguir su viaje; y dioles otra tormenta que les despartió a todos tres navíos: y el uno de ellos fue al Puerto de Santa Cruz, adonde Cortés estaba; y el otro fue a encallar y dar al través en tierra de Jalisco, y los soldados que en él iban, estaban muy descontentos del viaje y de muchos trabajos, se volvieron a la Nueva España, y otros se quedaron en Jalisco; y el otro navío aportó a una bahía que llamaron el Guayabal, y pusiéronle este nombre porque había allí mucha fruta que llaman guayabas. Y como habían dado al través, tardaban tanto y no acudían adonde Cortés estaba, y les aguardaban por horas, porque se les habían acabado los bastimentos, y en el navío que dio al través en tierra de Jalisco iba la carne y bizcocho y todo el más bastimento, a esta causa estaban muy congojados, así como todos los soldados, porque no tenían qué comer, y en aquella tierra no cogen los naturales de ella maíz, y son gente salvaje y sin policía, y lo que comen son frutas de las que hay entre ellos, y pesquerías y mariscos. Y de los soldados que estaban con Cortés, de hambre y de dolencias se murieron veintitrés, y muchos más estaban dolientes y mal-

---

en aquella tierra; ahora, sea por lo uno o por lo otro, no hicieron cosa que de provecho fuese.

[181] Tachado en el original: *como de que Nuño de Guzmán le tomase el navío.*

decían a Cortés y a su isla y bahía y descubrimiento.

Y de que aquello vio, acordó de ir en persona con el navío que allí aportó, y con cincuenta soldados, y dos herreros, y carpinteros, y tres calafates, en busca de los otros dos navíos, porque, por los tiempos y vientos que habían corrido, entendió que habían dado al través. Y yendo en busca de ellos, halló al uno encallado, como dicho tengo, en la costa de Jalisco, y sin soldados ningunos, y el otro estaba cerca de unos arrecifes. Y con grandes trabajos, y con tornarlos a aderezar y calafatear, volvió a la isla de Santa Cruz con sus tres navíos y bastimento, y comieron tanta carne los soldados que lo aguardaban que, como estaban debilitados de no comer cosa de substancia de muchos días atrás, les dio cámaras y tanta dolencia que se murieron la mitad de los que quedaban.

Y por no ver Cortés delante de sus ojos tantos males, fue a descubrir otras tierras y entonces toparon con la California, que es una bahía. Y como Cortés estaba tan trabajado y flaco deseábase volver a la Nueva España, sino que de empacho, porque no dijesen de él que había gastado gran cantidad de pesos de oro y no había topado tierras de provecho ni tenía ventura en cosa que pusiese la mano, y que eran maldiciones de los soldados; [182] y a este efecto no se fue. Y en aquel instante, como la marquesa doña Juana de Zúñiga, su mujer, no sabía ningunas nuevas de él, mas que había dado al través un navío en la costa de Jalisco, estaba muy penosa, creyendo no se hubiese muerto o perdido, y luego envió en su busca dos navíos, de los cuales el uno de ellos fue el en que había vuelto a la Nueva España Grijalva, que había ido con Becerra; y el otro navío era nuevo y le acabaron de labrar en Teguantepeque; los cuales dos navíos cargaron de bastimento lo que en aquella sazón pudieron haber. Y envió por capitán de ellos a un fulano de Ulloa; y escribió muy afectuosamente al marqués, su marido, con palabras y ruegos que luego se volviese a México a su Estado y marquesado, y que mirase los hijos e hijas que tenía, y dejase de porfiar más con la Fortuna y se contentase con los heroicos hechos y fama que en todas partes hay de su persona. Y asimismo le escribió el ilustrísimo virrey don Antonio de Mendoza, muy sabrosa y amorosamente, pidiéndole por merced que se volviese a la Nueva España. Los cuales dos navíos con buen viaje llegaron adonde Cortés estaba; y después que vio las cartas del virrey y los ruegos de su mujer, la marquesa, e hijos, dejó por capitán con la gente que allí tenía a Francisco de Ulloa, y todos los bastimentos que para él traía, y luego se embarcó y vino al puerto de Acapulco; y, tomando tierra, a buenas jornadas vino a Cuernavaca, donde estaba la marquesa, con lo cual hubo mucho placer, y todos los vecinos de México se holgaron de su venida, y aun el virrey y Audiencia Real, porque había fama que se decía en México que se querían alzar todos los caciques de la Nueva España viendo que no estaba en la tierra Cortés. Y además de esto, luego se vinieron todos los soldados y capitanes que había dejado en aquellas islas o bahía que llamaban la California. Y esto de su venida no sé de qué manera fue, o porque ellos de hecho se vinieron, o el virrey y la Audiencia Real les dio licencia para ello.

Y de allí a pocos meses, como Cortés estaba algo más reposado, envió otros dos navíos bien bastecidos, así de pan y carne como de buenos marineros, y sesenta soldados, y buenos pilotos, y fue en ellos por capitán Francisco de Ulloa, otras veces por mí nombrado, y que estos navíos que envió fue que la Audiencia Real de México se lo mandaba expresamente que los enviase para cumplir lo que había capitulado con

[182] Tachado en el original: *y conquistadores de la Nueva España.*

Su Majestad, según dicho tengo en los capítulos pasados que de ello hablan. Volvamos a nuestra relación. Y es que salieron del puerto de la Natividad por el mes de junio de mil quinientos treinta y tantos años, y esto de los años no me acuerdo; y le mandó Cortés al capitán que corriese la costa adelante y acabasen de bojar la California, y procurasen de buscar al capitán Diego Hurtado, que nunca más apareció. Y tardó en el viaje en ir y venir siete meses, y de que no hizo cosa que de contar sea, o se volvió al puerto de Jalisco. Y de ahí a pocos días, ya que Ulloa estaba en tierra descansando, un soldado de los que había llevado en su capitanía le aguardó en parte que le dio de estocadas, donde le mató.

Y en esto que he dicho paró los viajes y descubrimientos que el marqués hizo, y aun le oí decir muchas veces que había gastado en las armadas sobre trescientos mil pesos de oro. Y para que Su Majestad le pagase alguna cosa de ello, y sobre el contar de los vasallos, determinó ir a Castilla, y para demandar a Nuño de Guzmán cierta cantidad de pesos oro de los que la Real Audiencia le hubo sentenciado que pagase [183] de cuando le mandó vender sus bienes, porque en aquel tiempo Nuño de Guzmán fue preso a Castilla. Y si miramos en ello, en cosa ninguna tuvo ventura después que ganamos la Nueva España.

[183] Tachado en el original: *a Cortés.*

CAPÍTULO CCI

CÓMO EN MÉXICO SE HICIERON GRANDES FIESTAS Y BANQUETES Y ALEGRÍA DE LAS PACES DEL CRISTIANÍSIMO EMPERADOR NUESTRO SEÑOR, DE GLORIOSA MEMORIA, CON EL REY DON FRANCISCO DE FRANCIA, CUANDO LAS VISITAS DE SOBRE AGUAS MUERTAS

En el año de treinta y ocho vino nueva a México que el cristianísimo emperador nuestro señor, de gloriosa memoria, fue a Francia, y el rey de Francia, don Francisco, le hizo gran recibimiento en un puerto que se dice Aguas Muertas, donde se hicieron paces y se abrazaron los reyes con grande amor, estando presente madama Leonor, reina de Francia, mujer del mismo rey don Francisco y hermana del emperador de gloriosa memoria, nuestro señor, donde se hizo gran solemnidad y fiestas en aquellas paces. Y por honra y alegría de ellas, el virrey don Antonio de Mendoza, y el marqués del Valle, y la Real Audiencia, y ciertos caballeros conquistadores hicieron grandes fiestas. En esta sazón habían hecho amistades el marqués del Valle y el visorrey don Antonio de Mendoza, que estaban algo amordazados sobre el contar de los vasallos del marquesado y sobre que el virrey favoreció mucho a Nuño de Guzmán para que no pagase la cantidad de pesos de oro que debía a Cortés desde el tiempo que fue Nuño de Guzmán presidente en México.

Y acordaron de hacer grandes fiestas y regocijos; y fueron tales, que otras como ellas, a lo que a mí me parece, no las he visto hacer en Castilla, así de justas y juegos de cañas, y correr toros, y encontrarse unos caballeros con otros, y otros grandes disfraces que había en todo. Esto que he dicho no es nada para las muchas invenciones de otros juegos, como solían hacer en Roma cuando entraban triunfantes los cónsules y capitanes que habían vencido batallas, y los petafios y carteles que sobre cada cosa había. Y el inventor de hacer aquellas cosas fue un caballero romano que se decía Luis de León, persona que decían que era de linaje de los patricios, natural de Roma. Y volviendo a nuestra fiesta, amaneció hecho un bosque en la plaza mayor de México, con tanta diversidad de árboles, tan al natural como si allí hubieran nacido. Había en medio unos árboles como que estaban caídos de viejos y podridos, y otros llenos de moho, con unas yerbecitas que parece que nacían de ellos; y de otros árboles colgaban uno como vello; y otros de otra manera, tan perfectamente puesto, que era cosa de notar. Y dentro en el bosque había muchos venados, y conejos, y liebres, y zorros, y adives, y muchos géneros de alimañas chicas de las que hay en esta tierra, y dos leoncillos, y cuatro tigres pequeños, y teníanlos en corrales que hicieron en el mismo bosque que no podían salir hasta que fuese menester echarlos fuera para la caza, porque los indios naturales mexicanos son tan ingeniosos de hacer estas cosas, que en el universo, según han dicho muchas personas que han andado por el mundo, no han visto otros como ellos; porque encima de los árboles había tanta diversidad de aves pequeñas, de cuantas se crían en la Nueva España, que son tantas y de tantas raleas, que sería larga relación si las hubiese de contar. Y había otras arboledas muy espesas algo apartadas del bosque, y en cada una de ellas un escuadrón de salvajes con sus garrotes añudados y retuertos, y otros salvajes con arcos y flecha, y vanse a la caza, porque en aquel instante las soltaron de los corrales, y corren tras de ellas por el bosque, y salen a la plaza mayor, y, sobre matarlos, los unos salvajes con los otros revuelven una cuestión soberbia entre ellos, que fue harto de ver cómo batallaban a pie; y después que hubieron peleado un rato se volvieron a su arboleda. Dejemos esto, que no fue nada para la invención que hubo de jinetes y de negros y negras con su rey y reina, y todos a caballo, que eran más de cincuenta,[184] y de las grandes riquezas que traían sobre sí de oro y piedras ricas y aljófar y argentería; y luego van contra los salvajes, y tienen otra cuestión sobre la caza, que cosa era de ver la diversidad de rostros que llevaban las máscaras que traían, y cómo las negras daban de mamar a sus negritos, y cómo hacían fiestas a la reina.

Después de esto, amaneció otro día en mitad de la misma plaza mayor hecha la ciudad de Rodas con sus torres y almenas y troneras y cubos, y cavas y alrededor cercada, y tan al natural como es Rodas, y con cien comendadores con sus ricas encomiendas todas de oro y perlas, muchos de ellos a caballo a la jineta, con sus lanzas y adargas, y otros a la estradiota, para romper lanzas, y otros a pie con sus arcabuces, y por gran capitán general de ellos y gran maestre de Rodas era el marqués Cortés, y traían cuatro navíos con sus mástiles y trinquetes y mesanas y velas, y tan al natural, que se enlevaban de ello algunas personas de verlos ir a la vela por mitad de la plaza, y dar tres vueltas, y soltar tanta de la artillería que de los navíos tiraban; y venían allí unos indios al bordo vestido al parecer como frailes dominicos, que es como cuando vienen de Castilla, pelando unas gallinas, y otros frailes pescando. Dejemos los navíos y su artillería y trompetería, y quiero decir cómo estaban en una emboscada metidas dos capitanías de turcos muy al natural, a la turquesa, con riquísimos vestidos de seda y de carmesí y grana con mucho oro y ricas caperuzas, como ellos los traen en su tierra, y todos a caballo, y estaban en celada para hacer un salto y llevar ciertos pastores con sus ganados que pacían cabe una fuente, y el un pastor de los que los guardaban se huyó y dio aviso al gran maestre de Rodas. Ya que llevaban los turcos los ganados y pas-

184 Tachado en el original: *ciento y cincuenta.*

tores, salen los comendadores [185] y tienen una batalla entre los unos y los otros, que les quitaron la presa del ganado; y vienen otros escuadrones de turcos por otra parte sobre Rodas, y tienen otras batallas con los comendadores, y prendieron muchos de los turcos; y sobre esto, luego sueltan toros bravos para despartirlos.

Pues quiero decir las muchas señoras, mujeres de conquistadores y otros vecinos de México, que estaban a las ventanas de la gran plaza, y de las riquezas que sobre sí tenían de carmesí y sedas y damascos y oro y plata y pedrería, que era cosa riquísima; a otros corredores estaban otras damas muy ricamente ataviadas, que las servían galanes. Pues las grandes colaciones que se daban a todas aquellas señoras, así a las de las ventanas como a las que estaban en los corredores, y les sirvieron de mazapanes, alcorzas de acitrón, almendras y confites, y otras de mazapanes con las armas del marqués, y otras con las armas del virrey, y todas doradas y plateadas, y entre algunas iban con mucho oro, sin otra manera de conservas; pues frutas de la tierra no las escribo aquí porque es cosa espaciosa para acabarla de relatar; y de más de esto, vinos los mejores que se pudieron haber; pues aloja y clarea y cacao con su espuma, y suplicaciones, y todo servido con ricas vajillas de oro y plata, y duró este servicio desde una hora después de vísperas y después otras dos horas la noche los despartió, que cada uno se fue a su casa.

Dejemos de contar estas colaciones y las invenciones y fiestas pasadas y diré de dos solemnísimos banquetes que se hicieron. El uno hizo el marqués en sus palacios, y otro hizo el virrey en los suyos y casas reales, y éstos fueron cenas. Y la primera hizo el marqués, y cenó en ella el virrey con todos los caballeros y conquistadores de quien se tenía cuenta con ellos, y con todas las señoras, mujeres de los caballeros y conquistadores, y de otras damas, y se hizo muy solemnísimamente. Y no quiero poner aquí por memoria de todos los servicios que se dieron, porque será gran relación; basta que diga que se hizo muy copiosamente. Y la otra cena que hizo el virrey,[186] la cual fiesta hizo en los corredores de las casas reales, hechos unos como vergeles y jardines entretejidos por arriba de muchos árboles con sus frutas, al parecer, que nacían de ellos; encima de los árboles muchos pajaritos de cuantos se pudieron haber en la tierra, y tenían hecha la fuente de Chapultepec, y tan al natural como ella es, con unos manaderos chicos de agua que reventaban por algunas partes de la misma fuente, y allí cabe ella estaba un gran tigre atado con unas cadenas, y a otra parte de la fuente estaba un bulto de hombre de gran cuerpo vestido como arriero con dos cueros de vino, cabe los que se durmió de cansado, y otros bultos de cuatro indios que le desataban el un cuero y se emborrachaban, y parecía que estaban bebiendo y haciendo gestos, y estaba hecho todo tan al natural, que venían muchas personas de todas jaeces con sus mujeres a verlo.

Pues ya puestas las mesas, había dos cabeceras muy largas, y en cada una su cabecera: en la una estaba el marqués y en la otra el virrey, y para cada cabecera sus maestresalas y pajes y grandes servicios con mucho concierto. Quiero decir lo que se sirvió. Aunque no vaya aquí escrito por entero, diré lo que se me acordase, porque yo fui uno de los que cenaron en aquellas grandes fiestas. Al principio fueron unas ensaladas hechas de dos o tres maneras, y luego cabritos y perniles de tocino asado a la ginovisca; tras esto pasteles de codornices y palomas, y luego gallos de papada y gallinas

[185] Tachado en el original: *y por capitán dellos el marqués del Valle, rey dellos.*

[186] Tachado en el original: *fueron diferenciados los muchos manjares.*

rellenas; luego manjar blanco; tras esto pepitoria; luego torta real; luego, pollos y perdices de la tierra y codornices en escabeche, y luego alzan aquellos manteles dos veces y quedan otros limpios con sus pañizuelos; luego traen empanadas de todo género de aves y de caza; éstas no se comieron, ni aun de muchas cosas del servicio pasado; luego sirven de otras empanadas de pescado; tampoco se comió cosa de ello; luego traen carnero cocido, y vaca y puerco, y nabos y coles, y garbanzos; tampoco se comió cosa ninguna; y entre medio de estos manjares ponen en las mesas frutas diferenciadas para tomar gusto, y luego traen gallinas de la tierra cocidas enteras, con picos y pies plateados; tras esto anadones y ansarones enteros con los picos dorados, y luego cabezas de puercos y de venados y de terneras enteras, por grandeza, y con ello grandes músicas de cantares a cada cabecera, y la trompetería y géneros de instrumentos, arpas, vihuelas, flautas, dulzainas, chirimías, en especial cuando los maestresalas servían las tazas que traían a las señoras que allí estaban y cenaron, que fueron muchas más que no fueron a la cena del marqués, y muchas copas doradas, unas con aloja, otras con vino y otras con agua, otras con cacao y con clarete; y tras esto sirvieron a otras señoras más insignes empanadas muy grandes, y en algunas de ellas venían dos conejos vivos, y en otras conejos vivos chicos, y otras llenas de codornices y palomas y otros pajaritos vivos; y cuando se las pusieron fue en una sazón y a un tiempo; y después les quitaron los cobertores, los conejos se fueron huyendo sobre las mesas y las codornices y pájaros volaron. Aún no he dicho del servicio de aceitunas y rábanos y queso y cardos,[187] y fruta de la tierra; no hay que decir sino que toda la mesa estaba llena de servicio de ello. Entre estas cosas había truhanes y decidores que decían en loor de Cortés y del virrey cosas muy de reír.[188] Y aún no he dicho las fuentes del vino blanco, hecho de indios, y tinto que ponían.[189] Pues había en los patios otros servicios para gentes y mozos de espuelas y criados de todos los caballeros que cenaban arriba en aquel banquete, que pasaron de trescientos y más de doscientas señoras. Pues aún se me olvidaba los novillos asados enteros llenos de dentro de pollos y gallinas y codornices y palomas y tocino. Esto fue en el patio abajo entre los mozos de espuelas y mulatos y indios. Y digo que duró este banquete desde que anocheció hasta dos horas después de medianoche, que las señoras daban voces que no podían estar más a las mesas, y otras se congojaban, y por fuerza alzaron los manteles, que otras cosas había que servir. Y todo esto se sirvió con oro y plata y grandes vajillas muy ricas.

Una cosa vi: que con estar cada sala llena de españoles que no eran convidados, y eran tantos que no cabían en los corredores, que vinieron a ver la cena y banquete, y no faltó en toda aquella cena del virrey plata ninguna, y en la del marqués faltaron más de cien marcos de plata; y la causa que no faltó en la del virrey fue porque el mayordomo mayor, que se decía Agustín Guerrero, mandó a los caciques mexicanos que para cada pieza pusiesen un indio de guarda, y aunque se enviaban a todas las casas de México muchos platos y escudillas con manjar blanco y pasteles y empanadas y otras cosas de arte, iba con cada pieza de plata un indio y lo traía; lo que faltó fue saleros de plata,

[187] Tachado en el original: y *luego mazapanes y almendras y confites y de acitrón y otros géneros de cosas de azúcar.*

[188] Tachado en el original: y *aun algunos de ellos borrachos, que decían lo suyo y lo ajeno, hasta que los tomaron por fuerza y los llevaron de allí porque callasen.*

[189] Tachado en el original: *salvo, como había muchos borrachos, dieron en ellas en el suelo y las descompusieron, que no pudo más salirse vino dellas.*

muchos manteles y pañizuelos y cuchillos, y esto el mismo Agustín Guerrero me lo dijo otro día; y también contaba el marqués por grandeza que le faltaba sobre cien marcos de plata.

Dejemos las cenas y banquetes, y diré que para otro día hubo toros y juegos de cañas, y dieron al marqués un cañazo en un empeine del pie, de que estuvo malo y cojeaba; y para otro día corrieron caballos desde una plaza que llaman el Tatelulco hasta la plaza mayor, y dieron ciertas varas de terciopelo y raso para el caballo que más corriese y primero llegase a la plaza; y asimismo corrieron unas mujeres desde debajo de los portales del tesorero Alonso de Estrada hasta las casas reales, y se le dio ciertas joyas de oro a la que más presto llegó al puesto; e hicieron muchas farsas, y fueron tantas, que ya no se me acuerda, y de noche hicieron disfraces, y porque de estas grandes fiestas hubo dos coronistas que lo escribieron según y de la manera que pasó, quiénes fueron los capitanes y gran maestre de Rodas, y aun lo enviaron a Castilla para que en el Real Consejo de Indias se viese, porque Su Majestad en aquella sazón estaba en Flandes. Y quiero poner una cosa de donaire, y es que un vecino de México que se dice el maestre de Roa, ya hombre viejo, tiene un gran lobanillo en el pescuezo y era su cuerpo cuatro palmos, como tiene nombre de maestre de Roa le nombraron adrede maese de Rodas, porque este comisario fue al que el marqués hubo enviado a llamar a Castilla para que le curase el brazo derecho, que tenía quebrado de una caída de un caballo después que vino de Honduras, y porque viniese a curarle el brazo se lo pagó muy bien y le dio unos pueblos de indios; y cuando se acabaron de hacer las fiestas que dicho tengo, como tuvo nombre de maestre de Rodas fue uno de los coronistas, y tenía buena plática; fue a Castilla en aquella sazón y tuvo tal conocimiento con la señora doña María de Mendoza, mujer del comendador mayor, de un don Francisco de los Cobos, que la convocó y la prometió de darle cosas con que pariese, y de tal manera se lo decía, que le creyó, y la señora doña María le dijo que si paría que le daría dos mil ducados y le favorecería en el Real Consejo de Indias para haber otros pueblos de indios, y asimismo le prometió el mismo maestre de Rodas al cardenal de Sigüenza, que era presidente de Indias, que le sanaría de la gota, y el presidente se lo creyó, y luego le proveyeron, por mandado del cardenal y por favor de la señora doña María de Mendoza, de muy buenos indios, mejores que los que tenía, y lo que hizo en las curas fue que ni sanó al marqués de su brazo, antes se le quedó más manco, puesto que se lo pagó muy bien y le dio los indios por mí memorados, ni la señora doña María de Mendoza nunca parió, por más letuarios calientes de zarzaparrilla que la mandó comer, ni el cardenal sanó de su gota; y quedóse con las barras de oro que le dio Cortés y con los indios que le hubo dado el Real Consejo de Indias y volvióse a la Nueva España, pero con burlas; y dejó en Castilla entre los negociantes que habían a pleitos [190] unos chistes que el maestre de Roa, que por sólo el nombre que le pusieron, maestre de Rodas, y ser plático, les fue a engañar, así al presidente como a la señora doña María de Mendoza; y otros conquistadores, con cuanto sirvieron a Su Majestad, no recaudaron nada, y que valía más un poco de zarzaparrilla que llevó que cuantos servicios hicimos los verdaderos conquistadores a Su Majestad.

Dejemos de contar vidas ajenas, que bien sé que tendrán razón de decir que para qué me meto en estas cosas, que por contar una antigüedad y cosa de memoria acaecida dejo mi relación; volvamos a ella. Y es que después que se acabaron de hacer las fiestas mandó el mar-

[190] Tachado en el original: *de indios.*

qués apercibir navíos y matalotaje para ir a Castilla para suplicar a Su Majestad que le mandase pagar algunos pesos de oro de los muchos que había gastado en las armadas que envió a descubrir y porque tenía pleitos con Nuño de Guzmán, y en aquella sazón le envió a Nuño de Guzmán la Audiencia Real preso a España, y también tenía pleitos sobre el contar de los vasallos; y entonces me rogó a mí que fuese con él y que en la corte demandaría mejor mis pueblos ante los señores del Real Consejo de Indias que no en la Audiencia Real de México, y luego me embarqué y fui a Castilla; y el marqués no fue de ahí a dos meses, porque dijo que no tenía allegado tanto oro como quisiera llevar y porque estaba malo del empeine del pie, del cañazo que le dieron, y esto fue en el año de quinientos cuarenta; y porque el año pasado de quinientos treinta y nueve se había muerto la serenísima emperatriz, nuestra señora, doña Isabel, de gloriosa memoria, la cual falleció en Toledo en primero día de mayo, y fue llevada a sepultar su cuerpo a la ciudad de Granada, y por su muerte se hizo gran sentimiento en la Nueva España y se pusieron todos los más conquistadores grandes lutos, y yo, como regidor de la villa de Guazacualco y conquistador más antiguo, me puse grandes lutos, y con ellos fui a Castilla, y llegado a la corte me los torné a poner como era obligado por la muerte de nuestra reina y señora; y en aquel tiempo llegó a la corte Hernando Pizarro, que vino del Perú, y fue cargado de luto con más de cuarenta hombres que llevaba consigo que le acompañaban; y también en esta sazón llegó Cortés a la corte, con luto él y sus criados.

Y los señores del Real Consejo de Indias, de que supieron que Cortés llegaba cerca de Madrid, le mandaron salir a recibir y le señalaron por posada las casas del comendador don Juan de Castilla, y cuando algunas veces iba al Real Consejo de Indias salía un oidor hasta una puerta donde hacían el acuerdo del Real Consejo y le llevaba bajo los estrados donde estaba el presidente, don fray García de Loaisa, cardenal de Sigüenza, y después fue arzobispo de Sevilla, y oidores licenciado Gutierre Velázquez, y el obispo de Lugo, y el doctor Juan Bernal Díaz de Luco, y el doctor Beltrán, y un poco junto de las sillas de aquellos caballeros le ponían a Cortés otra silla; y desde entonces nunca más volvió a la Nueva España, porque entonces le tomaron residencia y Su Majestad no le quiso dar licencia para que volviese a la Nueva España, puesto que echó por intercesores al almirante de Castilla, y al duque de Béjar, y al comendador mayor de León, y aun también echó por intercesora a la señora doña María de Mendoza, y nunca le quiso dar licencia Su Majestad, antes mandó que le detuviesen hasta acabar de dar la residencia, y nunca la quisieron concluir, y la respuesta que le daban en el Real Consejo de Indias, que hasta que Su Majestad viniese de Flandes de hacer el castigo de Gante que no podían darle licencia.

Y también en aquella sazón a Nuño de Guzmán le mandaron desterrar de su tierra, y que siempre anduviese en la corte, y le sentenciaron en cierta cantidad de pesos de oro, mas no le quitaron los indios de su encomienda de Jalisco; y también andaba él y sus criados cargados de luto. Y como en la corte nos veían así al marqués Cortés, como a Pizarro y a Nuño de Guzmán y todos los que venimos de la Nueva España a negocios, y otras personas del Perú, tenía por chiste de llamarnos los indianos peruleros enlutados.

Volvamos a nuestra relación. Que también en aquel tiempo a Hernando Pizarro le mandaron echar preso en la Mota de Medina. Y entonces me vine yo a la Nueva España y supe que había pocos meses que se habían alzado en las provincias de Jalisco unos peñoles que se llaman Nochistlán, y que el virrey don Antonio de Mendoza los envió a pacificar a ciertos capitanes y a un Oñate, y los indios alzados daban grandes combates a los españoles y soldados que de México enviaron; y viéndose cercados de los indios enviaron a demandar socorro al adelantado don Pedro de Alvarado, que en aquella sazón estaba en unos navíos de una gran armada que hizo para la China, en el puerto de la Purificación; y fue a favorecer a los españoles que estaban sobre los peñoles por mí ya nombrados, y llevó gran copia de soldados; y de allí a pocos días murió, de un caballo que le tomó debajo y le machucó el cuerpo, como adelante diré. Y quiero dejar esta plática y traer a la memoria de dos armadas que salieron de la Nueva España: la una era la que hizo el virrey don Antonio de Mendoza, y la otra fue la que hizo don Pedro de Alvarado, según dicho tengo.

CAPÍTULO CCII

CÓMO EL VIRREY DON ANTONIO DE MENDOZA ENVIÓ TRES NAVÍOS A DESCUBRIR POR LA BANDA DEL SUR EN BUSCA DE FRANCISCO VÁZQUEZ CORONADO, Y LE ENVIÓ BASTIMENTOS Y SOLDADOS CREYENDO QUE ESTABA EN LA CONQUISTA DE CÍBOLA

YA HE DICHO en el capítulo pasado que de ello habla que el virrey don Antonio de Mendoza y la Real Audiencia de México enviaron a descubrir las Siete Ciudades, que por otro nombre se llama Cíbola, y fue por capitán general un hidalgo que se decía Francisco Vázquez Coronado, natural de Salamanca, que en aquella sazón se había casado con una señora que, demás de ser muy virtuosa, era hermosa, hija del tesorero Alonso de Estrada; y en aquel tiempo estaba Francisco Vázquez por gobernador de Jalisco, porque a Nuño de Guzmán, que solía estar por gobernador, ya lo habían quitado. Pues partido por tierra con muchos soldados de caballo y escopeteros y ballesteros, y había dejado por su teniente en lo de Jalisco a un hidalgo que se decía fulano de Oñate, y después de ciertos meses que hubo llegado a las Siete Ciudades, pareció ser que un fraile francisco que se dice fray Marcos de Niza había ido de antes a descubrir aquellas tierras, o fue en aquel viaje con el mismo Francisco Vázquez Coronado, que esto no lo sé bien, y después que llegaron a las tierras de la Cíbola y vieron los campos tan llanos y llenos de vacas y toros disformes [distintos] de los nuestros de Castilla, y los pueblos y casas con sobrados, y subían por escaleras, pareciole al fraile que sería bien volver a la Nueva España, como luego vino, para dar relación al virrey don Antonio de Mendoza que enviase navíos por la costa del sur, con herraje y tiros y pólvora y ballestas y armas de todas maneras, y vino y aceite y bizcocho, porque le hizo relación que las tierras de Cíbola, que está en la comarca de la costa del sur, y que con los bastimentos y herraje serían ayudados Francisco Vázquez y sus compañeros, que ya quedaban en aquella tierra, y a esta causa envió los tres navíos que dicho tengo, y fue por capitán general un Hernando de Alarcón, maestresala que fue del mismo virrey, y asimismo fue por capitán de otro navío un hidalgo que se dice [191] Marcos Ruiz de Rojas, natural de Madrid.

[191] Tachado en el original: *Al. Gasca de Herrera, vecino que agora es de Guatimala.*

Otras personas dijeron que había ido por capitán del otro navío un fulano Maldonado; y porque yo no fui en aquella armada, mas de por oídas lo digo de esta manera. Pues dadas todas las instrucciones a los pilotos y capitanes de lo que habían de hacer, y cómo se habían de regir y navegar, se hicieron a la vela para su viaje.[192]

CAPÍTULO CCIII

DE UNA ARMADA QUE HIZO EL ADELANTADO DON PEDRO DE ALVARADO DESDE UN PUERTO QUE SE LLAMA ACAJUTLA EN LA PROVINCIA DE GUATEMALA

RAZÓN ES QUE se traiga a la memoria y no quede por olvido otra armada que hizo el adelantado don Pedro de Alvarado en el año de mil quinientos treinta y siete en la provincia de Guatemala, donde era

---

[192] Tiene el original un espacio en blanco, y esta nota: "No se ha de leer esto que va borrado, de esotra parte, hasta el capítulo duzientos y cincuenta y tres *(sic)*. Lo tachado en una y otra parte es el siguiente borrador, al cual falta un folio:

"*CAPÍTULO CCLII. De una muy grande armada que hizo el adelantado don Pedro de Alvarado en año de quinientos y treinta y siete.*

Razón es que se traiga a la memoria y no quede por olvido una buena armada que el adelantado don Pedro de Alvarado hizo en el año de mill e quinientos y treinta y siete en la provincia de Guatimala, donde era gobernador, y en un puerto que se dice Acaxutla, en la banda del sur, y fue para cumplir cierta capitulación que ante Su Majestad hizo la segunda vez que volvió a Castilla y vino casado con una señora que se decía doña Beatriz de la Cueva; y fue el concierto que se capituló con Su Majestad que el adelantado pusiese ciertos navíos y pilotos y marineros y soldados y bastimentos y todo lo que hubiese menester a su costa para enviar a descubrir por la vía del poniente a la China o Malucos, y otras cualesquier islas de la Especería; y para lo que descubriese, Su Majestad le prometió en las mismas tierras que le haría ciertas mercedes y daría renta en ellas; y porque yo no he visto lo capitulado, me remito a ello, y por esta causa lo dejo de poner en esta relación. Y volviendo a nuestra materia, y es que como siempre el adelantado fue muy servidor de Su Majestad, lo cual se pareció en las conquistas de la Nueva... muy noble y muy leal ciudad de Guatimala, dos sepulcros junto al altar de la santa iglesia mayor para traer los huesos del adelantado don Pedro de Alvarado questán enterrados en el pueblo de Chiribitio y enterrallos en el un sepulcro, y en el otro sepulcro es para que después que Dios Nuestro Señor sea servido llevar desta presente vida a don Francisco de la Cueva y a doña Leonor de Alvarado, su mujer, e hija del mismo adelantado, enterrarse en ellos, porque a su costa trae los huesos de su padre; y mandaron hacer el sepulcro en la santa iglesia, como dicho tengo. Dejemos esta materia y volveré a decir lo que sucedió en la armada del adelantado, y es que después que murió, como dicho tengo, de allí a un año, poco más o menos tiempo, el virrey don Antonio de Mendoza mandó que tomasen ciertos navíos, los mejores y más nuevos de los trece que enviaba el adelantado a descubrir la China por la banda del poniente, e envió por capitán de los navíos a un su deudo que se decía fulano de Villalobos, y que se fuese la mesma derrota que tenía concertado de enviar a descubrir. Y en lo que paró este viaje yo no lo sé bien, y a esta causa no doy más relación dello; y también he oído decir que nunca los herederos del adelantado cobraron cosa ninguna, así de navíos como de bastimentos, sino que todo se perdió. Dejemos esta materia, pues no me hallé en ello, no lo sé bien; otros caballeros lo dirán más por extenso."

gobernador, en un puerto que se dice Acajutla, en la banda de la Mar del Sur, y fue para cumplir ciertas capitulaciones que con Su Majestad hizo la segunda vez que volvió a Castilla y vino casado con una señora que se decía doña Beatriz de la Cueva, hermana que fue de una doña Francisca de la Cueva, hermosa en extremo, primera mujer que fue de don Pedro de Alvarado, que falleció en la Veracruz, de la Nueva España; y fue el concierto que se capituló con Su Majestad que don Pedro de Alvarado pusiese ciertos navíos y pilotos y marineros y soldados y bastimentos y todo lo que se hubiese menester para aquella armada a su costa, y se profirió que había de enviar a descubrir por la banda del poniente a la China y Malucos u otras cualesquier islas de la Especería, y para lo que descubriese Su Majestad le prometió que en las mismas tierras le haría ciertas mercedes; y porque yo no he visto lo capitulado, me remito a ello, y por esta causa no lo declaro en esta relación.

Y volviendo a esta mi relación, puso en la Mar del Sur trece navíos de buen porte, bien abastecidos de pan y carne y pipas de agua y todas las cosas que en aquel tiempo pudieron haber, y bien artillados y con buenos pilotos y marineros, pues para ser tan pujante armada, y estando tan apartados del puerto de la Veracruz, que son más de ciento cincuenta leguas hasta donde se labraron los navíos, porque en aquella sazón de la Veracruz se trajo el hierro para la clavazón, y anclas y pipas y lo demás necesario para aquella flota, porque en aquel tiempo aún no se trataba en Puerto de Caballos, gastó en ellos muchos millares de pesos de oro, que [con ellos] en Sevilla se pudieran labrar más de ochenta navíos, que no le bastó la riqueza que trajo del Perú, ni el oro que le sacaban de las minas en la provincia de Guatemala, ni los tributos de sus pueblos, ni lo que le prestaron sus deudos y amigos y lo que tomó fiado de mercaderes; pues lo que gastó en caballos y capitanes y soldados y arcabuces y ballestas y todo género de armas fue gran suma de pesos de oro.

Pues ya puesto a punto sus naos para navegar y en cada una sus estandartes reales, y señalados pilotos y capitanes y las instrucciones de lo que habían de hacer así de noche como de día, y derrotas que habían de llevar, y las señas de los faroles para si de noche hubiese alguna tormenta, y después de oído misa del Espíritu Santo y bendecidas sus banderas de un obispo de aquella provincia, y el mismo adelantado por capitán general de la armada, dan velas en el año de mil quinientos treinta y siete o treinta y ocho años, que esto no se me acuerda bien, y fue navegando por su derrota hasta el puerto que llaman de la Purificación, que es en la provincia de Jalisco, y en aquel puerto había de tomar agua y bastimentos y más soldados, puesto que llevaba ya en los navíos sobre quinientos cincuenta soldados. Pues como lo supo el virrey don Antonio de Mendoza de esta tan pujante armada, que para en estas partes se puede decir muy grande, y de los muchos soldados y caballos que llevaba y artillería, túvolo por muy gran cosa, como es razón de tener, de cómo pudo juntar y armar trece navíos en la costa del sur, y que se le pudiesen allegar tantos soldados estando tan apartado del puerto de la Veracruz y de México, porque, como memorado tengo, no venían navíos de Castilla con mercadurías a Puerto de Caballos, como ahora vienen, y es cosa de pensar en ello a las personas que tienen noticia de estas tierras y saben los gastos que se hacen. Pues como el virrey don Antonio de Mendoza supo y se informó que era para descubrir la China, y alcanzó a saber de pilotos y cosmógrafos que se podía descubrir muy bien por el poniente, y se lo certificó un deudo suyo que se decía Villalobos, que sabía mucho de alturas y del arte de navegación, y también porque alcanzó a saber que había enviado tres navíos a descubrir las mismas islas el valeroso don Hernando Cortés antes que fuese a Castilla ni fuese marqués, acordó de escribir de México a don Pedro de Alvarado con ofertas y buenos prometimientos para que se diese orden en que la armada hiciese compañía con él, y para efectuarlo fueron a hacer el concierto don Luis de Castilla y un mayordomo del virrey que se decía Agustín Guerrero; y desde que el adelantado vio los recaudos que llevaban para ello, y bien platicado sobre el negocio, se concertó que se viesen el virrey y el adelantado en un pueblo que se dice Chiribitio,[193] que es en la provincia de Michoacán, que era de la encomienda de un Juan de Alvarado, deudo del mismo don Pedro de Alvarado, y en el mismo pueblo se concluyó que fuesen entrambos a dos a ver la armada, y después que la hubieron visto, sobre enviar quién iría por capitán general de ella tuvieron diferencias, porque don Pedro quería que fuese un su sobrino que se decía Juan de Alvarado, no lo digo por el de Chiribitio, sino por otro que tenía el mismo nombre, y el virrey don Antonio de Mendoza quería que fuese su deudo, que era gran cosmógrafo, que se decía Villalobos, y todavía se concertó que fuesen Alvarado y Villalobos por capitanes. Y luego don Pedro de Alvarado fue al puerto de la Navidad, que así se nombra, donde en aquella sazón estaban todos sus navíos y soldados, para que por su mano fuesen despachados.

Y ya que estaban para hacerse a la vela le vino una carta que le envió un Cristóbal de Oñate, que estaba por capitán de ciertos soldados en unos peñoles que llaman de Nochistlán, y lo que le envió a decir que, pues es servicio de Su Majestad, que le vaya a socorrer con su persona, y soldados, porque está cercado en partes que si no son socorridos no se podrá defender de muchos escuadrones de indios guerreros y demasiadamente esforzados que están en muy grandes fuerzas y peñoles, y que le han muerto muchos españoles de los que estaban en su compañía, y se temía en gran manera no le acabasen de desbaratar, y le significó en la carta otras muchas lástimas, y que a salir los indios de aquellos peñoles victoriosos, la Nueva España estaba en gran peligro. Y como don Pedro de Alvarado vio la carta y las palabras por mí memoradas, y otros españoles le dijeron el peligro que estaban, luego, sin más dilación, mandó apercibir ciertos soldados que llevó en su compañía, así de [a] caballo como arcabuceros y ballesteros, y fue en posta a hacer aquel socorro; y cuando llegó al real estaban tan afligidos los cercados, que si no fuera por su ida estuvieran mucho más, y con su llegada aflojaron algo los indios guerreros de dar combate, mas no para que dejasen de dar muy bravosa guerra como de antes andaban.

Y estando una capitanía de soldados sobre unos peñoles para que no les entrasen por allí los guerreros, defendiendo aquel paso, parece ser que a uno de los soldados se le derriscó el caballo y vino rodando por el peñol abajo con tan gran furia y saltos por donde don Pedro de Alvarado estaba que no se pudo ni tuvo tiempo de apartarse a cabo ninguno, sino que el caballo le encontró de arte que le trató mal, y le magulló el cuerpo, porque le tomó debajo; y luego se sintió muy malo, y para guarecerle y curarle, creyendo no fuera tanto su mal, le llevaron en andas a curar a una villa, la más cercana del real, que se dice La Purificación; y en el camino se pasmó, y llegado a la villa luego se confesó y recibió los Santos Sacramentos, mas no hizo testamento, y falleció, y allí le enterraron con la mayor pompa que pudieron. Dejemos de hablar de su muerte; perdónele Dios, amén. Volvamos a decir que se vio en muy grande aprieto Cristóbal de Oñate en aquellos peñoles, que estuvo en punto de ser

[193] Tiripitío, en Michoacán.

desbaratado si de presto no enviara el virrey al licenciado Maldonado, oidor de la Real Audiencia de México, con muchos soldados.

Dejemos de hablar de esto, y digamos qué hizo y en qué paró la armada. Y es que como vieron los de la armada que su capitán era fallecido, cada uno tiró por su cabo, y de allí a un año, el virrey don Antonio de Mendoza mandó que tomasen tres navíos de los mejores y más nuevos de los trece que enviaba el adelantado a descubrir, y envió por capitán de ellos a un su deudo, ya por mí memorado, que se decía fulano de Villalobos, y que llevase la misma derrota que tenían concertado de enviar a descubrir. Y lo que pasó en este viaje yo no lo sé bien, mas de oír decir, y se tiene por cierto que fue a ciertas islas adonde había capitanes del rey de Portugal que trataban en ellas, y que le prendieron y fue a Castilla, y asimismo fue cuando el valeroso don Hernando Cortés envió por capitán de otros tres navíos a un capitán que se decía Alvaro de Sayavedra Zerón, por manera que todo lo más que gastó el adelantado se perdió, que nunca cobraron nada sus herederos.

CAPÍTULO CCIV

DE LO QUE EL MARQUÉS HIZO DESPUÉS QUE ESTUVO EN CASTILLA

Como Su Majestad volvió a Castilla de hacer el castigo de Gante, e hizo la grande armada para ir sobre Argel, lo fue a servir en ella el marqués del Valle, y llevó en su compañía a su hijo el mayorazgo, el que heredó el estado; llevó también a don Martín Cortés, el que hubo con doña Marina, y llevó muchos escuderos y criados y caballos y gran compañía y servicio, y se embarcó en una buena galera en compañía de don Enrique Enríquez; y como Dios fue servido hubiese tan recia tormenta que se perdió mucha parte de la real armada, también dio al través la galera en que iba Cortés y sus hijos, los cuales escaparon, y todos los más caballeros que en ella iban, con gran riesgo de sus personas; y en aquel instante como no hay tanto acuerdo como debería haber, especialmente viendo la muerte al ojo, dijeron los criados de Cortés que le vieron que se ató en unos paños revueltos al brazo ciertas joyas de piedras muy riquísimas que llevó como gran señor, y con la revuelta de salir en salvo de la galera y con la mucha multitud de gentes que había se le perdieron todas las joyas y piedras que llevaba, que, a lo que decían, valían muchos pesos de oro.

Y volveré a decir de la gran tormenta y pérdida de caballeros y soldados que se perdieron. Aconsejaron a Su Majestad los maestres de campo y los capitanes que erán del real consejo de guerra que luego sin más dilatar alzase el real de sobre Argel y se fuese por tierra por Bujía, pues que veían que Nuestro Señor Dios fue servido darles aquel tiempo contrario, y no se podía hacer más de lo hecho, en el cual acuerdo y consejo no llamaron a Cortés para que diese su parecer; y de que lo supo, dijo que, si Su Majestad fuese servido, que él entendería, con la ayuda de Dios y con la buenaventura de nuestro césar, que con los soldados que estaban en el campo de tomar Argel, y también dijo a vueltas de estas palabras mucho loores de sus capitanes y compañeros que nos hallamos con él en la toma y conquista de México, diciendo que fueron para sufrir hambres y trabajos y tormentas, y que dondequiera que llegábamos y que llamase hacía con ellos heroicos hechos, y que heridos, sangrantes y entrapajados no dejaban de pelear y tomar cualquier ciudad y fortaleza, y aunque sobre ello aventurasen a perder las vidas. Y como muchos caballeros le oyeron aquellas bravosas palabras, dijeron a Su Majestad que fuera bien haberle llamado a consejo de la guerra, y que se tuvo a un gran descuido no haberle llamado, y otros caballeros dijeron que si no fue llamado fue porque sentían en el marqués que sería de contrario parecer, y que en aquel tiempo de tanta tormenta no daba lugar a muchos consejeros, salvo que Su Majestad y los demás de la real armada se pusiesen en salvo, porque estaban en muy gran peligro, y que el tiempo andando, con la ayuda de Dios, volverían a poner cerco a Argel, y así se fueron por Bujía.

Dejemos esta materia, y diré cómo volvieron a Castilla de aquella trabajosa jornada; y cómo el marqués estaba ya muy cansado, así de estar en Castilla en la corte y haber venido por Bujía, deshecho y quebrantado del viaje, ya por mí dicho, deseaba en gran manera volverse a la Nueva España si le dieran licencia, y como había enviado a México por su hija mayor, que se decía doña María Cortés, que tenía concertado de casarla con don Álvaro Pérez Osorio, hijo del marqués de Astorga y heredero del marquesado, y le había prometido sobre cien mil ducados de oro en casamiento y otras muchas cosas de vestidos y joyas, vino a recibirla a Sevilla, y este casamiento se desconcertó, según dijeron muchos caballeros, por culpa de don Álvaro Pérez Osorio, de lo cual el marqués recibió tan grande enojo, que de calenturas y cámaras que tuvo recias estuvo muy al cabo, y andando con su dolencia, que siempre iba empeorando, acordó de salirse de Sevilla por quitarse de muchas personas que le visitaban y le importunaban en negocios, y se fue a Castilleja de la Cuesta, para allí entender en su ánima y ordenar su testamento; y después que lo hubo ordenado como convenía y haber recibido los Santos Sacramentos, fue Nuestro Señor servido llevarle de esta trabajosa vida, y murió en dos días del mes de diciembre de mil quinientos cuarenta y siete años. Y llevóse su cuerpo a enterrar con gran pompa y mucha clerecía y gran sentimiento de muchos caballeros de Sevilla, y fue enterrado en la capilla de los duques de Medina Sidonia; y después fueron traídos sus huesos a la Nueva España, y están en un sepulcro en Coyacán o en Texcoco, esto no lo sé bien, porque así lo mandó en su testamento.

Quiero decir la edad que tenía; a lo que a mí se me acuerda, lo declararé por esta cuenta: en el año que pasamos con Cortés desde Cuba a la Nueva España fue el de quinientos diez y nueve, y entonces solía decir, estando en conversación de todos nosotros los compañeros que con él pasamos, que había treinta y cuatro, y veintiocho que habían pasado hasta que murió, que son sesenta y dos. Y las hijas e hijos que dejó legítimos fue don Martín Cortés, marqués que ahora es; y a doña María Cortés, la que he dicho que estaba concertada en el casamiento con don Álvaro Pérez Osorio, heredero del marquesado de Astorga, que después casó esta doña María con el conde de Luna de León; y a doña Juana, que casó con don Hernando Enríquez, que ha de heredar el marquesado de Tarifa; y a doña Catalina de Arellano, que murió en Sevilla doncella; mas sé que las llevó la señora marquesa doña Juana de Zúñiga a Castilla cuando vino por ellas un fraile [194] que se

[194] Tachado en el original: *de Santo Domingo.*

dice fray Antonio de Zúñiga, el cual fraile era hermano de la misma marquesa; y también se casó otra señora doncella que estaba en México que se decía doña Leonor Cortés con un Juanes de Tolosa, vizcaíno, persona muy rica, que tenía sobre cien mil pesos y unas minas, del cual casamiento hubo mucho enojo el marqués cuando vino a la Nueva España; y dejó dos hijos varones bastardos que se decían don Martín Cortés, comendador de Santiago; este caballero hubo en doña Marina, la lengua; y a don Luis Cortés, que también fue comendador de Santiago, que hubo en otra señora que se decía doña fulana de Hermosilla; y hubo otras tres hijas, la una hubo en una india de Cuba que se decía doña fulana Pizarro, y la otra con otra india mexicana, y otra que nació contrahecha, que hubo en otra mexicana, y sé que estas señoras doncellas tenían buen dote, porque desde niñas les dio buenos indios, que fueron unos pueblos que se dicen Chinanta.

Y en el testamento y mandas que hizo, yo no lo sé bien, mas tengo en mí que como sabio y tuvo mucho tiempo para ello, y porque era viejo, que lo haría con mucha cordura y mandaría descargar su conciencia; y mandó que hiciesen un hospital y un colegio en México; y también mandó que en una su villa que se dice Coyoacán, que está obra de dos leguas de México, que se hiciese un monasterio de monjas, y que le trajesen sus huesos a la Nueva España; y dejó buenas rentas para cumplir su testamento y las mandas, que fueron muchas y buenas y de buen cristiano, y por excusar prolijidad no lo declaro, por no acordarme de todas aquéllas no las relato. La letra o blasón que traía en sus armas y reposteros fueron de muy esforzado varón y conforme a sus heroicos hechos y estaban en latín, y como no sé latín no lo declaro, y traía en ellas siete cabezas de reyes presos en una cadena; y a lo que a mí me parece, según vi y entiendo, fueron los reyes que ahora diré: Montezuma, gran señor de México; y a Cacamazín, su sobrino de Montezuma, y también fue gran señor de Tezcuco; y Coadlavaca, asimismo señor de Iztapalapa y de otro pueblo; y al señor de Tacuba; y al señor de Coyoacán; y a otro gran cacique, señor de dos provincias que se decían Tulapa, junto a Matalzingo; éste que dicho tengo decían que era hijo de una su hermana de Montezuma y muy propincuo heredero de México después de Montezuma; y el postrer rey fue Guatemuz, el que nos dio guerra y defendía la ciudad cuando ganamos la gran ciudad de México y sus provincias; y estos siete grandes caciques son los que el marqués traía en sus reposteros y blasones por armas, porque de otros reyes yo no me acuerdo que se hubiesen preso que fuesen reyes, como dicho tengo en el capítulo que de ello habla.

Pasaré adelante y diré de su proporción y condición de Cortés. Fue de buena estatura y cuerpo, y bien proporcionado y membrudo, y la color de la cara tiraba algo a cenicienta, y no muy alegre, y si tuviera el rostro más largo, mejor le pareciera, y era en los ojos en el mirar manera que las barbas, y tenía el algo amorosos, y por otra parte graves; las barbas tenía algo prietas y pocas y ralas, y el cabello, que en aquel tiempo se usaba, de la misma pecho alto y la espalda de buena manera, y era cenceño y de poca barriga y algo estevado, y las piernas y muslos bien sentados; y era buen jinete y diestro de todas armas, así a pie como a caballo, y sabía muy bien menearlas, y, sobre todo, corazón y ánimo, que es lo que hace al caso.

Oí decir que cuando mancebo en la isla Española fue algo travieso sobre mujeres, y que se acuchilló algunas veces con hombres esforzados y diestros, y siempre salió con victoria; y tenía una señal de cuchillada cerca de un bezo de abajo que si miraban bien en ello se le parecía, mas cubríaselo con las barbas, la cual señal le dieron cuando andaba en aquellas cuestiones. En todo lo que mostraba, así en su presencia como en pláticas y conversación, y en comer y en el vestir, en todo daba señales de gran señor. Los vestidos que se ponía eran según el tiempo y usanza, y no se le daba nada de traer muchas sedas y damascos, ni rasos, sino llanamente y muy pulido; ni tampoco traía cadenas de oro grandes, salvo una cadenita de oro de prima hechura y un joyel con la imagen de Nuestra Señora la Virgen Santa María con su Hijo precioso en los brazos, y con un letrero en latín en lo que era de Nuestra Señora, y de la otra parte del joyel a Señor San Juan Bautista, con otro letrero; y también traía en el dedo un anillo muy rico con un diamante, y en la gorra, que entonces se usaba de terciopelo, traía una medalla y no me acuerdo el rostro, y en la medalla traía figurada la letra de él; mas después, el tiempo andando, siempre traía gorra de paño sin medalla. Servíase ricamente como gran señor, con dos maestresalas y mayordomos y muchos pajes, y todo el servicio de su casa muy cumplido, y grandes vajillas de plata y de oro; comía bien y bebía una buena taza de vino aguado que cabría un cuartillo, y también cenaba, y no era nada regalado, ni se le daba nada por comer manjares delicados ni costosos, salvo cuando veía que había necesidad que se gastase y los hubiese menester dar.

Era de muy afable condición con todos sus capitanes y compañeros, especial con los que pasamos con él de la isla de Cuba la primera vez, y era latino, y oí decir que era bachiller en leyes, y cuando hablaba con letrados u hombres latinos, respondía a lo que le decían en latín. Era algo poeta, hacía coplas en metros y en prosas, y en lo que platicaba lo decía muy apacible y con muy buena retórica, y rezaba por las mañanas en unas horas y oía misa con devoción. Tenía por su muy abogada a la Virgen María, Nuestra Señora, la cual todos los fieles cristianos la debemos tener por nuestra intercesora y abogada, y también tenía a Señor San Pedro y Santiago y a Señor San Juan Bautista, y era limosnero. Cuando juraba decía: "en mi conciencia"; y cuando se enojaba con algún soldado de los nuestros sus amigos, le decía: "¡Oh, mal pese a vos!"; y cuando estaba muy enojado se le hinchaba una vena de la garganta y otra de la frente; y aun algunas veces, de muy enojado, arrojaba un lamento al cielo, y no decía palabra fea ni injuriosa a ningún capitán ni soldado, y era muy sufrido, porque soldados hubo muy desconsiderados que le decían palabras descomedidas, y no les respondía cosa soberbia ni mala, y aunque había materia para ello, lo más que les decía: "Callad, y oíd, o id con Dios, y de aquí adelante tened más miramiento en lo que dijereis, porque os costará caro por ello." Y era muy porfiado, en especial en las cosas de la guerra, que por más consejo y palabras que le decíamos en cosas desconsideradas de combates y entradas, que nos mandaba dar cuando rodeamos en los pueblos grandes de la laguna; y en los peñoles que ahora llaman del Marqués le dijimos que no subiésemos arriba, en unas fuerzas y peñoles, sino que le tuviésemos cercado, por causa de muchas galgas que desde lo alto de la fortaleza venían desriscando, que nos echaban, porque era imposible defendernos del golpe e ímpetu con que venían, y era aventurar a morir todos, porque no bastaría esfuerzo ni consejo ni cordura, y todavía porfió contra todos nosotros, y hubimos de comenzar a subir, y corrimos harto peligro, y murieron ocho soldados, y todos los más salimos descalabrados y heridos, sin hacer cosa que de contar sea, hasta que mudamos otro consejo. Y además de esto, en el camino que fuimos a la Hibueras a lo de Cristóbal de Olid, cuando se alzó con la armada yo le dije muchas veces que fuésemos por las sierras, y porfió que mejor era por la costa, y tampoco acertó; porque si fuéramos por donde yo decía era toda la tierra poblada; y para que bien se entienda quien no lo ha andado, es desde Guazacualco camino derecho de Chiapa, y de Chiapa a Guatemala, y de Guatemala a Naco, que es adonde en aquella sazón estaba Cristóbal de Olid.

Dejemos esta plática, y diré que cuando luego venimos con nuestra armada a la Villa Rica, y comenzamos hacer la fortaleza, el primero que cavó y sacó tierra en los cimientos fue Cortés, y siempre en las batallas le vi que entraba en ellas juntamente con nosotros. Y comenzaré en las batallas de Tabasco, que él fue por capitán de los de a caballo, y peleó muy bien; vamos a la Villa Rica, ya he dicho acerca de la fortaleza; pues en dar como dimos con once navíos al través por consejo de nuestros valerosos capitanes y fuertes soldados, y no como lo dice Gómara; pues en las guerras de Tlaxcala, en tres batallas se mostró muy esforzado y en la entrada de México con cuatrocientos soldados, cosa es de pensar en ello, y más tener atrevimiento de prender al gran Montezuma dentro de sus palacios, teniendo tan grandes números de guerreros; y también digo que lo prendimos por consejo de nuestros capitanes y de todos los más soldados; y otra cosa que no es de olvidar, que mandó quemar delante de sus palacios a capitanes de Montezuma que fueron en la muerte de un nuestro capitán que se decía Juan de Escalante y de otros siete soldados, los cuales indios capitanes, que se decían Quezalpopoca, y el otro no me acuerdo su nombre, poco va en ello, que no hace a nuestro caso. Y también, ¡qué atrevimiento y osadía fue que con dádivas de oro y ardides de guerra ir contra Pánfilo de Narváez, capitán de Diego Velázquez, que traía sobre mil trescientos soldados, y traía noventa de a caballo, y otros tantos ballesteros y ochenta espingarderos, que así se llamaban y nosotros con doscientos sesenta y seis compañeros, sin caballos, ni escopetas, ni ballestas, sino solamente con picas, y espadas y puñales, y rodelas, los desbaratamos y se prendió [a] Narváez y [a] otros capitanes! Pasemos adelante y quiero decir que cuando entramos otra vez en México al socorro de Pedro de Alvarado, y antes que saliésemos huyendo, cuando subimos en el alto *cu* de Uichilobos vi que se mostró muy varón, puesto que no nos aprovecharon nada sus valentías, ni las nuestras. Pues en la derrota y muy nombrada guerra de Otumba, cuando nos estaban esperando toda la flor y valientes guerreros mexicanos, y todos sus sujetos para matarnos, allí también se mostró muy esforzado cuando dio un encuentro al capitán y alférez de Guatemuz, que le hizo abatir sus banderas y perder el gran brío de su valeroso pelear de todos sus escuadrones que con tanto esfuerzo contra nosotros peleaban; y, después de Dios, nuestros esforzados capitanes que le ayudaban, que fueron [195] Gonzalo de Sandoval, y Cristóbal de Olid, y Diego de Ordaz, y Gonzalo Domínguez, y un Lares, y otros esforzados soldados que aquí no nombro de los que no tenían caballos; y de los de Narváez también hubo animosos varones que ayudaron muy bien, y quien luego mató al capitán del estandarte fue un Juan de Salamanca, natural de Ontiveros, y le quitó un rico penacho y se lo dio a Cortés.

Pasemos adelante, y diré que también se halló Cortés juntamente en una batalla bien peligrosa, en lo de Iztapalapa, y lo hizo como buen capitán, y en la de Xochimilco, cuando le derribaron los escuadrones mexicanos del caballo *Romo* y le ayudaron ciertos tlaxcaltecas nuestros amigos, y sobre todos un nuestro esforzado soldado que se decía Cristóbal de Olea, natural de Castilla la Vieja; tengan atención a esto que diré, que uno era Cristóbal de Olid,

[195] Tachado en el original: *Pedro de Alvarado.*

que fue maestre de campo, y el otro era Cristóbal de Olea, de Castilla la Vieja, y esto declaro aquí porque no arguyan sobre ello y no digan que voy errado. También se mostró nuestro Cortés muy como esforzado cuando estábamos sobre México y en una calzadilla le desbarataron los mexicanos y le llevaron a sacrificar sesenta y dos soldados, y al mismo Cortés le tenían asido y engarrafado para llevarle a sacrificar, y le habían herido en una pierna, y quiso Dios que por su buen esfuerzo y porque le socorrió el mismo valentísimo soldado Cristóbal de Olea, que fue el que la otra vez en Xochimilco le libró de los mexicanos, y le ayudó a cabalgar y salvó a Cortés la vida, y el esforzado Olea quedó allí muerto con los demás que dicho tengo. Y ahora que lo estoy escribiendo se me representa la manera y proposición de la persona de Cristóbal de Olea y de su muy gran esfuerzo, y aun se me pone tristeza por ser de mi tierra y deudo de mis deudos.

No quiero decir de otras muchas proezas o valentías que vi que hizo nuestro marqués don Hernando Cortés, porque son tantas y de tal manera que no acabaría tan presto de relatarlas, y volveré a decir de su condición, que era muy aficionado a juegos de naipes y dados, y cuando jugaba era muy afable en el juego, y decía ciertos remoquetes que suelen decir los que juegan a los dados; era con demasía dado a mujeres, y celoso en guardar las suyas; era muy cuidoso en todas las conquistas que hacíamos, aun de noche y muchas noches rondaba y andaba requiriendo las velas y entraba en los ranchos y aposentos de nuestros soldados, y al que hallaba sin armas y estaba descalzos los alpargates, le reprendía y le decía que a la oveja ruin le pesa la lana, y le reprendía con palabras agras.

Cuando fuimos a las Hibueras, vi que había tomado una maña o condición que no solía tener en las guerras pasadas: que cuando había comido, si no dormía un sueño se le revolvía el estómago, y rebosaba y estaba malo, y por excusar este mal, cuando íbamos camino le ponían debajo de un árbol o de otra sombra una alfombra que llevaban a mano para aquel efecto, o una capa, y aunque más sol hiciese no dejaba de dormir un poco, y luego caminar. Y también vi que cuando estábamos en las guerras de la Nueva España era cenceño y de poca barriga, y después que volvimos de las Hibueras engordó mucho y de gran barriga, y también vi que se paraba la barba prieta, siendo de antes que blanqueaba. También quiero decir que solía ser muy franco cuando estaba en la Nueva España y la primera vez que fue a Castilla, y cuando volvió la segunda vez en el año IVSXL * le tenían por escaso y le pusieron pleito un criado suyo que se decía Ulloa, hermano de otro que mataron, que no le pagaba su servicio. Y también, si bien se quiere considerar y mirarnos en ello, después que ganamos la Nueva España siempre tuvo trabajos y gastó muchos pesos de oro en las armadas que hizo en la California; ni en la ida de las Hibueras no tuvo ventura, ni tampoco me parece ahora que la tiene su hijo don Martín Cortés, siendo señor de tanta renta, haberle venido el gran desmán que dicen de su persona y de sus hermanos. Nuestro Señor Jesucristo lo remedie y al marqués don Hernando Cortés le perdone Dios sus pecados. Bien creo que se me habrán olvidado otras cosas que escribir sobre las condiciones de su valerosa persona; lo que se me acuerda y vi eso escribo. De la otra señora doncella, su hija, no sé si la metieron monja o la casaron. Oí decir que fue a Valladolid y se casó un caballero con ella; no lo sé bien. Y la otra su hija que estaba contrahecha de un lado oí decir que la metieron monja en Sevilla o en Sanlúcar. No sé sus nombres, y por esto no los nombro, ni tampoco diré qué se hicieron tan-

* Léase 1540.

tos mil pesos de oro que tenían para sus casamientos.[196]

[196] Tachado en el original: *hubo muchas pláticas e sospechas que se tuvo desde su casamiento a esta causa, pues yo no lo sé ni toco más en esta tecla; ayúdelo Dios y a mí me perdone mis pecados, amén. Supe que el fraile hermano de la marquesa era muy codicioso e tenía mala cara y peores ojos usturnios.*

CAPÍTULO CCV

DE LOS VALEROSOS CAPITANES Y FUERTES Y ESFORZADOS SOLDADOS QUE PASAMOS DESDE LA ISLA DE CUBA CON EL VENTUROSO Y ANIMOSO DON HERNANDO CORTÉS, QUE DESPUÉS DE GANADO MÉXICO FUE MARQUÉS DEL VALLE Y TUVO OTROS DICTADOS

PRIMERAMENTE EL MISMO marqués don Hernando Cortés; murió junto a Sevilla, en una villa o lugar que se dice Castilleja de la Cuesta. Y pasó don Pedro de Alvarado, que después de ganado México fue comendador de Santiago y adelantado y gobernador de Guatemala; murió en lo de Jalisco yendo que fue a socorrer un ejército que estaba sobre los peñoles de Nochistlán.

Y pasó un Gonzalo de Sandoval, que fue capitán muy prominente y alguacil mayor en lo de México, y fue gobernador cierto tiempo en la Nueva España, en compañía del tesorero Alonso de Estrada; tuvo de él gran noticia Su Majestad, y murió en Castilla, en la villa de Palos, yendo que iba con don Hernando Cortés a besar los pies a Su Majestad. Y pasó un Cristóbal de Olid, esforzado capitán y maestre de campo que fue en lo de las guerras de México, y murió en lo de Naco degollado por justicia, porque se alzó con una armada que le hubo dado Cortés.

De estos tres capitanes que dicho tengo, fueron muy loados delante de Su Majestad cuando Cortés fue a la corte y dijo al emperador nuestro señor que tuvo en su ejército, cuando conquistó a México, tres capitanes que podían ser contados entre los muy afamados que hubo en el mundo: el primero, que era don Pedro de Alvarado, demás de ser muy esforzado, tenía gracia así en su persona y parecer y razonamientos para hacer gente de guerra;[197] y dijo por Cristóbal de Olid que era un Héctor en esfuerzo para combatir persona por persona, y que si como era esforzado tuviera consejo, fuera muy más tenido, mas que había de ser mandado; y dijo por Gonzalo de Sandoval, que era tan valeroso así en esfuerzo como en consejo, que podía ser coronel de ejércitos, y que en todo era tan bastante, que osara decir y hacer; y también loó Cortés que tuvo muy buenos y osados soldados.

Y a esto dice Bernal Díaz del Castillo, el autor de esta relación, que si esto escribiera Cortés la primera vez que él hizo relación de las cosas de la Nueva España, bueno fuera; mas en aquella sazón que escribió a Su Majestad toda la honra y prez de nuestras conquistas se daba a sí mismo y no hacía relación de nosotros.

Y volviendo a nuestra materia, pasó otro buen capitán y bien animoso que se decía Juan Velázquez de León; murió en las puentes. Y pasó don Francisco de Montejo, que después de ganado México fue ade-

[197] Tachado en el original: *y convocarlos para ir a cualquier parte aunque fuese muy peligroso.*

lantado y gobernador de Yucatán y tuvo otros dictados; murió en Castilla.[198] Y pasó Luis Marín, capitán que fue en lo de México, persona prominente y bien esforzado; murió de su muerte. Y pasó un Pedro de Ircio; era ardid de corazón y era algo de mediana estatura, y hablaba mucho que haría y acontecería por su persona, y no era para nada, y llamábamosle que era otro Agrajes sin obras, en el hablar; fue capitán en el real de Sandoval. Y pasó otro buen capitán que se decía Andrés de Tapia; fue muy esforzado; murió en México. Pasó un Juan de Escalante, capitán que fue en la Villa Rica entretanto que fuimos a México; murió en poder de indios en la que nombramos la de Almería, que son unos pueblos que están entre Tuzapán y Cempoal, y también murieron en su compañía siete soldados que ya no se me acuerda su nombre, y le mataron el caballo; éste fue el primer desmán que tuvimos en la Nueva España.

Y también pasó un Alonso de Ávila; fue capitán y el primer contador que hubo en la Nueva España, persona muy esforzada; fue algo amigo de ruidos, y don Hernando Cortés, conociendo su inclinación, porque no hubiese cizañas, procuró de enviarle por procurador a la Española, donde residían la Audiencia Real y los frailes jerónimos, y cuando le envió le dio buenas barras y joyas de oro por contentarle.[199]

Pasó un Francisco de Lugo, capitán que fue de entradas, hombre bien esforzado; fue hijo bastardo de

---

[198] Tachado en el original: *yendo que iba a pleitos y negocios.*

[199] Tachado en el original: *y los negocios que entonces llevó fue acerca de la manera que se había de tener de nuestras conquistas, y en el herrar por esclavos los indios que hubiesen dado primero la obediencia a Su Majestad, y después de dada se volviesen o hubiesen vuelto a levantar, y en las paces haber muerto cristianos por traición, de lo cual después que vino el Alonso de Ávila de la Española, y viendo que traía buenos despachos, le volvió a enviar a Castilla, porque ya teníamos conquistado a México, porque entretanto que estábamos conquistando la Nueva España y ganando a México el Alonso de Ávila no se halló en ninguna conquista más de la entrada que primero fuimos a México y después que salimos huyendo, porque, como dicho tengo, estaba en la Española, y entonces por más le contentar y apartalle de sí le dio un buen pueblo que se dice Guatitán, y barras de oro por que hiciese bien los negocios y dijese de su persona de Cortés ante Su Majestad mucho bien; y entonces también don Hernando Cortés envió en su compañía de Alonso de Ávila a un fulano de Quiñones, natural de Zamora, capitán que fue de la guarda de don Hernando Cortés; y les dio poder para que procurasen las cosas de la Nueva España y con ellos envió la gran riqueza del oro y plata y joyas y otras muchas cosas que hubimos en la toma de México, y la recámara del oro que solía tener Montezuma y Guatemuz, los grandes caciques de México. Y quiso la ventura que al Quiñones acuchillaron en la isla de la Tercera sobre amores de una mujer, y murió de las heridas, e yendo el Alonso de Ávila su viaje cerca de Castilla le topó una armada de franceses, en que venía por capitán della un Juan Florín, y le robó el oro y plata y navío y le llevó preso a Francia, y estuvo preso cierto tiempo, y a cabo de dos años le soltó el francés que le tenía y se vino a Castilla. Y en aquella sazón estaba en la corte don Francisco de Montejo, adelantado de Yucatán, y se vino con él con cargo de contador de Yucatán; y entonces, o poco tiempo antes, había venido a México un Gil González de Benavides, hermano de Alonso de Ávila, el cual solía estar en la isla de Cuba, y como el Alonso de Ávila estaba en Yucatán, y el Gil González en México, envió poder a su hermano Gil González de Benavides para que tuviese en sí y se sirviese del pueblo de Guatitán; y como Gil González fue con nosotros en aquel tiempo a las Hibueras, porque nunca fue conquistador de la Nueva España, y se pasaron ciertos años que se servía y llevaba los tributos del dicho pueblo y, según paresció, sin tener título de él sino más del poder que el hermano le envió, y en aquel tiempo murió el Alonso de Ávila y, según paresció, el fiscal de Su Majestad puso demanda para que se diese aquel pueblo a Su*

un caballero que se decía Alvarado de Lugo, el Viejo, señor de unas villas que están cabe Medina del Campo, que se dicen Fuenencastín y villa Fraga, y murió de su muerte. Y pasó un Andrés de Monjaraz, capitán que fue en lo de México; estaba muy doliente de bubas y no le ayudaba su dolencia para la guerra. Y pasó un Diego de Ordaz, capitán que fue en la primera vez que fuimos sobre México, y después de ganado México fue comendador de Santiago; murió en el Marañón. Y pasaron cuatro hermanos de don Pedro de Alvarado, que se decían Jorge de Alvarado [que] fue capitán en lo de México y en lo de Guatemala; murió en Madrid en el año de mil quinientos cuarenta; y el otro su hermano se decía Gonzalo de Alvarado; murió de su muerte en Oaxaca; el otro se decía Gómez de Alvarado; murió en el Perú; y Juan de Alvarado [que] era bastardo; murió en la mar yendo a la isla de Cuba.

Pasó un Juan Jaramillo, capitán que fue de un bergantín cuando estábamos sobre México; fue persona prominente; murió de su muerte. Pasó un Cristóbal Flores, persona que fue de valía; murió en lo de Jalisco yendo que fue con Nuño de Guzmán. Y pasó un Cristóbal Martín de Gamboa, caballerizo que fue de Cortés; murió de su muerte. Pasó un Caicedo; fue hombre rico; murió de su muerte. Y pasó un Francisco de Saucedo, natural de Medina de Ríoseco, y porque era muy pulido le llamábamos el Galán, y decían que fue maestresala del almirante de Castilla; murió en las puentes en poder de indios. Y pasó un Gonzalo Domínguez, muy esforzado y gran jinete; murió en poder de indios. Y pasó un fulano Morón, bien esforzado y buen jinete; murió en poder de indios. Y pasó un Francisco de Morla, muy esforzado soldado y buen jinete, natural de Jerez; murió en las puentes en poder de indios. Y también pasó otro buen soldado que se decía Mora, natural de Ciudad Rodrigo; murió en los peñoles que están en la provincia de Guatemala. Y pasó un Francisco Corral, persona que valía mucho; murió en la Veracruz. Y pasó un fulano de Lares, bien esforzado y buen jinete; matáronle indios. Y pasó otro Lares, ballestero; murió en poder de indios.

Pasó un Simón de Cuenca, fue mayordomo de Cortés; murió en lo de Xicalango en poder de indios, y también murieron en su compañía otros diez soldados que no se me acuerdan sus nombres. Y también pasó un Francisco de Medina, natural de Aracena; fue capitán en una entrada; murió en lo de Xicalango en poder de indios, y también murieron en su compañía otros soldados. Y pasó un Maldonado el Ancho, natural de Salamanca, persona prominente, y había sido capitán de entradas; murió de su muerte. Y pasaron dos hermanos que se decían Francisco Álvarez Chico y Juan Álvarez Chico, naturales de Fregenal: Francisco Álvarez era hombre de negocios y estaba doliente; murió en la isla de Santo Domingo; Juan Álvarez murió en

---

Majestad, pues el Alonso de Ávila era fallecido, y sobre este pleito hubo los alborotos y rebeliones y muertes que en México se hicieron, y desterrados que hubo y otros con mala fama, y si todo esto bien se nota, hubo mal fin, y en peor acabó. El Quiñones que iba a Castilla murió acuchillado en la Tercera; el oro y plata, robado por la armada de Juan Florín, francés; el Alonso de Ávila, preso en Francia; el mismo Juan Florín que lo robó fue preso en la mar por vizcaínos y ahorcado en el puerto del Pico; el pueblo de Guatitán se quitó a los hijos del Gil González de Benavides, y sobre ello fueron degollados, porque, según se halló, no tuvieron la lealtad que eran obligados al servicio de Su Majestad, y con ellos justiciaron y desterraron otras personas, y otros quedaron con mala fama. He querido poner esto en esta relación, aunque creo que no había necesidad, para que se vea sobre qué fue el desasosiego de México. Harto estarán de haber oído estos sucesos. Pasemos adelante y volvamos a decir de nuestra materia.

lo de Colima en poder de indios. Y pasó un Francisco de Terrazas, mayordomo que fue de Cortés, persona prominente; murió de su muerte. Y pasó un Cristóbal del Corral, el primer alférez que tuvimos en lo de México, persona bien esforzada; fuese a Castilla, y allá murió. Y pasó un Antonio de Villarreal, marido que fue de Isabel de Ojeda, que después se mudó el nombre y dijo que se decía Antonio Serrano de Cardona; murió de su muerte. Y pasó un Francisco Rodríguez Magariño, persona prominente; murió de su muerte. Y pasó un Francisco Flores de Oaxaca, persona muy noble; murió de su muerte. Y pasó un Alonso de Grado; éste casó con una hija de Montezuma que se decía doña Isabel, y murió de su muerte. Y pasaron cuatro soldados que tenían por sobrenombres Solises: el uno, que era hombre anciano, murió en poder de indios; el otro se decía Solís Casquete, porque era algo arrebatacuestiones; murió de su muerte en Guatemala; el otro se decía Pedro de Solís Tras la Puerta, porque estaba siempre en su casa tras la puerta mirando los que pasaban por la calle y él no podía ser visto; fue yerno de un Orduña el Viejo, de la Puebla, y murió de su muerte; y el otro Solís se decía el de la Huerta, porque tenía una muy buena huerta y sacaba buena renta de ella, y también le llamaban Sayo de Seda, porque se preciaba mucho de traer seda; murió de su muerte. Y pasó un esforzado soldado que se decía Benítez; murió en poder de indios. Y pasó otro esforzado soldado que se decía Juan Ruano; murió en las puentes en poder de indios. Y pasó un Bernaldino Vázquez de Tapia, persona muy prominente y rico; murió de su muerte.

Y pasó un muy esforzado soldado que se decía Cristóbal de Olea, natural de tierra de Medina del Campo, y bien se puede decir que, después de Dios, por Cristóbal de Olea salvó la vida don Hernando Cortés: la primera vez en lo de Xochimilco, cuando se vio Cortés en grande aprieto, que le derribaron del caballo que se decía *El Romo* los escuadrones de guerra mexicanos, y este Olea llegó de los primeros a socorrerle, e hizo tales cosas por su persona que tuvo lugar don Fernando Cortés de cabalgar en el caballo, y luego le socorrieron tlaxcaltecas y otros soldados que en aquel tiempo llegamos, y el Olea quedó muy mal herido, y la postrera vez le socorrió el mismo Cristóbal de Olea cuando en México, en la calzadilla, le desbarataron los mexicanos al mismo Cortés y le mataron sesenta y dos soldados, y al mismo don Hernando Cortés le tenían ya asido y engarrafado un escuadrón de mexicanos para llevarle a sacrificar, y le habían dado una cuchillada en una pierna, y el buen Olea, con su ánimo muy esforzado, peleó tan valerosamente que les quitó de su poder a Cortés, y allí perdió la vida este animoso varón, que ahora que lo estoy escribiendo se me enternece el corazón, que me parece que ahora lo veo y se me representa su persona y gran ánimo, y de aquella derrota escribió Cortés a Su Majestad que no fueron sino veinte y ocho los que murieron, y, como digo, fueron sesenta y dos.

Y también pasó con nosotros un esforzado soldado que tenía una mano menos, que se la habían cortado en Castilla por justicia; murió en poder de indios. Y también pasó otro buen soldado que se decía Tobilla, que derrenqueaba de una pierna, que se había hallado en la del Garellano con el Gran Capitán; murió en poder de indios. Y pasaron dos hermanos que se decían Gonzalo López de Gimena y Juan López de Gimena: Gonzalo López murió en poder de indios y Juan López fue alcalde mayor en la Veracruz y murió de su muerte. Y pasó un Juan de Cuéllar, buen jinete; y éste casó primeramente con una hija del señor de Tezcuco, que se decía su mujer doña Ana, y era hermana de Estesuchel, señor del mismo Tezcuco; murió de su muerte. Y pasó otro fulano de Cuéllar, deudo que decían ser de Francisco Verdugo, vecino de México, y murió de su muerte. Y pasó un Santos Hernández, hombre anciano, natural de Coria; de sobrenombre le llamábamos el Buen Viejo, jinete, murió de su muerte. Y pasó un Pedro Moreno Medrano, vecino que fue de Veracruz, y muchas veces fue en ella alcalde ordinario, y era recto en hacer justicia, y después se fue a vivir a la Puebla; fue hombre que sirvió muy bien a Su Majestad, así de soldado como en hacer justicia; murió de su muerte. Y pasó un Juan de Limpias Carvajal, buen soldado, capitán que fue de bergantines, y ensordeció estando en la guerra; murió de su muerte. Y pasó un Melchor de Alávez, vecino que fue de Oaxaca; murió de su muerte. Y pasó un Román López, que después de ganado México se le quebró un ojo, persona prominente; murió en Oaxaca. Pasó un Villandrando; decían que era deudo del conde de Ribadeo, persona prominente; murió de su muerte. Y pasó un Osorio, natural de Castilla la Vieja; fue buen soldado y persona de mucha cuenta; murió en la Veracruz. Y pasó un Rodrigo de Castañeda; fue nahuatlato y buen soldado; murió en Castilla. Y pasó un fulano de Pilar; fue buena lengua; murió en lo de Cuyuacán,[200] cuando fue con Nuño de Guzmán.[201] Y pasó otro esforzado y buen soldado que se dice fulano Granado; vive en México.

Pasó un Martín López; fue muy buen soldado; éste fue el maestro de hacer los trece bergantines, que fue harta ayuda para ganar a México, y de soldado sirvió muy bien a Su Majestad; vive en México. Y pasó un Juan de Nájera, buen soldado y ballestero; sirvió bien en la guerra. Y pasó un Ojeda, vecino de los zapotecas, y quebráronle un ojo en lo de México. Y pasó un fulano de la Serna, que tuvo unas minas de plata; tenía una cuchillada por la cara que le dieron en la guerra; no me acuerdo qué se hizo de él. Y pasó un Alonso Hernández Puerto Carrero, primo del conde de Medellín, caballero prominente, y éste fue a Castilla la primera vez que enviamos presentes a Su Majestad, y en su compañía fue don Francisco de Montejo antes que fuese Adelantado, y llevaron mucho oro en granos sacados de las minas, como joyas de diversas hechuras, y el sol de oro y la luna de plata, y, según pareció, el obispo de Burgos, que se decía don Juan Rodríguez de Fonseca, arzobispo de Rosano, mandó prender a Alonso Hernández Puerto Carrero porque decía al mismo obispo que quería ir a Flandes con el presente ante Su Majestad y porque procuraba por las cosas de Cortés, y tuvo achaque el obispo para prenderle porque le acusaron que había traído a la isla de Cuba una mujer casada, y en Castilla murió, y puesto que era uno de los principales compañeros que con nosotros pasaron, se me olvidaba de poner en esta cuenta hasta que me acordé de él. Y pasó otro buen soldado que se decía Luis de Zaragoza. Y vamos adelante, que también pasó un fulano de Villalobos, natural de Santa Olalla, que se fue a Castilla rico. Y pasó un Tirado de la Puebla; era hombre de negocios; murió de su muerte. Y pasó un Juan del Río; fue a Castilla. Y pasó un Juan Rico de Alanís, buen soldado; murió en poder de indios. Y pasó un Gonzalo Hernández de Alanís, bien esforzado soldado. Y pasó un Juan Ruiz de Alanís, murió de su muerte. Y pasó un fulano Navarrete, vecino que fue de Pánuco; murió de su muerte. Y pasó un Francisco Martín Vendaval; vivo le llevaron los indios a sacrificar, y asimismo otro su compañero que se decía Pedro Gallego, y de esto echamos mucha culpa a Cortés, porque quiso echar una celada a unos escuadrones mexicanos, y los mexicanos le engañaron y se la echaron al

[200] Culiacán, en Sinaloa.
[201] Tachado en el original: *y pasó un buen soldado que se dice Francisco de Olmos; es persona rica y vive en México.*

mismo Cortés y le arrebataron los dos soldados por mí declarados y los llevaron a sacrificar delante sus ojos, que no se pudieron valer. Y pasaron tres soldados que se decían Trujillos, el uno natural de Trujillo, y era muy esforzado; murió en poder de indios; y el otro era natural de Huelva o de Moguer; también fue de mucho ánimo; murió en poder de indios; y el otro era natural de León; también murió en poder de indios. Y pasó un soldado que se decía Juan Flamenco; murió de su muerte. Y pasó un Francisco del Barco, natural del Barco de Ávila, capitán que fue en la Chuluteca; murió de su muerte. Y pasó un Juan Pérez, que mató a su mujer, que se decía la mujer la Hija de la Vaquera; murió de su muerte. Y pasó otro buen soldado que se decía Rodrigo de Jara, el Corcovado, extremado hombre por su persona; murió en Colima o en Zacatula. Y pasó otro buen soldado que se decía Madrid, el Corcovado; murió en Colima o en Zacatula. Y pasó otro soldado que se decía Juan de Inís; éste fue ballestero; murió de su muerte. Y pasó un fulano de Alamillo, vecino que fue de Pánuco, buen ballestero; murió de su muerte.

Y pasó un fulano Morón, gran músico, vecino de Colima o Zacatula; murió de su muerte. Pasó un fulano de Varela, buen soldado, vecino que fue de Colima o Zacatula; murió de su muerte. Y pasó un fulano de Valladolid, vecino de Colima o Zacatula; murió en poder de indios. Y pasó un fulano de Villa, fuerte persona que valía, que casó con una deuda de la mujer que primero tuvo don Hernando Cortés, y era vecino de Zacatula o de Colima; murió de su muerte. Y pasó un Juan Ruiz de la Parra, vecino que fue de Colima o de Zacatula; murió de su muerte. Y pasó un fulano Gutiérrez, vecino de Colima o Zacatula; murió de su muerte. Y pasó otro buen soldado que se decía Valladolid, el Gordo; murió en poder de indios. Y pasó un Pacheco, vecino que fue de México, persona prominente; murió de su muerte. Y pasó un Hernando de Lerma o de Lema, hombre anciano que fue capitán; murió de su muerte. Y pasó un fulano Juárez, el Viejo, que mató a su mujer con una piedra de moler maíz; murió de su muerte. Y pasó un fulano de Angulo y un Francisco Gutiérrez y otro mancebo que se decía Santa Clara, vecinos que fueron de la Habana; todos murieron en poder de indios. Y pasó un Garci-Caro, vecino que fue de México; murió de su muerte. Y pasó un mancebo que se decía Larios, vecino que fue de México, que tuvo pleitos sobre sus indios; murió de su muerte. Y pasó un Juan Gómez, vecino que fue de Guatemala; fue rico a Castilla. Y pasaron dos hermanos que se decían los Jiménez, naturales que fueron de Linguijuela, de Extremadura; el uno murió en poder de indios y el viejo de su muerte. Y pasaron dos hermanos que se decían los Florianes; murieron en poder de indios. Y pasó un Francisco González de Nájera y un su hijo que se dice Pero González de Nájera, y dos sobrinos de Francisco González, que se decían los Ramírez; Francisco González murió en los peñoles que están en lo de la provincia de Guatemala, y los dos sobrinos en las puentes de México. Y pasó otro buen soldado que se decía Amaya, vecino que fue de Oaxaca; murió de su muerte.

Y pasaron dos hermanos que se decían Carmonas, naturales de Jerez; murieron de sus muertes. Y pasaron otros dos hermanos que se decían los Vargas, naturales de Sevilla; el uno murió en poder de indios y el otro de su muerte. Y pasó un muy buen soldado que se decía Gaspar de Polanco, natural de Ávila, vecino que fue de Guatemala; murió de su muerte. Y pasó un Hernán López de Ávila, tenedor que fue de los bienes de difuntos; fue a Castilla rico. Y pasó un Juan de Aragón, vecino de Guatemala. Y pasó un Andrés de Rodas, vecino de Guatemala; murió de su muerte.

Y pasó un fulano de Cieza, que tiraba muy bien una barra; murió en poder de indios. Y pasó un Santisteban, el Viejo, de Chiapa; murió de su muerte. Y pasó un Bartolomé Pardo; murió en poder de indios. Y pasó Bernaldino de Coria, vecino que fue de Chiapa, padre de uno que se decía Centeño; murió de su muerte.

Y pasó un Pedro Escudero y un Juan Cermeño y otro su hermano de este Cermeño, que también se decía Cermeño, buenos soldados: a Pedro Escudero y a Juan Cermeño mandó don Hernando Cortés ahorcar porque se alzaban en un navío para ir a la isla de Cuba a dar mandado a Diego Velázquez, gobernador de ella, de cuándo y cómo enviamos los procuradores y oro y plata a Su Majestad para que lo saliesen a tomar en la Habana; y quien lo descubrió fue Bernaldino de Coria, vecino que fue de Chiapa, y, como digo, murieron ahorcados. Y pasó un Gonzalo de Umbría, muy buen soldado; a éste también mandó Cortés que le cortasen los dedos de los pies porque se iba con los demás; fuese a Castilla a quejar delante de Su Majestad, y le fue muy contrario a Cortés, y Su Majestad le mandó dar su real cédula para que en la Nueva España le diesen mil pesos de renta, y nunca vino de Castilla, que allá murió.

Y pasó un Rodrigo Rangel, que fue persona prominente y estaba muy tullido de bubas; no fue en la guerra para que de él se hiciese memoria, y de dolores murió. Y pasó un Francisco de Orozco, que también estaba malo de bubas y había sido soldado en Italia, que estuvo ciertos días por capitán en lo de Tepeaca entretanto que estuvimos en la guerra de México; no sé qué se hizo ni dónde murió. Y pasó un soldado que se decía Mesa y había sido artillero y soldado en Italia, y así lo fue en esta Nueva España, y murió ahogado en esta Nueva España en un río después de ganado México. Y pasó otro muy esforzado soldado que se decía fulano Arbolanche, natural de Castilla la Vieja; murió en poder de indios. Y pasó otro buen soldado que se decía Luis Velázquez, natural de Arévalo; murió en lo de las Hibueras cuando fuimos con Cortés. Y pasó un Martín García, valenciano, buen soldado; murió en lo de las Hibueras con Cortés. Y pasó otro buen soldado que se decía Alonso de Barrientos; éste se fue de Tustepeque a acogerse entre los de Chinanta, cuando se alzó México, y en lo de Tustepeque murieron sesenta y seis soldados y cinco mujeres de Castilla, de los de Narváez y de los nuestros, que mataron los mexicanos que estaban en guarnición en aquella provincia. Y también pasó otro muy buen soldado que se decía Alonso Luis o Juan Luis, y era muy alto de cuerpo, y le decíamos por sobrenombre el Niño; murió en poder de indios. Y pasó otro buen soldado que se decía Hernando Burgueno, natural de Aranda de Duero; murió de su muerte. Y pasó otro buen soldado que se decía Alonso de Monroy, y porque se decía que era hijo de un comendador de Santisteban, porque no lo conociesen se llamaba Salamanca; murió en poder de indios. Y pasó un Almodóvar, el Viejo, y un hijo suyo que se decía Álvaro de Almodóvar, y dos sobrinos que tenían el mismo sobrenombre de Almodóvar; el un sobrino murió en poder de indios, y el Viejo y Álvaro y el otro sobrino murieron de su muerte. Y pasaron dos hermanos que se decían los Martínez, naturales de Fregenal, buenos hombres por sus personas, y murieron en poder de indios. Y pasó un buen soldado que se decía Juan del Puerto; murió tullido de bubas. Y pasó otro buen soldado que se decía Lagos; murió en poder de indios.

Y pasó un fraile de Nuestra Señora de las Mercedes, que se decía fray Bartolomé de Olmedo, y era teólogo y gran cantor; murió de su muerte. Y pasó un clérigo presbítero que se decía Juan Díaz, natural de Sevilla; murió de su muerte.

Y pasó otro soldado que se decía,[202] natural de las Garrovillas; éste, según decían, había llevado a Castilla de la isla de Santo Domingo cinco mil pesos de oro que cogió de unas minas ricas, y como llegó a Castilla lo gastó y jugó y se vino con nosotros, e indios le mataron. Y pasó un Alonso Hernández Paulo, ya hombre viejo, y dos sobrinos: el uno se decía Alonso Hernández, buen ballestero, y el otro su sobrino no se me acuerda el nombre; Alonso Hernández murió en poder de indios, y el viejo y el otro su sobrino murieron de sus muertes. Y pasó otro buen soldado que se decía Alonso de Almesta, natural de Sevilla o de Aljarabe; murió en poder de indios. Y pasó otro buen soldado que se decía Rabanal, montañés, murió en poder de indios. Y pasó otro muy buen hombre por su persona, que se decía Pedro de Guzmán, y se casó con una valenciana que se decía doña Francisca de Valterra; fuese al Perú y hubo fama que murieron helados él y la mujer. Y pasó un buen ballestero que se decía Cristóbal Díaz, natural de Colmenar de Arenas; murió de su muerte. Y pasó otro soldado que se decía Retamales; murió en poder de indios en lo de Tabasco. Y pasó otro esforzado soldado que se decía Ginés Nortes; murió en lo de Yucatán en poder de indios. Y pasó otro muy diestro soldado y bien esforzado que se decía Luis Alonso, y cortaba muy bien con una espada; murió en poder de indios. Y pasó un Alonso Catalán, buen soldado; murió en poder de indios; y otro soldado que se decía Juan Siciliano, vecino que fue de México; murió de su muerte. Y murió otro buen soldado que pasó con nosotros, que se decía fulano de Canillas, que fue en Italia atambor, y así lo fue en esta Nueva España, como he dicho; murió en poder de indios.

[202] Aquí hay un espacio en blanco. Remón lo llena en su edición con el nombre de "Sancho de Ávila". Fol. 242 vto.

Y pasó un Pedro Hernández, secretario que fue de Cortés, natural de Sevilla; murió en poder de indios. Y pasó un Juan Díaz que tenía una gran nube en el ojo, natural de Burgos, y traía a cargo el rescate y vituallas que traía Cortés; murió en poder de indios. Y pasó un Diego de Coria, vecino que fue de México; murió de su muerte. Y pasó otro buen soldado mancebo que se decía Juan Núñez de Mercado; decía que era natural de Cuéllar, y otros decían que era natural de Madrigal; este soldado cegó de los ojos, vecino que ahora es de la Puebla. Y pasó otro buen soldado, y el más rico de todos los que pasamos con Cortés, que se decía Juan Sedeño, natural de Arévalo, y trajo un navío suyo y una yegua y un negro y tocino y mucho pan cazabe; murió de su muerte y fue persona prominente. Y pasó fulano de Baena, vecino que fue de la Trinidad; murió en poder de indios. Y pasó un Zaragoza, ya hombre viejo, padre que fue de Zaragoza, el escribano de México; murió de su muerte. Y pasó un buen soldado que se decía Diego Martín, de Ayamonte; murió de su muerte. Y pasó otro soldado que se decía Cárdenas; decía él mismo que era nieto del comendador mayor don fulano Cárdenas; murió en poder de indios.

Y pasó otro soldado que se decía Cárdenas; era hombre de la mar, piloto, natural de Triana; éste fue el que dijo que no había visto tierra adonde hubiese dos reyes como en la Nueva España, porque Cortés llevaba quinto como rey después de sacado el real quinto, y de pensamiento cayó malo y fue a Castilla y dio relación de ello a Su Majestad y de otras cosas de agravios que le habían hecho, y fue muy contrario en las cosas de Cortés y Su Majestad le mandó dar su real cédula para que le diese indios que rentasen mil pesos, y así como vino con ella a México murió de su muerte. Y pasó otro muy buen soldado que se decía Argüello, natural de León; murió en poder de indios. Y pasó otro soldado que se decía Diego Hernández, natural de Saelices de los Gallegos, y ayudó a aserrar la madera de los bergantines y cegó y murió de su muerte. Y pasó otro buen soldado de muchas fuerzas y animoso, que se decía fulano Vázquez; murió en poder de indios. Y pasó otro buen soldado, y era ballestero, que se decía Arroyuelo; decían que era natural de Olmedo; murió en poder de indios. Y pasó un fulano Pizarro, capitán que fue en entradas; decía Cortés que era su deudo; en aquel tiempo no había nombre de Pizarros, ni el Perú estaba descubierto; murió en poder de indios. Y pasó un Álvarez López, vecino que fue de la Puebla; murió de su muerte. Y pasó otro buen soldado que se decía Alonso Yáñez, natural de Córdoba, y este soldado fue con nosotros a las Hibueras, y entretanto que fue se le casó la mujer con otro marido, y después que volvimos de aquel viaje no quiso tomar a la mujer; murió de su muerte. Y pasó un buen soldado y bien suelto peón que se decía Magallanes, portugués; murió en poder de indios. Y pasó otro portugués, platero; murió en poder de indios. Y pasó otro portugués, ya hombre anciano, que se decía Alonso Martín de Alpedrino; murió de su muerte. Y pasó otro portugués que se decía Juan Álvarez Rubazo; murió de su muerte. Y pasó otro muy esforzado portugués que se decía Gonzalo Sánchez; murió de su muerte. Y pasó otro portugués, vecino que fue de la Puebla, que se decía Gonzalo Rodríguez, persona prominente; murió de su muerte. Y pasaron otros dos portugueses, vecinos de la Puebla, que se decían los Villanuevas, altos de cuerpos; no sé qué se hicieron y dónde murieron.

Y pasaron tres soldados que tenían por sobrenombre fulanos de Ávila: el uno, que se decía Gaspar de Ávila, fue yerno de Artigosa el escribano; murió de su muerte; el otro Ávila se allegaba con el capitán Andrés de Tapia; murió en poder de indios; y el otro Ávila no me acuerdo adónde fue a ser vecino. Y también pasaron dos hermanos, ya hombres ancianos, que se decían Bandadas; decían que eran naturales de tierra de Ávila; murieron en poder de indios. Y pasaron tres soldados que tenían por sobrenombre todos tres Espinosas: el uno era vizcaíno y murió en poder de indios, y el otro se decía Espinosa de la Bendición, porque siempre traía por plática, y era muy buena aquella plática, "con la buena bendición", y murió de su muerte, y el otro Espinosa era natural de Espinosa de los Monteros; murió en poder de indios. Y pasó un Pero Perón, de Toledo; murió de su muerte. Y vino otro buen soldado que se decía Villasinda, natural de Portillo; murió de su muerte. Y pasaron dos buenos soldados que se decían por sobrenombre San Juanes: al uno llamábamos San Juan el Entonado porque era muy pretencioso, y murió en poder de indios, y al otro se decía San Juan de Uchila; era gallego; murió de su muerte.

Y pasó otro buen soldado que se decía Martín Izquierdo, natural de Castromocho; fue vecino en la villa de San Miguel, sujeta a Guatemala; murió de su muerte. Y pasó un Aparicio, que se casó con una que se decía la Medina, natural de Medina de Ríoseco, vecino que fue de San Miguel; murió de su muerte. Y pasó un buen soldado que se decía Cáceres, natural de Trujillo; murió en poder de indios. Y pasó otro buen soldado que se decía Alonso de Herrera, natural de Jerez; éste fue capitán en los Zapotecas y acuchilló a otro capitán que se decía Figueroa sobre ciertas contiendas de las capitanías, y por temor del tesorero Alonso de Estrada, que en aquella sazón era gobernador, porque no le prendiese se fue a lo del Marañón, y allá murió en poder de indios, y Figueroa se ahogó en el mar yendo a Castilla. Y también pasó un mancebo que se decía Maldonado, natural de Medellín; estaba muy malo de bubas, y no sé si murió de su muerte, ni lo digo por Maldonado el de la Veracruz, marido que fue de doña María del Rincón.

Y pasó otro soldado que se decía Morales, ya hombre anciano, que renqueaba de una pierna; decía que fue soldado del comendador Solís; fue alcalde ordinario en la Villa Rica y hacía recta justicia. Y pasó otro soldado que se decía Escalona, el Mozo; murió en poder de indios. Y pasaron otros tres soldados que todos tres fueron vecinos de la Villa Rica, y nunca fueron a guerra ni a entrada ninguna de la Nueva España; el uno le decían Arévalo, y al otro Juan León, y al otro Madrigal; murieron de su muerte. Y pasó también otro soldado que se decía por sobrenombre Lencero, cúya fue la venta que ahora se dice de Lencero, que está entre la Veracruz y la Puebla, y fue buen soldado, y murió de su muerte. Y pasó un Pedro Gallego, hombre gracioso y decidor, y también tuvo otra venta camino derecho cuando van de la Veracruz a México; murió de su muerte. Y pasó un Alonso Durán, que era algo bisojo, que no veía bien, que ayudaba de sacristán; murió de su muerte. Y pasó otro soldado que se decía Navarro, y que se allegaba en todo lo del capitán Sandoval, y después se casó en la Veracruz; murió de su muerte.

Y pasó otro buen soldado que se decía Alonso de Talavera, que se allegaba en casa del capitán Sandoval, y murió en poder de indios. Y pasaron dos soldados que se decían: el uno Juan de Manzanilla, y el otro Pedro de Manzanilla, y murió en poder de indios, y Juan de Manzanilla fue vecino de la Puebla; murió de su muerte. Y pasó un soldado que se decía Benito de Bejel; fue atambor y tamborino de ejércitos de Italia, y también lo fue en esta Nueva España; murió de su muerte. Y paso un Alonso Romero, vecino que fue de la Veracruz, persona rica y prominente; murió de su muerte. Y pasó un Niño Pinto, su cuñado, vecino que fue de la Veracruz, prominente persona y rica; murió de su muerte.

Y pasó un buen soldado que se decía Sindos de Portillo, natural de Portillo, y tenía muy buenos indios y estaba rico, y dejó sus indios y vendió sus bienes y los repartió a pobres, y se metió a fraile francisco, y fue de santa vida; este fraile fue conocido en México, y era público que murió santo y que hizo milagros, y era casi un santo; y otro buen soldado que se decía Francisco de Medina, natural de Medina del Campo, se metió a fraile francisco y fue buen religioso; y otro buen soldado que se decía Quintero, natural de Moguer, y tenía buenos indios y estaba rico, y lo dio por Dios y se metió a fraile francisco, y fue buen religioso; y otro soldado que se decía Alonso de Aguilar, cúya fue la venta que ahora se llama de Aguilar, que está entre la Veracruz y la Puebla, y estaba rico y tenía buen repartimiento de indios, todo lo vendió y lo dio por Dios, y se metió a fraile dominico y fue muy buen religioso; este fraile Aguilar fue muy conocido y fue muy buen fraile dominico; y otro buen soldado que se decía fulano Burguillos, tenía buenos indios y estaba rico, y lo dejó y se metió a fraile francisco; y este Burguillos después se salió de la Orden y no fue tan buen religioso como debiera; y otro buen soldado, que se decía Escalante, era muy galán y buen jinete, se metió fraile francisco, y después se salió del monasterio, y de allí a obra de un mes tornó a tomar los hábitos, y fue muy buen religioso; y otro buen soldado que se decía Lintorno, natural de Guadalajara, se metió fraile francisco y fue buen religioso, y solía tener indios de encomienda y era hombre de negocios; otro buen soldado que se decía Gaspar Díez, natural de Castilla la Vieja, y estaba rico, así de sus indios como de tratos, todo lo dio por Dios y se fue a los pinares de Guaxalcingo, en parte muy solitaria, e hizo una ermita y se puso en ella por ermitaño, y fue de tan buena vida, y se daba ayunos y disciplinas, que se puso muy flaco y debilitado, y decían que dormía en el suelo en unas pajas, y que de que lo supo el buen obispo don fray Juan de Zumárraga lo envió a llamar o le mandó que no se diese tan áspera vida, y tuvo tan buena fama de ermitaño Gaspar Díez, que se metieron en su compañía otros dos ermitaños y todos hicieron buena vida, y a cabo de cuatro años que allí estaban fue Dios servido llevarle a su santa gloria.

Y pasó otro buen soldado que se decía Alonso Bellido, y murió en poder de indios. Y vino un fulano Peinado, que se tulló de mal de bubas después de ganado México; murió en la Veracruz. Y pasó otro buen soldado que se decía Ribadeo, gallego; murió en poder de indios, en lo de Almería. Y pasó otro soldado que se decía el Galleguillo, porque era chico de cuerpo; murió en poder de indios. Y pasó un esforzado y osado soldado que se decía Lerma; se fue entre los indios como aburrido porque Cortés le mandó afrentar sin culpa; nunca se supo de él muerto ni vivo. Y también pasó otro buen soldado que se decía Pineda o Pinedo, criado que había sido del gobernador de Cuba, Diego Velázquez, y cuando vino Narváez se iba para Narváez desde México, y en el camino le mataron indios; sospechóse que Cortés mandó que le matasen. Pasó otro buen soldado y buen ballestero que se decía Pedro López; murió de su muerte. Y asimismo pasó otro Pedro López, ballestero, que fue con Alonso de Ávila a la isla Española, y allá se quedó. Pasaron tres herreros, el uno se llamaba Juan García y el otro Hernán Martín, que casó con la Bermuda, y el otro no me acuerdo su nombre; el uno murió en poder de indios, y los dos de sus muertes. Y pasó otro soldado que se decía Álvaro Gallego, vecino que fue de México, cuñado de unos Zamoras; murió de su muerte. Y pasó otro soldado, ya hombre anciano, que se decía Paredes, padre de un Paredes que ahora está en lo de Yucatán; murió aquél en poder de indios. Y pasó otro soldado que se decía Jerónimo Mejía Rapapelo, porque decía él mismo que era nieto de un Mejía que andaba a robar en el tiempo del rey Don Juan, en compañía de un Centeno; murió en poder de indios. Y pasó un Pedro de Tapia, y murió tullido después de ganado México.

Y pasaron ciertos pilotos que se decían Antón de Alaminos y un su hijo que también tenía el mismo nombre que su padre; eran naturales de Palos; y un Camacho de Triana, y un Juan Álvarez, el Manquillo, de Huelva; y un Sopuesta del Condado, ya hombre anciano; y un Cárdenas, éste fue el que estuvo malo del pensamiento cómo sacaban dos quintos del oro, el uno para Cortés; y un Gonzalo de Umbría; y hubo otro piloto que se decía Galdín; y también hubo más pilotos, que ya no se me acuerdan sus nombres, mas el que yo vi que se quedó por vecino en México fue Sopuesta, que todos los demás se fueron a Cuba, y a Jamaica, y a otras islas, y a Castilla a ganar pilotajes, por temor del marqués Cortés, que estaba mal con ellos porque dieron aviso a Francisco de Garay de las tierras que demandó a Su Majestad que le hiciese mercedes, y aun fueron cuatro pilotos de ellos a quejarse de Cortés delante de Su Majestad, los cuales se decían los Alaminos, y Cárdenas, y Gonzalo de Umbría, y les mandó dar cédulas reales para que en la Nueva España diesen a cada uno a mil pesos de renta, y Cárdenas vino, y los demás nunca vinieron. Y pasó otro soldado que se decía Lucas, genovés, y era piloto; murió en poder de indios. Y pasó otro soldado que se decía Juan, genovés, murió en poder de indios. Y también pasó otro genovés, vecino que fue de Oaxaca, marido de una portuguesa vieja; murió de su muerte. Y pasó otro soldado que se decía Enríquez, natural de tierra de Palencia; este soldado se ahogó de cansado y de peso de las armas y del calor que le daban.

Y pasó otro soldado que se decía Cristóbal de Jaén, y era carpintero, y murió en poder de indios. Y pasó un Ochoa, vizcaíno, hombre rico y prominente, vecino que fue de Oaxaca; murió de su muerte. Y pasó un bien esforzado soldado que se decía Zamudio; fuese a Castilla porque acuchilló a uno en México; y en Castilla fue capitán de una compañía de hombres de armas; murió en lo de Castilnovo con otros muchos caballeros españoles. Y pasó otro soldado que se decía Cervantes el Loco; era chocarrero y truhán; murió en poder de indios. Y pasó un Plazuela; murió en poder de indios. Y pasó un buen soldado que se decía Alonso Pérez, el Mainte, que vino casado con una india muy hermosa del Bayamo; murió en poder de indios. Y pasó un Martín Vázquez, natural de Olmedo, hombre rico y prominente, vecino que fue de México; murió de su muerte. Y pasó un Sebastián Rodríguez, buen ballestero, y después de ganado México fue trompeta; murió de su muerte. Y pasó otro ballestero que se decía Peñaloza, compañero de Sebastián Rodríguez, y murió de su muerte. Y pasó un soldado que se decía Álvaro, hombre de la mar, natural de Palos, que dicen que tuvo en indias de la tierra hijos e hijas; murió entre indios en lo de las Hibueras. Y pasó otro soldado que se decía Juan Pérez Malinche, que después le oí nombrar Artiaga, vecino de la Puebla, persona que fue rica; murió de su muerte. Y pasó un buen soldado que se decía Pedro González Sabiote; murió de su muerte.

Y pasó un buen soldado que se decía Jerónimo de Aguilar; este Aguilar pongo en esta cuenta porque fue el que hallamos en la punta de Cotoche, que estaba en poder de indios, y fue nuestra lengua; murió de mal de bubas. Y pasó otro soldado que se decía Pedro, valenciano, vecino que fue de México; murió de su muerte. Y pasaron dos soldados que tenían por sobrenombre Tarifas; el uno fue vecino de Oaxaca, marido de la Muñiz; murió de su muerte; el otro se decía Tarifa de las Manos Blancas, natural de Sevilla; púsosele aquel nombre porque no era para la guerra ni para cosas de trabajo, sino hablar de cosas pasadas; murió en el río del Golfo Dulce, ahogado él y su caballo, que nunca parecieron. Y pasó otro buen soldado que se decía Pero Sánchez Farfán, persona que valía y estuvo por capitán en Tezcuco entretanto que estábamos sobre México; murió de su muerte. Y pasó otro buen soldado que se decía Alonso Escobar, el Paje, de quien se tuvo mucha cuenta de su persona; murió en poder de indios. Y pasó otro soldado que se decía el bachiller Escobar; era boticario y curaba de cirujano; murió de su muerte. Y pasó otro soldado que se decía también Escobar, y fue bien esforzado; mas fue tal y tan bullicioso y de malas maneras, que murió ahorcado porque forzó a una mujer y por revoltoso. Y pasó otro soldado que se decía fulano de Santiago, natural de Huelva, y se fue rico a Castilla. Y pasó otro su compañero de Santiago que se decía Ponce; murió en poder de indios. Y pasó un fulano Méndez, ya hombre anciano; murió en poder de indios. Y pasaron otros tres soldados que murieron en las guerras que tuvimos en lo de Tabasco: el uno se decía Saldaña; los otros dos no me acuerdo sus nombres. Y pasó otro buen soldado y ballestero, que era hombre anciano, que jugaba mucho a los naipes, y murió en poder de indios. Y pasó otro soldado anciano que trajo un su hijo que se decía Orteguilla, paje que fue del gran Montezuma; así el viejo como el hijo murieron en poder de indios. Y pasó otro soldado que se decía fulano de Gaona, natural de Medina de Ríoseco; murió en poder de indios. Y pasó otro soldado que se decía Juan de Cáceres, que después de ganado México fue hombre rico, vecino de México; murió de su muerte. Y pasó otro soldado que se decía Hurones, natural de las Garrovillas, y murió de su muerte. Y pasó otro soldado, ya hombre anciano, que se decía Ramírez, el Viejo, que renqueaba de una pierna, vecino que fue de México; murió de su muerte. Y pasó otro soldado y bien esforzado que se decía Luis Farfán; murió en poder de indios. Y pasó otro soldado que se decía Morillas; murió en poder de indios. Y pasó otro soldado que se decía fulano de Rojas, que después pasó al Perú y allá murió. Y pasó un Astorga, hombre anciano, vecino que fue de Oaxaca; murió de su muerte. Y pasó un Pedro Tostado y un su hijo que tenía el mismo nombre: un Tostado murió en poder de indios y el otro de su muerte. Y pasó otro buen soldado que se decía Baldovinos; murió en poder de indios.

También quiero poner aquí a Guillén de la Loa, y Andrés Núñez, y a maestre Pedro de la Arpa, y a otros tres soldados; este Guillén de la Loa fue persona prominente y era de los que Francisco de Garay había enviado a descubrir lo de Pánuco, y venía a tomar posesión en la tierra por Garay, y le prendimos a él y a los que traía en su compañía, y por esta causa los pongo en esta relación de los de Cortés; Guillén de la Loa murió de un cañazo que le dieron en México en un juego de cañas; y el maestre Pedro de la Arpa era valenciano y murió de su muerte; y también Andrés de Núñez murió de su muerte, y los demás murieron en poder de indios.

Y pasó un Porras, muy bermejo y gran cantor; murió en poder de indios. Y pasó un Ortiz, gran tañedor de viola y amostraba a danzar; y vino otro su compañero que se decía Bartolomé García, y fue minero en la isla de Cuba, y este Ortiz y Bartolomé García pasaron el mejor caballo que pasó en nuestra compañía, y el cual les tomó Cortés y se lo pagó; murieron entrambos compañeros en poder de indios. Y pasó otro buen soldado que se decía Serrano; era ballestero; murió en poder de indios. Y pasó un hombre anciano que se decía Pedro de Valencia; era natural de un lugar que era de Plasencia. Y pasó un buen soldado que se decía Quintero; fue maestre de navío; murió en poder de indios. Y pasó un Alonso Rodríguez, que dejó buenas minas en la isla de Cuba y estaba rico, y murió en poder de indios en los peñoles que ahora llaman Los Peñoles, que ganó el marqués, y también allí murió otro buen soldado que se decía Gaspar Sánchez, sobrino del tesorero de Cuba, con otros soldados que fueron de los de Narváez. Y también pasó un Pedro de Palma, primer marido que tuvo Elvira López, la Larga; murió ahorcado, juntamente él y otro soldado de los de Cortés que se decía Trebejo, natural de Fuente Ginaldo, los cuales mandó ahorcar Gil González de Ávila o Francisco de las Casas, y juntamente con ellos ahorcaron a un clérigo de misa, por revolvedores y amotinadores de ejércitos cuando se venían a la Nueva España desde Naco después que hubieron degollado a Cristóbal de Olid, estos soldados y el clérigo eran de los de Cristóbal de Olid, y a mí me mostraron un árbol y ceiba donde los ahorcaron viniendo que veníamos de las Hibueras en compañía del capitán Luis Marín.

Y volviendo a nuestro primer cuento, también pasó un Andrés de Mol, levantisco; murió en poder de indios. Y también pasó un buen soldado que se decía Alberán, natural de Villanueva de la Serena; murió en poder de indios. Y pasaron otros muy buenos soldados que solían estar en Cuba, hombres de la mar, como fueron pilotos, maestres y contramaestres, de los más mancebos de los navíos que dimos al través, y muchos de ellos fueron muy animosos soldados en las guerras y batalla, y por no acordarme de todos no pongo aquí sus nombres. Y también pasaron otros soldados hombres de la mar que se decían los Peñates, y otros Pinzones, los unos naturales de Gibraleón y otros de Palos; de ellos murieron en poder de indios y otros de sus muertes naturales.

También me quiero yo poner aquí en esta relación, a la postre de todos, puesto que vine a descubrir dos veces primero que don Hernando Cortés, según lo tengo ya dicho en el capítulo que de ello habla, y tercera vez con el mismo Cortés; mi nombre es Bernal Díaz del Castillo, y soy vecino y regidor de la ciudad de Santiago de Guatemala, y natural de la muy noble e insigne y muy nombrada villa de Medina del Campo, hijo de Francisco Díaz del Castillo, regidor de ella, que por otro nombre le nombraban el Galán, que haya santa gloria; y doy muchas gracias y loores a Nuestro Señor Jesucristo y a Nuestra Señora la Virgen Santa María, su bendita madre, que me ha guardado que no sea sacrificado como en aquellos tiempos se sacrificaron todos los más de mis compañeros que nombrados tengo, para que ahora se descubran y se vean muy claramente nuestros heroicos hechos y quiénes fueron los valerosos capitanes y fuertes soldados que ganamos esta parte del Nuevo Mundo y no se refiera la honra de todos a un solo capitán.

CAPÍTULO CCVI

DE LAS ESTATURAS Y PROPORCIONES QUE TUVIERON CIERTOS CAPITANES Y FUERTES SOLDADOS, Y DE QUÉ EDADES SERÍAN CUANDO VINIMOS A CONQUISTAR LA NUEVA ESPAÑA

Del marqués don Hernando ya he dicho en el capítulo que de él habla en el tiempo que falleció en Castilleja de la Cuesta, de su edad y proporciones de su persona, y qué condiciones tenía, y otras cosas que hallarán escritas en esta relación si lo quisieren ver. También he dicho, en el capítulo que de ello habla, del capitán Cristóbal de Olid, de cuando fue con la armada a las Hibueras, de la edad que tenía y de sus condiciones y proporciones; allí lo hallarán.

Quiero ahora poner la edad y proporciones de don Pedro de Alvarado; fue comendador de Señor Santiago y adelantado y gobernador de Guatemala y Honduras y Chiapa; sería obra de treinta y [203] cuatro años cuando acá pasó; fue de muy buen cuerpo y bien proporcionado, y tenía el rostro y cara muy alegre, y en el mirar muy amoroso,[204] y por ser tan agraciado le pusieron por nombre los indios mexicanos Tonatio, que quiere decir el sol; era muy suelto y buen jinete,[205] y sobre todo ser franco y de buena conversación, y en vestirse era muy pulido y con ropas costosas y ricas, y traía al cuello una cadenita de oro con un joyel y un anillo con buen diamante; y porque ya he dicho adónde falleció y otras cosas acerca de su persona, en ésta no quiero poner más.

El adelantado don Francisco de Montejo fue algo de mediana estatura, y el rostro alegre, y amigo de regocijos, y hombre de negocios, y buen jinete; y cuando acá pasó sería de treinta y cinco años, y era franco y gastaba más de lo que tenía de renta; fue adelantado y gobernador de Yucatán, y tuvo otros dictados; murió en Castilla.

Y el capitán Gonzalo de Sandoval fue capitán muy esforzado, y sería cuando acá pasó de hasta veinte

[203] Tachado en el original: *seis.*

[204] Tachado en el original: *y grave cuando era menester.*

[205] Tachado en el original: *y muy esforzado.*

y[206] cuatro años; fue alguacil mayor de la Nueva España y obra de diez meses fue gobernador de la Nueva España, juntamente con el tesorero Alonso de Estrada; era del cuerpo y estatura no muy alto, sino bien proporcionado y membrudo, el pecho alto y ancho, y asimismo tenía la espalda, y de las piernas era algo estevado, y muy buen jinete; el rostro tiraba algo a robusto, y la barba y el cabello que se usaba algo crespo y acastañado, y en la voz no la tenía muy clara, sino algo espantosa, y ceceaba tanto cuanto; no era hombre que sabía letras, sino a las buenas llanas, ni era codicioso, sino solamente tener fama y hacer como buen capitán esforzado, y en las guerras que tuvimos en la Nueva España siempre tenía cuenta con los soldados que le parecían a él y lo hacían como varones, y los favorecía y ayudaba; no era hombre que traía ricos vestidos, sino muy llanamente; tuvo el mejor caballo y de mejor carrera, y revuelto a una mano y a otra, que decían se había visto dos ni en Castilla ni en otras partes, y era castaño y una estrella en la frente, y un pie izquierdo calzado; decíase *Motilla,* y cuando ahora hay diferencia sobre buenos caballos se suele decir: "En bondad es tan bueno como fue *Motilla.*" Dejaré lo del caballo y diré de este valeroso capitán que falleció en la villa de Palos cuando fue con don Hernando Cortés a besar los pies de Su Majestad, y directamente Gonzalo de Sandoval fue por quien dijo el marqués Cortés a Su Majestad que demás de los fuertes soldados que tuvo en su compañía, que fueron tan esforzados y animosos que se podrían contar entre los muy nombrados que hubo en el mundo, y que entre todos Sandoval era para ser coronel de muchos ejércitos, y para decir y hacer; fue natural de Medellín, hijodalgo; su padre fue alcaide de una fortaleza.

Pasemos a decir de otro buen capitán que se decía Juan Velázquez de León, natural de Castilla la Vieja; sería de hasta treinta y seis años cuando acá pasó; era de buen cuerpo y derecho y membrudo y buena espalda y pecho, y todo bien proporcionado y bien sacado; de rostro robusto y la barba algo crespa y aliñada, y la voz espantosa y gorda y algo tartamuda; fue muy animoso y de buena conversación, y si algunos bienes tenía en aquel tiempo los repartía con sus compañeros; díjose que en la isla Española mató a un caballero principal, persona por persona, que era hombre rico, que se decía Ribas Altias o Altas Ribas; y después que lo hubo muerto, la justicia de aquella isla ni la Audiencia Real nunca le pudo haber para hacer sobre el caso justicia, y que aunque le iban a prender, por su persona se defendía de los alguaciles, y se vino a la isla de Cuba, y de Cuba a la Nueva España, y fue muy buen jinete, y a pie y a caballo era muy extremado varón; murió en las puentes cuando salimos huyendo de México.

Diego de Ordaz fue natural de tierras de Campos, de Valverde o Castroverde; sería de edad de cuarenta años cuando acá pasó; fue capitán de soldados de espada y rodela, porque no era hombre de a caballo; fue esforzado y de buenos consejos; era de buena estatura y membrudo; y tenía el rostro muy robusto y la barba algo prieta y no mucha; que la habla no acertaba bien a pronunciar algunas palabras, sino algo tartajoso; era franco y de buena conversación; fue comendador de Santiago y murió en lo del Marañón, siendo capitán o gobernador de él, que esto no sé muy bien. El capitán Luis Marín fue de buen cuerpo y membrudo y esforzado; era estevado y la barba algo rubia, y el rostro largo y alegre, excepto que tenía unas señales como que había tenido viruelas; sería de hasta treinta años cuando acá pasó; era natural de Sanlúcar, y ceceaba un poco como sevillano; fue buen

[206] Tachado en el original: *ocho o treinta.*

jinete y de buena conversación; [207] murió en lo de Michoacán. El capitán Pedro de Ircio era de mediana estatura y paticorto, y tenía el rostro alegre, y muy plático en demasía, que así acontecería que siempre contaba cuentos de don Pedro Girón y del conde de Ureña, y era ardid, y a esta causa le llamábamos Agrajes; sin obras y sin hacer cosas que de contar sea, murió en México.

Alonso de Ávila fue capitán ciertos días en lo de México y el primer contador que le eligió Cortés hasta que el rey nuestro señor mandase otra cosa; era de buen cuerpo y rostro alegre, y en la plática expresiva, muy clara y de buenas razones, y muy osado y esforzado; sería de hasta treinta y tres años cuando acá pasó, y tenía otra cosa, que era franco con sus compañeros, mas era tan soberbio y amigo de mandar y no ser mandado, y algo envidioso, y era orgulloso y bullicioso, que Cortés no lo podía sufrir, y a esta causa le envió a Castilla por procurador, juntamente con un Antonio de Quiñones, natural de Zamora, y con ellos envió la recámara y riquezas de Montezuma y de Guatemuz, y franceses lo robaron y prendieron a Alonso de Ávila, porque Quiñones ya era muerto en la Tercera, y de allí a dos años volvió Alonso de Ávila a la Nueva España, y en Yucatán o en México murió; ese Alonso de Ávila fue tío de los caballeros que degollaron en México, hijos de Gil González de Benavides, lo cual tengo ya dicho y declarado en mi historia.

Andrés de Monjaraz fue capitán cuando la guerra de México; era de razonable estatura y el rostro alegre y la barba prieta y de buena conversacion, y como estaba muy malo de bubas, y a esta causa no hizo cosa que de contar sea; mas póngolo en esta relación para que sepan que fue capitán, y sería de hasta treinta años cuando acá pasó; murió de dolor de las bubas. Pasemos a un muy esforzado soldado que se decía Cristóbal de Olea, natural de tierra de Medina del Campo; sería de edad de veintiséis años cuando acá pasó; era de buen cuerpo y membrudo, no muy alto ni bajo, y tenía buen pecho y espalda y el rostro algo robusto, mas era apacible, y la barba y cabello tiraba algo como crespo, y la voz clara; este soldado fue en todo lo que le veíamos hacer tan esforzado y presto en las armas, que le teníamos muy buena voluntad y le honrábamos, y él fue el que escapó de muerte a don Hernando Cortés en lo de Xochimilco cuando los escuadrones mexicanos le habían derribado el caballo *El Romo* y le tenían asido para llevarle a sacrificar, y asimismo le libró otra vez cuando en la calzadilla de México le tenían engarrafado a Cortés muchos mexicanos para llevarle vivo a sacrificar, y le habían ya herido en una pierna al mismo Cortés, y le llevaron sesenta y dos soldados; y este esforzado soldado hizo cosas por su persona, que aunque estaba muy mal herido mató y acuchilló y dio de estocadas a todos los indios que llevaban a Cortés, que les hizo que lo dejasen, y así le salvó la vida, y Cristóbal de Olea quedó allí muerto por salvarle.

Quiero decir de dos soldados que se decían Jerónimo Domínguez y un Lares; digo que fueron tan esforzados y osados, que los teníamos en tanto como a Cristóbal de Olid; eran de buenos cuerpos y membrudos, y los rostros alegres y bien hablados, y muy buenas condiciones, y por no gastar más palabras en sus loas, podíanse contar con los más esforzados soldados que ha habido en Castilla; murieron en las batallas de Otumba, digo Lares, y Domínguez en lo de Guastepeque, del caballo que le tomó debajo. Y vamos a otro buen capitán y esforzado soldado que se decía Andrés de Tapia; sería de obra de veinticuatro años cuando acá pasó; era de la color el rostro algo ceniciento

[207] Tachado en el original: *no sabía leer.*

y no muy alegre, y de buen cuerpo, y de poca barba y rala, y fue buen capitán así a pie como a caballo; murió de su muerte.

Si hubiera de escribir todas las facciones y proporciones de todos nuestros capitanes y fuertes soldados que pasamos con Cortés era gran prolijidad, porque según todos eran esforzados y de mucha cuenta, dignos éramos de estar escritos con letras de oro. Y no pongo aquí otros capitanes que fueron de los de Narváez, porque mi intento desde que comencé a hacer mi relación no fue sino para escribir nuestros hechos y hazañas de los que pasamos con Cortés; sólo quiero poner aquí al capitán Pánfilo de Narváez, que fue el que vino contra nosotros desde la isla de Cuba con mil trescientos soldados, y con todos ellos [208] y con doscientos sesenta y seis soldados le desbaratamos, según se verá en mi relación, y cómo y de qué manera pasó aquel hecho. Y volviendo a mi materia, era Narváez de parecer de obra de cuarenta años, y alto de cuerpo y de recios miembros, y tenía el rostro largo y la barba rubia y agradable presencia, y en la plática y voz muy entonada, como que salía de bóveda; era buen jinete y decían que era esforzado; era natural de Valladolid o de Tudela de Duero; era casado con una señora que se decía María de Valenzuela; fue en la isla de Cuba capitán y hombre rico; decían que era muy escaso, y cuando le desbaratamos se le quebró un ojo, y tenía buenas razones en lo que hablaba; fue a Castilla delante de Su Majestad a quejarse de Cortés y de nosotros, y Su Majestad le hizo merced de la gobernación de cierta tierra en lo de la Florida, y allá se perdió y gastó cuanto tenía.

Y dos caballeros curiosos [que] han visto y leído la memoria atrás dicha de todos los capitanes y soldados que pasamos con el venturoso y esforzado don Hernando Cortés, marqués del Valle, a la Nueva España desde la isla de Cuba, que pongo por escrito sus proporciones así de cuerpo como de rostros y edades, y las condiciones que tenían, y en qué parte murieron, y de qué tierra eran me han dicho que se maravillan de mí que cómo a cabo de tantos años no se me ha olvidado y tengo memoria de ellos. A esto respondo y digo que no es mucho que se me acuerden ahora sus nombres, puesto que éramos quinientos cincuenta compañeros, que siempre conversábamos juntos así en las entradas como en las velas y en las batallas y reencuentros de guerras, y los que mataban de nosotros en tales batallas, y cómo los llevaban a sacrificar; por manera que comunicábamos los unos con los otros en especial cuando salíamos heridos de algunas muy sangrientas y dudosas batallas echábamos menos los que allá quedaban muertos, y a esta causa los pongo en en esta relación, y no es de maravillar de ello, pues en los tiempos pasados hubo grandes reyes y valerosos capitanes que andando en las guerras sabían los nombres de sus soldados y los conocían y los nombraban, y aun sabían de qué provincias o tierras o regiones eran naturales, y comúnmente eran en aquellos tiempos cada uno de los ejércitos que traían de más de treinta mil hombres, y dicen las historias que de ellos han escrito que Mitrídates, rey de Ponto, fue uno de los que conocían a sus ejércitos, y otro fue el rey de Egipto, rey de los Ipirotas, que por otro nombre se decía Alejandro; también dicen que Aníbal, gran capitán de Cartago, conocía a todos sus soldados, y en nuestros tiempos el esforzado y gran capitán don Gonzalo Hernández de Córdoba, y así han hecho otros muchos y valerosos capitanes; y más digo que si como ahora lo tengo en la mente y sentido y memoria, supiera pintar y esculpir sus cuerpos y figuras y talles y maneras y rostros y fac-

[208] Tachado en el original: *sin contar en ellos hombres de la mar*

ciones, como hacía aquel muy nombrado Apeles, o los de nuestros tiempos Berruguete y Miguel Ángel, y el muy afamado Burgalés, que dicen que es otro Apeles, dibujara a todos los que dicho tengo al natural, y aun según cada uno entraba en las batallas y el gran ánimo que mostraban. Y gracias a Dios y a Nuestro Señor Jesucristo que me escapó de no ser sacrificado a los ídolos y me libró de muchos peligros y trances para que ahora haga esta memoria o relación.

CAPÍTULO CCVII

DE LAS COSAS QUE AQUÍ VAN DECLARADAS CERCA DE LOS MÉRITOS QUE TENEMOS LOS VERDADEROS CONQUISTADORES, LAS CUALES SERÁN APACIBLES DE OÍRLAS

YA HE RECONTADO los soldados que pasamos con Cortés y dónde murieron, y si bien se quiere tener noticia de nuestras personas, éramos todos los demás hijosdalgo, aunque algunos no pueden ser de tan claros linajes, por que vista cosa es que en este mundo no nacen todos los hombres iguales, así en generosidad como en virtudes. Dejando esta plática aparte, de más de nuestras antiguas noblezas con heroicos hechos y grandes hazañas que en las guerras hicimos, peleando de día y de noche, sirviendo a nuestro rey y señor, descubriendo estas tierras y hasta ganar esta Nueva España y gran ciudad de México y otras muchas provincias a nuestra costa, estando tan apartados de Castilla, ni tener otro socorro ninguno, salvo el de Nuestro Señor Jesucristo, que es el socorro y ayuda verdadera, nos ilustramos mucho más que de antes; y si miramos las escrituras antiguas que de ello hablan, si son así como dicen, en los tiempos pasados fueron ensalzados y puestos en grande estado muchos caballeros, así en España como en otras partes, sirviendo como en aquella sazón sirvieron en las guerras y por otros servicios que eran aceptos a los reyes que en aquella sazón reinaban. Y también he notado que algunos de aquellos caballeros que entonces subieron a tener títulos de estados y de ilustres no iban a las tales guerras, ni entraban en las batallas sin que primero les pagasen sueldos y salarios, y no embargante que se los pagaban, les dieron villas y castillos y grandes tierras y perpetuos privilegios con franqueza, las cuales tienen sus descendientes; y además de esto, cuando el rey don Jaime de Aragón conquistó y ganó de los moros mucha parte de sus reinos los repartió a los caballeros y soldados que se hallaron en ganarlo, y desde aquellos tiempos tienen sus blasones y son valerosos, y también cuando se ganó Granada, y del tiempo del Gran Capitán a Nápoles, y también el príncipe de Orange en lo de Nápoles, dieron tierras y señoríos a los que les ayudaron en las guerras y batallas.

He traído esto aquí a la memoria para que se vean nuestros muchos y buenos y notables servicios que hicimos al rey nuestro señor y a toda la cristiandad, y se pongan en una balanza y medida cada cosa en su cantidad, y hallarán que somos dignos y merecedores de ser puestos y remunerados como los caballeros por mí atrás dichos, y aunque entre los valerosos soldados que en estas hojas pasadas he puesto por memoria hubo otros muchos esforzados y valerosos compañeros, y todos me tenían a mí en reputación de buen soldado. Y volviendo a mi materia, miren los curiosos lectores con atención esta mi relación y verán en cuántas batallas y reencuentros de guerra muy peligrosos me he hallado desde que vine a descubrir,[209] y dos veces estuve asido y engarrafado de muchos indios mexicanos, con quienes en aquella sazón estaba peleando, para llevarme a sacrificar como en aquel instante llevaron otros muchos mis compañeros, sin otros grandes peligros y trabajos así de hambres y sed e infinitas fatigas que suelen recrecer a los que semejantes descubrimientos van a hacer en tierras nuevas, lo cual hallarán escrito parte por parte en esta mi relación. Y quiero dejar de meter más la péndola en esto, y diré los bienes que se han seguido de nuestras ilustres conquistas.

[209] Tachado en el original: *y cuán lleno de heridas he estado.*

CAPÍTULO CCVIII

CÓMO LOS INDIOS DE TODA LA NUEVA ESPAÑA TENÍAN MUCHOS SACRIFICIOS Y TORPEDADES, Y SE LOS QUITAMOS Y LES IMPUSIMOS EN LAS COSAS SANTAS DE BUENA DOCTRINA

PUES HE DADO cuenta de cosas que se contienen, en decir bienes que diga los bienes que se han hecho así para el servicio de Dios y de Su Majestad con nuestras ilustres conquistas, y aunque fueron tan costosas de las vidas de todos los más de mis compañeros, porque muy pocos quedamos vivos, y los que murieron fueron sacrificados, y con sus corazones y sangre ofrecidos a los ídolos mexicanos que se decían Tezcatepuca y Uichilobos. Quiero comenzar a decir de los sacrificios que hallamos por las tierras y provincias que conquistamos, las cuales estaban llenas de sacrificios y maldades, porque mataban en cada un año, solamente en México y ciertos pueblos que están en la laguna, sus vecinos, según se halló por cuenta que de ello hicieron religiosos franciscos, que fueron los primeros que vinieron a la Nueva España cuatro y medio años antes que viniesen los dominicos, que fueron los franciscos muy buenos religiosos y de santa doctrina, y hallaron sobre dos mil[210] personas chicas y grandes; pues en otras provincias, a esta cuenta mucho más serían; y tenían otras maldades de sacrificios, y por ser de tantas maneras no los acabaré de escribir todos por extenso, mas los que yo vi y entendí pondré aquí por memoria. Tenían por costumbre que se sacrificaban las frentes y las orejas, lenguas y labios, los pechos y brazos y molledos, y las piernas y aun sus naturas, y en algunas provincias eran retajados y tenían pedernales de navajas con que se retajaban.

Pues los adoratorios que son *cúes*, que así los llaman entre ellos, eran tantos que los doy a la maldición, y me parece que eran casi que al modo como tenemos en Castilla y en cada ciudad nuestras santas iglesias y parroquias y ermitas y humilladeros, así traían en esta tierra de la Nueva España sus casas de ídolos llenas de demonios y diabólicas figuras, y además de estos *cúes* tenía cada indio e india dos altares, el uno junto donde dormía y el otro a la puerta de su casa, y en ellos muchas arquillas de madera y otras que llaman petacas llenas de ídolos, unos chicos y otros grandes, y pe-

[210] Tachado en el original: *y quinientas.*

drezuelas y pedernales y librillos de un papel de corteza de árbol que llaman *amate,* y en ellos hechos sus señales del tiempo y de cosas pasadas; y además de esto eran todos los demás de ellos sométicos, en especial los que vivían en las costas y tierra caliente; en tanta manera, que andaban vestidos en hábito de mujeres muchachos a ganar en aquel diabólico y abominable oficio; pues comer carne humana, así como nosotros traemos vaca de las carnicerías, y tenían en todos los pueblos cárceles de madera gruesa hechas a manera de casas, como jaulas, y en ellas metían a engordar muchas indias e indios y muchachos, y estando gordos los sacrificaban y comían; y además de esto las guerras que se daban unas provincias y pueblos a otros; y los que cautivaban y prendían los sacrificaban y comían; pues tener excesos carnales hijos con madres y hermanos con hermanas y tíos con sobrinas, halláronse muchos que tenían este vicio de esta torpedad; pues de borrachos, no lo sé decir tantas suciedades que entre ellos pasaban; sólo una quiero aquí poner, que hallamos en la provincia de Pánuco; que se embudaban por el sieso con unos cañutos, y se henchían los vientres de vino de lo que entre ellos se hacía, como cuando entre nosotros se echa una medicina, torpedad jamás oída; pues tener mujer cuentas querían, y tenían otros muchos vicios y maldades, y todas estas cosas por mí recontadas quiso Nuestro Señor Jesucristo que con su santa ayuda que nosotros los verdaderos conquistadores que escapamos de las guerras y batallas y peligros de muerte, ya otras veces por mí dichos, se lo quitamos y les pusimos en buena policía de vivir y les enseñamos la santa doctrina.

Verdad es que, después de dos años pasados, ya que todas las más tierras teníamos de paz y con la policía y manera de vivir que he dicho, vinieron a la Nueva España unos buenos religiosos franciscos que dieron muy buen ejemplo y doctrina, y desde ahí a otros cuatro años vinieron otros buenos religiosos de Señor Santo Domingo, que se lo han quitado muy de raíz y han hecho mucho fruto en la santa doctrina;[211] mas si bien se quiere notar, después de Dios, a nosotros los verdaderos conquistadores, que lo descubrimos y conquistamos y desde el principio les quitamos sus ídolos y les dimos a entender la santa doctrina, se debe a nos el premio y galardón de todo ello primero que otras personas, aunque sean religiosos, porque cuando el principio es bueno y medio alguno y al cabo todo es digno de loor; lo cual pueden ver los curiosos lectores de la policía, y cristiandad y justicia, que les mostramos en la Nueva España. Y dejaré esta materia y diré los demás bienes que, después de Dios, por nuestra causa han venido a los naturales de la Nueva España.

[211] Tachado en el original: *y cristiandad de los naturales.*

CAPÍTULO CCIX

CÓMO PUSIMOS EN MUY BUENAS Y SANTAS DOCTRINAS A LOS INDIOS DE LA NUEVA ESPAÑA, Y DE SU CONVERSIÓN, Y DE CÓMO SE BAUTIZARON Y VOLVIERON A NUESTRA SANTA FE, Y LES ENSEÑAMOS OFICIOS QUE SE USAN EN CASTILLA Y A TENER Y GUARDAR JUSTICIA

DESPUÉS DE QUITADAS las idolatrías y todos los malos vicios que usaban, quiso Nuestro Señor Dios que con su santa ayuda y con la buenaventura y santas cristiandades de los cristianísimos emperador don Carlos, de gloriosa memoria, y de nuestro rey y señor felicísimo e invictísimo rey de las Españas don Felipe, nuestro señor, su muy amado y querido hijo, que Dios le dé muchos años de vida con acrecentamiento de más reinos, para que en este su santo y feliz tiempo lo goce con su santa gloria, se han bautizado desde que lo conquistamos todas cuantas personas había, así hombres como mujeres y niños que después han nacido, que de antes iban perdidas sus ánimas a los infiernos, y ahora, como hay muchos y buenos religiosos de Señor San Francisco y Santo Domingo y de otras Órdenes, andan en los pueblos predicando, y en siendo la criatura de los días que manda nuestra Santa Madre Iglesia de Roma los bautizan; y además de esto con los santos sermones que les hacen el santo Evangelio que está muy bien plantado en sus corazones, y se confiesan cada año, y algunos de ellos que tienen más conocimiento en nuestra santa fe se comulgan; y además de esto, tienen sus iglesias muy ricamente adornadas de altares, y todo lo perteneciente para el santo culto divino, con cruces y candeleros y ciriales y cáliz y patena y platos, unos grandes y otros chicos, de plata, e incensario, todo labrado de plata; pues capas y casullas y frontales en pueblos ricos los tienen, y comúnmente, en razonables pueblos, de terciopelo y de damasco y raso y de tafetán, diferenciados en las colores y labores, y las mangas de las cruces muy labradas de oro y seda,[212] y las cruces de los difuntos de raso negro, y en ellas figurada la misma cara de la muerte, con su disforme semejanza y huesos, y el cobertor de las mismas andas, unos tienen buenas y otros no tan buenas. Pues campanas, las que han menester, según la calidad que es cada pueblo; pues cantores de capilla de voces bien concertadas, así tenores como tiples y contraltos y bajos, no hay falta; y en algunos pueblos hay órganos, y en todos los más tienen flautas y chirimías y sacabuches y dulzainas; pues trompetas altas y sordas no hay tantas en mi tierra, que es Castilla la Vieja, como hay en esta provincia de Guatemala, y es dar gracias a Dios y cosa muy de contemplación ver cómo los naturales ayudan a beneficiar una santa misa, en especial si la dicen los franciscos o dominicos, que tienen a cargo el curazgo del pueblo donde la dicen.

Otra cosa buena tienen: que así hombres como mujeres y niños que son de edad para aprenderlo, saben todas las santas oraciones en sus mismas lenguas, que son obligados a saber, y tienen otras buenas costumbres acerca de su santa cristiandad, que cuando pasan cabe un santo altar o cruz bajan la cabeza con humildad, y se hincan de rodillas y

[212] Tachado en el original: *y aun en lugares tienen perlas.*

dicen la oración del *Pater noster;* y más que les mostramos los conquistadores, a tener candelas de cera encendidas delante de los santos altares y cruces porque de antes no se sabían aprovechar de ella en hacer candelas; y además de lo que dicho tengo les mostramos a tener mucho acato y obediencia a todos los religiosos y a clérigos, y que cuando fuesen a sus pueblos les saliesen a recibir con candelas de cera encendidas y repicasen las campanas y les diesen muy bien de comer, y así lo hacen con los religiosos. Y tenían estos cumplimientos con los clérigos; mas después que han conocido y visto de algunos de ellos y los demás sus codicias, y hacen en los pueblos desatinos, pasan por alto y no los querrían por curas en sus pueblos, sino franciscos o dominicos, y no aprovecha cosa que sobre este caso los pobres indios digan al prelado, que no lo oyen. ¡Oh, qué había de decir sobre esta materia, mas quedarse ha en el tintero!

Y volveré a mi relación. Y además de las buenas costumbres por mí dichas, tienen otras santas y buenas, porque cuando es el día de Corpus Christi o de Nuestra Señora, u otras fiestas solemnes que entre nosotros hacemos procesiones, salen todos los más pueblos cercanos de esta ciudad de Guatemala en procesión con sus cruces y con candelas de cera encendidas, y traen en los hombros y andas la imagen del santo o santa de que es advocación de su pueblo, lo más ricamente que pueden, y vienen cantando las letanías y otras oraciones, y tañen sus flautas y trompetas, y otro tanto hacen en sus pueblos cuando es el día de las tales solemnes fiestas, y tienen por costumbre de ofrecer los domingos y pascuas, especialmente el día de Todos Santos, y esto del ofrecer los clérigos les dan tal prisa donde son curas, y tienen tales modos, que no se les quedará a los indios por olvido, porque dos o tres días antes que venga la fiesta les mandan apercibir para la ofrenda, y también ofrecen a los religiosos, mas no con tanta solicitud.

Pasemos adelante y digamos cómo todos los más indios naturales de estas tierras han aprendido muy bien todos los oficios que hay en Castilla entre nosotros, y tienen sus tiendas de los oficios y obreros, y ganan de comer a ello, y los plateros de oro y de plata, así de martillo como de vaciadizo, son muy extremados oficiales, y asimismo lapidarios y pintores, y los entalladores hacen tan primas obras con sus sutiles leznas de hierro, especialmente entallan esmeriles, y dentro de ellos figurados todos los pasos de la Santa Pasión de Nuestro Señor Redentor y Salvador Jesucristo, que si no las hubiese visto no pudiera creer que indios lo hacían, que se me significaba a mi juicio que aquel tan nombrado pintor como fue el muy antiguo Apeles, y de nuestros tiempos que se decían Berrugete y Miguel Ángel, ni de otro moderno ahora nuevamente muy nombrado, natural de Burgos...[213] el cual tiene gran fama como Apeles, no harán con sus muy sutiles pinceles las obras de los esmeriles ni relicarios que hacen tres indios maestros de aquel oficio, mexicanos, que se dicen Andrés de Aquino, y Juan de la Cruz, y el Crespillo. Y además de esto, todos los más hijos de principales solían ser gramáticos, y lo aprendían muy bien, si no se lo mandaran quitar en el santo sínodo que mandó hacer el reverendísimo arzobispo de México; y muchos hijos de principales saben leer y escribir y componer libros de canto llano.

Y hay oficiales de tejer seda, raso y tafetán y hacer paños de lana, aunque sean veinticuatrenos, hasta frisas y sayal, y mantas y frazadas, y son cardadores, pelaires y tejedores, según y de la manera que se hace en Segovia y en Cuenca; y otros son sombrereros y jaboneros; solos dos oficios no han podido entrar en ellos y aunque lo han pro-

[213] Espacio en blanco.

curado, que es hacer el vidrio y ser boticarios; mas yo los tengo por de tan buenos ingenios que lo aprenderán muy bien, porque algunos de ellos son cirujanos y herbolarios, y saben jugar de mano y hacer títeres, y hacen vihuelas muy buenas; pues labradores, de su naturaleza lo son antes que viniésemos a la Nueva España, y ahora crían ganados de todas suertes y doman bueyes y aran las tierras, y siembran trigo, y lo benefician y cogen, y lo venden, y hacen pan y bizcocho, y han plantado sus tierras y heredades de todos los árboles y frutas que hemos traído de España, y venden el fruto que procede de ello, y han puesto tantos árboles, que porque los duraznos no son buenos para la salud y los platanales les hacen mucha sombra, han cortado y cortan muchos, y lo ponen de membrillales y manzanos y perales, que los tienen en más estima.

Pasemos adelante, y diré de la justicia que les hemos mostrado a guardar y cumplir, y cómo cada año eligen sus alcaldes ordinarios y regidores y escribanos y alguaciles y fiscales y mayordomos, y tienen sus casas de cabildo donde se juntan dos días en la semana, y ponen en ellas sus porteros, y sentencian y mandan pagar deudas que se deben unos a otros, y por algunos delitos de crímenes azotan y castigan, y si es por muerte o cosas atroces remítenlo a los gobernadores si no hay Audiencia Real; y según me han dicho personas que lo saben muy bien, que en Tlaxcala y en Tezcuco y en Cholula y en Guaxocingo y Tepeaca y en otras ciudades grandes, cuando los indios hacen cabildo, que salen delante de los que están por gobernadores y alcaldes maceros con mazas doradas, según sacan los virreyes de la Nueva España, y hacen justicia con tanto primor y autoridad como entre nosotros, y se precian y desean saber mucho de las leyes del reino, por donde sentencien; además de esto, todos los más caciques tienen caballos y son ricos, traen jaeces con buenas sillas y se pasean por las ciudades y villas y lugares donde se van a holgar y son naturales, y llevan sus indios y pajes que les acompañan, y aun en algunos pueblos juegan cañas y corren toros y ponen sortija, especial si es día de Corpus Christi, o de Señor San Juan, o Señor Santiago, o de Nuestra Señora de Agosto, o la advocación de la Iglesia del santo de su pueblo; y hay muchos que aguardan los toros aunque sean bravos y muchos de ellos son jinetes, y en especial en un pueblo que se dice Chiapa de los indios; y los que no lo son ni caciques, todos los más tienen caballos y algunos hatos de yeguas y mulas, y se ayudan con ello a traer leña y maíz y cal y otras cosas de este arte, y lo venden por las plazas, y son muchos de ellos arrieros, según y de la manera que en nuestra Castilla se usa. Y por no gastar más palabras, todos los oficios hacen muy perfectamente; hasta paños de tapicería saben tejer. Y dejaré de hablar más en esta materia y diré otras muchas grandezas que por nuestra causa ha habido y hay en esta Nueva España.

CAPÍTULO CCX

DE OTRAS COSAS Y PROVECHOS QUE SE HAN SEGUIDO DE NUESTRAS ILUSTRES CONQUISTAS Y TRABAJOS

Ya habrán oído en los capítulos pasados de todo lo por mí recontado acerca de los bienes y provechos que se han hecho en nuestras ilustres y santas hazañas y conquistas. Diré ahora del oro y plata y piedras preciosas y otras riquezas de grana, hasta zarzaparrilla y cueros de vacas que de esta Nueva España han ido y van cada año a Castilla, a nuestro rey y señor, así de sus reales quintos como otros muchos presentes que le hubimos enviado así como le ganamos estas sus tierras, sin las grandes cantidades que llevan mercaderes y pasajeros; que después que el sabio rey Salomón fabricó y mandó hacer el santo templo de Jerusalén con el oro y plata que le trajeron de las islas de Tarsis, Ofir y Saba, no se ha oído en ninguna escritura antigua que más oro y plata y riquezas hayan ido cotidianamente a Castilla que de estas tierras; y esto digo así, porque ya que del Perú, como es notorio, han ido innumerables millares de pesos de oro y plata, en el tiempo que ganamos esta Nueva España no había nombre del Perú, ni estaba descubierto, ni se conquistó desde allí a diez años, y nosotros siempre desde el principio comenzamos a enviar a Su Majestad presentes riquísimos, y por esta causa y por otras que diré antepongo a la Nueva España, porque bien sabemos que en las cosas acaecidas del Perú siempre los capitanes y gobernadores y soldados han tenido guerras civiles, y todo revuelto en sangre, y en muertes de muchos soldados bandoleros, porque no han tenido el acato y obediencia que son obligados a nuestro rey y señor, y en gran disminución de los naturales, y en esta Nueva España siempre tenemos y tendremos para siempre jamás el pecho por tierra, como somos obligados a nuestro rey y señor, y pondremos nuestras vidas y haciendas en cualquier cosa que se ofrezca para servir a Su Majestad.

Y además de esto miren los curiosos lectores que de ciudades y villas y lugares que están poblados en estas partes de españoles, que por ser tantos y no saber yo los nombres de todas se quedarán en silencio; y tengan atención a los obispados que hay, que son diez, sin el arzobispo de la muy insigne ciudad de México; y como hay tres Audiencias Reales, todo lo cual diré adelante, así de los que han gobernado como de los arzobispos y obispos que ha habido; y miren las santas iglesias catedrales, y los monasterios donde hay frailes dominicos, como franciscos y mercenarios y agustinos; y miren qué hay de hospitales, y los grandes perdones que tienen, y la santa iglesia de Nuestra Señora de Guadalupe, que está en lo de Tepeaquilla, donde solía estar asentado el real de Gonzalo de Sandoval cuando ganamos a México; y miren los santos milagros que ha hecho y hace de cada día, y démosle muchas gracias a Dios y a su bendita madre Nuestra Señora, y loores por ello que nos dio gracias y ayuda que ganásemos estas tierras donde hay tanta cristiandad; y también tengan cuenta cómo en México hay Colegio Universal donde se estudia y aprenden gramática y teología y retórica y lógica y filosofía y otras artes y estudios, y hay moldes y maestros de imprimir libros, así en latín como romance; se gradúan de licenciados y doctores; y otras muchas grandezas y riquezas pudiera decir, así de minas ricas de plata que en ellas están descubiertas y se descubren a la continua, por donde nuestra Castilla es prosperada y tenida y acatada.

Y porque bastan los bienes que ya he propuesto que de nuestras heroicas conquistas han recrecido, quiero decir que miren las personas sabias y leídas esta mi relación desde el principio hasta el cabo, y verán que ningunas escrituras que estén escritas en el mundo, ni en hechos hazañosos humanos, ha habido hombres que más reinos y señoríos hayan ganado como nosotros, los verdaderos conquistadores, para nuestro rey y señor; y entre los fuertes conquistadores mis compañeros, puesto que los hubo muy esforzados, a mí me tenían en la cuenta de ellos,[214] y el más antiguo de to-

[214] Tachado en el original: *reputado por razonable soldado.*

dos, y digo otra vez que yo, yo y yo, dígolo tantas veces, que yo soy el más antiguo y lo he servido como muy buen soldado a Su Majestad, y diré con tristeza de mi corazón, porque me veo pobre y muy viejo y una hija para casar y los hijos varones ya grandes y con barbas y otros por criar, y no puedo ir a Castilla ante Su Majestad para representarle cosas cumplideras a su real servicio y también para que me haga mercedes, pues se me deben bien debidas.

Dejaré esta plática, porque si más en ello meto la pluma, me será muy odiosa de personas envidiosas, y quiero proponer una cuestión a manera de diálogo, y es que habiendo visto la buena e ilustre fama que suena en el mundo de nuestros muchos y buenos y nobles servicios que hemos hecho a Dios y a Su Majestad y a toda la Cristiandad, da grandes voces, y dice que fuera justicia y razón que tuviéramos buenas rentas y más aventajadas que tienen otras personas que no han servido en estas conquistas ni en otras partes a Su Majestad, y asimismo pregunta que dónde están nuestros palacios y moradas, y qué blasones tenemos en ellas diferenciadas de las demás, y si están en ellas esculpidos y puestos por memoria nuestros heroicos hechos y armas, según y de la manera que tienen en España los caballeros que dicho tengo en el capítulo pasado que sirvieron en los tiempos pasados a los reyes que en aquella sazón reinaban, pues nuestras hazañas no son menores que las que esos señores hicieron, antes son de memorable fama y se pueden contar entre las muy nombradas que [ha] habido en el mundo, y además de esto pregunta la ilustre Fama por los conquistadores que hemos escapado de las batallas pasadas y por los muertos dónde están sus sepulcros y qué blasones tienen en ellos. A estas cosas se le puede responder con mucha verdad: ¡Oh, excelente y muy sonante ilustre Fama, y entre buenos y virtuosos deseada y loada, y entre maliciosos y personas que han procurado oscurecer nuestros heroicos hechos no los querrían ver ni oír vuestro tan ilustrísimo nombre para que nuestras personas no ensalcéis como conviene! Hágoos, señora, saber, que de quinientos cincuenta soldados que pasamos con Cortés desde la isla de Cuba, no somos vivos en toda la Nueva España de todos ellos, hasta este año de mil quinientos sesenta y ocho, que estoy trasladando esta mi relación, sino cinco, que todos los más murieron en las guerras ya por mí dichas, en poder de indios, y fueron sacrificados a los ídolos, y los demás murieron de sus muertes; y los sepulcros que me pregunta dónde los tienen, digo que son los vientres de los indios, que los comieron las piernas y muslos, y brazos y molledos, pies y manos, y los demás fueron sepultados, y sus vientres echaban a los tigres y sierpes y halcones, que en aquel tiempo tenían por grandeza en casas fuertes, y aquello fueron sus sepulcros, y allí están sus blasones. Y a lo que a mí se me figura con letras de oro habían de estar escritos sus nombres, pues murieron aquella crudelísima muerte por servir a Dios y a Su Majestad, y dar luz a los que estaban en tinieblas, y también por haber riquezas, que todos los hombres comúnmente venimos a buscar.

Y además de haber dado cuenta a la ilustre Fama, me pregunta por los que pasaron con Narváez y con Garay; y digo, que los de Narváez fueron mil trescientos, sin contar entre ellos hombres de la mar, y no son vivos de todos ellos sino diez u once, que todos los más murieron en las guerras y sacrificados, y sus cuerpos comidos de indios, ni más ni menos que los nuestros; y de los que pasaron con Garay de la isla de Jamaica, a mi cuenta, con las tres capitanías que vinieron de San Juan de Ulúa, antes que pasase Garay, y con los que trajo a la postre cuando él vino, serían por todos otros mil doscientos soldados, y todos los más de ellos fueron sacrificados a los ídolos en la provincia de Pánuco, y comidos sus cuerpos de los naturales de las mismas provincias. Y además de esto pregunta la loable Fama por otros quince [215] soldados que aportaron a la Nueva España, que fueron de los de Lucas Vázquez de Ayllón, cuando le desbarataron y él murió en la Florida, que qué se habían hecho. A esto digo, que no he visto ninguno, que todos son muertos, y hágoos saber, excelente Fama, que de todos los que he recontado, ahora somos vivos de los de Cortés cinco y estamos muy viejos y dolientes de enfermedades, y lo peor de todo muy pobres y cargados de hijos e hijas para casar, y nietos, y con poca renta, y así pasamos nuestras vidas con trabajos y miserias. Y pues ya he dado cuenta de todo lo que me ha preguntado, y de nuestros palacios y blasones y sepulcros, suplícoos, ilustrísima Fama, que de aquí adelante alcéis más vuestra excelente y virtuosísima voz para que en todo el mundo se vean claramente nuestras grandes proezas, porque hombres maliciosos con sus sacudidas y esparcidas y envidiosas lenguas no las oscurezcan ni aniquilen, y procuréis que a los que Su Majestad le ganaron estas sus tierras y se les debe el premio de ello, y no se dé a los que no les debe, porque ni Su Majestad no tiene cuenta con ellos ni ellos con Su Majestad sobre servicio que le hayan hecho. A esto que he suplicado a la virtuosísima Fama, me responde y dice que lo hará de muy buena voluntad, y dice que se espanta cómo no tenemos los mejores repartimientos de indios de la tierra, pues que la ganamos y Su Majestad lo manda dar, como lo tiene el marqués Cortés, no se entiende que sea tanto, sino moderadamente.

Y más dice la loable Fama, que las cosas del valeroso y animoso Cortés han de ser siempre muy estimadas y contadas entre los hechos de valerosos capitanes; y más dice la verdadera Fama, que no hay memoria de ninguno de nosotros en los libros e historias que están escritas del coronista Francisco López de Gómara, ni en la del doctor Illescas, que escribió *El Pontifical*, ni en otros modernos coronistas, y sólo el marqués Cortés dicen en sus libros que es el que lo descubrió y conquistó, y que los capitanes y soldados que lo ganamos quedamos en blanco, sin haber memoria de nuestras personas ni conquistas, y que ahora se ha holgado mucho en saber claramente que todo lo que he escrito en mi relación es verdad, y que la misma escritura trae consigo al pie de la letra lo que pasó, y no lisonjas y palabras viciosas, ni por sublimar a un solo capitán quiere deshacer a muchos capitanes y valerosos soldados, como ha hecho Francisco López de Gómara y los demás coronistas modernos que siguen su propia historia sin poner ni quitar más de lo que dice; y más me prometió, que de vivir la buena Fama que por su parte lo propondrá con voz muy clara y sonante a doquiera que se hallare, y además de lo que ella declarará, que mi historia, si se imprime, después que la vean y oigan la darán fe verdadera y oscurecerá las lisonjas que escribieron los pasados.

Y allende de lo que he propuesto a manera de diálogo, me preguntó un doctor oidor de la Audiencia Real de Guatemala que cómo Cortés cuando escribió a Su Majestad y fue la primera vez a Castilla, por qué no procuró por nosotros, pues por nuestra causa después de Dios fue marqués y gobernador. A esto respondí entonces y ahora lo digo, que como tomó para sí al principio, cuando Su Majestad le hizo merced de la gobernación, todo lo mejor de la Nueva España, creyendo que siempre fuera señor absoluto y que por su mano nos diera indios o quitara, y a esta causa se presumió que no lo hizo ni quiso escribir, y también porque en aquel tiempo Su

[215] Tachado en el original: *o veinte.*

Majestad le dio el marquesado que tiene, y como le importunaba que le volviesen la gobernación de la Nueva España como de antes la había tenido, y le respondió que ya le había dado el marquesado, no curó de demandar cosa ninguna para nosotros que bien nos hiciese sino solamente para él; y además de esto habían informado el factor, veedor y otros caballeros de México a Su Majestad que Cortés había tomado para sí las mejores provincias y pueblos de la Nueva España y que había dado a sus amigos y parientes, que nuevamente habían venido de Castilla, otros buenos pueblos, y que no dejaba para el real patrimonio sino poca cosa. Después alcanzamos a saber mandó Su Majestad que de lo que tenía sobrado diese a los que con él pasamos, y en aquel tiempo Su Majestad se embarcó en Barcelona para ir a Flandes; y si Cortés en el tiempo que ganamos la Nueva España, como otras veces he dicho en el capítulo que de ello habla, la hiciera cinco partes y la mejor y ricas provincias y ciudades diera la quinta parte a nuestro rey y señor, de su real quinto, bien hecho fuera, y tomara para sí una parte, y media parte dejara para iglesias y monasterios y propios de ciudades y que Su Majestad tuviera qué dar y hacer mercedes a caballeros que le sirvieron en las guerras; y las dos partes y media nos repartiera perpetuos con ellos, nos quedáramos así Cortés con la una parte como nosotros; porque como nuestro césar fue muy cristianísimo y no le costó a conquistar cosa ninguna, nos hiciera estas mercedes.

Y además de esto, como en aquella sazón no sabíamos los verdaderos conquistadores qué cosa era demandar justicia, ni a quién pedirle sobre nuestros servicios, ni otras cosas de agravios y fuerzas que pasaban en las guerras, sino solamente al mismo Cortés, como capitán y que lo mandaba muy de hecho, nos quedamos en blanco con lo poco que nos habían depositado hasta que vimos que a don Francisco de Montejo, que fue a Castilla ante Su Majestad, le hizo merced de ser adelantado y gobernador de Yucatán y le dio los indios que tenía en México y le hizo otras mercedes; y Diego de Ordaz, que asimismo fue ante Su Majestad, le dio una encomienda de Señor Santiago y los indios que tenía en la Nueva España; y a don Pedro de Alvarado, que también fue a besar los pies a Su Majestad, le hizo adelantado y gobernador de Guatemala y Chiapa, y comendador de Santiago, y otras mercedes de los indios que tenía; y a la postre fue Cortés, y le dio el marquesado y capitán general de la Mar del Sur; y después que los conquistadores vimos y entendimos que los que no parecían ante Su Majestad no hay memoria de hacernos mercedes, enviamos a suplicar que de lo que de allí adelante vacase nos lo mandase dar perpetuo; y como se vieron nuestras justificaciones, cuando envió la primera Audiencia Real a México, y vino en ella por presidente Nuño de Guzmán, y por oidores el licenciado Delgadillo, natural de Granada, y Matienzo, de Vizcaya, y otros dos oidores que en llegando a México se murieron, mandó Su Majestad expresamente a Nuño de Guzmán que todos los indios de la Nueva España se hiciesen un cuerpo, a fin que las personas que tenían repartimientos grandes, que les había dado Cortés, que no les quedasen tanto, y les quitasen de ello, y que a los verdaderos conquistadores nos diesen los mejores pueblos y de más cuenta, y que para su real patrimonio dejasen las cabezas y mejores ciudades, y también mandó Su Majestad que a Cortés que le contasen los vasallos y que le dejasen los que tenía capitulados en su marquesado, y los demás no me acuerdo qué mandó sobre ello; y la causa por donde no hizo el repartimiento Nuño de Guzmán y los oidores fue por malos consejeros, que por su honor aquí no nombro, porque le dijeron que si repartía la tierra, que después que los conquistadores y pobladores se viesen con sus indios perpetuos no los tendrían en tanto acato, ni serían tan señores de mandarles, porque no tendrían qué quitar ni poner, ni les vendrían a suplicar que les diese de comer, y de otra manera que tendrían qué dar de lo que vacase a quien quisiesen y que ellos serían ricos y tendrían mayores poderes; y a este fin se dejó de hacer. Verdad es que Nuño de Guzmán y los oidores, en vacando que vacaban indios, luego los depositaban a conquistadores y pobladores, y no eran tan malos como los hacían para los vecinos y pobladores, que a todos les contentaban y daban de comer, y si les quitaron redondamente de la Real Audiencia fue por las contrariedades que tuvieron con Cortés, y sobre el herrar de los indios libres por esclavos. Quiero dejar este capítulo y pasaré en otro, y diré acerca de los repartimientos perpetuos.

CAPÍTULO CCXI

CÓMO EL AÑO 1550, ESTANDO LA CORTE EN VALLADOLID, SE JUNTARON EN EL REAL CONSEJO DE INDIAS CIERTOS PRELADOS Y CABALLEROS QUE VINIERON A LA NUEVA ESPAÑA Y DEL PERÚ POR PROCURADORES, Y OTROS HIDALGOS QUE SE HALLARON PRESENTES PARA DAR ORDEN QUE SE HICIESE EL REPARTIMIENTO PERPETUO. Y LO QUE EN LA JUNTA SE HIZO Y PLATICÓ ES LO QUE DIRÉ

En el año de mil quinientos cincuenta vino del Perú el licenciado de la Gasca y fue a la corte, que en aquella sazón estaba en Valladolid, y trajo en su compañía a un fraile dominico que se decía don fray Martín el Regente, y en aquel tiempo Su Majestad le mandó hacer merced al mismo Regente del obispado de las Charcas;[216] y entonces se juntaron en la corte don fray Bartolomé de las Casas, obispo de Chiapa, y don Vasco de Quiroga, obispo de Michoacán, y otros caballeros que vinieron por procuradores de la Nueva España y del Perú, y ciertos hidalgos que venían a pleitos ante Su Majestad, que todos se hallaron en aquella sazón en la corte, y juntamente con ellos a mí me mandaron llamar como a conquistador más antiguo de la Nueva España; y como el de la Gasca y todos los demás peruleros habían traído cantidad de millares de pesos de oro, así para Su Majestad como para ellos, y lo que traían de Su Majestad se lo enviaron desde Sevilla a Augusta, de Alemania, donde en aquella sazón estaba Su Majestad, y en su real compañía nuestro felicísimo e invictísimo don Felipe, rey de las Españas, nuestro señor, su muy amado y querido hijo, que Dios le guarde, y en aquel tiempo fueron ciertos caballeros con el oro y por procuradores del Perú a suplicar a Su Majestad que fuese servido hacernos mercedes para que mandase hacer el repartimiento perpetuo, y, según pareció, otras veces antes de aquella se lo habían suplicado por parte de la Nueva España cuando fue un Gonzalo López y un Alonso Villanueva [y] fueron con otros caballeros por procuradores de México, y Su Majestad mandó en aquel tiempo dar el obispado de Palencia al licenciado de la Gasca, que fue obispo y conde de Pernía, porque tuvo ventura que así

[216] Hay en el original un espacio en blanco. El nombre del primer obispo de Charcas fue don fray Tomás de San Martín, de la Orden de Santo Domingo.

como llegó a Castilla había vacado y se traía en la corte por plática, que aun en esto tuvo la ventura que he dicho, de más de la que tuvo en dejar de paz el Perú y en tornar a ver el oro y plata que le habían robado los Contreras.

Y volviendo a mi relación, lo que proveyó Su Majestad sobre la perpetuidad de los repartimientos de los indios, envió a mandar al marqués de Mondéjar, que era presidente en el Real Consejo de Indias, y al licenciado Gutierre Velázquez, y al licenciado Tello de Sandoval, y al doctor Hernán Pérez de la Fuente, y el licenciado Gregorio López, y el doctor Rivadeneyra, y al licenciado Briviesca, que eran oidores del mismo Real Consejo de Indias, y a otros caballeros de otros Reales Consejos, que todos se juntasen y que viesen y platicasen cómo y de qué manera se podría hacer el repartimiento de arte y de manera que en todo fuese bien mirado el servicio de Dios y real patrimonio no viniese a menos; y después que todos estos prelados y caballeros estuvieron juntos en las casas de Pero González de León, donde residía el Real Consejo de Indias, lo que se dijo y platicó en aquella muy ilustrísima junta, que se diesen los indios perpetuos en la Nueva España y en el Perú, no me acuerdo bien si se nombró el Nuevo Reino de Granada y Bogotán, mas paréceme a mí que también entraron en los demás, y las causas que se propusieron en aquel negocio fueron santas y buenas. Lo primero que se platicó, que siendo perpetuos serían muy mejor tratados e industriados en nuestra santa fe, y que si algunos adoleciesen los curarían como a hijos, y les quitarían parte de sus tributos, que los encomenderos se perpetuarían mucho más en poner heredades y viñas y sementeras y criarían ganados, y cesarían pleitos y contiendas sobre indios, y no habría menester visitadores en los pueblos, y habría paz y concordia entre los soldados en saber que ya no tienen poder los presidentes y gobernadores para en vacando indios dárselos por vías de parentescos, ni por otras maneras que en aquella sazón les daban y que con darlos perpetuos a los que han servido a Su Majestad descargaba su real conciencia, y se dijo otras muy buenas razones; y más se dijo, que se habían de quitar en el Perú a hombres bandoleros los que hallasen habían deservido a Su Majestad. Y después que por todos aquellos de la ilustre junta fue muy bien platicado lo que dicho tengo, todos los más procuradores con otros caballeros dimos nuestros pareceres y votos que se hiciesen perpetuos los repartimientos.

Luego en aquella sazón hubo votos contrarios, y fue el primero el obispo de Chiapa, y lo ayudó su compañero fray Rodrigo, de la Orden de Santo Domingo, y asimismo el licenciado Gasca, que era obispo de Palencia y conde de Pernía, y fray don Martín de,[217] obispo, que entonces le dieron el obispado de las Charcas, y el marqués de Mondéjar, y dos oidores del Consejo Real de Su Majestad; y lo que propusieron en la contradicción aquellos caballeros por mí dichos, salvo el marqués de Mondéjar, que no se quiso mostrar a una parte ni a otra, sino que se estuvo a la mira a ver lo que decían, y a ver los que más votos tenían, dijeron que cómo habían de dar indios perpetuos, ni aun de otras maneras por sus vidas no los habían de tener, sino quitárselos a los que en aquella sazón los tenían, porque personas había entre ellos en el Perú, que tenían buena renta de indios, que merecían que los hubieran hecho cuartos, cuanto y más dárselos ahora perpetuos, y que donde creerían que había en el Perú paz y asentada la tierra, habría soldados que, como viesen que no había qué darles, se amotinarían y habría más discordias. Entonces respondió don Vasco de Quiroga, obispo de Michoacán, que era de

[217] Véase la nota anterior.

nuestra parte, y dijo al licenciado de la Gasca que por qué no castigó a los bandoleros y traidores, pues que conocía y le eran notorias sus maldades, y que él mismo les dio indios. Y a esto respondió de la Gasca y se paró a reír, y dijo: "¿Creerán señores, que no hice poco en salir en paz y en salvo de entre ellos y que a algunos descuarticé e hice justicia?" Y pasaron otras razones sobre aquella materia.

Y entonces dijimos nosotros y muchos de aquellos señores que allí estábamos juntos que se diesen perpetuos en la Nueva España a los verdaderos conquistadores que pasamos con Cortés y a los del capitán Pánfilo de Narváez y a los de Garay, pues habíamos quedado muy pocos, porque todos los demás murieron en las batallas peleando en servicio de Su Majestad, y lo habíamos muy bien servido, y que con los demás hubiese otra moderación. Y ya que teníamos esta plática por nuestra parte y la orden que dicho tengo, no faltó de aquellos prelados y de los señores del Consejo de Su Majestad que dijeron que cesase todo hasta que el emperador y el príncipe nuestros señores viniesen a Castilla, que se esperaba cada día, para que en una cosa de tanto peso y calidad se hallasen presentes. Y puesto que por el obispo de Michoacán y ciertos caballeros, y yo juntamente con ellos, que éramos de la Nueva España, fue tornado a replicar que, pues estaban ya dados los votos conformes, se diesen perpetuos en la Nueva España, y que los procuradores del Perú procurasen por sí, pues Su Majestad, como cristianísimo, lo había enviado a mandar, y en su real mando mostraba afición para que en la Nueva España se diesen perpetuos. Y sobre ello hubo muchas pláticas y alegaciones, y dijimos que, ya que en el Perú no se diesen, que mirasen los muchos y grandes y leales servicios que hicimos a Su Majestad y a toda la cristiandad; y no aprovechamos cosa ninguna con los señores del Real Consejo de Indias, y con el obispo fray Bartolomé de las Casas y fray Rodrigo, su compañero, y con el obispo de las Charcas, don fray Martín, y dijeron que en viniendo Su Majestad de Augusta se proveería de manera que los conquistadores serían muy contentos; y así se quedó por hacer.

Dejaré esta plática, y diré que en postas se escribió en un navío a la Nueva España; y como se supo en la ciudad de México las cosas arriba dichas que pasaron en la corte, concertaban los conquistadores de enviar por sí solos procuradores ante Su Majestad, y aun a mí me escribió desde México a esta ciudad de Guatemala el capitán Andrés de Tapia, y un Pedro Moreno Medrano, y Juan de Limpias Carvajal, el Sordo, desde la Puebla, porque ya en aquella sazón era yo venido de la corte, y lo que me escribían fue dándome cuenta y relación de los conquistadores que enviaban su poder, y en la memoria me contaban a mí como uno de ellos y más antiguo, y yo mostré las cartas en la ciudad de Guatemala a otros conquistadores para que les ayudásemos con dineros para enviar los procuradores, y según pareció no se concertó la ida por falta de pesos de oro, y lo que se tornó a concertar en México fue que los conquistadores, juntamente con toda la comunidad, enviaron a Castilla procuradores, pero nunca se negoció cosa que buena sea, y de esta manera andamos de mula coja y de mal en peor, y de un visorrey en otro, y de gobernador en gobernador. Y después que esto mandó el invictísimo nuestro rey y señor don Felipe, que Dios le guarde y deje vivir muchos años, con aumento de más reinos, en sus reales ordenanzas y provisiones que para ello ha dado, que a los conquistadores y a sus hijos en todo conozcamos mejoría, y luego los antiguos pobladores casados, según se verá en sus reales cédulas.

CAPÍTULO CCXII

DE OTRAS PLÁTICAS Y RELACIONES QUE AQUÍ VAN DECLARADAS Y SERÁN AGRADABLES DE OÍR [218]

COMO ACABÉ DE SACAR en limpio esta mi relación, me rogaron dos licenciados que se las prestase por dos días para saber muy por extenso las cosas que pasamos en las conquistas de México y Nueva España y ver en qué difería lo que tienen escrito los coronistas Gómara y el doctor Illescas acerca de los heroicos hechos y hazañas que hicimos en compañía del valeroso marqués Cortés, y yo les presté un borrador. Parecióme que de varones sabios siempre se pega algo de su ciencia a los sin letras como yo soy, y les dije que no enmendasen cosa ninguna, porque todo lo que escribo es muy verdadero. Y después que lo hubieron visto y leído, dijo uno de ellos, que era muy retórico y tal presunción tenía de sí mismo, después de sublimar y alabar la gran memoria que tuve para no olvidárseme cosa ninguna de todo lo que

[218] Está agregado el borrador siguiente, de este capítulo.

CAPÍTULO CCXII. De otras pláticas y relaciones que aquí van declaradas, que serán notables y agradables de oír.

Como acabé de sacar en limpio esta mi relación, me rogaron dos licenciados que se la emprestase para saber muy extenso las cosas que pasaron en las conquistas de México y Nueva España y ver en qué diferían lo que tienen escrito los coronistas Francisco López de Gómara y el doctor Illescas acerca de las heroicas hazañas que hizo el marqués del Valle [que] en esta relación escribo, y yo se la presté porque de sabios siempre se pega algo de su ciencia a los idiotas y sin letras como yo soy, y les dije que no tocasen en enmendar cosa ninguna de las conquistas ni poner ni quitar, porque todo lo que yo escribo es muy verdadero; y después que lo hubieron visto y leído los dos licenciados, a quien se la empresté, y el uno dellos muy retórico y tal presunción tiene de sí mismo, y después de la sublimar y alabar de la gran memoria que tuve para no se me olvidar cosa ninguna de todo lo que pasamos desque venimos a descubrir, primero que viniese Cortés dos veces, y la postrera vine con el mismo Cortés, que fué en el año de diez y siete con Francisco Hernández de Córdoba, y en el de diez y ocho con un Juan de Grijalva ya por mí muchas veces nombrado y en el diez y nueve vine con el mismo buen capitán Hernando Cortés, que después el tiempo andando fue marqués del Valle. Y volviendo a mi plática me dijeron los licenciados que, en cuanto a la retórica, que va según nuestro común habla de Castilla la Vieja, e que en estos tiempos se tiene por más agradable, porque no van razones hermoseadas ni de afeiterías que suelen componer los coronistas [que] han escrito en cosas de guerras, sino todo a las buenas llanas, y debajo de decir verdad, se encierran las hermoseadas razones; y más me dijeron, que les paresce que me alabo mucho de mí mismo en lo de las batallas y reencuentros de guerras en que me hallé, y que otras personas lo habían de decir y escribir primero que no yo, y también que para dar más crédito a lo que he dicho que diese testigos y razones de algunos coronistas que lo hayan escrito, como suelen poner y alegar los que escriben y aprueban con otros libros de cosas pasadas, y no decir, como digo, tan secamente esto hice y tal me acaeció, porque yo no soy testigo de mí mismo. A esto respondí y digo ahora que en el primer capítulo de mi relación, que en una carta que escribió el marqués del Valle en el año de mil quinientos y cuarenta desde la gran ciudad de México a Castilla a Su Majestad, haciéndole pasamos desde que venimos a la Nueva España, desde el año de diez y siete hasta al de sesenta y ocho, y dijo, en cuanto a la retórica, que va según nuestro común hablar de Castilla la Vieja, y que en estos tiempos se tiene por más agradable, porque no van razones hermoseadas ni policía dorada, que suelen poner los que han escrito, sino todo a las buenas llanas, y que debajo de esta verdad se encierra todo bien hablar, y que le parece que me alabo mucho en lo de las batallas y guerras que me hallé y servicios que he hecho a Su Majestad, y que otras personas lo habían de decir que no yo, y también que para dar más crédito a lo que escribo diese testigos, como suelen poner y alegar los coronistas, que aprueban con otros libros de cosas pasadas lo que de ello han dicho otras personas que lo vieron, y no decir secamente esto hice o tal me acaeció, porque yo no soy testigo de mí mismo.

A esto se puede responder que en el primer capítulo de mi relación, que en una carta que escribió el marqués del Valle a Su Majestad en el año de cuarenta, haciéndole relación de mi persona y servicios, y le hizo saber cómo vine a descubrir la Nueva España dos veces primero que no él, y tercera vez volví en su compañía, y como testigo de vista me vio batallar en las guerras como muy esforzado soldado y salir malamente herido así en la toma de México como en otras muchas conquistas, y después que ganamos la Nueva España y sus provincias, y como fui en su compañía a Honduras e Hibueras, que así se nombra en esta tierra, y otras particularidades que en la carta se contenían, que por ser tan larga relación aquí no declaro; y asimismo escribió a Su Majestad don Antonio de Mendoza, virrey de la Nueva España, digno de loable memoria por sus muchas virtudes, haciéndole

---

relación de mi persona y servicios, y le hizo saber cómo vine a descubrir la Nueva España dos veces primero que no él, y tercera vez volví en su compañía y como testigo de vista me vio muchas veces batallar en las guerras mexicanas, y en la toma de otras ciudades como esforzado soldado hacer en ellas cosas muy notables y salir muchas veces de las batallas mal herido, y cómo fui en su compañía a Honduras y Higueras, que así se nombran en esta tierra, y otras particularidades que en la carta se contenían, que por excusar prolijidad aquí no declaro; y asimismo escribió a Su Majestad el ilustrísimo visorrey don Antonio de Mendoza haciéndole relación de lo que había sido informado de los capitanes en compañía de los que en aquel tiempo yo militaba, y conformaba todo con lo que el marqués del Valle escribió; y asimismo por probanzas muy bastantes que en la Corte fueron presentadas en el Real Consejo de Indias en el año de quinientos cuarenta; así que, señores licenciados, vean si son buenos testigos el marqués del Valle y el visorrey don Antonio de Mendoza, y mis probanzas; y si esto no basta quiero dar otro testigo, que no lo había mejor en el mundo, que fue el cristianísimo emperador nuestro señor, de gloriosa memoria, don Carlos V, que por su real carta cerrada y sellada con su real sello manda a los virreyes y presidentes que, teniendo respecto a los muchos buenos y leales servicios que le constó haberle yo hecho, sea antepuesto y conozca mejoría yo y mis hijos, e a la cual dicha real carta me remito, todas las cuales cartas tengo guardados los originales de ellas, y los traslados se quedaron en la corte en el archivo del secretario Ochoa de Luyando, y esto doy por descargo y testigos de lo que los licenciados me propusieron. Y volviendo a la plática, ¿por ventura quísolo escribir el coronista Francisco de Gómara ni el doctor Illescas en lo que escriben de los heroicos hechos de Cortés en hablar? En blanco nos quedábamos si ahora yo no hiciera esta verdadera relación. Y a lo que dijeron que me alabo mucho de mi persona y que otros lo habían de decir, a esto respondo: en cosas hay que unos vecinos suelen lo hacer las virtudes y bondades de otros y no ellos mismos; mas el que no se halló en la guerra ni lo vio ni entendió, ¿cómo lo puede decir? ¿Habíanlo de hacerlo las nubes o los pájaros que en el tiempo que andábamos en las batallas iban volando, sino

relación de lo que había sido informado de los capitanes en compañía de los cuales yo militaba, conformaba todo con lo que el marqués escribió, y también con probanzas muy bastantes que por mi parte fueron presentadas en el Real Consejo de Indias en el año de cuarenta, y estas cartas doy por testigo y los traslados de ellas están presentados ante Su Majestad y los originales están guardados, y si no son buenos testigos el marqués, y el virrey, y los capitanes, y mis probanzas, quiero dar otro testigo que no lo habrá mejor en todo el mundo, que fue nuestro muy gran monarca el cristianísimo emperador don Carlos, nuestro señor, de muy celebrada y gloriosa memoria, que sobre ello envió sus cartas selladas en que mandaba a los virreyes y presidentes y gobernadores que en todo sea antepuesto y conozca mejoría como criado suyo; y otras reencomiendas que en las reales cartas se contenían, y a esta causa he estado de propósito de incorporarlas en esta relación y más quiero que estén guardadas en mi poder.

Y volviendo a la plática, que me dijo el licenciado a quien hube prestado mi borrador que para qué me alababa tanto de mis conquistas; a esto digo que hay cosas que no es bien de que los hombres se alaben a sí mismos, sino sus vecinos suelen decir sus virtudes y bondades que hay en las personas que las tienen, y también digo que los que no lo saben, ni vieron, ni entendieron, ni se hallaron en ello, en especial cosas de guerras y batallas y tomas de ciudades, ¿cómo lo pueden loar y escribir, sino solamente los capitanes y soldados que se hallaron en tales guerras juntamente con nosotros? Y a esta causa lo puedo de-

---

solamente los capitanes y soldados que en ellos se hallaron? Si en esta mi relación yo hubiera quitado su prez y honra algunos de los valerosos capitanes y fuertes soldados, mis compañeros, que en las conquistas nos hallamos, y me la pusiera a mí, bien fuera y quitarme de parte; mas aún no me alabo tanto cuanto debo. Si no, dígalo el marqués Cortés, un blasón que puso en la culebrina del ave Fénix, que fue un tiro que se forjó en México de oro y plata y cobre que enviamos a Su Majestad, y decían las letras del blasón: "Esta ave nació sin par; yo, en serviros, sin segundo, y vos, sin igual en el mundo." Bien puedo yo decir que me cabe parte desta loa y blasón, pues le ayudé a Cortés hacer aquellos leales servicios; y demás de esto, cuando fue Cortés la primera vez a Castilla a besar los reales pies de Su Majestad, le hizo relación que tuvo tan valerosos y esforzados capitanes y compañeros que, a lo que creía, ningunos más animosos había oído en corónicas pasadas que fuesen como los con que ganó la Nueva España y la gran ciudad de México; y también me cabe parte de esta alabanza. Y cuando fue Cortés a servir a Su Majestad en lo de Argel, sobre cosas que acaecieron sobre alzar el real por la gran tormenta que hubo, dicen que dijo muchas loas de los valerosos sus compañeros; también me cabe parte de ellas y por esta causa las escribo. Y quiero poner aquí una comparación, aunque es la una muy alta y de un soldado como yo. Digo que me hallé en esta Nueva España en más batallas peleando que se halló el gran emperador Julio César, que dicen de él sus coronistas que era muy presto en las armas y con mucho esfuerzo en dar una batalla, y cuando tenía espacio escribía sus heroicas hazañas; puesto que tuvo muchos y grandes coronistas, no lo fio de ellos, que él mismo quiso escribir por su mano; no es mucho que yo ahora en esta relación diga las batallas de mí mismo, pues me hallé en todas las batallas que se halló el marqués Cortés y en otras muchas que me envió con otros capitanes a conquistar otras provincias y ciudades, lo cual hallarán escrito en esta mi relación adónde y cuándo y en qué provincias estuve peleando, y en qué tiempos, y también digo que de todas las loas y loores que dicen Francisco de Gómara y el doctor Illescas en sus libros, si quieren más testigos, miren la Nueva España, que es mayor que cuatro veces nuestra Castilla, e tengan atención y miren las muchas ciudades e villas que están pobladas, pues miren la gran riqueza que de estos pueblos enviamos a Castilla.

cir tantas veces, y aun me jactancio de ello. Si yo quitase su honor y estado a otros valerosos soldados que se hallaron en las mismas guerras y lo atribuyese a mi persona, mal hecho sería y tendría razón de ser reprendido; mas si digo la verdad y lo atestigua Su Majestad y su virrey, y marqués y testigos y probanzas, y más la relación da testimonio de ello, por qué no lo diré? Y aun con letras de oro había de estar escrito. ¿Quisieran que lo digan las nubes o los pájaros que en aquellos tiempos pasaron por alto? Y, ¿quísolo escribir Gómara, ni Illescas, ni Cortés, cuando escribía a Su Majestad? Lo que veo de estos escritos y en sus corónicas solamente es alabanza de Cortés, y callan y encubren nuestras ilustres y famosas hazañas, con las cuales ensalzamos al mismo capitán en ser marqués y tener la mucha renta y fama y nombradía que tiene, y estos que escribieron es quien no se hallaron presentes en la Nueva España; y sin tener verdadera relación, ¿cómo lo podían escribir, sino del sabor de su paladar, sin ir errados, salvo que en las pláticas que tomaron del mismo marqués? Y esto digo, que cuando Cortés, a los principios, escribía a Su Majestad, siempre por tinta le salían perlas y oro de la pluma, y todo en su loor, y no de nuestros valerosos soldados. ¿Quiérenlo ver? Miren a quién eligieron su historia, sino a su hijo el heredero del marquesado. Puesto que don Hernando Cortés en todo fue muy valeroso y esforzado capitán, y puede ser contado entre los muy nombrados que ha habido en el mundo de aquellos tiempos, nos habían de considerar los coronistas que también nos habían de entremeter y hacer relación en sus historias de nuestros esforzados soldados, y no dejarnos a todos en blanco, como quedáramos si yo no metiera la mano en recitar y dar a cada uno su prez y honra. Y si yo no hubiera declarado cómo verdaderamente pasó, las personas que vieran lo que han escrito los coronistas Illescas y Gómara creyeran que era verdad.[219]

Y demás de lo que tengo declarado, es bien que aquí haga relación, para que haya memorable memoria de mi persona y de los muchos y notables servicios que he hecho a Dios y a Su Majestad y a toda la cristiandad, como hay escrituras y relaciones de los duques y marqueses y condes e ilustres varones que sirvieron en las guerras, y también para que mis hijos y nietos y descendientes osen decir con verdad: "Estas tierras vino a descubrir y ganar mi padre a su costa, y gastó la hacienda que tenía en ello, y fue en conquistarlo de los primeros." Y además de esto quiero poner aquí otra plática, porque vean que no me alabo tanto como debo, y es que me hallé en muchas más batallas y reencuentros de guerra, que dicen los escritores que se halló Julio César en cincuenta y tres batallas, y para escribir sus hechos tuvo extremados coronistas, y no se contentó de lo que de él escribieron, que el mismo Julio César por su mano hizo memoria de sus *Comentarios* de todo lo que por su persona guerreó, y así que no es mucho que yo escriba los heroicos hechos del valeroso Cortés, y los míos, y los de mis compañeros que se hallaron juntamente peleando; y más digo, que de todos los loores y sublimados hechos que el mismo marqués hizo, y de las siete cabezas de reyes que tiene por armas y de blasón, y letras que puso en un tiro que se decía *El Fénix,* que se forjó en México para enviar a Su Majestad, el cual era de oro y plata y cobre, y decían las letras que en ella iban: *Esta ave nació sin par; yo, en serviros sin segundo, y vos, sin igual en el mundo,* parte me cabe de las siete cabezas de reyes y de lo que dice en la culebrina

[219] Tachado en el original: *así como lo escriben siendo muy retóricos.*

"yo, en serviros, sin segundo", pues yo le ayudé en todas las conquistas y a ganar aquella prez y honra y estado, y es muy bien empleado en su muy valerosa persona. Y volviendo a mi plática, como he dicho que me hallé en más batallas que Julio César, otra vez lo torno a afirmar, las cuales verán y hallarán los curiosos lectores en esta mi relación en los capítulos que de ellas hablan, cómo y de qué manera pasaron, porque no se puede encubrir cosa que allí no se diga y declare, y para que más claramente se vea, los quiero poner aquí por memoria, porque no digan que hablo secamente de mi persona, porque si no lo hubieran visto muchos conquistadores, y si en esta Nueva España no hubiera mucha fama de ellos, como hay maliciosos detractadores por ventura me hubieran puesto algún objeto de oscuridad en ello.

MEMORIA DE LAS BATALLAS Y REENCUENTROS EN QUE ME HE HALLADO

En la punta de Cotoche, cuando vine con Francisco Hernández de Córdova, primer descubridor, en una batalla.

En otra batalla, en lo de Champoton, cuando nos mataron cincuenta y siete soldados y salimos todos heridos, en compañía del mismo Francisco Hernández de Córdova.

En otra batalla, cuando íbamos a tomar agua en la Florida, en compañía del mismo Francisco Hernández.

En otra, cuando lo de Juan de Grijalva, en lo mismo de Champoton.

Cuando vino el muy valeroso y esforzado capitán Hernando Cortés, en dos batallas en lo de Tabasco, con el mismo Cortés.

Otra en lo de Zingapacinga, con el mismo Cortés.

Más en tres batallas que hubimos en lo de Tlaxcala, con el mismo Cortés.

La de Cholula, cuando nos quisieron matar y comer nuestros cuerpos, y no la cuento por batalla.

Otra, cuando vino el capitán Pánfilo de Narváez desde la isla de Cuba con mil cuatrocientos soldados, así a caballo como escopeteros y ballesteros y con mucha artillería, y nos venían a prender y a tomar la tierra por Diego Velázquez, y con doscientos y sesenta y seis soldados le desbaratamos y prendimos al mismo Narváez y a sus capitanes; y yo soy uno de los sesenta soldados que mandó Cortés que arremetiésemos a tomarles la artillería, que fue la cosa de más peligro, lo cual está escrito en el capítulo que de ello habla.

Más tres batallas muy peligrosas que nos dieron en México, yendo por los puentes y calzadas, cuando fuimos al socorro de Pedro de Alvarado, cuando salimos huyendo, porque de mil trescientos soldados que fuimos con Cortés y con los mismos de Narváez al socorro que dicho tengo, en nueve días no quedamos de todos sino cuatrocientos sesenta y ocho, que todos los más murieron en las mismas puentes, y fueron sacrificados y comidos de los indios.

Otra batalla muy dudosa, que se dice la de Otumba, con el mismo Cortés.

Otra, cuando fuimos sobre Tepeaca, con el mismo Cortés.

Otra, cuando fuimos a correr los alrededores de Cachula.

Otra, cuando fuimos a Tezcuco, y nos salieron al encuentro los mexicanos y de Tezcuco, con el mismo Cortés.

Otra, cuando fuimos con Cortés a lo de Iztapalapa, que nos quisieron ahogar.

Otras tres batallas, cuando fuimos con el mismo Cortés a rodear todos los pueblos grandes alrededor de la laguna, y me hallé en Xochimilco en las tres batallas que dicho tengo, y bien peligrosas, cuando derrocaron los mexicanos a Cortés del caballo y le hirieron y se vio bien fatigado.

Más otras dos batallas en los Peñoles que llaman de Cortés, y nos mataron nueve soldados y salimos todos heridos por mala consideración de Cortés.

Otra, cuando me envió Cortés con muchos soldados a defender las milpas, que eran de los pueblos nuestros amigos, que nos tomaban los mexicanos.

Además de todo esto, cuando pusimos cerco a México, en noventa y tres días que lo tuvimos cercado me hallé en más de ochenta batallas, porque cada día teníamos sobre nosotros gran multitud de mexicanos; hagamos cuenta que serán ochenta.

Después de conquistado México me hallé en la provincia de Cimatlán, que es ya tierra de Guazacualco, en dos batallas; salí de la una con tres heridas, en compañía del capitán Luis Marín.

En las sierras de cipotecas y minges me hallé en dos batallas, con el mismo Luis Marín.

En lo de Chiapa, en dos batallas, con los mismos chiapanecas y con el mismo Luis Marín.

Otra, en lo de Chamula, con el mismo Luis Marín.

Otra, cuando fuimos a las Hibueras con Cortés, en una batalla que hubimos en un pueblo que se dice Culaco; allí mataron mi caballo.

Después de vuelto a la Nueva España de lo de Honduras e Hibueras, que así se nombra, volví a ayudar a traer de paz las provincias de los cipotecas y minges, y otras tierras, y no cuento las batallas ni reencuentros que con ellas tuvimos, aunque había bien que decir, ni en los reencuentros que me hallé en esta provincia de Guatemala, porque ciertamente no era gente de guerra, sino de dar voces y gritos y ruido y hacer hoyos, y en barrancos muy hondos, y aun con todo esto me dieron un flechazo en una barranca, entre Petapa y Joana Gasapa, porque allí nos aguardaron. Y en todas estas batallas que he recontado que me hallé se hallaron el valeroso capitán Cortés y todos sus capitanes y esforzados soldados, que allí murieron todos los más, puesto que otros murieron en lo de Pánuco, que yo no me hallé en ello, y en Colima y en Zacatula, que tampoco me hallé en lo de Michoacán. Todas aquellas provincias vinieron de paz, y también en lo Tutultepeque, y en lo de Jalisco, que llaman la Nueva Galicia, que también vino de paz; ni en toda la costa del Sur no me hallé, porque harto teníamos con que entender en otras partes, y como la Nueva España es tan grande, no podíamos ir todos los soldados juntos a unas partes ni a otras, sino que Cortés enviaba a conquistar lo que estaba de guerra. Y para que claramente se conozca dónde mataron los más españoles, lo diré pasos por pasos en las batallas y reencuentros de guerras: [220]

En la punta de Cotoche y en lo de Champoton, cuando vine con Francisco Hernández, primer descubridor, en dos batallas nos mataron cincuenta y ocho soldados, que son más de la mitad de los que veníamos.

En otra batalla en lo de la Florida, cuando íbamos a tomar agua, nos llevaron vivo a un soldado; salimos todos heridos.

En otra, cuando lo de Juan de Grijalva, en lo del mismo Champoton, diez soldados, y el capitán salió bien herido y quebrados dos dientes.

Cuando vino el muy valeroso y

[220] Tachado en el original: *que yo me hallé.*

esforzado capitán Hernando Cortés en dos batallas en lo de Tabasco, con el mismo Cortés, murieron seis o siete soldados.

En tres batallas que hubimos en lo de Tlaxcala, bien dudosas y peligrosas, murieron cuatro soldados.

Otra, cuando vino el capitán Narváez desde la isla de Cuba con mil cuatrocientos soldados, así a caballo como escopeteros y ballesteros, y nos venía a prender y tomar la tierra por Diego Velázquez, y con doscientos y sesenta y seis soldados les desbaratamos y prendimos al mismo Narváez y a sus capitanes, y con la artillería que tenía puesta Narváez contra nosotros mató cuatro soldados.

Más en tres batallas peligrosas que nos dieron en México, y en las puentes y calzadas, y en la de Otumba, cuando fuimos al socorro de Pedro de Alvarado y salimos huyendo de México, de mil trescientos soldados, contados con los mismos de Narváez, que fuimos con Cortés, en nueve días que nos dieron guerra no quedamos de todos vivos sino cuatrocientos sesenta y ocho, que todos los más murieron en las mismas puentes, y fueron sacrificados y comidos de los indios, y todos los más salimos heridos. A Dios misericordia.

Otra batalla, cuando fuimos sobre Tepeaca con el mismo Cortés, nos mataron dos soldados.

Otra, cuando fuimos a correr los derredores de Cachula y Tecamachalco, murieron otros dos españoles.

Otra, cuando fuimos a Tezcuco y nos salieron al encuentro los mexicanos y los de Tezcuco, con el mismo Cortés, nos mataron un soldado.

Otra, cuando fuimos con Cortés a lo de Iztapalapa, que nos quisieron anegar, murieron dos o tres de las heridas, que no me acuerdo bien cuántos fueron.

Otras tres batallas, cuando fuimos con el mismo Cortés a todos los pueblos grandes que están alrededor de la laguna, y estas tres batallas fueron bien peligrosas, porque derrocaron los mexicanos a Cortés del caballo, y le hirieron, y se vio bien fatigado, y esto fue en lo de Xochimilco, y murieron ocho españoles.

Otras dos batallas en los Peñoles que llaman de Cortés, y nos mataron nueve soldados, y salimos todos heridos por mala consideración de Cortés.

Otra, cuando me envió Cortés con muchos soldados a defender las milpas del maíz que les tomaban los mexicanos, las cuales eran de nuestros amigos de Tezcuco; murió un español de allí a nueve días, de las heridas.

Y además de todo esto que arriba he declarado, cuando pusimos cerco a México, en noventa y tres días que le tuvimos cercado me hallé en más de ochenta batallas, porque cada día teníamos, desde que amanecía hasta que anochecía, sobre nosotros gran multitud de guerreros mexicanos que nos daban guerra; murieron por todos los soldados que en aquellas batallas nos hallamos: de los de Cortés, sesenta y tres; de Pedro de Alvarado, nueve; de Sandoval, seis; hagamos cuenta que fueron ochenta batallas que nos dieron en noventa y tres días.

Después de conquistado México me hallé en la provincia de Cimatlán, que es tierra de Guazacualco, en dos batallas, y en ellas nos mataron tres soldados, en compañía del capitán Luis Marín.

Otra, en las sierras de los cipotecas y minges, que son muy altas y no hay caminos; en dos batallas con el mismo Luis Marín, nos mataron dos soldados.

En la provincia de Chiapa, en dos batallas bien peligrosas con los mismos chiapanecas y en compañía del mismo Marín, nos mataron dos soldados.

Otra batalla en lo de Chamula, en compañía del mismo Luis Marín, murió un soldado de las heridas.

Otra, cuando fuimos a las Hibueras y Honduras con Cortés, en una batalla con un pueblo que se decía Zulaco, mataron a un soldado.

Y ya he declarado en las batallas que me hallé los que en ellas murieron, y no cuento lo de Pánuco, porque no me hallé en ellas; mas fama muy cierta es que mataron de los de Garay y de otros nuevamente venidos de Castilla más de trescientos soldados de los que llevó Cortés a pacificar aquella provincia como de los que llevó Sandoval cuando se volvieron a alzar; y en la que llamamos de Almería, yo no me hallé en ella, mas sé cierto que mataron al capitán Juan de Escalante y a siete soldados. También digo que en lo de Colima, y Zacatula, y Michoacán, y Jalisco, y Tututepeque, mataron ciertos soldados. Olvidado se me había de escribir de otros sesenta y seis soldados y tres mujeres de Castilla que mataron los mexicanos en un pueblo que se dice Tustepeque, y quedaron en aquel pueblo creyendo que les habían de dar de comer, porque eran de los de Narváez y estaban dolientes, y para que bien se entiendan los nombres de los pueblos, uno es Tustepeque en la costa del norte, y otro es Tututepeque, en la costa del sur, y esto digo porque no me arguyan que voy errado, que pongo a un pueblo dos nombres. También dirán ahora que es gran prolijidad lo que escribo acerca de poner en una parte las batallas en que me hallé y tornar a referir los que murieron en cada batalla, que lo pudiera significar de una vez. También dirán los curiosos lectores que cómo pude yo saber los que murieron en cada parte en las batallas que tuvieron. A esto digo que es muy bueno y claro darlo a entender; pongamos aquí una comparación: hagamos cuenta que sale de Castilla un valeroso capitán y va a dar guerra a los moros y turcos, va [a] otras batallas de contrarios y lleva sobre veinte mil soldados; después de asentado su real envía un capitán con soldados a tal parte, y otro a otra parte, y va con ellos por capitán; después que ha dado las batallas y reencuentros, que vuelve con su gente al real, tienen cuenta de los que murieron en la batalla y están heridos y quedan presos; así, cuando íbamos con el valeroso Cortés, íbamos todos juntos y en las batallas sabíamos los que quedaban muertos y volvían heridos, y asimismo de otros que enviaron a otras provincias, y así no es mucho que yo tenga memoria de todo lo que dicho tengo y lo escriba tan claramente. Dejemos esta parte.[221]

[221] En el M. S. de Guatemala está en seguida el nombre del autor y rúbrica. Debajo, una nota de letra distinta que dice: "Acabóse de sacar esta historia en Guatemala al 14 de noviembre de 1605." Y se repite la misma nota más abajo con letra de época posterior.

El Códice Alegría, recientemente encontrado en Murcia, termina con este capítulo, de suerte que hemos de concluir que los capítulos que se leen en seguida fueron escritos después de enviada la copia a España. Por esta circunstancia las lagunas que muestra el Códice de Guatemala en estos capítulos no es posible llenarlas, a menos que parezca algún día otra copia.

CAPÍTULO CCXIII

POR QUÉ CAUSA EN ESTA NUEVA ESPAÑA SE HERRARON MUCHOS INDIOS E INDIAS POR ESCLAVOS, Y LA RELACIÓN QUE SOBRE ELLO DOY

HANME ROGADO CIERTOS religiosos que les dijese y declarase por qué causa se herraron muchos indios e indias por esclavos en toda la Nueva España, si los herramos sin hacer de ello relación a Su Majestad. A esto dije, y aun digo ahora, que Su Majestad lo envió a mandar dos veces, y para que esto bien se entienda sepan los curiosos lectores que fue de esta manera: Que Diego Velázquez, gobernador de la isla de Cuba, envió una armada contra nosotros, y en ella por capitán uno que se decía Pánfilo de Narváez, y trajo sobre mil trescientos soldados, y entre ellos fueron noventa de a caballo y noventa espingarderos, porque espingardas se llamaban en aquel tiempo, y ochenta ballesteros; y venía a prendernos, y tomar la tierra por Diego Velázquez, lo cual tengo ya escrito en mi relación en el capítulo que de ello habla, y conviene que ahora lo refiera otra vez para que bien se entienda. Pues volviendo a mi materia, cuando supo nuestro capitán Cortés y todos nuestros soldados de la manera que venía Narváez furioso y de las palabras descomedidas que contra nosotros decía, acordamos de salir de México a vernos con él doscientos y sesenta y seis soldados y procurar de desbaratarle antes que él nos prendiese, y porque en aquella sazón teníamos preso al gran Montezuma, señor de México, dejamos en su guarda a un capitán ya otras veces por mí nombrado, que se decía Pedro de Alvarado, con el cual le dejamos en su compañía ochenta soldados, que nos pareció que algunos de ellos eran sospechosos de que no tendríamos de ellos ayuda, por haber sido amigos de Diego Velázquez, y nos serían contrarios, y entretanto, que fuimos contra Narváez, se alzó la ciudad de México y sus sujetos, y quiero decir las causas y razones que el gran Montezuma daba por qué se rebelaron, y fueron verdaderas, así como lo dijo, porque según parece en aquel tiempo tenían los mexicanos por costumbre de hacer gran fiesta a sus ídolos, que se decían Uichilobos y Tezcatepuca, y para hacerles regocijos y danzas y salir con sus riquezas de joyas de oro y penachos, como solían, demandó licencia el gran Montezuma a Pedro de Alvarado, y él se la dio con muestras de buena voluntad; y de que vio que estaban bailando y cantando todos los más caciques de aquella ciudad y otros principales que habían venido de otras partes a ver aquellas danzas, salió de repente Pedro de Alvarado de su aposento con todos sus ochenta soldados bien armados y dio en los caciques estando bailando en el patio principal del *cu* mayor, y mató e hirió ciertos de ellos, habiéndole demandado licencia para ello. Y de que esto vio el gran Montezuma y sus principales hubo muy grande enojo de cosa tan mala y fea, y luego en aquel instante [222] le dieron guerra.

El primer día le mataron ocho soldados e hirieron todos los más que tenía, y le quemaron los aposentos y le cercaron de manera que se vio en grande aprieto; y ciertamente los acabaran de matar si les dieran guerra otro día más. El gran Montezuma mandó a sus principales y capitanes que cesasen la guerra por entonces, porque en aquella sazón Pedro de Alvarado amenazó a Montezuma que le matarían allí en la prisión donde estaba si más le guerreaban, y también se la dejaron de dar porque le vinieron en posta a decir sus espías y principales, que siempre enviaba sobre nosotros desde que salimos desde México para ir sobre Narváez para saber cómo nos iba con él, y supo cómo le habíamos desbaratado, de lo cual lo tuvo por grande cosa él y todos sus capitanes, porque tenían por cierto que como éramos los de Cortés pocos y los de Narváez cuatro veces más que nosotros, que nos prendieran como a truhanes. Volvamos a nuestra plática, y diré que después que hubimos preso a Narváez volvimos a México a socorrer a Alvarado, y Cortés supo cómo le había demandado licencia el gran Mon-

[222] Tachado en el original: *se alzaron en México y.*

tezuma a Pedro de Alvarado para hacer aquel *areito* y fiesta; y después que vio aquel gran de... se lo riñó muy malamente con palabras desabridas, y también se lo dijo un capitán que se decía Alonso de Ávila, muchas veces por mí ya nombrado, que estaba muy mal con Pedro de Alvarado, que siempre quedaría mala memoria en esta Nueva España de haber hecho aquella cosa tan mala. A lo cual Pedro de Alvarado dio por descargo, con juramentos que sobre ello hizo, que supo muy ciertamente de tres *papas* y principales [223] y de otros caciques que estaban en compañía del gran Montezuma, que aquella fiesta que hacían a su Uichilobos, que era el dios de la guerra, que fue porque les diese victoria contra él y sus soldados y sacar de prisión a Montezuma, y después dar guerra a los que venían con Narváez y a los que quedásemos vivos de Cortés, y porque supo de cierto que le habían de dar otro día guerra, se adelantó primero a dar en ellos porque estuviesen medrosos y tuviesen que curar en las heridas que les dieron.

Quiero volver a mi materia. Que como alcanzamos a saber cómo le tenían cercado y en el aprieto que estaba, acordamos de irle a socorrer con presteza y nos hicimos amigos los de Cortés con los de Narváez, y fuimos al socorro sobre mil trescientos soldados, y los noventa de a caballo, y sobre cien espingarderos y noventa ballesteros, y éstos que aquí digo todos los más fueron de los de Narváez, porque nosotros los de Cortés no llegábamos a trescientos cincuenta, y hase de entender contados en ellos los ochenta que tenía Pedro de Alvarado consigo, y también fueron con nosotros sobre dos mil amigos tlaxcaltecas, y con este poder que nos pareció grande entramos en México, y Cortés muy soberbio con la victoria de Narváez. Y otro día después que hubimos llegado nos dieron los mexicanos tantos combates y sangrientas guerras, que de los mil trescientos soldados que entramos, en ocho días nos mataron y sacrificaron y comieron sobre ochocientos sesenta y dos españoles, así de los que pasamos con Cortés como de los que trajo Narváez, y también sacrificaron y comieron sobre mil tlaxcaltecas, y esto fue en la misma ciudad y sus calzadas y puentes y en una batalla campal, que en esta tierra llamamos la de Otumba, y escapamos de aquella derrota cuatrocientos cuarenta soldados y veintidós caballos, y si no saliéramos huyendo a medianoche, allá quedáramos todos, y eso que salimos muy mal heridos, y con la ayuda de Dios que nos favoreció, con mucho trabajo nos fuimos a socorrer a Tlaxcala, que nos recibieron como buenos y leales amigos, y desde a çinco meses tuvimos ciertas ayudas de soldados, que vinieron en tres veces en tres navíos con capitanes que envió un don Francisco de Garay desde la isla de Jamaica al río de Pánuco para ayudar a una su armada, y de allí a tres meses tuvimos otras ayudas de otros dos navíos que vinieron de Cuba en que venían veintitantos soldados y caballos que enviaba Diego Velázquez en favor de su capitán Pánfilo de Narváez, creyendo que nos había ya desbaratado, y preso, y como teníamos las ayudas y navíos por mí ya dichos y con oro que se hubo en la salida de México, acordó Cortés con todos nuestros capitanes y soldados que hiciésemos relación de todas nuestras conquistas a la Real Audiencia y frailes jerónimos que estaban por gobernadores en la isla de Santo Domingo, y para ello enviamos dos embajadores, personas de calidad, que se decían el capitán Alonso de Ávila y un Francisco Álvarez Chico, que era hombre de negocios, y les enviamos a suplicar, atento a las relaciones ya por mí dichas y de las guerras que nos dieran, diesen licencia para que de los indios mexicanos y natura-

[223] Tachado en el original: *que prendieron cuando hirió en ellos.*

les de los pueblos que se habían alzado y muerto españoles [224] que si los tornásemos a requerir tres veces que vengan de paz, y que si no quisiesen venir y diesen guerra, que les pudiésemos hacer esclavos y echar un hierro en la cara, que fue una g como ésta.

Y lo que sobre ello proveyeron la Real Audiencia y los frailes jerónimos fue dar la licencia conforme a una provisión con ciertos capítulos de la orden que se había de tener para echarles el hierro por esclavos, y de la misma manera que nos fue enviado a mandar por su provisión se herraron en la Nueva España, y además de esto que dicho tengo, la misma Real Audiencia y frailes jerónimos lo enviaron a hacer saber a Su Majestad cuando estaba en Flandes, y lo dio por bien hecho, y los de su Real Consejo de Indias enviaron otra provisión sobre ello. También quiero traer aquí a la memoria cómo desde ahí a obra de un año enviamos desde México a nuestros embajadores a Castilla, y se hizo relación a Su Majestad cómo antes que viniésemos con Cortés a la Nueva España, y aun en aquella sazón, que los indios y caciques comúnmente tenían cantidad de indios e indias por esclavos, y que los vendían y contrataban con ellos como se contrata cualquier mercaduría, y andaban indios mercaderes de plaza en plaza y de mercado en mercado vendiéndolos y trocándolos a oro y mantas y cacao, y que traían sobre quince y veinte juntos a vender [225] atados con colleras y cordeles muy peor que los portugueses traen a los negros de Guinea, y de todo esto llevaron nuestros embajadores probanzas de fe y de creer, y por testigos ciertos indios mexicanos y con aquellos recaudos enviamos a suplicar a Su Majestad que nos hiciese merced de darnos licencia que por tributo nos los diesen y les pudiésemos comprar por nuestro rescate, según y de la manera que los indios los vendían y compraban; y Su Majestad fue servido de hacernos merced de ello y mandó señalar personas que fuesen de confianza y suficientes para tener el hierro con que se habían de herrar, y después que hubieron traído a la Nueva España o a México la real provisión que sobre ella Su Majestad mandaba, se ordenó que para que no hubiese engaño ninguno en el herrar, que tuviese el hierro un alcalde y un regidor, el más antiguo, y un beneficiado que en aquel tiempo hubiese de cualquier ciudad o villa, y que fuesen personas de buena conciencia, y el hierro que entonces se hizo para herrar a los esclavos que habían de rescate era *R* como ésta. Quiero también escribir aquí que valiera más que... mercedes enviáramos a suplicar a Su Majestad nos hiciese porque si lo al... como era cristianísimo, o los señores que mandaban en aquel tiempo en el Consejo de Indias supieran lo que después sucedió sobre ello, y cómo en todo lo que proveen desean acertar, nunca tal licencia Su Majestad mandara dar, ni en su Real Consejo de Indias se proveyera, porque ciertamente hubo grandes fraudes sobre el herrar de los indios, porque como los hombres no somos todos muy buenos, antes hay algunos de mala conciencia, y como en aquel tiempo vinieron de Castilla y de las islas muchos españoles pobres y de gran codicia, y caninos y hambrientos por haber riquezas y esclavos, tenían tales maneras que herraban los libres; y para que mejor se entienda esta materia, en el tiempo que gobernaba Cortés, antes que fuésemos con él a las Hibueras, había rectitud sobre el herrar de los esclavos, porque no se herraban sin primero saber muy de cierto si eran libres, y después que salimos de México y fuimos con Cortés a Honduras, que así se llaman en esta tie-

[224] Tachado en el original: *y dado guerra.*

[225] Tachado en el original: *y unos mercaderes más y otros menos.*

rra, y tardamos en ir y volver a México dos años y tres meses, que estuvimos conquistando y trayendo de paz aquellas provincias, en aquel tiempo que estuvimos ausentes hubo en la Nueva España tantas injusticias y revueltas y escándalos entre los que dejó Cortés por sus tenientes de gobernadores, que no tenían cuidado si se herraban los indios con justo título o con malo sino entender de sus bandos e intereses, y a las personas que en aquel tiempo encargaron el hierro los que gobernaban no miraron si eran de mala conciencia y codiciosos y les daban aquel cargo a sus amigos, por aprovecharles, echaban el hierro a muchos indios libres, sin ser esclavos, y además de esto hubo otras maldades entre los caciques que daban tributo a sus encomenderos, que tomaban de sus pueblos indios e indias, muchachos pobres y huérfanos, y los daban por esclavos.

Y fue tanta la disolución que sobre esto hubo, que los primeros que en la Nueva España quebramos el hierro del rescate fue en la villa de Guazacualco, donde en aquel tiempo era yo vecino, porque cuando esto pasó había más de un año que había vuelto a aquella villa de la jornada que hicimos con Cortés,[226] y como regidor más antiguo y persona de confianza me entregaron el hierro para que le tuviese yo y un beneficiado de aquella villa, que se decía Benito López; y como vimos que la provincia se disminuía, y las cautelas que los caciques y algunos encomenderos traían para que les herrásemos los indios por esclavos, no lo siendo, muy secretamente quebramos el hierro sin dar parte de ello al alcalde mayor ni al cabildo, y en posta hicimos mensajero a México al presidente don Sebastián Ramírez, obispo que entonces era de Santo Domingo, que fue muy buen presidente y recto y de buena vida, y le hicimos sabedor cómo le quebramos el hierro, y le suplicamos, por vía de buen consejo, que luego expresamente mandase que no se herrasen más esclavos en toda la Nueva España. Y vistas nuestras cartas nos escribió que lo habíamos hecho como muy buenos servidores de Su Majestad, agradeciéndonoslo mucho, con ofertas de que nos ayudaría, y luego mandó, juntamente con la Real Audiencia, que no se herrasen más indios en toda la Nueva España, ni en Jalisco... ni Tabasco, ni Yuratán, ni en Guatemala; y fue santo y bueno esto que mandó. Y como hay hombres que no tienen aquel celo que son obligados a tener, así para el servicio de Dios como de Su Majestad, y no mirando el mal que se hacía en herrar indios libres por esclavos, después que alcanzaron a saber en nuestra villa de Guazacualco que yo y el beneficiado Benito López, mi compañero, quebramos el hierro, y decían que por qué causa les quitamos que no gozasen de las mercedes que Su Majestad nos había hecho, y más decían que éramos malos republicanos y que no ayudábamos a la villa y que merecíamos ser apedreados. Y todo lo que decían nos reíamos y pasábamos por ello, y nos preciamos de haber hecho tan buena obra.

Y entonces el mismo presidente, juntamente con la Real Audiencia, me enviaron provisión a mí y al beneficiado ya por mí nombrado para ser visitadores generales de dos villas, que eran Guazacualco y Tabasco, y nos enviaron la instrucción de qué manera habían de ser nuestras visitas y en qué tantos pesos podíamos condenar en las sentencias que diésemos, que fue hasta cincuenta mil maravedís, y por delitos y muertes y otras cosas atroces lo remitiésemos a la misma Audiencia Real. Y también nos enviaron provisión para hacer la descripción de las tierras de los pueblos de las dos villas, lo cual visitamos lo mejor que pudimos, y les enviamos el traslado de los procesos y descripción de las provincias y relación de todo

[226] Tachado en el original: *a las Hibueras.*

lo que habíamos hecho; y respondió que lo daba por muy bueno y que haría sabedor de ello a Su Majestad para que nos hiciese mercedes, y que si en alguna cosa algo se me ofreciese, le hiciese relación de ello, porque él me ayudaría, y siempre me tuvo buena voluntad. Y en aquel tiempo le mandó enviar a llamar Su Majestad, y fue a Castilla,[227] y cuando yo estaba en México por procurador síndico de la villa de Guazacualco platicando con él sobre negocios de la conquista de la Nueva España, de una plática en otra que vino coyuntura me dijo que antes que fuese obispo de Santo Domingo había sido inquisidor en Sevilla. Quiero dejar esta materia, aunque ha sido muy larga y prolija, en la cual por ella verán las licencias de Su Majestad que para herrar esclavos teníamos y de los señores de su Real Consejo. Dejemos esto y diré de los gobernadores que gobernaron la Nueva España.

[227] Tachado en el original: *y así como llegó a Castilla le dieron el obispado de... Túy y fue presidente en la Real Audiencia de Granada; y en aquel tiempo vacó el obispado de León y le mejoraron, y luego vacó el obispado de Cuenca, por manera que se encontraban los correos que le traían las bulas de los obispados unos con otros; y luego le pasaron a la Audiencia Real de Valladolid, y en aquel tiempo y sazón fue nuestro señor Jesucristo servido llevarle a su santa gloria.*

CAPÍTULO CCXIV

DE LOS GOBERNADORES QUE HA HABIDO EN LA NUEVA ESPAÑA HASTA EL AÑO DE QUINIENTOS SESENTA Y OCHO

El primer capitán y gobernador fue el valeroso y buen capitán Hernando Cortés, que después el tiempo andando fue marqués del Valle y tuvo otros dictados, y los tres bien merecidos, y gobernó muy bien y pacíficamente más de tres años, y luego fue a las Hibueras y cabo de Honduras... y dejó por gobernadores y tenientes para que gobernasen al tesorero Alonso de Estrada, natural de Ciudad Real, y en su compañía al contador Rodrigo de Albornoz... o de Ramaga, y gobernaron obra de tres meses. Y luego gobernaron el factor Gonzalo de Salazar, natural de Granada, y en su compañía el veedor Peralmíndez Chirinos de Úbeda; y de la manera que fueron gobernadores ya lo he escrito otra vez en el capítulo que de ello habla, y de los escándalos que en México hubo sobre si habían de gobernar o no, y estuvieron gobernando más de año y medio. Y como Cortés alcanzó a saber las alteraciones que en México había por su mala gobernación, les envió a revocar el poder desde la provincia de Honduras, y volvieron a gobernar otra vez el tesorero y contador, según y de la manera que Cortés les había dejado el poder. Y entonces echaron presos los mismos gobernadores al factor y veedor en unas jaulas de maderos gruesos.

Y de allí a obra de un año y medio volvió Cortés desde Honduras para México, y así como llegó tomó en sí la gobernación, y aún no habían pasado quince días que estaba entendiendo en cosas que convenía sobre las alteraciones pasadas, en aquel tiempo vino de Castilla por gobernador un licenciado que se decía Luis Ponce de León, natural de Córdoba, y trajo provisión para tomar residencia a Cortés y a los capitanes y justicias que había en aquella sazón en la Nueva España, y estando tomando la residencia falleció de modorra, y quedó su poder en el testamento a un licenciado que se decía Marcos de Aguilar, el cual el mismo Luis Ponce había traído en su compañía cuando pasó por la isla de Santo Domingo; otras personas de las que Luis Ponce traía consigo le llamaban el bachiller Aguilar. Y el poder que le dejó en su testamento: que en ninguna cosa de la gobernación hiciese mudanza, ni pudiese quitar indios a ningún encomendero, ni sacase de las prisiones al factor y veedor, sino que estuviesen presos de la manera que los halló. Y más le encargó que luego hiciese relación de ello a Su Majestad para que enviase a mandar lo que sobre ello más fuese servido. Y de esta manera gobernó Marcos de Aguilar más de diez meses, y murió de hético y de mal de bubas, y dejó en el testamento poder para que gobernase el tesorero Alonso de Estrada; por manera que son tres veces las que gobernó el tesorero. Y cuando le dieron esta gobernación se concertó con los procuradores de la Nueva España, que para que tuviese más autoridad en su gobernación gobernase juntamente con él Gonzalo de Sandoval, que era alguacil mayor y había sido capitán, persona muy preeminente;[228] y el tesorero lo hubo por bien; dijeron ciertas personas que porque quería casar una hija con él. Y estando gobernando entrambos a dos obra de diez meses, vino mandado de Su Majestad que sólo el tesorero gobernase, y quitaron de la gobernación a Sandoval.

También vino cédula real que sacasen de las prisiones al factor y veedor y les volviesen sus bienes, que estaban secuestrados, y de allí a pocos días mandó Su Majestad que viniese Audiencia Real, y por presidente de ella vino un Nuño de Guzmán, natural de Guadalajara, gobernador que en aquel tiempo era de la provincia de Pánuco. También vinieron por oidores cuatro licenciados que se decían: Delgadillo, natural de Granada, y Matienzo, decían era de hacia Vizcaya, y un licenciado Parada... estar en la isla de Cuba, y un Maldonado, de Salamanca, no lo digo por el licenciado Alonso Maldonado, el Bueno, que así le llamamos, que fue gobernador de Guatemala y adelantado de Yucatán. Volvamos a nuestra plática. Que así como llegaron a México los licenciados que he dicho que venían por oidores, falleció Parada y Maldonado, y estuvo asentada la Real Audiencia con el presidente, ya por mí nombrado, y los dos oidores más de dos años, y porque Su Majestad fue informado que no hacían lo que eran obligados, los mandó quitar redondamente; y luego vino por presidente don Sebastián Ramírez de Villaescusa, obispo que en aquella sazón era de la isla de Santo Domingo, y cuatro oidores, que se decían: el licenciado Salmerón, de Madrid; Alonso Maldonado, de Salamanca, y el licenciado Ceinos, de Zamora, y el licenciado Bernaldo de Quirova, de Madrigal, y fueron muy rectos y buenos jueces. Y desde a ciertos años Su Majestad mandó llamar para que fuese a Castilla al presidente don Sebastián Ramírez para informarse de él de las cosas de la Nueva España; y así como llegó le dieron el obispado de Túy y le pusieron por presidente en la Audiencia Real de Granada, y en aquel tiempo vacó el obispado de León y le mejoraron y le pasaron a la chancillería de Valladolid, y luego vacó el obispado de Cuenca y se lo dieron, y en este instante quiso Dios llevarle para su santa gloria. Digamos ahora del licenciado Salmerón, que había más de cuatro años que estaba en la Nueva España por oidor y estaba rico; envió a demandar licencia para irse a Castilla, y después de dada buena residencia, se fue y le pusieron en

[228] Tachado en el original: *tenido en mucho en toda la Nueva España.*

el Real Consejo de Indias, y ya que era viejo Su Majestad le mandó jubilar, y al licenciado Bernaldo de Quirova le dieron el obispado de Michoacán. Al licenciado Maldonado, por ser muy bueno y recto juez, vino por presidente y gobernador a esta provincia de Guatemala y Honduras, y sirvió muy bien a Su Majestad en los cargos que tuvo. Volvamos a decir que en aquel tiempo [229] mandó Su Majestad que viniese por visorrey y presidente de la Nueva España don Antonio de Mendoza, hermano del marqués de Mondéjar, y por oidores cuatro licenciados, que se decían: Tejada, de Logroño, y un licenciado anciano que se decía Loaisa, de Ciudad Real, y el licenciado Santillán, que después fue doctor, natural de Sevilla, y el doctor Quesada de Ledesma; y de allí a pocos días vino el licenciado Mejía, que después fue doctor, natural de San Martín de Valdeiglesias, y el doctor Herrera decían que era natural de cerca de Guadalajara. No se me acuerda del tiempo que estuvieron por oidores, porque unos iban a Castilla y otros venían y otros quedaban; no hace mucho al caso a nuestra relación no declararlo.

En aquel tiempo vino por visitador de toda la Nueva España, y para hacer guardar las reales ordenanzas, el licenciado Tello de Sandoval, natural de Sevilla, y tomó residencia al visorrey don Antonio de Mendoza y a los oidores, y halló que eran rectos jueces, pues que tuvo ciertos pundonores y cosquillas con el visorrey; y después que tomó la residencia se volvió a Castilla a ser oidor, y de allí a poco tiempo fue presidente del Real Consejo de Indias y después obispo de Osuna o de... [230] Y en aquellos tiempos vino a México por juez de residencia de Nuño de Guzmán, y para hacer ciertas averiguaciones en lo... Jalisco, un licenciado que se decía de la Torre, natural de Badajoz..., licenciado como traía buenas ganas de hacer justicia sobre el caso que venía, y fue él al que hubieron metido unos naipes en la manga del tabardo, según dicho tengo en el capítulo que de ello habla, y de enojo de ello murió. También en aquella sazón vino de Castilla un licenciado que se decía Vena, e hizo creer al virrey y a toda la Audiencia Real que Su Majestad le enviaba para tomar residencia al licenciado Tejada y quedar por visitador de la Nueva España, y sobre ello tuvo tales embustes, que el virrey y Audiencia Real se lo creían y le mandaron asentar un día en los estrados juntamente con ellos; y de que vieron que no mostraba las provisiones, sino unos papeles falsos que traía sellados, y decían en ellas y en los sobrescriptos títulos y provisiones reales que Su Majestad le dio para ser visitador y tomar residencia a Tejada, y todo lo demás de dentro venían en blanco, y de que alcanzaron a saber sus maldades le mandaron dar doscientos azotes muy bien pegados; porque además de esto tenía otra manera para con sus embustes le prestaron ciertas personas que tenían pleitos dineros, y por todo lo desterraron de México después de azotado.

Y en este tiempo mandó Su Majestad ir al Perú al visorrey don Antonio de Mendoza para pacificar aquel reino, que estaba alterado, y así como llegó y comenzó a hacer justicia, quiso Dios llevarle para su santa gloria, y de su muerte se hizo gran sentimiento, y tuvieron mucha razón, porque en lo que vimos cuando era visorrey en la Nueva España la gobernó muy bien y es digno de muy loable memoria por sus muchas virtudes. Luego vino en su lugar por visorrey don Luis de Velasco, natural de Palencia, de tierra de Cam-

[229] Tachado en el original: *así como llegó a Castilla el presidente don Sebastián Ramírez.*

[230] Espacio en blanco en el original.

pos; [231] nunca con él comuniqué sino por cartas misivas que le escribí y me respondía luego, acerca de un hijo mío que residía en su casa, y dicen que tuvo el cargo de virrey y gobernador diez y seis años, a cabo de los cuales falleció; y pocos meses antes que Dios le llevase de esta vida había enviado Su Majestad a México a un licenciado o doctor que se decía [232] de Valderrama, natural de Talavera; dicen que vino por visitador de la Nueva España, y, según oí decir, que después que falleció el virrey don Luis de Velasco quiso ser supremo en el mando, y los señores oidores de la Real Audiencia no se lo consintieron, e hicieron relación de ello a Su Majestad, y le envió a mandar que se volviese a Castilla a ser oidor, como de antes era, en el Real Consejo de Indias, y así como llegó falleció. Y también en aquel tiempo o medio año antes volvió de Castilla el licenciado Zeinos a ser oidor, como lo había sido antes, de la Real Audiencia de México.

Y volviendo a nuestra relación, como en Castilla se supo que era fallecido don Luis de Velasco, mandó Su Majestad venir por visorrey y gobernador a un caballero que se decía don Gastón de Peralta, marqués de Falces, conde de Santisteban, mayordomo mayor de Su Majestad, del reino de Navarra. Estuvo cierto tiempo en la ciudad de México; dicen [233] que era apacible y de buena conversación, y en el tiempo que estuvo en México no hubo tantas alteraciones [234] sobre las cosas que el marqués don Martín Cortés, y de un Alonso de Ávila, y de un su hermano que se decía Gil González de Benavides, hijos que fueron de Gil González de Benavides, el Viejo, y sobrinos de un capitán que pasó con Cortés de los primeros a la Nueva España, que se decía Alonso de Ávila, otras veces ya por mí nombrado. Y volviendo a la plática, estos sus dos sobrinos fueron los que degollaron y se hicieron otras muchas justicias sobre las alteraciones y rebeliones, y para que más claramente se entienda sobre qué fueron, es de la manera que ahora diré: El capitán Alonso de Ávila, tío de los dos sobrinos de quien hicieron justicia, tenía depositado, por cédula de encomienda que le dio el marqués don Hernando Cortés, un buen pueblo de indios que se dice Cuautitlán, cerca de México, y como falleció Alonso de Ávila, cuyo de antes era el pueblo, demandóle el fiscal de Su Majestad por estar vaco y ser de la corona real, porque Gil González de Benavides, hermano de Alonso de Ávila, no tuvo títulos ni cédula de encomienda del pueblo, sino que se servía de él por poder que le había dado su hermano el capitán Alonso de Ávila, y porque Gil González de Ávila de Benavides, padre de los que degollaron, nunca fue conquistador de México, que en la isla de Cuba se habría quedado, porque cuando vino a México ya estaba conquistada la Nueva España, salvo que fue en compañía de Cortés cuando fuimos a las Hibueras. Y porque otras personas sabrán muy más por extenso contar los trances que en México hubo sobre ello mejor que yo, remítome a lo que en aquella causa está escrito, y porque yo vivo en la ciudad de Santiago de Guatemala, donde soy regidor, y no voy a México ni tengo allá en qué entender con virreyes ni la Real Audiencia, no tocaremos en estas teclas.

Volvamos ahora en la provincia de Jalisco, que el primer capitán que en ella hubo se decía Nuño de Guzmán, natural de Guadalajara, y

[231] Tachado en el original: *tuvo fama de ser muy recto en todo lo que hizo.*

[232] Queda en el original un espacio en blanco. El licenciado Valderrama se llamaba Jerónimo, según León Pinelo.

[233] Tachado en el original: *que gobernó muy bien.*

[234] Tachado en el original: *como después que Su Majestad le envió a llamar que fuese en Castilla para se informar.*

siempre estuvo sujeta aquella provincia a la Audiencia Real de México, y de allí en ciertos años, mandó Su Majestad hubiese Real Audiencia en ella sin que tuviera su real sello, y sobre cosas que convenían, era suprema en el mando la Real Audiencia de México. Ahora me han dicho en esta sazón que está sobre sí y como y porque ello yo ignoro... provincias, no tengo más noticias de ellas de lo que aquí digo, volvamos de Yucatán, que es en la banda del norte, que los primeros que... capitanes se decía el adelantado don Francisco de Montejo y su hijo que se... Montejo, naturales de Salamanca, y estuvo ciertos años de debajo de... y en el año de quinientos cincuenta mandó Su Majestad que estuviese sujeta de Guatemala, y de allí a cuatro o cinco años que estuvo de la manera que he dicho, mandó Su Majestad que volviese a estar sujeta a México. Y en aquel tiempo fue a Castilla un licenciado que se decía Quijada, que después fue doctor, natural de Sevilla, el cual solía ser vecino en Guatemala, y tenía pueblos de indios en encomienda que le rentaban setecientos pesos, y por codicia de ser gobernador suplicó a Su Majestad que le hiciese merced de la gobernación de Yucatán, con tal que dejó los indios y los pusieron en cabeza de Su Majestad, y tuvo la gobernación ciertos años, y en la residencia que le tomaron parece ser que no gobernó como debía, le privaron de la gobernación, por manera que por codicia de querer mandar perdió los indios que tenía ciertos, y condenado en costas, y fue a Castilla sobre ello y allá murió. Y en su lugar vino por gobernador de Yucatán un Luis de Céspedes, natural de Ciudad Real, y tuvo la gobernación cuatro años, y según entendí no gobernó bien y se la quitaron; dicen que se fue huyendo a Castilla.

Dejemos lo de Yucatán, pues siempre ha ido desde el principio de mal en peor en la mala gobernación, y pasemos a la gobernación de Guatemala, que el primer capitán y gobernador que en ella fue se decía don Pedro de Alvarado, natural de Badajoz, y en el año de veintiséis fue a Castilla a suplicar a Su Majestad le hiciese merced de la gobernación de estos reinos, y entretanto que fue dejó por su lugarteniente a un su hermano que se decía Jorge de Alvarado, el cual en aquella sazón se había casado con una hija del tesorero Alonso de Estrada, el cual tesorero en aquel tiempo era gobernador de México, y desde obra de un año que estaba Jorge de Alvarado gobernando a Guatemala envió Su Majestad la primera Real Audiencia que hubo en México, según dicho y memorado tengo, y así como llegaron a México enviaron a tomar residencia a Jorge de Alvarado, y el que vino para tomársela se decía Francisco Orduña, y era hombre anciano, natural de Tordesillas. Lo que en la residencia pasó no lo alcancé a saber, salvo que me han dicho que mandaba como gobernador, y de allí a obra de tres meses que estaba Orduña tomando la residencia, volvió de Castilla don Pedro de Alvarado con título de gobernador y trajo una encomienda de Santiago. Entonces vino casado con una señora que se decía doña Francisca de la Cueva, la cual murió así como llegó a la Veracruz.

Volvamos a nuestra plática. Que llegado el adelantado a Guatemala, luego con mucha presteza hizo una buena armada, con la cual fue al Perú, y entretanto que fue dejó por su teniente de gobernador al propio su hermano Jorge de Alvarado, y de allí en ciertos años volvió el adelantado del Perú muy rico. Y en aquella sazón envió la Real Audiencia de México otra vez para tomar residencia y por juez de agravios al licenciado Alonso Maldonado, natural de Salamanca, que era oidor de la Real Audiencia de México, y según pareció en la residencia y cosas que acusaron al adelantado hubo de volver a Castilla ante Su

Majestad, y como nuestro rey y señor era cristianísimo y tuvo noticia de los servicios que le hizo, le dio por libre de los agravios y casos que le pusieron en las cosas que convenía y que pagase a Su Majestad. Y en aquella sazón se casó con otra señora hermana de la primera mujer, la cual se decía doña Beatriz de la Cueva, y como le favorecía el duque de Alburquerque y el comendador mayor de Alcántara, don Pedro de la Cueva, y don Alonso de la Cueva, parientes de su mujer, Su Majestad le hizo merced que fuese gobernador, como lo era antes, por ciertos años, y venido a Guatemala hizo una muy grande armada para irse por el poniente a la China, islas de la Especiería, todo lo cual tengo declarado en el capítulo que de ello habla... armadas, y entretanto que fue con su flota dejó por su teniente de gobernador a don Francisco de la Cueva, que era licenciado y primo de la mujer, y aun he oído decir que le... sé cosa alguna cierta de la gobernación si no fuese con parecer y acuerdo... moría don Francisco Marroquín, y yendo ya el adelantado con trece navíos y sobre seiscientos soldados, llegó con toda su armada a la provincia de Jalisco, y estando para hacerse a la vela y seguir su derrota, le trajeron cartas, las cuales le envió un capitán que se decía Cristóbal de Oñate, enviándole a suplicar con grandes ruegos, y en nombre de Su Majestad le pedía que luego le fuese a socorrer, que estaba para perderse él con un su ejército de españoles en unos pueblos o fortalezas que se dicen Nochiztlán, y que de día y de noche le herían y mataban muchos españoles, y que no se podía valer, y que estaba en grande aprieto y necesidad, porque si los indios de Nochiztlán quedasen con victoria, toda la Nueva España corría riesgo. Y después que don Pedro de Alvarado oyó y entendió aquellas nuevas y tan ciertas, mandó a sus capitanes y soldados que con brevedad le fuesen a socorrer, y con mucha presteza fue a los peñoles y con su socorro aflojó alguna cosa el combate que los indios de aquella provincia daban a los españoles, mas no de manera que les quitasen de hacer con grande esfuerzo como valientes guerreros, y no embargante el socorro, estaban en grande necesidad los españoles, porque les mataban muchos soldados. Pues desde que comienza la adversa fortuna viene un desmán tras de otro; y es que estando don Pedro de Alvarado peleando contra los escuadrones de los indios guerreros, pareció ser que un soldado, estando peleando, se le desriscó un caballo y vino rodando por el peñol abajo, con tan gran ímpetu por donde el adelantado estaba, que no se pudo apartar a cabo ninguno sin que el caballo lo tomase debajo, de arte que le magulló el cuerpo, y fue de tal manera que se sintió de ello muy malo, y para guarecerle y curarle le llevaron en andas a una villa que allí había más cercana de aquellos peñoles, que se dice La Purificación, y yendo por el camino se comenzó de pasmar, y llegado a la villa, después de haberse confesado y comulgado, dio el ánima a Dios que la crió; algunas personas dijeron que hizo testamento.

Como murió el adelantado, envió la Real Audiencia de México por gobernador al licenciado Alonso Maldonado, ya otra vez por mí nombrado, y de allí a obra de un año que esto pasó mandó Su Majestad que viniese Audiencia Real a esta provincia de Guatemala, y vino por presidente de ella el mismo licenciado Alonso Maldonado, la cual asentaron en una villa que se dice Gracias a Dios, y vinieron tres oidores que se decían el licenciado Rogel de Olmedo, y el licenciado Pedro Ramírez de Quiñones, natural de León, y el doctor Herrera, de Toledo, y de allí a cierto tiempo mandó Su Majestad que se pasase la misma Real Audiencia a esta ciudad de Santiago de Guatemala, y porque el licenciado Alonso Maldonado había muchos años que había estado por oidor de México y presidente en estas provincias, y tenía necesidad de ir a negociar ante Su Majestad que le hiciese merced del adelantado de Yucatán y pueblos de indios que fueron de su suegro, el adelantado don Francisco de Montejo, que en aquella sazón había fallecido, envió a suplicar a Su Majestad le diese licencia para ir a Castilla, la cual licencia le mandó dar con tal que primero diese residencia, en la cual le hallaron y tuvieron por muy buen juez.

En su lugar mandó Su Majestad venir por presidente al licenciado que se decía Alonso López Cerrato, natural de Extremadura, y por oidores al licenciado Tomás López, natural de Tendilla, y al licenciado Zorita, de Granada. Y, como dicho tengo, estaba antes por oidor el licenciado Pedro Ramírez de Quiñones, y después que el presidente Cerrato hubo estado cuatro años, y estaba rico y era recto en hacer justicia, como era viejo, y de la Iglesia, envió a suplicar a Su Majestad le diese licencia para ir a Castilla, que estaba bien acreditado en el Real Consejo de Indias... pado otro mayor rango en que pudiese servir al... con que diese residencia, y para tomársela, vino... Quesada, natural de Ledesma, y estando tomando... Fue Dios servido de llevarlo de esta vida y... doctor Quesada, que se la estaba tomando, quedó por presidente, el oidor más antiguo, el cual fue el licenciado Pedro Ramírez.

Y de allí a poco tiempo Su Majestad mandó venir por presidente al licenciado Juan Martínez de Landecho, natural de Vizcaya, y en aquel tiempo o pocos meses antes vino por oidor el licenciado Loaisa, natural de Talavera, y también en aquel tiempo vino por oidor el doctor Antonio Mejía, natural de San Martín de Valdeiglesias, que solía estar con el mismo cargo en la Real Audiencia de México. Y porque el doctor Mejía y otro doctor que se decía Herrera, que también era oidor de la Real Audiencia de México, tuvieron ciertos debates o cosquillas, y por meterlos en paz Su Majestad mandó al doctor Mejía, viniese a esta provincia por oidor y el doctor se fue a Castilla, y, según pareció, de allí a cierto tiempo mandó Su Majestad que tomasen residencia al doctor Mejía, la cual le tomó el presidente Landecho, y por ciertos cargos que le puso le privó del oficio real por ciertos años, y sobre ella fue a Castilla y se libró de ellos, y en tanto que le proveían de otro real cargo fue corregidor de Talavera, y después fue proveído por presidente de la Real Audiencia de Santo Domingo, donde murió con el cargo de presidente, y en su lugar del doctor Mejía vino por oidor de esta Real Audiencia el doctor Barros de Sanmillán, natural de Segovia, y si tuviera algunas barbas, como decían que tenía letras, le autorizarán mucho su persona. Y de allí a pocos años que estaba por presidente el licenciado Landecho mandó Su Majestad que la misma Audiencia Real que estaba en esta ciudad de Santiago se pasase a Panamá, porque dizque informaron que estaría allá mejor y por otras causas que yo no alcancé bien a saber. Y además de esto mandó Su Majestad que tomasen residencia al licenciado Landecho y a todos los demás oidores que en ella residían, y si los hallasen culpados los quitasen, y para tomar la residencia vino proveído el licenciado Francisco Briseño, natural de Corral de Almaguer, que de antes había sido oidor en el Nuevo Reino de Granada, y trajo comisión para tomar esta residencia y pasar el real sello a Panamá, y para tener cargo del real sello fuese proveído al oidor que más sin cargos hallase y sintiese ser más justificado, y también trajo comisión para tomar cuenta a los oficiales de la Real Hacienda y a los bienes de los difuntos, y para que los pleitos que estuviesen comenzados por la Real Audiencia pasada que los acabase de los fenecer y concluir. Y volviendo a nuestra materia, tomó residencia al licenciado Landecho, que era presidente, y al licenciado Loaisa, oidor, y al doctor Barros, y vistos sus cargos y descargos, les privó de oficio real por ciertos años y les condenó en cierta cantidad de moneda al presidente Landecho y a Loaisa, y dejó libre al doctor Barros, y hubieron de ir sobre ello a Castilla, y Su Majestad mandó que el licenciado Landecho fuese con cargo de oidor al Perú, yo no sé otro cargo que dicen que llevaba, y llegado a Panamá, falleció, y el licenciado Loaisa vino a esta ciudad por oidor, y desde aquí le mandó Su Majestad que fuese por oidor a lo de Chile; al doctor Barros proveyó para que fuese con el real sello hasta Panamá y que estuviese allí por presidente de la Real Audiencia hasta que Su Majestad otra cosa mandase, y la causa por qué lo envió con el real sello fue porque le halló el licenciado Briceño con menos cargos. Y después que el licenciado Briceño hubo despachado el real sello y salió con el ilustre cabildo de esta ciudad y otros caballeros, fue a la villa de la Trinidad a partir ciertos términos y jurisdicciones, y luego fue a ver ciertas tierras de labor de trigo que habían tomado a unos pueblos, y se las hizo volver a cuyos eran, y visitó toda su provincia, y esto hacía sin llevar salario de parte alguna; y si hubiese de decir en todo el tiempo que estuvo por gobernador cuán bien lo hacía, sería larga relación, y quedarse ha en silencio. Mas lo que a mí me... que tuviera sufrimiento, y con los negociantes... era buen juez, mas todo lo borraba con su... que le parecía a él ser bien dicho...

En el año de mil quinientos sesenta y seis, siendo... mes de mayo, entre la una y las dos del día comenzó a temblar de tal arte la tierra, que levantaba las casas y paredes y aun tejados, y cayeron en el suelo muchas de ellas, y otras quedaron sin tejas, acostadas a un lado, que pensamos que la tierra se abría para sorbernos, y puesto que todos salimos al campo, no estábamos seguros, ni tampoco osábamos dormir dentro de nuestras casas, que en el campo, y en los patios, y en la plaza de esta ciudad hacíamos nuestros ranchos. Y porque de estos recios temblores hay mucho que decir, como que duraron nueve días, y toda esta ciudad, juntamente con la clerecía y religiosos y todas las señoras con grandes procesiones, disciplinándonos todos los más, demandando a Dios misericordia, y se entendieron en hacer paces y amistades y otras santas y pías obras, y fue cosa de admiración ver cómo cuando íbamos en estas santas procesiones, dando gemidos y llorando, corriendo sangre de las espaldas, no podíamos ir adelante ni tenernos en los pies, porque como era a medianoche, caían casas con tejados, con el gran ruido que la tierra hacía cuando temblaba y las tapias que venían sobre nosotros, y aunque íbamos por mitad de las calles, temíamos que era venido el fin de nuestros días, y con oraciones y contritas confesiones y penitencias, que en todo esto hacíamos, quiso Dios que echásemos suertes a muchos santos, y entre ellos a Señor San Sebastián, y Dios Nuestro Señor, por su santa misericordia, cayó la suerte por nuestro abogado al bienaventurado mártir San Sebastián, y desde entonces comenzó a aflojar el recio temblor, y prometimos ir cada año en procesión a una iglesia que hicimos en el campo del Señor San Sebastián y celebrar su fiesta, víspera y día. Mucho había que decir sobre estos recios temblores, y como luego vino una avenida de mucha agua, que salió de madre un arroyo, que quiso anegar esta ciudad, y desde entonces hicimos una puente muy buena.

Dejemos esta plática y volvamos a decir de la rebelión y alborotos que en aquella sazón en México hubo sobre lo del marqués don Martín

Cortés y los hijos de Gil González de Ávila, que degollaron. Como somos en esta ciudad muy leales vasallos y servidores de Su Majestad, el ilustre cabildo de ella, con todos los demás caballeros, ofrecimos todas nuestras haciendas y personas para si menester fuera ir contra los de la rebelión, y pusimos guardas y acechanzas y buen recaudo de soldados por los caminos para si algunos de los deservidores de Su Majestad por acá aportasen prenderlos, y además de esto hicimos un real alarde para ver y saber qué arcabuceros y hombres de a caballo con todo su aparejo de armas había; que cierto fue cosa de ver las ricas armas que salieron, y más la pronta voluntad que todos teníamos para ir, si menester fuera, a México en servicio de Su Majestad. Y paréceme a mí que es tan leal esta ciudad, que en naciendo los hijos de los conquistadores tienen escritos en el pecho y corazón la lealtad que deben tener a nuestro rey y señor. Pues ya que estábamos muy a punto, como dicho tengo, vinieron cartas de México, de fe y de creer, cómo eran degollados los dos hermanos que se decían Alonso de Ávila y Benavides, y desterrados y hecho justica de otros de la rebelión, y que todo estaba en alguna manera seguro, mas no muy pacífico. Y cuando lo supimos en el ilustre cabildo de esta ciudad, puesto que como cristianos nos pesó así de la rebelión como de la muerte de los por mí ya nombrados, por otra parte descansaron nuestros corazones en estar segura México y haber recta justicia en ella; y de allí a pocos días nos vinieron otras cartas que Su Majestad había enviado a México ciertos jueces de sus reales consejos, personas de calidad y de ciencia y conciencia, cuántos y por qué causas habían hecho la rebelión, y quien se hallasen culpados quitasen la vida y haciendas... muy rectos justiciados oidores y entre ellos... a hacer justicia a los jueces que vinieron... oidor que fue en Castilla, y... halló justicia a ciertos hombr... declaró por su honor que habí... servicio que se debe a Su Majestad... y ser obligado a ello... siempre procuraba de ser... no quedó con buena fama. Dios lo remedie todo, así lo uno como lo otro. En Castilla pasan estos pleitos; allá lo sabrán más por extenso que yo lo escribo.

Mucho me he detenido de traer a la memoria cosas que en cinco años que gobernó esta provincia el licenciado Briceño pasaron; dejarlo he aquí y diré de la gobernación de la provincia de Honduras, que enviaron los frailes jerónimos, que estaban por gobernadores en la isla de Santo Domingo, que plugiera a Dios que nunca tales hombres enviaran, porque fueron tan malos y no hacían justicia ninguna, porque además de tratar mal a todos los indios de aquella provincia, herraron muchos de ellos por esclavos y los enviaban a vender a la Española, y a Cuba, y a la isla de San Juan de Baruquen, y decíanse aquellos malos gobernadores: el primero, fulano de Albitez; el segundo, Cereceda, natural de Sevilla, y el tercero, Diego Díaz de Herrera, que también era de Sevilla, y estos tres fueron principio de echar a perder aquella provincia. Y esto que aquí digo sélo porque cuando vine con Cortés a lo de Honduras me hallé en Trujillo, que se decía en nombre de indios Guaimura, y me hallé en Naco, y en el río de Pichín, y en el de Balama, y en el de Ulúa, y en todos los más pueblos de aquellas comarcas, y estaba muy poblado y de paz, y en sus casas con sus mujeres e hijos. Y desde que fueron aquellos malos gobernadores los destruyeron de manera que en el año de mil quinientos cincuenta y un años, cuando por allí pasé, que vine de Castilla, como me conocieron dos caciques del tiempo pasado, me contaron sus desventuras y malos tratamientos con lágrimas en sus ojos, y hube mancilla de ver la tierra de aquel arte. Y en el año de mil quinientos cincuenta había estado por gobernador un hidalgo que se decía Juan Pérez de Cabrera, el cual murió de allí a dos años; no hizo mal ni bien, y volvió a estar aquella provincia sujeta a Guatemala, y en todo lo que se pudo remediar le ayudaban y favorecían los presidentes y gobernadores de Guatemala.

Y en aquel tiempo vino a ella por gobernador un licenciado que se dice Alonso Ortiz de Argueta, natural de Almendralejo, y gobernó ciertos años; no dejó buena fama en la residencia que le tomaron. Después vino otro gobernador que se decía Juan de Vargas Carvajal; según dicen, lo hizo peor que los pasados, y si no muriera antes que le tomasen la residencia librara muy mal.

Volvamos a la provincia de Soconusco, que está entre Guatemala y Oaxaca. Digo que en el año de veinticinco estuve en ella de pasada ocho o diez días, y solía ser poblada de más de quince mil vecinos, y tenían sus casas y huertas de *cacaguatales* muy buenas, y toda la provincia hecha un vergel de árboles de *cacaguatales*, y era muy apacible, y ahora, en el tiempo de quinientos sesenta y ocho, está tan fatigada y despoblada, que no hay en ella mil doscientos vecinos; y preguntando cómo se había despoblado y había tan pocos vecinos, me dijeron que los unos se murieron de pestilencia, y otros que no les dejan reposar los alcaldes mayores y corregidores y alguaciles que tienen, y de muchos clérigos y curas que les ponen los prelados, y ciertamente que hay tantos que la mitad sobran. Mas, pecador de mí, que no habían de ser tan codiciosos como son que por el trato de unas como almendras que se dice cacao, de que hacen una cosa como a manera de brebaje, que beben, que es muy bueno, sano y sustancioso, y como en aquella provincia hay muy bueno, andan muchos mercaderes entre los... se lo comprar, y así los curas y clérigos y alcaldes... alguaciles, a este efecto, ni les dejan reposar, y es... tan destruida de cuán próspera la vi... a los señores que mandan en el real... y como no me hallo presente en la... y de cada día vienen de mal... proveer de gobernador... oñez de Villa Quirán, natural... justicia y quitase el trato de mer... hacían así los clérigos y alguaciles... decía que fue el que... vino y otras muchas cosas de mercaderías a precios muy subidos, e hicieron ciertos desatinos y malos tratamientos que los indios no se podían valer de ellos, porque más reclamaba que les hiciere justicia, y así como llegó a la Nueva España por virrey el ilustrísimo marqués de Falces, etcétera, tuvo noticia de ello, por la que dieron de aquel Pero Ordóñez, que estaba por gobernador, y le envió a tomar residencia, y estándosela tomando se huyó en parte que no se pudo haber tan presto, porque hizo muchos delitos muy probados; hanme dicho que se ha ido huyendo a Castilla. Y después de esto vino por gobernador de la misma provincia un Pedro de Pacheco natural de Ciudad Real; fama tenía que era buen gobernador. Sobre ciertas cosas la Audiencia Real de esta ciudad le envió a tomar residencia, y sobre tratos que dicen que tenía con los indios le mandaron venir preso a esta ciudad, y de dolencia y enojos dicen que murió. Y de esta manera que he dicho ha pasado en aquella provincia y gobernación.

Vamos adelante a la provincia de Nicaragua, que el primero que la comenzó a poblar y la conquistó fue un capitán que allá envió Pedrarias de Ávila en el tiempo que fue gobernador de Tierra Firme, el cual capitán se decía Francisco Hernández, hombre de calidad ya se ha de entender que no lo digo por el primer descubridor de Yucatán que también se decía Francisco Hernández de Córdova, sino por el que envió el Pedrarias de Ávila, el cual mandó degollar en el año de mil quinientos veinticuatro, porque fue informado por cosa muy cierta que se alzaba con aquella provincia, con favor que para ello le prometió Cortés, cuando estábamos en lo de Honduras, según lo tengo escrito en el capítulo que de ello habla; por manera que Pedrarias de Ávila tenía ya degollados dos capitanes: el primero se decía Vasco Núñez de Balboa, el cual hubo desposado con una su hija, y el segundo fue este Francisco Hernández de que hemos hecho mención. Y después que hubo mandado hacer justicia de él, envió a suplicar a Su Majestad que le hiciese merced de aquella gobernación de Nicaragua para un yerno suyo que se dice Rodrigo de Contreras, natural de Segovia, con quien había poco tiempo que casó a una su hija que se decía doña Mar Arias de Peñalosa. Habiendo gobernado Rodrigo de Contreras ciertos años, vino mandado de Su Majestad que le quitasen la gobernación, y estuvo mucho tiempo debajo de la Real Audiencia de Guatemala, y después de ciertos años Su Majestad hizo merced de la gobernación de ella y de la Costa Rica, que aún no estaba conquistada, a un hidalgo que se decía Vázquez Coronado, natural de Salamanca, y viniendo por la mar se perdió el navío en que venía y se ahogó. Perdónele Dios. Y después acá ha habido otros gobernadores, que aquí no declaro, porque como aquella provincia es de muy pocos indios y viene cada día a menos, valdría más que no tuviese tantos gobernadores.[235]

Dejaré de contar tantas cosas acaecidas en aquella provincia, ni de sus volcanes, que echan grandes llamaradas de fuego, ni tampoco quiero poner por memoria la entrada que fue desde México Francisco Vázquez Coronado a las ciudades que dicen de Cíbola; porque yo no fui con él, no tengo que hablar en ello; los soldados que fueron a aquel viaje lo sabrán mejor relatar. Mas se decía que en aquella gran ciudad meses antes fue casado Francisco Vázquez con una señora doncella muy virtuosa y hermosa, hija que fue del tesorero Alonso de Estrada, y desde que fue llevado a la provincia de Cíbola... con que halló a los soldados que le... sonas dijeron que por volverse a su... de esto cayó malo de modo... no faltó quien dijo que quiso venir... la guerra de Troya y... En aquella entrada que... de pesos de oro de su... tero de la vuestra armada... muertes y trabajos de hambres y de otras malas venturas... haciendo de Su Majestad y las suyas, y se volvieron a México perdidos. Y he dicho lo mejor que he podido de todos los gobernadores que ha habido en toda esta provincia de la Nueva España, bien es que diga en otro capítulo de los arzobispos y obispos que ha habido.

[235] Tachado en el original: *como a ella vienen.*

(Fin del manuscrito.)

APÉNDICE

PROBANZA DE MÉRITOS Y SERVICIOS DE BERNAL DÍAZ DEL CASTILLO, PROMOVIDA EN 7 DE SEPTIEMBRE DE 1539

Muy poderoso señor. Pedro del Castillo Becerra, vuestro contador y oficial de vuestra real hacienda de estas provincias, digo: que en el oficio de García de Escobar, escribano de Cámara de esta real Audiencia, están las informaciones públicas y otros recaudos, certificaciones y testimonios de los méritos y servicios de Bernal Díaz del Castillo, mi padre, y del capitán Bartolomé Becerra, mi abuelo materno, y de Francisco del Valle Marroquín, abuelo paterno de doña Jacoba Ruiz del Corral, mi mujer, y para en guarda de mi derecho tengo necesidad se me dé un tanto autorizado de las dichas informaciones, recaudos y testimonios. A Vuestra Alteza pido y suplico así lo provea y mande: pido justicia. Doctor Juan Luis Pereyra Dovidos.

Dénsele.—Lo de suso salió decretado de la sala del real acuerdo de Justicia, donde estaban los señores Presidente y oidores de esta real Audiencia, don Antonio Peraza de Ayala y Rojas, conde de la Gomera, presidente, y los doctores Pedro Sánchez Arague y don Matías de Solís Ulloa y Quiñones y el licenciado don Gaspar de Zúñiga, oidores en la dicha ciudad de Guatemala, a quince días del mes de abril de mil y seiscientos y trece años.—García de Escobar.

En cumplimiento de lo cual, yo, García de Escobar, escribano de cámara más antiguo de la dicha real Audiencia, y mayor de la gobernación en su distrito, hice sacar un tanto de las probanzas públicas que en el dicho pedimento se hace mención, del dicho Bernal Díaz del Castillo y Bartolomé Becerra, y otros recaudos y certificaciones y testimonios, que su tenor de ello es como sigue.

El Rey. Adelantado don Pedro de Alvarado nuestro gobernador de la provincia de Guatemala o a vuestro lugarteniente y a cada uno de vos a quien esta nuestra cédula fuere mostrada. Por parte de Bernal Díaz, vecino de la villa del Espíritu Santo, me ha sido hecha relación que él es uno de los primeros conquistadores de la Nueva España; había más de veinticinco años que pasó a ella, cuando fue Francisco Hernández de Córdova, en compañía del cual y de don Hernando Cortés marqués del Valle nos sirvió con su persona y hacienda, armas y caballo en todas las guerras del descubrimiento, conquista y pacificación de la Nueva España, padeciendo muchos trabajos, hambres y necesidades y que en recompensa de sus servicios los gobernadores que fueron de ella le dieron en repartimiento y encomienda los pueblos que se dicen Chamula y Micapa y Tlapa, que son en las provincias de Chiapa y Tabasco, y los tuvo y poseyó, administrando los indios y gozando de las rentas y tributos, y que teniendo y poseyendo los dichos pueblos le fueron quitados para la población de las dichas villas de Chiapa y Tabasco, como todo lo susodicho constaba por ciertas informaciones signadas de escribanos y por las cédulas de encomiendas de los dichos indios de que ante los del nuestro Consejo de las Indias por su parte fue hecha presentación, y que aunque los dichos tres pueblos le fueron quitados para cosas de nuestro servicio, hasta ahora no le ha sido dado en recompensa de ello cosa alguna, a causa de lo cual siendo él uno de los primeros conquistadores y descubridores de la dicha Nueva España, y teniendo dos hijas doncellas, padece necesidad y nos fue suplicado que teniendo respeto a lo susodicho le mandásemos dar en la dicha Nueva España otros tales pueblos equivalentes y de tanto aprovechamiento y renta como los que tenía, o como la mi merced fuese: de todo lo cual por los del dicho nuestro Consejo fue mandado dar traslado al licenciado Villalobos, nuestro fiscal, y por él fue respondido que no debíamos proveer cosa alguna de lo que por parte del dicho Bernal Díaz nos era suplicado, porque no había sido tal conquistador como decía, ni le habían sido encomendados los dichos pueblos por servicios que hubiese hecho y por otras causas que alegó, todo lo cual visto por los de dicho Nuestro Consejo pronunciaron un auto, su tenor del cual es este que sigue.

En la villa de Madrid a quince días del mes de abril de mil quinientos cuarenta años, vistas estas peticiones y escrituras por los señores del Consejo de las Indias, de Su Majestad, dijeron que debían mandar y mandaron que se dé cédula de Su Majestad para el virrey de la Nueva España que se informe de la calidad y cantidad de los pueblos que al dicho Bernal Díaz le fueron dados y tuvo y poseyó y le fueron quitados para la población de Chiapa y Tabasco, y le dé en recompensa de ellos otros pueblos tales y tan buenos en la misma provincia, para que se aproveche de ellos por el tiempo que fuere voluntad de Su Majestad, guardando las ordenanzas que están hechas y se hicieren para el buen tratamiento de los indios. Después de lo cual, el dicho Bernal Díaz presentó ante los del dicho nuestro Consejo otra petición en que dijo que los indios de las dichas provincias de Chiapa y Tabasco estaban todos repartidos entre los conquistadores, y que a esta causa, lo que por nos está proveído y mandado sería de ningún efecto y tendría necesidad de volver otra vez a estos nuestros reinos a ocurrir ante nos para que lo mandásemos remediar, y para evitar esto nos suplicaba mandásemos que la dicha recompensa de los dichos pueblos se le hiciese en la dicha Nueva España, o en esa provincia de Guatemala, y porque nuestra merced y voluntad es que la dicha recompensa que al dicho Bernal Díaz se hubiere de hacer se le haga en esa provincia de Guatemala, no embargante que los pueblos que así le fueron quitados no sean de la gobernación de ella, yo vos mando que veáis el dicho auto suso incorporado, que por los del dicho nuestro Consejo fue pronunciado, y como si a vos fuera dirigido le guardéis y cumpláis en todo y por todo como en él se contiene, y guardándole y cumpliéndole, informado de la calidad de los pueblos que al dicho Bernal Díaz fueron quitados, le déis la recompensa de ellos en esa gobernación y provincia de Guatemala, y si al tiempo que con esta nuestra cédula fuéredes requerido no hubiese indios vacos para le poder hacer la dicha recompensa, se la deis en los primeros indios que vacaren, para que el dicho Bernal Díaz los tenga y se aproveche de ellos conforme al dicho auto que de suso va incorporado. Fecha en Madrid a diecinueve de junio de mil quinientos cuarenta años. Fray García, Cardenalis Hispalensis. — Por Mandado de Su Majestad del gobernador en su nombre. Juan de Sámano.

El Rey. Licenciado Cerrato nuestro presidente de la Audiencia real de los confines: bien sabéis cómo yo mandé dar y di dos cédulas su tenor de la cual es este que se sigue. El Rey. Don Antonio de Mendoza nuestro visorrey y gobernador de la Nueva España y presidente de la nuestra Audiencia y Chancillería Real que en ella reside, sabed que yo mandé dar y di una mi cédula del tenor siguiente.

(Sigue la cédula dirigida al Adelantado don Pedro de Alvarado antes copiada.)

Y por parte del dicho Bernal Díaz nos ha sido hecha relación que podría ser que el dicho nuestro gobernador de la dicha provincia de Guatemala le pusiese algún impedimento o dilación en el cumplimiento de la dicha nuestra cédula, por gratificación y cumplir con amigos suyos o con otras personas, de que recibiría mucho daño y agravio si hubiere de pedirlo por justicia o hubiese de venir por estos reinos a llevar el remedio de ello, y la dicha merced le sería de ningún efecto, y nos suplicó os mandásemos que vos enviáredes persona que cumpliere lo que por la dicha nuestra cédula le estaba por nos mandado, sin poner en ello impedimento ni dilación alguna, o como la mi merced fuere, y porque mi voluntad es que lo en la dicha cédula contenida haya efecto, yo os mando que constando que el dicho nuestro gobernador de la dicha provincia de Guatemala no cumple lo que por la dicha nuestra cédula le enviamos a mandar y poner en ello dilación, proveáis cómo se cumpla de manera que el dicho Bernal Díaz no reciba agravio en la dilación. Fecha en la villa de Madrid a tres días del mes de junio de mil quinientos cuarenta años.—Fray García, Cardenalis Hispalensis.—Por mandado de Su Majestad el gobernador en su nombre. Juan de Sámano.

El Rey. Don Antonio de Mendoza Nuestro Visorrey y gobernador de la Nueva España y presidente de la nuestra Audiencia y Chancillería Real que en ella reside. Por parte de Bernal Díaz, vecino de la villa del Espíritu Santo de la provincia de Guazacualco, nos ha sido hecha relación que bien sabíamos como a su pedimento y suplicación, por una nuestra cédula enviamos a mandar al Adelantado Don Pedro de Alvarado, nuestro gobernador de la provincia de Guatemala, que informado de la calidad y cantidad de los pueblos de Tlapa y Chamula y Micapa que él tuvo encomendados y le fueron quitados para la población de las villas de Chiapa y Tabasco, le diese la recompensa de ellos en la dicha provincia de Guatemala, y si cuando fuese requerido no hubiese indios vacos en que se la poder dar, se la diéredes en los primeros indios que vacasen, y porque entretanto que se le da la dicha recompensa dizque no se podía sustentar con su casa e hijos que tiene, y padecerá necesidad, nos suplicó os mandásemos que teniendo respeto a lo que en esa Nueva España nos ha servido y que es uno de los más antiguos conquistadores de ella, le proveyésedes de uno de los corregimientos de Mincapa o Suchititan o Soconusco, que dizque están en comarca de donde él tiene su casa, y algunos de ellos cerca de Guatemala donde él ha de esperar la dicha recompensa, o como la mi merced fuese: por ende yo os mando que constándoos que no se ha dado al dicho Bernal Díaz la dicha recompensa que de suso se hace mención, y entretanto que se le da, le proveáis de un corregimiento en la Nueva España donde más cómodamente pueda ser aprovechado, que en ello me serviréis. Fecha en Madrid a dos días del mes de julio de mil quinientos cuarenta años; y tendréis respecto a que sea en parte donde él y sus hijos tienen su asiento y vivienda. Fray García, Cardenalis Hispalensis.—Por mandado de Su Majestad el gobernador en su nombre. Juan de Sámano.

Y ahora por parte del dicho Bernal Díaz vecino de la ciudad de Santiago de Guatemala me ha sido hecha relación que él pidió al licenciado Maldonado, gobernador que a la sazón era en esa dicha provincia, que conforme a la dicha nuestra carta ejecutoria suso incorporada le diese la recompensa de los pueblos de indios que así le fueron quitados, el cual para parte de cumplimiento de lo contenido en la dicha nuestra ejecutoria le depositó ciertos indios que a la sazón vacaron, que dizque son de poco provecho, y le prometió que habiendo otros de calidad se los daría y depositaría, hasta que fuesen cumplidas las dichas nuestras cédulas; y habiendo de ahí a pocos días vacado ciertos indios, le pidió se los depositase, pues no se le había dado la dicha recompensa, y los indios que le había dado eran de poco provecho, el cual no lo hizo diciendo que nos teníamos mandado por nuestras leyes y ordenanzas que todos los indios que vacasen se pusieren en nuestra real cabeza, y que por esta causa él no tenía poder para se los dar, y que ocurriese a nos, y que no embargante que habiendo después sucedido vos, el dicho licenciado Cerrato, por presidente de esa Audiencia, os pidió asimismo que conforme a la dicha ejecutoria le diéredes la dicha recompensa y que no se la quisistes dar, diciendo que no lo podíades hacer y que ocurriese a nos, y que se tendría memoria de él, como nos constaba por los testimonios y autos sobre ello hechos de que ante nos en el nuestro Consejo de Indias fue hecha presentación, y que pues claramente se veía y constaba que los indios que tenía depositados eran de muy poco provecho y renta y que no se le había dado la dicha recompensa, os mandásemos se la diésedes sin embargo de lo que sobre ello teníades respondido y pudiéredes responder y alegar, y entretanto que se la dábades le diésedes un corregimiento en esa dicha provincia de Guatemala, conforme a la dicha nuestra última cédula, o como la nuestra merced fuese: lo cual visto por los del nuestro Consejo, juntamente con el dicho testimonio de que de suso se hace mención y ciertas fees de encomiendas de indios de Zacatepeque y Juanagazapa y el pueblo de Misten, que al dicho Bernal Díaz parece estar encomendados, fue acordado que debía mandar dar esta mi cédula para vos, y yo túvelo por bien, porque os mando que veáis la dicha nuestra carta ejecutoria que de suso va incorporada y la guardéis y cumpláis y hagáis guardar y cumplir en todo y por todo, como en ella se contiene y declara, y guardándola y cumpliéndola, si al dicho Bernal Díaz conforme al tenor y forma de ella no le están dados indios equivalentes se los déis de los primeros que vacaren, teniendo respecto a las tasaciones nuevas de los indios que se le quitaron y de los que tiene y le diéredes en cumplimiento de lo susodicho, y entretanto que se le da la dicha recompensa deis al dicho Bernal Díaz en esa provincia de Guatemala un corregimiento proporcionado, conforme a los indios que le faltan de dar para tener la equivalencia que así se está mandada dar *e non fagades ende al.* Fecha en la villa de Valladolid el primer día del mes de diciembre de mil quinientos cincuenta años. Por la Reina, por mandado de Su Majestad su Alteza en su nombre. Francisco de Ledesma.

En la Ciudad de Santiago de la provincia de Guatemala a primero de mes de septiembre año del nacimiento de Nuestro Salvador Jesucristo de mil quinientos cincuenta y un años, ante el Ilustre Señor Licenciado Alonso López Cerrato, presidente de la Audiencia y Cancillería real de Su Majestad que en la dicha ciudad reside, por presencia de un Diego de Robledo, escribano de cámara y de la dicha real Audiencia, Bernal Díaz vecino de la dicha ciudad de Santiago presentó esta cédula real de Su Majestad y pidió al dicho señor Presidente guarde y cumpla lo en ella contenido, según que Su Majestad se lo mandaba, y por el dicho señor Presidente, vista, la tomó en sus manos y besó y puso sobre su cabeza y dijo que la obedecía y obedeció en forma, y en cuanto al cumplimiento de ella que estaba presto de guardar y cumplir lo que por ella Su Majestad mandaba: testigos Gonzalo Hidalgo y Alonso de Aguilar, estantes en la dicha ciudad de Santiago. Diego de Robledo.

El Rey. Licenciado Cerrato, Presidente de la Audiencia real que reside en la provincia de Guatemala. Por parte de Bernal Díaz, vecino de la ciudad de Santiago de esa dicha provincia, nos ha sido hecha relación que habiendo venido a los reinos de España y presentado información en el nuestro Consejo de Indias de ciertos indios que para servicio nuestro se le tomaron, y de lo bien que en esas partes nos ha servido, han proveído que se le dé la equivalencia de ellos y un corregimiento y salario competente, para con que se pueda sustentar y servirnos como diz que consta por las provisiones que sobre ello se le han dado; y por así, por lo que está dicho, como por ser deudo de servidores y criados nuestros, tenemos voluntad de hacerle merced en lo que hubiere lugar, os encargamos y mandamos veáis las dichas provisiones y cumpliendo lo que por ellas se envía a mandar, en lo demás que se ofreciere tengáis por muy encomendado al dicho Bernal Díaz, que en ello me tendré por servido. De Augusta, a trece de junio de mil quinientos cincuenta y un años. El Rey. Por mandado de Su Majestad. Francisco de Erazo.

Por el Rey al licenciado Cerrato, presidente de la su Audiencia y Cancillería que reside en la provincia de Guatemala.

Ilustrísimo y reverendísimo y muy magníficos y muy reverendos señores.

Bernal Díaz, vecino de la provincia de Guazacualco, va a suplicar a Su Majestad le haga merced de mandar que se le dé con que se pueda sustentar, en recompensa de lo que en estas partes ha servido en la conquista y pacificación de esta tierra y descubrimiento de ella, porque se le quitaron ciertos pueblos que él tenía encomendados, los cuales diz que se los quitaron para población de las villas de Chiapa y Tabasco, y así por ser buena persona como por lo que a Su Majestad en estas partes ha servido, suplico a vuestra reverendísima señoría y mercedes lo manden favorecer para que Su Majestad sea servido de mandarle dar de comer, pues lo ha servido. Nuestro Señor la Ilustrísima y reverendísima persona de Vuestra Señoría y mercedes guarde y estado acreciente. De México treinta (*sic*) de febrero de mil quinientos treinta y nueve años. Ilustrísimo y reverendísimo señor besa las manos de Vuestra Ilustrísima y reverendísima y de vuestras mercedes. Don Antonio de Mendoza.

Sobre escrito. Al Ilustrísimo y reverendísimo y muy magníficos y muy reverendos señores el cardenal de Sigüenza presidente y oidores del Consejo de las Indias.

Ilustrísimo, reverendísimo señor, muy ilustre señor, muy magníficos señores. Como yo tenga tanta obligación a las personas que conmigo pasaron a ganar estas partes, y conocido de Su Majestad es servido le acuerden aquello que conviene para descargar su real conciencia, y el llevador de ésta, que se dice Bernal Díaz, es uno de éstos y de los que bien han servido, así en la conquista de esta ciudad como en la ida que hice a Honduras, y en Guatemala y en otras muchas provincias, y demás de todo esto fue de los que vinieron con Francisco Fernández de Córdova, primero descubridor de esta tierra, por manera que en todo ha trabajado y servido muy bien, como yo soy buen testigo; y cuando gobernaba díle dos pueblos en la provincia de Guazacualco, y después que gobernó el tesorero Alonso de Estrada se los tomaron para la población y sustentamiento de dos villas que se poblaron y nunca hasta ahora le han dado otros en recompensa, de cuya causa ha pasado y pasa muchos trabajos y necesidades él y sus hijos. Viéndole de tal manera, me he dolido de él y acordado hacerlo saber a vuestras señorías y mercedes, no para más de que sepan lo que sus servicios merecen, y también por cumplir lo que al de Su Majestad soy obligado, para que su real conciencia, como digo, sea descargada, que cierto se lo debe, como allá vuestras señorías y mercedes verán por la relación que lleva, y demás de hacerla en nombre del emperador nuestro señor yo la recibiré y muy grande de todo lo que con él se hiciere, que bien cabe en su persona. Nuestro Señor guarde y acreciente la vida ilustrísima y reverendísima y muy ilustre persona de vuestras mercedes. De esta ciudad de México, último de febrero de mil quinientos treinta y nueve años. Muy cierto servidor de Vuestras señorías y de Vuestras mercedes. El Marqués del Valle.

En la gran ciudad de Tenustitan-México, de la Nueva España de las Indias del mar océano, en siete días del mes de septiembre año del nacimiento de Nuestro Señor Jesucristo de mil quinientos treinta y nueve años, ante el Ilustrísimo señor Don Antonio de Mendoza, gobernador en esta Nueva España y ante los muy magníficos señores licenciados Ceynos y el licenciado Francisco de Loaisa y el licenciado Tejada, oidores de la Audiencia y Cancillería real de Su Majestad que reside en esta Nueva España, y en presencia de mí Antonio de Turcios, secretario de la dicha Audiencia, pareció presente Bernal Díaz y presentó un escrito de pedimento, su tenor del cual en este que se sigue.

Muy poderoso Señor. Bernal Díaz, uno de los primeros descubridores y conquistadores de esta Nueva España, digo: Que yo entiendo hacer cierta probanza a perpetua rey memorian acerca de los servicios que a Vuestra Majestad hice en el descubrimiento, conquista y pacificación de toda la más parte de esta Nueva España: por ende, pido y suplico a Vuestra Magestad mande recibir los testigos que acerca de ello le presentaré, y examinarlos por el interrogatorio y preguntas que sobre ello fueren por mí presentadas en esta su real Audiencia, para que conste de mis servicios y trabajos, y así tomados y examinados los dichos testigos mande interponer en ella su autoridad y decreto judicial para que hagan fe y prueba en todo tiempo y lugar, para lo cual vuestro real oficio imploro y pido cumplimiento de justicia.

Y así presentada en la manera que dicha es, los dichos señores presidente y oidores dijeron que mandaban al dicho Bernal Díaz que la dé ante un alcalde ordinario de esta ciudad y que se le recibirá.

Y después de lo susodicho, en nueve días del mes de febrero de dicho año, ante el muy noble señor Juan Jaramillo, alcalde ordinario en esta ciudad por Su Magestad, pareció presente el dicho Bernal Díaz y en presencia de mí, Juan de Zaragoza, escribano público del número de ella, y presentó el dicho escrito de pedimento y lo mandado por los dichos señores presidente y oidores juntamente con un interrogatorio de preguntas, su tenor de lo cual es este que se sigue.

Por las preguntas siguientes sean preguntados los testigos que fueren presentados por parte de Bernal Díaz, vecino de la villa del Espíritu Santo de la Provincia de Guazacualco, para la información de los servicios que ha hecho a Su Magestad en el descubrimiento y conquista y pacificación de esta Nueva España.

1. Primeramente, sean preguntados si conocen al dicho Bernal Díaz, y de qué tiempo a esta parte.

2. Item si saben, vieron, creen y oyeron decir, el dicho Bernal Díaz desde la isla de Cuba, vino a esta Nueva España a descubrirla a su costa y minción, sin llevar sueldo

de Su Magestad ni otro partido alguno, el cual vino con Francisco Fernández de Córdova, capitán, el que vino a descubrir esta dicha Nueva España: digan lo que saben.

3. Item si saben, etc., que el dicho Bernal Díaz en el dicho viaje y descubrimiento pasó muchos trabajos y peligros, así en los reencuentros de guerra como en la mar, y en un pueblo que se dice Potonchán hirieron al dicho Bernal Díaz de dos heridas, que llegó a punto de muerte: digan los testigos lo que saben.

4. Item si saben, etc., que después que volvió a la dicha isla de Cuba, del dicho descubrimiento, que tornó a esta dicha Nueva España con el Marqués del Valle Don Hernando Cortés, cuando vino a conquistarla y pacificarla, sin sueldo ni otro partido alguno, adonde trabajó con todas sus fuerzas en la conquista y pacificación de esta Nueva España: digan lo que cerca de esto saben.

5. Item si saben, etc., que la primera entrada que hizo el dicho Marqués del Valle, que fue en su compañía a Cingapacinga y la dejó de paz, y las comarcas de Cempoal, y siempre sirvió muy bien y lo que sus fuerzas alcanzaban: digan lo que saben.

6. Item si saben, etc., que el dicho Bernal Díaz, en compañía del dicho Marqués del Valle fue a una entrada que hizo el dicho Marqués de la ciudad de Tezcuco hasta rodear la laguna que está entre la dicha ciudad de Tezcuco y la ciudad de México, adonde los españoles que en la dicha entrada con el dicho Marqués pasaron muchos trabajos y hubieron encuentros de guerras con los indios que están al derredor de la dicha laguna: digan lo que saben.

7. Item si saben, etc., que el dicho Bernal Díaz vino con el dicho Marqués del Valle a conquistar la dicha ciudad de México, y en su compañía, y estuvo en la dicha conquista de la dicha ciudad en la capitanía de Don Pedro de Alvarado, donde estuvo sufriendo muchos trabajos y hambres y heridas hasta que se prendió el señor de la dicha ciudad de México y se pacificó toda la dicha ciudad y todas sus comarcas: digan lo que saben.

8. Item digan, etc., que después de conquistada y pacificada la dicha ciudad de México y todas las demás ciudades y comarcas alrededor, envió el dicho Marqués del Valle a Gonzalo de Sandoval, su capitán, a conquistar y pacificar y poblar los puertos y villas de la ciudad de la Veracruz y la villa de Guazacualco, y fue el dicho Bernal Díaz en compañía del dicho Gonzalo de Sandoval, y fue en apaciguar y poblar las dichas villas, y asimismo fue a Pastepeque en compañía de un Alonso del Castillo, y la trajeron de paz, en todo lo que hizo y trabajó todo lo que pudo y era obligado a su rey y señor natural: digan lo que cerca de esto saben.

9. Item, si saben que el dicho Bernal Díaz fue en compañía de Rodrigo Rangel a conquistar y pacificar la provincia de Copilco y Amatan, que se habían alzado contra el servicio de Su Magestad, donde hubieron encuentros de guerras con los indios y naturales de ella, y quedó de paz la provincia de Copilco: digan lo que cerca de esto saben.

10. Item, si saben que el dicho Bernal Díaz fue con Luis Marín, capitán que fue de la provincia de Guazacualco, que fue a conquistar y pacificar la provincia de Chiapa y Sinacatan y Chamula y Hueguistlan, y la sierra de Cachula y otros pueblos, a donde tuvieron una guerra en campo con los naturales del dicho pueblo y provincia de Chiapa, hasta que vinieron de paz y en servicio de Su Magestad, así los del dicho Chiapa como todos los demás pueblos, y si saben que en la dicha guerra de Chiapa topó el dicho Bernal Díaz cierto oro en joyas que los dichos indios de la dicha ciudad tenían en una casa y de ello hubo Su

Magestad su real quinto y de lo demás se pagaron ciertos caballos: digan lo que saben.

11. Item si saben, etc., que el dicho Bernal Díaz fue en compañía del Marqués del Valle a las Higüeras, y fueron por la Mar del Norte y volvieron por la Mar del Sur, donde pasaron muchos trabajos y hambres en la ida y vuelta, y en una entrada de Culaco que fue a ella por capitán Francisco Marmolejo, que hallaron de guerra al dicho pueblo de Culaco y lo hallaron de guerra y pelearon con los naturales y les trajeron de paz y servicio de Su Magestad, y en la entrada de la dicha conquista se le murió un caballo que le había costado doscientos pesos de oro, y que vinieron de la dicha entrada muy rotos y pobres y adeudados: digan todo lo que saben, y que no le pagaron cosa del dicho caballo.

12. Item si saben, etc., que cuando volvimos de la dicha entrada de las Higüeras que hallamos toda la más parte de Copilco y la provincia de Xaltebeque rebelada del servicio de Su Magestad, y que fue en compañía de Luis Marín, capitán que fue de la dicha villa de Guazacualco, a pacificar la provincia de Xaltebeque, y que por pura guerra, entradas que les hacíamos las trajo de paz y asimismo con Diego de Azamar a pacificar la provincia de Copilco y quedó la más de paz y en servicio de Su Magestad: digan lo que saben.

13. Item si saben, etc., que en todas las dichas guerras, entradas que así hizo el dicho Bernal Díaz sirvió en ellas a Su Magestad muy bien, lealmente y haciendo todo lo que le era demandado por los capitanes y sus fuerzas alcanzaban, sin llevar por ello de Su Magestad sueldo ni otro partido alguno: digan lo que saben cerca de ello.

14. Item si saben, etc., que en recompensa de los dichos servicios que el dicho Bernal Díaz hizo a Su Magestad y de los muchos trabajos que en ellos pasó, los gobernadores que en aquella sazón gobernaban en esta Nueva España le depositaron y encomendaron ciertos pueblos, entre los cuales se le encomendó y depositó un pueblo que se dice Tlapa, el cual le depositó el dicho Marqués del Valle, y Marcos de Aguilar le encomendó asimismo en recompensa de sus servicios y méritos de su persona otro pueblo que se dice Chamula, y el tesorero Alonso de Estrada le depositó dos estancias, las cuales tuvo y poseyó cierto tiempo sin contradición de persona alguna: digan lo que cerca de ello saben.

15. Item si saben, etc., que los dichos pueblos de Tlapa y Chamula son de mucho provecho; el dicho pueblo de Tlapa tenía al tiempo que se lo tomaron más de mil casas, y el dicho pueblo de Chamula más de cuatrocientas y las estancias más de doscientas casas: digan lo que saben.

16. Item si saben, etc., que Baltasar Osorio, capitán que fue en la provincia de Tabasco, tomó y desposeyó por fuerza al dicho Bernal Díaz del dicho pueblo de Tlapa para meter en los términos de Tabasco cuando la pobló, sin tener para ello poder ninguno de ningún gobernador ni ser sobre ello oído ni vencido como en tal caso se requería: digan lo que sobre ello saben.

17. Item si saben, etc., que asimismo el capitán Mazariegos, que fue a poblar la villa de Chiapa, tomó y desposeyó por fuerza al dicho Bernal Díaz el dicho pueblo de Chamula y las estancias, y las metió en términos de la dicha villa de Chiapa, sin para ello tener poder ni sin ser oído y vencido el dicho Bernal Díaz como en tal caso se requería: digan lo que saben.

18. Item si saben, etc., que se ha tratado pleito en la dicha villa de Guazacualco y las dichas villas de Tabasco y la dicha villa de Chiapa sobre los dichos pueblos y sobre otros por causa de lo cual no ha podido el dicho Bernal Díaz haber ni cobrar los dichos sus pueblos, y

también por no tener posibilidad para tratar pleitos con dos villas el dicho Bernal Díaz, a causa de lo cual ha pasado y pasa muchos trabajos y necesidad: digan lo que cerca de esto saben.

19. Item, si saben que el dicho Bernal Díaz es persona honrada y de muy buena fama y conversación, y tal que ha sido otros años regidor y lo es ahora, en la dicha villa de Guazacualco, y persona que ha sido procurador de la dicha villa viniendo con negocios y cargos de la dicha villa a la ciudad de México, adonde reside la Audiencia y Cancillería de Su Magestad y ha llevado muy buen recaudo de los negocios que le fue encargado por la dicha villa: digan los testigos lo que cerca de esto saben.

20. Item si saben, etc., que al dicho Bernal Díaz nunca le han dado recompensa ninguna de los dichos pueblos que le tomaron por fuerza, para meter por términos en las dichas villas de Tabasco y Chiapa, y aunque lo ha pedido muchas veces así al presidente, obispo que fue de Santo Domingo, como al señor Visorrey y que siempre le han respondido que si no viene de España de Su Magestad mandado que se lo den, que no lo pueden dar, y que a esta causa está el dicho Bernal Díaz muy trabajado y necesitado: digan todo lo que cerca de esto saben.

21. Item si saben, etc., que todo lo susodicho es pública voz y fama y séanle hechas todas las otras preguntas al caso pertenecientes. Bernal Díaz.

Y así presentado en la manera que dicha es, el dicho señor alcalde, habiendo visto el mandamiento de los señores presidentes y oidores, dijo que mandaba y mandó al dicho Bernal Díaz que presente ante él los testigos de que se entiende aprovechar y que hará justicia, y porque él está ocupado en las cosas cumplideras al servicio de Su Majestad que cometía y cometió la recepción y juramento de los dichos testigos a mí el dicho escribano.

Y después de lo susodicho, en este dicho día mes y año susodicho el dicho Bernal Díaz ante el dicho señor alcalde presentó dos cédulas de encomienda de ciertos pueblos que a él le fueron encomendados, y pidió al señor alcalde mande al escribano de esta causa que juntamente con lo demás que tiene presentado saque un traslado de ellas y lo ponga en esta causa, el cual dicho traslado de las dichas dos cédulas es esto que se sigue.

CÉDULA DE ENCOMIENDA

Por la presente deposito en vos, Bernal Díaz, vecino de la villa del Espíritu Santo, los señores y naturales de los pueblos de Tlapa y Potuchan, que son en la provincia de Cimatan, para que os sirváis de ellos y os ayuden en vuestras haciendas y grangerías, conforme a las ordenanzas que sobre esto están hechas y se harán y con cargo que tengáis de los industriar en las cosas de nuestra Santa fe católica, poniendo en ello toda vigilancia y solicitud posible y necesaria.

Fecha a veinte de septiembre de mil quinientos veintidós años. Hernando Cortés. Por mandado de Su merced. Alonso de Villanueva.

CÉDULA DE ENCOMIENDA

Yo el tesorero Alonso de Estrada, gobernador en esta Nueva España por Su Magestad: Por la presente deposito a vos, Bernal Díaz, vecino de la villa del Espíritu Santo, los señores y naturales de los pueblos de Gualpitan y Micapa que son en las sierras de Cachulco, que solían ser sujetos a Cimatan, y de Popoloatan en la provincia de Cintla, para que os sirváis de ellos en vuestras haciendas y grangerías con cargo que tengáis de los industriar en las cosas de nuestra Santa fe católica.

Fecho a tres de abril de mil quinientos veintiocho años. Alonso de Estrada. Por mandado de su Merced. Alonso Lucas, escribano de Su Magestad.

Hechos y sacados fueron los dichos traslados en la manera que dicha es en el dicho día y mes y año susodichos. Testigos que fueron presentes a lo que dicho es, Juan Garzón y Rodrigo Quintero.

PRESENTACIÓN DE TESTIGOS

Y después de lo susodicho, en diez días del mes de febrero del dicho año, en presencia de mí, el dicho escribano, el dicho Bernal Díaz presentó por testigo en la dicha razón a Cristóbal Hernández, del cual fue recibido juramento en forma de derecho y prometió de decir verdad.

Y después de lo susodicho, en doce días del mes de febrero del dicho año de mil quinientos treinta y nueve años, en presencia de mí el dicho escribano, el dicho Bernal Díaz presentó por testigo a Martín Vázquez y a Bartolomé de Villanueva y a Miguel Sánchez, de los cuales y de cada uno de ellos se recibió juramento en forma de derecho y los cuales dijeron sí juro y amén, y prometieron de decir verdad.

Y después de lo susodicho, en catorce días del dicho mes y año susodicho en presencia de mí, el dicho escribano, pareció el dicho Bernal Díaz y presentó por testigo a Luis Marín, alcalde ordinario de esta dicha ciudad por Su Magestad, del cual se recibió juramento en forma de derecho y socargo del cual prometió de decir verdad.

Y lo que los dichos testigos dijeron y depusieron cada uno por sí secreta y apartadamente es lo siguiente:

El dicho Cristóbal Hernández, vecino de esta ciudad, testigo presentado en la dicha razón, después de haber jurado según forma de derecho y siendo preguntado por las preguntas primera y segunda y tercera y cuarta y quinta y sexta y séptima y octava y novena preguntas del dicho interrogatorio, para en que fue presentado por parte del dicho Bernal Díaz, dijo y depuso lo siguiente:

A la primera pregunta dijo que conoce al dicho Bernal Díaz de tiempo de veinte años, poco más o menos.

Fue preguntado por las generales: Dijo que es de edad de cuarenta años poco más o menos y que no es su pariente.

A la segunda pregunta dijo que la sabe como en ella se contiene; preguntado cómo lo sabe, dijo que porque este testigo vino entonces con el dicho capitán Francisco Fernández y vio cómo el dicho Bernal Díaz vino con él y se halló presente en lo que la pregunta dice, según en ella se contiene.

A la tercera pregunta dijo que sabe cómo el dicho Bernal Díaz se halló en las dichas entradas que se hicieron de la costa de la mar, y que en ello hubo trabajos y lo trabajó bien como todos los demás y que no se acuerda si salió herido de ella.

A la cuarta pregunta dijo que la sabe como en ella se contiene; preguntado cómo la sabe, dijo que porque lo vio y se halló presente a ello y es así según que la pregunta lo dice, y pasó todo lo en ella contenido porque este testigo se halló presente como dicho tiene.

A la quinta pregunta dijo que la sabe como en ella se contiene; preguntado cómo la sabe, dijo que porque lo vio y se halló presente a ello y vio cómo el dicho Bernal Díaz sirvió en ello todo lo que pudo como buen hombre de guerra, lo cual es así según que la pregunta lo dice.

A la sexta pregunta dijo que no la sabe este testigo, mas de que cree que se hallaría en ella porque no podía ser menos sino que viniese a la dicha conquista y entrada pues se halló en la de Cingapancinga y le parece que se quiere acordar que es así que se halló en ella, porque le parece que lo vio.

A la séptima pregunta dijo que la sabe como en ella se contiene; preguntado cómo la sabe, dijo que porque lo vio y se hallo presente a ello, según que la pregunta lo dice, y que sirvió a Su Magestad muy bien en las dichas conquistas en todo lo que pudo y a él fue posible y así es público y notorio.

A la octava pregunta dijo que lo que de ella sabe es, que este testigo vio ir al dicho Bernal Díaz con el dicho Sandoval y salió de esta ciudad a la sazón, y que oyó decir haber servido en las dichas entradas, a personas que se hallaron en ellas, y esto es lo que sabe de esta pregunta.

A la novena pregunta dijo que sabe y vio que en las conquistas que aclarado tiene en las preguntas antes de ésta, el dicho Bernal Díaz sirvió a Su Magestad muy bien en todo lo que a él fue posible y lo sirvió tanto como otro y lo que sirvió y trabajó no se le ha gratificado por los gobernadores bien sus servicios y que merecen mucho y que Su Magestad le gratifique sus servicios así a él como a los demás conquistadores que esta Nueva España le ganaron y conquistaron, y que esto es lo que sabe del caso para el juramento que hizo, en lo cual se afirmó, y siéndole leído su dicho dijo que aquello es la verdad y firmólo de su nombre. Cristóbal Hernández.

El dicho Martín Vázquez, vecino de esta ciudad, testigo presentado en la dicha razón, habiendo jurado según forma de derecho y siendo preguntado por las seis preguntas primeras dijo lo siguiente:

A la primera pregunta dijo que conoce al dicho Bernal Díaz de veinte años a esta parte.

Preguntado por las preguntas generales dijo que es de edad de más de cuarenta años y que no le va interés ni es pariente.

A la segunda pregunta dijo que la sabe como en ella se contiene; preguntado cómo la sabe, dijo que porque este testigo vino en la dicha armada y vio al dicho Bernal Díaz en ella con el dicho capitán Francisco Fernández, y vino a su costa y mención sin que por ello llevare sueldo ni salario alguno, como todos los demás que en la dicha compañía vinieron.

A la tercera pregunta dijo que lo que de ella sabe es que este testigo vio cómo en la dicha armada así por mar como por tierra hubo muchos trabajos y los pasaron, y que en la guerra que hubo y hubieron en la dicha tierra y descubrimiento de ella les mataron veintiún españoles la gente, y que todos los demás salieron heridos y se echaron a la mar, al agua, hasta la garganta, para entrar en los bergantines que traían, y que el dicho Bernal Díaz se escapó de muchos peligros en que se habían metido y que esto es lo que sabe de esta pregunta.

A la cuarta pregunta dijo que la sabe como en ella se contiene porque así lo vio, porque vino en su compañía y sin sueldo alguno y así fue y es público y notorio.

A la quinta pregunta dijo que la sabe como en ella se contiene, porque así lo vio y sirvió a Su Magestad en todo lo que pudo.

A la sexta pregunta dijo que no se acuerda bien, si bien o no más de lo que cree, porque unos vinieron con el dicho Marqués y otros quedaron en el puerto guardando la villa y que esto es lo que sabe de esta pregunta y lo del caso para el juramento que hizo, en lo cual se afirmó, y firmólo de su nombre. Martín Vázquez.

El dicho Bartolomé de Villanueva, testigo presentado en la dicha razón, después de haber jurado según derecho y siendo preguntado por las preguntas del dicho interrogatorio dijo y depuso lo siguiente:

A la primera pregunta dijo que conoce al dicho Bernal Díaz de tiempo de dieciocho años poco más o menos. Y que no es pariente ni enemigo del susodicho, ni le toca ninguna de ellas.

A la segunda pregunta dijo que la sabe como en ella se contiene; preguntado cómo la sabe, dijo que porque lo vio y así es público y notorio.

A la tercera pregunta dijo que dice lo que dicho tiene en la pregunta antes de ésta, y que este testigo no lo vio en la dicha armada porque no vino este testigo en ella, mas de verlo cómo se embarcó con el dicho capitán y vino al descubrimiento, y que las personas que se hallaron en el dicho descubrimiento ha oído decir cómo salió herido, y padecieron muchos trabajos y esto es lo que este testigo sabe de la dicha pregunta.

A la cuarta pregunta dijo que la sabe como en ella se contiene; preguntado cómo la sabe, dijo que porque este testigo vino con el capitán Narváez y lo halló con el dicho Marqués, al dicho Bernal Díaz, cuando llegaron a esta Nueva España, y así fue público y notorio venir con el dicho Marqués.

A la quinta pregunta dijo que no la sabe, mas que cree que así sería por no poder ser menos, pues vino con el dicho Marqués.

A la sexta pregunta dijo que la sabe como en ella se contiene; preguntado cómo la sabe, dijo que porque lo vio así según que la pregunta lo dice, porque se halló presente a todo ello y vio cómo el dicho Bernal Díaz sirvió en las dichas guerras muy bien y hubo en las conquistas muchos trabajos, y así es público y notorio.

A la séptima pregunta dijo que la sabe como en ella se contiene; preguntado cómo la sabe, dijo que porque lo vio y se halló presente este testigo en la dicha capitanía, y en ello pasaron muchos trabajos así de guerra como de hambres que hubo y vio cómo el dicho Bernal Díaz sirvió en todo lo que pudo con su persona y armas, así a pie como a caballo, en todo lo que se ofreció en las dichas conquistas como en las demás de esta ciudad, y así es público y notorio.

A la octava pregunta dijo que la sabe como en ella se contiene; preguntado cómo la sabe, dijo que porque este testigo salió de esta ciudad de México en la misma compañía y fueron a los dichos puertos que la dicha pregunta dice, y los conquistaron, y después a Pastepeque y en ellos sirvió el dicho Bernal Díaz muy bien a Su Magestad, todo lo que a él fue posible y así fue público y notorio y según que en ella se contiene entre las personas que en ello se hallaron porque después de ganada la ciudad los enviaron a los demás conquistadores a conquistar las provincias de esta Nueva España.

A la novena pregunta dijo que la sabe como en ella se contiene; preguntado cómo la sabe, dijo que porque lo vio y se halló presente a todo ello según que la pregunta lo dice, y vio en la dicha conquista al dicho Bernal Díaz cómo sirvió en todo lo que a él fue posible a Su Magestad, así en la dicha conquista como en las demás que sucedieron, con muchos trabajos, así él como los demás que se hallaron en todo ello.

A la décima pregunta dijo que lo que sabe de la dicha pregunta es que (en) aquella sazón cuando fueron a las dichas conquistas a las dichas provincias, vio cómo hubo mucho peligro en las ganar, porque era mucha la cantidad de gente y los cristianos que iban muy pocos, y que tuvieron guerra hasta que los ganaron y en ellas sirvió el dicho Bernal Díaz muy bien en todo lo que pudo, y que en lo que dice de oro este testigo no se acuerda si lo halló él, mas de que sabe que se hubo cierta cantidad de pesos de oro y que esto es lo que sabe de esta pregunta.

A la undécima pregunta dijo que la sabe como en ella se contiene; preguntado cómo la sabe, dijo que porque lo vio y se halló presente a todo ello y pasa así como la pregunta lo dice, y sabe que en ella pasaron muy excesivos trabajos de hambres y sed porque en tan largo camino pensaron perecer, y que sabe cómo se le murió al dicho Bernal Díaz un caballo, que no poco se holgaron los compañeros de la muerte de él porque lo comieron según la mucha hambre (que) padecieron muchos días, y que no se lo pagaron, y de la dicha ida vinieron muy fatigados y cansados con mucho destrozo, porque adoleció mucha gente y hasta hoy día hay tullidos algunos y sin tener de comer ni les haber gratificado los capitanes y gobernadores, que han sido en nombre de Su Magestad, sus trabajos.

A la duodécima pregunta dijo que la sabe como en ella se contiene; preguntado cómo la sabe, dijo que porque lo vio y en todo se halló este testigo y el dicho Bernal Díaz y en ello se pasó más trabajos después de venir tan perdidos y cansados.

A la décimatercera pregunta dijo que sabe como el dicho Bernal Díaz sirvió a Su Magestad muy bien y fue siempre muy buen hombre de guerra, y que por ello nunca llevó sueldo ninguno, porque en aquellos tiempos nunca se acostumbró llevarlo y que por ello no se le ha gratificado y que está pobre como todos los demás, y ya que alguna cosa le dieron luego se lo quitaron y que en todo merece que le sean gratificados sus trabajos y que Su Magestad descargue su conciencia en todos los que lo sirvieron y le ganaron medio mundo como estas partes le parece.

A la catorce pregunta dijo que la sabe como en ella se contiene, porque vio cómo tenía y poseía y tenía a los dichos pueblos y los tuvo cierto tiempo y después se lo quitaron, y en cuanto a esto se remite a las cédulas de encomienda que el dicho Bernal Díaz tiene en su poder por las cuales parece habérselos dado en encomienda.

A la quince pregunta dijo que sabe que los dichos pueblos y estancias era cosa muy buena y de mucho provecho y que cree que al presente lo serán, porque este testigo se halló en las dichas conquistas y pacificación y después de paz en ellos vio ser de mucho provecho.

A la dieciséis pregunta dijo que lo que sabe de la dicha pregunta es que este testigo vio cómo el dicho Bernal Díaz tuvo el dicho pueblo de Tlapa, y vio cómo el dicho Osorio se lo tomó y lo metió en términos de la dicha provincia de Tabasco, lo cual hizo sin que el dicho Bernal Díaz hiciese ningún delito ni otra cosa por do mereciese quitárselo, antes desde el dicho tiempo le había visto ser hombre de buena vida y fama y ha vivido honradamente como bueno y buen cristiano y que no hizo cosa que no debiese porque se lo quitase el que lo desposeyó de él, y que no sabe la causa si no fue por meterlo en el término de la dicha provincia de Tabasco y que no sabe si tuvo poder o no, mas de que pues se atrevió a quitárselo que poder tuvo pues hasta hoy no se los han vuelto ni encomendado.

A la diecisiete pregunta dijo que asimismo sabe cómo el dicho capitán Mazariegos le quitó el dicho pueblo y estancias, y le desposeyó de todo ello al dicho Bernal Díaz sin hacer por qué, y que lo metió en término de Chiapa como por fuerza y contra su voluntad, sin oírle y sin darle en recompensa de ello cosa alguna los gobernadores que han gobernado.

A la dieciocho pregunta dijo que la sabe como en ella se contiene; preguntado cómo la sabe, dijo que porque lo ha visto así y es público y notorio, y que sabe cómo está pobre, necesitado y cómo se ha visto desposeído de lo que tenía y cómo las dichas villas traen pleitos y no se ha atrevido hasta ahora de pedirlos, así por esto como por no tener con qué pleitear, ni posibilidad para poder pedir lo que así le tomaron, y que pasa tanto trabajo como este testigo y los demás que mueren de hambre, habiéndole servido a Su Magestad sin quererles gratificar su sudor y trabajo que han padecido en estas partes.

A la diecinueve pregunta dijo que la sabe porque así lo ha visto y según el tiempo que lo ha tratado, según que dicho tiene en las preguntas antes de ésta, y le ha visto vivir muy bien y no le ha conocido vicio ninguno y que ha sido persona de mucha honra y lo es, sosteniéndola con toda su necesidad y que ha tenido cargos de regidor y ha procurado por la dicha villa muy bien en los negocios que le han sido encargados y de todos ha dado y traído buen despacho y así es público y notorio en la dicha villa entre las personas que le conocen y lo han tratado y conversado.

A la veinte pregunta dijo que este testigo sabe cómo el dicho Bernal Díaz ha procurado y pedido los dichos pueblos y estancias al presidente Obispo de Santo Domingo, y que a este testigo le decía el dicho Bernal Díaz cómo le respondió lo contenido en la pregunta, y que asimismo le ha visto en esta ciudad y ha oído hablar al señor visorrey y que cree que respondieron lo mismo su señoría y que ve que anda muy trabajado y fatigado, porque así lo ve y ha visto este testigo, y esto es lo que sabe para el juramento que hizo en lo cual se afirmó y siéndole leído su dicho que es la verdad y firmólo de su nombre. Bartolomé de Villanueva.

El dicho Miguel Sánchez Gascón, vecino de la villa de Guazacualco, testigo presentado en la dicha razón, después de haber jurado según forma de derecho y siendo preguntado por las preguntas del interrogatorio dijo y depuso lo siguiente:

A la primera pregunta dijo que conoce al dicho Bernal Díaz de dieciocho años a esta parte poco más o menos, y que no le empece alguna de ellas, etc., etc., y que no es pariente.

A la segunda pregunta dijo que no la sabe más de vérselo decir al dicho Bernal Díaz muchas veces.

A la tercera pregunta dijo que dice lo que dicho tiene en las preguntas antes de ésta.

A la cuarta pregunta dijo que ha oído decir lo contenido en la dicha pregunta al marqués del Valle muchas veces, cómo había pasado con él a esta Nueva España.

A la quinta pregunta dijo que no la sabe.

A la sexta pregunta dijo que no la sabe.

A la séptima pregunta dijo que ha oído decir lo contenido en la dicha pregunta a personas que no se acuerda.

A la octava pregunta dijo que la sabe como en ella se contiene: preguntado cómo la sabe, dijo que porque se halló presente a lo en la pregunta contenido, y que entonces en la dicha jornada conoció al dicho Bernal Díaz.

A la novena pregunta dijo que la sabe como en ella se contiene; preguntado cómo la sabe, dijo que porque lo vio y se halló presente a ello y pasó así, según que la pregunta lo dice.

A la décima pregunta dijo que la sabe como en ella se contiene; preguntado cómo la sabe, dijo que porque lo vio y se halló presente a lo en la pregunta contenido.

A la undécima pregunta dijo que la sabe como en ella se contiene; preguntado cómo la sabe, dijo que porque lo vio y se halló presente a todo ello y lo vio, y que vino adeudado.

A la doce pregunta dijo que la sabe como en ella se contiene; preguntado cómo la sabe, dijo que porque lo vio y se halló presente a lo en la pregunta contenido y lo vio.

A la trece pregunta dijo que este testigo vio cómo el dicho Bernal Díaz sirvió a Su Magestad muy bien e hizo todo lo que pudo en conquistar y pacificar las dichas provincias, en que se halló, y que no llevó sueldo ninguno porque no (se) acostumbró en aquel tiempo hasta ahora.

A la catorce pregunta dijo que sabe que le fuerón depositados los dichos pueblos contenidos en la pregunta y se los vio poseer y servirse de ellos, y que ha visto tener cédulas de encomienda de los dichos pueblos, y que por los servicios que hizo a Su Magestad y lo que trabajó en esta Nueva España se le dieron y encomendaron, y esto es lo que sabe de la dicha pregunta.

A la quince pregunta dijo que no sabe del provecho que dan, más de que sabe que son los mejores pueblos que hay en la dicha provincia, y las estancias las vio y sabe tener las casas contenidas en la pregunta.

A la dieciséis pregunta dijo que sabe la pregunta como en ella se contiene, porque vio cómo el dicho Osorio se los quitó para meterlo en Tabasco y que cree que no tuvo poder para poder quitárselos.

A la diecisiete pregunta dijo que sabe cómo el dicho Mazariegos le quitó el dicho pueblo y estancias, al dicho Bernal Díaz y se lo quitó sin oír sino con toda fuerza y fue desposeído de ellos y que cree que tampoco no tenía poder para adjudicarlos a la dicha provincia ni meterlos en ella.

A la dieciocho pregunta dijo que sabe que se ha tratado pleito entre las dichas villas y que ha procurado si pudiese sacar los dichos pueblos, y que según ha sido tan poca su posibilidad no ha podido, por estar como está tan pobre y necesitado y no tiene quien por él hiciese, y que de los dichos indios que al presente tiene sabe que son una estancia que no le da sino un poco de maíz para su sustentación.

A la diecinueve pregunta dijo que este testigo le tiene por persona muy honrada y que ha vivido bien todo el tiempo que ha que le conoce, y en sus cosas se ha conocido ser de buena vida y fama y que sabe que es regidor y lo ha sido en la dicha villa.

A la veinte pregunta dijo que no se le han dado en recompensa indios ningunos, porque si los tuviera este testigo lo viera y supiera, porque no podía ser menos y lo demás que lo ha oído decir al dicho Bernal Díaz como la pregunta lo dice, haberle dado las dichas respuestas y que esto es lo que sabe del caso para juramento que hizo, en lo cual se afirmó y firmólo de su nombre. Miguel Sánchez de Gascón.

El dicho Luis Marín, alcalde ordinario en esta dicha ciudad, testigo presentado en la dicha razón, habiendo jurado en forma de derecho y siendo preguntado por el interrogatorio dijo lo siguiente:

A la primera pregunta dijo que este testigo ha que conoce al dicho Bernal Díaz de diecisiete o dieciocho años a esta parte, poco más o menos. Fue preguntado por las preguntas generales (y) dijo que no le empece alguna de ellas y que es de edad de más de treinta años.

A la segunda pregunta dijo este testigo que ha oído decir a muchas personas lo en la pregunta contenido, pero que este testigo no se halló a ello presente, que el dicho Bernal Díaz se halló en los dichos descubrimientos.

A la tercera pregunta dijo que es público y notorio que el dicho Bernal Díaz se halló en la guerra de Champotón en la pregunta contenido, y que este testigo cree que en ello se pasó mucho trabajo.

A la cuarta pregunta dijo que este testigo sabe que el dicho Bernal Díaz pasó con el dicho don Hernando Cortés a esta Nueva España, y que sabe que en las conquistas que se ha hallado ha trabajado mucho y servido a Su Magestad sin llevar salario alguno porque no se daba a ningún conquistador.

A la quinta pregunta dijo que sabe que el marqués del Valle estuvo en la dicha conquista de Cingapacinga, hasta que los dejó de paz a los indios de ella, y este testigo cree que se halló en ello el dicho Bernal Díaz y trabajó mucho en ella.

A la sexta pregunta dijo que sabe este testigo que el dicho don Hernando Cortés, capitán, conquistó la ciudad de Tezcuco y después rodeó la dicha laguna, en la pregunta contenida, en lo cual cree este testigo que se halló presente a ello el dicho Bernal Díaz, pero este testigo no se acuerda.

A la séptima pregunta dijo que sabe que el dicho Bernal Díaz se halló en el ayudar a conquistar la ciudad de México, en la cual dicha conquista se halló y sirvió a Su Magestad muy bien.

A la octava pregunta dijo que sabe la pregunta como en ella se contiene; fue preguntado cómo la sabe y dijo que porque este testigo sabe que el dicho Bernal Díaz, después de conquistada esta ciudad, fue con el capitán Gonzalo de Sandoval a la conquista y pacificación de los pueblos y puertos y todo lo demás comarcano que la pregunta dice, y vio que en todo ello se halló y conquistó y sirvió a Su Magestad muy bien, según lo debía hacer.

A la novena pregunta dijo que el dicho Bernal Díaz fue con el dicho Rangel en la pregunta contenido a las dichas conquistas, y ha oído decir a personas que se hallaron en ellas y trabajó muy bien hasta que se pacificaron.

A la décima pregunta dijo que la sabe como en ella se contiene; fue preguntado cómo la sabe y dijo que porque este testigo es el mismo Luis Marín que fue elegido por capitán a las conquistas en las preguntas contenidas y vio que en su compañía y debajo de su amparo, en nombre de Su Magestad como tal su capitán, fue el dicho Bernal Díaz en todas las dichas conquistas, se halló y trabajó muy bien y sirvió a Su Magestad y según ha trabajado merece mucho y que sea gratificado, porque le sirvió bien.

A la undécima pregunta dijo que sabe que el dicho Bernal Díaz fue en compañía del dicho marqués del Valle a las Hibueras, y fueron por la Mar del Norte y volvieron por la Mar del Sur, en lo cual se pasaron muchos trabajos y hambres, porque este testigo se halló a ello presente y después de esto este testigo envió al dicho Francisco Marmolejo por capitán a la dicha conquista, a la cual fue el dicho Bernal Díaz e hizo lo en la pregunta contenido.

A la doce pregunta dijo que la sabe como en ella se contiene; preguntado cómo y dijo que porque este testigo es el mismo que fue por capitán a las conquistas que la pregunta dice, y sabe que en ellas se halló el dicho Bernal Díaz y sirvió a Su Magestad muy bien en todas ellas así como en las demás.

A la trece pregunta dijo que la sabe como en ella se contiene, porque sabe que el dicho Bernal Díaz ha servido a Su Magestad muy bien en las conquistas de esta Nueva España y ha trabajado mucho y hecho lo que le han mandado los capitanes de Su Magestad, todo lo cual ha hecho sin llevar salario alguno de Su Magestad, ni de otra persona en su nombre.

A la catorce pregunta dijo que sabe que el dicho Bernal Díaz, por los servicios que a Su Magestad hizo en esta Nueva España le encomendaron a los pueblos y estancias en la pregunta contenidos, los cuales tuvo y poseyó cierto tiempo sin contradicción de persona alguna, y no oyó decir lo contrario, y que se remite a las cédulas que de ello le dieron porque este testigo se los vio tener y poseer cierto tiempo.

A la quince pregunta dijo que sabe que los pueblos y estancias que tiene dichos en el tiempo que las tuvo y poseyó el dicho Bernal Díaz eran muy buenos y bien poblados, porque este testigo las vio muchas veces y que cree que tenía las casas que la pregunta dice poco más o menos.

A la dieciséis pregunta dijo que sabe que el dicho pueblo de Tlapa se lo quitaron y desposeyeron al dicho Bernal Díaz, cree que el capitán en la pregunta contenido y lo demás no sabe.

A la diecisiete pregunta dijo que sabe que el dicho Mazariegos, en la pregunta contenido, fue a poblar la provincia de Chiapa que la pregunta dice, y sabe que el dicho pueblo de Chamula y estancias que el dicho Bernal Díaz tenía se las quitó y desposeyó y los metió en los términos de la dicha villa de Chiapa, y que cree que no tuvo poder para quitárselos salvo que fue por capitán a la dicha villa de Chiapa.

A la dieciocho pregunta dijo que sabe que el dicho Bernal Díaz ha tratado pleito con las dichas villas sobre los dichos pueblos, y en ello ha pasado mucho trabajo y necesidades, y (a) lo demás dice lo que dicho tiene.

A la diecinueve pregunta dijo que este testigo tiene al dicho Bernal Díaz por persona honrada y de buena fama y conversación, y que cree que ha sido regidor de Guazacualco, porque así es público y notorio, y asimismo ha oído decir que ha tenido a esta ciudad a negocios y por procurador de la dicha villa, y de ellos ha dado de buena cuenta.

A la veinte pregunta dijo que sabe que después que los dichos pueblos se quitaron al dicho Bernal Díaz como dicho tiene y nunca se le ha gratificado por ellos, otros ni otra cosa alguna, y que cree que está necesitado y que ha tenido muy poca ayuda de los dichos indios ni de otros, y que lo que dicho tiene es la verdad de lo que sabe para el juramento que hizo, afirmóse en ello y firmólo. Luis Marín.

Y así tomados y recibidos los dichos testigos en la manera que dicha es, el dicho señor alcalde, de pedimento del dicho Bernal Díaz mandó a mí el dicho escribano, sacase en limpio un traslado o dos o más de lo susodicho, o los que quisiere, y se los dé y entregue al dicho Bernal Díaz en manera que haga fe, para guarda y conservación de su derecho en el cual y en los cuales si era necesario dijo que interponía e interpuso su autoridad y decreto judicial, para que valga y haga fe en juicio y fuera de él, el cual yo el dicho escribano de mandado del dicho señor alcalde di éste, que fue hecho en el dicho día y mes y año susodichos. Juan Xaramillo y yo Juan de Zaragoza, escribano de Su Magestad y escribano público del número de esta dicha ciudad de México, fue presente a lo sobredicho y lo hice escribir e hice aquí este mi signo a tal testimonio de verdad. Juan de Zaragoza escribano público.

Nota.—Se advierte en esta información que Bernal Díaz no dice que pasó en la armada de Juan de Grijalva; pero en otra información que sigue, hecha por Francisco Díaz del Castillo en Guatemala, a diez de febrero de mil quinientos setenta y nueve, en la segunda pregunta del interrogatorio se lee lo siguiente:

Item, si saben, tienen noticia y han oído decir a sus predecesores y mayores, y es público y notorio en esta ciudad y en toda la Nueva España, que el dicho Bernal Díaz del Castillo es el más antiguo descubridor y conquistador de la Nueva España, porque vino en compañía de Francisco Fernández de Córdoba, primer descubridor, y segunda vez con Juan de Grijalva, a la provincia de Yucatán, y después tercera vez con don Hernando Cortés y con los demás conquistadores en la pacificación, toma y conquista de México y de todas sus provincias...

(Archivo de Indias. Tomo I. Fol. 180. Est. 1. Caja 2. Leg. 2/22.)

DECLARACIÓN DE BERNAL DÍAZ DEL CASTILLO EN LA PROBANZA DE SERVICIOS DEL ADELANTADO D. PEDRO DE ALVARADO, HECHA A PETICIÓN DE SU HIJA DOÑA LEONOR DE ALVARADO

LA INFORMACIÓN testimonial se tomó en Guatemala, en cuatro de junio de 1563, de acuerdo con el interrogatorio y testigos que presentó doña Leonor de Alvarado. El interrogatorio constó de 13 preguntas, y entre los testigos figuró Bernal Díaz del Castillo, cuya declaración fue la siguiente:

"Bernal Díaz del Castillo, vecino y regidor de la Ciudad de Guatemala.

"A la primera pregunta dijo: que conocía a la doña Leonor de Alvarado, mujer de don Francisco de la Cueva, hija del adelantado don Pedro de Alvarado y de doña Luisa hija de Xicotenga, señor de la Provincia de Tlascala, uno de los señores principales y del que más caso se hacía; y conoció a don Hernando Cortés como Marqués del Valle, porque el testigo se halló siempre con él en la conquista: A las generales dijo que era de edad de sesenta y siete años.

"2.—que estando en el campo, tres veces de día y otra vez de noche les dieron guerra, entrando en la tierra, el capitán Xicotenga el mozo, un hijo del dicho Xicotenga el viejo, ciego que era, y que dadas las batallas les envió el dicho Hernando Cortés a demandar paces y que pasadas muchas cosas que este testigo tiene escritas en un memorial de las guerras, como persona que a todo ello estuvo presente, fue Dios servido que los señores de Tlascala viniesen de paz mandando al capitán Xicotenga que no les diese guerra, porque tenían más de cien mil indios en el campo, y que no queriendo el capitán Xicotenga entrar en las paces, los señores caciques enviaron mantenimientos, a Hernando Cortés y su gente, en señal de que querían paz, y mensajeros sobre ello, y todavía enviaron a mandar al dicho capitán Xicotenga que viniese a dar paces como se lo tenían ordenado, porque aquello convenía, y Xicotenga vino al real de Cortés y dio paz por todos los de su provincia; y estando en esto llegaron mensajeros del gran señor de México a dar la bienvenida a Hernando Cortés, y por haber desbaratado a los tlascaltecas, y le enviaba presentes, sintiendo que hiciese paces con ellos y diciendo que se guardasen porque querían meterlos en sus tierras y matarlos; y los dichos señores de Tlascala, enviaban a rogar a Hernando Cortés que él y su gente se fuesen a su ciudad, y como no iban, que un día Xicotenga, Maxiscasi y otros con ellos vinieron al real de Cortés y le prometieron las paces; y el dicho Cortés la recibió con la mano y la mandó bautizar, Hernando Cortés y su gente fue a la provincia y ciudad de Tlascala, donde los recibieron muy bien, y Xicotenga y otros principales trajeron mujeres, señoras hijas de principales, y entre ellas el dicho Xicotenga el viejo y ciego, trajo a su hija doña Luisa, con servicio de otras indias y aderezos y con oro, y dijo a Hernando Cortés que aquella era su hija que la quería mucho, que no tenía otra hija hembra, y que por esta razón se la daba para que la tuviese por mujer y hubiese generación de ella, y estuviese cierto y seguro de las paces; y el dicho Cortés la recibió con la mano y la mandó bautizar, y le pusieron por nombre doña Luisa, y después de bautizada llamó a su padre el dicho Xicotenga, y estando presente Pedro de Alvarado, dijo a aquél: «este es mi hermano y capitán, dad a doña Luisa a él y que en tanto la tendrá como si a mí me la diese, y él la tendrá»; y que se la dio por la mano al dicho Pedro de Alvarado y él la recibió, y fue muy contento el dicho Xicotenga y sus parientes, y así quedó en poder del dicho Pedro de Alvarado y de allí se conservaron las paces.

"3.—que después acordó Hernando Cortés ir a México y pasar por Cholula que era una gran ciudad y el dicho Xicotenga y Maxiscasi le favorecieron con gran cantidad de indios y mantenimientos, y le dieron orden por donde había de ir y dijo que se había de guiar de él que siempre estaba con el dicho Xicotenga, y que fue con la gente a Cholula y llevaron en su guarda la dicha doña Luisa, en poder de Pedro de Alvarado, y acompañada con sus parientes y hermanos naturales de ella; y que en Cholula querían los indios de aquella ciudad matar a Hernando Cortés y a la gente que llevaba y que lo alcanzó a saber doña Marina, lengua de los tlascaltecas, y se libraron de ellos, llegando a México donde después fueron desbaratados, y al tiempo que salieron huyendo salió la dicha doña Luisa con sus hermanos que la guardaron, y la lengua doña Marina, y toda la demás gente quedaron muertos, y más de seiscientos españoles.

"4.—que lo sabía porque estuvo presente a todo ello y que como venían desbaratados, al saberlo Xicotenga salió a recibirlos con gente y muchos mantenimientos, y dijo a Hernando Cortés: «bien te lo decía yo, Malinche (que así le llamaba) que no fueres allá que te habían de matar», y los recogió en su casa y les dio de comer, y curaba a los heridos, y que un hijo de Xicotenga que había sido capitán le decía a su padre que pues venían desbaratados los cristianos, que los acabasen de matar, y Xicotenga y Maxiscasi le riñeron y le llamaron mal hombre y le echaron de unas gradas abajo de donde ellos estaban, y que si los dichos dos señores quisieran que fácilmente los pudieran desbaratar, porque venían heridos, perdidos y sin bastimentos; y Xicotenga se hizo cristiano y se llamó Fulano de Vargas.

"5.—que luego que se reformaron y curaron los españoles, Hernando Cortés se rehizo de mucha gente y bastimentos que le dio Xicotenga, y fue a correr la tierra y Tepeaca y Cachula y Tecamachalco, y otros alrededores, y lo conquistaron y redujeron, y de allí fueron a Tescuco y allí se hicieron los bergantines con la ayuda de gente que le dio Xicotenga, y luego fueron a México con la dicha gente y al cabo de ochenta y tres días, después de muchas batallas, tuvieron victoria, y les dio mucho favor el socorro de Xicotenga que fue muy leal.

"6.—que repetía lo dicho en las preguntas anteriores.

"7.—que era verdad que el dicho don Pedro de Alvarado siempre traía en su compañía a la dicha doña Luisa, hija de Xicotenga y sabía el testigo que de ella tuvo dos hijos, don Pedro y doña Leonor, y que ésta se parecía mucho a su padre en el rostro y condiciones.

"8.—que se refería a lo dicho en las preguntas anteriores.

"9.—que oyó decir que al tiempo que don Pedro de Alvarado fue a los Reinos del Perú, había llevado a doña Leonor con gente española.

"10.—que después de volver Alvarado del Perú falleció en Guatemala doña Luisa, en casa de su hija doña Leonor, y le fue hecho su enterramiento honradamente, como a persona que era madre de la doña Leonor.

"11.—que no lo sabía pero que por sus méritos debían hacerle mercedes.

"12.—que por los servicios de Xicotenga y de don Pedro de Alvarado, y de otros muchos que éste hizo, que no se referían en las preguntas, la dicha doña Leonor y sus hijos merecían cualquier merced que se les hiciese.

"13.—a la trece pregunta dijo que se refería a lo contestado en las preguntas anteriores, y era la verdad."

(Archivo de Indias) (Patronato Real, Simancas) (Est. 1. Caj. 4. Leg. 33/2).

REALES CÉDULAS DE 1551 EXPEDIDAS EN FAVOR DE BERNAL DÍAZ DEL CASTILLO

El Rey. Por la presente doy licencia y facultad a vos, Bernal Díaz, vecino de la ciudad de Santiago de Guatemala, para que de estos reinos y señoríos podáis pasar y paséis a la dicha provincia de Guatemala tres asnos garañones, libres de derechos de almojarifazgo que de ellos nos pertenezcan en las Indias, por cuanto de lo que en ello monta yo vos hago merced, sin que en ello os sea puesto embargo ni impedimento alguno. Fecha en la villa de Valladolid, a 24 días del mes de enero de mil quinientos y cincuenta y un años. La reina. Refrendada de Sámano. Señalada de Gutierre Velázquez. Gregorio López. Sandoval. Hernán Pérez. Ribadeneyra. Bribiesca.

El Rey. Presidente y oidores de la nuestra Audiencia real de los Confines, sabed: que en las nuevas leyes y ordenanzas por nos hechas para el buen gobierno de esas partes y buen tratamiento de los naturales de ellas, hay un capítulo del tenor siguiente. (Aquí el Capítulo de Corregimientos.) Y ahora Bernal Díaz, vecino de esa ciudad de Santiago de Guatemala, me ha hecho relación que él es uno de los primeros descubridores y conquistadores de la Nueva España, y que así en ella como en esa tierra nos ha servido en todo lo que se ha ofrecido, y al presente está casado y avecindado en la dicha ciudad, donde tiene su mujer e hijos y casa, y una hija doncella por casar, y me suplicó vos mandase que a la persona que con ella se casase le proveyéseis de buenos corregimientos, o como la mi merced fuese, y porque acatando lo susodicho tengo voluntad de mandar favorecer y hacer al dicho Bernal Díaz, y a la dicha su hija, vos mando que veáis el dicho capítulo que de suso va incorporado, y guardando la orden de él, conforme a ella proveáis a la persona que con la dicha hija del dicho Bernal Díaz se casare, siendo hábil y suficiente, y concurriendo en él las calidades que se requieren, de corregimientos que sean conforme a la calidad de su persona, que en ello me serviréis. Fecha en la villa de Valladolid, a 24 días del mes de enero de mil quinientos y cincuenta y un años. La reina. Refrendada de Sámano. Señalada de Gutierre Velázquez. Gregorio López. Sandoval. Hernán Pérez. Ribadeneyra. Bribiesca.

El Rey. Presidente y oidores de la nuestra Audiencia real de los Confines: Bernal Díaz, vecino de la ciudad de Santiago de Guatemala, me ha hecho relación que él es uno de los primeros descubridores y conquistadores de la Nueva España y que al presente está casado y avecindado en esa ciudad, donde tiene su mujer e hijos, y entre los otros hijos tiene una hija doncella, de edad para se casar, y me suplicó vos mandase que a la persona que con ella se casare le proveyésedes de oficios y cargos conforme a la calidad de su persona, en que nos pudiese servir y ser honrado y aprovechado, o como la mi merced fuese; y porque acatando lo susodicho, y a que el dicho Bernal Díaz es uno de los primeros descubridores y conquistadores de la dicha Nueva España, tengo voluntad de mandar y favorecer y hacer merced en lo que hubiere lugar a la dicha su hija, vos mando que a la persona que con ella se casare le tengáis por muy encomendado, y en lo que se ofreciere le ayudéis y favorezcáis y encarguéis cargos y cosas de nuestro servicio, conforme a la calidad de su persona, en que pueda servir y ser honrado y aprovechado, que en ello me serviréis. De Valladolid, a veinticuatro días del mes de enero de mil y quinientos y cincuenta y un años. La reina. Refrendada de Sámano. Señalada del licenciado Gutierre Velázquez. Gregorio López. Sandoval. Hernán Pérez. Ribadeneyra. Bribiesca.

El Rey. Licenciado Cerrato, presidente de la nuestra Audiencia real de los Confines: Bernal Díaz, vecino de la ciudad de Santiago de Guatemala, me ha hecho relación que como nos era notorio, él ha mucho tiempo que pasó a la Nueva España, donde nos sirvió mucho tiempo en el descubrimiento y pacificación de ella, hasta que pasó a esa provincia de Guatemala, donde asimismo nos ha servido en todo lo que en ella se ha ofrecido, y que como a hombre que sabía y entendía las cosas de los naturales de la dicha Nueva España y tenía experiencia de su buena manera de vivir, al tiempo que presidía Don Sebastián Ramírez en aquella tierra le proveyó del cargo de visitador de las provincias y villas de Guazacualco y Tabasco, y que hiciese la discreción de ellas, donde hizo lo que debía y era obligado al buen tratamiento de los naturales: Y por que ahora vos proveáis en la tierra visitadores para visitar las provincias sujetas a esa Audiencia, y él entendía las cosas de los naturales de ellas y tenía experiencia de su persona y buena manera de vivir, me suplicó vos mandase le proveyéseis a él por uno de los tales visitadores y más principales de las provincias sujetas a esa dicha Audiencia, o como la mi merced fuese, y por que yo, acatando lo que el dicho Bernal Díaz nos ha servido y la buena relación que de su persona me ha hecho, tengo voluntad de le mandar favorecer y hacer merced en lo que hubiere lugar por ende, yo vos encargo y mando que como a persona que ha servido, le tengáis por muy encomendado y en lo que ofreciere le ayudéis y favorezcáis, y encarguéis cargos y cosas de nuestro servicio en que nos pueda servir y él sea honrado y aprovechado, que en ello me serviréis. De Valladolid, a 28 de enero de mil y quinientos y cincuenta y un años. La reina. Refrendada de Sámano. Señalada del marqués. Gutierre Velázquez. Gregorio López. Sandoval. Hernán Pérez. Ribadeneyra. Bribiesca.

El Rey. Presidente y oidores de la nuestra Audiencia real de los Confines: Bernal Díaz, vecino de esa ciudad de Santiago de Guatemala, me ha hecho relación que él está enemistado en esa tierra con algunas personas, a cuya causa tiene necesidad de traer consigo en su guarda y compañía hasta dos criados con armas ofensivas y defensivas, y me suplicó le hiciere merced de darle licencia para que él y los dichos sus dos criados que anduviesen con él las pudiesen traer, o como la mi merced fuese, lo cual visto por los del nuestro Consejo de las Indias, por cuanto nos constó estar el dicho Bernal Díaz enemistado en esta tierra con algunas personas y tener necesidad de las dichas armas, fue acordado que debía mandar dar esta mi cédula para vos y yo túvelo por bien, por que vos mando que dando ante vos el dicho Bernal Díaz fianzas, legas, llanas y abonadas, en la cantidad que os pareciere, en que se obliguen que él y los dichos sus dos criados que anduvieren con él con las dichas armas, no ofenderán con ellas a persona alguna, y que solamente las traerán él y ellos andando con él para defensa de la dicha su persona, y no habiendo recibido corona, le deis licencia para que por término de seis años primeros siguientes que corran y se cuenten desde el día de la fecha de esta mi cédula en adelante, puedan traer y traigan las dichas armas ofensivas y defensivas él y los dichos dos criados andando con él, y no de otra manera, por todas las Indias, islas y Tierra Firme del mar océano, que dándole vosotros la dicha licencia nos por esta nuestra cédula se la damos y mandamos a todas y cualesquier nuestras justicias de todas las ciudades, villas y lugares de esa tierra que durante el dicho tiempo de los dichos seis años dejen y consientan traer libremente al dicho Bernal Díaz y a los dichos dos criados andando con él, las dichas armas, aunque estén vedadas y defendidas. Fecha en la villa de Valladolid, a 28 de enero de mil y quinientos y cincuenta años. La reina. Refrendada de Sámano. Señalada del marqués. Gutierre Velázquez. Gregorio López. Sandoval. Hernán Pérez. Ribadeneyra. Bribiesca.

(Documentos copiados bajo el cuidado de D. Francisco del Paso y Troncoso. Publicados por José de J. Núñez y Domínguez en los *Anales del Museo N. de Arqueología, Historia y Etnografía.* Cuarta época. Tomo VIII. México, 1933. Páginas 603 y siguientes.)

CARTA DE BERNAL DÍAZ DEL CASTILLO AL EMPERADOR DON CARLOS, DANDO CUENTA DE LOS ABUSOS QUE SE COMETÍAN EN LA GOBERNACIÓN DE LAS PROVINCIAS DEL NUEVO MUNDO.—SANTIAGO DE GUATEMALA, 22 DE FEBRERO DE 1552

Sacra Cesárea Católica Majestad:

Bien creo que se tendrá noticia de mí en ese vuestro Real Consejo de Indias y como he servido a V. M. desde que era bien mancebo hasta ahora que estoy en senectud, y como tal leal criado y teniendo la fidelidad que soy obligado, y porque soy vuestro regidor de esta Ciudad de Guatemala; y por causas muchas que para ello hay, es bien hacer saber lo que se hace en estas tierras en la gobernación y justicia de ellas, porque sé cierto que V. M. y los de su Real Consejo de Indias tienen creído que todo lo que envían a mandar se hace y cumple; los cuales mandados son muy justos, así para el provecho de los naturales, como de los españoles y bien y pro de la tierra. Beso los sacros pies de V. M. por ello, y ruego a Nuestro Señor Jesucristo que guarde a V. M. y a los muy esclarecidos príncipes nuestros señores y les dé aquel galardón que V. M. desea.

Sepa V. M. que, como he dicho, hay necesidad en esta tierra que haya justicia, porque cuando estaba muy sin concierto iba muy mejor encaminado, así para los naturales como para la buena perpetuación de ella; y viendo esto, atrévome [a] hacer esta relación, para que no pase la cosa más adelante: y como ahora un año estuve en esa Real Corte, y porque en la sazón que yo partí de aquí para allá había venido a estas provincias el licenciado Cerrato por presidente, y a lo que mostraba luego luego tenía apariencias y muestras de hacer justicia, puesto caso que para con estos vecinos de esta ciudad y sus provincias siempre han sido y son tan leales servidores, que con media letra de V. M. todos a una, el pecho por tierra, se humillan, como siempre se ha visto por la obra, y no como

Cerrato. A lo que hemos entendido, ha escrito a V. M. que hizo y que hizo y que sirvió y sirvió, por donde tenemos que tuvieron crédito de él así V. M. como los de vuestro Real Consejo; y en fin, a todos nos dio buenas muestras al principio y por esta causa, cuando yo estaba en esa Real Corte, no había que avisar de lo que entonces había hecho acá, y así no soy culpante por entonces de ello; y si ahora no hiciese saber lo que pasa, sería de gran culpa. En lo que V. M. le manda acerca de las tasaciones, que se vean los pueblos y qué tierras tienen y qué es su labranza y crianza y trato y granjerías, y de las comarcas, y qué casas de vecinos en cada pueblo, y que conforme a la calidad de cada pueblo así echase el tributo cómodamente, para que sus encomenderos se sostengan según la calidad de cada cosa, sepa V. M. que todo se ha hecho al contrario de vuestro Real mandado; porque no se vio cosa de lo dicho, sino estándose en sus aposentos, se tasó no sé por qué relación y cabeza: por manera que a unos pueblos dejó agraviados y a otros no contentos, porque hay pueblo que no tiene la tercia parte de gente y posibilidad que otros, y echó tanto tributo al uno como al otro, y estando todos juntos, casas con casas; y en algunas cosas, sobre esto, todo muy fuera de orden, y a lo que me han dicho, diz que envía ahora allá a V. M. todas las tasaciones como si tuviesen experiencia de lo que es cada cosa y las circunstancias de ello.

En lo que V. M. le manda de preferir a los conquistadores y casados pobladores, y ayudar a casar hijas de huérfanos conquistadores y pobres en los aprovechamientos de estas tierras les ayudase a sustentar, ¿qué más justo mando puede ser que éste? Sepa V. M. que si el mismo mando V. M. le hubiese dado diciendo: "Mirad que todo lo bueno que vacare y hubiere en estas provincias todo lo deis a vuestro parientes", no lo ha hecho menos, que ha dado a dos sus hermanos y a una nieta que casó aquí y a otro su yerno y a sus criados y amigos los mejores repartimientos de estas provincias que han vacado; y en verdad que cualquiera de ellos por sí es de más renta que todos juntos cuantos ha dado en esta ciudad a todos los conquistadores. Y a un su amigo, que dio un repartimiento de estos que digo, que se dice Ballezillo, sepa V. M. que iba preso desde Nombre de Dios para España y se soltó en el viaje, y diz que le había tomado residencia un Clavijo, y por ciertos delitos y por cosas que halló contra él y le condenó en cierta cantidad de pesos de oro para vuestra Real Cámara, y le acogió y dio repartimientos de indios; así que los ha dejado de dar a quien V. M. manda y los ha dado a sus parientes y criados y amigos; y aún no ha cumplido con todos, que aun están ahora aguardando que les den a dos sus primos y un sobrino y un nieto, y no sabemos cuándo vendrá otra barcada de Cerratos a que les den indios. Y si quisiera mirar Cerrato que V. M. mandó quitar los repartimientos que tenían vuestros gobernadores y oficiales, pues todos tienen tan crecidos salarios, no había de dar tan a banderas desplegadas esto que ha dado; y demás de esto, mirara que V. M. le hizo merced de quinientos mil mrs. más del salario que de antes tenía, y debiera de mirar que es vuestro presidente y que V. M. se confiaba de él que hacía recta justicia y cumplía vuestros Reales mandos como allá escribía. Sepa V. M. la manera que ha tenido y tiene en dar estos indios que he dicho: para que allá V. M. crea que son bien dados por vía de Audiencia Real, procuró de admitir en esta Real Audiencia, a un Juan Rogel por oidor, por tenerle de manga para tener su voto, desde que vio que algunos de los demás oidores no eran en ello ni les parecía que era justo dar los indios a sus parientes, que entonces llegaban de Castilla, y quitarlos a los pobres conquistadores cargados de hijos, que ha treinta años que le sirven a V. M. puesto que aquel Rogel le había desechado de esta Audiencia Real cuando le tomó residencia, y [he] oído decir que por tenerle para este efecto disimuló con él muchas cosas, diciendo "hazme la barba".

Pues sepa V. M. que ahora pocos días ha, porque un oidor que se dice Tomás López, que en verdad es de buena conciencia, y a lo que parece tiene buen celo para cumplir vuestros Reales mandos, y ha visitado ahora poco a todas las más provincias, no era en parecer de dar indios a un su hermano de Cerrato que vino ahora de España, por no tenerle por contrario lo envió a Yucatán con cuatrocientos mil mrs. de salario, además de lo que de antes trajo señalado; la cual ida fuera bien excusada, pues se queda ahora solo, pues el licenciado Ramírez se va también ahora a Castilla. Por quedarse solo y mandar a su placer, y también los otros días, envió al licenciado Ramírez a lo de Nicaragua con siete pesos y medio de buen oro de salario por cada día, sin lo que tiene señalados de antes, y costa hecha, porque los pueblos de V. M. les ha de dar de comer así al uno como al otro: mire V. M. qué es lo que escribe, que sirve y que hace y que cumple vuestros Reales mandos; sé decir a V. M. que a lo que conozco de él, tiene tan buena retórica y palabras muy afectadas y sabrosas que tengo que mejor sabrá dorar lo que hace por la peñola, por donde tengo que V. M. y los de su Real Consejo habrán creído que es como ha escrito y hecho entender que sirve y que todo se hace como V. M. le manda, y como él sabe que él tiene allá tanta reputación de buen juez, se atreve a hacer lo que hace. Por eso mire V. M. lo que conviene para vuestro Real servicio, que esto que digo pasa así porque veo que si algo ha servido es lo que he dicho y es a costa de vuestra Real hacienda y de dar indios a sus deudos, y los ha hecho ricos en poco tiempo, y anda a "vivo te lo doy" con tal que bulla el cobre y sus deudos prosperen y él gane fama y honra con tenerle V. M. por buen juez, como lo ha hecho entender; pues lo bueno es, suele decir algunas veces de los gobernadores que ha habido, que robaron y hurtaron y que hicieron cosas feas y que él no es de aquella manera que no recibe presentes, ni una gallina, ni se ha requebrado con ninguna mujer de vecino, y con esto dice el buen viejo que hace justicia y que ya allá ha ganado esta reputación con V. M. y no mira que es más un repartimiento de los que ha dado a cualquiera de sus deudos que estaban antaño en España, cada cual entendiendo en su oficio, y lo ha quitado a pobres que lo han bien merecido, y que con sus sudores y sangre de los pobres que V. M. les manda que se lo den, lo ha dado a quien he dicho, y no mira esto y mira a los otros y a su gallina y a lo que más sobre ello dice.

Pues más sepa V. M. que cuando algún pobre conquistador viene a él a demandarle que le ayude a sustentarse para sus hijos y mujer si es casado, que es muy gracioso en despacharle a él o a otros negocios de otros, les responde con cara feroz y con una manera de meneos, en una silla, que aun para la autoridad de un hombre que no sea de mucha arte no conviene, cuanto más para un presidente, y les dice: "¿Quién os mandó venir a conquistar? ¿Mandóos S. M.? Mostrad su carta: andad, que basta lo que habéis robado." Y de esta manera otros vituperios que desde que los tristes míseros ven aquel semblante y respuestas, se tornan maldiciendo su ventura y clamando a Dios sobre que les envíe justicia sobre ellos; y en verdad, que como yo estuve pocos meses ha en esa Real Corte y vi a vuestros presidentes y oidores de los Reales Consejos, y vi cuán recta y buena justicia hacen y cómo se precian todos de ello y las respuestas tan agradables y con gracia que daban a los negociantes, y veo lo que acá pasa, me admiro de ello y aun me he atrevido a decírselo que mire cómo en nuestra España V. M. es tan temido, y el santo celo que tiene que no se discrepe cosa de su Real Justicia; y pues le tiene en España por buen juez que me parece o que yo no lo entiendo o que acá le mandan hacer lo que hace; y responde muchas palabras hermoseadas sobre ello y no obras ningunas.

¡Oh si V. M. supiese bien lo que pasa acerca del poco concierto que tienen ahora los naturales de estas tierras! Cómo andan vagamundos, holgazanes que ahora que habían de estar muy adelante para las cosas de nuestra santa Fee, ahora se quedan atrás, y se habían de preciar de ello y de tener más policía y de sembrar sementeras mayores y tener crianzas, pues es para sus personas y mujeres e hijos, en todo andan muy sin concierto por causa de no lo entender bien Cerrato.

Y también si V. M. supiese bien el concierto que ha tenido Cerrato, para juntar todos los indios de estas provincias, con dos frayles mozos y con un su criado que es relator, y esto oculta y secretamente, en un pueblo que se dice Zinpango, para que todos de unánime y voluntad suplicasen a V. M. que les diese a Cerrato por gobernador perpetuo, y porque en esto había harto que decir y por no estar yo delante V. M. no lo digo, mas que sepa V. M. que son estas gentes de estas tierras de tal calidad, que, por una hez de vino, al mayor cacique le harán decir que quiere por gobernador a Barbarroja, cuanto más a Cerrato, especialmente diciéndoselo aquellos frayles mozos. Porque no saben de honra ni deshonra, ni si piden bien ni mal, y vemos que aquí Cerrato cada día nos dice que ha enviado a suplicar a V. M. por licenciado para se ir, y por otro cabo manda convocar para que le pidan por gobernador perpetuo: y si así es que ha enviado por licencia, es para que V. M. crea que tiene gana irse y que no es él en convocar estas gentes, y para dar más crédito que allá le tengan por buen juez; y hago saber a V. M. que es viejo de muchas mañas y artes y usa de ellas.

¡Oh Sacra Magestad, qué justos y buenos son los mandos Reales que envía a mandar a esta provincia y como acá los forjan y hacen lo que quieren! Y esto dígolo porque veo que los frayles con ambición de señorear y mandar esta tierra, y Cerrato por codicia de enriquecer a él y a sus parientes, con fama de buen juez, y alguno de los oidores por ciertas tranquillas de no sé qué cuentas, y porque saben que los frayles lo entienden y saben su motivo, y no lo hagan saber a V. M. y escriban loándoles de buenos jueces, esta Audiencia Real se deja mandar de ellos, y frayles mandan vuestra Real justicia y jurisdicción y así anda de esta manera; por eso mande V. M. volver por ello, y no sea servido consentir tal cosa.

Sacra Magestad, bien tengo entendido y sé cierto que habrá escrito Cerrato y hecho entender a V. M., que los repartimientos, que ha dado a sus parientes, que son de poco provecho, y habrá glosado sobre ello palabras muy doradas; sepa V. M. que son los mejores, todos a una mano, que ha habido en estas provincias, que el menor de ellos es más para esta tierra que en el Perú diez mil pesos; porque verdad es que se le ha muerto un hermano, y dejó a una hija, que le quedó, sobre tres mil pesos de renta cada año, venida ayer de Castilla. Si V. M. es servido, mande mirar que en el tiempo de Nuño de Guzmán, cuando presidía en México y aunque tenía poder para dar indios, porque los dio a amigos y paniaguados y no conforme a lo que V. M. mandaba, se revocó y dio por ninguno. Paréceme que es más justo que V. M. mande revocar esto que Cerrato dio, pues V. M. le mandó expresamente que no lo hiciese, porque vuestra real justicia y mandos se guarden y sea temido vuestro Real nombre, y otros no tengan atrevimento adelante de hacer otro tanto. Yo, como leal criado lo declaro lo mejor que puedo a V. M., porque ha sobre treinta y ocho años que le sirvo; por tanto suplico a V. M. será servido mandarme admitir en su Real casa en el número de los criados, porque en ello recibiré grandes mercedes; y no mire a la mala policía de las palabras, que como no soy letrado, no lo sé poner más delicado, si no muy verdaderísimamente lo que pasa. Y suplico a V. M. sea servido mandar que esta carta no venga acá otra vez a poder de Cerrato, porque se han vuelto otras que ha escrito el cabildo de esta ciudad sobre cosas que eran de vuestro Real servicio. Nuestro Señor Jesucristo guarde y aumente con muchos años de vida a V. M. y a los muy esclarecidos Rey y Príncipes nuestros señores, y les dé su santa gracia, que por sus Reales personas y vigorosos brazos nuestra santa Fee siempre sea ensalzada. De esta ciudad de Santiago de Guatemala, XXII de febrero de MDLII años.

Beso los sacros pies de Vuestra Sacra Cesárea Católica Magestad.

Bernal Díaz del Castillo.

Sobre.—A la Sacra Cesárea Católica Majestad del ynvitísimo monarcha, Emperador y Rey de España, Nuestro Señor.

(*Cartas de Indias,* Madrid, 1877. Páginas 38 a 44.)

CARTA DE BERNAL DÍAZ DEL CASTILLO AL REY DON FELIPE II, EN LA QUE DENUNCIA ALGUNOS ABUSOS COMETIDOS CON LOS INDIOS, Y PIDE SE LE NOMBRE FIEL-EJECUTOR DE GUATEMALA EN ATENCIÓN A LOS SERVICIOS QUE EXPONE.—GUATEMALA, 20 DE FEBRERO DE 1558

Católica y Real Magestad:

He sabido que un Francisco de Valle vuestro factor, envía a suplicar a vuestro Real Consejo de Indias que le hagan merced de unas tierras para labranzas, y son en términos de dos pueblos de indios que se dicen San Pedro y San Juan en las cuales solían sembrar los naturales de los mismos pueblos; y también envía a pedir licencia para que le den indios alquilados de los mismos pueblos, para beneficiar otras tierras que compró junto a los dichos pueblos, porque en esta vuestra Real Audiencia no le dan tantos cuantos pide, porque han visto vuestros oidores que por habérselos dado, se despoblaron sobre veinte casas de vecinos de ellos, de poco tiempo a esta parte, que serán diez meses que tiene posesión en las tierras que he dicho; y a quien Francisco de Valle encomienda allá este negocio es Martín de Ramoyn y Ochoa de Loyando. Sepa V. R. M. que el factor hubo comprado, en compañía de un Balderrama, ciertas tierras de los caciques de estos pueblos por mí nombrados, sin hacerme sabedor de ello a mí como su encomendero, porque no estorbase la venta; y como los caciques creyeron que fueran tierras para sembrar hasta treinta hanegas de trigo, y no más, y no sabían qué cosa de medida tienen doce caballerías, que son las que igualaron en la venta y como ahora les toman para cumplir las doce caballerías y más de doce, tierras que pueden ser más de una legua en largo y otra en ancho, no están por la venta y demandan se torne a deshacer por el gran engaño que hay en ello. Y en esta Vuestra Real Audiencia piden justicia y vuelven los pesos de oro que por las tierras les fue dado, mas dicen que rozaron y desmontaron las dichas tierras, y sembraron en ellas ocho hanegas de maíz, e hicieron casas, porque así fue en la dicha iguala; y dicen que pagarán alguna costa, si fuere justo, que en arar las tierras se hizo con tal que les den lo que se cogió este año de ellas o al de menos la mitad, o que lo tomen todo con tal que no paguen nada por arar, lo que más el dicho factor quisiere. Y esto hacen los caciques porque verdaderamente están muy mal con él por malas obras que de él han recibido, y tales, que dicen los caciques que por su causa se han despoblado las casas que he dicho, que son más de veinte, y si no fuera por mí y por los religiosos dominicos que en el pueblo residen, se hubieran ido más y ya no se van: y sepan V. C. y R. M. que son pueblos muy fértiles y de buena cristiandad y santa doctrina y tienen muy buenas iglesias y ricos ornamentos, y muchos cantores y todo género de música, digo instrumentos de música, que en todas estas provincias no hay más bien tratados pueblos ni donde den menos tributos, y a la continua están dos dominicos en ellos, y hay beatas indias de la tierra y retraimiento para ellas, donde están apartadas, y renta señalada para su mantenimiento; pues no es justo que tales pueblos reciban molestias. A V. R. M. suplicó sea servido que cuando se escriba para esta su Real Audiencia, venga un capítulo en ella para que no den ningún indio alquilado de los dichos pueblos al factor, porque dicen los caciques que verdaderamente se les quiebra el corazón cuando le ven, y que se alquilarán con otros españoles; y por poco ni por mucho no trabajarán en tierras que sean del factor. Y también suplico a V. R. M. venga en el capítulo que, volviendo los pesos de oro, les den sus tierras y que en dime, ni en direte no tenga que entender con ellos. Todo esto que aquí digo saben muy bien vuestros oidores, y por esta causa ya no le dan alquilados ningunos indios, porque los religiosos de Santo Domingo vuelven por ellos en lo que ven que es justo, especial los que con ellos residen.

Y también sepa V. C. y R. M. que el licenciado Cerrato, presidente que fue le dio al dicho factor ciertas caballerías de tierras por virtud de una vuestra Real cédula, y él las vendió en dándoselas y ahora pide más caballerías en perjuicio de los pobres indios: y porque sé que V. M., como cristianísimo que es, los mandará favorecer como a la continua hace, ceso de más en esto suplicar: y quiero dar cuenta de quién soy para que V. M. más cumplidas mercedes sea servido hacerme. Yo soy hijo de Francisco Díaz el Galán, vuestro regidor que fue de Medina del Campo, que haya santa gloria, y soy en esta ciudad vuestro regidor, y al presente vuestro fiel y ejecutor por vuestra Real Audiencia y por votos del Cabildo; y soy deudo bien cercano de vuestro oidor que fue, que haya santa gloria, el licenciado Gutierre Velázquez, y he servido a V. M. en estas partes de cuarenta años a esta parte, porque me hallé en el descubrir y conquistas de México con el marqués del Valle: lo cual antes de ahora consta en vuestro Real Consejo de Indias, y lo sabe bien don fray Bartolomé de las Casas, obispo que fue de Chiapa. Ahora torno a suplicar de nuevo sea servido de me hacer merced de la fiel ejecutoría de esta tierra, digo de esta ciudad; pues soy tan viejo criado de V. C. y R. M. y mi padre y deudos siempre le han servido, y en ello recibiré muy señaladas mercedes. Nuestro Señor Jesucristo dé a V. C. y R. M. muchos años de vida, con mucha salud, con aumentación de más reinos, así como V. R. M. desea y yo su leal criado querría, que bien se puede fiar de mí. Y de Guatemala XX de febrero de MDLVIII años.

Beso los Reales pies de Vuestra Católica y Real Magestad.

Bernal Díaz del Castillo.

Sobre.—A la Católica y Real Magestad del Rey Don Felipe Nuestro Señor.

(Cartas de Indias, Madrid, 1877, páginas 45 a 47.)

CARTA DE BERNAL DÍAZ DEL CASTILLO, DIRIGIDA A FRAY BARTOLOMÉ DE LAS CASAS

Ilustre y muy Reverendísimo Señor: Ya creo que V. S. no terná noticia de mí, porque según veo que escrito tres veces é jamás e abido ninguna respuesta, é tengo que no abrá V. S. recibido ninguna carta, pues es verdad que pocas semanas, sepan que estando con los padres dominicos en los pueblos de mi encomienda donde residen á la contina con prior ó con so prior con frey Pedro de Angulo, mentamos é tenemos pláticas de V. S. Rma. é algunas veces decimos que si viese la buena manera de cristiandad é policía que ay en aquellos pueblos, é que los dominicos se les debe mucho por ello, é también ver las yglesias é ricos ornamentos é mucicos é cantores para el oficio divino, que otras de su arte no las ay en toda la provincia, y que después de dios todo se a de atribuir á los religiosos que en ella residen, é son curas, que si V. S. lo viese agora, qué gozo ternía é cómo lo sabría decir á su magestad é á esos señores del consejo de yndias en su real nombre, é digo también que V. S. me loaría muy dello como en todas partes me loan y aún acá en la real audiencia; estos religiosos que lo saben para dar más exemplo á otros encomenderos que lo agan como yo, por todo lo qual doy muchas gracias á nuestro señor Jesucristo; esto sepa V. M. que lo digo porque sea servido tener noticia de mí é quando escribiere a los reverendos padres de Santo Domingo venga para mí alguna carta ó coleta para que sea favorecido, siendo asy como digo, lo qual allará por verdad porque muy bien lo saben los señores oydores por vista de ojos lo que aquí digo á V. S., y también ay necesidad é grande que para estos señores V. S. escriba otra, é que en todo sea favorecido; é porque yo tengo á V. S. que me ará estas mercedes, como mi señor ques y el conoscimiento de tantos años ques más de quarenta años á esta parte, y demás desto es lo que más le obligará, es la muy yntima amistad que V. S. tenía con aquel tan valeroso caballero é de tanta virtud como fue mi señor el licenciade gutierre belazquez, deudo mío que era, y áun cercano, que aya santa gloria, que agora en escribillo se me arrasan los ojos de agua, pues tanta pérdida perdí é la gran falta que ace siento agora, pues quél fue deste mundo no es razón que V. S. me falte en especial cosas muy justas; é V. S. sabrá que un Francisco del Valle ovo unas tierras de un balderrama que compraron de los caciques de los pueblos de mi encomienda, que se dice san pedro é san juan, que están obra de quatro leguas cerca desta ciudad, é quando se las vendieron ellos no sabían qué cosa es caballerías, yo no lo supe porque tuvieron secreto la cosa porque no lo estorbase y creyeron los yndios que era para sembrar hasta treinta anegas de trigo, é agora demándales doce caballerías de tierra y los oydores por la iguala se las dieron é aún algo más, é agora los caciques é yndios de los dichos pueblos no están por ello é aliegan que los engañaron é que no pueden vender las tierras de sus maciguales ni del pueblo, é que quieren volver lo que por ellas les dieron, é que si costa a fecho el factor que ellos la pagarán con tal que le den la mitad de lo que se coje de la tierra en este año, porque abrá nueve meses que se las vendieron é agora cojen una sementera de trigo, é si quiere el factor todo lo que se cojere, que no les pidan la costa del arar de las tierras, y esto se an quejado en esta real audiencia y lo de lo que más se quejan é que dellos más lo tienen por peor, que mandan algunas veces esta real audiencia por mandamiento que le den yndios alquilados para las tierras beneficiallas y a esta causa están tan mal con el factor, que le tiene tan mala voluntad que en viéndole se les quiebra el corazón, porque por sus malas obras se han despoblado de diez meses poco más ó menos quel factor entiende con ellos más de veinte y cinco casas, é se ovieran ydo más si yo é los dominicos no ovieran puesto remedio en ello, porque cada día lo dicen á estos señores oydores que no den yndio alquilado al factor, que se yrán los yndios al monte porque verdaderamente ellos buscan alquileres de otros españoles para la braza de tierras, y del factor dicen que aunque les hechen pesos que no yrán á sus tierras á trabajar; pues en lo bu.º que agora escribe el mismo factor á ese real consejo de Yndias para que les den ciertas caballerías de tierra é yndios alquilados de los dichos pueblos y que les den por buenas la venta de las tierras que dice aber comprado á los caciques, y como digo, acá se llaman á engaño dello; é también sepa V. S. reverendísima, que por una provisión que ovo traydo de su magestad para que le diesen tierras, se las dio al licenciado Cerrato, que en gloria sea, y luego como se las dieron las vendió, é agora, como digo, envía por más; pues que V. S. es padre y defensor destos proves yndios é verdaderamente es como digo, suplico á V. S. que tenga manera como dello aya relación en el real consejo de Yndias y procure que escriban á esta real audiencia que en bueno ni en malo tengan que dalle al factor ningún yndio alquilado, é que les oyan é favorescan á los yndios é que no les den más tierras en los términos destos pueblos ni con quatro leguas de ellos; quien tiene cargo de solicitar lo del factor es ochoa de loyano é martin de ramoyn é un su cuñado del factor que se dice delgadillo; y si V. S. fuere servido mandallo remediar, benga todo encomendado al prior de santo domingo ó á fray pedro de angulo para quél me lo dé, y demás desto siempre V. S. encomienda aquellos pueblos que miren por su bien al padre prior ó al so prior ó á fray pedro de angulo y les escriba a V. S., si esto que digo, si es ansí y aún más cumplidamente, é porque sé que V. S. en todo me favorecerá á mí é á estos yndios, no escribiré en esto más sino que ay va esa carta para su católica y real magestad del rey, nuestro señor. V. S. se la mande poner en sus manos y les diga á los señores quando la leyeren, que V. S. estará presente si fuere servido, que luego lo remedien y den el despacho á V. S.; agora quiero dar cuenta de mi vida y es que estoy viejo y muy cargado de hijos, é de nietos, é de muger moza, é muy alcanzado por tener probe tasación, soy regidor desta ciudad como V. S. sabe é agora soy fiel é executor por quel audiencia real me proveyó dello por un año con botos que tuve para ello del cabildo, é yo lo ago muy justamente é tengo buena fama dello, y la audiencia real y el cabildo están muy bien con mis cosas, é acerca del oficio, si V. S. fuere servido demandar á su magestad que me aga merced dello perpetuo, merced me haria; no escribo á su magestad sobre ello que se me olvidó porque sé que donde V. S.

pusiere la mano saldrá ello, siendo justo como lo es; yo prometo a V. S. que si me lo... que me agan esta merced de enbiar para ábitos más de doscientos pesos; porque sé que V. S. tiene necesidad, me atrebo á decir esto é suplico á V. S. que en todo me favoresca, no ay más que suplicar sino que a los reverendos padres fray rodrigo é fray juan de torres beso sus manos é á V. S. reverendísima le dé dios muchos años de vida é un buen arzobispado, amen.—de guatimala, veinte de febrero de mil quinientos cincuenta y ocho años.—el que besa las muy reverendísimas manos de V. S. ilustre é reverendísima señoría, Bernal Díaz del Castillo.

Archivo de Indias.—Simancas.—Secular.—Audiencia de Guatemala.—Cartas y expedientes de personas seculares del distrito de dicha Audiencia, años 1526 a 1560.

(*Colección de Documentos Inéditos para la Historia de España,* por el Marqués de la Fuensanta del Valle.—D. José Sancho Rayón y D. Francisco de Zabalburu.—Tomo LXX.—Madrid, Imprenta de Miguel Ginesta, 1879. Páginas 595 a 598.)

CARTA DE BERNAL DÍAZ DEL CASTILLO AL REY, DE 29 DE ENERO DE 1567

Católica Real Magestad. Como de muchos años atrás mis antepasados hayan sido criados de los Católicos reyes de buena memoria vuestros abuelos, y yo asimismo he servido al cristianísimo Emperador nuestro señor vuestro padre, de gloriosa memoria, y soy uno de los primeros descubridores y conquistadores que ha habido en la Nueva España y vuestro regidor de esta ciudad de Santiago de Guatemala, y en el año de 550 ocurrí a vuestra real corte a ciertos negocios, siendo vuestro presidente de vuestro real Consejo de Indias el marqués de Mondéjar, el cual me mandó, confiado en mi fidelidad, que si viese algunas cosas que en esta gobernación se hacían no tan conforme a vuestro real servicio como debían, que diese aviso de ello, y a esa causa he escrito tres veces a vuestro real Consejo de Indias cosas que se convenían saber, y de todo lo que hice relación se aprobó por muy bueno.

Y ahora sabrá Vuestra Magestad que tuvimos por cartas que de vuestra real corte se escribieron, ciertos vecinos que de esta ciudad habían ido a ella con negocios, que un procurador que de esta provincia enviamos, en lugar de suplicar a Vuestra Magestad lo que en una instrucción le dimos, da peticiones y en ellas pide que vuelva a esta ciudad por presidente el licenciado Landecho, el cual se fue huyendo porque vio que en la residencia que le tomaba el licenciado Francisco Briceño, que por mandado de Vuestra Magestad vino a ello y a mudar vuestra Real Audiencia a Panamá, le halló muy culpado en no cumplir vuestros reales mandos como en otras muchas cosas feas, y en distribuir con sus cuñados y parientes, y otras personas que no tenían méritos, cantidad de pesos de oro que son de Vuestra Magestad, los cuales le mandaba pagar. También escribieron los vecinos que dicho tengo, que nos avisaron que tres vecinos de esta ciudad que se fueron huyendo en compañía del licenciado Landecho por delitos que habían hecho y por deudas que deben, ayudaban a dar las peticiones a nuestro procurador y aun aprobaba con ellos lo que pedía: bien entendido tengo, invictísimo Rey y señor nuestro, que los de vuestro real Consejo en todo desean acertar y hacer justicia, y habrán considerado que hasta ver la residencia de Landecho no proverán cosa de lo que el procurador y sus consortes piden, pues no es justo ni tal poder de esta ciudad llevó y aunque el Landecho por vía de suplicación que a Vuestra Magestad supliquen en aquel caso, por que después que hayan visto sus cargos y los deservicios que a Vuestra Magestad ha hecho, tengo creído que como en Vuestra Magestad resplandece la recta justicia, que antes le mandará castigar y que pague lo que debe a vuestra real corona por manera que, cristianísimo rey nuestro, no conviene que vuelva a esta ciudad con cargo ninguno, porque será causa de muchos escándalos y cizañas, y porque vuestro real nombre y justicia teman todos los jueces que enviare a otras provincias, de no hacer otra cosa, salvo lo que por Vuestra Magestad le fuere mandado; ya he hecho relación de lo que conviene a vuestro real servicio.

Razón es, altísimo rey y lleno de todas las virtudes, que también sepa de lo que he sentido yo y otros caballeros y religiosos de buena vida, de la persona del licenciado Briceño, que es el que he dicho que por mandado de Vuestra Magestad vino a estas provincias por visitador y gobernador y a mudar vuestra real Audiencia a Panamá: digo que sin falta ninguna es uno de los rectos jueces que en estas partes se han visto, que por su padre no torcerá la justicia, y diré que para eso le envió a estas partes Vuestra Magestad, y de más de jactanciarse de ello y tenerse en aquel punto, en todo muestra mucha gravedad, y cuando está en los estrados asistiendo representa muy bien ser juez de tan justificado rey como es Vuestra Magestad, y es muy acatado y honrado de todos los buenos y temido de los malos, y los indios naturales ruegan a Dios por su vida porque en todo los ayuda y les es muy acepto.

Sepa Vuestra Magestad que, a lo que he entendido, se querría ir a Castilla a su mujer e hijos: Vuestra Magestad, si es servido, no le mande dar tal licencia, porque como he dicho es juez con quien puede Vuestra Magestad descargar su real conciencia y en todo le es gran servidor, puesto que allá Vuestra Magestad como a tal criado le quiera dar otros mayores cargos, más conviene para esta tierra pues está tan apartada de vuestra real presencia.

De todo esto que doy por relación a Vuestra Magestad del licenciado Francisco Briceño todo lo saben bien en vuestro real Consejo de Indias, por la fama que tiene, así de lo que en estas provincias ha hecho como en lo que en el Nuevo Reyno hizo en el tiempo que fue oidor y tomó residencias, en todo lo que le hallaron buen juez; y como yo soy criado de Vuestra Magestad, viejo de setenta y dos años doy muchas gracias a nuestro Señor Dios que en mis días está en esta tierra tal juez.

Y en hacer esta relación cumplo a fidelidad que debo a Vuestra Magestad, la cual suplico sea servido aceptar por buena, y cuando otra cosa se hallare me mande cortar la cabeza como aquel que no dice verdad a su rey y señor. Nuestro señor Jesucristo guarde a Vuestra Magestad y le dé muchos años de vida, con acrescentamiento de mayores reinos, para su santo servicio. Amén. De Guatemala, 29 de enero de 1567 años.—Católica Real Magestad, beso los reales pies de Vuestra Magestad, vuestro criado. Bernal Díaz del Castillo. (Rubricado).—(En el sobre): A la Católica Real Magestad del invictísimo Rey de las Españas Don Felipe Nuestro Señor.

"Vista y no hay que responder."

(*Anales del Museo N. de Arqueología,* citado. Cuarta época. Tomo VIII. Página 608.)

PROBANZA DE LOS MÉRITOS Y SERVICIOS DE BARTOLOMÉ BECERRA

Petición e interrogatorio. Muy poderoso señor: Francisco Díaz del Castillo, vecino de esta ciudad, vuestro corregidor del partido de Suchitepeques, de esta provincia de Guatemala, hijo legítimo de Bernal Díaz del Castillo, vecino y regidor de esta ciudad y de Teresa Becerra, su mujer, digo: que yo tengo necesidad de hacer probanza de los méritos y servicios de dicho mi padre y de Bartolomé Becerra, mi abuelo, padre de la dicha Teresa Becerra, mi madre, y de mis servicios y de mi habilidad y suficiencia, y de como soy casado, y sustento casa con armas y caballos para ocurrir a vuestra Real persona, para que me haga la merced que fuere servido; por lo cual a vuestra Alteza pido y suplico, me mande recibir información pública de lo susodicho, citado el fiscal y que los testigos examinen por estas preguntas y se me dé de ello uno, o dos o más traslados. Y asimismo se mande hacer la secreta, y con el parecer se envíe al Real Consejo de las Indias según la orden que vuestra Alteza tiene dada; para lo cual pido justicia.

I.—Primeramente si conocen a mí el dicho Francisco Díaz del Castillo, y si saben que yo soy hijo legítimo de Bernal Díaz del Castillo, vecino y regidor de esta ciudad, y de Teresa Becerra, su mujer, hija de Bartolomé Becerra, asimismo vecino y regidor que fue de esta ciudad; y si saben que el dicho Bernal Díaz del Castillo y Teresa Becerra son casados y velados según orden de la Santa Madre Iglesia, y durante el dicho matrimonio me hubieron y procrearon por tal su hijo mayor. Digan lo que saben, etc.

II.—Item. Si saben, tienen noticia y han oído decir a sus predecesores y mayores, y es público y notorio en esta ciudad y en toda la Nueva España, que el dicho Bernal Díaz del Castillo es el más antiguo descubridor y conquistador de la Nueva España, porque vino en compañía de Francisco Hernández de Córdoba, primer descubridor, y segunda vez con Juan de Grijalva a la provincia de Yucatán, y después tercera vez con D. Fernando Cortés y con los demás conquistadores, en la pacificación, toma y conquista de México y de todas sus provincias; y vino en su compañía conquistando y pacificando hasta Honduras: en todas las cuales cosas sirvió el dicho Bernal Díaz del Castillo como muy buen caballero, y de los más principales conquistadores que a estas partes han pasado, con sus armas, caballos y criados a su costa y minción, hasta que todo se pacificó en servicio de Dios y de su Majestad. Digan, etc.

III.—Item. Si saben que el dicho Bartolomé Becerra padre de la dicha Teresa Becerra, mujer del dicho Bernal Díaz del Castillo y madre del dicho Francisco Díaz del Castillo, fue uno de los primeros conquistadores de estas provincias de Guatemala, y que bien sirvieron en ellas a su Majestad en la conquista y pacificación de los naturales, y fue vecino y regidor de esta ciudad y uno de los hombres más principales que en ella hubo; sin quedar del dicho Bartolomé Becerra otro hijo ni heredero más que la dicha Teresa Becerra, la cual fue y es su hija y por tal la tuvo, nombró y dejó; y sustentó su casa y familia con armas, caballos y criados en servicio de su Majestad hasta que murió. Digan, etc.

IV.—Item. Si saben que el dicho Francisco Díaz del Castillo es una de las personas que esta Real Audiencia y gobernadores generales de ella han tenido y tienen en mucha estimación y confianza, y como tal le han proveído, de diez años a esta parte sin cesar, en muchos oficios y cargos y comisiones del servicio de su Majestad y de los mejores y más principales de esta tierra; en donde ha servido a Dios Nuestro Señor y a Su Majestad, teniendo especial cuenta en la doctrina, justicia y aumento de los naturales, usando y ejerciendo los dichos cargos con mucha rectitud y suficiencia, dando muy buena cuenta de su persona y oficios, como constará de los títulos y testimonios de sus residencias, las cuales se muestren a los testigos. Digan, etc.

V.—Item. Si saben que el dicho Francisco Díaz del Castillo es casado según orden de la Santa Madre Iglesia con doña Magdalena de Lugo, de la cual tiene cinco hijos, y aunque sustenta muy buena casa con armas, caballos y criados para con ellos servir a Su Majestad, es muy pobre por no tener hacienda ninguna de qué se sustenten, si no es de la merced y proveimiento que en su persona siempre se han hecho, y así padece y ha padecido mucha necesidad. Digan, etc.

VI.—Item. Si saben que el dicho Francisco Díaz del Castillo es buen cristiano, temeroso de Dios, hombre honrado y muy principal, de mucha verdad, habilidad y suficiencia, y persona tal en quien cabrá cualquier merced y favor que su Majestad le haga, aunque sea de las más calificadas de esta tierra. Digan, etc.

VII.—Item. Si saben que todo lo susodicho es público y notorio y de ello hay pública voz y fama.—Francisco Díaz del Castillo.

Presentación de testigos.—En la ciudad de Santiago, de la provincia de Guatemala, a diez días del mes de febrero de mil quinientos setenta y nueve, ante los señores Presidente y oidores de esta Audiencia fue leída esta petición; y por los dichos señores vista, dijeron, que la pública se haga, y la secreta al acuerdo.—Francisco de SS.º

Y leída la dicha petición, fue habida por presentada con el dicho interrogatorio, y mandaron que se hiciese la información pública, ante receptor a quien cupiere por repartimiento, y la secreta al acuerdo. Pasó en faz del licenciado Eugenio Salazar, fiscal de la dicha Real Audiencia, y fue citado en forma.

Haga esta probanza Grijalva, que cabe por repartimiento.

Probanza de Francisco Díaz del Castillo.—Y después de lo susodicho en la dicha ciudad de Guatemala, a los dichos doce días del mes de febrero del dicho año de mil quinientos setenta y nueve años en presencia y por ante mí el escribano de yuso scripto y testigos, pareció presente el dicho Francisco Díaz del Castillo, y para la dicha información pública, que tiene pedida se haga de méritos y servicios, dijo: Que presentaba y presentó por testigo a Antonio Ortiz de Leyva, vecino de esta ciudad, del cual fue tomado y recibido juramento por Dios Nuestro Señor y por una señal de cruz en que puso su mano derecha y lo hizo en forma de derecho, y so cargo de él prometió decir y declarar verdad; y al fin de él dijo: "sí juro" y "amén". Y preguntado y examinado por el tenor de las preguntas del dicho interrogatorio, dijo lo siguiente:

I.—De la primera pregunta dijo este testigo: Que sabe la pregunta como en ella se contiene, porque conoce al dicho Francisco Díaz del Castillo desde que nació y sabe que es hijo de Bernal Díaz del Castillo y Teresa Becerra su mujer, los cuales son casados y velados según orden de la Santa Madre Iglesia Romana, y se halló presente a sus velaciones y casamiento, y vio criar en su casa al dicho Francisco Díaz del Castillo desde niño recién nacido hasta que se casó, llamándole hijo y él a ellos padre y madre; y por tales marido y mujer y padres e hijo han sido y son habidos y tenidos y comúnmente reputados, y este testigo por tales los tiene; y porque el dicho Bartolomé Becerra tenía y criaba en su casa a la dicha Teresa Becerra por su hija, llamándola hija y ella a él padre, y por tal es habida y tenida comúnmente reputada. Y esto responde a esta pregunta.

II.—De la segunda pregunta dijo este testigo: Que por público y notorio y cosa cierta este testigo oyó decir a hombres viejos conquistadores, que decían habían estado en partes que la pregunta dice, que el dicho Bernal Díaz del Castillo había sido conquistador en las partes y lugares que la pregunta dice, y que había venido con los capitanes contenidos en la pregunta; y sabe este testigo, que vino el dicho Bernal Díaz del Castillo de la provincia de México a la provincia de Honduras con el dicho Fernando Cortés, porque este testigo le vio en esta provincia de Guatemala con otros soldados estando este testigo en la guerra que a la sazón había y volvieron de Honduras a las dichas provincias; en todo lo cual, como tiene dicho, fue muy público y notorio que dicho Bernal Díaz del Castillo sirvió a Su Majestad, además de haber rodeado toda la tierra de las provincias de México y estas de Guatemala, como muy buen soldado y con sus armas y criados y a su costa, hasta que se pacificaron y conquistaron todas estas provincias; y en esto el dicho Bernal Díaz del Castillo sirvió muy bien a Su Majestad, y así ha sido y es público y notorio, y no ha visto ni oído otra cosa en contrario, y esto responde.

III—De la tercera pregunta dijo este testigo, que la sabe como en ella se contiene porque este testigo fue uno de los conquistadores de esta dicha provincia y de la de Honduras, y lo vio así ser, y pasar todo como la pregunta lo dice y declara, y es así público y notorio y pública voz y fama, y esto responde a ella.

IV.—De la cuarta pregunta dijo este testigo, que el dicho Francisco Díaz del Castillo es y ha sido tal persona como la pregunta dice; y la dicha Real Audiencia y gobernadores generales del distrito de ella, le han cometido comisiones así de corregidor como otras, en que ha servido a Su Majestad como hombre de bien y honrado y buen juez; y habiéndole sido mostradas a este testigo las sentencias de dos procesos de residencia que le fue tomada del cargo de corregidor en ellas, y dado por libre el dicho Francisco Díaz del Castillo, y sin costas como en ella se contiene, a que se refiere: y esto responde a esta pregunta.

V.—De la quinta pregunta dijo este testigo, que el dicho Francisco Díaz del Castillo es casado según orden de la Santa Madre Iglesia con doña Magdalena de Lugo, su mujer, porque este testigo les vio casar y velar y hacer vida maridable, y tienen los hijos que la pregunta dice; y aunque el dicho Francisco Díaz del Castillo sustenta buena casa, armas y caballos y criados para servir a Su Majestad, sabe este testigo que está pobre y padece necesidad, porque este testigo sabe que no tiene ninguna hacienda de que se pueda sustentar, si no es de los corregimientos y otras comisiones que se le han dado y cometido; y con esto pasa con necesidad y trabajo. Y esto responde a esta pregunta y sabe de lo en ella contenido.

VI.—De la sexta pregunta dijo este testigo, que el dicho Francisco Díaz es buen cristiano, temeroso de Dios y es hombre honrado y principal y hombre de mucha habilidad y suficiencia, porque le ha tratado y comunicado muchas veces, y ha visto y ver ser así como la pregunta lo dice y declara; y es persona en quien cae derecha cualquier merced y favor que Su Majestad sea servido de hacerle, aunque sea de las buenas que en esta provincia Su Majestad hace a personas semejantes, principales y honradas como lo es el dicho Francisco Díaz del Castillo. Y esto responde a esta pregunta y sabe de ella.

VII.—De la última pregunta dijo este testigo, que dice lo que tiene dicho en las preguntas antes de ésta, y de ello es público y notorio y pública voz y fama entre las personas que de ello tienen noticia, como este testigo. Y esto responde, y que es verdad lo en ellas contenido y se ratificó en ello siéndole leído y firmólo de su nombre, y dijo ser de edad de setenta años poco más o menos, y que no le tocan las generales que le fueron hechas.—Antonio Ortiz de Leyva.—Pasó ante mí Pedro de Grijalva, escribano de Su Majestad.

Juan Rodríguez Cabrillo de Medrano. Vecino de Santiago de Guatemala, dijo:

I.—Que conoce al dicho Bernal Díaz del Castillo y a Teresa Becerra su mujer, y a Francisco Díaz del Castillo que pide, y conoció a Bartolomé Becerra, todos contenidos en la dicha pregunta; y sabe que los dichos Bernal Díaz del Castillo y Teresa Becerra su mujer son casados y velados, según orden de la Santa Madre Iglesia Romana, y durante el matrimonio entre ellos hubieron y procrearon por su hijo legítimo al dicho Francisco Díaz del Castillo, porque por tal su hijo se le ha visto tratar y criar desde niño recién nacido, llamándole hijo y él a ellos padre y madre; y asimismo este testigo conoció al dicho Bartolomé Becerra, el cual, sabe por cosa pública y notoria que fue padre de la dicha Teresa Becerra, madre del dicho Francisco Díaz del Castillo, y por tales marido y mujer, padres e hijo sabe que han sido habidos y tenidos y comúnmente reputados; y este testigo por tales los ha tenido y tiene, y no ha oído otra cosa en contrario.

II.—Que públicamente ha oído decir a algunos vecinos de esta ciudad, hombres viejos y conquistadores de estas provincias, que el dicho Bernal Díaz del Castillo fue uno de los primeros conquistadores y descubridores que vinieron a la Nueva España y provincia de Yucatán en compañía del capitán Francisco Hernández de Córdova, y después con Juan de Grijalva; y vueltos éstos a la Isla de Cuba volvió tercera vez el dicho Bernal Díaz del Castillo con D. Hernando Cortés, y con él se halló en la conquista, pacificación y toma de las provincias de México, hasta que quedaron todas pacíficas y en servicio de Su Majestad: y que esto es tan público y notorio, que otra cosa no hay en contrario en esta ciudad y provincia, como más largamente este testigo dijo constaba por informaciones que el dicho Bernal Díaz del Castillo ha hecho, de que han resultado cédulas de Su Majestad, que este testigo ha visto y por una crónica que el dicho Bernal Díaz del Castillo ha escrito y compuesto de la conquista de toda la Nueva España, que se envió a Su Majestad el Rey D. Felipe nuestro señor, la cual este testigo ha visto y leído; y entiende, que según y de la forma y manera que el dicho Bernal Díaz del Castillo ha tratado y trata su persona y casa, que ha sido con mucho esplendor y abundancia de armas y caballos y criados, como muy buen caballero y servidor de Su Majestad y de la misma suerte hay noticia lo hizo en las dichas conquistas y de ello hay noticia.

III.—Que conoció al dicho Bartolomé Becerra, padre de la dicha Teresa Becerra, desde que se sabe acordar hasta que murió, porque es natural este testigo y nacido en esta dicha ciudad; y este testigo ha oído decir a hombres viejos conquistadores, que el dicho Bartolomé Becerra había sido uno de los primeros conquistadores que en esta tierra y provincias de Guatemala hubo, y que había venido en compañía del adelantado D. Pedro de Alvarado de la dicha provincia de México, y que había sido uno de los principales hombres que en esta ciudad había habido, y así fue vecino y regidor de ella. Y entiende este testigo que el dicho Bartolomé Becerra no dejó otro hijo ni hija sino solamente a la dicha Teresa Becerra; y como tiene dicho, por la tal su hija habida y tenida y estimada, y quedó al fin de su muerte; y este testigo vio que tuvo el dicho Bartolomé Becerra una de las principales casas que hubo en dicha ciudad con abundancia de armas y caballos para servir a Su Majestad.

IV.—Que sabe y ha visto que el dicho Francisco Díaz del Castillo es una de las personas que con mucha estimación los presidentes y gobernadores generales de estas provincias le han honrado y estimado y proveídole en muchos cargos y oficios del servicio de Su Majestad, porque este testigo le ha visto servir los corregimientos de Tecpan-Atitlan y el de Totonicapa y el de Gamayaque y San Luis, y el de la provincia de los Suchitepeques que al presente sirve, y en otras muchas comisiones de mucha calidad y confianza; y de todos los dichos cargos y oficios ha dado muy buena cuenta como consta de las residencias y las sentencias, las cuales este testigo ha visto, y es público y notorio, sin haber otra cosa en contrario, y los ha usado con mucha justificación y bondad; y este testigo le tiene por uno de los hombres honrados y principales, hábiles y suficientes que Su Majestad tiene en esta tierra para servirse de ellos, y es modesto y buen cristiano; lo cual sabe por haberse criado y vivido ambos a dos en esta ciudad y haberlo así visto ser, y pasar como lo tiene dicho.

V.—Que sabe que el dicho Francisco Díaz del Castillo es casado con doña Magdalena de Lugo, su mujer, según orden de la Santa Madre Iglesia Romana, en la cual tiene cinco hijos; y aunque el dicho Francisco Díaz del Castillo sustenta bien su casa con criados, armas y caballos para servir a Su Majestad, sabe este testigo que está pobre y necesitado, porque no tiene ni le conoce bienes ningunos, ni hacienda de que se pueda sustentar, si no es de la merced que los gobernadores generales de esta provincia le hacen, como tiene dicho, de que se ha sustentado y sustenta; y por ser hombre honrado y buen cristiano no sale de los dichos cargos y oficios, aprovechando de manera que le sobre cosa alguna, y así este testigo sabe, y ha visto por vista de ojos que ha padecido y padece necesidad.

VI.—Que sabe que el dicho Francisco Díaz tiene las calidades y ser que en esta pregunta se declara, y por tal le conoce y ha tratado y comunicado muchas y diversas veces, desde que nació, por haberse criado juntos en esta ciudad y haberlo así visto ser y pasar como lo tiene declarado: el cual dicho Francisco Díaz del Castillo es hombre de mucha verdad y suficiencia y cabrá en él cualquiera merced que Su Majestad sea servido hacerle en estas partes de las provincias de Guatemala, así en proveerle en alguna gobernación o alcaldía mayor como en otro cualquier cargo y comisión de esta tierra, porque lo merece todo y cabe en su persona, por ser tal como tiene dicho y declarado.

VII.—Que dice lo que tiene dicho, en que se afirma y ratifica, y que es verdad y de nuevo lo dice otra vez; y firmólo de su nombre, y dijo ser de edad de cuarenta y tres años, poco más o menos, y que no es pariente ni enemigo de los susodichos ni le tocan las demás de la Ley.

Diego Ramírez, vecino y alcalde ordinario de la misma ciudad de Santiago de Guatemala, dijo:

I.—Que conoce al dicho Francisco Díaz del Castillo y a Bernal Díaz del Castillo y a Teresa Becerra, su mujer, y sabe que los dichos Bernal Díaz del Castillo y Teresa Becerra son casados y velados según orden de la Santa Iglesia Romana; y durante el matrimonio entre ellos sabe que han tenido y tienen por su hijo legítimo al dicho Francisco Díaz del Castillo, porque este testigo les ha visto hacer vida maridable y tener y criar en su casa al dicho Francisco Díaz del Castillo llamándole hijo y él a ellos padre y madre; y por tales marido y mujer este testigo les ha tenido y tiene, y por tal su hijo, y son habidos y tenidos. Y asimismo conoció a Bartolomé Becerra, vecino y regidor que fue de esta dicha ciudad, ya difunto, padre de la dicha Teresa Becerra, la cual es habida y tenida por hija del dicho Bartolomé Becerra, y ello es público y notorio.

II.—Que este testigo, por cosa pública y notoria y cierta, ha oído decir en esta ciudad de Guatemala, y en la Nueva España a donde ha estado que dicho Bernal Díaz del Castillo es uno de los más antiguos descubridores y conquistadores de la Nueva España, por haber venido a ella con los capitanes que la pregunta dice; y que en la dicha conquista, descubrimiento y pacificación de la tierra sirvió muy bien y como muy buen soldado, sirviendo a Su Majestad hasta que la dicha tierra se conquistó y pacificó y quedó sujeta al dominio de Su Majestad; y por ser tan público y notorio, y haberlo este testigo oído decir a conquistadores viejos, no tiene duda de ello.

III.—Que es cosa pública y notoria, y por tal este testigo ha oído decir, que el dicho Bartolomé Becerra padre de la dicha Teresa Becerra madre del dicho Francisco Díaz, mujer del dicho Bernal Díaz, fue de los primeros conquistadores de estas provincias de Guatemala, y de los que bien en ella sirvieron a Su Majestad hasta conquistarla y pacificarla; y este testigo le conoció vecino y regidor de esta ciudad, y tenido en reputación de los principales vecinos de ella. Y que este testigo no sabe ni ha oído que el dicho Bartolomé Becerra dejase otro hijo ni heredero más que a la dicha Teresa Becerra, madre del dicho Francisco Díaz; y el dicho Bartolomé Becerra sustentaba y sustentó en esta ciudad casa principal como muy bien vecino y principal poblador.

IV.—Que este testigo tiene al dicho Francisco Díaz del Castillo por persona muy honrada, y ha visto que los gobernadores que ha habido en esta provincia de algunos años a esta parte, haciendo confianza de su persona, le han proveído de oficios y cargos de justicia y otras comisiones; y este testigo le ha conocido corregidor en el pueblo de Tecpan-Atitlan, y en el pueblo de Quetzaltenango y en la costa de Zapotitlán, que son los principales partidos de corregimientos de esta tierra, y de los dichos oficios ha dado residencia y buena cuenta de ellos; por donde parece haberlos usado bien y fielmente y con rectitud: y este testigo ha visto las sentencias de las residencias que ha dado de los dichos oficios, en que ha sido dado por libre y sin costas.

V.—Que este testigo sabe que el dicho Francisco Díaz del Castillo es casado y velado según orden de la Santa Madre Iglesia con doña Magdalena de Lugo, porque le ha visto y ve hacer vida maridable, y esto es cosa muy pública y notoria; de la cual dicha su mujer tiene hijos, y sustenta honrada casa con armas y caballos y criados, y sabe que el dicho Francisco Díaz está con necesidad por no tener otra hacienda más de los proveimientos que de los dichos oficios en él se han hecho; los salarios de los cuales aún no bastan para sustentarse a sí y a su mujer, casa y familia, y padece necesidad; lo cual sabe por conversarle y tratarle y ser así cosa cierta.

VI.—Que este testigo tiene al dicho Francisco Díaz del Castillo por tal persona como la pregunta dice, y en tal posesión y opinión es habido y tenido; y por ser tal, cualquier merced que Su Majestad fuere servido de hacerle cabrá en su persona.

VII.—Que dice lo que dicho tiene en las preguntas de suso, en que se afirma y es la verdad; y lo firmó de su nombre, y que es de edad de más de cincuenta años.

Álvaro de Paz, vecino de esta dicha ciudad, dijo:

I.—Que conoce a los dichos Bernal Díaz del Castillo y Teresa Becerra, su mujer, y al dicho Francisco Díaz del Castillo y Bartolomé Becerra y cada uno de ellos, y sabe que el dicho Francisco Díaz del Castillo es hijo legítimo de los dichos Bernal Díaz del Castillo y Teresa Becerra, su mujer, y lo hubieron durante el matrimonio entre ellos; y la dicha Teresa Becerra fue y es habida y tenida por hija del dicho Bartolomé Becerra, sin haber tenido ni sabido este testigo otra cosa en contrario, y por tal marido y mujer padres e hijos han sido y son habidos y tenidos, y por tales los tiene.

II.—Que este testigo habrá cincuenta y cinco años, poco más o menos que pasó a estas partes de las Indias, y conoció al dicho Bernal Díaz del Castillo, en la Nueva España, en la ciudad de la Veracruz, que venía a ciertos negocios el cual era público y notorio, y lo oyó decir a muchos conquistadores de la dich Nueva España, que el dicho Bernal Díaz fue uno de los primeros descubridores y conquistadores de la dicha Nueva España, y que había venido al descubrimiento y conquista de ella con los contenidos en la pregunta y que así ha servido muy principalmente a Su Majestad.

III.—Que este testigo ha más de cuarenta y seis que reside en esta ciudad, donde conoció al dicho Bartolomé Becerra abuelo del dicho Francisco Díaz, que era regidor de esta ciudad y de los más principales que en ella había, y era tenido por uno de los primeros conquistadores que habían venido a ella en compañía del Adelantado D. Pedro de Alvarado, gobernador y capitán general y primer gobernador que en ella hubo; y que este testigo conoció después casado, y que no hubo en la dicha su mujer ningún hijo ni entiende que lo dejó, porque de su muerte posee los indios que tenía en encomienda doña Juana de Saavedra, que fue su mujer, y por esto entiende que no tuvo otro hijo sino fue la dicha Teresa Becerra, que era tenida por su hija; y que este testigo vio que sustentaba una de las principales casas que había en esta tierra con armas y criados y caballos hasta que murió.

IV.—Que este testigo ha visto que muchos años han proveído al dicho Francisco Díaz del Castillo, los que han gobernado esta tierra, por corregidor de algunos pueblos de Su Majestad y de otros particulares, en los cuales este testigo ha oído por público y notorio que los ha usado con mucha justicia y cristiandad y bondad, y ha visto algunas residencias que ha dado, en las cuales nunca ha visto que le hayan condenado en ninguna de ellas, antes dádole por libre y sin costas; y así lo tiene este testigo por muy noble y virtuoso, y casado con una persona muy principal, hijodalgo de muy principales hidalgos.

V.—Que dice lo que dicho tiene en las preguntas antes de ésta, y que este testigo ha visto que hace vida maridable con la dicha doña Magdalena, su mujer, la cual es tal persona como la pregunta dice y contiene declarado en la pregunta antes de ésta; y que sustenta casa, armas y caballos para servir a Su Majestad, cada que se ofrezca.

VI.—Que este testigo tiene, como dicho tiene, al dicho Francisco del Castillo por tal persona como la pregunta lo dice y que atento a ello Su Majestad le podrá hacer la merced que fuere servido, pues cabrá en su persona.

VII.—Que dice lo que dicho tiene en las preguntas antes de ésta a que se refiere, y es la verdad para el juramento que tiene hecho; es de edad de más de setenta años, y lo firmó de su nombre.

Juan de Morales, vecino de la misma ciudad y encomendero, dijo:

I.—Que conoce a los dichos Bernal Díaz del Castillo y Teresa Becerra, su mujer, y a Francisco Díaz del Castillo, y conoció asimismo al dicho Bartolomé Becerra contenido en esta pregunta; y sabe que los dichos Bernal Díaz del Castillo y Teresa Becerra, su mujer, son casados y velados según orden de la Santa Madre Iglesia, porque, además de ser público y notorio y cosa cierta, desde que este testigo se sabe acordar, les ha visto y ve hacer vida maridable como tales marido y mujer juntos en una casa; y durante el matrimonio entre ellos vio y ha visto que han tenido y criado al dicho Francisco Díaz del Castillo por su hijo legítimo, llamándole hijo y él a ellos padre y madre, y por tales marido y mujer, padres e hijo este testigo los ha tenido y tiene y por tales son habidos y tenidos y comúnmente reputados en esta ciudad, entre los vecinos de ella, sin haber otra cosa en contrario. Y es cosa pública y notoria en esta ciudad, entre los dichos vecinos, que la dicha Teresa Becerra es hija del dicho Bartolomé Becerra y este testigo se la vio tener y criar en su casa llamándola hija y ella a él padre.

II.—Que ha oído decir a personas conquistadores y hombres viejos que viven en esta ciudad, y especialmente a Francisco de León, que fue conquistador de los más antiguos, que el dicho Bernal Díaz del Castillo había sido uno de los antiguos descubridores y conquistadores de la Nueva España, y que había venido en compañía de Francisco Hernández de Córdova, primera vez, y segunda con Juan de Grijalva y tercera con D. Hernando Cortés, Marqués del Valle, contenidos en la pregunta, donde se había hallado con los demás conquistadores en la pacificación y conquista de México y sus provincias, y que había venido pacificando la tierra hasta Honduras, que es en estas provincias de Guatemala, distrito de la dicha Real Audiencia; y que en todo, el dicho Bernal Díaz del Castillo había servido como uno de los buenos caballeros y conquistadores de las dichas conquistas, con sus armas y criados y caballos, y a su propia costa y munición hasta que se acabaron las dichas provincias de conquistar y pacificar como Dios fue servido, y sirviendo a Su Majestad.

III.—Que en lo que toca a aquel dicho Bartolomé Becerra fue uno de los primeros conquistadores de estas provincias de Guatemala, este testigo lo ha oído decir por público y notorio entre conquistadores y hombres viejos de esta ciudad, y que había el dicho Bartolomé Becerra servido en las dichas provincias de Su Majestad en la conquista y pacificación de los naturales; y sabe este testigo que fue vecino y regidor de esta ciudad y uno de los principales hombres que en ella hubo, porque él lo vio por vista de ojos, por ser nacido y criado en la dicha ciudad, y sabe que no dejó otro hijo ni hija sino fue a la dicha Teresa Becerra que él dejó y tuvo por tal, como tiene referido en la primera pregunta de suso, el cual sustentó, todo el tiempo que este testigo le conoció hasta que murió, su casa y familia con armas, caballos y criados para servir a Su Majestad muy honradamente.

IV.—Que de muchos años a esta parte, que al presente no se acuerda cuántos, ha visto que los presidentes y gobernadores generales que han sido en la dicha Real Audiencia y oidores de ella, han proveído al dicho Francisco Díaz del Castillo, por ser persona tenida en mucha estimación y confianza y hombre honrado, en cargos de corregidor y otras comisiones, así de cuentas de indios como de otra suerte, en que se sirvió Su Majestad, en lo cual el dicho Francisco Díaz del Castillo ha servido a Dios Nuestro Señor y a Su Majestad según lo que este testigo ha visto y entendido, teniendo especial cuenta en la doctrina con los naturales y en la justicia y aumento de ellos; usando, como este testigo lo ha visto usar y ejercer, los dichos cargos con mucha rectitud y suficiencia, dando buena cuenta de su persona y oficios. Y habiéndole sido mostradas las sentencias y testimonios de ellas, se refirió a todo ello.

V.—Que sabe que el dicho Francisco Díaz del Castillo es casado, y velado según orden de la Santa Madre Iglesia, con doña Magdalena de Lugo, su mujer, en la cual, durante el matrimonio, ha habido cinco hijos que tiene, todos vivos; y aunque el dicho Francisco Díaz del Castillo sustenta buena casa con armas, criados y caballos, para con todo servir a Su Majestad, es pobre y no tiene hacienda alguna de qué poderse sustentar, si no es de los proveimientos y comisiones que le han dado en la dicha Real Audiencia, como tiene referido; y así ha padecido y padece necesidad, hasta que suceda por muerte al dicho su padre en la encomienda de indios; lo cual este testigo sabe por haberlo visto por vista de ojos.

VI.—Que al dicho Francisco Díaz del Castillo, este testigo le tiene por buen cristiano, temeroso de Dios, y es hombre honrado y principal y hombre de mucha verdad, y que tiene habilidad y suficiencia y persona tal, en quien cabrá cualquier merced y favor que Su Majestad fuese servido de hacerle. Y esto sabe este testigo por ser, como tiene dicho, vecino y natural de esta ciudad, y haber tratado y comunicado muchas y diversas veces al dicho Francisco Díaz del Castillo.

VII.—Que dice lo que dicho tiene en las preguntas de suso a que se refiere, y es la verdad para el juramento que hizo. Y siéndole leído su dicho se ratificó en él y lo firmó de su nombre, y que es de edad de cuarenta y cinco años.

Alonso de Vides, tesorero, juez oficial de la Real Hacienda, vecino de la dicha ciudad de Santiago, dijo:

I.—Que conoce a los dichos Bernal Díaz del Castillo y Teresa Becerra, su mujer, y conoce a Francisco Díaz del Castillo, que pide, y a cada uno de ellos, y no conoció al dicho Bartolomé Becerra más de haberlo oído decir; y que sabe que los dichos Bernal Díaz del Castillo y Teresa Becerra su mujer son casados y velados según orden de la Santa Madre Iglesia, y tienen y es habido y tenido el dicho Francisco Díaz del Castillo por su hijo mayor legítimo, porque este testigo les ha visto y ve hacer vida maridable y tenerle por tal su hijo al dicho Francisco Díaz del Castillo, y por tales marido y mujer son habidos y tenidos y comúnmente reputados en esta ciudad entre los vecinos de ella, y este testigo por tales los tiene. Y ha oído decir que el dicho Bartolomé Becerra fue vecino y regidor de esta ciudad, y que la dicha Teresa Becerra es su hija y que por tal la dejó.

II.—Que ha oído decir por cosa pública y notoria, que el dicho Bernal Díaz del Castillo, padre del dicho Francisco Díaz del Castillo, es uno de los más antiguos conquistadores que hay en la Nueva España, y por tal es habido y tenido.

III.—Que no conoció al dicho Bartolomé Becerra, y que dice lo que tiene dicho.

IV.—Que de cuatro años a esta parte, que este testigo ha que conoce al dicho Francisco Díaz del Castillo, el más tiempo le ha conocido en oficios de corregimientos, y que de ellos ha dado buena cuenta, haciendo en ellos lo que es obligado, y que ha visto que en algunas de sus residencias le han dado por libre y buen juez, a las cuales se refiere.

V.—Que el dicho Francisco Díaz es casado con la dicha doña Magdalena de Lugo, su mujer, de la cual tiene hijos, no sabe cuántos, y que les tiene por pobres.

VI.—Que este testigo tiene al dicho Francisco Díaz del Castillo por buen cristiano y por hombre honrado y principal y de mucha confianza, y que cabe en él cualquiera merced que Su Majestad le haga.

VII.—Que dice lo que tiene dicho

en las preguntas antes de ésta, a que se refiere; lo cual dijo ser verdad y firmólo de su nombre, y dijo ser de edad de más de cuarenta años.

Gregorio de Polanco, vecino de la ciudad de Guatemala, y encomendero, dijo:

I.—Que conoce a los dichos Bernal Díaz del Castillo y Teresa Becerra su mujer y Francisco Díaz del Castillo, y a cada uno de ellos, y no conoció al dicho Bartolomé Becerra, contenidos en la dicha pregunta; y sabe que el dicho Bernal Díaz del Castillo es casado con la dicha Teresa Becerra según orden de la Santa Madre Iglesia, y ha visto que han tenido en su casa por su hijo legítimo al dicho Francisco Díaz del Castillo, porque este testigo ha visto y ve que los dichos Bernal Díaz del Castillo y su mujer han hecho y hacen vida maridable, juntos en su casa como tales, y por tales marido y mujer, padres e hijo este testigo les ha tenido y tiene y son habidos y tenidos. Y asimismo ha visto que ha sido habida y tenida la dicha Teresa Becerra, mujer del dicho Bernal Díaz del Castillo, por hija del dicho Bartolomé Becerra, aunque como dicho tiene, no lo conoció.

II.—Que de veintiocho años a esta parte, que ha que este testigo conoce al dicho Bernal Díaz del Castillo, ha oído decir en esta ciudad entre muchos vecinos de ella, así conquistadores como pobladores antiguos y otros vecinos, que el dicho Bernal Díaz del Castillo es uno de los primeros descubridores y conquistadores de la Nueva España, y que había venido en compañía de los dichos Francisco Fernández de Córdova y Juan de Grijalva y D. Hernando Cortés, contenidos en la pregunta, y que se había hallado con ellos, especialmente con el dicho Hernando Cortés en la conquista y pacificación de México y sus provincias, y que había venido en su compañía conquistando y pacificando hasta Honduras; y que en todo había servido el dicho Bernal Díaz del Castillo a Su Majestad como buen soldado, y de los buenos que había habido en las dichas conquistas, y que había trabajado en la dicha conquista y pacificación muy bien y como buen soldado.

III.—Que oyó decir este testigo en esta ciudad, entre los vecinos de ella, y así es público y notorio, que el dicho Bartolomé Becerra, contenido en la pregunta, fue uno de los primeros conquistadores de estas provincias de Guatemala, de los que en ello sirvieron bien a Su Majestad, y que fue vecino y regidor de esta dicha ciudad y uno de los más principales vecinos de ella; y que no quedó otro ningún hijo ni hija si no fue la dicha Teresa Becerra, mujer del dicho Bernal Díaz del Castillo, padre del dicho Francisco Díaz del Castillo, y que el dicho Bartolomé Becerra había sustentado y sustentó su casa y familia con armas, caballos, criados, muy principalmente en servicio de Su Majestad hasta que murió.

IV.—Que el dicho Francisco Díaz del Castillo es tal persona, que los presidentes y gobernadores generales le han encargado oficios de corregidor y otras comisiones, de diez años a esta parte en que ha servido a Su Majestad, y le han hecho caso por ser hombre honrado y principal y virtuoso; el cual ha dado siempre buena cuenta de los dichos oficios y cargos, como consta de sus residencias que ha dado, y sentencias en que, en alguna de ellas, está dado por libre y sin costas, a las cuales se remite.

V.—Que sabe que el dicho Francisco Díaz del Castillo es casado, según orden de la Santa Madre Iglesia, con la dicha doña Magdalena de Lugo contenida en la pregunta, y en ella tiene cuatro o cinco hijos, y aunque sustenta honradamente criados, armas y caballos como hidalgo, para con ello servir a Su Majestad, es pobre, porque no le conoce este testigo renta ni hacienda con que se pueda sustentar, si no es los cargos y comisiones que le han dado los presidentes y gobernadores de esta Audiencia; y así padece necesidad.

VI.—Que al dicho Francisco Díaz del Castillo le tiene este testigo por buen cristiano y temeroso de Dios, y, como tiene dicho es hombre honrado y principal, hombre de bondad y suficiencia y habilidad para cualquier cargo y oficio; que los presidentes gobernadores de esta provincia pueden proveer, y que cualquier favor y merced que Su Majestad fuere servido de hacerle cabrá en él.

VII.—Que dice lo que dicho tiene en las preguntas de suso a que se refiere, y es la verdad para el juramento que hizo; y siéndole leído su dicho se ratificó en él, y lo firmó de su nombre; y dijo ser de edad de más de cuarenta y siete años y que no le tocan ninguna de las generales de ley. Gregorio de Polanco. Ante mí Pedro de Grijalva, escribano de Su Majestad.

(Fuentes y Guzmán, Francisco Antonio. *Historia de Guatemala o Recordación Florida.* Madrid. 1882. Tomo I. Páginas 329 a 410.)

PODER OTORGADO POR DOÑA TERESA BECERRA, VIUDA DE BERNAL DÍAZ DEL CASTILLO, A FAVOR DE DON ÁLVARO DE LUGO, PARA QUE ÉSTE RECLAME EL ORIGINAL DE LA CRÓNICA DEL SOLDADO HISTORIADOR

"Sepan cuantos esta carta vieren como yo tereza bezerra biuda mujer que fui de bernal diaz del castillo difunto vzo. y regidor que fue desta muy noble y muy leal ciudad de santo. de la prova. de guata. yndias del mar oceano a donde yo rezido y soy vza. otorgo e conozco por esta presente carta que por lo que ami toca y asi mismo en nombre y en boz y como tutora y curadora que soy de mis hijos y erederos del dho. mi marido y por virtud de la tutela y curaduria que de sus personas y bienes me fue discernida por la justa. hordinaria desta ciudad ante juo. de guevara sno, puco. della en seis dias del mes de marzo del año pasado de mill y quios. y ochenta y quatro años doy y otorgo todo mi poder cumplido libre y eneyo bastante segun que yo por mi y como tal tutora lo he y tengo oy de derecho mas puede y debe baler al sor. don albaro de lugo vzo. desta ciudad que al presente ba a los reynos de españa para que por mi y en mi nombre parezca ante su magt. y de los señores de su real consejo de las yndias y ante otros qualesquier sus juezes e justicias y donde con dro. deba y pida reciba y cobre poder de qualesquier personas y doquier que estuviere una ystoria y coronica que el dho. bernal diaz del castillo mi marido hizo y ordeno escrita de mano del descubrimiento conquista y pacificación de toda la nueva españa como conquistador y persona que se hallo a ello presente la qual le pidio original enesta ciudad el doctor po. de villalobos presidente e gobernador que fue desta ciudad en la real audiencia que enella reside y la envio a su magt. y a los señores de su real consejo de yndias y cobrada y recibida pida y suplique se me haga merced a mi y a los dhos. mis hijos como sucesores del dho. bernal diaz de la emprenta de la dha. coronica por el tiempo que su magt. fuere servido enel qual otro ninguno la pueda ymprimir ni vender y pida otras qualesquier mercedes que su magt. sea servido de nos hacer por el trabajo costa y ocupación que el dho. bernal diaz tubo en ordenar y sacar en limpio la dha.

ystoria y sobre ello presentar qualesquier testimonios peticiones e provanzas y otros recaudos y hacer las demás diligencias y autos judiciales y estrajudiciales que sean necesarios por todas ynstancias y tribunales hasta conseguir y alcanzar las tales mercedes y sacar y recibir las cédulas y provisiones y títulos dellas de poder de los secretarios y escrivanos ante quien pasaren e otro si le doy este poder para que conseguida y alcanzada la dha. merced de la ympresion de la dha. ystoria y coronica o antes de alcanzado el derecho que a ella tenemos yo y mis hijos la pueda bender y benda a qualesquier ympresores y otras personas y por el precio mrs. y pos. *(maravedís y pesos)* de oro que le pareciere y concertare de contado y fiado y lo recibir y cobrar en su tiempo dar y otorgare por pago y renunciar las excepciones de pecunia y leyes de la entrega obligarme e a los dhos. mis hijos de saneamiento della y otorgar sobre dello las escrituras y contratos necesarios ante qualesquier escrivanos con las demás clausulas y capitulaciones poderios a las justas renunciaciones de leyes que sean necesarias que siendo por el dho. don alvaro de lugo en mi nombre y de hasy otorgadas y desde agora para entonces las hago y otorgo y lo contenido enellas cumplire y pagare y abre por firme sin ecetar reservar cossa alguna para todo ello y lo dello dependiente le doy e otorgo mi poder cumplido con libre y general y no limitada administración y con facultad al dho. don alvaro de lugo que lo pueda sostituyr en una persona dos o mas y los rebocar y tomar quenta y nombrar otro de nuebo y con sus yncidencias y dependencias anexidades y conexidades y le reliebo y a sus sostitos en forma de derecho y para aver por firme y bale doy yo este poder y lo que por virtud del fuere fecho recibido y otorgado y lo cumplir y aver por firme obligo mi persona y bienes abidos y por aver e doy e otorgo todo mi poder cumplido a qualesquier juezes e justicias de magt. de qualesquier partes fuero y jurisdiccion que sean donde por el dho. don alvaro de lugo fuere sometida e yo me someto con la dha. mi persona y bienes y renuncio mi domicilio y vecindad y la ley sit. conbenerit. de juramento o mi jurisdicción. para que por todo rigor de derecho en vias de executiva me compelan y apremien ale anssi cumplir y pagar y aver por firme y lo rrecibo desde agora por sentencia pasada en cosa juzgada y renuncio las leyes de mi favor y la que dice que general renunciacyon dell es nom vala y por ser mujer renuncio el beneficio del beliano y la nueva constitución y leyes de toro que son y fablan en favor de las mujeres de cuyo effecto me aviso el presente scrivano que fue fecha y otorgada en la dha. ciudad de santo. de guata. a veynte dias del mes de marzo de mill y quios. y ochenta y seis años y por no saber firmar rogue a un testigo lo firmase por mi e yo el presente escrivano doy fee que conozco a la dha. otorgante y es la misma aqui contenida testigos que fueron presentes alo. de bargas lobo y sebastian del castillo y po. mig. de sandoval. vebznos. desta ciudad.

a rruego y por tigo. (f) Also. Vargas lobo (rúbrica).—paso ante my (f) xpoval azetuno, scvio. de su magt. (rúbrica).—derechos 4 rs.

Nota.—Bernal Díaz del Castillo nació en 1496. Esta fecha la hemos deducido de las declaraciones que dio Bernal en los juicios de Probanzas de Méritos de doña Leonor de Alvarado, Diego de Holguín, Martín Gaspar y de algunos otros documentos, de cuya autenticidad no puede dudarse. En la probanza de Martín Gaspar, cuyo original está en el Archivo Colonial, dice Bernal: "y porque este testigo después de diez años vino a esta ciudad (es decir, llegó a Guatemala en 1548), donde agora es vecino y posó en casa de Diego Sánchez suegro del dicho

Gaspar Martín"... Con relación al año en que falleció Díaz del Castillo, tuvimos ocasión de leer en el "Libro de Cabildo" de los años 1577-1588, que se conserva en el archivo de la intendencia de la antigua Guatemala, registrado bajo el número 4 (numeración antigua y que corresponde al 7 de la moderna), al folio 154 vuelto, el voto que dio Bernal en la elección de los alcaldes ordinarios, el 2 de enero de 1583. Este voto no está firmado por Bernal. Los seis cabildos celebrados en 1583, no registran la asistencia del Regidor Díaz del Castillo, sino que hasta el primero del año siguiente que tuvo lugar el primer día de 1584, fecha en que dio su voto por los vecinos Diego Ramírez y Juan Cabrillo de Medrano (folios 167 y 167 vuelto). Pero, en el cabildo celebrado el día 3 de enero, día viernes, don Francisco Díaz del Castillo, hijo mayor de Bernal, da cuenta de que su padre está de muerte y que por ello, desde esa fecha, entra a servir el puesto de regidor que le correspondía, por habérselo traspasado su padre. No consta la fecha exacta del fallecimiento de Bernal Díaz del Castillo; pero por lo menos sabemos que falleció en enero de 1584, no siendo cierto lo que ha sido consignado en torno de este asunto. Bernal, por consiguiente, falleció a la edad de 88 años y fue enterrado en la Catedral de la ciudad de Santiago, según indica el siguiente párrafo de un documento que transcribe Batres Jáuregui *(La América Central ante la Historia.* T. II, pág. 65): "...a petición de Bernal Díaz del Castillo su marido; el señor Obispo fray Gómez de Córdoba, y el cabildo de esta santa Iglesia Catedral, les dio asiento y sepultura en lo más principal de ella, en el segundo pilar después de la Capilla Mayor, al lado del evangelio. Y esto fue el año de 1578..."

JOAQUÍN PARDO.

(El documento y la nota anteriormente transcritos, han sido tomados del *Boletín General del Gobierno,* publicación trimestral, editada por la Secretaría de Gobernación y Justicia de la República de Guatemala. C. A., correspondiente al mes de julio de 1937, año II, número 4. Tipografía Nacional Guatemala, págs. 445 a 447.)

ÍNDICES

ÍNDICE DE NOMBRES PROPIOS

No han sido registrados en este Índice los nombres de Hernando Cortes, Bernal Díaz del Castillo, Nueva España ni los nombres de santos.

C

Ch

H

I

J

L-LL

P

Q

R

S

T

X

Y

Z

ÍNDICE DE MATERIAS

Pág.

ESTA OBRA SE ACABÓ DE IMPRIMIR
EL DÍA 16 DE DICIEMBRE DE 1994, EN LOS TALLERES DE
OFFSET UNIVERSAL, S. A.
Calle 2, 113-3, Granjas San Antonio
09070, México, D. F.

LA EDICIÓN CONSTA DE 10,000 EJEMPLARES
MÁS SOBRANTES PARA REPOSICIÓN

COLECCION "SEPAN CUANTOS..."

Los números que aparecen a la izquierda corresponden a la numeración de la colección

128. ALARCON, Pedro A. de: *El Escándalo.* Prólogo de Juana de Ontañón. . . . . N$ 10.00

134. ALARCON, Pedro A. de: *El niño de la bola. El sombrero de tres picos. El capitán veneno.* Notas preliminares de Juana de Ontañón. 10.00

225. ALAS "Clarín", Leopoldo: *La Regenta.* Introducción de Jorge Ibargüengoitia. . . . 25.00

449. ALAS "Clarín", Leopoldo: *Cuentos. Pipá . Zurita. Un candidato. El rana. Adiós "Cordera". Cambio de luz. El gallo de Sócrates. El Sombrero del Cura y 35 cuentos más.* Prólogo de Guillermo de la Torre. 12.00

572. ALAS "Clarín", Leopoldo: *Su único hijo. Doña Berta. Cuervo. Superchería.* Prólogo de Ramón Pérez de Ayala. 12.00

ALCEO. Véase: **PINDARO.**

126. ALCOTT, Louisa M.: *Mujercitas.* Más cosas de Mujercitas. 12.00

273. ALCOTT, Louisa M.: *Hombrecitos.* 10.00

182. ALEMAN, Mateo: *Guzmán de Alfarache.* Introducción de Amancio Bolaño e Isla. 15.00

609. ALENCAR, José Martiniano de: *El guaraní.* Novela indigenista brasileña. 15.00

ALFAU DE SOLALINDE, Jesusa. Véase: **ARROYO, Anita.**

229. ALFONSO EL SABIO: *Antología. Cantigas de Santa María. Cantigas profanas. Primera crónica general. General e grand storia. Espéculo. Las siete partidas. El setenario. Los libros de astronomía. El lapidario. Libros de ajedrez, dados y tablas. Una carta y dos testamentos.* Con un estudio preliminar de Margarita Peña y un vocabulario. 15.00

15. ALIGHIERI, Dante: *La Divina Comedia. La vida nueva.* Introducción de Francisco Montes de Oca. 11.00

61. ALTAMIRANO, Ignacio M.: *El zarco. La navidad en las montañas.* Introducción de María del Carmen Millán. 8.00

62. ALTAMIRANO, Ignacio M.: *Clemencia. Cuentos de invierno. Julia. Antonia. Beatriz. Atenea.* 8.00

275. ALTAMIRANO, Ignacio M.: *Paisajes y leyendas. Tradiciones y costumbres de México.* Introducción de Jacqueline Covo. 10.00

43. ALVAR, Manuel: *Poesía tradicional de los judíos españoles.* 15.00

122. ALVAR, Manuel: *Cantares de Gesta medievales. Cantar de Roncesvalles. Cantar de los siete infantes de Lara. Cantar del cerco de Zamora. Cantar de Rodrigo y el rey Fernando. Cantar de la campana de Huesca.* 15.00

151. ALVAR, Manuel: *Antigua poesía española lírica y narrativa. Jarchas. Libro de la infancia y muerte de Jesús. Vida de Santa María Egipciaca. Disputa del alma y el cuerpo. Razón de amor con los denuestos del agua y el vino. Elena y María (disputa del clérigo y el caballero). El planto. ¡Ay Jerusalén! Historia troyana en prosa y verso.* 15.00

174. ALVAR, Manuel: *El romancero viejo y tradicional.* 20.00

ALVAREZ QUINTERO, Hnos. Véase: **Teatro Español Contemporáneo**

244. ALVAREZ QUINTERO, Serafín y Joaquín: *Malvaloca. Amores y amoríos. Puebla de las mujeres. Doña Clarines. El genio alegre.* Prólogo de Ofelia Garza de del Castillo. 10.00

131. AMADIS DE GAULA. Introducción de Arturo Souto A. 12.00

157. AMICIS, Edmundo de: *Corazón. Diario de un niño.* Prólogo de María Elvira Bermúdez. 9.00

505. AMIEL, Enrique Federico: *Fragmentos de un diario íntimo.* Prólogo de Bernard Bouvier. 15.00

ANACREONTE. Véase: **PINDARO**

83. ANDERSEN, Hans Christian: *Cuentos.* Prólogo de María Edmée Alvarez. 12.00

ANDREYEV. Véase: **Cuentos Rusos**

636. ANDREYEV, Leónidas: *Los siete ahorcados. Saschka Yegulev.* Prólogo de Ettore Lo Gato. . . . . N$18.00

428. ANONIMO: *Aventuras del Pícaro Till. Eulenspiegel.* **WICKRAM, Jorge:** *El librito del carro.* Versión y prólogo de Marianne Oeste de Bopp. 10.00

432. ANONIMO: *Robin Hood.* Introducción de Arturo Souto A. 8.00

635. ANTOLOGÍA DE CUENTOS DE MISTERIO Y TERROR. Selección e introducción de Ilán Stavans. 25.00

APULEYO. Véase: **LONGO**

301. AQUINO, Tomás de: *Tratado de la ley. Tratado de la justicia. Opúsculo sobre el gobierno de los príncipes.* Traducción y estudio introductivo por Carlos Ignacio González, S. J. 25.00

317. AQUINO, Tomás de: *Suma contra los gentiles.* Traducción y estudio introductivo por Carlos Ignacio González, S.J. 35.00

406. ARCINIEGAS, Guzmán: *Biografía del Caribe.* 18.00

76. ARCIPRESTE DE HITA: *Libro de buen amor.* Versión antigua, con prólogo y versión moderna de Amancio Bolaño e Isla. 10.00

ARENAL, Concepción. Véase: **Fábulas.**

67. ARISTOFANES: *Las once comedias.* Versión directa del griego con introducción de Angel María Garibay K. 18.00

70. ARISTOTELES: *Etica Nicomaquea. Política.* Versión española e introducción de Antonio Gómez Robledo. 15.00

120. ARISTOTELES: *Metafísica.* Estudio introductivo, análisis de los libros y revisión del texto por Francisco Larroyo. 10.00

124. ARISTOTELES: *Tratados de lógica. (El organón).* Estudio introductivo, preámbulo a los tratados y notas al texto por Francisco Larroyo. 25.00

ARQUILOGO. Véase: **Píndaro**

82. ARRANGOIZ, Francisco de Paula: *México desde 1808 hasta 1867.* Prólogo de Martín Quirarte. 70.00

103. ARREOLA, Juan José: Lectura en voz alta. 12.00

638. ARRILLAGA TORRÉNS, Rafael: *Grandeza y decadencia de España en el siglo XVI.* 18.00

195. ARROYO, Anita: *Razón y pasión de Sor Juana.* Refutación a Pfandl. *El Barroco en la vida de Sor Juana,* por Jesusa Alfau de Solalinde. 15.00

ARTSIBASCHEV. Véase: **Cuentos Rusos**

639. ASSIS, Machado de: *El Alienista y otros cuentos.* Prólogo de Ilán Stavans. 18.00

431. AUSTEN, Jane: *Orgullo y prejuicio.* Prólogo de Sergio Pitol. 10.00

327. AUTOS SACRAMENTALES. (El auto sacramental antes de Calderón). **LOAS:** *Dice el sacramento. A un pueblo. Loa del auto de acusación contra el género humano.* **LOPEZ DE YANGUAS:** *Farsa sacramental de 1521. Los amores del alma con el príncipe de la luz. Farsa sacramental de la residencia del hombre. Auto de los hierros de Adán. Farsa del sacramento del entendimiento niño.* **SANCHEZ DE BADAJOZ:** *Farsa de la iglesia.* **TIMONEDA:** *Auto de la oveja perdida. Auto de la fuente de los siete sacramentos. Farsa del sacramento llamado premática del pan. Auto de la fee.* **LOPE DE VEGA:** *La adúltera perdonada. La ciega. El pastor lobo y cabaña celestial.* **VALDIVIELSO:** *El hospital de los locos. La amistad en el peligro. El peregrino. La Serena de Plasencia.* **TIRSO DE MOLINA:** *El colmenero divino. Los hermanos parecidos.* **MIRA DE AMESCUA:** *Pedro Telonario.* Selección, introducción y notas de Ricardo Arias. 16.00

625. BABEL, Isaac: *Caballería roja. Cuentos de Odesa.* Prólogo de Ilán Stavans. 20.00

293. BACON, Francisco: *Instauratio Magna. Novum Organum. Nueva Atlántida.* Estudio introductivo y análisis de las obras por Francisco Larroyo. 12.00

200 BALBUENA, Bernardo de: *La grandeza mexicana y compendio apologético en alabanza de la poesía.* Prólogo de Luis Adolfo Domínguez. . . . . N$10.00

53. BALMES, Jaime L.: *El criterio.* Estudio preliminar de Guillermo Díaz-Plaja. 8.00

241. BALMES, Jaime L.: *Filosofía elemental.* Estudio preliminar por Raúl Cardiel. . . 12.00

112. BALZAC, Honorato de: *Eugenia Grandet. La piel de Zapa.* Prólogo de Carmen Galindo. 10.00

314. BALZAC, Honorato de: *Papá Goriot.* Prólogo de Rafael Solana. 9.00

442. BALZAC, Honorato de: *El lirio en el valle.* Prólogo de Jaime Torres Bodet. 10.00

BAQUILIDES. Véase: **PINDARO**

580. BAROJA, Pío: *Desde la última vuelta del camino. (Memorias). El escritor según él y según los críticos. Familia. Infancia y juventud.* Introducción de Néstor Luján. . 20.00

581. BAROJA, Pío: *Desde la última vuelta del camino. (Memorias). Final del siglo XIX y principios del siglo XX. Galería de tipos de la época.* 20.00

582. BAROJA, Pío: *Desde la última vuelta del camino. (Memorias). La intuición y el estilo. Bagatelas de otoño.* 20.00

592. BAROJA, Pío: *Las inquietudes de Shanti Andia.* 15.00

335. BARREDA, Gabino: *La educación positivista.* Selección, estudio introductivo y preámbulos por Edmundo Escobar. 12.00

334. BATALLAS DE LA REVOLUCIÓN Y SUS CORRIDOS. Prólogo y preparación de Daniel Moreno. 10.00

426. BAUDELAIRE, Carlos: *Las flores del mal. Diarios íntimos.* Introducción de Arturo Souto Alabarce. 12.00

17. BECQUER, Gustavo Adolfo: *Rimas, leyendas y narraciones.* Prólogo de Juana de Ontañón. 10.00

BENAVENTE. Véase: **Teatro Español Contemporáneo**

35. BERCEO, Gonzalo de: *Milagros de Nuestra Señora. Vida de Santo Domingo de Silos. Vida de San Millán de la Cogolla. Vida de Santa Oria. Martirio de San Lorenzo.* Prólogo y versión moderna de Amancio Bolaño e Isla. 20.00

491. BERGSON, Henry: *Introducción a la metafísica. La Risa. Filosofía de Bergson* por **Manuel García Morente.** 10.00

590. BERGSON, Henry: *Las dos fuentes de la moral y de la religión.* Introducción de John M. Oesterreicher. 12.00

BERMUDEZ, Ma. Elvira. Véase: **VERNE, Julio**

BESTEIRO, Julián. Véase: **HESSEN, Juan**

500. BIBLIA DE JERUSALÉN. Nueva edición totalmente revisada y aumentada. . . . 55.00
Tela. 65.00

380. BOCCACCIO: *El Decamerón.* Prólogo de Francisco Montes de Oca. 20.00

487. BOECIO, Severino: *La consolación de la filosofía.* Prólogo de Gustave Bardy. . . 10.00

522. BOISSIER, Gastón: *Cicerón y sus Amigos. Estudio de la sociedad Romana del tiempo de César.* Prólogo de Augusto Rostagni. 12.00

495. BOLIVAR, Simón: *Escritos políticos. El espíritu de Bolívar por* **Rufino Blanco y Fombona.** 12.00

BOSCAN, Juan. Véase: **VEGA: Garcilaso de la**

278. BOTURINI BENADUCI, Lorenzo: *Idea de una nueva historia general de la América Septentrional.* Estudio preliminar por Miguel León-Portilla. 20.00

420. BRONTE, Carlota: *Jane Eyre.* Prólogo de Marga Sorensen. 15.00

119. BRONTE, Emily: *Cumbres Borrascosas.* Prólogo de Sergio Pitol. 10.00

584. BRUYERE, LA: *Los caracteres. Precedidos de los caracteres de Teofrasto.* 15.00

516. BULWER-LYTTON. *Los últimos días de Pompeya.* Prólogo de Santiago Galindo. 12.00

441. BURCKHARDT, Jacob: *La Cultura del Renacimiento en Italia.* Prólogo de Werner Kaegi. 16.00

606. BURGOS, Fernando: *Antología del cuento hispanoamericano.* 40.00

104. CABALLERO, Fernan: *La gaviota. La familia de Alvareda.* Prólogo de Salvador Reyes Nevares. . . . . N$15.00

222. CALDERON, Fernando: *A ninguna de las tres. El torneo. Ana Bolena. Herman o la vuelta del cruzado.* Prólogo de María Edmée Alvarez. 10.00

41. CALDERON DE LA BARCA, Pedro: *La vida es sueño. El alcalde de Zalamea.* Prólogo de Guillermo Díaz-Plaja. 8.00

331. CALDERON DE LA BARCA, Pedro: *Autos Sacramentales: La cena del Rey Baltasar. El gran Teatro del Mundo. La hidalga del valle. Lo que va del hombre a Dios. Los encantos de la culpa. El divino Orfeo. Sueños hay que verdad son. La vida es sueño. El día mayor de los días.* Selección, introducción y notas de Ricardo Arias. . 20.00

74. CALDERON DE LA BARCA, Madame: *La vida en México.* Traducción y prólogo de Felipe Teixidor. 25.00

252. CAMOENS, Luis de: *Los Lusiadas.* Traducción, prólogo y notas de Ildefonso Manuel Gil. 12.00

329. CAMPOAMOR, Ramón de: *Doloras. Poemas.* Introducción de Vicente Gaos. . . 35.00

435. CANOVAS DEL CASTILLO, Antonio: *La campana de Huesca.* Prólogo de Serafín Estébanez Calderón. 10.00

285. CANTAR DE LOS NIBELUNGOS, EL. Traducción al español e introducción de Marianne
Oeste de Bopp. 10.00

279. CANTAR DE ROLDÁN, EL. Versión de Felipe Teixidor. 9.00

624. CAPELLAN, Andrés El: *Tratado del amor cortés.* Traducción, introducción y notas de Ricardo Arías y Arías. 20.00

640. CARBALLO, Emmanuel: *Protagonistas de la literatura mexicana.* José Vasconcelos. Genaro Martínez McGregor. Martín Luis Guzmán. Julio Torri. Alfonso Reyes. Artemio de Valle-Arizpe. Julio Jiménez Rueda. Octavio G. Barreda. Carlos Pellicer. José Gorostiza. Jaime Torres Bodet. Salvador Novo. Rafael F. Muñoz. Agustín Yáñez. Mauricio Magdaleno. Nellie Campobello. Ramón Rubín. Juan Rulfo. Juan José Arreola. Elena Garro. Rosario Castellanos. Carlos Fuentes. 45.00

307. CARLYLE, Tomás: *Los Héroes. El culto a los héroes y lo heroico de la historia.* Estudio preliminar de Raúl Cardiel Reyes. 8.00

215. CARROLL, Lewis: *Alicia en el país de las maravillas. Al otro lado del espejo.* Ilustrado con grabados de John Tenniel. Prólogo de Sergio Pitol. 10.00

57. CASAS, Fr. Bartolomé de las: *Los Indios de México y Nueva España. Antología.* Edición, prólogo, apéndices y notas de Edmundo O'Gormann. Con la colaboración de Jorge Alberto Manrique. 12.00

318. CASIDAS DE AMOR PROFANO Y MÍSTICO. Ibn Zaydum. Ibn Arabi. Estudio y traducción de Vicente Cantarino. 12.00

223. CASONA, Alejandro: *Flor de leyendas. La sirena varada. La dama del alba. La barca sin pescador.* Prólogo de Antonio Magaña Esquivel. 12.00

249. CASONA, Alejandro: *Otra vez el diablo. Nuestra Natacha. Prohibido suicidarse en primavera. Los arboles mueren de pie.* Prólogo de Antonio Magaña Esquivel. . . 12.00

357. CASTELAR, Emilio: *Discursos. Recuerdos de Italia. Ensayos.* Selección e introducción de Arturo Souto A. 10.00

372. CASTRO, Américo: *La realidad histórica de España.* 25.00

268. CASTRO, Guillén de: *Las mocedades del Cid.* Prólogo de María Edmée Alvarez. . 8.00

25. CERVANTES DE SALAZAR, Francisco: *México en 1554 y Túmulo Imperial.* Edición, prólogo y notas de Edmundo O'Gorman. 12.00

6. CERVANTES SAAVEDRA, Miguel de: *El ingenioso hidalgo Don Quijote de la Mancha.* Prólogo y esquema biográfico por Américo Castro. 20.00

9. CERVANTES SAAVEDRA, Miguel de: *Novelas ejemplares.* Comentario de Sergio Fernández. 9.00

98. CERVANTES SAAVEDRA, Miguel de: *Entremeses.* Introducción de Arturo Souto A. 9.00

422. CERVANTES SAAVEDRA, Miguel de: *Los trabajos de Persiles y Segismunda.* Prólogo de Mauricio Serrahima. . . . . N$12.00
578. CERVANTES SAAVEDRA, Miguel de: *Don Quijote de la Mancha.* Edición abreviada. Introducción de Arturo Uslar Pietri. 15.00
20. CESAR, Cayo Julio: *Comentarios de la guerra de las Galias y Guerra Civil.* Prólogo de Xavier Tavera. 10.00
320. CETINA, Gutierre de: *Obras.* Introducción de D. Joaquín Hazañas y la Rúa. Presentación de Margarita Peña. 30.00
230. CICERON: *Los oficios o los deberes. De la vejez. De la amistad.* Prólogo de Joaquín Antonio Peñalosa. 15.00
234. CICERON: *Tratado de la República. Tratado de las leyes Catilinarias.* 12.00
CID: Véase: **POEMA DE MIO CID.**
137. CIEN MEJORES POESÍAS LÍRICAS DE LA LENGUA CASTELLANA, LAS. Selección y advertencia preliminar de Marcelino Menéndez Pelayo . . . . 10.00.
29. CLAVIJERO, Francisco Javier: *Historia antigua de México.* Edición y prólogo de Mariano Cuevas. 25.00
143. CLAVIJERO, Francisco Javier: *Historia de la Antigua o Baja California.* **PALOU, Fr. Francisco:** *Vida de Fr. Junípero Serra y Misiones de la California Septentrional.* Estudios preliminares de Miguel León-Portilla. 25.00
60. COLOMA, P. Luis: *Boy.* Prólogo de Joaquín Antonio Peñalosa. 8.00
91. COLOMA, P. Luis: *Pequeñeces. Jeromín.* Prólogo de Joaquín Antonio Peñalosa. . 15.00
167. COMENIO, Juan Amós: *Didáctica Magna.* Prólogo de Gabriel de la Mora. . . . 15.00
340. COMTE, Augusto: *La filosofía positiva.* Proemio, estudio introductivo, selección y un análisis de los textos por Francisco Larroyo. 15.00
7. CORTES, Hernán: *Cartas de relación.* Nota preliminar de Manuel Alcalá. Ilustraciones. Un mapa plegado. 12.00
313. CORTINA, Martín: *Un rosillo inmortal. (Leyendas de los llanos). Un tlacuache vagabundo. Maravillas de Altepepan (leyendas mexicanas).* Introducción de Andrés Henestrosa. 20.00
181. COULANGES, Fustel de: *La ciudad antigua . (Estudio sobre el culto). El derecho y las instituciones de Grecia y Roma).* Estudio preliminar de Daniel Moreno. . . . 12.00
100. CRUZ, Sor Juana Inés de la: *Obras completas.* Prólogo de Francisco Monterde. . 40.00
342. CUENTOS RUSOS: *Gógol. Turguéñev. Dostoievski. Tolstoi. Garín. Chéjov. Gorki. Andréiev. Kuprín. Artsibáshchev. Dímov. Tasin. Surguchov. Korolenko. Gonchárov. Sholojov.* Introducción de Rosa Ma. Phillips. 12.00
256. CUYAS ARMENGOL, Arturo: *Hace falta un muchacho.* Libro de orientación en la vida para los adolescentes. Ilustrada por Juez. 10.00
382. CHATEAUBRIAND, René: *El genio del cristianismo.* Introducción de Arturo Souto A. 20.00
524. CHATEAUBRIAND, René: *Atala. René. El último Abencerraje. Páginas autobiográficas.* Prólogo de Armando Rangel. 8.00
623. CHAUCER, Geoffrey: *Cuentos de Canterbury.* Prólogo de Raymond Las Vergnas. 20.00
148. CHAVEZ, Ezequiel A.: *Sor Juana Inés de la Cruz.* Ensayo de psicología y de estimación del sentido de su vida para la historia de la cultura y de la formación de México. 15.00
CHEJOV, Antón: Véase: **Cuentos Rusos**
411. CHEJOV, Antón: *Cuentos escogidos.* Prólogo de Sommerset Maugham. 15.00
454. CHEJOV, Antón: *Teatro: La gaviota. Tío Vania. Las tres hermanas. El jardín de los cerezos.* Prólogo de Máximo Gorki. 10.00
633. CHEJOV, Antón: *Novelas cortas. Mi vida. La sala número seis. En el barranco. Campesinos. Un asesino. Una historia aburrida.* Prólogo de Marc Slonim. 25.00
478. CHESTERTON, Gilbert K.: *Ensayos.* Prólogo de Hilario Belloc. 8.00

490. CHESTERTON, Gilbert K.: *Ortodoxia. El hombre eterno.* Prólogo de Augusto Assia. . . . . N$12.00

42. DARIO, Rubén: *Azul... El salmo de la pluma. Cantos de vida y esperanza. Otros poemas.* Edición de Antonio Oliver. 10.00

385. DARWIN, Carlos: *El origen de las especies.* Introducción de Richard W. Leakey. . 20.00

377. DAUDET, Alfonso: *Tartarín de Tarascón. Tartarín en los Alpes. Port-Tarascón.* Prólogo de Juan Antonio Guerrero. 12.00

140. DEFOE, Daniel: *Aventuras de Robinsón Crusoe.* Prólogo de Salvador Reyes Nevares. 10.00

154. DELGADO, Rafael: *La calandria.* Prólogo de Salvador Cruz. 10.00

280. DEMOSTENES: *Discursos.* Estudio preliminar de Francisco Montes de Oca. . . 15.00

177. DESCARTES: *Discurso del método. Meditaciones metafísicas. Reglas para la dirección del espíritu. Principios de la filosofía.* Estudio introductivo, análisis de las obras y notas al texto por Francisco Larroyo. 6.00

604. DIAZ COVARRUBIAS, Juan: *Gil Gómez el Insurgente o la hija del médico.* Apuntes biográficos de Antonio Carrión. *Los mártires de Tacubaya* por **Juan A. Mateos e Ignacio M. Altamirano.** 18.00

5. DIAZ DEL CASTILLO, Bernal: *Historia verdadera de la conquista de la Nueva España.* Introducción y notas de Joaquín Ramírez Cabañas. Con un mapa. 25.000

127. DICKENS, Carlos: *David Copperfield.* Introducción de Sergio Pitol. 15.00

310. DICKENS, Carlos: *Canción de Navidad. El grillo del hogar. Historia de dos ciudades.* Estudio preliminar de María Edmée Alvarez. 10.00

362. DICKENS, Carlos: *Oliver Twist.* Prólogo de Rafael Solana. 12.00

DIMOV. Véase: **Cuentos Rusos**

28. DON JUAN MANUEL: *El Conde Lucanor.* Versión antigua y moderna e introducción de Amancio Bolaño e Isla. 10.00

DOSTOIEVSKI, Fedor M.: Véase: **Cuentos Rusos**

84. DOSTOIEVSKI, Fedor M.: *El Príncipe idiota. El sepulcro de los vivos.* Notas preli minares de Rosa María Phillips. 10.00

106. DOSTOIEVSKI, Fedor M.: *Los hermanos Karamazov.* Prólogo de Rosa María Phillips. 25.00

108. DOSTOIEVSKI, Fedor M.: *Crimen y castigo.* Introducción de Rosa María Phillips. 20.00

259. DOSTOIEVSKI, Fedor M.: *Las noches blancas. El jugador. Un ladrón honrado.* Prólogo de Rosa María Phillips. 8.00

341. DOYLE, Conan Arthur: *Aventuras de Sherlock Holmes: Un crimen extraño. El intérprete griego. Triunfos de Sherlock Holmes: Los tres estudiantes. El mendigo de la cicatriz. K.K.K. La muerte del coronel. Un protector original. El novio de Miss Sutherland. Las aventuras de una ciclista. El misterio de Boscombe. Policía fina. El casado sin mujer. La diadema de Berilos. El carbuclo azul. "Silver Blaze". Un empleo extraño. El ritual de los Musgrave. El "Gloria Scott". El documento robado.* Prólogo de María Elvira Bermúdez. 12.00

343. DOYLE, Conan Arthur: *Aventuras de Sherlock Holmes: El perro de Baskerville. La marca de los cuatro. El pulgar del ingeniero. La banda moteada.* **Nuevos triunfos de Sherlock Holmes:** *El ingenio de Napoleón. El campeón de "Foot-Ball". El cordón de la campanilla. Los Cunningham's. Las dos manchas de sangre.* 12.00

345. DOYLE, Conan Arthur: *Aventuras de Sherlock Holmes: La resurrección de Sherlock Holmes: Nuevas y últimas aventuras de Sherlock Holmes. La caja de laca. El embudo de cuero, etc.* 12.00

73. DUMAS, Alejandro: *Los tres mosqueteros.* Prólogo de Salvador Reyes Nevares. . . 15.00

75. DUMAS, Alejandro: *Veinte años después.* 15.00

346. DUMAS, Alejandro: *El Conde de Monte-Cristo.* Prólogo de Mauricio González de la Garza. 30.00

364-365. DUMAS, Alejandro: *El Vizconde de Bragelonne.* 2 Tomos. 60.00

407. DUMAS, Alejandro: *El paje del Duque de Saboya.* . . . . N$12.00
415. DUMAS, Alejandro: *Los cuarenta y cinco.* 15.00
452. DUMAS, Alejandro: *La dama de Monsoreau.* 15.00
502. DUMAS, Alejandro: *La Reina Margarita.* 12.00
504. DUMAS, Alejandro: *La mano del muerto.* 12.00
601. DUMAS, Alejandro: *Mil y un fantasmas.* Traducción de Luisa Sofovich. 13.00
349. DUMAS, Alejandro (hijo): *La dama de las Camelias.* Introducción de Arturo Souto A. 15.00
309. ECA DE QUEIROZ: *El misterio de la carretera de Cintra. La ilustre casa de Ramírez.* Prólogo de Monserrat Alfau. 15.00
444. ECKERMANN: *Conversaciones con Goethe.* Introducción de Rudolf K. Goldschmith Jentner. 20.00
596. EMERSON, Ralph Waldo: *Ensayos.* Prólogo de Edward Tinker. 12.00
283. EPICTETO: *Manual y máximas.* **MARCO AURELIO:** *Soliloquios.* Estudio preliminar de Francisco Montes de Oca. 10.00
99. ERCILLA, Alonso de: *La Araucana.* Prólogo de Ofelia Garza de del Castillo. . . . 20.00
ESOPO: Véase: **Fábulas**
233. ESPINEL, Vicente: *Vida de Marcos Obregón.* Prólogo de Juan Pérez de Guzmán. 10.00
202. ESPRONCEDA, José de. *Obras poéticas. El pelayo, Poesías líricas. El estudiante de Salamanca. El diablo mundo.* Prólogo de Juana de Ontañón. 10.00
11. ESQUILO: *Las siete tragedias.* Versión directa del griego, con una introducción de Angel María Garibay K. 7.00
24. EURIPIDES: *Las diecinueve tragedias.* Versión directa del griego, con una introducción de Angel María Garibay K. 17.00
602. EVANGELIOS APÓCRIFOS. Introducción de Daniel Rops. 15.00
16. FÁBULAS. (Pensador mexicano, Rosas Moreno, La Fontaine, Samaniego. Iriarte, Esopo, Fedro, etc.). Selección y notas de María de Pina. 15.00
FEDRO. Véase: **Fábulas**
593. FEIJOO, Benito Jerónimo: *Obras escogidas.* Introducción de Arturo Souto A. . . 20.00
387. FENELON: *Aventuras de Telémaco.* Introducción de Jeanne Renée Becker. . . . 12.00
503. FERNANDEZ DE AVELLANEDA, Alonso: *El ingenioso hidalgo Don Quijote de la Mancha. Que contiene su tercera salida y que es la quinta parte de sus aventuras.* Prólogo de Marcelino Menéndez Pelayo. 16.00
1. FERNANDEZ DE LIZARDI, José Joaquín: *El Periquillo sarniento.* Prólogo de J. Rea Spell. 12.00
71. FERNANDEZ DE LIZARDI, José Joaquín: *La Quijotita y su prima.* Introducción de María del Carmen Ruiz Castañeda. 12.00
173. FERNANDEZ DE MORATIN, Leandro: *El sí de las niñas. La comedia nueva o el café. La derrota de los pedantes. Lección poética.* Prólogo de Manuel de Ezcurdia. . . 9.00
521. FERNANDEZ DE NAVARRETE, Martín: Viajes de Colón. 20.00
211. FERRO GAY, Federico: *Breve historia de la literatura italiana.* 25.00
512. FEVAL, Paul: *El jorobado o Enrique de Lagardere.* 12.00
641. FICHTE, Johann Gottlieb: *El destino del hombre. Introducciones a la teoría de la ciencia.* Prólogo de Federico Jodl. 20.00
FILOSTRATO. Véase: **LAERCIO, Diógenes**
352. FLAUBERT, Gustavo: *Madame Bovary. Costumbres de provincia.* Prólogo de José Arenas. 10.00
FRANCE, Anatole: Véase: **Rabelais**
375. FRANCE, Anatole: *El crimen de un académico. La azucena roja. Tais.* Prólogo de Rafael Solana. 15.00
399. FRANCE, Anatole: *Los dioses tienen sed. La rebelión de los ángeles.* Prólogo de Pierre Josserand. 15.00

391. FRANKLIN, Benjamín: *Autobiografía y otros escritos.* Prólogo de Arturo Uslar Pietri. 12.00

92. FRIAS, Heriberto: *Tomóchic.* Prólogo y notas de James W. Brown. 9.00

494. FRIAS, Heriberto: *Leyendas históricas mexicanas y otros relatos.* Prólogo de Antonio Saborit. 12.00

534. FRIAS, Heriberto: *Episodios militares mexicanos. Principales campañas, jornadas, batallas, combates y actos heróicos que ilustran la historia del ejército nacional desde la Independencia hasta el triunfo definitivo de la República.* . . . . N$ 15.00

608. FURMANOV, Dimitri: Chapáev. Prólogo de Dionisio Rosales. 25.00

354. GABRIEL Y GALAN, José María: *Obras completas.* Introducción de Arturo Souto A. 18.00

311. GALVAN, Manuel de J.: *Enriquillo. Leyenda histórica dominicana (1503-1533).* Con un estudio de Concha Meléndez. 12.00

305. GALLEGOS, Rómulo: *Doña bárbara.* Prólogo de Ignacio Díaz Ruiz. 9.00

368. GAMIO, Manuel: *Forjando patria.* Prólogo de Justino Fernández. 15.00

251. GARCIA LORCA, Federico: *Libro de poemas. Poema del Canto Jondo. Romancero Gitano. Poeta en Nueva York. Odas. Llanto por Sánchez Mejías. Bodas de Sangre.* Yerma. Prólogo de Salvador Novo. 12.00

255. GARCIA LORCA, Federico: *Mariana Pineda. La zapatera prodigiosa. Así que pasen cien años. Doña Rosita la soltera. La casa de Bernarda Alba. Primeras canciones. Canciones.* Prólogo de Salvador Novo. 12.00

164. GARCIA MORENTE, Manuel: *Lecciones preliminares de filosofía.* 12.00

621. GARCIA MORENTE, Manuel: *Estudios y ensayos.* Prólogo de Luis Aguirre Pardo. 20.00

GARCILASO DE LA VEGA. Véase: **VEGA, Garcilaso de la**

22. GARIBAY K., Angel María: *Panorama literario de los pueblos nahuas.* 10.00

31. GARIBAY K., Angel María: *Mitología griega. Dioses y héroes.* 12.00

626. GARIBAY K., Angel María: *Historia de la literatura Náhuatl.* Prólogo por Miguel León-Portilla. 45.00

GARIN. Véase: **Cuentos Rusos**

373. GAY, José Antonio: *Historia de Oaxaca.* Prólogo de Pedro Vázquez Colmenares. 25.00

433. GIL Y CARRASCO, Enrique: *El señor de Bembibres. El lago de Carucedo. Artículos de costumbres.* Prólogo de Arturo Souto A. 12.00

21. GOETHE, J. W.: *Fausto. Werther.* Introducción de Francisco Montes de Oca. . . . 10.00

400. GOETHE, J. W.: *De mi vida. Poesía y verdad.* Prólogo de Ernst Robert Curtius. . 30.00

132. GOGOL, Nikolai V.: *Las almas muertas. La tercera orden de San Vladimiro. (Fragmentos de comedia inconclusa).* Prólogo de Rosa María Phillips. 12.00

457. GOGOL, Nikolai V.: *Taras Bulba. Relatos de Mirgorod.* Prólogo de Emilia Pardo Bazán. 12.00

627. GOGOL, Nikolai V: *Novelas breves petersburguesas.* Diario de un loco. La nariz. *El copete. El retrato. El carruaje. La perspectiva Nevski.* Prólogo de Pablo Schostakovski. 18.00

GOGOL, Nikolai V. Véase: **Cuentos Rusos**

461. GOMEZ ROBLEDO, Antonio: *El magisterio filosófico y jurídico de Alonso de la Veracruz. Con una antología de textos.* 10.00

GONCHAROV. Véase: **Cuentos Rusos**

262. GONGORA: *Poesías. Romances. Letrillas. Redondillas. Décimas. Sonetos atribuidos. Poemas. Soledades. Polifemo y Galatea. Panegírico. Poesías sueltas.* Prólogo de Anita Arroyo. 15.00

568. GONZALEZ OBREGON, Luis: *Las calles de México. Leyendas y sucedidos. Vida y costumbres de otros tiempos.* Prólogo de Carlos G. Peña y Luis G. Urbina. 16.00

44. GONZALEZ PEÑA, Carlos: *Historia de la literatura mexicana. (Desde los orígenes hasta nuestros días).* 15.00

254. GORKI, Máximo: *La madre. Mis confesiones.* Prólogo de Rosa María Phillips. . N$9.00

397. GORKI, Maximo: *Mi infancia. Por el mundo. Mis universidades.* Prólogo de Marc Slonim. 20.00

118. GOYTORTUA SANTOS, Jesús: Pensativa. Premio "Lanz Duret" 1944. . . . . . . 18.00

315. GRACIAN, Baltasar: *El discreto. El criticón. El héroe.* Introducción de Isabel C. Tarán. 10.00

121. GRIMM, CUENTOS DE. Prólogo y selección de María Edmée Alvarez. 10.00

GUILLEN DE NICOLAU, Palma. Véase: **MISTRAL, Gabriela.**

169. GÜIRALDES, Ricardo: *Don segundo sombra.* Prólogo de María Edmée A. 10.00

GUITTON, Jean. Véase: **SERTILANGES, A. D.**

19. GUTIERREZ NAJERA, Manuel: *Cuentos y cuaresmas del Duque Job. Cuentos frágiles. Cuentos de color de humo. Primeros cuentos. Ultimos cuentos.* Prólogo y capítulo de novelas. Edición e introducción de Francisco Monterde. 15.00

438. GUZMAN, Martín Luis: *Memorias de Pancho Villa.* 35.00

508. HAGGARD, Henry Rider: *Las minas del Rey Salomón.* Introducción de Allan Quatermain. 12.00

396. HAMSUN, Knut: *Hambre. Pan.* Prólogo de Antonio Espina. 10.00

631. HAWTHORNE, Nathaniel: *La letra escarlata.* Prólogo de Ludwig Lewisohn. . . . 18.00

484. HEBREO, León: *Diálogos de Amor.* Traducción de Garcilaso de la Vega, El Inca. 15.00

187. HEGEL: *Enciclopedia de las ciencias filosóficas.* Estudio introductivo y análisis de la obra por Francisco Larroyo. 20.00

429. HEINE, Enrique: *Libro de los cantares. Prosa escogida.* Prólogo de Marcelino Menéndez Pelayo. 10.00

599. HEINE, Enrique: *Alemania. Cuadros de viaje.* Prólogo de Maxime Alexandre. . . 15.00

HENRIQUEZ UREÑA, Pedro. Véase: **URBINA, Luis G.**

271. HEREDIA, José María: *Poesías completas.* Estudio preliminar de Raimundo Lazo.10.00

216. HERNANDEZ, José: *Martín Fierro.* Estudio preliminar por Raimundo Lazo. 6.00

176. HERODOTO: *Los nueve libros de la historia.* Introducción de Edmundo O'Gorman. 20.00

323. HERRERA Y REISSIG, Julio: *Poesías.* Introducción de Ana Victoria Mondada. . 10.00

206. HESIODO: *Teogonía. Los trabajos y los días. El escudo de Heracles. Idilios de Bión. Idilios de Mosco. Himnos órficos.* Prólogo de Manuel Villálaz. 10.00

607. HESSE, Hermann: *El lobo estepario. Relatos autobiográficos.* Prólogo de F. Martini. 16.00

630. HESSE, Hermann: *Demian. Siddhartha.* Prólogo de Ernest Robert Curtius. . . . 12.00

351. HESSEN, Juan: Teoría del conocimiento. **MESSER, Augusto:** *Realismo crítico.* **BESTEIRO, Julian:** *Los juicios sintéticos "A priori".* Preliminar y estudio introductivo por Francisco Larroyo. 9.00

156. HOFFMAN, E. T. G.: *Cuentos.* Prólogo de Rosa María Phillips. 15.00

2. HOMERO: *La Ilíada.* Traducción de Luis Segala y Estalella. Prólogo de Alfonso Reyes. 7.00

4. HOMERO: *La Odisea.* Traducción de Luis Segala y Estalella. Prólogo de Manuel Alcalá. 7.00

240. HORACIO: *Odas y épodos. Satiras. Epístolas. Arte poética.* Estudio preliminar de Francisco Montes de Oca. 15.00

77. HUGO, Víctor: *Los miserables.* Nota preliminar de Javier Peñalosa. 30.00

294. HUGO, Víctor: *Nuestra Señora de París.* Introducción de Arturo Souto A. 12.00

586. HUGO, Víctor: *Noventa y tres.* Prólogo de Marcel Aymé. 15.00

274. HUGON, Eduardo: *Las veinticuatro tesis tomistas. Incluye, además Encíclica Aeterni Patris, de León XIII. Motu Propio Doctoris Angelici, de Pio X Motu Propio non multo post. De Benedicto XV. Encíclica Studiorum Ducem, de Pio XI.* Análisis de la obra precedida de un estudio sobre los orígenes y desenvolvimiento de la Neoescolástica, por Francisco Larroyo. 12.00

HUIZINGA, Johan. Véase: **ROTTERDAM, Erasmo de**

39. HUMBOLDT, Alejandro de: *Ensayo político sobre el reino de la Nueva España.* Estudio preliminar, cotejos, notas y anexos de Juan A. Ortega y Medina. . . . . . N$40.00

326. HUME, David: *Tratado de la naturaleza humana. Ensayo para introducir el método del razonamiento humano en los asuntos morales.* Estudio introductivo y análisis de la obra por Francisco Larroyo. 16.00

587. HUXLEY, Aldous: *Un mundo feliz. Retorno a un mundo feliz.* Prólogo de Theodor W. Adorno. 12.00

78. IBARGÜENGOITIA, Antonio: *Filosofía mexicana. En sus hombres y en sus textos.* . 15.00

348. IBARGÜENGOITIA CHICO, Antonio: *Suma filosófica mexicana. (Resumen de historia de la filosofía en México).* 10.00

303. IBSEN, Enrique: *Peer Gynt. Casa de muñecas. Espectros. Un enemigo del pueblo. El pato silvestre. Juan Gabriel Borkman.* Versión y prólogo de Ana Victoria Mondada. 12.00

47. IGLESIAS, José María: *Revistas históricas sobre la intervención francesa en México.* Introducción e índice de materias de Martín Quirarte. 40.00

63. INCLAN, Luis G.: *Astucia. El jefe de los hermanos de la hoja o los charros contrabandistas de la rama.* Prólogo de Salvador Novo. 20.00

207. INDIA LITERARIA, LA. Mahabarata. Bagavad Gita. Los vedas. Leyes de Manú. Poesía. Teatro. Cuentos. Apología y leyendas. Antología, introducciones históricas, notas y un vocabulario del hinduismo por Teresa E. Rohde. 12.00

270. INGENIEROS, José: *El hombre mediocre.* Introducción de Raúl Carrancá y Rivas. 15.00

IRIARTE. Véase: **Fábulas**

79. IRVING, Washington: *Cuentos de la Alhambra.* Introducción de Ofelia Garza de del Castillo. 12.00

46. ISAACS, Jorge: María. Introducción de Daniel Moreno. 8.00

245. JENOFONTE: *La expedición de los diez mil. Recuerdos de Sócrates. El banquete. Apología de Sócrates.* Estudio preliminar de Francisco Montes de Oca. 12.00

66. JIMENEZ, Juan Ramón: *Platero y yo. Trescientos poemas (1903-1953).* 7.00

374. JOSEFO, Flavio: *La guerra de los judíos.* Prólogo de Salvador Marichalar. 18.00

448. JOVELLANOS, Gaspar Melchor de: *Obras históricas. Sobre la legislación y la historia. Discursos sobre la geografía y la historia. Sobre los espectáculos y diversiones públicas. Descripción del Castillo de Bellver. Disciplina eclesiástica sobre sepulturas.* Edición y notas de Elvira Martínez. 15.00

23. JOYAS DE LA AMISTAD ENGARZADAS EN UNA ANTOLOGÍA. Selección y nota preliminar de Salvador Novo. 15.00

390. JOYCE, James: *Retrato del artista adolescente. Gente de Dublín.* Prólogo de Antonio Marichalar. 15.00

467. KAFKA, Franz: *La metamorfosis. El proceso.* Prólogo de Milán Kundera. 10.00

486. KAFKA, Franz: *El castillo. La condena. La gran Muralla China.* Introducción de Theodor W. Adorno. 12.00

203. KANT, Manuel: *Crítica de la razón pura.* Estudio introductivo y análisis de la obra por **Francisco Larroyo.** 20.00

212. KANT, Manuel: *Fundamentación de la metafísica de las costumbres. Crítica de la razón práctica. La paz perpetua.* Estudio introductivo y análisis de las obras por **Francisco Larroyo.** 15.00

246. KANT, Manuel: *Prolegómenos a toda metafísica del porvenir. Observaciones sobre el sentimiento de lo bello y lo sublime. Crítica del juicio.* Estudio preliminar de las obras por **Francisco Larroyo.** 15.00

30. KEMPIS, Tomás de: *Imitación de Cristo.* Introducción de Francisco Montes de Oca. 10.00

204. KIPLING, Rudyard: *El libro de las tierras vírgenes.* Introducción de Arturo Souto Alabarce. 12.00

545. **KOROLENKO, Vladimir G.:** *El sueño de Makar. Malas compañías. El clamor del bosque. El músico ciego y otros relatos.* Introducción por A. Jrabrovitski. . . . N$10.00

KOROLENKO: Véase: **Cuentos Rusos**

637. **KRUIF, Paul de:** *Los cazadores de microbios.* Introducción de Irene E. Motts. 18.00

598. **KUPRIN, Alejandro:** *El desafío.* Introducción de Ettore lo Gatto. 15.00

KUPRIN: Véase: **Cuentos Rusos**

427. **LAERCIO, Diógenes:** *Vidas de los filósofos más ilustres.* **FILOSTRATO:** *Vidas de los sofistas.* Traducciones y prólogos de José Ortíz y Sanz y José M. Riaño. 20.00

LAERCIO, Diógenes. Véase: **LUCRECIO CARO, Tito**

LAFONTAINE. Véase: **Fábulas**

520. **LAFRAGUA, José María y OROZCO Y BERRA, Manuel:** *La ciudad de México.* Prólogo de Ernesto de la Torre Villar. Con la colaboración de Ramiro Navarro de Anda. 25.00

155. **LAGERLOFF, Selma:** *El maravilloso viaje de Nils Holgersson.* Introducción de Palma Guillén de Nicolau. 12.00

549. **LAGERLOFF, Selma:** *El carretero de la muerte. El esclavo de su finca y otras narraciones.* Prólogo de Agustín Loera y Chávez. 15.00

272. **LAMARTINE, Alfonso de:** *Graziella Rafael.* Estudio preliminar de Daniel Moreno. 10.00

93. **LARRA, Mariano José de. "Fígaro":** *Artículos.* Prólogo de Juana de Ontañón. . . . 20.00

459. **LARRA, Mariano José de. "Fígaro":** *El doncel de Don Enrique. El doliente. Macías.* Prólogo de Arturo Souto A. 12.00

333. **LARROYO, Francisco:** *La filosofía Iberoamericana. Historia, formas, temas, polémica, realizaciones.* 20.00

34. **LAZARILLO DE TORMES, EL. (Autor desconocido).** *Vida del buscón Don Pablos* de **FRANCISCO DE QUEVEDO.** Estudio preliminar de ambas obras por Guillermo Díaz-Plaja. 6.00

38. **LAZO, Raimundo:** *Historia de la literatura hispanoamericana. El período colonial (1492-1780).* 15.00

65. **LAZO, Raimundo:** *Historia de la literatura hispanoamericana. El siglo XIX (1780-1914).* 12.00

179. **LAZO, Raimundo:** *La novela Andina. (Pasado y futuro. Alcides. Arguedas. César Vallejo. Ciro Alegría. Jorge Icaza. José María Arguedas. Previsible misión de Vargas Llosa y los futuros narradores).* 12.00

184. **LAZO, Raimundo:** *El romanticismo. (Lo romántico en la lírica hispanoamericana, del siglo XVI a 1970).* 20.00

226. **LAZO, Raimundo:** *Gertrudis Gómez de Avellaneda. La mujer y la poesía lírica.* . . . 10.00

LECTURA EN VOZ ALTA. Véase: **ARREOLA, Juan José**

247. **LE SAGE:** *Gil Blas de Santillana.* Traducción y prólogo de Francisco José de Isla. Y un estudio de Sainte-Beuve. 25.00

321. **LEIBNIZ, Godofredo G.:** *Discurso de metafísica. Sistema de la naturaleza. Nuevo tratado sobre el entendimiento humano. Monadología. Principios sobre la naturaleza y la gracia.* Estudio introductivo y análisis de las obras por Francisco Larroyo. 25.00

145. **LEON, Fray Luis de:** *La perfecta casada. Cantar de los cantares. Poesías originales.* Introducción y notas de Joaquín Antonio Peñalosa. 15.00

632. **LESSING, G. E.:** *Laocoonte.* Introducción de Wilhelm Dilthey. 20.00

48. **Libro de los Salmos.** Versión directa del hebreo y comentarios de José González Brown. 20.00

304. **LIVIO, Tito:** *Historia Romana. Primera década.* Estudio preliminar de Francisco Montes de Oca. 18.00

276. **LONDON, Jack:** *El lobo de mar. El mexicano.* Introducción de Arturo Souto A. . 12.00

277. **LONDON, Jack:** *El llamado de la selva. Colmillo blanco.* . . . . N$12.00
284. **LONGO:** *Dafnis y Cloé.* **APULEYO:** *El asno de oro.* Estudio preliminar e Francisco Montes de Oca. 12.00
12. **LOPE DE VEGA Y CARPIO, Félix:** *Fuente ovejuna. Peribáñez y el comendador de ocaña. El mejor alcalde, el Rey. El caballero de Olmedo.* Biografía y presentación de las obras por J. M. Lope Blanch. 12.00
566. **LOPEZ DE GOMARA, Francisco:** *Historia de la conquista de México.* Estudio preliminar de Juan Miralles Ostos. 20.00
LOPE DE VEGA. Véase: **Autos Sacramentales**
LOPEZ DE YANGUAS. Véase: **Autos Sacramentales**
298. **LOPEZ-PORTILLA Y ROJAS, José:** *Fuertes y débiles.* Prólogo de Ramiro Villaseñor y Villaseñor. 10.00
LOPEZ RUBIO. Véase: **Teatro Español Contemporáneo**
574. **LOPEZ SOLER, Ramón:** *Los bandos de Castilla. El caballero del cisne.* Prólogo de Ramón López Soler. 12.00
218. **LOPEZ Y FUENTES, Gregorio:** *El indio. Novela mexicana.* Prólogo de Antonio Magaña Esquivel. 10.00
297. **LOTI, Pierre:** *Las desencantadas.* Introducción de Rafael Solana. 10.00
LUCA DE TENA. Véase: **Teatro Español Contemporáneo**
485. **LUCRECIO CARO, Tito:** *De la naturaleza.* **LAERCIO, Diógenes:** *Epicuro.* Prólogo de Coetto Marchessi. 15.00
353. **LUMMIS, Carlos F.:** *Los exploradores españoles del Siglo XVI.* Prólogo de Rafael Altamira. 10.00
595. **LLUL, Ramón:** *Blanquerna. El doctor iluminado* por **Ramón Xirau.** 15.00
639. **MACHADO DE ASSIS, Joaquín María:** *El alienista y otros cuentos.* Prólogo de Ilán Stavans. 18.00
324. **MAETERLINCK, Maurice:** *El pájaro azul.* Introducción de Teresa del Conde. . . . 8.00
178. **MANZONI, Alejandro:** *Los novios. (Historia milanesa del siglo XVIII).* Con un estudio de Federico Baraibar. 15.00
152. **MAQUIAVELO, Nicolás:** *El príncipe.* Precedido de Nicolás Maquiavelo en su quinto centenario por Antonio Gómez Robledo. 7.00
MARCO AURELIO: Véase: **EPICTETO**
192. **MARMOL, José:** *Amalia.* Prólogo de Juan Carlos Ghiano. 20.00
367. **MARQUEZ STERLING, Carlos:** *José Martí. Síntesis de una vida extraordinaria.* . 15.00
MARQUINA. Véase: **Teatro Español Contemporáneo**
141. **MARTI, José:** *Sus mejores páginas.* Estudio, notas y selección de textos, por Raimundo Lazo. 12.00
236. **MARTI, José:** *Ismaelillo. La edad de oro. Versos sencillos.* Prólogo de Raimundo Lazo. 12.00
338. **MARTINEZ DE TOLEDO, Alfonso:** *Arcipreste de Talavera o Corbacho.* Introducción de Arturo Souto A. Con un estudio del vocabulario del Corbacho y colección de refranes y locuciones contenidos en el mismo por A. Steiger. 12.00
214. **MARTINEZ SIERRA. Gregorio:** *Tú eres la paz. Canción de cuna.* Prólogo de María Edmée Alvarez. 10.00
193. **MATEOS, Juan A.:** *El cerro de las campanas. (Memorias de un guerrillero).* Prólogo de Clementina Díaz y de Ovando. 20.00
197. **MATEOS, Juan A.:** *El sol de mayo. (Memorias de la intervención).* Nota preliminar de Clementina Díaz y de Ovando. 16.00
514. **MATEOS, Juan A.:** *Sacerdote y caudillo. (Memorias de la insurrección).* 20.00
573. **MATEOS, Juan A.:** *Los insurgentes.* Prólogo y epílogo de Vicente Riva Palacio. . 15.00
344. **MATOS MOCTEZUMA, Eduardo:** *El negrito poeta mexicano y el dominicano. ¿Realidad o fantasía.* Exordio de Antonio Pompa y Pompa. 10.00

565. **MAUGHAM W., Somerset:** *Cosmopolitas. La miscelanea de siempre.* Estudio sobre el cuento corto de W. Somerset Maugham. . . . . N$12.00

410. **MAUPASSANT, Guy de:** *Bola de sebo. Mademoiselle Fifi. Las hermanas Rondoli.* 15.00

423. **MAUPASSANT, Guy de:** *La becada. Claror de luna. Miss Harriet.* Introducción de Dana Lee Thomas. 12.00

506. **MELVILLE, Herman:** *Moby Dick o la ballena blanca.* Prólogo de W. Somerset Maugham. 18.00

336. **MENENDEZ, Miguel Angel:** *Nayar.* (Novela). Ilustró Cadena M. 20.00

370. **MENENDEZ PELAYO, Marcelino:** *Historia de los heterodoxos españoles. Erasmistas y protestantes. Sectas místicas. Judaizantes y moriscos. Artes mágicas.* Prólogo de Arturo Farinelli. 30.00

389. **MENENDEZ PELAYO, Marcelino:** *Historia de los heterodoxos españoles. Regalismo y enciclopedia. Los afrancesados y las Cortes de Cadiz. Reinados de Fernando VII e Isabel II. Krausismo y Apologístas católicos.* Prólogo de Arturo Ferinelli. . . 30.00

405. **MENENDEZ PELAYO, Marcelino:** *Historia de los heterodoxos españoles. Epocas romana y visigoda. Priscilianismo y adopcionismo. Mozárabes. Acordobeses. Panteismo semítico. Albigenses y valdenses. Arnaldo de Vilanova. Raimundo Lulio. Herejes en el siglo XV.* Advertencia y discurso preliminar de Marcelino Menéndez Pelayo. 30.00

475. **MENENDEZ PELAYO, Marcelino:** *Historia de las ideas estéticas en España. Las ideas estéticas entre los antiguos griegos y latinos. Desarrollo de las ideas estéticas hasta fines del siglo XVII.* 35.00

482. **MENENDEZ PELAYO, Marcelino:** *Historia de las ideas estéticas en España. Reseña histórica del desarrollo de las doctrinas estéticas durante el siglo XVIII.* 30.00

483. **MENENDEZ PELAYO, Marcelino:** *Historia de las ideas estéticas en España. Desarrollo de las doctrinas estéticas durante el siglo XIX.* 40.00

MESSER, Augusto: Véase: **HESSEN, Juan**

MIHURA: Véase: **Teatro Español Contemporáneo**

18. **MIL Y UN SONETOS MEXICANOS.** Selección y nota preliminar de Salvador Novo15.00

136. **MIL Y UNA NOCHES, LAS.** Prólogo de Teresa E. de Rhode. 15.00

194. **MILTON, John:** *El paraíso perdido.* Prólogo de Joaquín Antonio Peñalosa. 8.00

MIRA DE AMEZCUA: Véase: **Autos Sacramentales**

109. **MIRO, Gabriel:** *Figuras de la pasión del señor. Nuestro Padre San Daniel.* Prólogo de Juana de Ontañón. 15.00

68. **MISTRAL, Gabriela:** *Lecturas para mujeres. Gabriela Mistral (1922-1924).* Por Palma Guillén de Nicolau. 8.00

250. **MISTRAL, Gabriela:** *Desolación. Ternura. Tala. Lagar.* Introducción de Palma Guillén de Nicolau. 10.00

144. **MOLIERE:** *Comedias. Tartufo. El burgués gentilhombre. El misántropo. El enfermo imaginario.* Prólogo de Rafael Solana. 10.00

149. **MOLIERE:** *Comedias. El avaro. Las preciosas ridículas. El médico a la fuerza. La escuela de las mujeres. Las mujeres sabias.* Prólogo de Rafael Solana. 12.00

32. **MOLINA, Tirso de:** *El vergonzoso en palacio. El condenado por desconfiado. El burlador de Sevilla. La prudencia en la mujer.* Edición de Juana de Ontañón. . . . 10.00

MOLINA, Tirso de: Véase: **Autos Sacramentales**

600. **MONTAIGNE:** *Ensayos completos.* Notas prologales de Emiliano M. Aguilera. Traducción del francés de Juan G. de Luaces. 45.00

208. **MONTALVO, Juan:** *Capítulos que se le olvidaron a Cervantes.* Estudio introductivo de Gonzalo Zaldumbide. 15.00

501. **MONTALVO, Juan:** *Siete tratados.* Prólogo de Luis Alberto Sánchez. 15.00

381. **MONTES DE OCA, Francisco:** *Poesía hispanoamericana.* 20.00

191. **MONTESQUIEU:** *Del espíritu de las leyes.* Estudio preliminar de Daniel Moreno. 25.00

282. **MORO, Tomás:** *Utopía.* Prólogo de Manuel Alcalá. . . . . N$12.00

129. **MOTOLINIA, Fray Toribio:** *Historia de los indios de la Nueva España.* Estudio crítico, apéndices, notas e índice de Edmundo O'Gorman. 12.00

588. **MUNTHE, Axel:** *La historia de San Michele.* Introducción de Arturo Uslar-Pietri. 15.00

286. **NATORP, Pablo:** *Propedéutica filosófica. Kant y la escuela de Marburgo. Curso de pedagogía social.* Presentación introductiva. (El autor y su obra). Y preámbulos a los capítulos por Francisco Larroyo. 8.00

527. **NAVARRO VILLOSLADA, Francisco:** *Amaya o los Vascos en el siglo VIII.* 25.00

171. **NERVO, Amado:** *Plenitud, perlas negras. Místicas. Los jardines interiores. El estanque de los Lotos.* Prólogo de Ernesto Mejía Sánchez. 12.00

175. **NERVO, Amado:** *La amada inmóvil. Serenidad. Elevación. La última luna.* Prólogo de Ernesto Mejía Sánchez. 12.00

443. **NERVO, Amado:** *Poemas: Las voces. Lira heróica. El éxodo y las flores del camino. El arquero divino. Otros poemas. En voz baja. Poesías varias.* 15.00

NEVILLE. Véase: **Teatro Español Contemporáneo**

395. **NIETZSCHE, Federico:** *Así hablaba Zaratustra.* Prólogo de E. W. F. Tomlin. . . . 12.00

430. **NIETZSCHE, Federico:** *Más allá del bien y del mal. Genealogía de la moral.* Prólogo de Johann Fischl. 12.00

576. **NUÑEZ CABEZA DE VACA, Alvar:** *Naufragios y comentarios. Apuntes sobre la vida del adelantado* por **Enrique Vedia.** 8.00

356. **NUÑEZ DE ARCE, Gaspar:** *Poesías completas.* Prólogo de Arturo Souto A. . . . 12.00

45. **O'GORMAN, Edmundo:** *Historia de las divisiones territoriales en México.* 30.00

8. **OCHO SIGLOS DE POESÍA EN LENGUA ESPAÑOLA.** Introducción y Compilación de Francisco Montes de Oca. 60.00

OLMO: Véase: **Teatro Español Contemporáneo**

ONTAÑON, Juana de: Véase: **Santa Teresa de Jesús**

462. **ORTEGA Y GASSET, José:** *En torno a Galileo. El hombre y la gente.* Prólogo de Ramón Xirau. 15.00

488. **ORTEGA Y GASSET, José:** *El tema de nuestro tiempo. La rebelión de las masas.* Prólogo de Fernando Salmerón. 15.00

497. **ORTEGA Y GASSET, José:** *La deshumanización del arte e ideas sobre la novela. Velázquez. Goya.* 18.00

499. **ORTEGA Y GASSET, José:** *¿Qué es filosofía? Unas lecciones de metafísica.* Prólogo de Antonio Rodríguez Húescar. 10.00

436. **OSTROVSKI, Nicolai:** *Así se templó el acero.* Prefacio de Ana Karevàeva. . . . 12.00

316. **OVIDIO:** *Las metamorfosis.* Estudio preliminar de Francisco Montes de Oca. . . 12.00

213. **PALACIO VALDES, Armando:** *La hermana San Sulpicio.* Introducción de Joaquín Antonio Peñalosa. 12.00

125. **PALMA, Ricardo:** *Tradiciones peruanas.* Estudio y selección por Raimundo Lazo. 12.00

PALOU, Fr. Francisco: Véase: **CLAVIJERO, Francisco Xavier**

421. **PAPINI, Giovanni:** *Gog. El libro negro.* Prólogo de Ettore Allodoli. 15.00

424. **PAPINI, Giovanni:** *Historia de Cristo.* Prólogo de Victoriano Capánaga. 15.00

644. **PAPINI, Giovanni:** *Los operarios de la viña y otros ensayos.* 20.00

266. **PARDO BAZAN, Emilia:** *Los pazos de Ulloa.* Introducción de Arturo Souto A. . 10.00

358. **PARDO BAZAN, Emilia:** *San Francisco de Asís. (Siglo XIII).* Prólogo de Marcelino Menéndez Pelayo. 15.00

496. **PARDO BAZAN, Emilia:** *La madre naturaleza.* Introducción de Arturo Souto A. 12.00

577. **PASCAL, Blas:** *Pensamientos y otros escritos.* Aproximaciones a Pascal de R. Guardini. F. Mauriac, J. Mesner y H. Küng. 20.00

PASO: Véase: **Teatro Español Contemporáneo**

3. PAYNO, Manuel: *Los bandidos de Río Frío.* Prólogo de Antonio Castro Leal. . . N$25.00

80. PAYNO, Manuel: *El fistol del diablo. Novela de costumbres mexicanas.* Texto establecido y estudio preliminar de Antonio Castro Leal. 40.00

605. PAYNO, Manuel: *El hombre de la situación. Retratos históricos. Moctezuma II. Cuauhtémoc. La Sevillana. Alfonso de Avila. Don Martín Cortés. Fray Marcos de Mena. El Tumulto de 1624. La Familia Dongo. Allende. Mina. Guerrero. Ocampo. Comonfort.* Prólogo de Luis González Obregón. 12.00

622. PAYNO, Manuel: *Novelas cortas.* Apuntes biográficos por Alejandro Villaseñor y Villaseñor. 18.00

PEMAN: Véase: **Teatro Español Contemporáneo**

PENSADOR MEXICANO: Véase: **Fábulas**

64. PEREDA, José María de: *Peñas arriba. Sotileza.* Introducción de Soledad Anaya Solórzano. 12.00

165. PEREYRA, Carlos: *Hernán Cortés.* Prólogo de Martín Quirarte. 10.00

493. PEREYRA, Carlos: *Las huellas de los conquistadores.* 12.00

498. PEREYRA, Carlos: *La conquista de las rutas oceánicas. La obra de España en América.* Prólogo de Silvio Zavala. 15.00

188. PEREZ ESCRICH, Enrique: *El mártir del Gólgota.* Prólogo de Joaquín Antonio Peñalosa. 20.00

69. PEREZ GALDOS, Benito: *Miau. Marianela.* Prólogo de Teresa Silva Tena. 12.00

107. PEREZ GALDOS, Benito: *Doña perfecta. Misericordia.* 12.00

117. PEREZ GALDOS, Benito: *Episodios nacionales: Trafalgar. La corte de Carlos IV.* Prólogo de María Eugenia Gaona. 15.00

130. PEREZ GALDOS, Benito: *Episodios nacionales: 19 de marzo y el 2 de mayo. Bailén.* 10.00

158. PEREZ GALDOS, Benito: *Episodios nacionales: Napoleón en Chamartín. Zaragoza.* Prólogo de Teresa Silva Tena. 10.00

166. PEREZ GALDOS, Benito: *Episodios nacionales: Gerona. Cádiz.* Nota preliminar de Teresa Silva Tena. 10.00

185. PEREZ GALDOS, Benito: *Fortunata y Jacinta. (Dos historias de casadas).* Introducción de Agustín Yáñez. 35.00

289. PEREZ GALDOS, Benito: *Episodios nacionales: Juan Martín el Empecinado. La batalla de los Arapliles.* 10.00

378. PEREZ GALDOS, Benito: *La desheredada.* Prólogo de José Salavarría. 15.00

383. PEREZ GALDOS, Benito: *El amigo manso.* Prólogo de Joaquín Casalduero. . . . 12.00

392. PEREZ GALDOS, Benito: *La fontana de oro.* Introducción de Marcelino Menéndez Pelayo. 15.00

446. PEREZ GALDOS, Benito: *Tristana. Nazarín.* Prólogo de Ramón Gómez de la Serna. 12.00

473. PEREZ GALDOS, Benito: *Angel Guerra.* Prólogo de Emilia Pardo Bazán. 15.00

489. PEREZ GALDOS, Benito: *Torquemada en la hoguera. Torquemada en la cruz. Torquemada en el purgatorio. Torquemada y San Pedro.* Prólogo de Joaquín Casalduero. 18.00

231. PEREZ LUGIN, Alejandro: *La casa de la Troya. Estudiantina.* 8.00

235. PEREZ LUGIN, Alejandro: *Currito de la Cruz.* 12.00

263. PERRAULT, CUENTOS DE: *Griselda. Piel de asno. Los deseos ridículos. La bella durmiente del bosque. Caperucita roja. Barba azul. El gato con botas. Las hadas. Cenicienta. Riquete el del copete. Pulgarcito.* Prólogo de María Edmée Alvarez. . . 10.00

308. PESTALOZZI, Juan Enrique: *Cómo Gertrudis enseña a sus hijos. Cartas sobre la educación de los niños. Libros de educación elemental.* Prólogos, estudio introductivo y preámbulos de las obras por Edmundo Escobar. 8.00

369. PESTALOZZI, Juan Enrique: *Canto del cisne.* Estudio preliminar de José Manuel Villalpando. 12.00

492. PETRARCA: *Cancionero. Triunfos.* Prólogo de Ernst Hatch Wilkins. . . . . . N$15.00

221. PEZA, Juan de Dios: *Hogar y patria. El arpa del amor.* Noticia preliminar de Porfirio Martínez Peñalosa. 12.00

224. PEZA, Juan de Dios: *Recuerdos y esperanzas. Flores del alma y versos festivos.* . . . 12.00

557. PEZA, Juan de Dios: *Leyendas históricas tradicionales y fantásticas de las calles de la ciudad de México.* Prólogo de Isabel Quiñónez. 15.00

594. PEZA, Juan de Dios: *Memorias. Reliquias y retratos.* Prólogo de Isabel Quiñonez. 12.00

248. PINDARO: *Odas. Olímpicas. Píticas. Nemeas. Istmicas y fragmentos de otras obras de Píndaro. Otros líricos griegos: Arquíloco. Tirteo. Alceo. Safo. Simónides de Ceos. Anacreonte. Baquílides.* Estudio preliminar de Francisco Montes de Oca. 10.00

13. PLATON: *Diálogos.* Estudio preliminar de Francisco Larroyo. 28.00

139. PLATON: *Las leyes. Epinomis. El político.* Estudio introductivo y preámbulos a los diálogos de Francisco Larroyo. 25.00

258. PLAUTO: *Comedias: Los mellizos. El militar fanfarrón. La olla. El gorgojo. Anfitrión. Los cautivos.* Estudio preliminar de Francisco Montes de Oca. 12.00

26. PLUTARCO: *Vidas paralelas.* Introducción de Francisco Montes de Oca. 22.00

564. POBREZA Y RIQUEZA. En obras selectas del cristianismo primitivo por Carlos Ignacio González S. J. 12.00

210. POE, Edgar Allan: *Narraciones extraordinarias. Aventuras de Arturo Gordon. Pym. El cuervo.* Prólogo de Ma. Elvira Bermúdez. 12.00

85. POEMA DE MÍO CID. Versión antigua, con prólogo y versión moderna de Amancio Bolaño e Isla. Seguida del **ROMANCERO DEL CID.** 9.00

102. POESÍA MEXICANA. Selección de Francisco Montes de Oca. 25.00

371. POLO, Marco: *Viajes.* Introducción de María Elvira Bermúdez. 10.00

510. PONSON DU TERRAIL, Pierre Alexis: *Hazañas de Rocambole. Tomo I.* 20.00

511. PONSON DU TERRAIL, Pierre Alexis: *Hazañas de Rocambole. Tomo II.* 20.00

518. PONSON DU TERRAIL, Pierre Alexis: *La resurrección de Rocambole. Tomo I.* Continuación de "Hazañas de Rocambole". 20.00

519. PONSON DU TERRAIL, Pierre Alexis: *La resurrección de Rocambole. Tomo II.* Continuación de "Hazañas de Rocambole". 20.00

36. POPOL WUJ. Antiguas historias de los indios Quichés de Guatemala. Ilustradas con dibujos de los códices mayas. Advertencia, versión y vocabulario de Albertina Saravia E. 15.00

150. PRESCOTT, William H.: *Historia de la conquista de México.* Anotada por Don Lucas Alemán. Con notas, críticas y esclarecimientos de Don José Fernando Ramírez. Prólogo y apéndices por Juana A. Ortega y Medina. 30.00

198. PRIETO, Guillermo: *Musa callejera.* Prólogo de Francisco Monterde. 10.00

450. PRIETO, Guillermo: *Romancero nacional.* Prólogo de Ignacio M. Altamirano. . 15.00

481. PRIETO, Guillermo: *Memorias de mis tiempos.* Prólogo de Horacio Labastida. . 15.00

54. PROVERBIOS DE SALOMÓN Y SABIDURÍA DE JESÚS BEN SIRAK. Versión directa de los originales por Angel María Garibay K. 12.00

QUEVEDO, Francisco de: Véase: **Lazarillo de Tormes**

646. QUEVEDO, Francisco de: *Poesía.* Introducción de Jorge Luis Borges. 20.00

332. QUEVEDO Y VILLEGAS, Francisco de: *Sueños. El sueño de las calaveras. El alguacil alguacilado. Las zahúrda de Plutón. Visita de los chistes. El mundo por dentro. La hora de todos y la fortuna con seso. Poesías.* Introducción de Arturo Souto A. 15.00

97. QUIROGA, Horacio: *Cuentos.* Selección, estudio preliminar y notas críticas e informativas por Raimundo Lazo. 10.00

347. QUIROGA, Horacio: *Más cuentos.* Introducción de Arturo Souto A. 9.00

360. RABELAIS: *Garg. . . . . antagruel. Vida de Rabeláis* por **Anatole France.** Ilustraciones de Gustavo Doré. 25.00

219. RABINAL-ACHI: *El varón de Rabinal. Ballet-drama de los indios Quichés de Guatemala.* Traducción y prólogo de Luis Cardoza y Aragón. . . . . N$10.00

RANGEL, Nicolás. Véase: **URBINA, Luis G.**

366. REED, John: *México insurgente. Diez días que estremecieron al mundo.* Prólogo de Juan de la Cabada. 13.00

597. RENAN, Ernesto: *Marco Aurelio y el fin del mundo antiguo.* Precedido de la plegaria sobre la acrópolis. 18.00

101. RIVA PALACIO, Vicente: *Cuentos del general.* Prólogo de Clementina Díaz y de Ovando. 10.00

474. RIVA PALACIO, Vicente: *Las doce emparedadas. Memorias de los tiempos de la inquisición.* 12.00

476. RIVA PALACIO, Vicente: *Calvario y Tabor.* 12.00

507. RIVA PALACIO, Vicente: *La vuelta de los muertos.* 12.00

162. RIVA, Duque de: *Don Alvaro o la fuerza del Sino. Romances históricos.* Prólogo de Antonio Magaña Esquivel. 10.00

172. RIVERA, José Eustasio: *La vorágine.* Prólogo de Cristina Barros Stivalet. 12.00

87. RODO, José Enrique: *Ariel. Liberalismo y Jacobinismo. Ensayos: Rubén Darío, Bolívar, Montalvo.* Estudio preliminar, índice biográfico-cronológico y resumen bibliográfico por Raimundo Lazo. 6.00

115. RODO, José Enrique: *Motivos de Proteo y nuevos motivos de Proteo.* Prólogo de Raimundo Lazo. 18.00

88. ROJAS, Fernando de: *La Celestina.* Prólogo de Manuel de Ezcurdia. Con una cronología y dos glosarios. 7.00

ROMANCERO DEL CID. Véase: **Poema de Mío Cid**

ROSAS MORENO: Véase: **Fábulas**

328. ROSTAND, Edmundo: *Cyrano de Bergerac.* Prólogo, estudio y notas de Angeles Mendieta Alatorre. 8.00

440. ROTTERDAM, Erasmo de: *Elogio de la locura. Coloquios. Erasmo de Rotterdam.* Por Johan Huizinga. 10.00

113. ROUSSEAU, Juan Jacobo: *El contrato social o principios de Derecho Político. Discurso sobre las ciencias y las artes. Discurso sobre el origen de la desigualdad.* Estudio preliminar de Daniel Moreno. 8.00

159. ROUSSEAU, Juan Jacobo: *Emilio o de la educación.* Estudio preliminar de Daniel Moreno. 12.00

470. ROUSSEAU, Juan Jacobo: *Confesiones.* Prólogo de Jeanne Renée Becker. 12.00

265. RUEDA, Lope de: *Teatro completo. Eufemia. Armelina. De los engañados. Medora. Colloquio de Camelia. Colloquio de Tymbria. Diálogo sobre la invención de las Calcas. El deleitoso. Registro de representantes. Colloquio llamado prendas de amor. Colloquio en verso. Comedia llamada discordia y questión de amor. Auto de Naval y Abigail. Auto de los desposorios de Moisén. Farsa del sordo.* Introducción de Arturo Souto A. 12.00

10. RUIZ DE ALARCON, Juan: *Cuatro comedias. Las paredes oyen. Los pechos privilegiados. La verdad sospechosa. Ganar amigos.* Estudio, texto y comentarios de Antonio Castro Leal. 15.00

451. RUIZ DE ALARCON, Juan: *El examen de maridos. La prueba de las promesas. Mudarse por mejorarse. El tejedor de Segovia.* Prólogo de Alfonso Reyes. 12.00

RUIZ IRIARTE: Véase: **Teatro Español Contemporáneo**

51. SABIDURÍA DE ISRAEL. TRES OBRAS DE LA CULTURA JUDÍA. Traducciones directas de Angel María Garibay K. 10.00

SABIDURÍA DE JESÚS BEN SIRAK: Véase: **PROVERBIOS DE SALOMÓN.**

300. SAHAGUN, Fr. Bernardino de: *Historia general de las cosas de la Nueva España.* La dispuso para la prensa en esta nueva edición, con numeración, anotaciones y apéndices Angel María Garibay K. 50.00

299. SAINT-EXUPERY, Antoine de: *El principito.* Nota preliminar y traducción de María de los Angeles Porrúa. . . . . N$7.00
322. SAINT-PIERRE, Bernardino de: *Pablo y Virginia.* Introducción de Arturo Souto A. 15.00
456. SALADO ALVAREZ, Victoriano: *Episodios Nacionales: Santa Anna. La reforma. La intervención. El imperio: sus alteza serenísima. Memorias de un Polizonte.* Prólogo biográfico de Ana Salado Alvarez. 12.00
460. SALADO ALVAREZ, Victoriano: *Episodios Nacionales: Santa Anna. La reforma. La intervención. El imperio: el golpe de estado. Los mártires de Tacubaya.* 12.00
464. SALADO ALVAREZ, Victoriano: *Episodios Nacionales: Santa Anna. La reforma. La intervención. El imperio: la reforma. El plan de pacificación.* 12.00
466. SALADO ALVAREZ, Victoriano: *Episodios Nacionales: Santa Anna. La reforma. La intervención. El imperio: las ranas pidiendo rey. Puebla.* 12.00
468. SALADO ALVAREZ, Victoriano: *Episodios Nacionales: Santa Anna. La reforma. La intervención. El imperio: la Corte de Maximiliano. Orizaba.* 12.00
469. SALADO ALVAREZ, Victoriano: *Episodios Nacionales: Santa Anna. La reforma. La intervención. El imperio: Porfirio Díaz. Ramón Corona.* 12.00
471. SALADO ALVAREZ, Victoriano: *Episodios Nacionales: Santa Anna. La reforma. La intervención. El imperio: la emigración. Querétaro.* 12.00
477. SALADO ALVAREZ, Victoriano: *Memorias. Tiempo viejo. Tiempo Nuevo.* Nota preliminar de José Emilio Pacheco. Prólogo de Carlos González Peña. 16.00
220. SALGARI, Emilio: *Sandokan. La mujer del pirata.* Prólogo de María Elvira Bermúdez. 10.00
239. SALGARI, Emilio: *Los piratas de la Malasia. Los estranguladores.* Nota preliminar de María Elvira Bermúdez. 12.00
242. SALGARI, Emilio: *Los dos rivales. Los tigres de la Malasia.* Nota preliminar de María Elvira Bermúdez. 12.00
257. SALGARI, Emilio: *El rey del mar. La reconquista de Mompracem.* Nota preliminar de María Elvira Bermúdez. 10.00
264. SALGARI, Emilio: *El falso Bracman. La caída de un imperio.* Nota preliminar de María Elvira Bermúdez. 10.00
267. SALGARI, Emilio: *En los junglares de la India. El desquite de Yáñez.* Nota preliminar de María Elvira Bermúdez. 10.00
292. SALGARI, Emilio: *El capitán Tormenta. El León de Damasco.* Nota preliminar de María Elvira Bermúdez. 10.00
296. SALGARI, Emilio: *El hijo del León de Damasco. La galera del Bajá.* Nota preliminar de María Elvira Bermúdez. 10.00
302. SALGARI, Emilio: *El corsario negro. La venganza.* Nota preliminar de María Elvira Bermúdez. 10.00
306. SALGARI, Emilio: *La reina de los caribes. Honorata de Wan Guld.* 10.00
312. SALGARI, Emilio: *Yolanda. Morgan.* 10.00
363. SALGARI, Emilio: *Aventuras entre los pieles rojas. El rey de la pradera.* Prólogo de María Elvira Bermúdez. 12.00
376. SALGARI, Emilio. *En las fronteras del Far-West. La cazadora de cabelleras.* Prólogo de María Elvira Bermúdez. 12.00
379. SALGARI, Emilio: *La soberana del campo de oro. El rey de los cangrejos.* Prólogo de María Elvira Bermúdez. 12.00
465. SALGARI, Emilio: *Las "Panteras" de Argel. El filtro de los Califas.* Prólogo de María Elvira Bermúdez. 10.00
517. SALGARI, Emilio: *Los náufragos del Liguria. Devastaciones de los piratas.* 10.00
533. SALGARI, Emilio: *Los mineros de Alaska. Los pescadores de ballenas.* 10.00
535. SALGARI, Emilio: *La campana de plata. Los hijos del aire.* 10.00
536. SALGARI, Emilio: *El desierto de fuego. Los bandidos del Sahara.* 10.00

537. **SALGARI, Emilio:** *Los barcos filibusteros.* . . . . N$10.00
538. **SALGARI, Emilio:** *Los misterios de la selva. La costa de márfil.* 10.00
540. **SALGARI, Emilio:** *La favorita del Mahdi. El profeta del Sudan.* 10.00
542. **SALGARI, Emilio:** *El capitán de la "D'Jumna". La montaña de luz.* 10.00
544. **SALGARI, Emilio:** *EL hijo del corsario rojo.* 10.00
547. **SALGARI, Emilio:** *La perla roja. Los pescadores de perlas.* 10.00
553. **SALGARI, Emilio:** *El mar de las perlas. La perla del río rojo.* 10.00
554. **SALGARI, Emilio:** *Los misterios de la India.* 10.00
559. **SALGARI, Emilio.** *Los horrores de Filipinas.* 10.000
560. **SALGARI, Emilio:** *Flor de las perlas. Los cazadores de cabezas.* 10.00
561. **SALGARI, Emilio:** *Las hijas de los faraones. El sacerdote de Phtah.* 10.00
562. **SALGARI, Emilio:** *Los piratas de las Bermudas. Dos abordajes.* 12.00
563. **SALGARI, Emilio:** *Nuevas aventuras de cabeza de piedra. El castillo de Montecarlo.* 10.00
567. **SALGARI, Emilio:** *La capitana del Yucatán. La heroína de Puerto Arturo.* Nota preliminar de María Elvira Bermúdez. 10.00
579. **SALGARI, Emilio:** *Un drama en el Océano Pacífico. Los solitarios del Océano.* . . 12.00
583. **SALGARI, Emilio:** *Al Polo Norte a bordo del "Taimyr".* 10.00
585. **SALGARI, Emilio:** *El continente misterioso. El esclavo de Madagascar.* 12.00
288. **SALUSTIO:** *La conjuración de Catilina. La guerra de Jugurta.* Estudio preliminar de Francisco Montes de Oca. 10.00

SAMANIEGO: Véase: **Fábulas**

393. **SAMOSATA, Luciano de:** *Diálogos. Historia verdadera.* Introducción de Salvador Marichalar. 20.00
59. **SAN AGUSTIN:** *La ciudad de Dios.* Introducción de Francisco Montes de Oca. . . 25.00
142. **SAN AGUSTIN:** *Confesiones.* Versión, introducción y notas de Francisco Montes de Oca. 10.00
40. **SAN FRANCISCO DE ASIS.** *Florecillas.* Introducción de Francisco Montes de Oca. 10.00
228. **SAN JUAN DE LA CRUZ:** *Obras completas. Subida del Monte Carmelo. Noche oscura. Cántico espiritual. Llama de amor viva. Poesías.* Prólogo de Gabriel de la Mora. 15.00
199. **SAN PEDRO, Diego de:** *Cárcel de amor. Arnalde e Lucenda. Sermón. Poesías. Desprecio de la fortuna. Seguidas de questión de amor.* Introducción de Arturo Souto A. 15.00

SANCHEZ DE BADAJOZ: Véase: **Autos Sacramentales**

50. **SANTA TERESA DE JESUS:** *Las moradas. Libro de su vida.* Biografía de Juana de Ontañón. 15.00
645. **SANTAYANA, George:** *Tres poetas filósofos. Lucrecio - Dante -Goethe. Diálogos en el Limbo.* Breve historia de mis opiniones de George Santayan. 20.00
49. **SARMIENTO, Domingo F.:** *Facundo. Civilización y Barbarie. Vida de Juan Facundo Quiroga.* Ensayo preliminar e índice cronológico por Raimundo Lazo. 10.00

SASTRE: Véase: **Teatro Español Contemporáneo**

138. **SCOTT, Walter:** *Ivanhoe o El Cruzado.* Introducción de Arturo Souto A. 10.00
409. **SCOTT, Walter:** *El monasterio.* Prólogo de Henry Thomas. 12.00
416. **SCOTT, Walter:** *El pirata.* Prólogo de Henry Thomas. 12.00
401. **SCHILLER, Federico:** *María Estuardo. La doncella de Orleans. Guillermo Tell.* Prólogo de Alfredo S. Barca. 12.00
434. **SCHILLER, Federico:** *Don Carlos. La conjuración de Fiesco. Intriga y amor.* Prólogo de Wilhelm Dilthey. 12.00
458. **SCHILLER, Federico:** *Wallenstein. El campamento de Wallenstein. Los Piccolomini. La muerte de Wallenstein. La novia de Mesina.* Prólogo de Wilhelm Dilthey. 12.00
419. **SCHOPENHAUER, Arturo:** *El mundo como voluntad y representación.* Introducción de E. Friedrick Sauer. 15.00

455. **SCHOPENHAUER, Arthur:** *La sabiduría de la vida. En torno a la filosofía. El amor, las mujeres, la muerte y otros temas.* Prólogo de Abraham Waismann. Traducción del alemán por Eduardo González Blanco. N$15.00

603. **SCHWOB, Marcel:** *Vidas imaginarias. La cruzada de los niños.* Prólogo de José Emilio Pacheco. 15.00

281. **SENECA:** *Tratados filosóficos. Cartas.* Estudio preliminar de Francisco Montes de Oca. 12.00

437. **SERTILANGES, A. D.:** *La vida intelectual.* **GUITTON, Jean:** *El trabajo intelectual.* 15.00

86. **SHAKESPEARE:** *Hamlet. Penas por amor perdidas. Los dos hidalgos de Verona. Sueño de una noche de verano. Romeo y Julieta.* Con notas preliminares y dos cronologías. 12.00

94. **SHAKESPEARE:** *Otelo. La fierecilla domada. Y vuestro gusto. El rey Lear.* Con notas preliminares y dos cronologías. 8.00

96. **SHAKESPEARE:** *Macbeth. El mercader de Venecia. Las alegres comadres de Windsor. Julio César. La tempestad.* Con notas preliminares y dos cronologías. 8.00

SHOLOJOV: Véase: **Cuentos Rusos**

160. **SIENKIEWICZ, Enrique:** *Quo vadis?* Prólogo de José Manuel Villalaz. 15.00

146. **SIERRA, Justo:** *Juárez: su vida y su tiempo.* Introducción de Agustín Yáñez. . . . 15.00

515. **SIERRA, Justo:** *Evolución política del pueblo mexicano.* Prólogo de Alfonso Reyes12.00

81. **SITIO DE QUERÉTARO:** Según protagonistas y testigos. Selección y notas introductorias de Daniel Moreno. 20.00

14. **SOFOCLES:** *Las siete tragedias.* Versión directa del griego con una introducción de Angel María Garibay K. 9.00

89. **SOLIS Y RIVADENEIRA, Antonio de:** *Historia de la conquista de México.* Prólogo y apéndices de Edmundo O'Gorman. Notas de José Valero. 20.00

472. **SOSA, Francisco:** *Biografías de mexicanos distinguidos. (Doscientas noventa y cuatro).* 20.00

319. **SPINOZA:** *Etica. Tratado teológico-político.* Estudio introductivo, análisis de las obras y revisión del texto por Francisco Larroyo. 20.00

105. **STENDHAL:** *La cartuja de Parma.* Introducción de Francisco Montes de Oca. . . 10.00

359. **STENDHAL:** *Rojo y negro.* Introducción de Francisco Montes de Oca. 15.00

110. **STEVENSON, R. L.:** *La isla del tesoro. Cuentos de los mares del sur.* Prólogo de Sergio Pitol. 10.00

72. **STOWE, Harriet Beecher:** *La cabaña del tío Tom.* Introducción de Daniel Moreno. 10.00

525. **SUE, Eugenio:** *Los misterios de París. Tomo I.* 20.00

526. **SUE, Eugenio:** *Los misterios de París. Tomo II.* 20.00

628-629. **SUE, Eugenio:** *El judío errante. 2 Tomos.* 100.00

355. **SUETONIO:** *Los doce Césares.* Introducción de Francisco Montes de Oca. 12.00

SURGUCHOV. Véase: **Cuentos Rusos**

196. **SWIFT, Jonathan:** *Viajes de Gulliver.* Traducción, prólogo y notas de Monserrat Alfau. 9.00

291. **TACITO, Cornelio:** *Anales.* Estudio preliminar de Francisco Montes de Oca. . . . 12.00

33. **TAGORE, Rabindranath:** *La luna nueva. El jardinero. El cartero del rey. Las piedras hambrientas y otros cuentos.* Estudio de Daniel Moreno. 12.00

232. **TARACENA, Alfonso:** *Francisco I. Madero.* 12.00

386. **TARACENA, Alfonso:** *José Vasconcelos.* 12.00

610. **TARACENA, Alfonso:** *La verdadera Revolución Mexicana. (1901-1911).* Prólogo de José Vasconcelos. 35.00

611. **TARACENA, Alfonso:** *La verdadera Revolución Mexicana. (1912-1914).* Palabras de Sergio Golwarz. 35.00

612. **TARACENA, Alfonso:** *La verdadera Revolución Mexicana. (1915-1917).* Palabras de Jesús González Schmal. 35.00

613. TARACENA, Alfonso: *La verdadera Revolución Mexicana. (1918-1921).* Palabras de Enrique Krauze. . . . . N$35.00
614. TARACENA, Alfonso: La verdadera Revolución Mexicana. (1922-1924). Palabras de Ceferino Palencia. 35.00
615. TARACENA, Alfonso: *La verdadera Revolución Mexicana. (1925-1927).* Palabras de Alfonso Reyes. 35.00
616. TARACENA, Alfonso: *La verdadera Revolución Mexicana. (1928-1929).* Palabras de Rafael Solana, Jr. 35.00
617. TARACENA, Alfonso: *La verdadera Revolución Mexicana. (1930-1931).* Palabras de José Muñoz Cota. 35.00
618. TARACENA, Alfonso: *La verdadera Revolución Mexicana. (1932-1934).* Palabras de Martín Luis Guzmán. 35.00
619. TARACENA, Alfonso: *La verdadera Revolución Mexicana. (1935-1936).* Palabras de Enrique Alvarez Palacios. 35.00
620. TARACENA, Alfonso: *La verdadera Revolución Mexiana. (1937-1940).* Palabras de Carlos Monsiváis. 35.00
TASIN: Véase: **Cuentos Rusos**
403. TASSO, Torcuato: *Jerusalén libertada.* Prólogo de M. Th. Laignel. 12.00
325. TEATRO ESPAÑOL CONTEMPORÁNEO: BENAVENTE: *Los intereses creados. La malquerida.* **MARQUINA.** *En Flandes se ha puesto el sol.* **HNOS. ALVAREZ QUINTERO:** *Malvaloca.* **VALLE INCLAN:** *El embrujado.* **UNAMUNO:** *Sombras de sueño.* **GARCIA LORCA:** *Bodas de sangre.* Introducción y anotaciones por Joseph W. Zdenek y Guillermo I. Castillo-Feliú. 15.00
330. Teatro Español Contemporáneo: LOPEZ RUBIO: *Celos del aire.* **MIHURA:** *Tres sombreros de copa.* **LUCA DE TENA:** *Don José, Pepe y Pepito.* **SASTRE:** *La mordaza.* **CALVO SOTELO:** *La muralla.* **PEMAN:** *Los tres etcéteras de Don Simón.* **NEVILLE:** *Alta fidelidad.* **PASO:** *Cosas de papá y mamá.* **OLMO:** *La camisa.* **RUIZ IRIARTE:** *Historia de un adulterio.* Introducción y anotaciones por Joseph W. Zdenek y Guillermo I. Castillo-Feliú. 15.00
350. TEIXIDOR, Felipe: *Viajeros mexicanos. (Siglos XIX y XX).* 15.00
37. TEOGONÍA E HISTORIA DE LOS MEXICANOS. Tres opúsculos del Siglo XVI. Edición de Angel M. Garibay K. 10.00
253. TERENCIO: *Comedias: La andriana. El eunuco. El atormentador de sí mismo. Los hermanos. La suegra. Formión.* Estudio preliminar de Francisco Montes de Oca. 10.00
TIMONEDA: Véase: **Autos Sacramentales**
201. TOLSTOI, León: *La guerra y la paz. De "La guerra y la paz"* por Eva Alexandra Uchmany. 45.00
205. TOLSTOI, León: *Ana Karenina.* Prólogo de Fedro Guillén. 25.00
295. TOLSTOI, León. *Cuentos escogidos.* Prólogo de Fedro Guillén. 12.00
394. TOLSTOI, León: *Infancia-Adolescencia-Juventud. Recuerdos.* Prólogo de Salvador Marichalar. 20.00
413. TOLSTOI, León: Resurrección. Prólogo de Emilia Pardo Bazán. 20.00
463. TOLSTOI, León: *Los Cosacos. Sebastopol. Relatos de guerra.* Prólogo de Jaime Torres Bodet. 12.00
479. TORRE VILLAR, Ernesto de la: *Los Guadalupes y la independencia.* Con una selección de documentos inéditos. 10.00
550. TRAPE, Agostino: *San Agustín. El hombre, el pastor, el místico.* Presentación y traducción de Rafael Gallardo García O.S.A. 15.00
290. TUCIDIDES: *Historia de la guerra del Peloponeso.* Introducción de Edmundo O'Gorman. 20.00
453. TURGUENEV, Iván: *Nido de Hidalgos. Primer amor. Aguas primaverales.* Prólogo de Emilia Pardo Bazán. 12.00

TURGUENEV: Véase: **Cuentos Rusos**

591. **TURNER, John Kenneth.** *México bárbaro.* . . . . N$12.00

209. **TWAIN, Mark:** *Las aventuras de Tom Sawyer.* Introducción de Arturo Souto A. . . 6.00

337. **TWAIN, Mark:** *El príncipe y el mendigo.* Introducción de Arturo Souto A. 10.00

UCHMANY, Eva: Véase: **TOLSTOI, León**

UNAMUNO, Miguel de. Véase: **Teatro Español Contemporáneo**

384. **UNAMUNO, Miguel de:** *Cómo se hace una novela. La tía Tula. San Manuel bueno, o mártir y tres historias más.* Retrato de Unamuno por J. Cassou y comentarios de Unamuno. 12.00

388. **UNAMUNO, Miguel de.** *Niebla. Abel Sánchez.* Tres novelas ejemplares y un prólogo. 15.00

402. **UNAMUNO, Miguel de:** *Del sentimiento trágico de la vida. La agonía del cristianismo.* Introducción de Ernst Robert Curtius. 10.00

408. **UNAMUNO, Miguel de:** *Por tierras de Portugal y España. Andanzas y visiones españolas.* Introducción de Ramón Gómez de la Serna. 12.00

417. **UNAMUNO, Miguel de:** *Vida de Don Quijote y Sancho. En torno al casticismo.* Introducción de Salvador de Madariaga. 9.00

523. **UNAMUNO, Miguel de:** *Antología poética.* Prólogo de Arturo Souto A. 15.00

480. **URBINA, Luis G. y otros:** *Antología del centenario.* Estudio documentado de la literatura mexicana durante el primer siglo de independencia 1800-1821. Obra compilada bajo la dirección de Don Justo Sierra. 20.00

237. **USIGLI, Rodolfo:** *Corona de sombra. Corona de fuego. Corona de luz.* 18.00

52. **VALDES, Juan de:** *Diálogo de la lengua.* Prólogo de Juan M. Lope Blanch. 10.00

VALDIVIELSO: Véase: **Autos Sacramentales**

56. **VALERA, Juan:** *Pepita Jiménez y Juanita la Larga.* Prólogo de Juana de Ontañón. . 10.00

190. **VALMIKI:** *El Ramayana.* Prólogo de Teresa E. Rohde. 9.00

135. **VALLE-INCLAN, Ramón del:** *Sonata de primavera. Sonata de estío. Sonata de otoño. Sonata de invierno. (Memorias del Marqués de Bradomín.* Estudio preliminar de Allen W. Phillips. 12.00

287. **VALLE-INCLAN, Ramón del:** *Tirano Banderas.* Introducción de Arturo Souto A. . 8.00

VALLE-INCLAN, Ramón del. Véase: **Teatro Español Contemporáneo**

55. **VARGAS MARTINEZ, Ubaldo:** *Morelos: siervo de la nación.* 15.00

95. **VARONA, Enrique José:** *Textos escogidos.* Ensayo de interpretación, acotaciones y selección de Raimundo Lazo. 15.00

425. **VEGA, Garcilaso de la y BOSCAN, Juan:** *Poesías completas.* Prólogo de Dámaso Alonso. 18.00

439. **VEGA, Garcilaso de la "El Inca":** *Comentarios reales.* Introducción de José de la Riva-Agüero. 18.00

217. **VELA, Arqueles:** *El modernismo. Su filosofía. Su ética. Su técnica.* 15.00

243. **VELA, Arqueles:** *Análisis de la expresión literaria.* 12.00

339. **VELEZ DE GUEVARA, Luis:** *El diablo cojuelo. Reinas después de morir.* Introducción de Arturo Souto A. 10.00

111. **VERNE, Julio:** *De la tierra a la luna. Alrededor de la luna.* Prólogo de María Elvira Bermúdez. 10.00

114. **VERNE, Julio:** *Veinte mil leguas de viaje submarino.* Nota de María Elvira Bermúdez. 12.00

116. **VERNE, Julio:** *Viaje al centro de la tierra. El doctor Ox. Maese Zacarías. Un drama en los aires.* Nota de María Elvira Bermúdez. 12.00

123. **VERNE, Julio.** *La isla misteriosa.* Nota de María Elvira Bermúdez. 15.00

168. **VERNE, Julio:** *La vuelta al mundo en 80 días. Las tribulaciones de un chino en China.* 12.00

180. **VERNE, Julio:** *Miguel Strogoff.* Con una biografía de Julio Verne por María Elvira Bermúdez. 10.00

183. VERNE, Julio: *Cinco semanas en globo.* Prólogo de María Elvira Bermúdez. . . N$8.00
186. VERNE, Julio: *Un capitán de quince años.* Prólogo de María Elvira Bermúdez. 12.00
189. VERNE, Julio: *Dos años de vacaciones.* Prólogo de María Elvira Bermúdez. . . . 10.00
260. VERNE, Julio: *Los hijos del capitán Grant.* Nota preliminar de María Elvira Bermúdez. 12.00
361. VERNE, Julio. *El castillo de los Carpatos. Las indias negras. Una ciudad flotante.* Nota preliminar de María Elvira Bermúdez. 12.00
404. VERNE, Julio: *Historia de los grandes viajes y los grandes viajeros.* 15.00
445. VERNE, Julio: *Héctor Servadac.* Prólogo de María Elvira Bermúdez. 15.00
509. VERNE, Julio: *La Jangada. Ochocientas leguas por el Río de las Amazonas.* 12.00
513. VERNE, Julio: *Escuela de los Robinsones.* Nota preliminar de María Elvira Bermúdez. 12.00
539. VERNE, Julio: *Norte contra Sur.* 10.00
541. VERNE, Julio. *Aventuras del capitán Hatteras. Los ingleses en el Polo Norte. El desierto de hielo.* 12.00
543. VERNE, Julio: *El país de las pieles.* 10.00
551. VERNE, Julio: *Kerabán el testarudo.* 10.00
552. VERNE, Julio: *Matías Sandorf.* Novela laureada por la Academia Francesa. . . . 12.00
569. VERNE, Julio: *El archipiélago de fuego. Clovis Dardentor. De Glasgow a Charleston. Una invernada entre los hielos.* 12.00
570. VERNE, Julio: *Los amotinados de la Bounty. Mistress Branican.* 10.00
571. VERNE, Julio: *Un drama en México. Aventuras de tres rusos y de tres ingleses en el Africa Austral. Claudio Bombarnac.* 12.00
575. VERNE, Julio: *César Cascabel.* 12.00
VIDA DEL BUSCÓN DON PABLOS: Véase: **LAZARILLO DE TORMES**
163. VIDA Y HECHOS DE ESTEBANILLO GONZÁLEZ. Prólogo de Juana de Ontañón. 10.00
227. VILLAVERDE, Cirilo: *Cecilia Valdés. Novela de costumbres cubanas.* Estudio crítico de Raimundo Lazo. 15.00
147. VIRGILIO. *Eneida. Geórgicas. Bucólicas.* Edición revisada por Francisco Montes de Oca. 8.00
261. VITORIA, Francisco de: *Reelecciones. Del estado, de los indios y del derecho de la guerra.* Con una introducción de Antonio Gómez Robledo. 10.00
447. VIVES, Juan Luis: *Tratado de la enseñanza. Introducción a la sabiduría. Escolta del alma. Diálogos. Pedagogía pueril.* Estudio preliminar y prólogos por José Manuel Villalpando. 15.00
27. VOCES DE ORIENTE. Antología de textos literarios del cercano oriente. Traducciones, introducciones, compilación y notas de Angel María Garibay K. 10.00
398. VOLTAIRE: *Cándido. Zadig. El ingenuo. Micrómegas. Memmon y otros cuentos.* Prólogo de Juan Antonio Guerrero. 12.00
634. VON KLEIST, Heinrich. *Michael Kohlhaas y otras narraciones.* Heinrich Von Kleist por Stefan Zewig. 18.00
170. WALLACE, Lewis: *Ben-Hur.* Prólogo de Joaquín Antonio Peñalosa. 12.00
WICKRAM, Jorge: Véase: **ANONIMO**
133. WILDE, Oscar: *El retrato de Dorian Gray. El príncipe feliz. El ruiseñor y la rosa. El crimen de Lord Arthur Saville. El fantasma de Canterville.* Traducción, prólogo y notas de Monserrat Alfau. 14.00
238. WILDE, Oscar: *La importancia de llamarse Ernesto. El abánico de Lady Windermere. Una mujer sin importancia. Un marido ideal. Salomé.* Traducción y prólogo de Monserrat Alfau. 15.00
161. WISEMAN, Cardenal: *Fabiola o la Iglesia de las Catacumbas.* Introducción de Joaquín Antonio Peñalosa. 10.00

90. ZARCO, Francisco: *Escritos literarios.* Selección, prólogo y notas de René Avilés. . . . . N$15.00
546. ZAVALA, Silvio: *Recuerdo de Vasco de Quiroga.* 12.00
269. ZEA, Leopoldo: *Conciencia y posibilidad del mexicano. El occidente y la conciencia de México. Dos ensayos sobre México y lo mexicano.* 10.00
528. ZEVACO, Miguel: *Los Pardaillán. Tomo I: En las garras del monstruo. La espía de la Médicis. Horrible revelión.* 15.00
529. ZEVACO, Miguel: *Los Pardaillán. Tomo II: El círculo de la muerte. El cofre envenenado. La cámara del tormento.* 15.00
530. ZEVACO, Miguel: *Los Pardaillán. Tomo III: Sudor en sangre. La sala de las ejecuciones. La venganza de Fausta.* 15.00
531. ZEVACO, Miguel: *Los Pardaillán. Tomo IV: Una tragedia en la Bastilla. Vida por vida. La crucificada.* 15.00
532. ZEVACO, Miguel: *Los Pardaillán. Tomo V: El vengador de su madre. Juan el Bravo. La hija del Rey Hugonote.* 15.00
548. ZEVACO, Miguel: *Los Pardaillán. Tomo VI: El tesoro de Fausta. La prisionera. La casa misteriosa.* 15.00
555. ZEVACO, Miguel: *Los Pardaillán. Tomo VII: El día de la justicia. El santo oficio. Ante el César.* 15.00
556. ZEVACO, Miguel: *Los Pardaillán. Tomo VIII: Fausta la diabólica. Pardaillán y Fausta. Tallo de lirio.* 15.00
558. ZEVACO, Miguel: *Los Pardillán. Tomo IX: La abandonada. La dama blanca. El fin de los Pardaillán.* 15.00
412. ZOLA, Emilio: *Naná.* Prólogo de Emilia Pardo Bazán. 12.00
414. ZOLA, Emilio: *La taberna.* Prólogo de Guy de Maupassant. 12.00
58. ZORRILLA, José: *Don Juan Tenorio. El puñal del Godo.* Prólogo de Salvador Novo. 10.00
153. ZORRILLA DE SAN MARTIN, Juan: *Tabaré.* Estudio crítico por Raimundo Lazo. 10.00
418. ZWEIG, Stefan: *El mundo de ayer.* 15.00
589. ZWEIG, Stefan: *Impaciencia del corazón.* 10.00

TENEMOS EJEMPLARES ENCUADERNADOS EN TELA

PRECIOS SUJETOS A VARIACION SIN PREVIO AVISO.

EDITORIAL PORRUA, S. A.